Access 97 pour WIindows 95

Livre d'or

Alan Simpson & Elizabeth Olson

Access 97 pour WIindows 95

Livre d'or

Paris . San Francisco . Düsseldorf . Londres . Amsterdam

Traduction : Françoise Otwaschkau

ISBN 2-7361-2799-4

Sommaire

2 Principes des bases de données 39

3 Access en une soirée 49

Introduction

Bienvenue dans le *Livre d'Or Access 97 pour Windows 95*. Cet ouvrage s'adresse tant au néophyte qu'à l'utilisateur confirmé, aspirant à développer des applications personnalisées.

Comme Access, ce livre est destiné aux utilisateurs avertis de Windows. N'en déduisez pas pour autant que seuls les "Windows-maniaques" seront à même d'en appréhender le contenu. Toutefois, si vous venez tout juste de migrer de l'environnement DOS vers l'environnement Windows, ou si vous découvrez pour la première fois ce qu'est un ordinateur, nous vous conseillons de prendre le temps de vous familiariser avec les techniques de base du système d'exploitation de Windows avant d'effectuer un saut quantique vers Access.

Pour rédiger cet ouvrage, nous avons fait tourner Access sous Windows 95 exclusivement, bien que le programme soit également exécutable sous Windows NT. Nous avons d'ailleurs pris le soin d'indiquer les particularités relatives à ce système d'exploitation. En dépit de quelques différences mineures, les procédures que nous décrivons ne devraient normalement poser aucun problème aux utilisateurs de Windows NT.

Vous n'y connaissez rien en gestion de base de données

Pour utiliser efficacement cet ouvrage, il n'est pas indispensable que vous sachiez quoi que ce soit en matière de gestion de base de données ni de programmation. Le Chapitre 1 explique les choses par le commencement. Quant à l'aspect programmation, ne vous affolez pas. La programmation n'est vraiment pas un aspect impératif de l'utilisation de Microsoft Access.

Vous ne connaissez rien d'Access 97, mais vous êtes un vieux routier d'Access

Si vous êtes un utilisateur habituel d'Access, mais envisagez le passage vers Access 97, sachez que chaque chapitre de cet ouvrage se termine par un encadré intitulé "Quoi de neuf ?", qui dresse la liste des fonctionnalités supplémentaires de la nouvelle version.

Si vous disposez de bases de données créées avec des versions précédentes du programme et souhaitez les exploiter sous Access 97, consultez avant tout l'Annexe qui met en exergue les éléments à prendre en considération avant de vous débarrasser de la version précédente du programme et d'opérer la conversion de vos anciennes bases.

Enfin, la fonction d'aide en ligne du programme dresse la liste des nouveautés. Après l'installation d'Access, ouvrez tout simplement le livre Nouveautés du sommaire de l'aide et consultez ses rubriques et sous-rubriques. Le Chapitre 1 vous explique comment accéder à cette aide en ligne.

Un accent particulier sur la création d'applications

Microsoft Access est une application très puissante dont les divers aspects sont commentés en long et en large dans le fichier d'aide. Plutôt que de constituer une redite de ce fichier, le présent ouvrage a opté pour une double orientation : d'une part, décrire l'usage d'Access au quotidien et, d'autre part, expliquer comment utiliser le produit pour le développement d'applications personnalisées. À ces fins, nous avons structuré notre livre comme suit :

Partie 1 : Tour d'horizon - Cette première partie s'adresse aux utilisateurs avertis de Windows qui ignorent tout des systèmes de gestion de bases de données en général, et d'Access en particulier. Nous y présentons les notions fondamentales incontournables et y proposons une visite guidée du produit.

Partie 2 : Créer une base de données - Cette deuxième partie décrit les objets de base d'Access que vous créez afin de pouvoir gérer vos données, c'est-à-dire les tables, les requêtes, les formulaires et les états. Les informations que nous livrons dans ce chapitre intéresseront tous les lecteurs, de l'utilisateur occasionnel au développeur d'applications.

Partie 3 : Administrer et optimiser votre base de données - Cette troisième partie vous apprend à personnaliser Access ainsi qu'à optimiser, administrer et répliquer vos bases de données ; elle traite, en outre, des fonctionnalités propres à l'utilisation en réseau et à la sécurité.

Partie 4 : Créer une application personnalisée - Nombreux sont les utilisateurs d'Access qui se rendent compte qu'au prix d'un tout petit effort, ils pourraient convertir une base de données quelconque en une application Windows indépendante et conviviale. La quatrième partie de cet ouvrage envisage cet aspect des choses, c'est-à-dire la conception d'applications personnalisées.

Partie 5 : Peaufiner une application personnalisée - La cinquième et dernière partie s'adresse plus particulièrement aux développeurs d'applications qui aimeraient aller plus loin, en programmation Visual Basic notamment.

Caractéristiques de cet ouvrage

Pour faciliter votre apprentissage et vous aider à localiser les informations que vous recherchez, ce livre vous propose :

- **Des remarques, des astuces, et des avertissements** : Vous y découvrirez des idées originales, des raccourcis, des références aux sujets connexes et des mises en garde qui devraient idéalement vous engager à réfléchir deux fois avant d'agir.
- **Des encadrés** : Disséminés dans ce livre, des encadrés vous fournissent des renseignements précieux visant à vous rendre plus opérationnel dans Microsoft Access ainsi que dans Windows 95.
- **Quoi de neuf ?** : Les "Quoi de neuf ?" présentés systématiquement en fin de chapitre sont destinés aux utilisateurs de la version précédente qui souhaitent, en un clin d'oeil, savoir à quel niveau se situent les nouveautés de la version 97.
- **Access en une soirée (Chapitre 3) :** Il s'agit là d'une visite guidée du programme qui vous fait faire le tour du propriétaire.
- **À propos d'Access 97, d'Office 97, de Windows 95 et d'Internet (Chapitre 4)** : Ce chapitre met en évidence les caractéristiques communes des trois produits que sont Access, Office et Windows. Il vous permet, d'une part, de progresser plus rapidement dans Access et souligne, d'autre part, les avantages qu'offre l'intégration des différents programmes qui composent Microsoft Office. Il vous apprend également à créer des liens hypertextes entre vos bases de données Access et le Web !

- **CD-ROM** : Le disque CD-ROM qui accompagne cet ouvrage contient différents outils, démos, domaine public et bases de données exemple.

Conventions utilisées dans cet ouvrage

Nous avons utilisé la terminologie Access classique. Toutefois, pour représenter une série de commandes ou d'options que vous devez enchaîner pour exécuter une tâche donnée, nous avons résolu de vous présenter les articles dans l'ordre dans lequel vous devez les invoquer, en les séparant par une barre oblique.

Ainsi, l'instruction "Choisissez Édition/Coller" signifie "Déroulez le menu *Édition* et sélectionnez-y la commande *Coller*" (en utilisant votre souris ou en tapant au clavier la lettre soulignée correspondante). Quant à "Choisissez Démarrer/Programmes/Microsoft Access", elle vous enjoint de cliquer sur le bouton *Démarrer* de la barre des tâches de Windows, de choisir *Programmes* dans le menu qui s'affiche, puis de désigner dans ce menu l'option *Microsoft Access* (de nouveau, avec votre souris ou avec votre clavier). Vous avez ainsi sous les yeux la séquence exacte des actions que vous devez mener et devriez, en toute logique, la mémoriser plus facilement.

Par ailleurs, nous avons très souvent représenté, dans la marge, des boutons de barres d'outils et des symboles divers. Les barres d'outils d'Access mettent à portée de votre souris des raccourcis exécutant les principales actions du programme. Ainsi, un clic sur le bouton Imprimer (représenté à gauche) vous permet de procéder à l'impression de l'élément sélectionné (table, requête, formulaire, macro ou module). Ces icônes placées en marge sont souvent présentées lorsque le bouton est mentionné pour la première fois dans le chapitre.

Remerciements

Nous sommes ravis que vous ayez choisi cet ouvrage et nous espérons qu'il vous guidera efficacement tout au long de votre apprentissage d'Access. Comme d'habitude, nous restons ouverts à toutes les suggestions, remarques et critiques que vous pourriez nous adresser. N'hésitez pas à nous contacter :

Alan Simpson
Elizabeth Olson
c/o Sybex, Inc.
1151 Marina Village Parkway
Alameda, CA 94501

Partie I

Tour d'horizon

Démarrer et prendre contact

Microsoft Access 97 pour Windows 95 est un système de gestion de base de données, en abrégé SGBD. Comme son nom l'indique, ce système vous aide à gérer vos données qui sont stockées dans une base informatisée. Les données que vous manipulez ainsi peuvent être de n'importe quel type, notamment :

- *des noms et des adresses ;*
- *des relations d'affaires, des clients ou des prospects ;*
- *des informations relatives au personnel ;*
- *des inventaires ;*
- *des factures, paiements et autres outils de gestion comptable ;*
- *des bibliothèques et autres collections de toutes sortes ;*
- *des horaires, des plannings, des réservations.*

Peut-être savez-vous déjà quel type de données vous comptez gérer avec Access. Peut-être êtes-vous déjà familiarisé avec un autre système de gestion de base de données, ou avec les concepts de base qui sous-tendent ces programmes. Si tel n'est pas le cas, le chapitre suivant vous en enseignera les rudiments. Quoi qu'il en soit, que vous soyez un "vieux de la vieille" impatient de découvrir Access ou un novice se demandant par quel bout commencer, la première étape consiste à apprendre à lancer Access et à faire appel à son aide en ligne parfaitement documentée, qui vous guidera tout au long de votre travail.

Access ne sert pas qu'aux cracks !

Si vous n'y connaissez rien en bases de données et ne désirez pas devenir un expert en la matière, pas d'angoisse ! L'Assistant Création d'applications vous guide pas à pas dans la construction de vos bases. Dès lors, si vous devez élaborer une application aussi complexe qu'un système de gestion de commandes, d'inventaires et d'avoirs, ou créer une base aussi élémentaire qu'une simple liste de connaissances et de dates d'anniversaires, l'Assistant Création d'applications prend en charge le gros du travail, vous délestant des tâches ingrates et vous permettant de concentrer votre attention sur la gestion de vos données. Vous ferez connaissance avec cet Assistant dans le Chapitre 3 ; vous le fréquenterez dans plusieurs chapitres de cet ouvrage.

Si vous êtes du genre "virtuose de l'informatique", vous en aurez pour votre argent, car Access a tout ce qu'il faut pour faire votre bonheur ! En effet, le programme offre un environnement complet de développement d'applications faisant appel au langage de programmation Visual Basic et recourant en outre à une foule d'outils annexes permettant la mise au point d'applications élaborées pour vos clients et pour vous-même. Vous en apprendrez davantage à ce sujet dans les quatrième et cinquième parties.

Lancer Access

Pour lancer Access :

1. Lancez Windows 95 selon la technique habituelle.

Si vous employez Microsoft Office pour Windows 95 et avez ajouté un bouton Access 97 à la barre d'outils Microsoft Office, vous pouvez lancer Access en cliquant sur ce bouton (voyez le Chapitre 4). Si vous avez créé pour Access une icône de raccourci depuis le bureau de Windows, vous pouvez cliquer deux fois sur cette icône pour lancer le programme. Passez alors à l'étape n° 3 de la page suivante.

2. Cliquez sur le bouton Démarrer de la barre des tâches de Windows, puis choisissez Programmes/Microsoft Access.

   Après quelques secondes, la boîte de dialogue de démarrage de Microsoft Access s'affiche, comme le montre la Figure 1.1. (Si vous venez de procéder à l'installation du programme, aucune liste n'apparaît sous la mention Ouvrir une base de données existante.)

3. À ce stade, vous avez le choix entre quatre possibilités :

- **Pour créer une base de données vide**, choisissez Nouvelle base de données, puis cliquez sur OK.

Validez l'une de ces options, puis cliquez sur OK pour créer une nouvelle base de données.

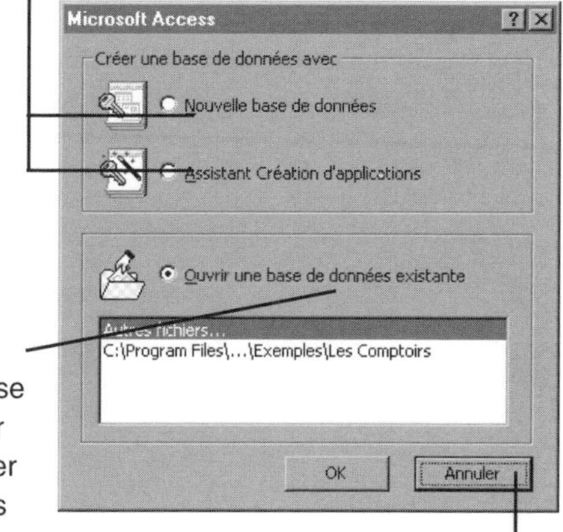

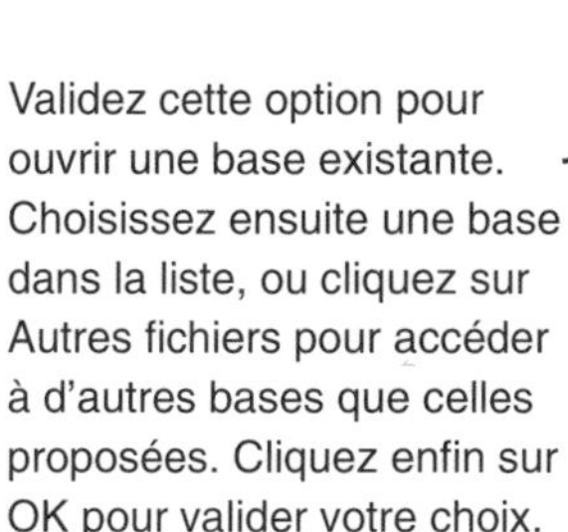

Validez cette option pour ouvrir une base existante. Choisissez ensuite une base dans la liste, ou cliquez sur Autres fichiers pour accéder à d'autres bases que celles proposées. Cliquez enfin sur OK pour valider votre choix.

Cliquez sur Annuler pour gagner directement l'espace de travail de Microsoft Access.

Figure 1.1 : La boîte de dialogue de démarrage de Microsoft Access. Depuis cette zone, vous pouvez créer une nouvelle base de données, ouvrir une base existante, ou encore cliquer sur Annuler pour accéder directement à la fenêtre de travail d'Access.

- **Pour faire appel à l'Assistant Création d'applications afin de créer une nouvelle base de données**, choisissez Assistant Création d'applications, puis cliquez sur OK pour ouvrir la boîte de dialogue Nouveau. (Pour de plus amples informations à ce sujet, voyez le Chapitre 5.)
- **Pour ouvrir une base de données existante**, choisissez Ouvrir une base de données existante. Si Access vous propose une liste des noms des bases de données récemment utilisées, choisissez une base dans la liste ou cliquez sur Autres fichiers pour accéder à d'autres bases que celles répertoriées ici par le programme. (Pour de plus amples informations à ce sujet, voyez "Ouvrir une base de données", plus loin dans ce chapitre.)
- **Pour atteindre l'espace de travail de Microsoft Access** (illustré à la Figure 1.2) sans créer ni ouvrir de base de données, cliquez sur Annuler ou enfoncez la touche Esc.

Si Access est configuré pour passer outre à la boîte de dialogue de démarrage, l'étape n° 2 vous plongera directement dans l'espace de travail d'Access. Nous vous expliquerons, plus loin dans ce chapitre, comment court-circuiter cette zone de dialogue.

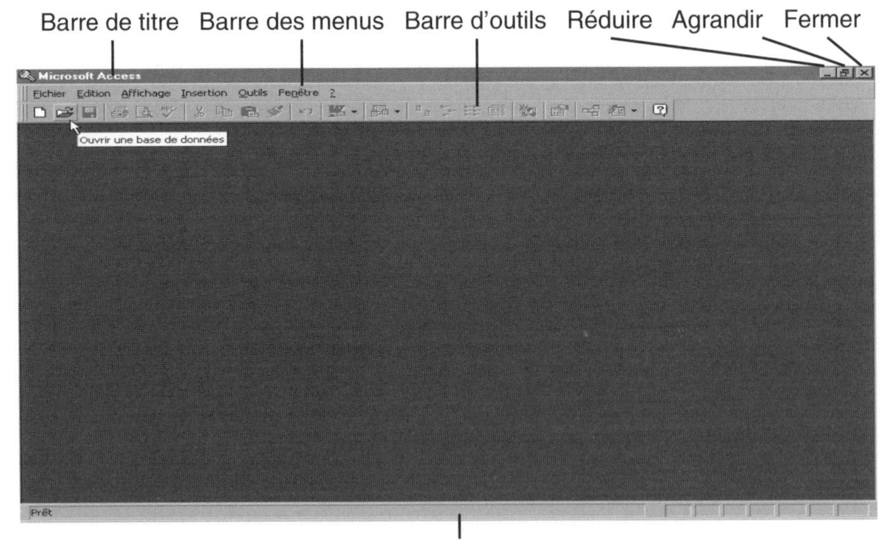

Figure 1.2 : L'espace de travail de Microsoft Access apparaît lorsque vous cliquez sur Annuler dans la boîte de dialogue de démarrage ou chaque fois que vous fermez une base de données Access. Cette fenêtre apparaît également si Access a été configuré pour démarrer sans transiter par la boîte de dialogue de démarrage.

Les utilisateurs avancés peuvent se documenter sur les options de démarrage de la ligne de commande en lisant le Chapitre 15 ou en consultant le fichier d'aide, plus spécifiquement l'entrée d'index intitulée *démarrage de Microsoft Access/*options de la ligne de commande. Nous détaillerons, plus loin dans ce chapitre, l'utilisation de cette aide en ligne.

Ouvrir une base de données

Lorsque vous utilisez un traitement de texte, vous travaillez sur des documents. Lorsque vous employez un tableur, vous manipulez des feuilles de calcul. Dans un système de gestion de base de données, vous fonctionnez avec des *bases de données.* Bien que votre intention soit de créer votre propre base, vous avez néanmoins intérêt à explorer d'abord l'une des bases fournies avec Access.

Organiser le sous-menu Démarrer/Programmes

Si votre sous-menu Démarrer/Programmes comporte trop d'articles, ou n'est pas organisé comme vous le souhaitez, vous pouvez aisément le réorganiser. Ainsi, supposons que vous vouliez déplacer Microsoft Access et les autres programmes de Microsoft Office du sous-menu Démarrer/Programmes vers un sous-sous-menu Démarrer/Programmes/Office pour obtenir une présentation telle que celle présentée à la page suivante.

Vous allez y parvenir facilement, pour peu que vous connaissiez les rudiments de l'Explorateur Windows et que vous suiviez les étapes suivantes :

1. Avec le bouton droit de la souris, cliquez sur le bouton Démarrer de la barre des tâches de Windows et choisissez Explorer.
2. Dans la partie gauche de la fenêtre, cliquez sur le dossier Programmes (il est situé sous le dossier Menu Démarrer). La partie droite de la fenêtre affiche désormais le contenu de ce dossier Programmes.

3. Dans cette partie droite, positionnez le pointeur dans une zone vide et enfoncez le bouton droit de la souris ; dans le menu contextuel qui se déroule alors, choisissez Nouveau > Dossier.

4. Attribuez un nom à ce nouveau dossier, comme **Microsoft Office**, puis enfoncez la touche Entrée.

5. Dans la partie gauche, cliquez sur le signe + placé à gauche du dossier Programmes, puis utilisez la barre de défilement vertical pour faire défiler la fenêtre jusqu'à visualiser le nouveau dossier que vous avez créé à l'étape n° 4.

6. Dans la partie droite, cliquez sur le programme (ou dossier) que vous voulez placer dans le nouveau dossier, puis faites-le glisser sur l'icône de ce nouveau dossier, située dans la partie gauche.

7. Répétez cette action autant de fois que nécessaire, puis cliquez sur le bouton Fermer de la fenêtre de l'Explorateur.

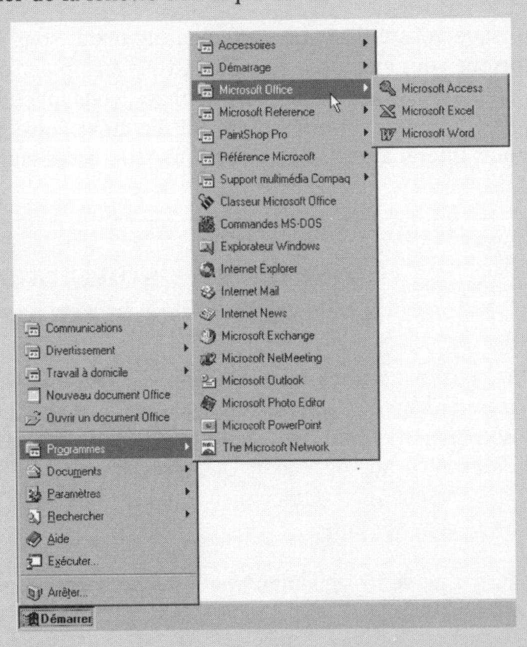

Si vous souhaitez de plus amples informations quant à la personnalisation des menus de Démarrer, choisissez Démarrer/Aide, puis sélectionnez l'index. Tapez alors **menu Démarrer, personnalisation**, puis enfoncez la touche Entrée. Pour en apprendre davantage sur l'Explorateur Windows, consultez les rubriques sous *Explorateur Windows* de l'index du fichier d'aide.

Créer un bouton de raccourci sur le bureau

Un *bouton de raccourci* placé sur le bureau de Windows est un moyen rapide et efficace de lancer un programme ou d'ouvrir un fichier ; en effet, un double clic sur le bouton, et le tour est joué ! Pour ajouter un bouton qui vous permettra de lancer directement Access depuis le bureau, réduisez ou fermez toutes les fenêtres ouvertes, puis :

1. Recourez à l'Explorateur Windows pour ouvrir le dossier dans lequel se trouve Microsoft Access. Ainsi, avec le bouton droit de la souris, cliquez sur le bouton Démarrer de la barre des tâches Windows, choisissez Explorer, cliquez deux fois sur le dossier MS Office (il se trouve généralement sur le lecteur C), et cliquez ensuite deux fois sur le dossier Access.

2. Localisez l'icône du programme Msaccess, qui représente une clé et est située à gauche du nom du programme Msaccess.

3. Avec le bouton *droit* de la souris, cliquez sur cette icône et maintenez le bouton enfoncé ; faites glisser la souris sur le bureau de Windows, puis relâchez le bouton.

4. Lorsque le menu contextuel se déroule, choisissez Créer un ou des raccourcis ici.

À l'avenir, vous pourrez lancer Access en réalisant un double clic sur le bouton Raccourci vers Msaccess, placé sur le bureau de Windows. Pour découvrir d'autres raccourcis pour Access, consultez la rubrique *raccourcis pour démarrer Access*, accessible depuis l'index du fichier d'aide en ligne. (Pour obtenir de l'aide relative à Windows, cliquez sur le bouton Démarrer de la barre des tâches et choisissez Aide.)

Pour ouvrir une base de données :

1. Réalisez l'une des actions suivantes, selon que vous agissez depuis la boîte de dialogue de démarrage, depuis l'espace de travail d'Access ou depuis le bureau de Windows :

- **Si vous agissez depuis la boîte de dialogue de démarrage** (Figure 1.1), choisissez Ouvrir une base de données existante (c'est l'option par défaut).

  Si le nom de la base de données que vous voulez ouvrir figure dans la liste, cliquez deux fois sur ce nom. En revanche, si le nom n'apparaît pas dans la liste, cliquez deux fois sur Autres fichiers, puis passez à l'étape n° 2.

Comme c'est traditionnellement le cas dans Windows, vous pouvez sélectionner une option dans une liste en cliquant sur cette option, puis en validant votre choix au moyen du bouton OK (ou de tout autre bouton couplé à l'option par défaut) ; vous pouvez également cliquer sur l'option, puis enfoncer la touche Entrée. Pour accélérer encore la procédure, cliquez deux fois sur l'option que vous voulez sélectionner.

- **Si vous agissez depuis l'espace de travail Microsoft Access** (Figure 1.2), choisissez Fichier/Ouvrir une base de données, ou cliquez sur Ouvrir une base de données (représenté à gauche), ou encore enfoncez les touches Ctrl + O. La boîte de dialogue Ouvrir apparaît, comme le montre la Figure 1.3.

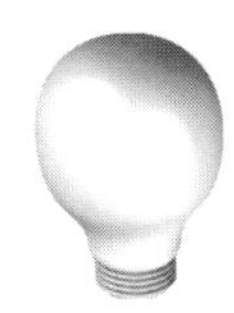

Si vous avez récemment fermé la base de données que vous voulez ouvrir, Access vous propose un raccourci intéressant : déroulez le menu Fichier ; dans sa partie inférieure, juste avant la commande Quitter, Access recense les dernières bases ouvertes ; cliquez sur le nom de la base à ouvrir ou tapez le numéro inscrit en regard.

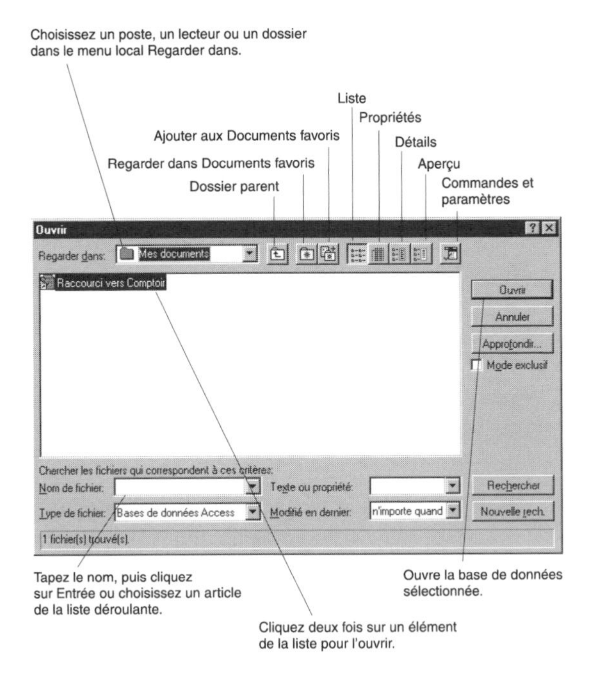

Figure 1.3 : La boîte de dialogue Ouvrir.

- **Si vous agissez depuis le bureau de Windows**, localisez la base de données à ouvrir selon les techniques classiques. Cliquez ensuite deux fois sur son nom ou sur son icône (les icônes typiques d'Access sont représentées ici à gauche). Si vous avez récemment utilisé la base de données que vous voulez ouvrir, cliquez sur le bouton Démarrer de la barre des tâches Windows, choisissez Documents, puis cliquez sur le nom de la base à ouvrir. Access démarre et ouvre la base sélectionnée. Et le tour est joué ! Dans ce cas, sautez les étapes 2 à 5 ci-dessous.

2. Pour localiser une base de données, recourez à l'une des techniques suivantes :

- **Pour ouvrir un élément figurant dans la liste Regarder dans**, cliquez deux fois sur l'élément ou sur son icône.
- **Pour sélectionner le poste, l'unité ou le dossier où la base de données est stockée**, déroulez le menu local Regarder dans et sélectionnez l'élément souhaité.
- **Pour ouvrir le dossier placé immédiatement au-dessus du dossier actuellement sélectionné**, cliquez sur le bouton Dossier parent, ou cliquez n'importe où dans la liste affichée et enfoncez la touche Retour arrière.

Pour connaître la fonction d'un bouton de la barre d'outils dans une fenêtre ou dans une boîte de dialogue, positionnez le pointeur sur ce bouton ; une info-bulle apparaît, fournissant un commentaire succinct de l'utilité du bouton. (Voyez à ce sujet "Exploiter les barres d'outils", plus loin dans ce chapitre.)

- **Pour afficher une liste de vos bases de données et de vos dossiers "favoris"**, cliquez sur le bouton Regarder dans Documents favoris. La liste Regarder dans se restreint alors à vos bases et dossiers favoris.
- **Pour ajouter un élément à cette liste de "favoris"**, faites en sorte que l'élément concerné soit affiché dans la liste Regarder dans. Cliquez alors sur le bouton Ajouter aux Documents favoris et sélectionnez une option parmi les choix que vous propose le menu contextuel.
- **Pour entrer manuellement l'unité, le répertoire et/ou le nom du fichier**, entrez les informations souhaitées dans la case Nom de fichier dans la partie

inférieure gauche de la boîte de dialogue ; vous pouvez également choisir l'un des éléments de ce menu local.

⇨ **Pour que la liste proposée sous Regarder dans soit présentée d'une autre manière**, utilisez les boutons Liste, Détails, Propriétés ou Aperçu.

Vous pouvez supprimer, rebaptiser ou réaliser d'autres opérations de gestion de fichiers depuis la boîte de dialogue Ouvrir. La technique est simple : cliquez sur l'élément concerné, puis enfoncez le bouton droit de la souris pour dérouler le menu contextuel, et sélectionnez l'action à exécuter.

3. Si vous sélectionnez une base de données dans la liste Regarder dans, assurez-vous que son nom est contrasté (cliquez dessus si nécessaire).
4. Si vous travaillez en réseau et que la base doit être ouverte exclusivement par vous, cochez l'option Mode exclusif dans la partie droite de la boîte de dialogue. Ne sélectionnez cette option *que si* vous voulez absolument empêcher tout autre utilisateur de mettre à jour les données de la base (il pourra néanmoins les consulter). Sinon, ne cochez pas cette option de manière à permettre à d'autres membres du réseau de consulter et, si nécessaire, de mettre à jour les données.

Pas d'inquiétude ! Access rend spontanément impossible la modification d'une base par deux utilisateurs simultanément. (Pour de plus amples informations sur l'utilisation en réseau, voyez le Chapitre 18.)

5. Cliquez sur Ouvrir. (Pour éviter les étapes 3 et 4, vous pouvez cliquer deux fois sur la base de données à ouvrir dans la liste Regarder dans.)

Access ouvre la base sélectionnée ; vous pouvez choisir de visualiser la base en tant que telle, ou préférer un affichage en mode formulaire qui décrit la base et vous permet de l'utiliser.

S'il s'agit d'une base de données que vous comptez utiliser régulièrement en mode normal alors qu'elle s'ouvre systématiquement en mode formulaire, au moment de l'ouverture, enfoncez la touche Majuscule pendant que vous cliquez sur Ouvrir. L'intervention de la touche Majuscule court-circuite le formulaire ainsi que toutes les options éventuelles définies dans la boîte de dialogue de démarrage (Outils/Démarrage).

Comme le montre la Figure 1.3, la boîte de dialogue Ouvrir propose une foule de boutons et de fonctions spéciales que nous n'avons pas entièrement commentés ici.
Si vous êtes familiarisé avec cette boîte grâce à d'autres applications Microsoft Office et que vous avez consacré un peu de temps à l'Explorateur Windows, vous en savez sans doute plus qu'il n'en faut.
Pour des renseignements complémentaires, cliquez sur le bouton ? dans l'angle supérieur droit de la fenêtre Ouvrir, puis cliquez sur l'élément de cette fenêtre qui vous intéresse. Contrairement à ce qui est couramment admis, la curiosité n'est pas un vilain défaut !

Ouvrir la base de données "Comptoir"

Supposons que vous avez réalisé une installation standard d'Access et que vous avez donc inclu les fichiers exemples. Voici comment ouvrir la base de données "Comptoir" fournie avec le programme :

1. Si vous agissez depuis la boîte de dialogue de démarrage, choisissez Ouvrir une base de données existante. Cliquez ensuite sur Autres fichiers (si ce bouton est disponible), puis cliquez sur OK.

   Si vous agissez depuis l'espace de travail de Microsoft Access, choisissez Fichier/Ouvrir une base de données.
2. En recourant au double clic, ouvrez le dossier MSOffice (il se trouve généralement sur le lecteur C) ; ouvrez ensuite le dossier Access, puis le dossier Exemples.
3. Dans la liste qui s'affiche sous Regarder dans, cliquez deux fois sur Comptoir.
4. Si le formulaire de bienvenue s'affiche, cliquez sur OK pour vous en débarrasser.

Le dossier Mes documents qui est généralement proposé lorsque vous activez la commande Fichier/Ouvrir une base de données vous propose un raccourci, appelé fort à propos Raccourci vers Comptoir. Un double clic sur ce raccourci suffit à ouvrir la base.

Utilisez tout votre écran

La barre des tâches de Windows 95 peut vous priver d'une partie de votre écran que vous préféreriez réserver à l'affichage de vos données. Windows 95 a tout prévu : vous pouvez temporairement escamoter cette barre et la réafficher lorsque le besoin s'en fait sentir. La plupart des copies d'écran de cet ouvrage ont été prises alors que la barre était escamotée.

Pour masquer temporairement la barre des tâches, cliquez avec le bouton droit de la souris dans une zone vide de cette barre, choisissez Propriétés, assurez-vous que les options Toujours visible et Masquer automatiquement sont validées, sinon activez-les, puis cliquez sur OK. Désormais, la barre des tâches restera invisible tant que vous ne positionnerez pas votre pointeur à proximité du bord de votre écran où elle apparaissait auparavant. (Si vous ne vous souvenez plus de quel bord il s'agit, essayez les quatre bords : vous finirez bien par trouver le bon !)

Pour réafficher la barre de manière permanente, accédez de nouveau aux propriétés et désactivez l'option Masquer automatiquement. (Il est préférable de laisser cochée l'option Toujours visible.) Cliquez sur OK.

Les différents *objets* de la base apparaissent dans la *fenêtre Base de données* (Figure 1.4), un objet étant un composant de base de données, comme une table ou un formulaire. Vous pouvez déplacer, redimensionner, agrandir, réduire ou rétablir cette fenêtre en recourant aux techniques standard de Windows.

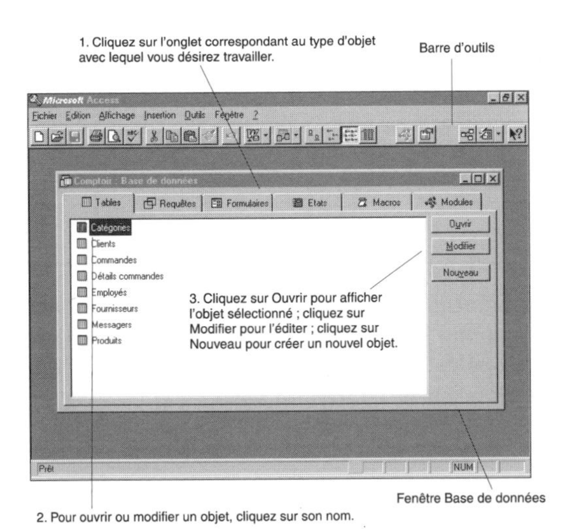

Figure 1.4 : La fenêtre Base de données de Comptoir, avec l'onglet Tables sélectionné.

Mais qu'est-ce qu'une base de données ?

Une base de données est un ensemble de données relatives à un sujet particulier. Pour faire image, pensez à un récipient dans lequel vous stockeriez des informations afin de pouvoir ensuite les manipuler aisément. Ces données peuvent être de n'importe quel ordre : des noms et des adresses, des informations relatives à vos clients, à vos commandes, à vos inventaires...

Une base de données n'est pas seulement un ensemble de données. Elle inclut aussi des *objets* qui vous aident à gérer ces données, comme les *formulaires* (qui facilitent la saisie et l'édition) et les *états* (qui contrôlent la présentation et l'impression). En fait, une base de données peut comprendre n'importe quelle combinaison des six types d'objets suivants :

Tables : Les tables représentent les structures fondamentales de toute base de données Access ; ce sont elles, en effet, qui stockent les données que vous souhaitez exploiter (voyez le Chapitre 6). Dans une table, les données sont organisées sous forme de champs (les colonnes) et de fiches ou enregistrements (les rangées).

Requêtes : Les requêtes permettent de poser des questions sur les données stockées dans les tables et de réaliser des actions sur ces données (voyez le Chapitre 8). Ainsi, une requête répondra à une question comme : "Combien de nos clients vivent dans la Drôme et quels sont leurs noms et leurs numéros de téléphone ?" Les requêtes servent aussi à combiner (ou *joindre*) des données issues de tables distinctes mais apparentées. Ainsi, une requête pourra lier les tables Clients commandes, Détails, Commandes et Produits pour répondre à une question comme : "Qui sont les clients qui ont commandé des tasses pour gauchers et à combien s'élève le montant global de ces commandes ?" Les requêtes vous permettent en outre de modifier, de supprimer ou d'ajouter aisément de grandes quantités de données. Enfin, elles peuvent servir de base à la construction des formulaires et des états.

Formulaires : Les formulaires vous permettent d'encoder et d'afficher confortablement vos données puisqu'ils sont en fait la représentation à l'écran des formulaires imprimés classiques (voyez les Chapitres 12 et 13). Vos formulaires peuvent être simples ou complexes, incluant alors des graphiques, des traits et des fonctions de remplissage automatique qui facilitent l'encodage des données. Sans compter qu'un formulaire peut parfaitement en inclure un autre (appelé *sous-formulaire*), une technique qui vous autorise à entrer simultanément des données dans plusieurs tables.

États : Les états vous permettent de présenter et d'imprimer vos données dans le format adéquat (voyez les Chapitres 12 et 13). Comme les formulaires, ils peuvent être élémentaires ou élaborés. À titre d'exemples, citons les étiquettes de publipostage, les listes, les enveloppes, les lettres types et les factures. Les états servent aussi à présenter les résultats des requêtes d'une manière intelligible. Ainsi, vous pouvez établir les états "Ventes par région" ou "Échéancier", ou encore toute autre information pertinente pour la conduite de votre entreprise.

Macro : Les macrocommandes sont des ensembles d'instructions qui permettent d'automatiser les tâches répétitives (voyez le Chapitre 20). Lorsque vous exécutez une macrocommande, Access reproduit les actions qui la constituent, en respectant fidèlement l'ordre dans lequel ces actions ont été définies. Sans avoir à écrire une seule ligne de programmation, vous pouvez créer des macrocommandes qui se chargeront d'ouvrir automatiquement des formulaires, d'imprimer des étiquettes de publipostage, de traiter des commandes, etc. Les macrocommandes permettent également de naviguer entre tables, requêtes, formulaires et états et de construire ainsi des *applications* exploitables par n'importe quel utilisateur, même ceux ne connaissant que peu ou pas du tout Access.

Module : À l'instar des macrocommandes, les modules permettent d'automatiser et de personnaliser Access (voyez la cinquième partie). Toutefois, contrairement aux macros, ils vous offrent un contrôle strict des actions en cours et exigent une connaissance du langage de programmation Visual Basic. Peut-être n'exploiterez-vous jamais cet aspect d'Access ; ainsi, ne vous en faites pas si la programmation et vous, ça fait deux !

Pendant les séances prises en main du Chapitre 3, vous aurez l'occasion de créer une base de données originale comportant des tables, des formulaires, des requêtes, et même un module formulaire simple. Vous serez surpris de voir avec quelle rapidité vous vous acquitterez de cette tâche si vous cédez la main aux Assistants qui se chargeront du travail à votre place.

Travailler dans la fenêtre Base de données

La *fenêtre Base de données* est un des principaux outils qui vous permettent d'exploiter Access. Si vous partez à la découverte des exemples fournis avec le programme, ou lorsque vous constituerez vos propres bases, vous recourrez à la méthode décrite ci-dessous pour ouvrir les différents objets de la base :

1. Choisissez le *type* d'objet que vous souhaitez créer, utiliser ou modifier grâce aux onglets situés dans la partie supérieure de la fenêtre. En d'autres termes, cliquez sur Tables, Requêtes, Formulaires, États, Macros ou Modules.

2. Pour utiliser ou modifier un objet existant, cliquez sur son nom dans la liste.
3. Exécutez l'une des actions suivantes :

- **Pour créer un nouvel objet du type que vous avez désigné lors de l'étape n° 1,** cliquez sur Nouveau.
- **Pour utiliser (ou afficher ou exécuter) l'objet**, cliquez sur Ouvrir (ou sur Aperçu ou sur Exécuter).
- **Pour modifier l'apparence ou la structure d'un objet**, cliquez sur Modifier.

Voici un raccourci intéressant pour ouvrir (ou afficher ou exécuter) un objet répertorié dans la fenêtre Base de données : cliquez deux fois sur son nom.

La procédure qui se met alors en oeuvre dépend du type d'objet que vous avez sélectionné et de l'action que vous avez réalisée à l'étape n°3. Nous décrirons plus en détail les différents types d'objets dans les chapitres suivants.

Fermer un objet

Quelle que soit la manière dont vous avez ouvert un objet, vous pouvez employer les techniques standard Windows pour le fermer. Voici les trois méthodes les plus classiques :

- Cliquez sur le bouton Fermer (x) situé dans l'angle supérieur droit de la fenêtre que vous désirez fermer (attention : ne cliquez pas sur le bouton Fermer de Microsoft Access).
- Choisissez Fichier/Fermer.
- Enfoncez les touches Ctrl + W ou Ctrl + F4.

Certaines fenêtres d'Access sont équipées d'une case de fermeture en barre d'outils, ce qui représente une quatrième manière de procéder à la fermeture.

Si vous avez apporté des modifications à un objet, Access vous demandera, avant de le fermer, si vous désirez sauvegarder ces changements. À vous de décider.

Réafficher la fenêtre Base de données

Il arrive que la fenêtre Base de données ne soit pas visible, même si vous avez bel et bien ouvert une base. Si tel est le cas, vous pouvez réafficher cette fenêtre en suivant l'une ou l'autre de ces procédures :

- Enfoncez la touche F11.
- Choisissez Fenêtre/x/Base de données (où x correspond au nom de la base ouverte dont la fenêtre doit être réaffichée).

- Activez le bouton Fenêtre Base de données de la barre d'outils Base de données (représenté à gauche).

Si aucune de ces procédures ne produit le résultat escompté, fermez tous les objets affichés à l'écran et tentez de nouveau votre chance. Si vous ne parvenez toujours pas à vos fins, c'est, vraisemblablement, parce que vous avez fermé la fenêtre Base de données. Pour l'ouvrir de nouveau, déroulez le menu Fichier, puis sélectionnez la base de données dans la partie inférieure de ce menu. Si elle n'y figure pas, utilisez la commande Fichier/Ouvrir une base de données que nous avons décrite précédemment.

Lors de l'ouverture de certaines bases de données, vous risquez de vous trouver nez à nez avec une fenêtre formulaire, en lieu et place de la fenêtre classique Base de données. La raison en est que la personne qui a conçu cette base de données l'a transformée en *application.* Dans ce cas, la touche F11 réaffiche normalement la fenêtre Base de données (à moins que le concepteur de la base n'en ait décidé autrement). D'une manière générale, vous pouvez court-circuiter la fenêtre formulaire initiale ainsi que toutes les options de démarrage en activant la touche Majuscule alors que vous procédez à l'ouverture de la base.

Contrôler l'affichage des objets

Les commandes du menu Affichage et leurs boutons correspondants de la barre d'outils Base de données vous permettent de modifier la taille des objets ainsi que la quantité de détails répertoriés dans la fenêtre Base de données. Le Tableau 1.1 résume les options disponibles. Ainsi, dans la Figure 1.4, nous avons cliqué sur le bouton Liste (Affichage/Liste) afin de présenter les objets sous forme de liste.

Option du menu Affichage	Bouton	Description
Icônes grand format	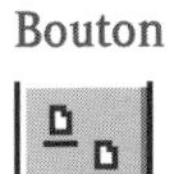	Présente chaque objet sous la forme d'une icône grand format, le nom de l'objet étant placé sous cette icône.
Icônes petit format		Présente chaque objet sous la forme d'une icône petit format, le nom de l'objet étant placé à droite de cette icône. A priori, les noms sont présentés en ligne ; vous pouvez toutefois les déplacer par cliquer-glisser.
Liste		Présente chaque objet sous la forme d'une petite icône, le nom de l'objet étant placé à droite de cette icône. Les noms sont présentés en colonnes.
Détails		Présente chaque objet sous la forme d'une petite icône, le nom de l'objet étant placé à droite de cette icône. Chaque objet occupe une ligne dont les informations sont réparties sur cinq colonnes proposant les informations suivantes : Nom, Description, Modifié, Créé et Type. ⇒ Pour modifier la largeur d'une colonne, positionnez le pointeur sur le bord droit de la tête de la colonne concernée ; lorsqu'il prend la forme d'une double flèche, cliquez et faites glisser vers la gauche (pour rétrécir) ou vers la droite (pour élargir). Vous pouvez aussi cliquer deux fois sur ce bord pour que la largeur de la colonne s'adapte automatiquement à son contenu. ⇒ Pour trier en utilisant une colonne donnée comme clé de tri (tri croissant), cliquez sur la tête de la colonne concernée. Pour un tri décroissant, cliquez une nouvelle fois sur la tête de colonne.

⇨ Pour ajouter une description à un objet, cliquez avec le bouton droit de la souris sur l'objet concerné, choisissez Propriétés..., tapez la description, puis cliquez sur OK.

Remarque : Vous pouvez utiliser la commande Affichage/Réorganiser les icônes et Affichage/Aligner les icônes (ou cliquer avec le bouton droit de la souris dans la fenêtre Base de données et choisir Affichage/Réorganiser les icônes ou Afficher les icônes) pour réorganiser ou aligner les icônes, si nécessaire.

Tableau 1.1 : Options du menu Affichage et boutons équivalents de la barre d'outils.

Gérer les objets

La fenêtre Base de données vous permet non seulement d'ouvrir des objets, mais également de les *gérer*, c'est-à-dire de les copier, de les supprimer, de les rebaptiser, etc. Voici comment procéder :

1. Si l'objet concerné est ouvert, fermez-le (voyez plus haut la section "Fermer un objet").

2. Sélectionnez le type d'objet que vous souhaitez (en cliquant sur l'un des onglets de la fenêtre Base de données : Tables, Requêtes, Formulaires, États, Macros ou Modules).

3. Cliquez sur le nom de l'objet, puis :

⇨ **Pour supprimer l'objet**, choisissez Édition/Supprimer ou enfoncez la touche Retour arrière, cliquez ensuite sur Oui lorsqu'Access vous demande confirmation. Pour supprimer l'objet et l'envoyer dans le Presse-papiers de Windows (sans confirmation cette fois), enfoncez la touche Majuscule et maintenez-la dans cet état pendant que vous activez la touche Retour arrière, ou utilisez la combinaison de touches Ctrl + X. (*Attention : il est impossible d'annuler cette action* ; cependant, vous *pouvez* coller l'objet depuis le Presse-papiers par la combinaison Ctrl + V.)

⇨ **Pour rebaptiser l'objet**, cliquez sur le nom de l'objet (ou choisissez Édition/Renommer), tapez le nouveau nom (maximum 64 caractères ; vous pouvez, si vous le souhaitez, insérer des espaces), puis enfoncez la touche Entrée.

⇨ **Pour copier l'objet** dans la même base de données, choisissez Édition/Copier ou enfoncez les touches Ctrl + C. Choisissez ensuite Édition/Coller ou son équivalent clavier Ctrl + V. Entrez le nom de l'objet (maximum 64 caractères), validez d'autres options si nécessaire, puis cliquez sur OK. La copie apparaît désormais dans la liste triée alphabétiquement. (Il se peut que vous deviez faire défiler le contenu de la fenêtre pour visualiser cette copie.) Une copie d'objet peut servir de base à la conception d'une table, d'un formulaire, d'un état ou d'un autre objet similaire à l'objet copié. Vous pouvez en effet modifier la copie sans affecter l'original.

- **Pour créer, pour l'objet, un bouton de raccourci depuis le bureau de Windows,** choisissez Édition/Créer un raccourci, spécifiez éventuellement l'Emplacement, puis cliquez sur OK. À l'avenir, vous pourrez lancer Access et ouvrir l'objet en réalisant tout simplement un double clic sur le bouton de raccourci.

Il existe un autre moyen de créer un raccourci pour un objet Access : redimensionnez la fenêtre du programme de manière à tenir en même temps sous le regard Access et le bureau de Windows (par exemple en cliquant avec le bouton droit de la souris dans une zone vide de la barre des tâches de Windows et en choisissant Cascade). Ensuite, si vous souhaitez stocker le raccourci dans un dossier, ouvrez le dossier en question avec l'Explorateur Windows, le Poste de travail ou encore au Voisinage réseau ; enfin, cliquez sur l'objet Access et faites-le glisser sur le bureau ou dans le dossier. Vous pouvez également faire glisser des tables et des requêtes de la fenêtre Base de données vers Microsoft Excel, Microsoft Word ou vers la fenêtre d'un autre programme (voyez le Chapitre 4).

- **Pour imprimer l'objet,** choisissez Fichier/Imprimer, ou enfoncez les touches Ctrl + P, ou encore activez le bouton Imprimer de la barre d'outils Base de données (représenté à gauche). Dans la boîte de dialogue Imprimer, cliquez ensuite sur OK pour imprimer tout l'objet.

- **Pour visualiser l'objet avant de l'imprimer,** choisissez Fichier/Aperçu avant impression, ou activez le bouton Aperçu avant impression de la barre d'outils Base de données (représenté à gauche). Lorsque vous avez visualisé l'objet, fermez-le comme décrit à la section “Fermer un objet”.

- **Pour exporter l'objet vers un autre programme Windows** ou vers une autre base de données Access, choisissez Fichier/Enregistrer sous/Exporter ; validez les options souhaitées, puis cliquez sur OK.

- **Pour exporter l'objet en format HTML,** choisissez Fichier/Enregistrer au format HTML.

- **Pour importer des données en provenance d'un autre programme ou d'une autre base de données,** choisissez Fichier/Données externes, puis sélectionnez soit Importer, soit Lier les tables ; validez les options souhaitées, puis cliquez sur Importer ou sur Attacher.

La plupart des commandes décrites ci-dessus sont également disponibles dans le menu contextuel qui se déroule lorsque vous cliquez avec le bouton droit de la souris sur un objet ou dans une zone grisée de la fenêtre Base de données. Voyez à ce sujet la section "Utiliser les menus contextuels", plus loin dans ce chapitre.

Pour des informations supplémentaires concernant le déplacement et la copie d'objets entre bases de données ainsi que pour les actions interprogrammes, reportez-vous au Chapitre 7. Consultez aussi l'aide en ligne en recherchant, dans l'index, les rubriques *exportation de données, importation de données* et *attachement.*

Exploiter les barres d'outils et la barre des menus

Les barres d'outils regroupent des boutons qui sont autant de raccourcis pour les commandes les plus couramment utilisées. Pour utiliser un de ces boutons :

1. Positionnez le pointeur sur le bouton souhaité.
2. Si nécessaire, consultez la barre d'état qui affiche un commentaire succinct du bouton sélectionné. De plus, si vous maintenez le pointeur sur le bouton, une info-bulle apparaît, commentant brièvement la fonction du bouton.

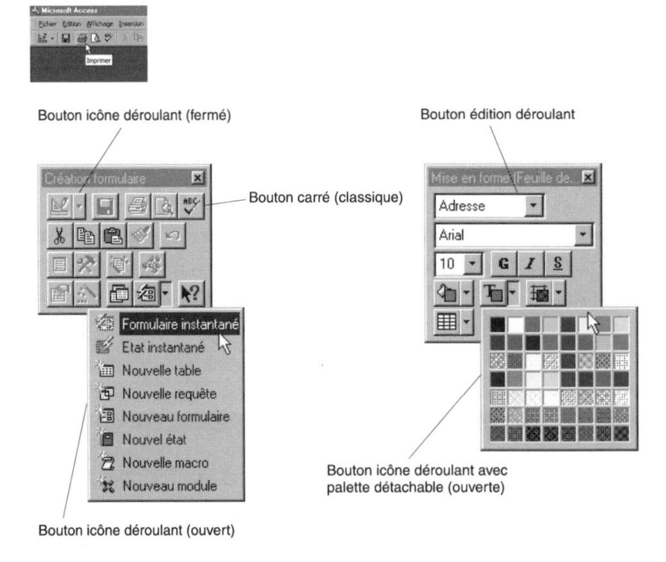

Figure 1.5 : Exemples de boutons carrés (classiques), de boutons icône déroulants et de boutons édition déroulants.

3. Réalisez l'une des actions suivantes, selon le type de bouton sélectionné (la Figure 1.5 vous montre les différents types disponibles) :

- **S'il s'agit d'un bouton carré (classique)**, cliquez sur le bouton.
- **S'il s'agit d'un bouton icône déroulant**, vous avez deux possibilités : soit vous cliquez sur le bouton lui-même pour exécuter l'action qu'il représente, soit vous cliquez sur la flèche à droite de l'icône et vous choisissez alors l'une des options de la liste qui se déroule ou de la palette qui s'affiche.
- **S'il s'agit d'un bouton édition déroulant** (encore appelé *zone de liste modifiable*), cliquez sur la flèche et sélectionnez l'une des options de la liste ; ou cliquez sur la flèche, puis tapez votre instruction dans la case d'édition.

Si vous cliquez sur la flèche d'un élément déroulant, puis changez d'avis et décidez de ne rien y sélectionner, il vous suffit de cliquer une seconde fois sur la flèche ou dans une zone vide, à l'extérieur de la barre d'outils à laquelle l'élément appartient.

Si un bouton icône déroulant ouvre une palette, vous pouvez laisser cette palette ouverte ; elle restera dans cet état tant que vous n'aurez pas cliqué dans sa case de fermeture.

Afficher les barres d'outils, les info-bulles et la barre d'état

Les barres d'outils, les info-bulles, la barre d'état ainsi que d'autres éléments de l'espace de travail peuvent être affichés ou masqués ; ils peuvent aussi être personnalisés. Si l'un de ces éléments n'est pas visible sur votre écran, c'est probablement parce qu'il a été masqué.

Pour afficher (ou masquer) la barre d'état, la boîte de dialogue de démarrage (Figure 1.1) et les info-bulles :

1. Ouvrez n'importe quelle fenêtre Base de données (les commandes Outils/Options et Outils/Démarrage que nous décrivons dans les points suivants ne sont en effet disponibles que si une base de données est ouverte).

2. Choisissez Outils/Options, puis activez l'onglet Affichage.
3. Activez une option pour afficher l'élément correspondant ; désactivez l'option pour masquer cet élément. Ainsi, activez Barre d'état, Boîte de dialogue de démarrage, Boutons en couleurs sur les barres d'outils et Afficher les info-bulles pour contrôler l'affichage de ces éléments. Cliquez sur OK.

Vous pouvez en outre personnaliser d'autres options relatives au démarrage de la base de données active (y compris la présence ou l'absence des éléments dont il vient d'être question). Pour ce faire, choisissez Outils/Démarrage. Comme dans le cas précédent, vous pouvez activer des options pour les brancher, et les désactiver pour les inhiber. Vous pouvez aussi entrer des instructions dans les cases d'édition et sélectionner des options dans les listes déroulantes. Lorsque vous avez fixé vos choix, cliquez sur OK. Reportez-vous au Chapitre 15 pour de plus amples informations quant à la personnalisation possible d'Access.

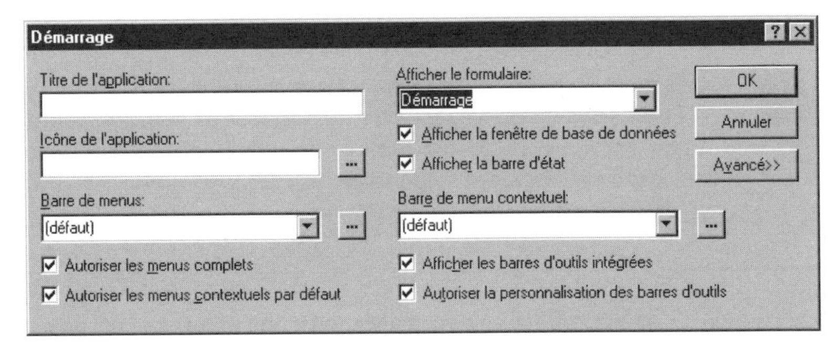

Figure 1.6 : La boîte de dialogue de démarrage propose des options par défaut qui conviennent dans la majorité des cas. Pour atteindre cette boîte, choisissez Outils/ Démarrage.

Si vous activez la touche Majuscule pendant que vous procédez à l'ouverture d'une base de données, vous court-circuitez toutes les options de démarrage définies, rétablissant de ce fait les options par défaut illustrées à la Figure 1.6.

Positionner la barre d'outils ou la barre des menus

Par défaut, la barre d'outils est *ancrée* juste en dessous de la barre des menus (Figure 1.4). Vous pouvez ancrer cette barre d'outils à un autre bord de l'écran, ou même la transformer en une barre flottante librement positionnée dans l'espace de travail. Voici comment procéder pour déplacer la barre d'outils ou la barre des menus :

1. Pour ancrer une barre le long d'un autre bord que le bord supérieur : cliquez dans une zone vide de la barre (ou encore au-dessus ou en dessous d'un bouton) et faites glisser vers le bord souhaité.

2. Pour transformer une barre ancrée en barre flottante : cliquez dans une zone vide de la barre (ou encore au-dessus ou en dessous d'un bouton) et faites glisser dans l'espace de travail, ou bien cliquez deux fois. Pour rétablir la position originale, cliquez aussi deux fois dans la barre de titre de la barre d'outils ou dans une zone vide de celle-ci (comme illustré ci-dessous).

Lorsque la barre d'outils est flottante, vous pouvez la déplacer par un cliquer-glisser sur sa barre de titre (ou sur une zone vide en dehors des boutons) et la positionner où bon vous semble dans l'espace de travail. Voici quelques détails que vous avez intérêt à connaître :

- **Pour fermer (masquer) une barre d'outils flottante**, cliquez dans sa case de fermeture, située dans l'angle supérieur droit. Ou cliquez avec le bouton droit de la souris dans n'importe quelle barre visible et sélectionnez le nom de la barre concernée dans le menu contextuel qui apparaît alors (les menus contextuels sont décrits dans la section suivante).

- **Pour réafficher une barre d'outils masquée**, choisissez Affichage/Barres d'outils, cochez la case située en regard de la barre à afficher, puis cliquez sur Fermer.

- **Pour réafficher une barre d'outils par défaut pour le mode actif**, cliquez avec le bouton droit de la souris dans n'importe quelle barre visible et sélectionnez le nom de la barre concernée dans le menu contextuel.

Si les procédures que nous venons de décrire ne fonctionnent pas, choisissez Outils/Démarrage, activez Afficher les barres d'outils intégrées, puis cliquez sur OK. Fermez la base de données, puis ouvrez-la de nouveau. Si nécessaire, choisissez Affichage/Barres d'outils pour réafficher la barre.

Il existe de nombreuses autres façons d'utiliser et de personnaliser les barres d'outils ; nous les décrirons au Chapitre 23. Pour l'instant, contentez-vous de savoir comment les masquer, les afficher et les positionner. Si vous désirez en savoir plus, consultez le fichier d'aide, à la rubrique *barres d'outils.*

Lorsque vous affichez manuellement une barre d'outils intégrée, elle s'affiche dans tous les modes. Lorsque vous masquez une barre d'outils intégrée depuis son mode par défaut, elle est masquée dans tous les modes (y compris dans le mode par défaut).

Utiliser les menus contextuels

Access propose de nombreux *menus contextuels* qui vous dispensent de descendre en rappel dans les menus, à la recherche des commandes qui vous intéressent. Vous savez déjà que le menu contextuel accessible dans la boîte de dialogue Ouvrir vous permet, sans quitter Access, de mener de multiples actions de gestion de fichiers (il en va d'ailleurs de même de la boîte de dialogue de la commande Enregistrer).

Pour ouvrir un menu contextuel, cliquez avec le bouton droit de la souris sur l'objet ou l'emplacement concerné ; ou bien, cliquez sur l'objet et enfoncez les touches Majuscule + F10. Ainsi, si vous cliquez avec le bouton droit sur le nom d'une table dans la fenêtre Base de données, le menu contextuel suivant apparaît :

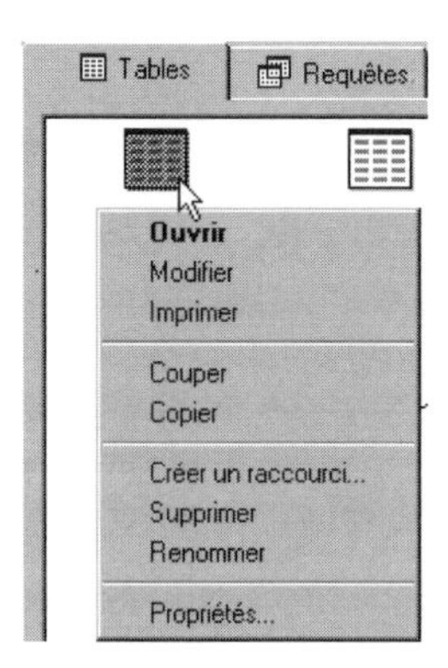

Si le menu contextuel ne se déroule pas lorsque vous cliquez avec le bouton droit de la souris, choisissez Outils/Démarrage, activez Autoriser les menus contextuels par défaut, puis cliquez sur OK. Fermez ensuite la base de données, puis procédez de nouveau à son ouverture.

Pour sélectionner une commande de menu contextuel, réalisez l'une des actions suivantes :

- Enfoncez la touche Entrée si vous voulez sélectionner la commande présentée **en gras**.
- Cliquez sur la commande qui vous intéresse soit avec le bouton gauche de la souris (bouton principal), soit avec le bouton droit (bouton secondaire).
- Tapez la première lettre de la commande concernée, ou faites glisser le pointeur sur cette commande jusqu'à ce qu'elle apparaisse contrastée, puis enfoncez la touche Entrée.

Pour fermer le menu sans sélectionner de commande, enfoncez la touche Esc ou Alt ou la combinaison Majuscule + F10 ; vous pouvez aussi cliquer en dehors du menu proprement dit.

Cliquer avec le bouton droit de la souris signifie positionner le pointeur sur l'élément concerné, puis enfoncer le bouton droit (secondaire) de la souris. Ce bouton est régulièrement utilisé dans Access, et plus généralement dans toutes les applications Windows. Lors de votre travail, n'hésitez pas à faire appel à ce "clic droit" ; vous découvrirez sans aucun doute des raccourcis qui vous seront d'une grande utilité.

Fermer une base de données

Pour fermer une base de données, réalisez l'une des actions suivantes :

- Cliquez dans la case de fermeture située dans l'angle supérieur droit de la fenêtre Base de données.
- Activez la fenêtre Base de données, puis choisissez Fichier/Fermer.
- Enfoncez les touches Ctrl + W ou Ctrl + F4.

Comme d'habitude, vous serez invité à enregistrer les éventuelles modifications apportées à la base et qui n'auraient pas encore fait l'objet d'une sauvegarde.

Vous ne pouvez ouvrir qu'une base de données à la fois. Si vous activez la commande Fichier/Ouvrir une base de données ou Fichier/Nouvelle base de données alors qu'une base est déjà ouverte, Access, spontanément, fermera la base ouverte.

Obtenir de l'aide

Il est évident qu'au cours de votre apprentissage, vous vous poserez maintes fois des questions auxquelles vous souhaiterez apporter une réponse. D'où l'intérêt de savoir comment exploiter au mieux la puissante aide en ligne.

Découvrir les techniques

Le tableau 1.2 recense les différents accès à l'aide d'Access. Rappelez-vous que toutes les techniques classiques de Windows y sont d'application et vous permettent donc de taper des annotations, de définir des signets, d'imprimer des écrans d'aide, etc. Si ces notions vous sont inconnues, consultez l'aide relative à Windows.

Type d'aide	Comment y parvenir
Compagnon Office	Choisissez ? (Aide)/Aide sur Microsoft Access ou activez l'icône Compagnon Office de la barre d'outils Standard.
Afficher le sommaire	Choisissez ? (Aide)/Sommaire et index, puis activez l'onglet Sommaire de l'aide de la boîte de dialogue Rubriques d'aide.
Rechercher des informations	Activez l'onglet Index ou Rechercher de la boîte de dialogue Rubriques d'aide.
Trouver de l'aide sur le Web	Choisissez l'une des sous-commandes de la commande ? (Aide)/Microsoft sur le Web. Utilisez l'option Didacticiel du Web pour en savoir plus sur ces différentes options.
Afficher une fenêtre d'aide minimale	Activez le bouton ? Microsoft Access de la barre des tâches de Windows 95.

Obtenir une aide ponctuelle	Choisissez ? (Aide)/Qu'est-ce que c'est ? ou enfoncez les touches Majuscule + F1, ou encore cliquez sur le bouton ? qui se trouve dans l'angle supérieur droit de la fenêtre, puis sélectionnez la commande ou la zone à propos de laquelle vous désirez obtenir des informations.
Connaître le numéro de version, obtenir des informations relatives au système ainsi qu'à l'assistance technique	Choisissez ? (Aide)/À propos de Microsoft Access.
Quitter l'aide	Cliquez dans la case de fermeture située dans l'angle supérieur droit de la fenêtre d'aide, ou enfoncez la touche Esc.

Tableau 1.2 : L'utilisation de l'aide en ligne fournie avec Microsoft Access.

Bien utiliser cet ouvrage

Ce livre, en fait, est destiné à compléter le système d'aide en ligne, non à se substituer à lui. En effet, l'aide officielle est très complète et très détaillée ; elle décrit avec minutie la plupart des procédures d'Access et vous guide pas à pas dans leur réalisation. Dès lors, notre propos consiste davantage à aborder des concepts généraux qui, une fois assimilés, vous permettront de naviguer sans faille dans cette aide en ligne et d'y localiser aisément les instructions détaillées qui vous permettront de mener votre tâche à bien.

Vous retrouverez régulièrement dans cet ouvrage le symbole représenté en regard. Il vous rappelle que vous pouvez découvrir des informations complémentaires du sujet traité en explorant l'aide en ligne d'Access.

Rechercher des informations

Comme un livre, l'aide en ligne est équipée d'un sommaire auquel vous parvenez de la manière suivante :

- Choisissez ? (Aide)/Sommaire et index, puis activez l'onglet Sommaire de l'aide de la boîte de dialogue Rubriques d'aide.

Le sommaire propose une liste de *livres*, comprenant chacun une ou plusieurs *rubriques*. La Figure 1.7 vous montre l'onglet Sommaire de l'aide avec le livre

Obtenir de l'aide ouvert. Pour ouvrir ou fermer un livre, cliquez deux fois sur son icône. Pour ouvrir ou fermer une rubrique (repérable au point d'interrogation qui la précède systématiquement), cliquez deux fois sur la rubrique. La Figure 1.8 vous montre l'onglet Sommaire de l'aide avec la rubrique Réponse aux questions courantes ouverte.

Voici quelques trucs qui vous permettront d'utiliser efficacement la fenêtre d'aide (Figure 1.8) :

- **Pour visualiser un commentaire qui n'apparaît pas dans la fenêtre,** recourez aux barres de défilement vertical et horizontal, ou redimensionnez la fenêtre d'aide.
- **Pour gagner un sujet connexe**, cliquez sur l'icône de déplacement ; le pointeur se transforme d'ailleurs en main lorsqu'il est positionné sur une icône de ce type.

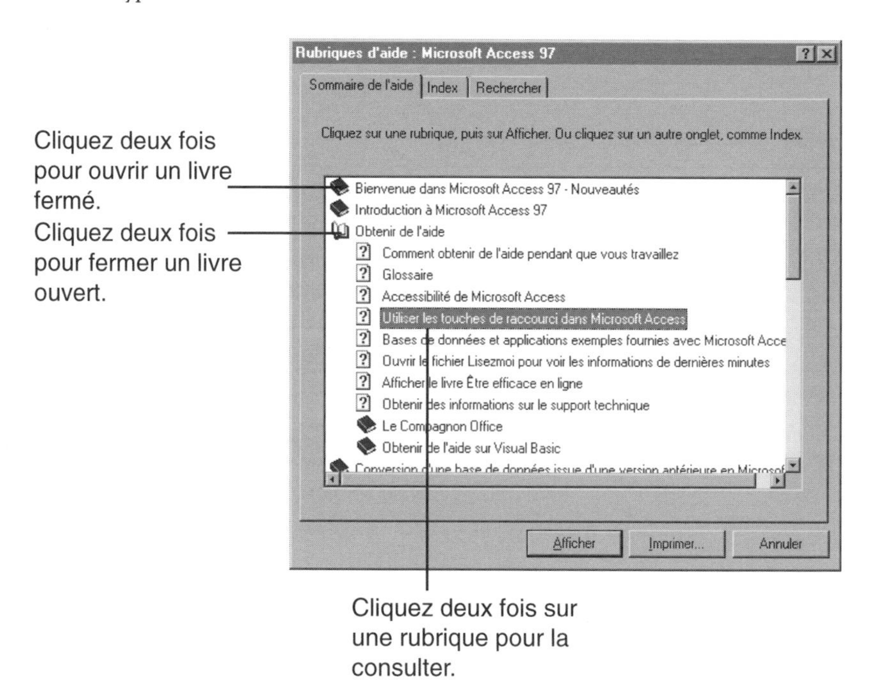

Figure 1.7 : Le sommaire propose une série de "livres" électroniques qui fournissent une aide détaillée sur de multiples aspects du programme. Cliquez deux fois sur un livre pour l'ouvrir ou pour le fermer. Cliquez deux fois sur une rubrique pour la consulter.

Cliquez ici pour regagner le sommaire.

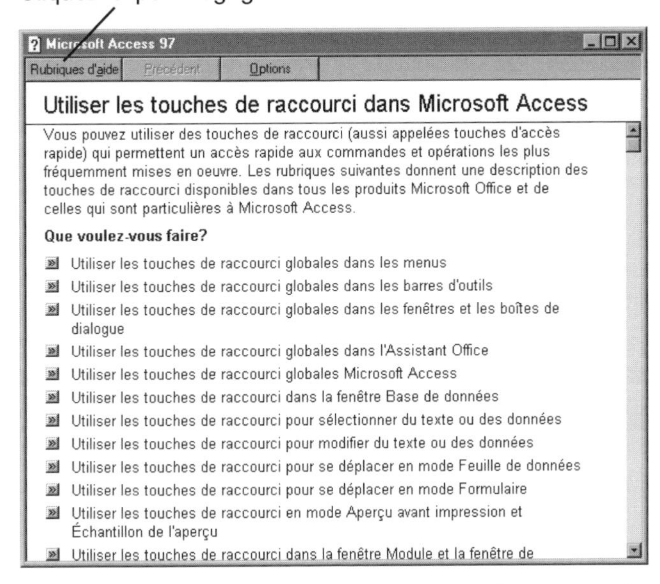

Figure 1.8 : Une fenêtre de l'aide en ligne qui fournit des réponses aux questions que se posent très régulièrement les utilisateurs.

- **Pour obtenir la définition d'un terme ou d'un bouton**, cliquez sur n'importe quel texte souligné en pointillé (généralement en vert sur les écrans couleurs) ou cliquez sur l'image du bouton. (Pour faire disparaître la définition, il suffit de cliquer n'importe où à l'intérieur ou à l'extérieur de la définition, ou encore d'activer la touche Esc.)
- **Pour imprimer un écran d'aide**, dans la boîte de dialogue Rubriques d'aide, affichez la rubrique à imprimer, puis cliquez sur Options et choisissez Imprimer la rubrique. Vous pouvez aussi cliquer avec le bouton droit de la souris n'importe où dans la rubrique, puis sélectionner la même commande.
- **Pour reculer d'une étape,** cliquez sur Précédent.
- **Pour regagner le sommaire** (Figure 1.7) depuis n'importe quel endroit de l'aide en ligne, cliquez sur Rubriques d'aide.
- **Pour réafficher la fenêtre d'aide** si elle a été réduite ou masquée, cliquez sur le bouton ? Microsoft Access pour Windows 95 dans la barre des tâches de Windows.
- **Pour fermer la fenêtre d'aide d'Access**, assurez-vous que cette fenêtre est active, puis cliquez dans sa case de fermeture ou enfoncez la touche Esc.

Obtenir de l'aide sur la tâche en cours

Même si le fichier d'aide n'est pas ouvert, Access vous fournit différents types d'informations. C'est le cas des commentaires qui s'affichent dans la barre d'état, des cases de prévisualisation qui équipent de nombreuses boîtes de dialogue, des remarques en couleurs qui s'affichent à l'écran et vous guident vers l'étape suivante de votre travail. Pour vous en convaincre, la Figure 1.9 vous montre le commentaire qui apparaît dans la barre d'état ; elle vous montre également la case Conseil qui s'affiche dans la boîte de dialogue proprement dite et qui fournit des informations générales et renseigne sur les éventuels équivalents clavier. (Vous découvrirez cette zone dans le Chapitre 6, lorsque vous apprendrez à créer des tables.)

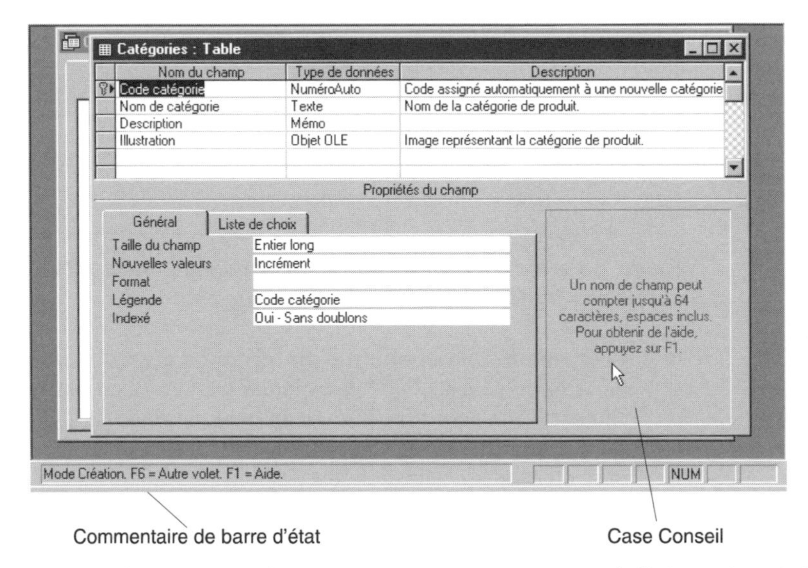

Figure 1.9 : Les cases Conseil et les commentaires qui s'affichent dans la barre d'état vous indiquent bien souvent comment poursuivre votre tâche.

Rechercher une information particulière

Comme tous les livres dignes de ce nom, l'aide en ligne est équipée d'un index qui vous permet de rechercher rapidement une information particulière. Voici comment procéder :

1. Accédez à l'aide comme décrit précédemment, puis activez l'onglet Index (ou l'onglet Rechercher). La Figure 1.10 vous montre l'onglet Index après avoir tapé le mot **fermeture** dans la case d'édition.

2. Tapez un mot ou sélectionnez une entrée dans la liste. La fonction de recherche n'établit aucune distinction entre minuscules et majuscules. Access met en surbrillance l'entrée de la liste la plus proche de ce que vous avez spécifié.

3. Cliquez sur Afficher (ou cliquez deux fois sur la rubrique à consulter).

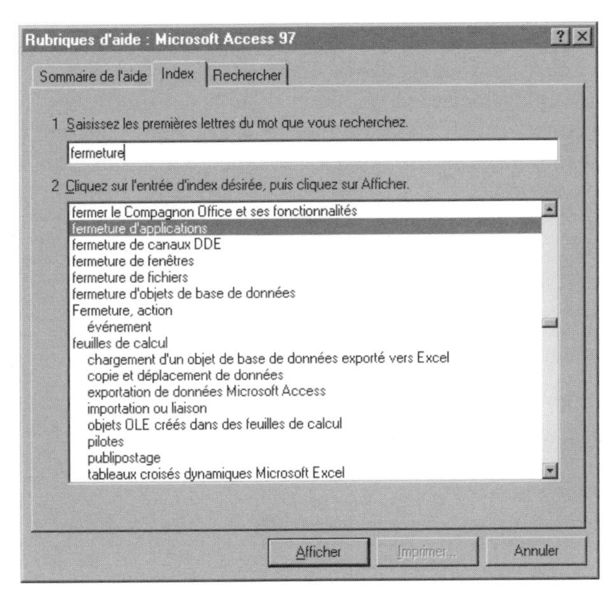

Figure 1.10 : L'onglet Index après que le terme fermeture a été tapé dans la case d'édition.

Recourir au Compagnon Office

Le Compagnon Office vous permet de rechercher des informations en posant une question. N'ayez pas peur de vous exprimer dans vos propres termes : le Compagnon Office est futé.

Pour accéder au Compagnon, choisissez ? (Aide)/Aide sur Microsoft Access, ou enfoncez la touche F1, ou encore activez l'icône Compagnon Office de la barre d'ou-tils Standard (Figure 1.11). Le Compagnon apparaît ; il se présente au départ sous la forme d'un trombone animé, mais d'autres Compagnons sont disponibles. Cliquez sur Options dans la bulle jaune du Compagnon, puis activez l'onglet Présentation. Vous pouvez non seulement choisir un autre Compagnon, mais vous pouvez aussi paramétrer son comportement. Activez donc l'onglet Options, faites vos choix, puis cliquez sur OK.

Pour obtenir de l'aide de la part du Compagnon, commencez par l'afficher. Si aucune bulle jaune n'apparaît avec un bouton Rechercher, cliquez n'importe où dans la fenêtre du Compagnon, puis tapez quelques mots dans la case d'édition afin de lui indiquer la tâche que vous comptez entreprendre. Validez en enfonçant la touche Entrée ou en cliquant sur Rechercher. Quand le Compagnon vous affiche une liste de rubriques d'aide, sélectionnez celle qui vous intéresse.

Dans la Figure 1.11, nous avons demandé au Compagnon de nous fournir des renseignements concernant les barres d'outils personnalisées. En fait, le Compagnon ne prête aucune attention aux mots qui sont, pour lui, vides de sens ; il préfère se concentrer sur les mots clés, comme "personnalisation" et "barre d'outils" dans notre exemple.

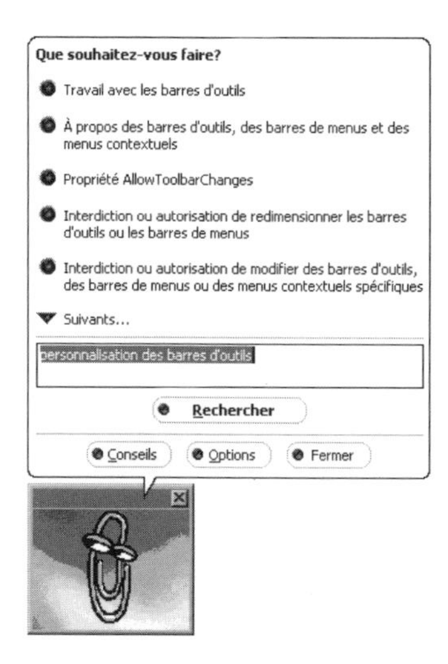

Figure 1.11 : Le Compagnon Office après que nous lui avons demandé des renseignements relatifs à la personnalisation des barres d'outils.

Et ça, qu'est-ce que c'est ?

Une autre forme d'aide est également disponible, celle qui vous renseigne directement sur la fonction d'une commande, d'un bouton ou d'une option de boîte de dialogue.

1. Enfoncez les touches Majuscule + F1 ou activez le bouton Aide de la barre d'outils Base de données (représenté à gauche). Si une boîte de dialogue est ouverte, c'est le point d'interrogation qui figure dans son angle supérieur droit que vous devez activer. Le pointeur de la souris se dote d'un point d'interrogation gras.

2. Avec ce pointeur particulier, sélectionnez une commande, activez un bouton, ou cliquez dans une zone pour obtenir des informations strictement relatives à cet élément.

Si, après activation de cette aide ponctuelle, vous changez d'avis et renoncez à obtenir des informations, désactivez la fonction en enfonçant la touche Esc ou la combinaison de touches Majuscule + F1, ou en cliquant de nouveau sur le bouton Aide de la barre d'outils.

D'autres techniques sont disponibles pour obtenir cette aide ponctuelle :

- Dans une boîte de dialogue, cliquez avec le bouton droit de la souris sur le nom ou le bouton de l'option à propos de laquelle vous souhaitez des informations et choisissez "Qu'est-ce que c'est ?".
- Dans une boîte de dialogue, cliquez dans la case de l'option à propos de laquelle vous souhaitez des informations, puis enfoncez les touches F1 ou Majuscule + F1.
- Dans les menus, mettez en surbrillance la commande à propos de laquelle vous souhaitez des informations, puis enfoncez les touches F1 ou Majuscule + F1.

Numéro de version, informations système et assistance technique

Vous disposez encore d'une fonction d'aide spéciale qui vous permet de vérifier le numéro de votre version d'Access, d'obtenir des informations sur votre système d'exploitation ou de prendre connaissance des possibilités d'assistance technique.

1. Choisissez ? (Aide)/À propos de Microsoft Access.
2. Consultez les informations relatives à Access.
3. Pour obtenir des informations sur le système, cliquez sur Informations système. Pour découvrir les possibilités d'assistance technique, cliquez sur Support technique.
4. Pour regagner Access, cliquez sur le bouton Fermer ou OK (ou enfoncez la touche Esc).

Quitter l'aide

Différentes techniques sont à votre disposition pour quitter l'aide d'Access. Sans doute la procédure la plus simple consiste-t-elle à vous assurer que la fenêtre d'aide est bien active (au besoin, cliquez dans cette fenêtre ou sur son bouton dans la barre des tâches), puis enfoncez la touche Esc.

En marge de l'aide décrite dans les sections qui précèdent, Microsoft vous fournit d'autres sources d'informations relatives à Microsoft Access, à Microsoft Office et, plus généralement, à tous les programmes Microsoft. Reportez-vous au Chapitre 4 pour en apprendre davantage sur ces aides supplémentaires.

Quitter Access

Lorsque votre séance de travail avec Access est terminée, vous devez regagner Windows avant d'éteindre votre ordinateur. Vous quittez Access en employant l'une ou l'autre de ces techniques standard :

1. Activez la fenêtre Base de données ou la fenêtre principale d'Access.
2. Choisissez Fichier/Quitter, ou cliquez dans la case de fermeture du programme, située dans l'angle supérieur droit, ou encore enfoncez les touches Alt + F4.

Si vous désirez quitter Access alors que le programme est réduit en icône, cliquez avec le bouton droit de la souris sur le bouton Microsoft Access de la barre des tâches de Windows, puis choisissez Fermeture.

Vous regagnez alors le bureau de Windows ou la fenêtre d'un autre programme. Attention : si vous désirez éteindre votre ordinateur, vous devez quitter toutes les applications qui tournent, puis, dans la barre des tâches de Windows, choisir Démarrer/Arrêter. Ensuite, c'est l'option Arrêter l'ordinateur ? Oui que vous devez valider et attendre ensuite bien sagement que Windows vous indique que vous pouvez, en toute sécurité, éteindre votre machine.

Et maintenant, que faisons-nous ?

À ce stade, la marche à suivre dépend essentiellement de vos connaissances en bases de données.

- **Si vous ignorez tout des bases de données et d'Access**, passez sagement aux Chapitres 2 et 3.
- **Si vous possédez quelques rudiments en matière de bases de données mais ignorez tout d'Access**, essayez la visite guidée proposée au Chapitre 3.
- **Si vous connaissez déjà Access**, consultez nos encarts "Quoi de neuf ?" présentés à la fin de la plupart des chapitres. Autre approche : consultez l'aide en ligne (? 5aide)/Sommaire et index), activez l'onglet Sommaire de l'aide, cliquez deux fois sur Nouveautés, puis sélectionnez la rubrique qui vous intéresse.

Quoi de neuf ?

Beaucoup des fonctionnalités décrites dans ce chapitre sont des nouveautés. Citons les principales :

- Les commandes de menu qui sont dotées d'un équivalent en bouton de barre d'outils sont désormais équipées d'une icône correspondante.
- Le Compagnon Office est un outil animé d'aide en ligne qui vous donne des conseils sur la tâche en cours. Vous avez le choix entre différents Compagnons, notamment Einstein, le logo Office, ou encore Mère Nature.

Principes des bases de données

Access est un outil qui gère des informations, c'est-à-dire des données organisées sous une forme significative. Ainsi, sans doute pouvez-vous directement identifier le type d'informations présenté dans la Figure 2.1 comme étant une facture. Vous y trouvez en effet le nom et l'adresse du client, les articles qu'il a commandés, le montant de sa commande, le calcul de la TVA, le montant global dont il doit s'acquitter, etc.

Supposons que vous souhaitiez stocker votre facturier sur ordinateur. Dans un premier temps, il pourrait vous sembler plus commode d'acheter un scanner (un appareil qui transforme un document imprimé en fichier informatique) et de scanner chacune de vos factures. Vous pourriez ainsi afficher ces données à l'écran et les imprimer. Pour travailler de cette manière, vous n'avez absolument pas besoin d'un système de gestion de bases de données. A priori, l'idée semble bonne.

SOCIETE SAVECO S.A.

Monsieur Armand Libin
32, rue de Livourne
92000 Nanterre

Paris, le 15 février 1996.

FACTURE

Article 2434	Prix unitaire 24	Quantité 3
Article 3236	Prix unitaire 32	Quantité 7
Article 1232	Prix unitaire 15	Quantité 2

Total hors TVA	**326**
TVA	**68**
Total TVA comprise	**394**

Figure 2.1 : Un exemple de facture imprimée. Sans doute n'avez-vous aucune peine à identifier les éléments classiques d'une facture ; de fait, vous êtes capable, après un simple coup d'oeil, de repérer le nom du client et son adresse, l'objet de sa commande, le montant de sa dette.

Pourquoi stocker des données ?

L'inconvénient de cette méthode, ce sont les *limitations* qu'elle impose. En effet, votre mobilité est réduite : vous ne pouvez qu'accéder aux factures, les afficher et les imprimer. Impossible d'analyser vos données ou de modifier leur présentation. Impossible aussi d'imprimer des étiquettes de publipostage, des enveloppes ou encore des lettres types à l'intention de vos différents clients.

Pourquoi ? Tout simplement parce que votre ordinateur ne possède ni *vos yeux*, ni *votre intelligence* et qu'il est dès lors incapable d'analyser et de manipuler l'information.

L'objectif : la flexibilité

Pour bénéficier d'une souplesse de travail vous permettant d'afficher, d'imprimer et d'analyser vos informations, vous devez commencer par segmenter ces informations en petites unités de *données*. Ainsi, le prénom d'un client constitue une unité de donnée. Le code postal de la ville dans laquelle il habite en représente une autre. Le nom du produit qu'il achète encore une autre, et ainsi de suite.

Une fois que vous avez ainsi segmenté vos informations, vous pouvez faire appel à un système de gestion de bases de données, comme Access, pour analyser et présenter vos données comme bon vous semble. Dans cette hypothèse, si vous avez fait en sorte que le nom de famille de vos clients constitue une unité de données, vous pourrez réaliser un tri alphabétique de votre clientèle, ou localiser rapidement la commande de Monsieur Dupont.

Les données sont stockées dans des tables

Dans Access, toutes les informations doivent être segmentées en données, qui sont stockées dans des tables. Une *table* est donc un ensemble de données, organisées en rangées et en colonnes. Vous pouvez stocker dans une table n'importe quel type d'information.

Laissons temporairement notre facturier de côté et concentrons-nous sur le stockage d'informations relatives aux clients. Supposons que vous disposiez d'un fichier traditionnel dans lequel vous avez consigné les coordonnées de vos clients, comme l'illustre le dessin ci-dessous. Pour chaque client, les informations sont identiques : titre de civilité, nom, prénom, rue, numéro, code postal et ville.

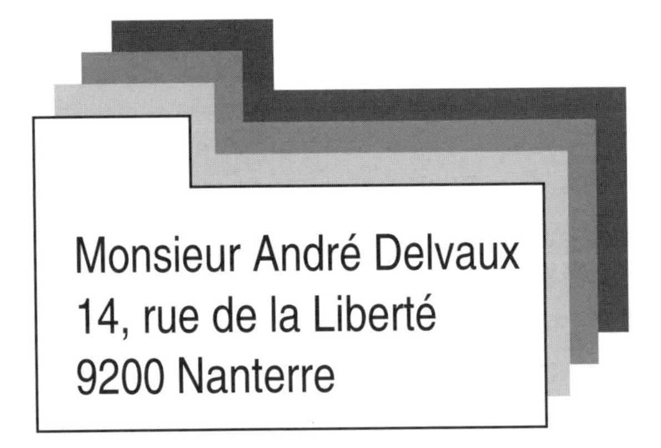

Comment, dans ce cas précis, segmenter l'information ? C'est simple : prévoyez une colonne pour chaque élément de donnée (une pour le titre de civilité, une pour le prénom, une pour le nom, etc.) et consacrez une ligne à chaque client, comme l'illustre la Figure 2.2.

Microsoft Access - [Clients : Table]

Fichier Edition Affichage Insertion Format Enregistrements Outils Fenêtre ? MontrezMoi

Contact	Fonction	Adresse	Ville	Régi
Maria Anders	Représentant(e)	Obere Str. 57	Berlin	
Ana Trujillo	Propriétaire	Avda. de la Constitución 2222	México D.F.	
Antonio Moreno	Propriétaire	Mataderos 2312	México D.F.	
Thomas Hardy	Représentant(e)	120 Hanover Sq.	London	
Christina Berglund	Acheteur	Berguvsvägen 8	Luleå	
Hanna Moos	Représentant(e)	Forsterstr. 57	Mannheim	
Frédérique Citeaux	Directeur du marketing	24, place Kléber	Strasbourg	
Martín Sommer	Propriétaire	C/ Araquil, 67	Madrid	
Laurence Lebihan	Propriétaire	12, rue des Bouchers	Marseille	
Elizabeth Lincoln	Chef comptable	23 Tsawassen Blvd.	Tsawassen	BC
Victoria Ashworth	Représentant(e)	Fauntleroy Circus	London	
Patricio Simpson	Assistant(e) des ventes	Cerrito 333	Buenos Aires	
Francisco Chang	Directeur du marketing	Sierras de Granada 9993	México D.F.	
Yang Wang	Propriétaire	Hauptstr. 29	Bern	
Pedro Afonso	Assistant(e) des ventes	Av. dos Lusíadas, 23	São Paulo	SP
Elizabeth Brown	Représentant(e)	Berkeley Gardens	London	
Sven Ottlieb	Acheteur	Walserweg 21	Aachen	
Janine Labrune	Propriétaire	67, rue des Cinquante Otages	Nantes	
Ann Devon	Assistant(e) des ventes	35 King George	London	
Roland Mendel	Chef des ventes	Kirchgasse 6	Graz	
Aria Cruz	Assistant(e) marketing	Rua Orós, 92	São Paulo	SP
Diego Roel	Chef comptable	C/ Moralzarzal, 86	Madrid	
Martine Rancé	Représentant(e)	184, chaussée de Tournai	Lille	
Maria Larsson	Propriétaire	Åkergatan 24	Bräcke	
Peter Franken	Directeur du marketing	Berliner Platz 43	München	

Enr: 1 sur 91

Code unique de cinq caractères basé sur le nom du client. NUM

Figure 2.2 : Liste de noms et d'adresses ; il peut s'agir d'un fichier traditionnel reconverti et organisé en table Access.

Terminologie

Il nous semble opportun, à ce stade, de nous pencher un instant sur des considérations terminologiques. Vous devez en effet connaître quatre termes clés qui reviendront constamment dans notre propos :

Table : Une table est un ensemble de données organisées en rangées et en colonnes.

Champ : Un champ est une unité (ou colonne) d'information dans une table. Ainsi, la Figure 2.2 comporte différents champs intitulés Contact, Fonction, Adresse, etc., comme vous pouvez le vérifiez en consultant la partie supérieure de la table.

Enregistrement : Un enregistrement est l'ensemble des données d'une rangée de la table. La table reproduite dans la Figure 2.2 comporte 91 enregistrements : le premier correspond à Maria Andres, le deuxième à Ana Trujillo, et ainsi de suite.

Base de données : Contrairement à ce que pensent de nombreuses personnes, une base de données n'est pas une table. C'est en fait *l'ensemble* des tables et des divers objets auxquels vous recourez pour gérer votre information, comme les formulaires et les états.

Une règle d'or : diviser pour régner

Reprenons l'exemple de notre fichier d'adresses. Peut-être vous demandez-vous *pourquoi* nous avons ressenti le besoin de segmenter l'information en éléments aussi petits ? N'est-il pas excessif, en effet, de créer trois champs pour le titre de civilité, le prénom et le nom ? Pourquoi isoler le code postal de la ville ?

Notre façon d'agir est la bonne. En effet, plus vous segmenterez vos données lors de la création de la table, plus l'accès à l'information sera facilité dans la suite de votre travail.

Ainsi, si vous ne dissociez pas le code postal et la ville, vous ne pourrez pas, plus tard, mener des actions sur un seul de ces deux éléments. De manière analogue, si vous groupez le nom et le prénom, vous serez dans l'incapacité de présenter les mêmes données de manières aussi variées que :

Monsieur André Delvaux

Monsieur Delvaux

Delvaux André

Mon cher André

Comme vous le découvrirez au cours des chapitres suivants, vous pouvez modifier l'ordre des colonnes, ou recourir aux formulaires et aux états pur organiser vos données et les présenter de la manière la plus appropriée.

Pourquoi plusieurs tables ?

Nous avons vu qu'une base de données peut inclure un grand nombre de tables. Peut-être vous demandez-vous à quelle fin ? En fait, il est plus commode de gérer des données lorsque les informations relatives à un sujet particulier sont regroupées dans une table spécifique. Ainsi, si vous créez une base de données destinée à gérer les membres d'une association, vous serez sans doute amené à créer différentes tables comme :

Liste des membres

Liste des membres du comité

Liste des paiements effectués

Modalités de paiements

Dates des paiements

Si vous utilisez Access pour gérer les factures de votre société, vous prévoirez plutôt les tables suivantes :

Clients

Employés

Commandes

Paiements

Produits

Expédition

Ces noms de tables ne sont, bien entendu, que des suggestions. Access, en fait, ne se soucie absolument pas de la *nature* des données que vous stockez dans les tables. La seule chose qui importe, c'est que vous parveniez à segmenter votre information pour l'organiser en champs et en enregistrements.

L'Assistant Création d'applications et l'Assistant Table vous guident dans la construction des tables. Sur quelques directives de votre part, ils sont en effet capables de segmenter vos informations et de les stocker dans des tables où ils les organisent automatiquement en champs. La procédure est tellement rapide et confortable que la création de vos tables s'effectuera en un tournemain. Ces Assistants sont décrits aux Chapitres 3, 5 et 6.

Quand convient-il de n'utiliser qu'une table ?

Dans les premiers temps, vous aurez parfois du mal à savoir si vous devez stocker vos données dans une seule table, ou les éclater dans plusieurs. Pour vous aider à faire le bon choix, voici une règle qui est valable dans tous les cas :

- S'il existe une relation un-à-un entre deux champs, il convient de placer ces champs dans la même table.

Expliquons-nous : il semble logique de consigner dans la même table toutes les données relatives à vos clients car il existe une relation un-à-un entre les champs. En d'autres termes, à chaque client correspond un nom, une adresse, une ville, etc.

Quand convient-il d'en utiliser plusieurs ?

Ce n'est pas parce que vous concentrez dans une seule table toutes les informations relatives à votre clientèle que vous devez faire de même pour tous les aspects de la gestion de votre entreprise.

Tout comme vous n'inscririez pas spontanément dans votre carnet d'adresses les commandes de vos clients, la liste des articles que vous commercialisez, etc., vous ne stockerez pas toutes ces informations dans une table unique.

Il est préférable de placer les données relatives aux clients dans une table, celles concernant les produits dans une autre, et celles traitant des commandes dans une troisième vu qu'il n'existe en effet aucune correspondance un-à-un entre les informations sur les clients, sur les produits et sur les commandes.

Après tout, *un seul* client peut passer *plusieurs* commandes. Et une même *commande* peut inclure différents *produits*. Nous sommes donc en présence ici de relations *un-à-plusieurs.*

La relation un-à-plusieurs

"Relation un-à-plusieurs" signifie que, pour un élément de données dans une table, *plusieurs* éléments apparentés sont susceptibles de figurer dans une autre table. Ainsi, *un* de vos clients peut passer *plusieurs* commandes (c'est en tout cas ce que nous vous souhaitons !). Il coule donc de source qu'il convient de placer les données concernant les clients dans une table et celles concernant leurs commandes dans une autre, comme le montre la Figure 2.3. (Dans cette figure, vous ne pouvez voir que les premiers champs de chaque table.)

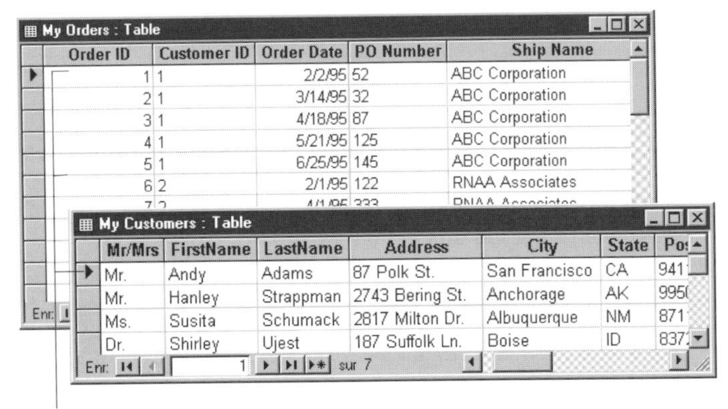

Figure 2.3 : Il existe une relation un-à-plusieurs entre les clients et les commandes (un client pouvant passer plusieurs commandes). Le champ numéro du client (Customer ID) de la table Commandes (My orders) indique quel client passe quelle commande.

Toutefois, si vous agissez de la sorte, il vous faudra trouver un moyen de déterminer très exactement *quel* client correspond à chaque commande. C'est ici qu'intervient le *champ clé primaire*.

Le champ clé primaire

Dans une table, le *champ clé primaire* identifie de manière unique et non équivoque chaque enregistrement de la table. Dans la table My customers (Clients) qui fait partie de la base de données Ordentry (Gestionnaire de commandes) stockée sur le CD-ROM qui accompagne cet ouvrage, il n'existe qu'un client portant le numéro 1 (Figure 2.3). La table pourrait présenter d'autres personnes portant le même nom, mais un seul individu porte le numéro 1. Lorsque nous avons ajouté le champ Customer ID (N° Client) à la table My customers (Clients), nous l'avons érigé en champ clé primaire de façon qu'Access garantisse qu'un même numéro ne soit jamais attribué à deux individus.

Votre numéro de sécurité sociale est l'exemple classique de champ clé primaire car il vous identifie de manière unique dans les bases de données des administrations. Même si un autre individu porte le même nom, voire le même prénom que vous, *personne* d'autre dans votre pays ne possède le même numéro de sécurité sociale.

Notez encore que les informations de la table My Orders (Commandes) et celle de la table My Customers (Clients) ne sont nullement redondantes. Ainsi, le titre de civilité, le prénom et le nom de famille du client consignées dans la table My Customers (Clients) ne sont pas reproduits dans la table My Orders (Commandes). La seule information indispensable dans cette table est le numéro d'identification du client, Customer ID (N° Client). Ce numéro suffit à Access pour extraire toutes les informations dont il a besoin à propos de tel ou tel client : il les trouve en effet dans la table My Customers (Clients), dans l'enregistrement correspondant au numéro d'identification.

Plus facile qu'il n'y paraît

Segmenter l'information et la répartir sous forme de données dans différentes tables risque, dans un premier temps, de troubler les débutants. Mais ne vous inquiétez pas : vous allez rapidement vous familiariser avec cette technique. Les chapitres suivants vous apprendront comment opérer cette segmentation, comment réaliser la répartition en tables et comment définir les champs clé primaire. Pour l'instant, contentez-vous de savoir que :

- Une base de données est susceptible de comporter plusieurs tables.
- Les tables font appel à un champ clé primaire pour identifier de manière non équivoque chaque enregistrement.

Et maintenant, que faisons-nous ?

S'il est impératif de segmenter l'information, c'est pour jouir de la plus grande souplesse possible lorsqu'il s'agira d'analyser et de présenter les données. Lorsque vos données seront consignées et organisées dans une base informatisée, vous serez étonné de voir la foule de renseignements que vous pourrez en extraire (les Chapitres 10 à14 vous en apprendront plus à ce sujet).

Que faire à présent ? Voici quelques suggestions :

- Pour vous familiariser rapidement avec les notions de base d'Access, participez à la visite guidée qui fait l'objet du Chapitre 3. En quelques minutes, vous créerez une base de données digne de ce nom, comportant des données, des formulaires, des états, etc.
- Pour découvrir comment Access peut travailler en symbiose avec les autres produits Microsoft Office, passez au Chapitre 4.
- Pour apprendre à créer une base de données en constituant des tables, passez au Chapitre 5. (Toutes les tables doivent être stockées dans une base de données.)
- Pour savoir comment créer des tables pour des données imprimées qui ne sont pas encore transcrites dans un fichier informatique, voyez le Chapitre 6.
- Pour apprendre comment manipuler des données déjà informatisées stockées dans un format particulier (comme Access, dBASE, Paradox, SQL, format Texte, etc.), sautez au Chapitre 7. Vous pourrez vraisemblablement récupérer ces données et ne pas être ainsi contraint de repartir à zéro.

Access en une soirée

Ce chapitre vous emmène faire une visite guidée des bases de données d'Access en sept courtes étapes ou "leçons". Son ambition n'est pas de faire de vous un as du produit, mais de vous faire découvrir les fondements du programme et de vous permettre de mettre en pratique ses fonctionnalités de base.

Vous y parviendrez en faisant appel aux Assistants ; ceux-ci vous aideront à créer une application capable de gérer vos connaissances. Vous apprendrez aussi à encoder des données, à réaliser des tris alphabétiques, à localiser une information précise, à personnaliser des formulaires et des états, à isoler des données grâce à des requêtes…

Access met à votre disposition différents Assistants qui vous aident efficacement à créer vos bases, à constituer vos tables, à élaborer vos formulaires et vos états, à définir vos requêtes, etc. Nous ne pouvons que vous engager à faire appel à eux, surtout si vous découvrez Access et n'êtes pas familiarisé avec les principaux généraux inhérents aux bases de données. Libre à vous, après coup, de modifier les éléments créés avec leur secours ; c'est d'ailleurs ainsi que votre action sera la plus rapide et la plus efficace.

Avant de commencer

Nous partons du principe que vous possédez les notions de base de Windows : utilisation de la souris, redimensionnement, déplacement, ouverture et fermeture des fenêtres, actions dans les boîtes de dialogue, etc. Nous supposons également que vous avez à tout le moins survolé les Chapitres 1 et 2 et que vous savez grosso modo de quoi il retourne.

Vous devriez idéalement consacrer 15 à 30 minutes à chaque leçon et ne pas interrompre une leçon en cours. Si, au terme d'une de ces étapes, vous ressentez le besoin de vous arrêter quelques instants, reportez-vous à la section "Faisons une pause" présentée à la fin de la Leçon 1. Pour reprendre votre apprentissage, consultez la section "Reprenons !".

Leçon 1 : Créer une base et des tables automatiquement

La première étape dans l'utilisation d'Access consiste à lancer le programme et à gagner la boîte de dialogue de démarrage ou la fenêtre principale. Si vous ignorez comment vous y prendre, reportez-vous au Chapitre 1.

Créer une base de données sans peine

Au cours de cette visite guidée, vous allez construire une base de données, que vous appellerez Amis1, qui vous permettra de gérer vos relations. Pour y parvenir, vous ferez appel à l'Assistant Création d'applications. Voici comment procéder :

1. Si vous agissez depuis la boîte de dialogue de démarrage, choisissez Assistant Création d'applications, puis cliquez sur OK. Depuis l'espace de travail d'Access, choisissez Fichier/Nouvelle base de données.

2. Dans la boîte de dialogue Nouvelle, activez l'onglet Bases de données, puis cliquez deux fois sur l'icône Amis.

Dans Windows 95, les extensions de noms de fichiers ne sont généralement pas affichées. Mais, si vous le souhaitez, Access et Windows 95 les afficheront dans la plupart des boîtes de dialogue. Ainsi, la base de don-

nées que vous allez créer s'appellera Amis1.mdb lorsque son extension sera affichée ; elle s'appellera tout simplement Amis1 dans les autres cas. Pour de plus amples informations sur l'affichage et le masquage des extensions de noms de fichiers, consultez le Chapitre 5. Dans cet ouvrage, nous partirons du principe que les extensions sont masquées.

3. Dans la case Nom de fichier, acceptez le nom Amis1 proposé par défaut, puis cliquez sur Créer ou enfoncez la touche Entrée.

Par défaut, Access vous propose de stocker vos bases de données dans un dossier intitulé Mes documents, qui figure sur le même lecteur que celui où le programme est installé. Pour modifier cet emplacement prédéfini, ouvrez n'importe quelle base de données et choisissez Outils/ Options, activez l'onglet Général et spécifiez le nom d'un dossier dans la case d'édition Dossier de la base de données par défaut. À l'inverse, pour rétablir l'emplacement original, remplacez le nom du dossier par un point. Voyez le chapitre 15 pour de plus amples renseignements.

Une fenêtre Base de données Amis1 s'affiche. Après quelques secondes, la première boîte de dialogue de l'Assistant Création d'applications apparaît (Figure 3.1).

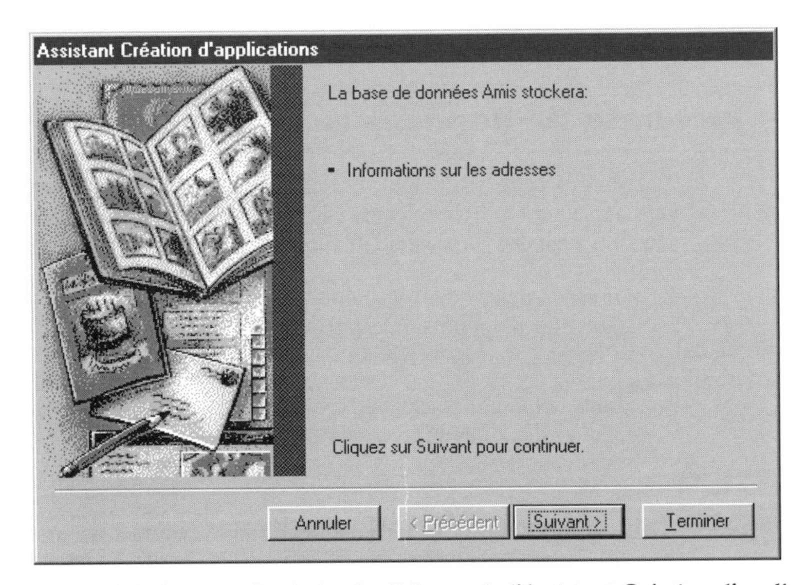

Figure 3.1 : La première boîte de dialogue de l'Assistant Création d'applications s'affiche par-dessus la fenêtre Base de données de la base Amis1.

Comprendre les Assistants

L'Assistant Création d'applications va vous poser quelques questions et se servir des réponses que vous allez lui fournir pour créer automatiquement les tables, les formulaires et les états de votre base. Pour dialoguer avec cet Assistant :

1. Prenez connaissance du premier message, puis cliquez sur Suivant.
2. La deuxième boîte de dialogue (représentée à la Figure 3.2) vous demande quels champs vous désirez inclure dans chaque table et si oui ou non vous souhaitez l'affichage de données exemple.

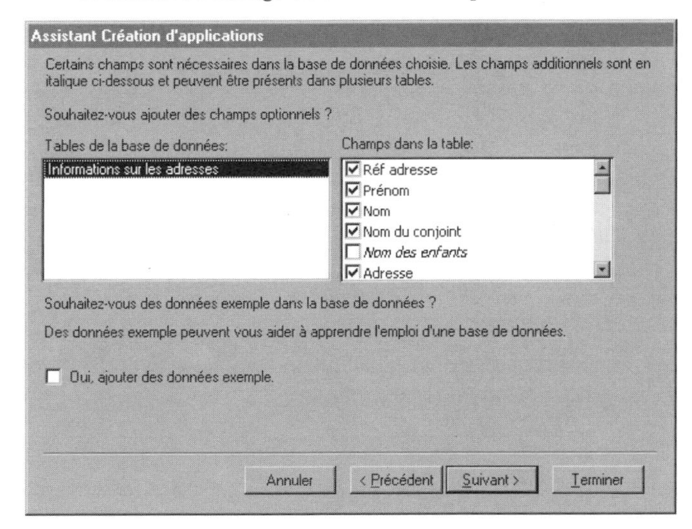

Figure 3.2 : La deuxième boîte de dialogue de l'Assistant Création d'applications vous permet d'inclure des champs optionnels et d'ajouter des données exemple.

Tous les Assistants d'Access fonctionnent de manière analogue et sont équipés de boutons de commande dans leur partie inférieure (voyez la Figure 3.2). Contentez-vous de suivre les instructions à mesure qu'elles apparaissent et cliquez sur l'un des boutons suivants pour valider vos choix :

Annuler : Ce bouton met un terme à l'action de l'Assistant et vous fait regagner l'endroit où vous vous trouviez lorsque vous l'avez invoqué.

Précédent : Ce bouton affiche la boîte de dialogue précédente.

Suivant : Ce bouton affiche la boîte de dialogue suivante.

Terminer : Ce bouton vous transporte vers la dernière boîte de dialogue de l'Assistant. Celui-ci utilise alors les paramètres par défaut pour les étapes que vous avez sautées. Le bouton Terminer n'est disponible que lorsque l'Assistant dispose de suffisamment d'informations pour réaliser sa mission.

Inclure des champs optionnels

Un *champ* est une unité d'information de la table, comme le nom d'une personne, son adresse ou son numéro de téléphone. Lorsque vous recourez à l'Assistant Création d'applications pour créer une base, toutes les tables et tous les champs requis sont définis automatiquement et votre intervention est donc nulle. Mais si vous voulez *vraiment* ajouter des champs optionnels, ou ne pas inclure certains champs, voici comment vous devez agir :

1. Dans la liste des tables située dans la partie gauche de la zone de dialogue représentée à la Figure 3.2, faites défiler si nécessaire, puis cliquez sur le nom de la table concernée. (La base de données Amis1 ne comporte qu'une seule table ; elle est d'ores et déjà sélectionnée.)
2. Dans la liste des champs située dans la partie droite de la zone, faites défiler si besoin est. Pour ajouter un champ optionnel, cochez la case en regard du champ optionnel concerné ; pour exclure un champ, procédez à l'inverse, c'est-à-dire désactivez sa case. Les règles de Windows sont d'application : un clic sur une option cochée la désactive ; un clic sur une option vide la valide.
3. Répétez les étapes 1 et 2 autant de fois que nécessaire.

Partons du principe que vous acceptez les suggestions de l'Assistant, c'est-à-dire que les champs présentés en italique ne sont pas activés, tandis que ceux présentés en caractères standard le sont.

Ajouter des données exemple

L'Assistant Création d'applications peut, si vous en exprimez le désir, ajouter des données exemple à votre base ; elles vous aideront à devenir plus rapidement performant. (Par la suite, vous pourrez supprimer ces échantillons.)

Nous préférons que vous ajoutiez ces données ; dès lors, sélectionnez l'option Oui, ajouter des données exemple (Figure 3.2), puis cliquez sur le bouton Suivant pour accéder à la troisième boîte de dialogue de l'Assistant.

Si vous avez cliqué sur Suivant avant de valider l'option, pas de panique. Cliquez sur Précédent pour reculer d'une étape, cochez l'option, puis repassez à la boîte suivante.

Choisir un style pour les formulaires

La troisième boîte de dialogue de l'Assistant Création d'applications vous permet de choisir une couleur de fond et un style général pour vos formulaires. Dans la Figure 3.3, le style Standard est sélectionné. Pour désigner un autre style, il vous suffit de le désigner dans la liste des styles proposés. La partie gauche de la zone affiche alors un aperçu de l'aspect qu'auront vos formulaires si vous validez votre choix. Si le coeur vous en dit, passez ces styles en revue, puis fixez votre choix sur le style Standard. Cliquez ensuite sur Suivant.

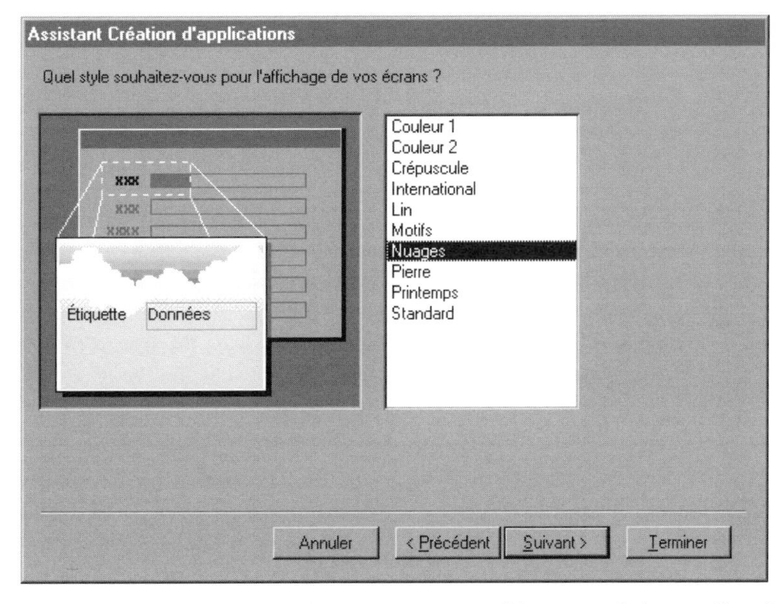

Figure 3.3 : La troisième boîte de dialogue de l'Assistant Création d'applications avec le style Standard pour les formulaires.

Choisir un style pour l'impression des états

Dans la quatrième boîte de dialogue de l'Assistant Création d'applications, vous avez la possibilité de choisir un style général pour l'impression de vos états (Figure 3.4). Comme dans le cas précédent, vous pouvez examiner les différentes options ; choisissez le style qui vous plaît davantage, ou utilisez, comme nous, le style Compact, puis cliquez sur Suivant.

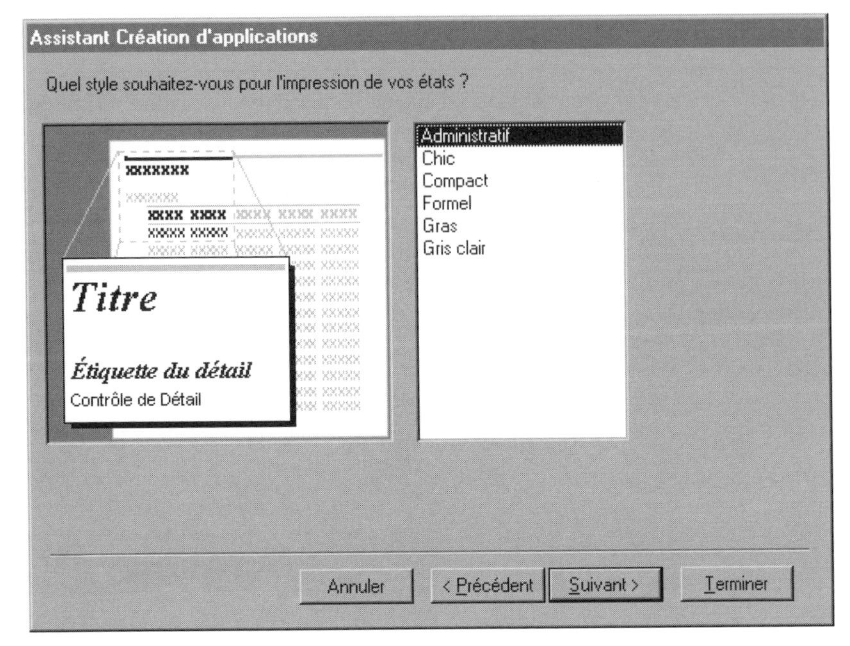

Figure 3.4 : La quatrième boîte de dialogue de l'Assistant Création d'applications avec le style Compact sélectionné.

Le Chapitre 13 vous apprendra à créer vos propres styles de formulaires et d'états ainsi qu'à ajouter ces styles à ceux qui sont prédéfinis. Ce chapitre vous montrera également comment changer le style d'un formulaire ou d'un état.

Rebaptiser la base et ajouter une image

La cinquième étape de l'Assistant Création d'applications vous autorise à définir un nouveau titre pour votre base de données (Figure 3.5). Ce titre figurera sur le formulaire Menu Général principal (qui apparaîtra bientôt), ainsi que sur tous les états de la base. Pour l'instant, laissons les choses telles quelles : conservez le titre comme il a été défini antérieurement.

Cette cinquième étape vous donne encore l'occasion de placer une image sur tous vos états. C'est amusant, n'est-ce pas ? Suivez cette procédure :

1. Activez Oui, je voudrais inclure une image, puis cliquez sur Image.
2. Lorsque la boîte de dialogue Insérer une image s'affiche (Figure 3.6), utilisez les techniques décrites au Chapitre 1 pour localiser le dossier ClipArt. Si vous avez réalisé une installation standard, il vous suffit de taper \msoffice\clipart dans la case Nom de fichier, puis d'enfoncer la touche Entrée.
3. Assurez-vous que le bouton Aperçu est coché, puis sélectionnez un fichier graphique dans la partie gauche de la zone. Chaque fois que vous sélectionnez un élément de la liste, un aperçu de l'image s'affiche dans la zone de prévisualisation. L'exemple de la Figure 3.6 montre le fichier Musique et l'aperçu correspondant.
4. Lorsque vous avez localisé l'image qui vous convient, cliquez sur OK. Une représentation de l'image sélectionnée s'affiche, à côté du bouton Image.
5. Cliquez sur Suivant pour poursuivre votre tâche.

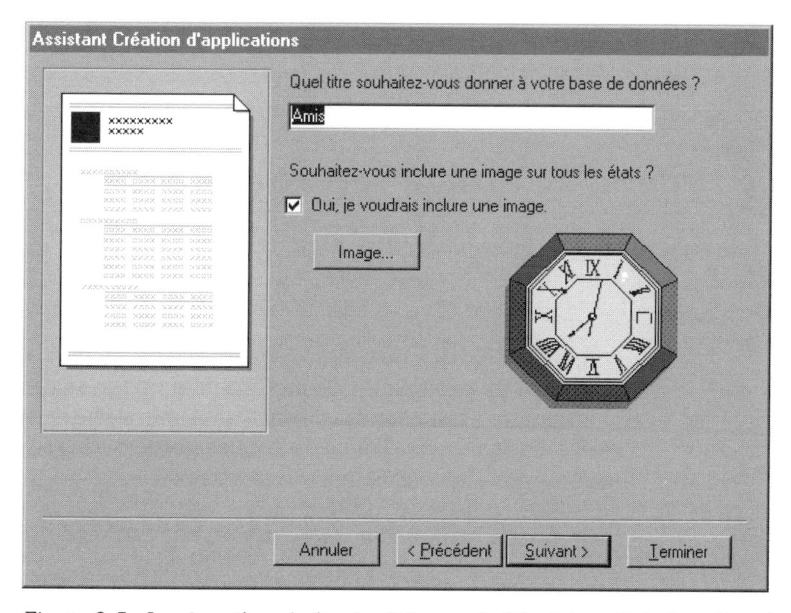

Figure 3.5 : La cinquième boîte de dialogue de l'Assistant Création d'applications vous permet de définir un titre et d'ajouter une image. Dans cet exemple, nous n'avons pas modifié le titre proposé par défaut, mais nous avons introduit l'image Musique du dossier \MSOffice\ClipArt.

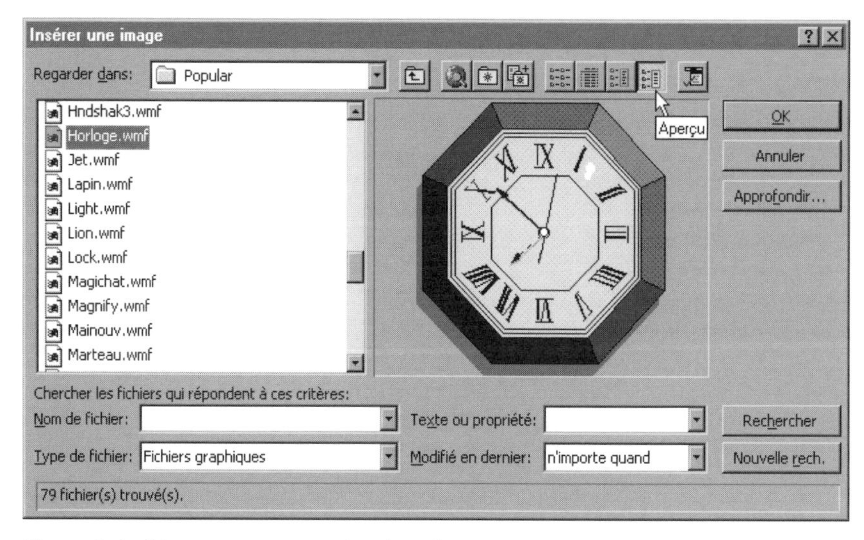

Figure 3.6 : Dès que vous avez cliqué sur Image, Access vous permet de rechercher et de prévisualiser les images susceptibles d'agrémenter vos états. La liste des fichiers disponibles dépend bien entendu des applications graphiques installées et du dossier sélectionné.

Mettre la dernière main à votre base

L'Assistant Création d'applications dispose à présent de toutes les informations nécessaires. Dans la dernière boîte de dialogue qu'il vous soumet, vous avez deux possibilités :

- **Oui, ouvrir la base de données** : Laissez cette option cochée si vous avez l'intention de rejoindre le Menu Général principal et de commencer sans plus attendre à travailler dans votre base. En revanche, désactivez l'option si vous souhaitez gagner la fenêtre Base de données sans passer par le Menu. Pour l'instant, laissez l'option sélectionnée.
- **Afficher l'aide sur l'emploi des bases de données** : Si vous validez cette option, Access vous affichera une aide en ligne sur la manière d'utiliser la base. Renoncez à cette aide.

Une seule manoeuvre est encore requise : cliquez sur Terminer. (N'hésitez pas à utiliser le bouton Précédent si vous souhaitez transiter de nouveau parmi les étapes précédentes.)

À présent, patientez quelques minutes, le temps pour l'Assistant de constituer la base, ses tables, ses formulaires, ses états, etc. (La progression s'affiche à l'écran.)

Lorsqu'il s'est acquitté de sa mission, l'Assistant disparaît, cédant sa place au Menu Général principal (Figure 3.7).

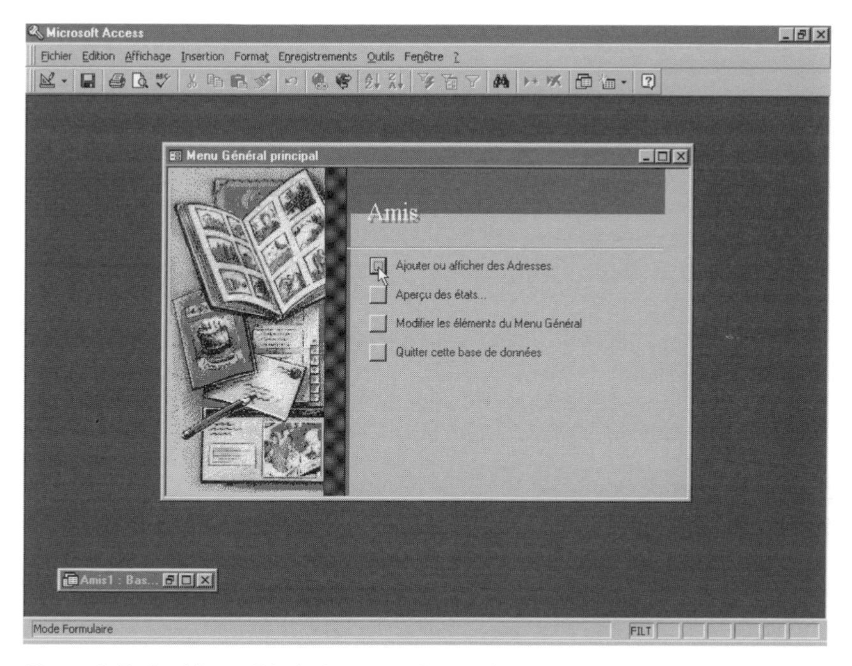

Figure 3.7 : Le Menu Général principal vous fournit toutes les options dont vous avez besoin pour créer et gérer les données de votre base Amis1. Access crée le Menu automatiquement, chaque fois que vous recourez à l'Assistant Création d'applications pour construire une base.

Félicitations ! Vous venez de créer votre première base de données Access. Facile, pas vrai ? Dans les leçons suivantes, vous apprendrez à utiliser et à personnaliser cette base.

Si le coeur vous en dit

Les Chapitres 5-7 vous renseignent plus en détail sur les bases de données et sur les tables. C'est également le cas du livre *Création d'une base de données et Travail dans la fenêtre Base de données* que vous trouverez dans le sommaire de l'aide.

Si vous souhaitez faire une pause à la fin de cette leçon ou à la fin d'une autre, fermez votre base de données comme décrit dans la section "Faisons une pause !". Pour reprendre votre apprentissage, ouvrez de nouveau Amis1 comme décrit dans "Reprenons !".

Faisons une pause

Si, à la fin d'une leçon, vous souhaitez souffler un peu, procédez de la manière suivante :

- Si vous êtes face au Menu Général principal (Figure 3.7), cliquez sur le bouton de la dernière option, Quitter cette base de données.
- Si vous avez sous les yeux la fenêtre Base de données (voyez le Chapitre 1), choisissez Fichier/Fermer, ou enfoncez les touches Ctrl + W, ou encore cliquez dans la case de fermeture de la fenêtre.

Si vous voulez quitter Access, choisissez Fichier/Quitter. Vous regagnez alors le bureau de Windows. Si vous entendez éteindre votre ordinateur, vous devez quitter toutes les applications qui tournent, puis, dans la barre des tâches de Windows, choisir Démarrer/Arrêter. Ensuite, c'est l'option Arrêter l'ordinateur ?/Oui que vous devez valider et attendre ensuite bien sagement que Windows vous indique que vous pouvez, en toute sécurité, éteindre votre machine.

Reprenons !

Pour reprendre le travail après une pause, vous pouvez recourir à toutes les techniques que vous avez étudiées dans le Chapitre 1 pour ouvrir votre base de données Amis1. Un bref rappel :

- Si vous agissez depuis la boîte de dialogue de démarrage, votre base Amis1 apparaît normalement dans la liste proposée ; cliquez deux fois sur son nom.
- Si votre base n'apparaît pas, cliquez sur Autres fichiers, cliquez sur OK, puis cliquez deux fois sur Amis1.
- Si vous agissez depuis l'espace de travail d'Access, déroulez le menu Fichier et sélectionnez Amis dans sa partie inférieure. Si cette base n'y est pas reprise, choisissez Fichier : Ouvrir une base de données, puis cliquez deux fois sur Amis1.
- Si vous êtes au bureau de Windows 95 et que vous avez récemment utilisé votre base Amis1, choisissez Démarrer/Documents/Amis1.

Access ouvre la base Amis1 et affiche le formulaire Menu Général principal (Figure 3.7).

Quelques astuces bien utiles

Tout au long de votre travail sur la base Amis1, essayez de garder à l'esprit les éléments suivants :

- **Pour ouvrir la fenêtre de la base Amis1 sans ouvrir d'abord le formulaire Menu Général principal,** maintenez la touche Majuscule enfoncée pendant que vous procédez à l'ouverture. La fenêtre Base de données s'ouvrira directement.
- **Pour ouvrir le formulaire Menu Général principal depuis la fenêtre Base de données**, activez l'onglet Formulaires de la fenêtre Base de données, puis cliquez deux fois sur Menu Général.
- **Pour ouvrir une fenêtre Base de données sans fermer d'abord le formulaire Menu Général principal,** enfoncez la touche F11, ou activez l'icône Fenêtre Base de données, ou choisissez Fenêtre/Amis1 : Base de données.
- **Pour ouvrir la fenêtre Base de données quand elle est réduite sur le bureau d'Access,** cliquez dans sa case de restauration ou cliquez deux fois sur sa barre de titre, ou encore enfoncez la touche F11.

Leçon 2 : Découvrir la base de données Amis

Avant d'entrer des données dans votre base, pourquoi ne pas vous y promener pour voir à quoi elle ressemble ? (Rappelez-vous : vous avez demandé l'insertion de données exemple ; votre base comporte donc des données.)

Découvrir le formulaire Adresses

Partons à la découverte du premier élément proposé par le Menu Général principal (Figure 3.7) :

1. Cliquez sur le bouton Ajouter ou afficher des Adresses. Apparaît alors le formulaire Adresses qui vous permet de passer en revue, voire d'éditer, les données de chacune de vos connaissances. Les boutons placés dans la partie inférieure de la fenêtre vous permettent de mener les actions suivantes :

- **Pour prévisualiser et imprimer une feuille des faits** concernant la personne dont la fiche est actuellement à l'écran, cliquez sur Aperçu de la feuille des faits. La leçon 4 détaillera cette procédure. (Si vous avez cliqué sur ce bouton, revenez au formulaire Adresses en cliquant dans la case de fermeture de la fenêtre ou en enfonçant les touches Ctrl + W.)
- **Pour composer le numéro d'appel** de la personne dont la fiche est actuellement à l'écran, cliquez dans la case contenant le numéro à composer, puis cliquez sur Composer.
- **Pour passer de la page 1 à la page 2 du formulaire Adresses et inversement**, cliquez sur 1 ou 2, ou enfoncez les touches PgPréc ou PgSuiv.

2. Lorsque vous en avez fini avec le formulaire Adresses, cliquez dans sa case de fermeture ou enfoncez les touches Ctrl + W pour regagner le formulaire Menu Général principal.

La leçon 4 vous enseignera à entrer des données et à les éditer, ainsi qu'à naviguer parmi les différents enregistrements. Pour l'instant, contentez-vous de regarder sans toucher.

Découvrir les états Adresses

L'option Aperçu des états du Menu Général principal vous permet de prévisualiser et d'imprimer une foule d'états concernant vos connaissances. Voici comment faire :

1. Cliquez sur le bouton en regard de l'option. Un nouveau Menu Général états apparaît (Figure 3.8).
2. Si vous le souhaitez, cliquez sur l'un des boutons pour prévisualiser l'état correspondant (l'état Liste des cartes de voeux, par exemple). La leçon 5 vous montrera comment gérer ces états.
3. Pour regagner le Menu Général principal après avoir visualisé un état, cliquez dans la case de fermeture de la fenêtre ou enfoncez les touches Ctrl + W.
4. Pour regagner le Menu Général principal, cliquez sur le bouton de l'option Revenir au Menu Général.

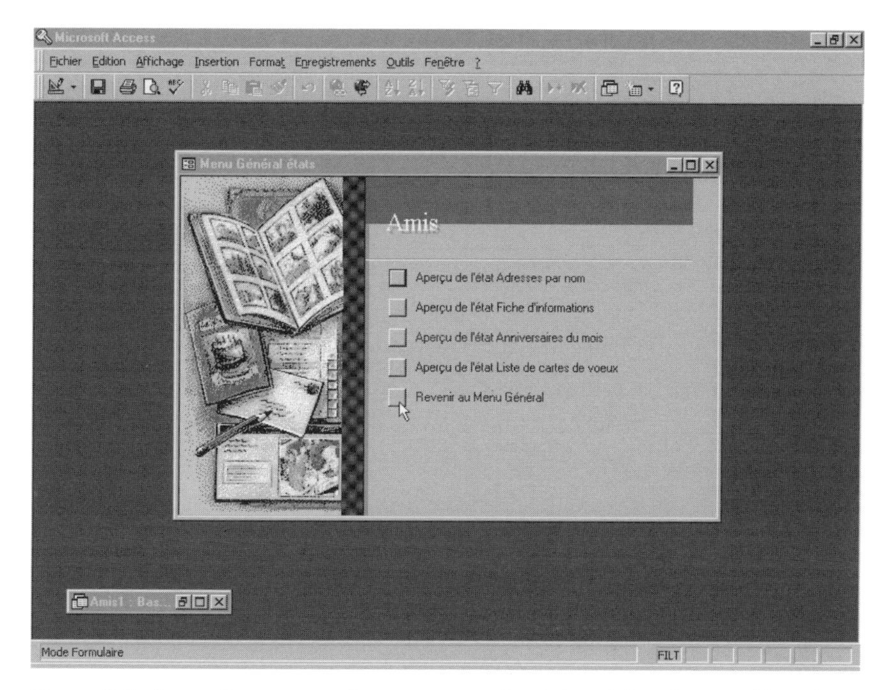

Figure 3.8 : Les options proposées vous permettent de prévisualiser ou d'imprimer des informations concernant vos connaissances. La dernière option vous ramène au Menu Général principal.

Les autres boutons du Menu Général

Comme le montre la figure 3.7, le Menu Général propose deux options que nous n'avons pas encore commentées. Elles servent en fait à :

Modifier les éléments du Menu Général : Cette option vous permet d'ajouter, de modifier ou de supprimer des éléments du Menu Général, voire de créer un nouveau menu de ce type. La leçon 7 présente rapidement les moyens à mettre en oeuvre pour personnaliser ces menus ; le Chapitre 21 est plus éloquent à ce sujet.

Quitter cette base de données : Cette option vous permet, en une seule opération, de fermer le formulaire Menu Général principal ainsi que la fenêtre de la base de données Amis1. Vous regagnez ainsi l'espace de travail d'Access.

Leçon 3 : Personnaliser un formulaire

Un formulaire Access présente les mêmes caractéristiques qu'un formulaire préimprimé, à cette différence près que vous remplissez le second en utilisant un stylo à plume ou à bille, alors que vous complétez le premier avec votre clavier.

Vous allez créer un formulaire ; cela vous fera un excellent exercice.

1. Quittez le formulaire Menu Général principal et rejoignez la fenêtre Base de données. Pour y parvenir rapidement, cliquez dans la case de fermeture du menu ou enfoncez la touche F11.
2. Dans la fenêtre Base de données, activez l'onglet Tables, puis cliquez sur le nom Adresses pour le sélectionner.

La table Menu Général abrite des entrées qui contrôlent les formulaires généraux de votre base de données. Ne modifiez pas cette table si vous souhaitez que ces formulaires continuent de remplir correctement leur fonction. La leçon 7 vous présentera le Gestionnaire de Menu Général et vous apprendra à manipuler cette table comme il se doit.

3. Déroulez le menu local Nouvel objet de la barre d'outils Base de données (représenté à gauche) et choisissez Formulaire. (Vous pouvez également choisir Insertion/Formulaire.) Dans la boîte de dialogue Nouveau formulaire, choisissez Adresses dans le menu local Choisissez la table ou requête d'où proviennent les données de l'objet, puis cliquez deux fois sur Formulaire instantané/Colonne simple. Patientez quelques instants pendant que le programme bâtit un formulaire automatique.

Access crée immédiatement le formulaire demandé qui vous permettra d'entrer et d'éditer des données dans votre base Amis1 ; il l'intitule Adresses (Figure 3.9). Le formulaire comporte un *contrôle* pour chaque champ de votre base.

Un *contrôle* est un objet graphique qui affiche des données, réalise une action ou rend le formulaire (ou l'état) plus lisible. Le Chapitre 13 vous en apprendra plus à ce sujet.

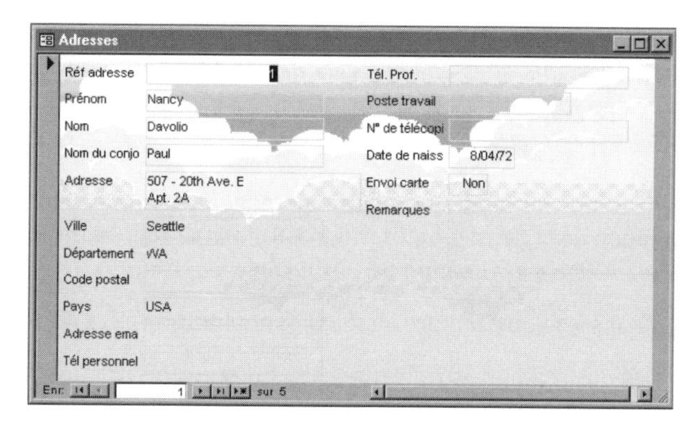

Figure 3.9 : Le formulaire instantané pour la table Adresses. Pour créer ce formulaire, choisissez l'optionFormulaire dans le menu déroulant Nouvel objet de la barre d'outils Base de données, puis cliquez deux fois sur Formulaire instantané/ Colonne simple après avoir sélectionné la table Adresses dans le menu déroulant de la partie inférieure de la fenêtre.

Modifier et enregistrer un formulaire

Vous pouvez utiliser ce formulaire tel quel. Mais vous souhaitez peut-être personnaliser sa présentation standard. Nous vous proposons de découvrir ici quelques-unes des techniques qui permettent de concevoir des formulaires plus attrayants. Lorsque vous aurez mené à bien la marche à suivre que nous allons détailler, votre formulaire ressemblera à celui représenté à la Figure 3.10.

Dans Access, si vous souhaitez modifier l'apparence d'un élément quelconque, vous devez activer le mode création. Sous ce mode, de nouvelles commandes de menu et de nouveaux boutons de barres d'outils deviennent accessibles ; ils vous permettront d'agir sur l'élément en question. Activons ce mode et déplaçons quelques-uns des contrôles du formulaire.

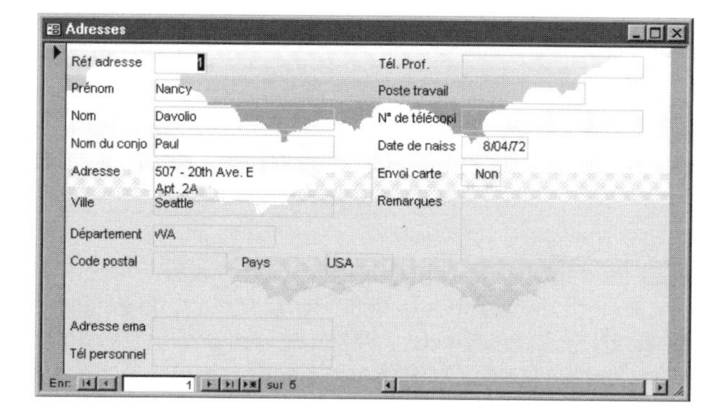

Figure 3.10 : Le formulaire Adresses après changement de quelques étiquettes, déplacement de quelques champs vers des endroits plus appropriés et modification du champ Réf Adresse afin d'y interdire l'accès du curseur ; ce champ apparaîtra désormais en grisé.

1. Pour passer du mode formulaire au mode création, activez le bouton Mode Création de la barre d'outils Mode Formulaire (représenté à gauche), ou choisissez Affichage/Création de formulaire.
2. Agrandissez votre fenêtre au maximum pour travailler plus confortablement.
3. Si des outils annexes (tels que barres d'outils ou palettes flottantes) encombrent votre espace de travail, masquez-les grâce au menu Affichage.
4. Faites défiler la fenêtre jusqu'à avoir sous les yeux le contrôle Pays, puis cliquez sur ce contrôle. Une fois cet élément sélectionné, des poignées de "déplacement" et de "redimensionnement" apparaissent, comme le montre l'illustration suivante :

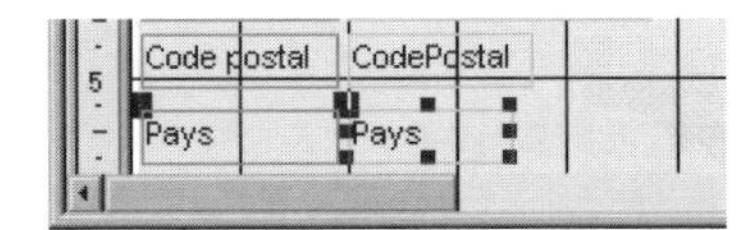

5. *Sans enfoncer* le bouton de la souris, positionnez le pointeur sur le bord du contrôle jusqu'à ce qu'il se transforme en petite main noire.
6. Cliquez (sans déplacer la souris), puis faites glisser le contrôle vers le haut et vers la droite, jusqu'à le placer à la même hauteur que le contrôle Code postal, comme le montre l'illustration suivante :

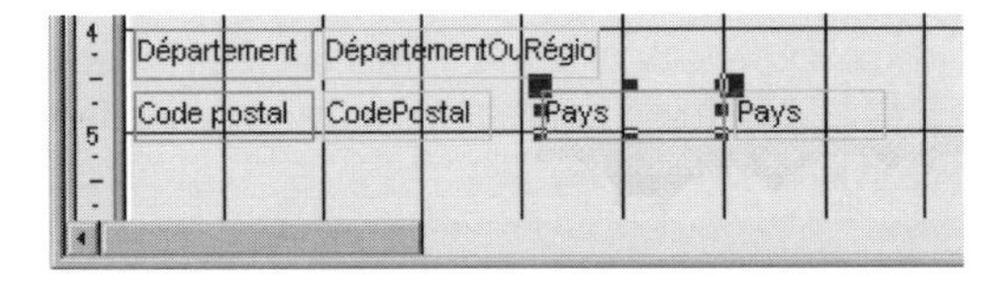

Au début, votre souris vous donnera sans doute du fil à retordre. Mais rassurez-vous : ces opérations ne demandent qu'un peu de pratique et vous ne tarderez pas à devenir un as du cliquer-glisser !

Vous venez de déplacer le contrôle Pays. Cette technique du cliquer-glisser vous permet également de modifier la taille des contrôles, de déplacer une étiquette ou une zone de texte. Exercez-vous à déplacer vers le haut les contrôles et les étiquettes AdresseCourrierÉlec et TélPersonnel pour combler le creux laissé par Pays.

Si vous approchez le pointeur d'une poignée de redimensionnement, vous pouvez changer la taille de la case. Ainsi, une double flèche horizontale vous permet de modifier la largeur ; une double flèche verticale, la hauteur, et une double flèche oblique, les deux paramètres simultanément.

Quelques conseils de création

Voici quelques conseils qui vous aideront à peaufiner l'aspect de vos formulaires :

- **Pour sélectionner plusieurs contrôles simultanément**, enfoncez la touche Majuscule et cliquez successivement sur les contrôles concernés, ou bien, avec votre souris, tracez un rectangle de sélection autour de tous les contrôles à sélectionner. (Assurez-vous d'abord qu'aucun contrôle n'est sélectionné, cliquez au-dessus et à gauche du premier contrôle concerné - et non sur le contrôle lui-même -, enfoncez le bouton de la souris, et faites glisser, jusqu'à parvenir au-dessous et à droite du dernier contrôle à inclure dans la sélection ; relâchez alors le bouton de la souris.)
- **Pour sélectionner tous les contrôles**, choisissez Édition/Sélectionner tout, ou enfoncez les touches Ctrl + A.
- **Pour désélectionner un ou plusieurs contrôles sélectionnés**, cliquez n'importe où en dehors de la sélection.
- **Pour désélectionner un contrôle parmi plusieurs contrôles sélectionnés**, enfoncez la touche Majuscule et maintenez-la dans cet état pendant que vous cliquez sur le contrôle concerné.
- **Pour modifier les dimensions et aligner les contrôles sélectionnés**, faites appel aux commandes correspondantes du menu Format (voyez le Chapitre 13 pour davantage de détails).
- **Pour ajuster la largeur d'une étiquette à la longueur de son texte**, sélectionnez l'étiquette, positionnez votre pointeur sur l'une de ses poignées de redimensionnement, puis cliquez deux fois. Vous pouvez aussi sélectionner les étiquettes concernées, puis choisir Format/Ajuster/Au contenu.
- **Pour supprimer le ou les contrôles sélectionnés**, enfoncez la touche Suppr.
- **Pour annuler une action que vous regrettez d'avoir exécutée**, choisissez Édition/Annuler, ou enfoncez les touches Ctrl + Z, ou encore utilisez le bouton Annuler de la barre d'outils Base de données.

Pour changer le texte d'une étiquette (l'information qui est placée à gauche du contrôle) :

1. Cliquez sur le texte de l'étiquette de manière à faire apparaître ses poignées de sélection.

2. Cliquez à l'intérieur de la sélection. Un point d'insertion apparaît, tandis que les poignées de redimensionnement sont temporairement masquées.

3. Recourez aux techniques standard d'édition de Windows, notamment :

- **Pour contraster (sélectionner) du texte**, faites glisser votre pointeur sur le texte, ou cliquez deux fois dans un mot pour le sélectionner.
- **Pour placer le point d'insertion clignotant à l'endroit qui vous convient,** cliquez le bouton de la souris, ou utilisez les touches flèche à gauche et flèche à droite.
- **Pour supprimer du texte**, enfoncez la touche Suppr (pour effacer les caractères placés à droite du curseur) ou la touche Retour arrière (pour effacer une sélection ou les caractères placés à gauche du curseur).
- **Pour ajouter du texte au niveau du point d'insertion**, tapez-le, tout simplement.

4. Lorsque vous avez apporté les modifications souhaitées, enfoncez la touche Entrée. Les poignées de sélection refont leur apparition.

Exercez-vous

N'hésitez pas à mettre en pratique les notions que vous venez d'acquérir. Nous vous proposons quelques exercices :

1. Modifiez le texte des étiquettes des contrôles suivants :

- Changez l'étiquette **Nom du conjoint** du contrôle NomConjoint en **Conjoint** tout court.
- Changez l'étiquette **Département** du contrôle DépartementOuRégion en **Dép/Province**.
- Changez l'étiquette **Tél Personnel** du contrôle TélPersonnel en **Tél Privé**.

2. Redimensionnez toutes les étiquettes de manière à ce qu'elles s'adaptent au texte qu'elles contiennent. Le moyen le plus simple de sélectionner tous les contrôles est d'enfoncer les touches Ctrl + A, puis de choisir Format/Ajuster/Au contenu.

3. Cliquez dans une zone vide du formulaire pour désélectionner tous les contrôles.

Réduisez ensuite la taille du contrôle Pays afin qu'il n'empiète pas sur le contrôle Notes. Pour y parvenir, cliquez sur le contrôle Pays (la case à gauche de l'étiquette Pays). Déplacez la souris pour la positionner sur la poignée de redimensionnement située à droite du contrôle (le pointeur se transforme en une double flèche horizontale), et faites glisser vers la gauche jusqu'à obtention de la largeur souhaitée.

Pour rapprocher le contrôle Pays de son étiquette, assurez-vous que ce contrôle est toujours sélectionné, déplacez ensuite le pointeur sur la poignée de redimensionnement située dans l'angle supérieur gauche du contrôle Pays (le pointeur se transforme en une main avec l'index pointé). Faites glisser vers la gauche jusqu'à ce que le contrôle soit placé juste à côté de son étiquette.

Empêcher le curseur d'accéder à un champ donné

Lorsque vous créerez un nouvel enregistrement, Access assignera automatiquement une valeur au champ Réf Adresse (une valeur que vous ne pouvez modifier). Votre formulaire sera sans doute plus pratique à utiliser si vous interdisez au curseur l'accès à ce champ. Voici comment faire :

1. Cliquez sur le contrôle Réf Adresse pour le sélectionner (la case située à droite de l'étiquette Réf. adresse).

2. Activez le bouton Propriétés de la barre d'outils Base de données (représenté à gauche), ou choisissez Affichage/Propriétés. La *feuille des propriétés* s'affiche à l'écran.
3. Activez l'onglet Données, puis cliquez deux fois sur l'option Activé pour la faire passer de Oui à Non (Figure 3.11). Le contrôle Réf Adresse apparaît désormais en grisé.
4. Cliquez dans la case de fermeture de la feuille des propriétés (ou cliquez sur le bouton Propriétés, ou choisissez Affichage/Propriétés) pour masquer cette feuille.

Comme vous l'apprendrez plus loin dans ce chapitre, les *propriétés* sont des caractéristiques d'éléments de votre base de données ; vous pouvez les modifier à tout moment. Pour l'instant, contentez-vous de savoir qu'elles existent.

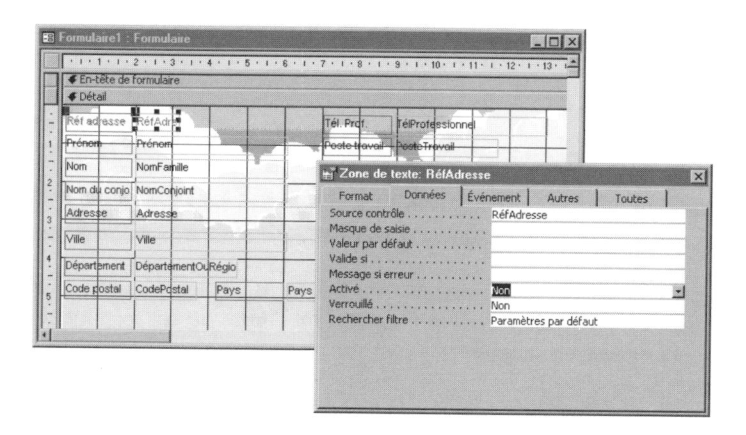

Figure 3.11 : L'option Activé des propriétés du contrôle RéfAdresse indique Non ; cela signifie que le curseur ne pourra pas accéder à ce champ pendant la saisie des données.

Fermer et enregistrer le formulaire

De tout le travail que vous avez réalisé jusqu'à présent, rien encore n'a été sauvegardé. Il est temps d'y penser.

1. Choisissez Fichier/Fermer, ou enfoncez les touches Ctrl + W.
2. Lorsqu'un message vous demande si vous souhaitez procéder à la sauvegarde, répondez affirmativement.
3. Dans la boîte de dialogue Enregistrer, tapez Adresses ou contentez-vous d'accepter le nom proposé par défaut. Cliquez ensuite sur OK.
4. Si vous le souhaitez, restaurez la taille précédente de la fenêtre Base de données.

Et voilà ! Le nom du formulaire apparaîtra dans la fenêtre Base de données chaque fois que vous afficherez les noms des formulaires (c'est-à-dire chaque fois que vous activez l'onglet Formulaires de cette fenêtre). Dans la leçon suivante, vous allez ouvrir le formulaire et l'utiliser véritablement.

Si le coeur vous en dit

Si vous désirez approfondir vos connaissances en matière de formulaires, vous pouvez vous reporter aux Chapitres 11 et 13, ou, pourquoi pas, consulter l'aide en ligne et, plus spécifiquement, le livre *Travail avec les formulaires - Résumé*. Troisième et dernière solution : passer à la Leçon 4.

Leçon 4 : Saisir, éditer, trier et rechercher des données

Votre base de données comporte à présent plusieurs *objets*, une table et deux formulaires. Vous pouvez utiliser l'un ou l'autre de ces formulaires pour entrer des données dans la table.

Ouvrir le formulaire

Pour ouvrir le formulaire Adresses :

1. Depuis la fenêtre Base de données, activez l'onglet Formulaires.
2. Cliquez deux fois sur Adresses, ou mettez ce nom en surbrillance, puis cliquez sur Ouvrir. Votre formulaire s'ouvre en *mode formulaire* (comme le montre la Figure 3.10 présentée). Notez que le champ Réf Adresse est grisé et que le curseur clignote directement dans le champ Prénom. Rappelez-vous : vous avez inhibé la propriété Activé du champ Réf Adresse dans la leçon précédente.

Si vous préférez utiliser le formulaire Adresses que l'Assistant Création d'applications a créé automatiquement pour vous, cliquez deux fois sur son nom dans l'onglet Formulaire de la fenêtre Base de données, ou cliquez sur le bouton de l'option Ajouter ou afficher des Adresses du Menu Général principal.

Saisir des données

Libre à vous de choisir les données que vous allez encoder. Vous pouvez prendre votre propre fichier d'adresses ou bien utiliser le fichier exemple représenté à la Figure 3.12. Suivez ensuite les étapes décrites ci-dessous pour ajouter des données par le biais du formulaire Adresses.

1. Commencez par créer un nouvel enregistrement vierge. Pour ce faire, activez le bouton Nouvel enregistrement (représenté à gauche) de la barre d'outils Mode Formulaire (Figure 3.12).
2. Tapez le prénom de la personne dans le champ Prénom, puis enfoncez la touche Tabulation ou Entrée, ou cliquez n'importe où dans le champ Nom.
3. Tapez le nom de famille dans le champ Nom, puis enfoncez la touche Tabulation ou Entrée, ou cliquez dans le champ Conjoint.
4. Remplacez les champs restants comme illustré à la Figure 3.12. Quelques conseils pour vous aider :

- **Pour passer d'un champ au champ suivant**, enfoncez la touche Tabulation ou utilisez la souris. Si le champ *n'affiche pas* de barre de défilement vertical ni de flèche de défilement lorsque le curseur l'atteint, vous pouvez aussi enfoncer la touche Entrée pour passer au champ suivant (Les champs Adresse et Notes comportent des éléments de ce type.). Si le champ *affiche* une barre ou une flèche de défilement lorsque le curseur parvient à lui, l'activation de la touche Entrée produit alors un passage à la ligne et déplace donc le point d'insertion au début de la ligne suivante *dans le même champ.*

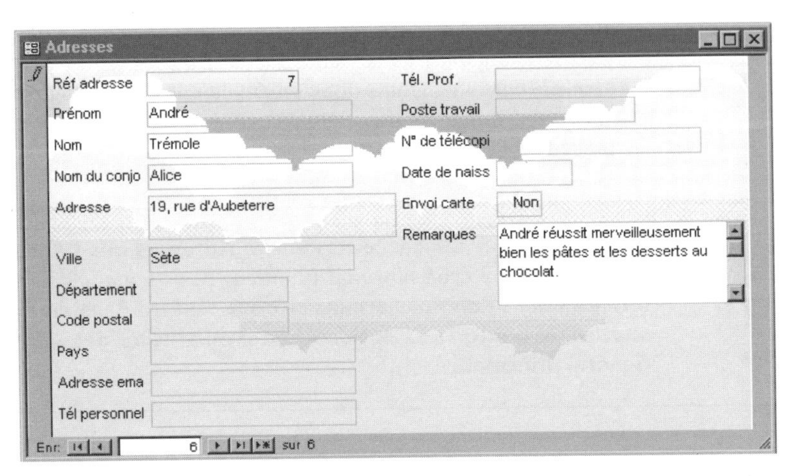

Figure 3.12 : Un nouvel enregistrement ajouté à la table Adresses via le formulaire Adresses que vous avez créé précédemment.

- **Pour laisser un champ vide**, enfoncez la touche Tabulation pour passer directement au champ suivant.
- **Pour entrer un code postal**, tapez uniquement le numéro. Le formulaire affiche automatiquement un tiret après les cinq premiers chiffres. Ainsi, lorsque vous tapez **441471234** dans ce champ, Access modifie spontanément votre entrée en **44147-1234.**
- **Pour entrer un numéro de téléphone**, tapez uniquement le numéro. Le formulaire affiche automatiquement le préfixe entre parenthèses ainsi que le tiret après la première série de chiffres. Ainsi, lorsque vous tapez **2165551225** dans ce champ, Access modifie spontanément votre entrée en **(216)555-1225**.
- **Pour entrer une date de naissance**, ne tapez pas les barres obliques entre les jours et les mois si ceux-ci comportent deux chiffres. S'ils n'en comportent qu'un, tapez la barre pour passer à la partie suivante de la date. Access insère automatiquement ces barres. Ainsi, lorsque vous tapez **121167** dans ce champ, Access modifie spontanément votre entrée en **12/11/67**. Attention : il s'agit ici de présentations américaines : le premier élément de la date est le mois, le second, le jour.

Rien ne vous empêche d'entrer les ponctuations des champs code postal, numéro de téléphone et date, mais c'est inutile. Ces champs sont en effet contrôlés par un masque de saisie destiné à faciliter la saisie des données et à opérer ainsi des mises en forme automatiques. Vous en apprendrez davantage à ce sujet dans le Chapitre 13.

5. Après avoir complété le dernier champ (Notes), enfoncez la touche Tabulation pour gagner la prochaine fiche vierge.

6. Répétez les étapes 2-5 pour encoder d'autres noms et adresses. Créez au moins trois fiches pour vous entraîner. Arrangez-vous pour créer des entrées qui présentent un contenu identique pour le champ Ville.

Apporter des modifications

Si vous êtes familiarisé avec les applications Windows, vous n'éprouvez sans doute aucune difficulté à agir dans un formulaire Access, tant les techniques d'édition en vigueur sont standard. Si vous êtes débutant, sachez que :

- **Pour effacer du texte,** il faut enfoncer la touche Suppr (pour effacer les caractères placés à droite du curseur) ou la touche Retour arrière (pour effacer une sélection ou les caractères placés à gauche du curseur).

- **Pour atteindre le champ suivant**, vous devez enfoncer la touche Tabulation. Pour atteindre le champ précédent, utilisez la combinaison de touches Majuscule + Tabulation. Pour atteindre un champ donné du formulaire, cliquez dans ce champ.

- **Pour basculer du mode navigation en mode édition et vice versa**, il faut enfoncer la touche F2. Vous êtes en mode navigation lorsque vous utilisez le clavier pour vous déplacer de champ en champ (Tabulation, Majuscule + Tabulation ou Entrée) ; dans ce mode, le contenu des champs est sélectionné dès que le pointeur les atteint et ce que vous tapez alors au clavier *remplace* l'ancien contenu champ. Lorsque vous passez en mode édition, vous pouvez *modifier* (plutôt que remplacer) le contenu du champ ; dans ce mode, un point d'insertion clignotant remplace la sélection en surbrillance. C'est la touche F2 qui vous permet de passer d'un mode à l'autre.

- **Pour afficher un enregistrement donné**, vous devez vous servir de la barre de navigation placée dans la partie inférieure de la fenêtre (Figure 3.13). Vous pouvez aussi utiliser les touches PgPréc et PgSuiv.

Dans le formulaire Adresses créé par l'Assistant Création d'applications, les touches PgPréc et PgSuiv affichent la première ou la seconde page du formulaire, respectivement. Enfoncer la touche PgSuiv alors que vous êtes à la deuxième page du formulaire vous amène à la deuxième page de l'enregistrement suivant. De la même manière, enfoncer la touche PgPréc lorsque vous êtes à la première page du formulaire vous déplace vers la première page de l'enregistrement précédent, s'il existe.

- **Pour activer le mode feuille de données** où vous pouvez visualiser toutes les données que vous avez encodées jusqu'à présent, déroulez le menu du bouton Mode Formulaire de la barre d'outils Mode Formulaire et choisissez Mode Feuille de données ; vous pouvez aussi choisir Affichage/Feuille de données (Figure 3.14). Vous pouvez apporter des modifications en mode feuille de données, si vous le souhaitez ; vous ne devez pas forcément réactiver le mode formulaire.
- **Pour modifier la largeur des colonnes en mode feuille de données,** positionnez votre pointeur sur la limite droite de la tête de la colonne concernée, puis faites glisser vers la gauche ou vers la droite. Pour ajuster automatiquement la largeur de la colonne à celle de son contenu, cliquez deux fois sur cette limite.
- **Pour déplacer une colonne entière en mode feuille de données,** positionnez votre pointeur sur la tête de la colonne concernée, cliquez et faites glisser la colonne vers la gauche ou vers la droite.

Figure 3.13 : La barre de navigation vous permet de vous déplacer parmi les enregistrements de votre base ou d'en ajouter de nouveaux.

Adresses : Table

Réf adresse	Prénom	Nom	Nom du conjoint	Adresse	Ville	Département
1	Nancy	Davolio	Paul	507 - 20th Ave. E	Seattle	WA
2	Andrew	Fuller	Anne	908 W. Capital Way	Tacoma	WA
3	Janet	Leverling	Robert	722 Moss Bay Blvd.	Kirkland	WA
4	Margaret	Peacock	Michael	4110 Old Redmond Rd.	Redmond	WA
5	Steven	Buchanan		14 Garrett Hill	London	
6	André	Trémole	Alice	19, rue d'Aubeterre	Sète	
7	Louis	Lesieux	Martine	5, rue de la Bonne Auberge	Sète	
(NuméroAuto)						

Enr: 1 sur 7

Figure 3.14 : La table en mode feuille de données. Nous avons ajusté la largeur de toutes les colonnes.

- **Pour passer en mode formulaire**, choisissez Mode Formulaire dans le menu déroulant du même nom de la barre d'outils Mode Formulaire, ou choisissez Affichage/Formulaire.

Si vous cliquez sur l'icône de ce menu icône déroulant plutôt que sur la flèche, vous activez le mode représenté par l'icône. Ainsi, si vous cliquez sur cette icône alors que le mode formulaire est actif, vous activez le mode création de formulaire ; si vous cliquez sur l'icône alors que le mode création de formulaire est actif, c'est le mode formulaire que vous activez.

Vous ne pouvez modifier le contenu du champ Réf Adresse. Il n'existe d'ailleurs aucune raison de le faire. De toutes manières, la question ne se pose pas : votre curseur n'y a pas accès.

- **Pour afficher un nouvel enregistrement vierge**, activez le bouton Nouvel enregistrement de la barre d'outils Mode Formulaire ou de la barre de navigation (Figures 3.12 et 3.14).

- **Pour supprimer un enregistrement**, cliquez sur le sélecteur d'enregistrement placé en regard de l'enregistrement concerné, puis enfoncez la touche Suppr. Ou cliquez n'importe où dans l'enregistrement à effacer, puis activez le bouton Supprimer enregistrement de la barre d'outils Mode Formulaire (représenté à gauche). Confirmez votre intention en cliquant sur OK. **Attention** : une fois que vous avez cliqué sur OK, l'enregistrement est définitivement perdu. Dès lors, si vous n'êtes pas sûr de votre coup, cliquez sur Annuler et reconsidérez la question !

N'enregistrez pas après la saisie de chaque enregistrement

Si vous craignez de perdre des données (une crainte tout à fait légitime), sachez que, dès que vous avez fini de saisir (ou d'éditer) les données d'un enregistrement, ou lorsque vous vous déplacez vers une autre fiche de la base, Access copie les modifications sur votre disque. En fait, le seul enregistrement qui n'est pas sauvegardé est celui sur lequel vous êtes en train d'agir. (Cet enregistrement est signalé par un crayon qui apparaît dans la case du sélecteur.)

Trier et filtrer

À présent que vous avez encodé deux ou trois enregistrements dans votre base, vous pouvez entrevoir quelques-unes des puissantes fonctionnalités d'Access. Commençons par le tri (alphabétique) :

1. Si vous êtes en mode formulaire, activez le mode feuille de données. Pour ce faire, choisissez Affichage/Feuille de données.
2. Cliquez sur n'importe quel patronyme afin de placer le curseur dans le champ Nom.
3. Activez le bouton Tri croissant de la barre d'outils Mode Formulaire (représenté à gauche), ou choisissez Enregistrements/Trier/Tri croissant. Vous pouvez aussi cliquer avec le bouton droit de la souris et choisir Tri croissant dans le menu contextuel qui se déroule alors sous le pointeur.

Vos enregistrements sont instantanément triés par ordre alphabétique croissant sur le nom de famille. Vous pouvez répéter les étapes 1 à 3 pour trier votre table sur n'importe quel champ. Exercez-vous.

Supposons à présent que vous souhaitiez afficher la liste de vos connaissances qui habitent une ville de votre choix, par exemple, Sète. Voici un moyen rapide d'exclure temporairement toutes vos relations qui n'habitent pas la ville choisie.

1. Cliquez dans le champ Ville, dans un enregistrement qui affiche Sète. Assurez-vous que le contenu du champ n'est pas en surbrillance.
2. Activez le bouton Filtrer par sélection de la barre d'outils Mode Formulaire (représenté à gauche), ou choisissez Enregistrements/Filtre/Filtrer par sélection. Ou encore, cliquez avec le bouton droit de la souris et choisissez Filtrer par sélection dans le menu contextuel. (Si vous préférez procéder à l'inverse et afficher tous les enregistrements *à l'exception de* vos connaissances habitant Sète, cliquez avec le bouton droit de la souris et, une fois déroulé le menu contextuel, sélectionnez Filtrer hors sélection.)

Les enregistrements ne présentant pas Sète dans le champ Ville disparaissent temporairement. Pour rétablir l'ordre original des fiches et réafficher celles momentanément omises, choisissez Enregistrements/Afficher tous les enregistrements, ou cliquez avec le bouton droit de la souris et choisissez la même commande dans le menu contextuel.

Il existe un autre moyen très pratique d'appliquer un filtre. Cliquez dans le champ Ville (en évitant de cliquer dans la case du nom du champ), puis enfoncez le bouton droit de la souris. Dans le menu contextuel, entrez Sète dans la case d'édition Filtrer pour. Comme dans le cas du filtre par sélection, il suffit, pour afficher les enregistrements masquées, de choisir de nouveau Enregistrements/Afficher tous les enregistrements ; ou cliquez sur le bouton droit de votre souris et choisissez-y la même commande.

Vous pouvez trier et filtrer vos enregistrements en mode formulaire ou en mode feuille de données. Toutefois, nous vous conseillons de travailler en mode feuille de données pour la simple et bonne raison que vous visualisez beaucoup mieux les résultats de l'opération. Le Chapitre 9 approfondit les notions de tri et de filtrage.

Localiser un enregistrement

Supposons que vous ayez encodé des centaines de fiches dans votre base. Pour trouver rapidement une personne ou un numéro de téléphone, procédez comme ceci :

1. Activez le mode formulaire ou feuille de données (choisissez Affichage/Formulaire ou Affichage/Feuille de données).
2. Cliquez dans le champ à rechercher (dans notre exemple, le champ Nom).

3. Choisissez Édition/Rechercher, ou enfoncez les touches Ctrl + F, ou encore activez le bouton Rechercher de la barre d'outils Mode Formulaire (représenté à gauche). La boîte de dialogue Rechercher apparaît.
4. Dans la case Rechercher, tapez *exactement* le nom de famille que vous recherchez. (Ne prêtez aucune attention aux majuscules et aux minuscules, Access les traitant indifféremment.)
5. Cliquez sur Rechercher. Access localise la première occurrence du nom spécifié et la met en surbrillance. (Si le programme ne parvient pas à localiser la chaîne de caractères, il vous en avertit par un message d'alerte ; cliquez sur OK pour en accuser réception.)

Si plusieurs de vos connaissances portent le même nom et que vous souhaitez localiser le suivant dans la liste, cliquez sur Suivant. Répétez l'opération autant de fois que nécessaire jusqu'à atteindre la personne qui vous intéresse. Quand Access a passé toute la base en revue, il vous le signale par un message. Cliquez sur OK.

6. Lorsque la recherche est terminée, cliquez sur Fermer ou dans la case de fermeture de la fenêtre.

Souvenez-vous : votre ordinateur est bête !

Si votre recherche n'aboutit pas, souvenez-vous que votre ordinateur n'a pas la science infuse ! Vous *devez* cliquer dans le champ devant faire l'objet de la recherche avant de lancer la procédure ; vous devez également spécifier le texte à rechercher.

Ainsi, si vous cliquez dans le champ Ville et tapez le nom d'une personne, votre quête sera vaine. Selon le même principe, si vous recherchez Alice alors que la donnée figurant dans la base est orthographiée Alise, Access ne pourra pas non plus mener votre recherche à bon terme.

Les états ainsi que les commandes Filtrer par formulaire et Filtre/tri avancé vous permettent de rechercher un texte ressemblant au texte spécifié. Ainsi, vous pouvez demander à Access de rechercher tous les prénoms *ressemblant* à "Ali*e" ; le programme sera alors en mesure de localiser tant Alice qu'Alise. Les Chapitres 9 et 10 décrivent ces procédures en détails.

Fermer le formulaire ou la feuille de données

Lorsque vous ne souhaitez plus travailler sur vos données, fermez votre formulaire :

1. Choisissez Fichier/Fermer, ou enfoncez les touches Ctrl + W.

2. Si Access vous demande s'il doit procéder à la sauvegarde, cliquez sur Oui si vous désirez enregistrer votre filtrage ainsi que les autres modifications apportées à la base ; cliquez sur Non dans le cas contraire.

Si Access ne vous demande *rien*, pas d'affolement : c'est que vous n'avez modifié ni le mode formulaire, ni le mode feuille de données. Mais rassurez-vous : votre encodage est enregistré sur disque.

Si le coeur vous en dit

Si vous désirez approfondir les notions abordées dans cette leçon, voyez le Chapitre 9 ou le livre *Recherche et tri de données* accessible depuis le sommaire de l'aide.

Leçon 5 : Créer et imprimer des états

Dans cette leçon, vous allez créer, prévisualiser et imprimer des étiquettes de publipostage. Ces étiquettes viendront s'ajouter aux états Adresses par nom, Feuilles des faits, Anniversaires du mois en cours et Liste des cartes de voeux, créés automatiquement par l'Assistant Création d'applications.

Préparer les étiquettes de publipostage

Vous allez préparer un état capable d'imprimer des noms et des adresses sur des étiquettes standard Avery. Voici la marche à suivre :

1. Dans la fenêtre Base de données, activez l'onglet Tables, puis sélectionnez la table Adresses.

2. Déroulez le menu local Nouvel objet de la barre d'outils Base de données ou Mode formulaire (représenté à gauche), et choisissez État (ou choisissez Insertion/État).
3. Dans la boîte de dialogue Nouvel état, sélectionnez la table dans la liste Choisissez la table ou requête d'où proviennent les données de l'objet, puis cliquez deux fois sur Assistant Étiquette. Après quelques secondes, l'Assistant s'active et vous demande *Quelle taille d'étiquettes souhaitez-vous ?*

Si, lors de l'étape n° 1, vous avez omis de sélectionner une table (ou une requête), vous devez en choisir une dans la liste déroulante de la boîte de dialogue Nouvel état.

4. Dans la rubrique Type d'étiquette, activez Feuille à feuille si vous utilisez une imprimante laser ou une unité de sortie travaillant par page ; si votre imprimante est une imprimante matricielle, validez Continu.

5. Dans la même boîte de dialogue, sélectionnez la Réf. Avery souhaitée, puis cliquez sur Suivant.

Le numéro Avery et les dimensions de vos étiquettes sont normalement mentionnés sur la boîte. Si vous ne possédez pas encore vos étiquettes, choisissez Avery 5095 ou tout autre format à deux étiquettes de front.

6. Lorsque l'Assistant vous demande quelle police et quelle couleur vous souhaitez attribuer au texte, faites votre sélection dans les menus déroulants correspondants. La case Aperçu vous montre l'effet de vos choix. Cliquez ensuite sur le bouton Suivant.

7. Remplissez l'étiquette prototype de manière à la faire ressembler le plus possible à celle représentée par la Figure 3.15.

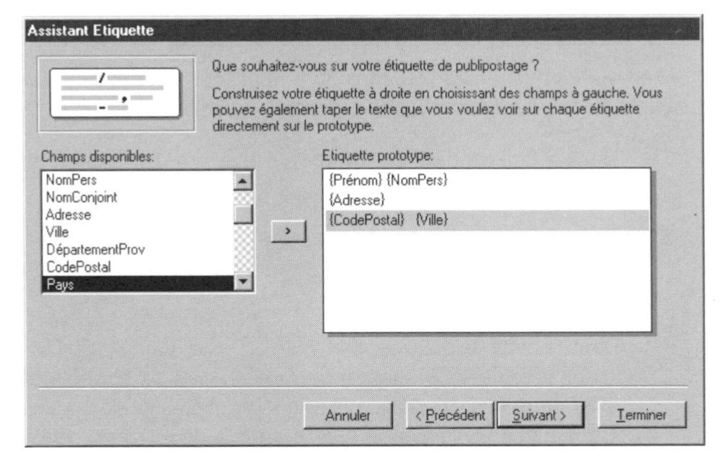

Figure 3.15 : Sélection de champs de la table Adresses, préparés pour l'impression d'étiquettes de publipostage.

- **Pour ajouter un champ à l'étiquette**, cliquez dans la case Étiquette prototype à l'endroit où vous voulez que le champ soit ajouté. Cliquez ensuite deux fois sur le champ concerné dans la liste Champs disponibles, ou cliquez une fois sur ce champ puis sur le bouton >. Le champ apparaît dans la case Étiquette prototype.

- **Pour insérer un espace, une marque de ponctuation ou un texte quelconque**, cliquez à l'emplacement souhaité (si le point d'insertion n'est pas déjà sélectionné au bon endroit), puis activez les touches correspondantes de votre clavier.

- **Pour aller à la ligne**, cliquez dans la nouvelle ligne ou à la fin de la ligne courante, enfoncez la touche Entrée ou Flèche en bas.
- **Pour supprimer un champ ou un texte**, placez le point d'insertion dans l'étiquette prototype, à l'endroit exact où vous voulez que la suppression commence, puis enfoncez la touche Suppr ou Retour arrière autant de fois que nécessaire. Vous pouvez aussi sélectionner le texte à effacer au moyen de votre souris ou de votre clavier, puis enfoncer une seule fois la touche Suppr ou Retour arrière.

8. Lorsque l'étiquette est complète, cliquez sur Suivant.
9. Quand l'Assistant vous demande sur quel champ vous voulez trier, sélectionnez CodePostal dans la liste des champs disponibles, puis cliquez sur > ; vous pouvez aussi cliquer deux fois sur le champ. Cliquez ensuite sur Suivant.

Si, par hasard, vous sélectionnez le(s) mauvais champ(s), utilisez le bouton << pour effacer votre sélection de la liste Triées sur. Pour limiter la suppression à un seul champ, sélectionnez ce champ dans Triées sur, puis cliquez sur <.

10. Cliquez sur Terminer et patientez quelques instants.

L'Assistant Étiquette crée l'état avec les étiquettes dont vous venez de spécifier les différents paramètres. Lorsqu'il a terminé son travail, il affiche les étiquettes à l'écran.

Fermer et enregistrer un état

Dans les sections suivantes, vous allez apprendre à prévisualiser et à imprimer un état. Mais procédez d'abord à l'enregistrement et à la fermeture de la fenêtre. Pour ce faire, choisissez Fichier/Fermer ou enfoncez les touches Ctrl + W. (Si vous cliquez dans la case de fermeture, le mode création s'active. Dans ce cas, enfoncez les touches Ctrl +W pour revenir rapidement à la fenêtre Base de données.) La sauvegarde du format de l'état est faite ; vous pouvez vous en convaincre en activant l'onglet États de la fenêtre Base de données.

Ne réinventez pas la roue !

Rappelez-vous une chose : Access enregistre le *format* de l'état, pas son *contenu*. Par conséquent, même si vous ajoutez, modifiez ou supprimez des adresses, vous *ne devrez pas* créer un autre état pour imprimer vos données. En effet, chaque fois que vous imprimez un état, Access utilise les données actuelles de la table.

Prévisualiser et imprimer un état

C'est l'enfance de l'art !

1. Assurez-vous que votre imprimante est prête. Pour imprimer des étiquettes, chargez les feuilles.
2. Pour afficher la liste des états disponibles, réalisez l'une des actions suivantes :

- **Si vous agissez depuis la fenêtre Base de données**, activez l'onglet États. Il répertorie les états créés par l'Assistant Création d'applications, plus celui que vous avez conçu.
- **Si vous agissez depuis le Menu Général principal**, cliquez sur le bouton de l'option Aperçu des états. Vous découvrirez alors les options disponibles pour l'impression des états créés par l'Assistant Création d'application. (Dans la suite de ce chapitre, vous apprendrez à ajouter votre état à la liste des états prédéfinis.)

3. Pour prévisualiser l'état, plusieurs techniques sont disponibles :

- **Si vous agissez depuis la fenêtre Base de données**, cliquez sur le nom de l'état à imprimer (par exemple, Étiquettes de publipostage), puis cliquez sur Aperçu. Ou cliquez deux fois sur l'état concerné. Vous pouvez encore choisir Fichier/Aperçu avant impression.
- **Si vous agissez depuis la liste des états** du Menu Général états, cliquez sur le bouton de l'état à prévisualiser.

Pour imprimer un état depuis la fenêtre Base de données sans le visualiser au préalable, sélectionnez l'état en question, puis choisissez Fichier/Imprimer/OK.

4. L'état est ouvert en mode prévisualisation, avec les données exemple affichées (agrandissez la fenêtre si nécessaire). Quelques trucs bien utiles pour contrôler la prévisualisation de votre état :

- **Pour agrandir ou réduire l'affichage** entre 100 % d'agrandissement et un affichage pleine page adapté à votre écran, cliquez dans la fenêtre de l'état, ou utilisez le bouton Zoom de la barre d'outils Aperçu avant impression (Figure 3.16). Cliquez de nouveau dans la fenêtre ou sur le bouton pour rétablir l'affichage précédent.

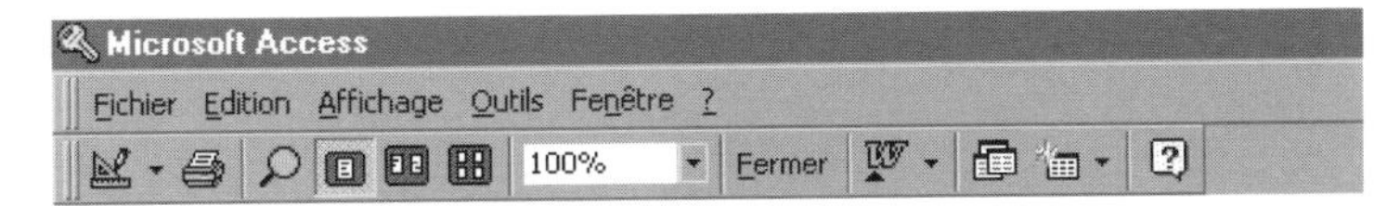

Figure 3.16 : La barre d'outils Aperçu avant impression.

- **Pour choisir le facteur de réduction ou d'agrandissement**, sélectionnez l'option souhaitée dans le menu local Contrôle zoom de la barre d'outils Aperçu avant impression. Sinon, vous pouvez cliquer avec le bouton droit de la souris dans la fenêtre de l'état, choisir Zoom dans le menu contextuel et désigner un taux. Vous pouvez faire de même avec la commande Affichage/Zoom.

- **Pour afficher plusieurs pages simultanément**, cliquez avec le bouton droit de la souris, choisissez Pages, puis sélectionnez l'option qui vous convient le mieux. La commande Pages du menu Affichage remplit la même fonction.

5. Lorsque vous êtes prêt à imprimer votre état, choisissez Fichier > Imprimer (ou enfoncez les touches Ctrl + P), et cliquez sur OK lorsque la boîte de dialogue Imprimer s'affiche. Vous pouvez éviter de transiter par cette boîte en activant le bouton Imprimer de la barre d'outils Base de données ou Aperçu avant impression (représenté à gauche).

La boîte de dialogue Imprimer vous permet de choisir une imprimante, d'imprimer l'état sur disque, de sélectionner une série de pages, de spécifier le nombre d'exemplaires et de choisir une méthode de tri. Le bouton Configuration vous permet d'intervenir sur les marges et le format de l'état.

6. Cliquez sur le bouton Fermer.

Si le coeur vous en dit

Pour en savoir plus sur les états, reportez-vous aux Chapitres 12 et 13, ou au livre *Travail avec les états*, accessible depuis le sommaire de l'aide.

Leçon 6 : Employer des requêtes

Vous pouvez utiliser des *requêtes* pour isoler certains champs et certains enregistrements de votre table, pour opérer des tris alphabétiques ou numériques, pour combiner des données émanant de tables distinctes ou pour réaliser des calculs sur les données. Dans cette leçon, vous emploierez des requêtes pour établir une liste de champs et d'enregistrements bien spécifiques, triés sur le nom de famille. Vous modifierez ensuite cette requête pour réafficher l'ensemble des enregistrements.

Créer une requête

Afin de créer une requête pour la table Adresses :

1. Depuis la fenêtre Base de données, vous devez activer l'onglet Tables et y sélectionner Adresses.

2. Déroulez ensuite le menu local Nouvel objet de la barre d'outils Base de données (représenté à gauche) et choisissez Requête, ou encore Insertion/Requête.
3. Dans la boîte de dialogue Nouvelle requête, cliquez deux fois sur Mode Création. La Figure 3.17 représente la fenêtre de création de requête qui s'affiche alors.

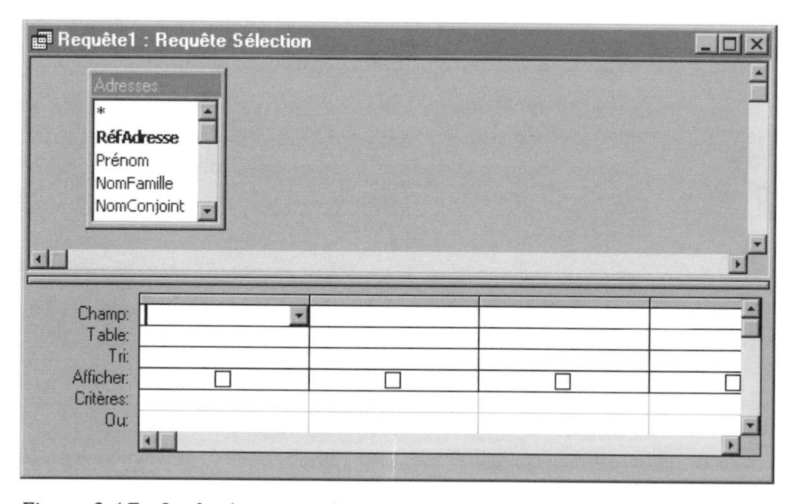

Figure 3.17 : La fenêtre de création de requête affiche la liste des champs de la table Adresses dans sa partie supérieure gauche. La partie inférieure est occupée par une grille.

Il est souvent plus commode de faire appel à l'Assistant Requête Simple (et aux autres Assistants Requête) pour accélérer la procédure de création de requêtes. Toutefois, dans l'exemple qui nous occupe, vous agirez plus vite si vous partez de zéro ; et vous apprendrez davantage...

Désigner les champs à afficher

Pour compléter la grille, commencez par sélectionner les champs avec lesquels vous entendez travailler, et ce dans l'ordre que vous voulez les voir suivre. La procédure ci-dessous vous permet d'ajouter les champs NomFamille, Prénom, CodePostal, Ville et TélPersonnel :

1. Agrandissez au maximum la taille de la fenêtre de création de requête de manière à visualiser le plus de colonnes possible dans la grille.
2. Pour ajouter le champ NomFamille, cliquez deux fois dessus dans la liste des champs située dans la partie supérieure gauche de la fenêtre. Ce champ apparaît dans la première colonne vide de la grille de création. La ligne Table de la grille affiche le nom de la table d'où provient le champ ; la ligne Afficher présente une coche qui affichera le contenu du champ lorsque vous exécuterez la requête.

Il existe deux autres techniques pour ajouter un champ à la grille de création : 1) Cliquez sur le champ et faites-le glisser depuis la liste Adresses vers la colonne souhaitée de la grille. 2) Cliquez dans la case Champ de la colonne souhaitée, puis cliquez sur la flèche déroulante qui apparaît et sélectionnez le nom du champ que vous désirez y placer.

3. Pour ajouter le champ Prénom, cliquez deux fois dessus dans la liste Adresses. Le champ apparaît dans la colonne voisine (deuxième colonne de la grille).
4. Utilisez la même technique pour ajouter les trois champs restants : CodePostal, Ville et TélPersonnel.

Si, par erreur, vous placez dans la grille un champ qui ne doit pas y figurer, cliquez dans la case Champ de la colonne, puis sur la flèche déroulante et choisissez le bon champ dans la liste. Pour supprimer une colonne de la grille, placez le pointeur juste au-dessus du nom du champ dans la colonne concernée (il prend la forme d'une flèche orientée vers le bas), cliquez pour sélectionner la colonne et enfoncez la touche Suppr.

La Figure 3.18 montre l'état de la grille après placement des cinq champs.

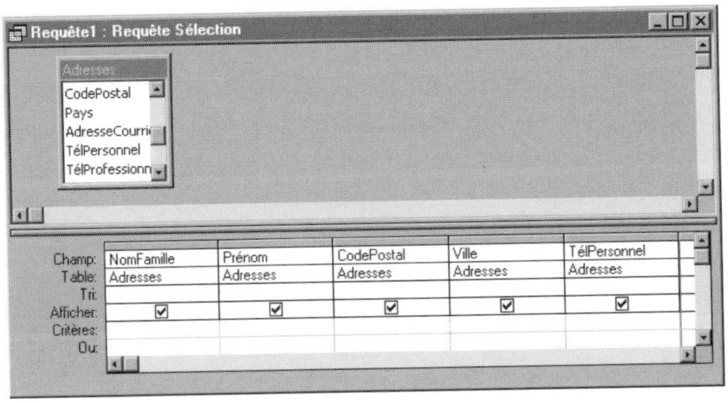

Figure 3.18 : Cinq champs - NomFamille, Prénom, Ville, CodePostal et TélPersonnel - ont été placés dans la grille de création.

Désigner les enregistrements à afficher

Supposons que vous souhaitiez restreindre l'affichage aux personnes habitant Sète (pour reprendre l'exemple de tout à l'heure). Pour ce faire :

1. Cliquez dans la case Critères de la colonne Ville.
2. Tapez **sète** (Figure 3.19). Access ne fait aucune différence entre majuscules ou minuscules.
3. Enfoncez la touche Entrée. Access ajoute automatiquement des guillemets à la chaîne de caractères spécifiée et déplace le pointeur vers la colonne voisine.

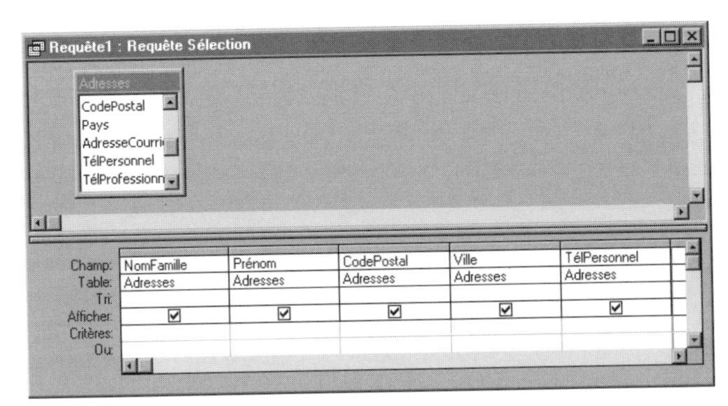

Figure 3.19 : Cette requête affichera les nom, prénom, code postal, ville et numéro de téléphone privé des personnes habitant Sète.

Spécifier l'ordre de tri

Trions la liste selon le nom de famille, puis selon le prénom en cas d'homonymes. Pour réaliser ce tri, vous devez signaler à Access quels champs (colonnes) il doit trier et lui indiquer l'ordre de tri, soit ascendant (A-Z), soit descendant (Z-A). Voici comment y parvenir :

1. Si nécessaire, utilisez la barre de défilement horizontal jusqu'à avoir sous les yeux la colonne NomFamille. Cliquez ensuite dans la case Tri de cette colonne, puis sur la flèche déroulante. Dans le menu qui s'affiche, sélectionnez Croissant.
2. Cliquez dans la case Tri de la colonne Prénom, puis sur la flèche déroulante. Sélectionnez également Croissant. La Figure 3.20 vous montre à quoi ressemble votre écran.

Si, lorsque vous choisissez la clé de tri, vous vous trompez de colonne, cliquez dans la case Tri de cette colonne, puis sur la flèche déroulante, et sélectionnez (Non trié).

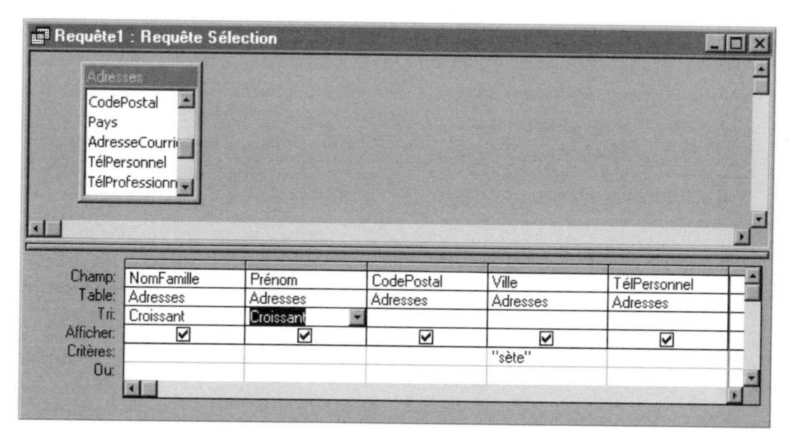

Figure 3.20 : Cette requête triera par ordre croissant sur le nom (première clé), puis sur le prénom en cas d'homonymes (deuxième clé) les enregistrements qui répondent au critère défini (habiter Sète).

Étant donné que la colonne NomFamille est placée à gauche de la colonne Prénom, les enregistrements seront présentés par ordre alphabétique sur le nom. Le prénom ne servira qu'à présenter alphabétiquement les prénoms des éventuels homonymes.

Exécuter une requête

C'est élémentaire ! Il suffit d'activer le bouton Exécuter de la barre d'outils Création de requête (représenté à gauche), ou de faire appel à la commande Exécuter du menu Requête.

Les résultats de l'exécution de la requête s'affichent en mode feuille de données. Ils ne montrent que le nom, le prénom, le code postal, la ville et le téléphone privé des personnes sélectionnées (celles habitant Sète) ; ces personnes sont triées par ordre alphabétique sur le nom (première clé), et éventuellement sur le prénom (deuxième clé), comme l'illustre la Figure 3.21. Ces données sont *actives* ; vous pouvez les modifier en mode feuille de données comme n'importe quelle donnée de la base.

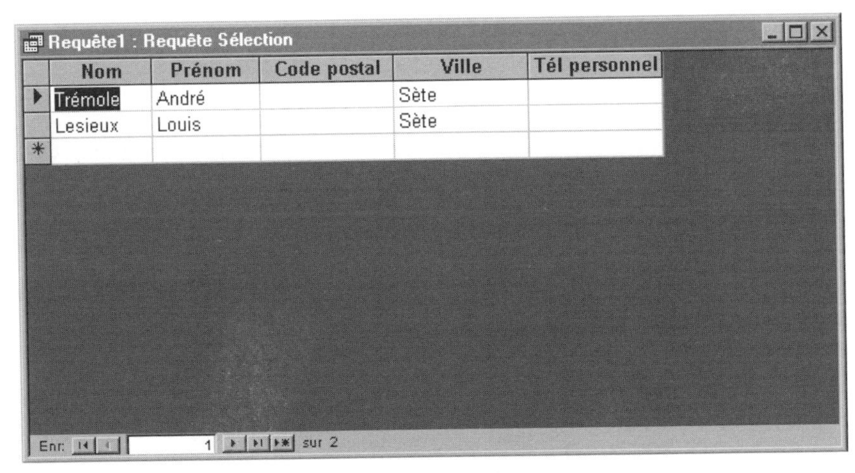

Figure 3.21 : Les résultats de l'exécution de la requête sont présentés en mode feuille de données.

Vous avez peut-être remarqué que les titres de colonnes (ou *légendes*) des Figures 3.14 et 3.21 ne correspondent pas exactement aux noms des champs. Ainsi, le champ qui présente les noms s'appelle NomFamille alors que la colonne s'intitule Nom. Autre exemple : le champ CodePostal est affiché Code postal (avec un blanc entre les deux mots) dans le titre de la colonne. C'est la propriété Légende qui contrôle l'aspect des titres des colonnes. Le Chapitre 6 vous explique comment modifier les propriétés des tables ; le Chapitre 10 vous dévoile tout sur les propriétés des requêtes.

Modifier la requête

Supposons que vous décidiez à présent de présenter *tous* les enregistrements de la base par ordre alphabétique sur le nom.

1. Pour revenir à la fenêtre de création de requête, activez le bouton Affichage de la barre d'outils Requête feuille de données (représenté à gauche), ou choisissez Affichage/Création. Agrandissez la fenêtre si nécessaire.
2. Supprimez "sète" de la case Critères de la colonne Ville. Pour y parvenir rapidement, mettez le mot en surbrillance, puis enfoncez la touche Suppr.
3. Exécutez de nouveau la requête (avec le bouton Exécuter de la barre d'outils Création de requête).

Votre écran ressemble à présent à celui représenté par la Figure 3.22. Étant donné que vous avez supprimé le critère "sète", la requête s'exécute sur tous les enregistrements de la base, et non plus uniquement sur les personnes habitant Sète.

Requête1 : Requête Sélection

Nom	Prénom	Code postal	Ville	Tél domicile
Buchanan	Steven	SW1 8JR	London	(71) 555-4848
Davolio	Nancy	98122-	Seattle	(504) 555-9857
Fuller	Andrew	98401-	Tacoma	(504) 555-9482
Lesieux	Louis	34200-	Sète	
Leverling	Janet	98033-	Kirkland	(504) 555-3412
Peacock	Margaret	98052-	Redmond	(504) 555-8122
Trémole	André	34200-	Sète	(216) 555-1225

Enr: 1 sur 7

Figure 3.22 : La feuille de données après avoir supprimé le critère "sète" du champ Ville et exécuté de nouveau la requête.

Si cela vous amuse, imprimez un exemplaire de la liste actuellement affichée en choisissant Fichier/Imprimer/OK ou en activant le bouton Imprimer de l'une des barres d'outils disponibles.

Enregistrer et réemployer une requête

Si vous apportez des modifications à votre base, vous aurez sans doute envie, par la suite, de mettre à jour la liste produite par l'exécution de la requête que vous venez de créer. Pour vous éviter de devoir tout recommencer, il vous suffit d'enregistrer cette requête. Vous pourrez ensuite faire appel à elle chaque fois que vous en ressentirez le besoin. Pour sauvegarder cette requête :

1. Activez le bouton Enregistrer de la barre d'outils Base de données ou Création de requête, ou choisissez Fichier/Enregistrer.
2. Tapez le nom à attribuer à la requête (par exemple RequêteAdressesTéléphone), puis cliquez sur OK.
3. Enfoncez les touches Ctrl + W. La feuille de données et la feuille de création de requête disparaissent, mais la requête est enregistrée.

La sauvegarde s'effectue indifféremment depuis la fenêtre de création de requête ou depuis la fenêtre des données ; la procédure, d'ailleurs, est identique. Vous pouvez en outre sauver la requête en cliquant dans la case de fermeture de la fenêtre de création et en répondant affirmativement à la demande de sauvegarde émise par Access.

Pour exécuter une requête qui a ainsi été sauvegardée, affichez la fenêtre Base de données (enfoncez la touche F11 si nécessaire), activez l'onglet Requêtes, sélectionnez la requête à exécuter (RequêteAdressesTéléphone, par exemple), puis cliquez sur Ouvrir, ou cliquez deux fois directement sur la requête. Celle-ci s'exécute sur les données courantes de la table. (Si vous le souhaitez, fermez la fenêtre de données et regagnez la fenêtre Base de données.)

Pour modifier la requête plutôt que de l'exécuter, activez l'onglet Requêtes de la fenêtre Base de données, sélectionnez la requête à modifier, puis cliquez sur Modifier.

Si le coeur vous en dit

Plongez-vous dans le Chapitre 10 si vous voulez en savoir plus sur les requêtes. Autre source d'information : la partie *Travail avec les requêtes Création d'une requête* du fichier d'aide en ligne.

Leçon 7 : Personnaliser une application

Au cours des leçons précédentes, vous avez créé plusieurs objets de base de données : une table, un formulaire, un état et une requête. Toutefois, ces objets ne sont pas assemblés d'une façon qui permettrait à un utilisateur ne maîtrisant pas Access d'exploiter votre base. Dès lors, pour en faciliter l'usage, vous allez la transformer en *application.* Cette leçon vous montre la voie.

Ajouter un lien hypertexte à un formulaire

Les liens hypertextes sont des liens qui vous permettent de vous rendre directement d'un objet de base de données à un autre, voire à une page Web. Prenons un exemple simple : créons un lien hypertexte qui permet de sauter du formulaire Adresses à l'état Étiquettes de publipostage. Pour en savoir plus sur les liens hypertextes, consultez les Chapitres 7 et 8.

1. Activez l'onglet Formulaires, cliquez sur Adresses, puis cliquez sur Modifier.
2. Activez l'icône Insérer un lien hypertexte de la barre d'outils Création de formulaire afin d'ouvrir la boîte de dialogue correspondante.

3. N'entrez rien dans la case Fichier ou URL. Cliquez sur le bouton Parcourir... situé dans la rubrique Emplacement dans le fichier (facultatif) afin d'ouvrir la boîte de dialogue Sélectionner un emplacement. Cette boîte ressemble étrangement à la fenêtre Base de données du fichier Amis. Activez l'onglet États, sélectionnez l'état Étiquettes de publipostage, puis cliquez sur OK.
4. De retour dans la boîte de dialogue Insérer un lien hypertexte, cliquez de nouveau sur OK.
5. L'état sélectionné apparaît en bleu dans la fenêtre de création du formulaire. Cette mention symbolise le lien hypertexte. Faites-le glisser à l'endroit du formulaire où vous voulez qu'il apparaisse.
6. Pour tester le lien, choisissez Affichage/Mode Formulaire, puis cliquez sur le lien. Vous êtes normalement transporté vers l'état Étiquette. Quand vous fermez cet état, le lien vous ramène à la fenêtre du formulaire.

Ajouter des boutons de commande à un formulaire

Commençons par ajouter des boutons de commande (comme ceux de la Figure 3.23) au formulaire Adresses créé à la Leçon 3.

1. Depuis la fenêtre Base de données, activez l'onglet Formulaires, sélectionnez Adresses, puis cliquez sur Modifier. Le formulaire s'ouvre alors en mode création ; vous allez pouvoir le modifier. N'hésitez pas à agrandir la fenêtre pour un confort de travail accru.

2. Vous allez devoir augmenter la hauteur de l'en-tête afin de ménager un espace suffisant pour y placer les boutons. Pour y parvenir, positionnez votre pointeur sur le bord inférieur de l'en-tête jusqu'à ce qu'il prenne la forme d'une flèche pointant vers le haut et le bas. Cliquez et faites glisser vers le bas. Assurez-vous que l'en-tête présente désormais une hauteur d'environ 2 cm (servez-vous de la règle verticale le cas échéant).

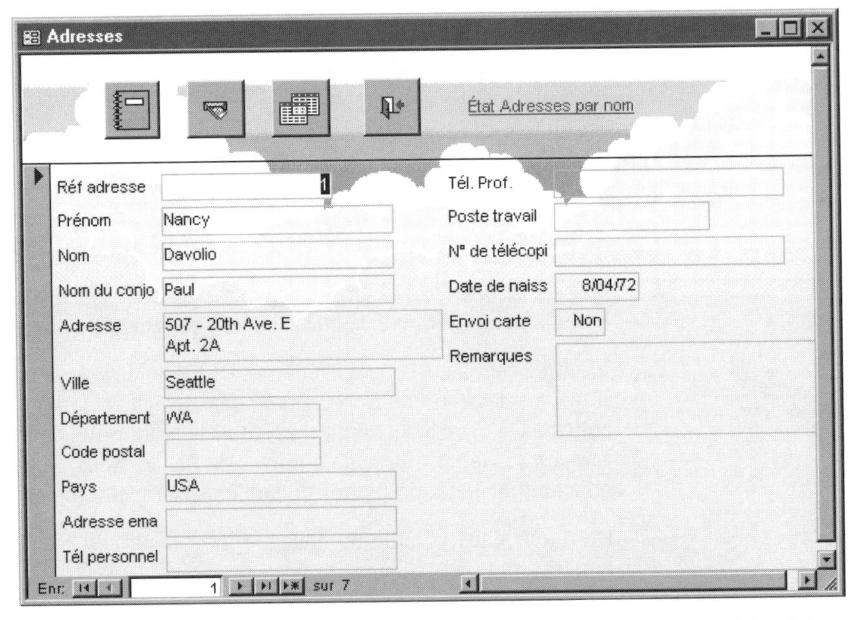

Figure 3.23 : Les boutons de commande que vous allez ajouter au formulaire Adresses apparaissent dans la partie supérieure du formulaire, juste sous la barre de titre.

3. Vous aurez besoin de la boîte à outils (représentée sur la Figure 3.24) pour créer les boutons de commande. Si cette boîte n'est pas affichée, choisissez Affichage/Barres d'outils, cochez Boîte à outils, puis cliquez sur Fermer. Ou bien choisissez directement Affichage/Boîte à outils. Ou encore activez le bouton correspondant de barre d'outils (représenté à gauche).

4. Lorsque la boîte s'affiche, assurez-vous que le bouton Assistants Contrôle est coché. Vous pouvez placer la boîte où bon vous semble sur votre écran.

N'hésitez pas à masquer tous les éléments de l'écran que vous n'utilisez pas pour l'instant et qui encombrent votre espace de travail.

5. Pour créer un bouton de commande, activez le bouton Bouton de commande de la boîte à outils, puis cliquez où vous voulez que le bouton figure. Dans notre exemple, cliquez dans la partie gauche de l'en-tête (Figure 3.23).
6. Dans la première boîte de dialogue de l'Assistant Bouton de commande, cliquez sur Opérations sur état dans la liste Catégories (partie gauche), puis cliquez sur Aperçu d'un état dans la liste Actions (partie droite).
7. Cliquez sur Suivant.
8. Dans la boîte de dialogue suivante, choisissez Adresses par nom dans la liste des états. (L'Assistant Création d'applications construit automatiquement cet état lorsqu'il constitue la base de données.) Cliquez sur Suivant.
9. Dans la boîte suivante, cliquez sur Suivant pour passer à la prochaine étape tout en acceptant l'icône proposée.
10. Lorsque Access vous demande quel nom vous voulez attribuer au bouton, tapez Adresses par nom de famille dans la case d'édition, puis cliquez sur Terminer.

Figure 3.24 : La boîte à outils vous permet d'ajouter de nouveaux objets sur un formulaire.

Le bouton s'affiche sur le formulaire, comme le montre l'illustration suivante. À ce stade, vous ne pouvez vérifier si ce bouton fonctionne correctement, car il n'agit qu'en mode formulaire (alors que vous êtes pour l'instant en mode création). Vous allez à présent ajouter trois boutons supplémentaires.

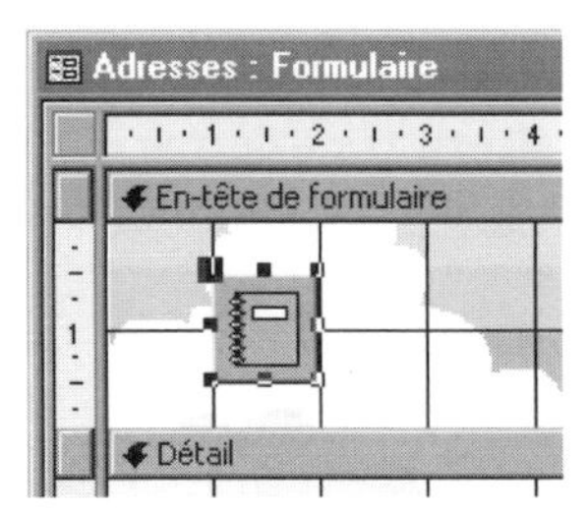

Pour déplacer un bouton, faites-le glisser vers son nouvel emplacement. Pour vous affranchir de l'effet magnétique de la grille sous-jacente qui s'exerce chaque fois que vous déplacez ou redimensionnez un objet, enfoncez la touche Ctrl et maintenez-la dans cet état pendant la manipulation.

Créer un bouton pour les étiquettes de publipostage

Pour ajouter un deuxième bouton à votre formulaire :

1. Activez le bouton Bouton de commande de la boîte à outils, puis cliquez légèrement à droite du premier bouton créé.
2. Dans la première boîte de dialogue de l'Assistant, choisissez Opérations sur état dans la liste Catégories, puis Aperçu d'un état dans la liste Actions, puis cliquez sur Suivant.
3. Dans la liste des états disponibles, sélectionnez Étiquettes de publipostage, puis cliquez sur Suivant.
4. Dans la boîte suivante, sélectionnez Afficher toutes les images. Faites défiler la liste jusqu'à voir apparaître l'image Boîte aux lettres (les images sont classées par ordre alphabétique), puis cliquez sur ce nom. Cette étape sert donc à placer, sur le bouton, l'image d'une boîte aux lettres.
5. Cliquez sur Suivant.
6. Appelez le bouton Bouton Étiquettes, puis cliquez sur Terminer.

Créer un bouton requête

Vous allez à présent créer un bouton qui sera chargé d'exécuter la requête que vous avez réalisée dans la leçon précédente, RequêteAdressesTéléphone.

1. Activez le bouton Bouton de commande de la boîte à outils, puis cliquez légèrement à droite du bouton Boîte aux lettres.
2. Dans la première boîte de dialogue de l'Assistant, sélectionnez Divers dans la liste Catégories, puis Exécuter une requête dans la liste Actions, puis cliquez sur Suivant.
3. Dans la liste des requêtes disponibles, assurez-vous que RequêteAdresses-Téléphone est sélectionné, puis cliquez sur Suivant.
4. Dans la boîte suivante, cliquez sur Suivant pour passer à la prochaine étape tout en acceptant l'icône proposée.
5. Appelez le bouton Bouton RequêteAdressesTéléphone, puis cliquez sur Terminer.

Créer un bouton de fermeture du formulaire

Un dernier bouton vous permettra de fermer facilement votre formulaire.

1. Activez le bouton Bouton de commande de la boîte à outils, puis cliquez légèrement à droite du dernier bouton créé.
2. Dans la première boîte de dialogue de l'Assistant, sélectionnez Opérations sur formulaire dans la liste Catégories, puis Fermer un formulaire dans la liste Actions, puis cliquez sur Suivant.
3. Dans la boîte suivante, cliquez sur Suivant pour passer à la prochaine étape tout en acceptant l'icône proposée.
4. Appelez le bouton Bouton Fermeture, puis cliquez sur Terminer.
5. Sauvegardez votre travail en activant le bouton Enregistrer de la barre d'outils Base de données, ou en enfonçant les touches Ctrl + S.

Pour aligner des boutons ou d'autres objets sur le formulaire, sélectionnez les objets concernés, puis choisissez Format/Aligner et sélectionnez l'option d'alignement adéquate. Pour ménager un espace régulier entre des objets, sélectionnez-les, puis choisissez Format/Espacement horizontal/Égaliser. Le Chapitre 13 est plus explicite à ce sujet.

Ajouter du code Visual Basic à un formulaire

Vous allez à présent apprendre comment ajouter un peu de code Visual Basic pour Applications (VBA) à votre formulaire. N'en déduisez pas pour autant qu'Access exige que vous vous mettiez à la programmation. Il est tout à fait possible de créer des applications complexes sans écrire la moindre ligne de code.

Notre seule ambition, ici, consiste à lever un peu le voile.

Suivez ces étapes pas à pas :

1. Pour ouvrir la feuille des propriétés depuis le mode Création de formulaire, activez le bouton Propriétés de la barre d'outils Base de données (représenté à gauche).
2. Choisissez Édition/Sélectionner le formulaire. La feuille des propriétés affiche désormais les propriétés générales du formulaire.
3. Activez l'onglet Événement, sélectionnez l'option Sur ouverture. Vous allez en fait ajouter du code qui servira à agrandir au maximum la fenêtre du formulaire Adresses chaque fois que vous l'ouvrirez.
4. Cliquez dans la case en regard, puis sur le bouton représentant trois petits points. Cliquez ensuite deux fois sur Générateur de code. Une fenêtre d'édition de module s'affiche, avec le point d'insertion clignotant au début d'une ligne vide, entre les instructions Private Sub Form_Open et End Sub.
5. Enfoncez la touche Tabulation, puis tapez *exactement* ce qui suit :

```
DoCmd.Maximize
```

comme le montre l'illustration ci-dessous. Reproduisez fidèlement cette instruction ; vous n'avez pas droit à l'erreur lorsque vous écrivez du code de programmation.

```
Private Sub Form_Open(Cancel As Integer)
DoCmd.Maximize
End Sub
```

6. Choisissez Fichier/Fermer (ou enfoncez les touches Ctrl + W) pour regagner la fenêtre de création de formulaire. Remarquez que la mention [Procédure événementielle] apparaît désormais dans la case Sur ouverture.
7. Faites défiler le contenu de la fenêtre jusqu'à voir apparaître Sur fermeture. Vous allez encore ajouter du code qui fera en sorte, cette fois, de rétablir la taille originale du formulaire Adresses avant sa fermeture.

8. Cliquez dans la case en regard de Sur fermeture, puis sur le bouton représentant trois petits points. Cliquez ensuite deux fois sur Générateur de code. Une fenêtre d'édition de module s'affiche, avec le point d'insertion clignotant au début d'une ligne vide, entre les instructions Private Sub Form_Close et End Sub.

9. Enfoncez la touche Tabulation, puis tapez *exactement* ce qui suit :

```
DoCmd.Restore
```

comme le montre l'illustration ci-dessous.

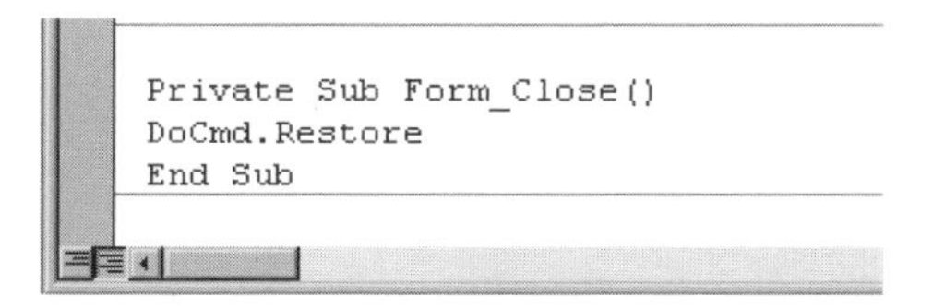
Private Sub Form_Close()
DoCmd.Restore
End Sub

La commande DoCmd.Restore rétablit la taille précédente de la fenêtre. Ainsi, si vous ouvrez le formulaire Adresses depuis la fenêtre Base de données, cette fenêtre réapparaîtra dans la taille qui était la sienne quand vous fermerez Adresses. De la même manière, si vous ouvrez Adresses depuis le Menu Général principal (comme nous le verrons plus tard), ce menu sera réaffiché dans sa taille précédente.

10. Choisissez Fichier/Fermer (ou enfoncez les touches Ctrl + W) pour regagner la fenêtre de création de formulaire.

11. Choisissez Fichier/Fermer/Oui pour sauvegarder et fermer le formulaire modifié.

Personnaliser le formulaire Menu Général

Le formulaire Menu Général qu'a créé l'Assistant Création d'applications lors de la constitution de la base est équipé de boutons et d'options qui vous permettent, en toute facilité, de mettre à jour et de traiter les données concernant vos connaissances. Puisque vous vous êtes donné la peine de créer d'autres formulaires et d'autres états, vous apprécierez sans doute l'occasion qui vous est offerte de les ajouter au menu. Vous pourriez même, dans la foulée, modifier les noms attribués aux options prédéfinies.

Pour commencer, ouvrez le formulaire Menu Général principal, puis cliquez sur le bouton de l'option Modifier les éléments du Menu Général. Ou bien choisissez

Outils/Compléments/Gestionnaire de menu principal. La boîte de dialogue s'affiche (Figure 3.25).

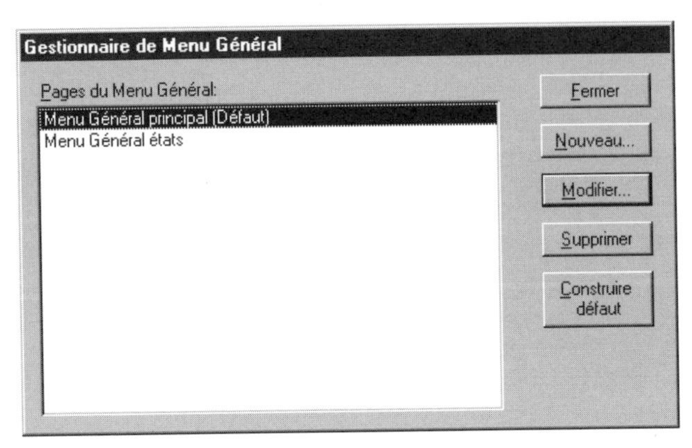

Figure 3.25 : Le Gestionnaire de Menu Général vous permet d'ajouter des pages au menu, de modifier ou de supprimer des pages existantes, ou encore de choisir une page de menu par défaut.

Ajouter le formulaire Adresses au Menu Général principal

Pour ajouter le formulaire Adresses au Menu Général principal :

1. Dans la boîte de dialogue Gestionnaire de Menu Général, cliquez sur Menu Général principal (Défaut) dans la liste Pages du Menu Général, puis cliquez sur Modifier. La boîte de dialogue Modifier la page du Menu Général s'affiche. (La Figure 3.26 représente cette fenêtre complétée par nos soins.)

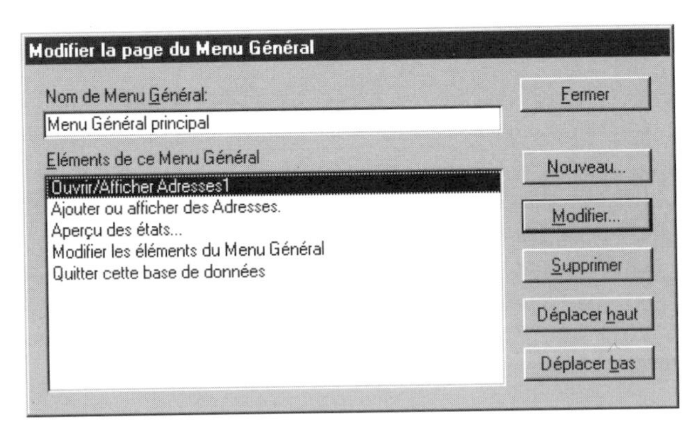

Figure 3.26 : La boîte de dialogue Modifier la page du Menu Général enrichie d'une entrée placée en tête de liste.

2. Cliquez sur Nouveau pour ouvrir la boîte de dialogue Modifier un élément du Menu Général.

3. Dans la case d'édition, tapez Ouvrir/Afficher Adresses.

4. Déroulez le menu local du centre (Commande) et sélectionnez Ouvrir un formulaire en mode Modification.

5. Déroulez le menu local du bas (Formulaire) et sélectionnez Adresses. La boîte de dialogue complétée est représentée ci-dessous :

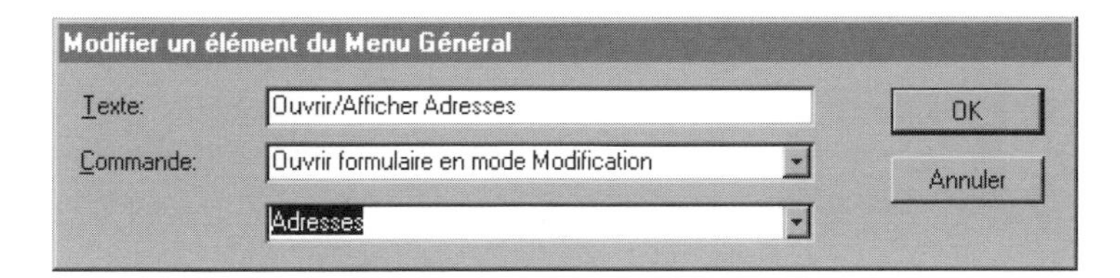

6. Cliquez sur OK pour regagner la boîte de dialogue Modifier la page du Menu Général. Votre nouvelle entrée apparaît dans la liste Éléments de ce Menu Général, en queue de peloton.

7. Pour déplacer votre entrée en tête de liste, sélectionnez-la, puis cliquez à quatre reprises sur Déplacer haut. La Figure 3.26 montre la version finale de la boîte de dialogue.

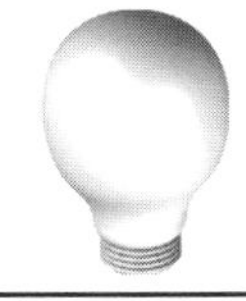

Si vous souhaitez vous débarrasser de l'ancienne option Ouvrir ou afficher des Adresses, sélectionnez-la, puis cliquez sur Supprimer. Confirmez votre action.

8. Cliquez sur Fermer pour regagner la boîte de dialogue Gestionnaire du Menu Général.

Changer les noms des options du Menu Général états

Nous estimons que les noms des options du Menu Général états sont trop longs. Si vous partagez cet avis, procédez comme suit :

1. Dans la liste Pages du Menu Général, cliquez sur Menu Général états, puis sur Modifier.

Voici l'écran qui s'affiche alors :

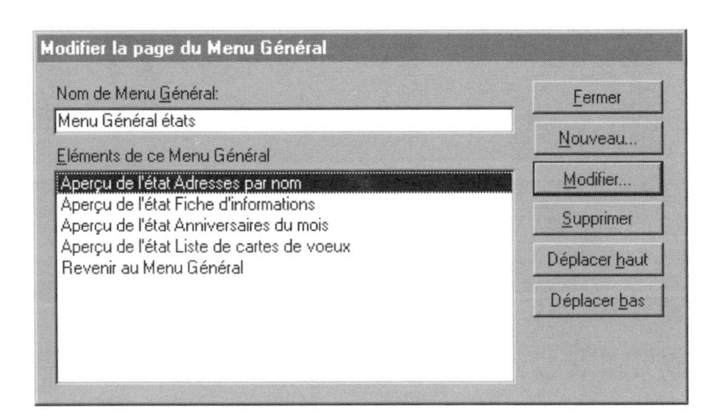

2. Assurez-vous que le premier élément de la liste Éléments de ce Menu Général est bien sélectionné, puis cliquez sur Modifier.

3. Le nom de l'option apparaît en surbrillance dans la case d'édition Texte. Remplacez-le par État Adresses par nom. Pour agir rapidement, sélectionnez *Aperçu de l'é*, puis tapez *E*. Cliquez sur OK.

4. Répétez les étapes 2 et 3 pour les autres éléments de la liste du Menu et baptisez-les de la manière suivante :

- Le deuxième élément : **État Feuille des faits.**
- Le troisième élément : **État Anniversaires du mois.**
- Le quatrième : **État Liste des cartes de voeux.**

Vous allez à présent ajouter l'état Étiquettes de publipostage à la liste.

1. Dans la boîte de dialogue Modifier la page du Menu Général, cliquez sur Nouveau.

2. Dans la case d'édition Texte, tapez État Étiquettes de publipostage.

3. Déroulez le menu local Commande et choisissez Ouvrir un état.

4. Déroulez le menu local État et choisissez Étiquettes de publipostage.

5. Cliquez sur OK pour regagner la boîte de dialogue Modifier la page du Menu Général. Votre nouvelle entrée apparaît dans la liste Éléments de ce Menu Général, en queue de peloton.

6. Pour la déplacer d'une position vers le haut, sélectionnez-la, puis cliquez une fois sur Déplacer haut. La Figure 3.26 montre la version finale de la boîte de dialogue.

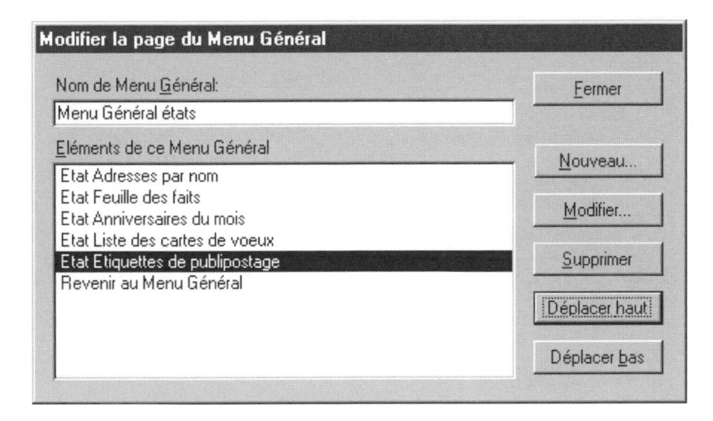

7. Cliquez deux fois sur Fermer pour rejoindre la fenêtre Base de données.

Construire des commandes AutoExec

Lorsque vous ouvrez une base de données, Access recherche des éventuelles commandes AutoExec et, s'il en trouve, les exécute automatiquement. Vous pouvez configurer votre base en définissant des commandes AutoExec qui, par exemple, masquent la fenêtre Base de données, ou activent directement un formulaire particulier. L'Assistant Création d'applications a pris soin d'installer les commandes AutoExec principales ; mais supposons que ces commandes de base ne vous suffisent pas.

1. Depuis le formulaire Menu Général principal ou depuis la fenêtre Base de données, choisissez Outils/Démarrage. Ou, depuis cette même fenêtre Base de données, avec le bouton droit de la souris, activez n'importe quel onglet et choisissez Démarrage dans le menu contextuel correspondant. La boîte de dialogue Démarrage s'affiche (la Figure 3.27 montre cette boîte complétée).

2. Dans la case d'édition Titre de l'application, tapez Amis (ce titre s'affichera dans la barre de titre d'Access chaque fois que vous ouvrirez la base de données ; il s'affichera aussi dans la barre des tâches).

3. Assurez-vous que la mention *Menu Général* apparaît bien dans la case Afficher le formulaire. (Vous pouvez dérouler le menu local correspondant et choisir n'importe lequel des formulaires de la base ; toutefois, le choix du Menu Général garantit un maximum de souplesse.)

4. Cliquez sur OK. Le nouveau titre de l'application se substitue immédiatement à *Microsoft Access* dans la barre de titre du programme.

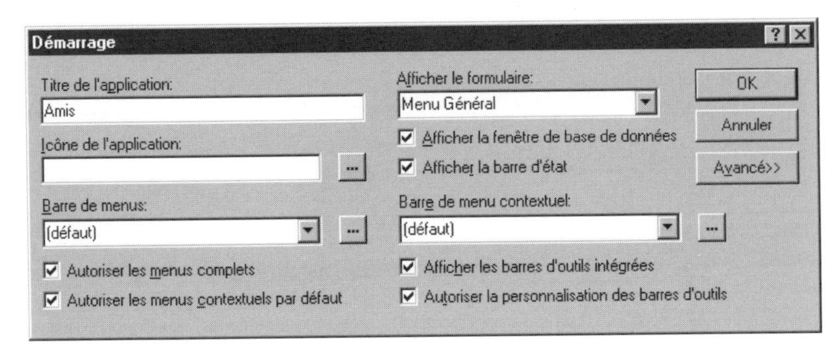

Figure 3.27 : La boîte de dialogue Démarrage dans laquelle nous avons complété le titre de l'application.

Le formulaire Menu Général principal réduit automatiquement la fenêtre Base de données lorsque vous ouvrez un formulaire.

Tester l'application

Tout est normalement au point. Vous allez vous en assurer. Commencez par fermer la base, puis ouvrez-la de nouveau :

1. Choisissez Fichier/Fermer, ou enfoncez les touches Ctrl + W jusqu'à ce que disparaissent le Menu Général principal et la fenêtre Base de données.
2. Pour rouvrir la base que vous venez de fermer, déroulez le menu Fichier et sélectionnez-la dans la partie inférieure de ce menu.

Le formulaire Menu Général principal s'affiche et la barre de titre du programme indique Amis. Consultez le Menu Général, puis exécutez l'une des actions suivantes :

- Pour fermer le Menu *et* la fenêtre Base de données, cliquez sur le bouton de l'option Quitter cette base de données.
- Pour fermer le Menu mais laisser la fenêtre Base de données ouverte, cliquez dans la case de fermeture de celui-ci (ou enfoncez les touches Ctrl + W), puis enfoncez la touche F11 pour afficher la fenêtre Base de données.

Pour quitter Access, choisissez Fichier/Quitter ; vous regagnez ainsi le bureau de Windows. Votre base de données est en sûreté sur votre disque. Lorsque vous souhaiterez la charger de nouveau, il vous suffira de lancer Access et d'ouvrir Amis.

Si le coeur vous en dit

Les quatrième et cinquième parties de cet ouvrage décrivent en détail la création d'applications.

Plusieurs façons de créer des applications clés en main

Comme vous venez de le voir, Access vous propose différentes techniques d'automatisation de votre travail et de création d'applications prêtes à l'emploi. Ainsi, vous pouvez recourir au formulaire Menu Général qu'Access crée automatiquement lorsque vous faites appel à l'Assistant Création d'applications pour constituer une base de données. Vous pouvez aussi ajouter des boutons de commande et des instructions Visual Basic pour gérer les formulaires (rappelez-vous le formulaire Adresses). Vous pouvez enfin combiner ces techniques et d'autres plus évoluées que vous découvrirez dans les quatrième et cinquième parties de ce livre. Les applications que vous créez peuvent être simples ou complexes, selon vos besoins et les connaissances que vous possédez du programme. À vous de voir !

Et maintenant, que faisons-nous ?

Félicitations ! Vous venez de créer votre première base de données Access et votre première application personnalisée.

Si vous souhaitez construire une application plus complexe, faites appel à l'Assistant Création d'applications pour élaborer une base de données Traitement des commandes (avec des données exemples, évidemment). Dans cet ouvrage, nous utiliserons une base de ce type pour illustrer la plupart des concepts fondamentaux d'Access. Si vous le souhaitez, vous pouvez copier sur votre disque dur la base Ordentry (Gestionnaire de commande), qui figure sur le CD-ROM fourni avec cet ouvrage. N'hésitez pas à créer cette base ou à la copier depuis le CD ; votre apprentissage n'en sera que plus facile et plus agréable.

Quoi de neuf ?

Access 97 est doté de fonctions qui facilitent considérablement l'apprentissage des débutants. Parmi elles :

- Les différents Assistants sont plus performants et sont désormais capables de créer plus de vingt applications clés en main, avec des données exemples.
- Un filtre a été ajouté pour faciliter la sélection des enregistrements.

Chapitre 4

À propos d'Access 97, d'Office 97, de Windows 95 et d'Internet

Microsoft Access 97 pour Windows 95 fait partie intégrante de Windows 95 et de Microsoft Office 97 pour Windows 95. Dans ce chapitre, nous nous proposons de vous faire découvrir les principales caractéristiques de l'environnement Windows. Nous exposons également les nouvelles fonctionnalités grâce auxquelles vous pouvez partager des données Access sur Internet.

Bien exploiter Windows 95 et Access 97

Voici, présentées par ordre alphabétique, les fonctionnalités majeures de Windows 95 :

- **Ajustement immédiat de la résolution écran** : Vous pouvez désormais changer à l'envi la résolution de votre écran. Pour y parvenir, réduisez Microsoft Access et tous les autres programmes éventuels qui recouvrent le bureau de Windows. Cliquez ensuite avec le bouton droit de la souris dans une zone vide de ce bureau, puis choisissez Propriétés. Activez l'onglet Configuration de la boîte de dialogue Propriétés pour Affichage, utilisez le taquet de la rubrique Espace du bureau pour spécifier la résolution souhaitée, puis cliquez sur OK. Réagissez aux éventuels messages qui vous sont adressés, puis cliquez sur le bouton Microsoft Access de la bâte des tâches pour réactiver Access.

- **Application 32-bit** : Microsoft Access pour Windows 95 est une application 32-bit, ce qui signifie qu'Access tourne dans une partie de la mémoire de votre ordinateur qu'il a réservée à son usage personnel. Cette caractéristique permet à Access de fonctionner normalement, même lorsqu'un autre programme actif commence à faire des siennes. Access tire également profit des avantages qu'offre le multitâches préemptif, ce que les programmeurs apprécieront ; à cet effet, le moteur de base de données Microsoft Jet, Microsoft Access et les modules écrits en Visual Basic fonctionnent tous en tant que tâche individuelle. (Sur des ordinateurs haut de gamme, le multitâches préemptif permet à plusieurs CPU de participer simultanément à une même application Access.)

- **Effets spéciaux** : Access pour Windows 95 ainsi que ses formulaires et ses états peuvent être agrémentés de l'un ou l'autre des effets spéciaux de Windows : aspect normal, aspect 3D relâché ou 3D enfoncé, ombré, ciselé ou gravé. Le Chapitre 13 est plus éloquent à ce sujet ; voyez aussi la Figure 4.2.

- **Explorateur Base de données** : La fenêtre Base de données d'Access pour Windows 95 a le même aspect et fonctionne de la même manière que l'Explorateur Windows 95 ou que les fenêtres qui apparaissent lorsque vous ouvrez le Poste de travail ou le Voisinage réseau. Pour présenter les objets de la base sous la forme d'icônes grand ou petit format, ou sous la forme d'une liste simple ou détaillée, choisissez l'option souhaitée dans le menu Affichage, ou activez le bouton correspondant de barre d'outils. Vous pouvez également cliquer avec le bouton droit de la souris dans une zone vide de la fenêtre Base de données et sélectionner l'une des options de présentation du menu contextuel qui s'affiche sous le pointeur. Pour présenter les icônes par nom, type, taille, date de création ou date de modification, choisissez l'une des possibilités offertes par la commande Affichage/Réorganiser les icônes, ou cliquez avec le bouton droit de la souris dans une zone vide de la fenêtre Base de données et sélectionnez l'option de présentation souhaitée pour la commande Réorganiser les icônes du menu contextuel correspondant. Pour vous rafraîchir la mémoire, reportez-vous au Chapitre 1 et à la Figure 4.1.

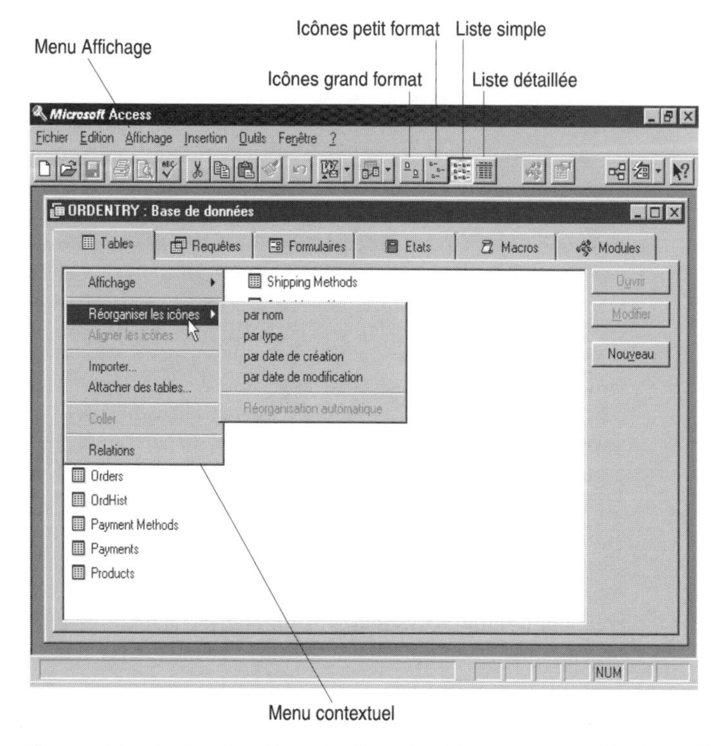

Figure 4.1 : La fenêtre Base de données d'Access pour Windows 95 vous permet d'afficher les noms des objets et de présenter les icônes de même manière que dans Windows 95.

- **Longueur des noms de fichiers et chemins UNC :** À l'instar des autres programmes tournant sous Windows 95, Microsoft Access accepte des noms de fichiers comprenant jusqu'à 255 caractères et respectant la convention UNC (Universal Naming Convention ou convention universelle relative aux noms de fichiers). Aux termes de cette convention, vous pouvez désigner un fichier sur un ordinateur distant en indiquant le nom de cet ordinateur, plutôt que de devoir affecter de manière permanente une lettre de lecteur à cet ordinateur. Prenons un exemple : une base de données Traitement des commandes stockée dans le dossier Mes documents sur le lecteur C d'un ordinateur dénommé Charles s'appellera \\Charles\c\Mes documents\Traitement des commandes.mdb. Pas facile à prononcer !

- **Menus contextuels** : Les menus contextuels chers à Windows 95 sont accessibles partout dans Access. Contentez-vous d'enfoncer le bouton de la souris à l'endroit où vous voulez dérouler un menu contextuel, puis sélectionnez l'option souhaitée avec l'un ou l'autre des deux boutons de la souris (Figure 4.1).

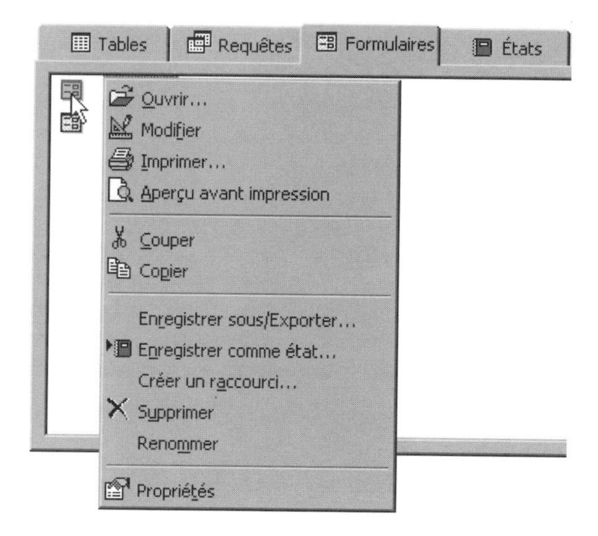

- **Nouvel aspect et nouvel esprit de Windows** : Access pour Windows 95 bénéficie bien entendu de toutes les améliorations apportées par la nouvelle version de ce système d'exploitation : boîtes de dialogue à onglets, boutons d'option et de commande, listes déroulantes, nouvelles coches pour identifier les options sélectionnées. Si vous découvrez ces nouveautés au niveau de Windows 95, votre travail dans Access s'en trouvera considérablement simplifié. La Figure 4.3 vous montre une boîte de dialogue type d'Access pour Windows.

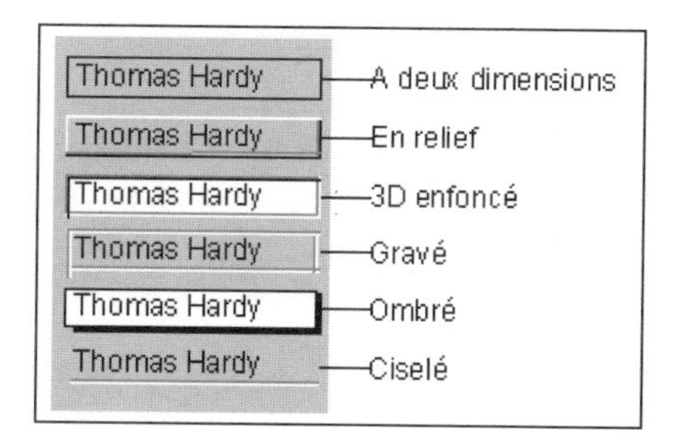

Figure 4.2 : Vous pouvez faire votre choix parmi les différents effets spéciaux qui vous sont proposés.

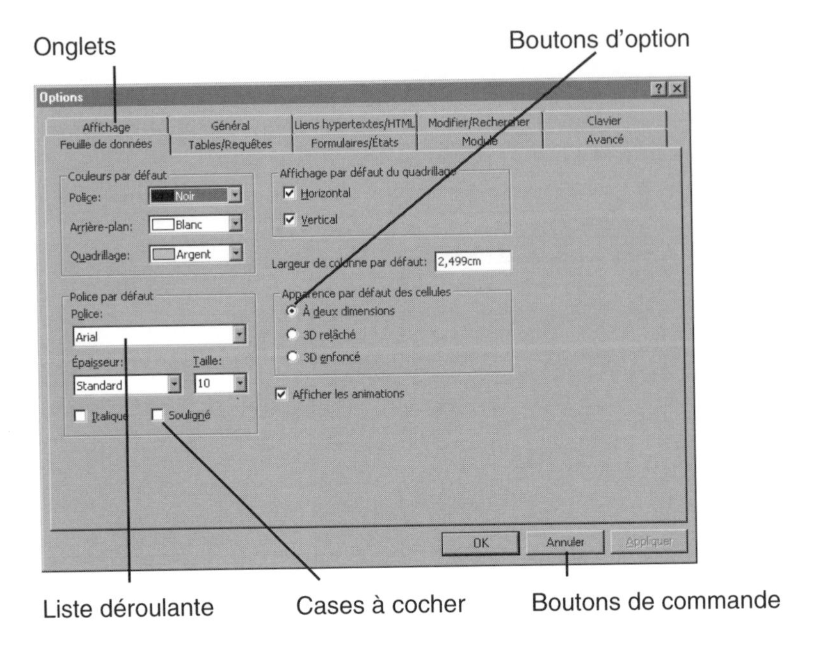

Figure 4.3 : Access pour Windows 95 propose les caractéristiques standard de l'environnement Windows 95.

- **Porte-documents et réplication** : Access pour Windows 95 tire profit de la caractéristique Porte-documents de Windows. Ce système vous permet de travailler à distance sur des réplicas de votre base de données et de répercuter ultérieurement les modifications que vous avez apportées sur la base principale. Toute modification de structure apportée à cette base maître est automatiquement reportée sur ses réplicas. La réplication vous aide ainsi à gérer aisément les changements à distance et à répercuter votre action sur un réseau. Le Chapitre 17 traite de cette caractéristique.

- **Raccourcis de Windows 95** : Vous pouvez, sur le bureau, prévoir des icônes de raccourci qui vous transporteront directement vers n'importe quel objet Access. Pour ce faire, cliquez-glissez sur l'objet depuis la fenêtre Base de données d'Access vers le bureau. C'est fait : l'icône fonctionne désormais comme un raccourci ! Vous pouvez également cliquer sur cette icône avec le bouton droit de la souris ; le menu contextuel qui se déroule vous propose différents articles vous permettant d'agir sur cet objet (voyez l'écran ci-dessous). Le Chapitre 1 a traité ce sujet en détail.

Bien exploiter Microsoft Office et Access

Microsoft Access pour Windows 95 et les autres applications faisant partie de Microsoft Office 95 ont évidemment beaucoup de points communs. C'est particulièrement vrai pour Microsoft Excel et Microsoft Word. Dès lors, si vous avez installé la version complète d'Office, vous pouvez dès à présent profiter des possibilités offertes par cet environnement conjoint. Nous allons d'ailleurs passer ces possibilités rapidement en revue. Nous examinerons ensuite comment partager des données entre applications Office.

Le Gestionnaire Microsoft Office

Le Gestionnaire Office (représenté ci-dessous) s'installe automatiquement lorsque vous installez Microsoft Office pour Windows 95. Il vous permet de lancer des applications, de passer d'un programme à un autre, d'ouvrir des fichiers, etc.

Afficher ou masquer le Gestionnaire Office

Le Gestionnaire Office s'affiche normalement dans l'angle supérieur droit de votre bureau. S'il n'apparaît pas, cliquez sur Démarrer dans la barre des tâches, puis choisissez Exécuter, tapez la ligne de commande «\M**SOffice\Gestionnaire Microsoft Office.lnk**» (avec les guillemets), puis enfoncez la touche Entrée.

Manipuler le Gestionnaire Office

Lorsque le Gestionnaire est affiché :

- **Pour découvrir l'utilité de tel ou tel bouton**, placez votre pointeur sur le bouton en question ; une info-bulle apparaît, qui donne le nom du bouton et, partant, sa fonction.
- **Pour activer un bouton**, cliquez dessus.
- **Pour laisser flotter le Gestionnaire**, cliquez dans une zone vide du Gestionnaire, puis faites-le glisser vers le centre de votre écran.

- **Pour ancrer la palette flottante du Gestionnaire** dans l'angle supérieur droit du bureau, cliquez deux fois dans sa barre de titre.
- **Pour ouvrir le menu de contrôle du Gestionnaire**, cliquez avec le bouton gauche ou droit sur l'icône de contrôle, puis choisissez l'une des options représentées ci-dessous :

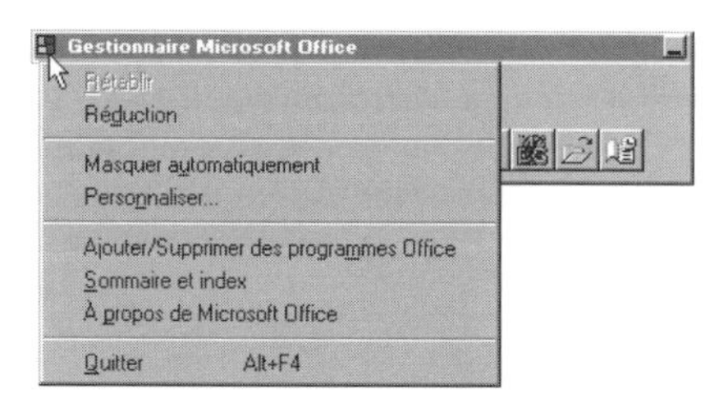

- **Pour afficher ou masquer l'une ou l'autre barre supplémentaire** (par défaut, seule la barre Office est présentée dans le Gestionnaire mais d'autres barres sont disponibles), cliquez avec le bouton droit de la souris dans une zone vide du Gestionnaire et sélectionnez (pour afficher) ou désélectionnez (pour masquer) le nom de barre concernée.
- **Pour activer une autre barre du Gestionnaire** lorsque plusieurs barres sont présentes, cliquez sur le bouton de la barre concernée.
- **Pour personnaliser la barre active**, cliquez avec le bouton droit de la souris dans une zone vide de cette barre, puis choisissez Personnaliser, ou cliquez deux fois dans une zone vide, entre deux boutons. Dans la boîte de dialogue, activez l'onglet souhaité (Figure 4.4), complétez la zone si nécessaire, puis cliquez sur OK.

Activez les éléments que vous voulez faire apparaître dans la barre.

Désactivez les éléments qui ne doivent pas figurer dans la barre.

Figure 4.4 : La boîte de dialogue Personnaliser du Gestionnaire Microsoft Office après activation de l'onglet Boutons. (Il se peut que la boîte de dialogue que vous avez sous les yeux ne corresponde pas tout à fait à celle représentée ici).

- **Pour ajouter un bouton** qui lancera une application (comme Microsoft Access) ou pour ouvrir un document ou un dossier, sélectionnez la barre qui devra accueillir le nouveau bouton. Ensuite, choisissez Démarrer/Rechercher, ou le Poste de travail, ou encore l'Explorateur Windows pour localiser le programme, le document ou le dossier à ajouter en tant que bouton. Faites ensuite glisser son icône sur la barre souhaitée du Gestionnaire. Votre mouvement a été correctement interprété lorsque votre pointeur affiche un petit signe + ; vous pouvez alors relâcher le bouton de la souris. Votre nouveau raccourci apparaît à l'extrémité du Gestionnaire.
- **Pour supprimer rapidement un bouton**, cliquez avec le bouton droit de la souris sur le bouton concerné, puis choisissez Masquer le Bouton.
- **Pour quitter le Gestionnaire Office**, cliquez avec le bouton droit ou gauche de la souris sur le menu de contrôle situé dans l'angle supérieur gauche, puis choisissez Quitter.

Si vous souhaitez obtenir davantage d'informations sur le Gestionnaire, reportez-vous à la documentation officielle de Microsoft Office ; vous pouvez aussi cliquer avec l'un des boutons de la souris sur l'icône du menu de contrôle et sélectionner Rubriques d'aide Office.

Des barres identiques

Microsoft Office est équipé d'une flopée de barres de menus et de barres d'outils qui vous dispensent de descendre en rappel dans les menus, à la recherche des articles qui vous intéressent. La Figure 4.5 montre les fenêtres de Microsoft Excel, Word, PowerPoint et Access. Les similitudes sont frappantes.

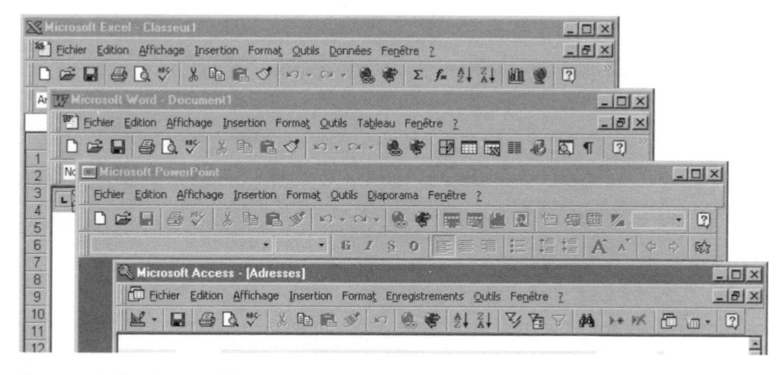

Figure 4.5 : Les différentes applications Microsoft Office présentent des caractéristiques communes qui faciliteront considérablement votre adaptation d'un programme à l'autre.

Des boîtes de dialogue identiques

La plupart des boîtes de dialogue - y compris celles des commandes Nouveau, Ouvrir/ Importer, Mise en Page, Imprimer et Enregistrer - fonctionnent de la même manière, quel que soit le programme Office que vous utilisez. La Figure 4.6 représente la boîte Ouvrir de Microsoft Word. La Figure 4.7 affiche une boîte qui ressemble fort à la précédente, celle de la commande Importer de Microsoft Access.

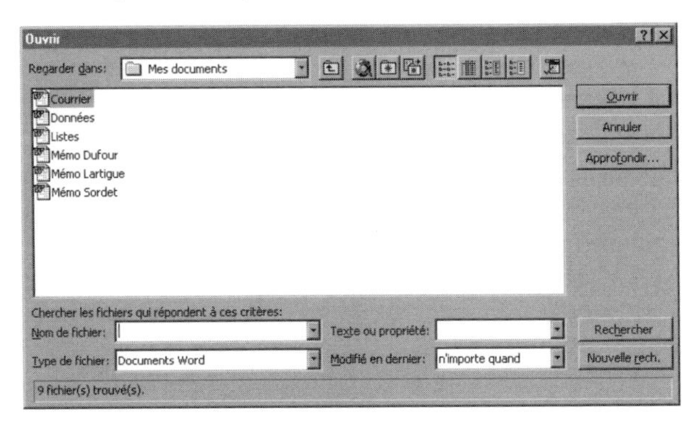

Figure 4.6 : La boîte de dialogue Ouvrir de Microsoft Word.

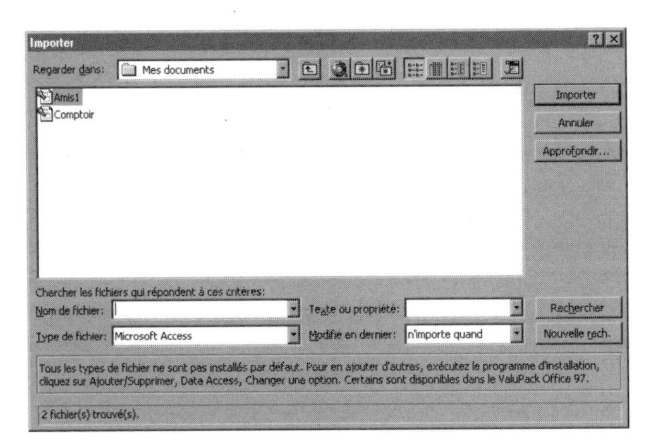

Figure 4.7 : La boîte de dialogue Importer de Microsoft Access.

Des outils Office identiques

Vous trouverez encore, dans les applications Office, des outils qui fonctionnement de manière (quasiment) identique. Le Tableau 4.1 décrit brièvement chacun de ces outils et vous indique dans quel programme Microsoft Office ils vous sont proposés.

Fonction	Action	Commande ou raccourci	Programmes
Correction automatique	Corrige automatiquement les fautes de frappe	Outils/Correction automatique	Access, Excel, PowerPoint, Word (Chapitre 9)
Format automatique	Formate automatiquement un document	Format/Format automatique	Access, Excel Word (Chapitres 11, 12 et 13)
Exporter/Enregistrer sous	Sauvegarde des objets sous un nouveau nom et/ou format	Fichier/Enregistrer sous/Exporter ou Fichier/Enregistrer sous ou Fichier/Exporter	Access, Excel, Echange, PowerPoint, Schedule+, Word (Chapitre 7)
Reproduire la mise en forme	Réalise un copier-coller de la mise en forme d'un contrôle ou d'une sélection	Bouton de la barre d'outils intitulé "Reproduire la mise en forme"	Access, Excel, PowerPoint, Word (Chapitre 13)
Importer/Attacher	Importe ou lie des données d'autres programmes et d'autres formats	Fichier/Données externes/Importer ou Fichier/Données externes/Lier les tables ou Fichier/Ouvrir ou Fichier/Importer	Access, Excel, Echange, PowerPoint, Schedule+, Word (Chapitre 7)
Insérer	Insère la date et l'heure, le numéro de page, une image, un objet, etc. (selon le programme)	Commandes du menu Insertion.	Access, Excel, PowerPoint, Word (Chapitre 8 et 13)
Options	Paramètre les options par défaut	Outils/Options	Access, Excel, Exchange, PowerPoint, Schedule+, Word (Chapitre 15)

Tableau 4.1 : Les outils classiques de Microsoft Office.

Fonction	Action	Commande ou raccourci	Programmes
Imprimer	Imprime des objets et des documents (certains programmes disposent d'un mode Aperçu avant impression)	Fichier/Imprimer (Ctrl + P) ou Fichier/ Aperçu avant impression	Access, Excel, Echange, PowerPoint, Schedule+, Word (Chapitre 9)
Propriétés	Affiche et modifie les propriétés de la base de données ou du document actif	Fichier/Propriétés de la base ou Fichier/ Propriétés	Access, Excel, Echange, PowerPoint, Word (Chapitre 5)
Envoyer	Envoie l'objet ou le document actif par l'intermédiaire d'un système de courrier électronique	Fichier/Envoyer PowerPoint, Word	Access, Excel, Echange, (Chapitre 7)
Orthographe	Vérifie l'orthographe et corrige les fautes	Outils/Orthographe (F7)	Access, Excel, Echange, PowerPoint, Word (Chapitre 9)

Tableau 4.1 : Les outils classiques de Microsoft Office (suite).

Les sources d'informations techniques Microsoft

Chaque programme Office vous garantit de multiples accès à des fonctions d'aide, comme la manuel *Être efficace*, l'aide intuitive, le sommaire de l'aide en ligne, les fichiers LISEZ-MOI fournis avec la plupart des applications. Mais l'assistance ne s'arrête pas là. Vous pouvez en effet obtenir des informations techniques sur les produits Microsoft en faisant appel à l'un des services suivants :

- **MSDL (Microsoft Download Service : Service de téléchargement Microsoft)** : Le MSDL est un service de babillard électronique qui vous propose des articles de la MSL (Microsoft Software Library) et des fichiers d'informations techniques que vous pouvez télécharger si vous disposez d'un modem. Il vous suffit alors de former le (206) 936-6735 aux États-Unis ou le (905) 507-3022 au Canada.

- **Fax Info Service** : Ce service de "conseils rapides Microsoft" est un service automatisé d'assistance par message ou télécopie ; il vous permet également de vous faire expédier par courrier ou par télécopieur des catalogues, des articles, etc. Attention : ce service n'est disponible qu'en anglais. Pour y accéder, il suffit de composer le (800) 936-4100 sur un téléphone à boutons.

- **KB (Microsoft Knowledge Base - Base de connaissances Microsoft)** : Accessible via CompuServe, America Online, GEnie, Internet (via World Wide Web, FTP ou Gopher), Microsoft Developer Network, Microsoft TechNet et Microsoft Network, la KB est une collection très complète d'articles (mis à jour quotidiennement) qui fournissent des réponses détaillées à des questions relatives au support technique ; la KB propose aussi des listes des bogues recensés et les moyens de les contourner. Depuis les sites World Wide Web et Gopher, vous pouvez mener des recherches textuelles dans les articles KB et télécharger automatiquement ces fichiers.

- **Publications Microsoft Press** : Les publications Microsoft Press vous proposent de multiples publications, notamment des kits de développement, des kits de ressources ainsi qu'un large éventail de publications diverses sur les produits Microsoft et sur les technologies informatiques connexes. Appelez Microsoft Press au numéro (1) 69 29 11 11.

- **MSL (Microsoft Software Library - Bibliothèque de logiciels Microsoft)** sur CompuServe, America Online, GEnie, Internet, Microsoft Developer Network, Microsoft Download Service (MSDL), Microsoft TechNet et Microsoft Network. MSL est une collection de fichiers binaires (non texte) traitant de pilotes de périphériques, des utilitaires annexes, des fichiers d'aide en ligne, et, d'une manière plus générale, des aspects techniques de tous les produits Microsoft.

- **Microsoft TechNet et les CD-ROM du réseau de développement Microsoft (Microsoft Developer Network)** vous assure un accès aux informations de la Base de connaissances Microsoft, de la Bibliothèque de logiciels Microsoft ainsi qu'à d'autres données techniques sur CD. Pour vous abonner au Microsoft TechNet, appelez le (800) 344-2121 ; pour vous abonner au Réseau de développement Microsoft, formez le (800) 759-5474.

- **Forums de support** sur America Online, CompuServe, GEnie, Internet et Microsoft Network. Ces forums de support sont fréquentés par des utilisateurs classiques, par des sociétés de développement ainsi que par des membres de Microsoft capables d'apporter des réponses à toutes vos questions.

Vous pouvez accéder à la KB et à la MSL à partir d'un des trois sites Internet énumérés à la page suivante.

- Site Microsoft World Wide Web, à www.microsoft.com ;
- Site Microsoft Gopher, à gopher.microsoft.com ;
- Site Microsoft FTP (qui supporte les connexions anonymes), à ftp.microsoft.com.

Vous pouvez accéder à la KB, à la MSL ainsi qu'aux forums de support depuis l'un des trois sites CompuServe suivants :

- Pour accéder à la KB, tapez **GO MSKB** à l'invite, ou choisissez une commande équivalente dans l'un des menus de votre centre de navigation CompuServe.
- Pour accéder à la MSL, tapez **GO MSL** à l'invite, ou choisissez une commande équivalente.
- Pour accéder aux forums Microsoft, tapez **GO MICROSOFT** à l'invite, ou choisissez une commande équivalente. Pour gagner directement le forum Access de Microsoft, tapez **GO MSACCESS**, ou choisissez une commande équivalente.

Pour atteindre la KB depuis America Online :

- Choisissez Go To/Keyword, puis tapez **Microsoft** dans la case Enter Word(s). Dans le centre de ressources Microsoft, cliquez sur Knowledge Base.

Pour atteindre la KB depuis le Microsoft Network :

1. Connectez-vous au réseau Microsoft Network.
2. Dans la barre des tâches de Windows, cliquez sur Démarrer, puis sélectionnez Rechercher/Microsoft Network.
3. Tapez Knowledgebase dans la case d'édition, puis lancez la recherche.
4. Cliquez deux fois sur le sujet qui vous intéresse, lorsque celui-ci apparaît.

Pour des renseignements complémentaires sur les sources d'informations que nous venons de présenter, consultez le fichier d'aide de n'importe quel programme Office, sous l'entrée *informations techniques*, accessible depuis l'index. Si vous êtes membre de Microsoft Network, vous pouvez vous brancher sur la plupart de ces sources en choisissant ? (Aide)/Microsoft sur le Web dans n'importe quelle application Office.

Partager des données Access avec d'autres programmes Office

Vous venez enfin de terminer d'encoder péniblement votre fichier d'adresses dans une base de données Access. Imaginez que vous souhaitiez imprimer des lettres type dans Word en utilisant les mêmes données ; vous n'allez quand de même pas tout retaper ! Pas plus que vous ne le feriez si vous souhaitiez disposer, dans une base de données Access, de données encodées dans une feuille de calcul Excel. Rassurez-vous : Microsoft Office a tout prévu. Dans les sections suivantes, nous allons vous exposer brièvement les différents moyens d'importer et d'exporter des données vers ou depuis Access.

Si des messages d'alerte vous informent que vous ne pouvez lancer tel programme ou établir telle liaison entre applications, c'est sans doute parce que la mémoire de votre ordinateur est insuffisante. Pour remédier au problème, réagissez aux messages qui s'affichent, puis redémarrez votre ordinateur (Démarrer/Arrêter/Oui). Ouvrez de nouveau vos programmes mais en limitant l'ouverture à ceux qui sont strictement indispensables. Si la situation ne s'améliore pas, pensez à augmenter la mémoire de votre machine. (Access exige environ 12 Mo de mémoire ; vous aurez régulièrement besoin de 16 Mo pour réaliser des opérations qui impliquent l'utilisation simultanée de plusieurs programmes Office.)

Utiliser les commandes Importer et Exporter

Vous pouvez faire appel aux techniques d'importation et de liaison pour créer une table Access en partant de données stockées dans un autre fichier, une feuille de calcul Excel par exemple. Pour commencer, activez la fenêtre Base de données d'Access et choisissez Fichier/Données externes/Importer ou Fichier/Données externes/Lier les tables.

Pour convertir les données d'une table Access (ou d'un autre objet) afin de les rendre exploitables par un programme comme Excel ou Word, utilisez la commande d'exportation. Après exportation des données Access, vous pouvez lancer l'autre programme, ouvrir le fichier que vous avez créé en procédant à l'exportation et utiliser ce fichier normalement. Pour exporter les données Access, activez la fenêtre Base de données et cliquez dans la table, dans la requête, dans le formulaire, etc. contenant les données à exporter. Choisissez alors Fichier/Enregistrer sous/Exporter.

Le Chapitre 7 vous explique comme créer des tables Access sur la base de fichiers sauvegardés dans l'un des formats suivants : Access, Excel, Paradox, Texte, dBASE, FoxPro, Lotus 1-2-3 ou bases de données ODBC (Open Database Connectivity). Il vous indique aussi comment exporter des données d'Access vers d'autres logiciels, en fait en les sauvegardant dans l'un de ces formats : Access, Excel, Paradox, Texte, dBASE, FoxPro, Lotus 1-2-3, RTF (Rich Text Format ou format texte enrichi), Fusion Microsoft Word, HTML et bases de données ODBC.

Utiliser OLE

La technologie OLE de Windows 95 met à votre disposition toute une série de procédures permettant d'échanger des sélections ou des fichiers entiers entre Microsoft Access, Microsoft Office et d'autres programmes tournant sous Windows. Le Chapitre 8 vous décrit ces procédures point par point. Mais levons dès à présent un coin du voile.

Utiliser le Presse-papiers

La technique classique du couper/copier-coller est un moyen efficace d'échanger des données entre applications, avec préservation de la mise en forme dans toute la mesure du possible. (Lorsque vous collez des colonnes d'une feuille de données Access dans un autre programme, les noms de champs sont inclus dans le transfert.) Pour réaliser cette opération :

1. Sélectionnez l'élément que vous voulez déplacer ou copier en recourant aux techniques standard de sélection en vigueur dans le programme source.
2. Choisissez Édition/Copier (Ctrl + C) ou Édition/Couper (Ctrl + X), ou cliquez sur l'icône Copier ou Couper si elles sont accessibles dans l'une ou l'autre barre d'outils. Votre sélection est copiée (si vous avez choisi Copier) ou déplacée (si vous avez choisi Couper) et transférée dans le Presse-papiers de Windows.

Le Presse-papiers de Windows est une zone particulière de la mémoire de votre ordinateur où un clou chasse l'autre. Ainsi, chaque fois que vous copiez ou coupez une sélection, la sélection qui se trouvait précédemment dans Presse-papiers disparaît au profit de la nouvelle. Celle-ci y restera jusqu'à la prochaine sélection, ou jusqu'à ce que vous quittiez Windows.

3. Lancez le programme cible, ouvrez le document, la table, etc. où vous voulez que la sélection apparaisse. Cliquez à l'endroit où le collage doit avoir lieu.
4. Pour coller le contenu du Presse-papiers au point d'insertion, réalisez l'une des actions suivantes :

- Choisissez Édition/Coller (Ctrl + V), ou cliquez sur l'icône Coller de la barre d'outils.
- Choisissez Édition/Collage spécial (si cette commande est disponible), spécifiez les options requises, puis cliquez sur OK.
- Uniquement dans Access, choisissez Édition/Coller par ajout pour ajouter les enregistrements à la fin de la table sélectionnée dans la feuille de données ou dans le formulaire actif.

La sélection est collée au niveau du point d'insertion.

Utiliser les commandes du menu Insertion

Vous pouvez également mettre à contribution les commandes du menu Insertion pour intégrer tout ou partie d'un objet dans le document actif, dans la présentation courante, dans un champ objet OLE, etc. La marche à suivre et l'aspect des données insérées dépendent du programme que vous utilisez lorsque vous procédez à l'insertion, de la commande d'insertion que vous activez, du type des données que vous importez.

Voici, par exemple, comment insérer des données d'une table Access dans un document Microsoft Word. Les données sont insérées sous la forme d'un tableau de cellules Word, indépendant de la table Access originale.

1. Lancez Microsoft Word et ouvrez le document destiné à recevoir les données.
2. Choisissez Affichage/Barres d'outils/Base de données et activez l'icône Insérer une base de données.
3. Dans la boîte de dialogue Base de données, cliquez sur Obtenir les données.
3. Dans la boîte de dialogue Ouvrir la source de données, choisissez Bases de données MS Access dans le menu déroulant Type de fichier ; localisez ensuite la base de données souhaitée, puis cliquez deux fois sur son nom.
4. Dans la boîte de dialogue Microsoft Access, activez l'onglet Tables ou Requêtes, puis cliquez deux fois sur la table ou sur la requête qui contient les données que vous désirez insérer dans le document Word. Cliquez sur OK.
5. Une fois revenu dans la fenêtre Base de données, cliquez éventuellement sur Options de requête pour sélectionner les champs et les valeurs à insérer. Cliquez sur Tableau : Format auto pour choisir la mise en forme à attribuer à l'insertion.

6. Cliquez ensuite sur Insérer des données, complétez la boîte de dialogue correspondante, puis cliquez sur OK.

La Figure 4.8 montre à quoi ressemble l'écran après insertion, dans un document Microsoft Word, des données de la requête RequêteAdressesTéléphone de la base de données Amis1. Dans cet exemple, nous avons appliqué un formatage automatique au tableau Word (plus précisément, le format Contemporain).

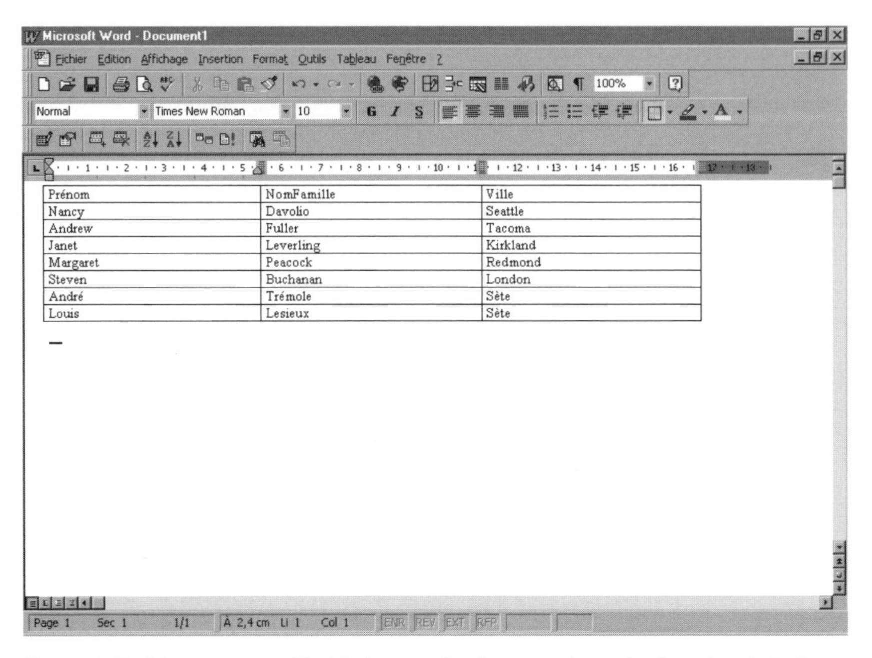

Prénom	NomFamille	Ville
Nancy	Davolio	Seattle
Andrew	Fuller	Tacoma
Janet	Leverling	Kirkland
Margaret	Peacock	Redmond
Steven	Buchanan	London
André	Trémole	Sète
Louis	Lesieux	Sète

Figure 4.8 : Nous avons utilisé le bouton Insérer une base de données de la barre d'outils Base de données pour introduire dans un document Microsoft Word les données des champs Prénom, NomFamille et Ville de la base de données Amis1.

Dans la plupart des programmes Office, une commande baptisée Insertion/Objet vous permet d'insérer un nouvel objet que vous créerez après appel de la commande, ou d'insérer un objet existant, stocké dans un fichier. Le Chapitre 8 vous détaille la mise en oeuvre de l'insertion, dans Access, d'objets dans des champs objet OLE ; nous n'en dirons donc pas plus dans cette section. (La procédure est identique, que vous agissiez depuis Access, Excel, Échange, PowerPoint ou Word.)

Si le programme que vous utilisez en est capable, il affichera les données insérées dans leur format "réel" ; dans le cas contraire, elles apparaîtront sous la forme d'une icône. Dans la Figure 4.9, par exemple, nous avons inséré, dans le document Word représenté à la Figure 4.8, un fichier bitmap de la collection ClipArt ; à côté de l'image, nous avons inséré la base Access Amis1. Le fichier bitmap apparaît dans sa forme réelle, tandis que la base de données est représentée par une icône car Word est incapable d'afficher d'emblée la base de données dans son intégralité. Pour ouvrir l'un de ces objets à des fins d'affichage ou d'édition, contentez-vous de cliquer deux fois sur l'image ou sur l'icône. Lorsque vous en avez fini avec cet objet, réalisez l'une des actions suivantes :

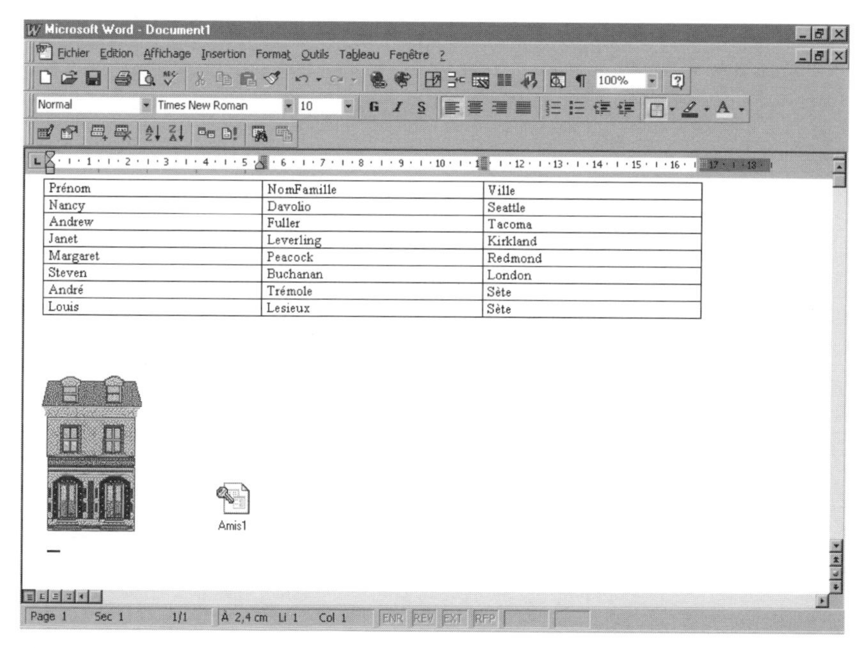

Figure 4.9 : La fenêtre du document Word après insertion, via la commande Insertion/Objet, d'une image bitmap de la collection ClipArt et de la base de données Access Amis1 en tant qu'icône.

- Si l'objet s'**est ouvert dans la fenêtre du programme principal,** cliquez en dehors de l'objet. Le cadre et les poignées de redimensionnement de l'objet disparaissent ; les menus et les outils du programme principal refont leur apparition.
- **Si l'objet s'est ouvert dans une fenêtre séparée,** choisissez Fichier/Quitter depuis la fenêtre du programme de l'objet. Vous regagnez ainsi la fenêtre du programme principal.

Glisser-déplacer

La technique du glisser-déplacer est une technique simple à mettre en oeuvre lorsque vous souhaitez déplacer des informations d'un programme dans un autre. Prenez garde : vous ne pouvez glisser-déplacer entre tous les programmes Windows ;

mais ne vous inquiétez pas : vous apprendrez vite lesquels admettent cette manoeuvre et lesquels ne l'admettent pas. La Figure 4.10 vous illustre une procédure de ce type. Voici comment reproduire notre exemple :

1. Lancez Microsoft Word et Microsoft Access, puis ouvrez d'une part un document Word qui comporte un peu de texte et, d'autre part, une table Access qui contient un champ objet OLE, comme la table _All fields de la base de données ORDENTRY proposée sur le CD-ROM. Organisez les fenêtres en cliquant avec le bouton droit de la souris dans une zone vide de la barre des tâches et en choisissant Mosaïque verticale dans le menu contextuel correspondant.

2. Dans le document Microsoft Word, sélectionnez le texte à copier et à coller dans le champ objet OLE d'Access.

3. Activez la touche Ctrl et maintenez-la enfoncée tandis que vous faites glisser le texte de la fenêtre Microsoft Word vers le champ de la fenêtre Microsoft Access. Lorsque le pointeur atteint sa destination, relâchez le bouton de la souris et la touche Ctrl. (En opérant de la sorte, vous *copiez* le texte sélectionné ; pour le *déplacer*, n'invoquez pas la touche Ctrl.)

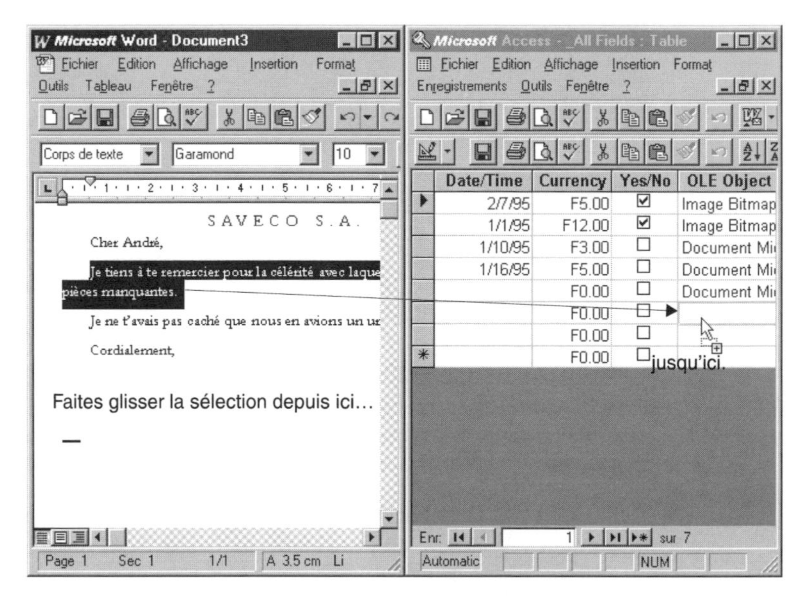

Figure 4.10 : Dans cet exemple, nous allons glisser-déplacer le texte sélectionné dans le document Word vers un champ objet OLE de la base de données Access. En mode feuille de données, le texte copié dans le champ objet OLE apparaîtra simplement comme un Document Microsoft Word ; dans un formulaire, cependant, les données copiées ressembleront davantage à la sélection originale.

Utiliser les liaisons Office dans Access

Les liaisons Office représentent un autre moyen de convertir des données d'Access dans un autre format et de faire immédiatement démarrer le programme Office approprié. Pour tirer profit de ces liaisons, sélectionnez une table, une requête, un formulaire ou un état depuis la fenêtre Base de données Access, puis choisissez l'une des options de la commande Outils/Liaisons Office ; vous pouvez aussi recourir au menu déroulant Liaisons Office de la barre d'outils Base de données (représenté ci-dessous).

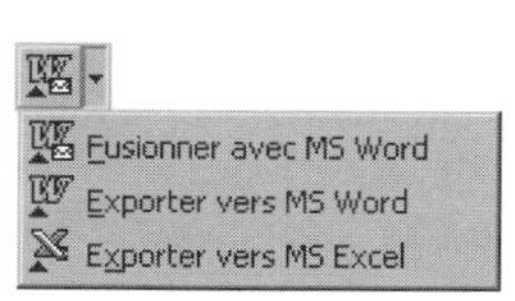

Le Chapitre 7 décrit ces fonctionnalités plus en profondeur ; mais, pour satisfaire d'ores et déjà votre curiosité, sachez que vous avez le choix parmi trois options :

- **Fusionner avec MS Word** : Cette commande fusionne vos données Access dans un document Microsoft Word (nouveau ou existant) et lance Microsoft Word. Elle est très utile lorsqu'il s'agit de créer des lettres type et de confectionner des étiquettes de publipostage à partir des tables et des requêtes d'Access.
- **Exporter vers MS Word** : Cette commande enregistre vos données Access dans un fichier présentant le format RTF (Rich Texte Format ou format texte enrichi) et lance Microsoft Word. Invoquez cette commande lorsque vous désirez peaufiner la mise en forme de vos données Access ou les agrémenter de commentaires texte et d'illustrations diverses.
- **Exporter vers MS Excel** : Cette commande enregistre vos données Access dans un fichier Microsoft Excel et lance Microsoft Excel. À employer lorsque vous souhaitez soumettre vos données Access à un traitement élaboré du ressort d'Excel.

Exploiter des données Access depuis Microsoft Excel

Microsoft Excel et Microsoft Access s'entendent à ravir : ils sont capables de travailler en symbiose, principalement grâce au fait qu'ils peuvent, l'un comme l'autre, interpréter et afficher des données sous la forme d'un tableau fait de lignes et de colonnes. Ainsi, Excel vous offre plusieurs possibilités d' exploiter des données Access sans pour autant quitter Excel.

Le Chapitre 14 vous enseigne à créer des PivotTables (tableaux croisés dynamiques), qui sont des objets particuliers d'Excel incorporés dans une table Access. Pour créer et utiliser ces tableaux qui affichent des données Access, c'est Access que vous devez lancer, et non Excel.

Convertir une feuille de calcul en table Access

Vous pouvez importer une feuille de calcul Excel dans la table Access d'une nouvelle base ou dans une base existante. Après importation, la feuille de calcul Excel et la table importée sont indépendantes l'une de l'autre (ce qui signifie que les éventuels changements apportés dans l'une ne sont en aucun cas répercutés dans l'autre).

Commencez par ouvrir la feuille de calcul à convertir (dans Excel, bien entendu). Ensuite :

1. Si votre feuille de calcul comporte des lignes vides, supprimez ces lignes. Cliquez ensuite dans n'importe quelle cellule de la feuille.

2. Choisissez Données/Convertir en MS Access.

Si la commande n'apparaît pas dans le menu, c'est que la macro complémentaire Liaisons Access n'est pas installée.

3. Dans la boîte de dialogue Convertir en Microsoft Access, choisissez entre convertir les données dans une nouvelle base (Base de données nouvelle) ou les convertir dans une base existante (Base de données existante). Cliquez ensuite sur OK.

Après quelques instants, l'Assistant Importation de feuille de calcul se déclenche (il est décrit au Chapitre 17) et vous prend en main pour la suite des opérations. Votre nouvelle table apparaîtra dans l'onglet Tables de la fenêtre Base de données d'Access. Vous pourrez alors l'utiliser comme une table classique.

Convertir une feuille de calcul en formulaire ou en état Access

Rien ne vous empêche de créer un formulaire ou un état Access que vous utiliserez avec une feuille de calcul Excel. Le formulaire ou l'état fera partie de la base de données Access, tandis que la feuille de calcul Excel sera *liée* à la table Access de cette base de données (ainsi, toute modification apportée dans Excel mettra spontanément à jour la table Access liée, et vice versa).

Pour créer un formulaire ou un état, lancez Excel et réalisez les actions suivantes :

1. Ouvrez la feuille de calcul concernée. Si elle comporte des lignes vierges, supprimez ces lignes. Cliquez ensuite dans n'importe quelle cellule de la feuille.
2. Pour créer un formulaire, choisissez Données/Formulaire Access. Pour créer un état, choisissez État Access.
3. Si votre feuille de calcul n'est pas encore liée à une base de données Access, une boîte de dialogue intitulée Créer un formulaire/état Microsoft Access apparaît (représentée ci-dessous). Décidez d'agir dans une nouvelle base ou dans une base existante ; spécifiez également si la feuille de calcul comporte ou non un en-tête de ligne, puis cliquez sur OK. Si vous optez pour une nouvelle base de données, celle-ci portera le même nom que votre fichier Excel.

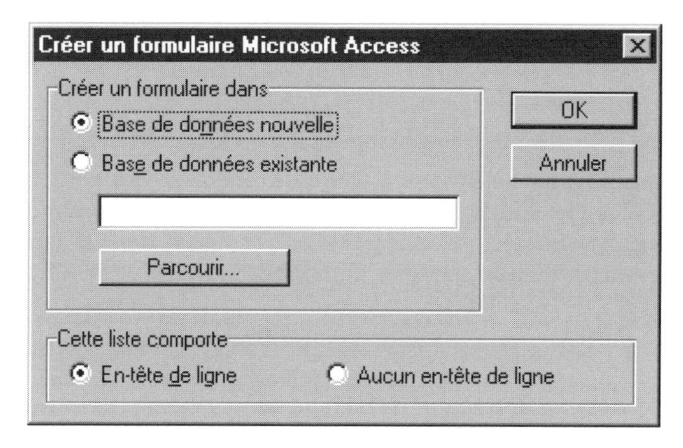

4. Lorsque l'Assistant Formulaire ou État prend la main, contentez-vous de suivre la procédure qu'il vous indique et clôturez ainsi la procédure.

Votre table Excel est désormais liée à la base de données Access ; votre nouveau formulaire ou état apparaîtra dans l'onglet Formulaires ou États de la fenêtre Base de données.

Dans Access, vous utiliserez normalement la table ainsi que le formulaire ou l'état. Pour employer l'un de ces deux éléments dans Excel, cliquez sur le bouton Afficher le formulaire/l'état Access qui apparaît dans la partie droite de votre feuille de calcul (Figure 4.11).

Cliquez sur ce bouton de la feuille de calcul Excel pour visualiser les données depuis le formulaire ou l'état Access.

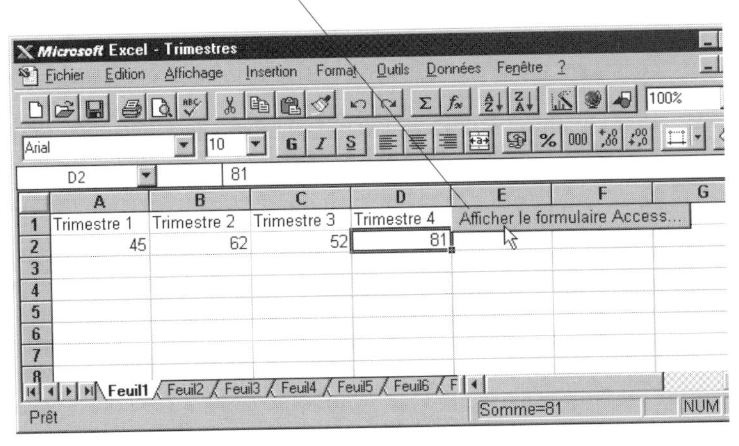

Figure 4.11 : Une feuille de calcul Excel baptisée "Trimestres" après avoir, depuis Excel, invoqué la commande Données/Formulaire Access ou Données/État Access. Pour afficher le formulaire ou l'état Access sans quitter Excel, cliquez sur Afficher Formulaire Access ou Afficher État Access, selon le cas.

Vous pouvez, dans Access, ajouter et modifier des enregistrements des feuilles Excel liées mais vous ne pouvez pas en supprimer. Dans Excel, vous pouvez ajouter et supprimer des lignes dans la feuille de calcul ; vous pouvez aussi modifier les données comme vous le feriez dans n'importe quelle feuille.

Pour en apprendre davantage sur les liaisons permettant de créer des formulaires et des états Access (ou savoir que faire si les commandes Formulaire Access et État Access n'apparaissent pas dans le menu Données d'Excel), recherchez *formulaires et état Liaisons Access* dans l'index de l'aide de Microsoft Excel. Le Chapitre 7 vous fournit de plus amples informations sur la liaison de feuilles de calcul Excel ; quant au Chapitre 11, il vous explique comment utiliser l'Assistant Formulaire ; enfin, le Chapitre 12 décrit l'Assistant État.

Exploiter des données Access depuis Microsoft Word

Vous savez à présent que vous pouvez lancer Access et faire appel aux fonctions de liaisons Office pour fusionner des données Access avec un document principal Microsoft Word, existant ou à créer.

Vous pouvez aussi lancer Microsoft Word et fusionner des données depuis une table ou un état Access vers un document principal qui serait une lettre type, une étiquette de publipostage, une enveloppe ou un catalogue.

Voici la marche à suivre :

1. Créez un document Microsoft Word vierge, puis choisissez Outils/Fusion et publipostage. La boîte de dialogue Aide à la fusion s'ouvre.

2. Dans cette boîte, cliquez sur Créer et sélectionnez le type de document principal souhaité (Lettres types, Étiquettes de publipostage, Enveloppes ou Catalogues). Dans la boîte de dialogue suivante, cliquez sur Fenêtre active.

3. De retour dans la boîte de dialogue Aide à la fusion, cliquez sur Obtenir les données, puis choisissez Ouvrir la source de données.

4. Dans la boîte de dialogue Ouvrir la source de données, choisissez Bases de données MS Access dans le menu déroulant Type de fichier. Localisez ensuite le fichier Access concerné, puis cliquez deux fois sur son nom.

5. Dans la boîte de dialogue Microsoft Access, activez l'onglet Tables ou Requêtes, puis cliquez deux fois sur la table ou la requête qui contient les données que vous désirez utiliser.

6. Réagissez aux messages éventuels en optant pour une modification du document principal. Lorsque vous parvenez à la fenêtre de ce document, utilisez le bouton Insérer champ de fusion de la barre d'outils Fusion et publipostage pour insérer les champs de fusion qui contiennent les données que vous voulez afficher, tapez les éventuels textes devant figurer entre les champs, puis enfoncez la touche Entrée. La Figure 4.12 montre à quoi ressemble le document Word après ajout des champs et de quelques lignes de texte à la lettre type.

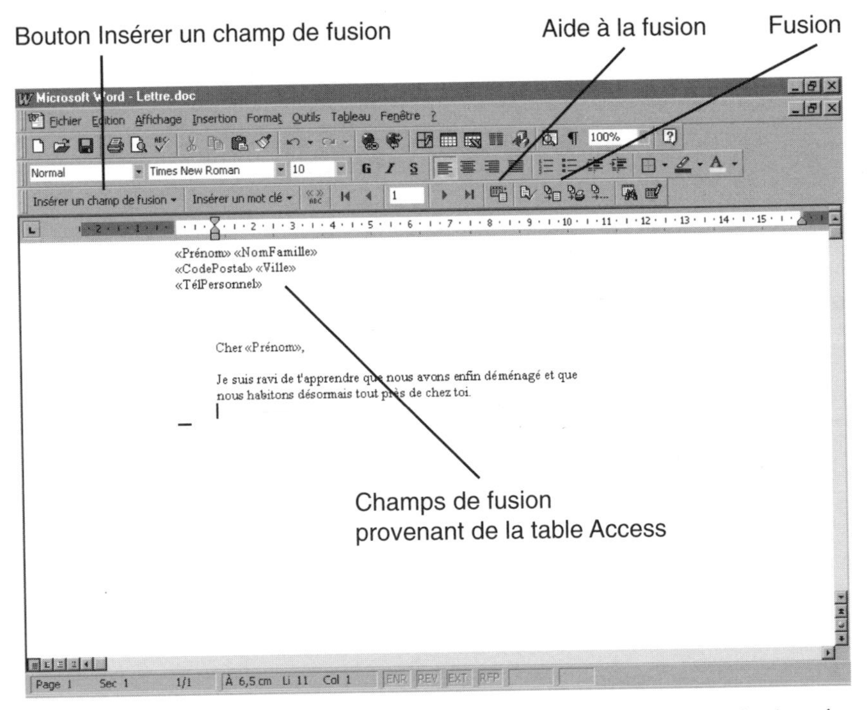

Figure 4.12 : Une lettre type qui fait appel aux champs de la base de données Access Amis1.

7. Pour lancer la fusion, choisissez Outils/Fusion et publipostage (ou cliquez sur le bouton Aide à la fusion de la barre d'outils Fusion et publipostage). Cliquez ensuite sur Fusionner, ou activez le bouton Fusion de la barre d'outils Fusion et publipostage.

8. Complétez la boîte de dialogue Fusion et publipostage (représentée ci-dessous), puis cliquez sur Fusionner. Word procède à la fusion des dernières données en date de votre table ou de votre requête Access avec votre document principal et produit les exemplaires fusionnés vers l'endroit que vous avez spécifié grâce au menu déroulant Fusionner vers de la boîte de dialogue Fusion publipostage.

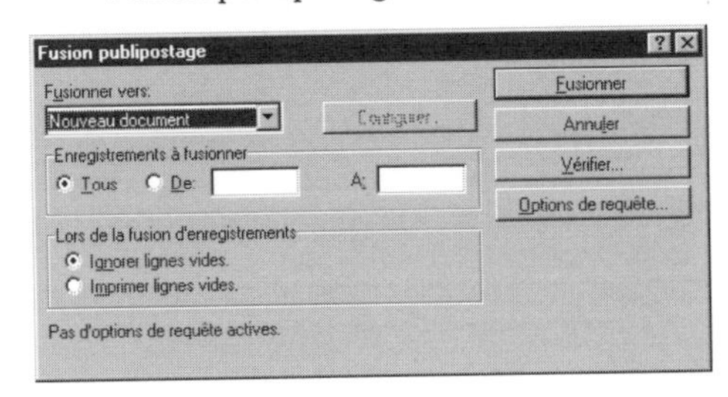

9. Lorsque la fusion est réalisée et que vous avez procédé à l'impression des exemplaires personnalisés, fermez le document de fusion sans le sauvegarder (si vous avez fusionné vers un nouveau document). Sauvez votre document principal (Fichier/Enregistrer), puis fermez-le (Fichier/Fermer).

Lorsque vous désirerez de nouveau fusionner ce document principal avec des données Access mises à jour, il vous suffira d'ouvrir le document Word (Fichier/Ouvrir) et de répéter les étapes 7 et 8 ci-dessus.

Exploiter des données Access sur Internet

Access 97 pour Windows 95 dispose de fonctionnalités vous permettant de partager des données Internet. Vous pouvez :

- importer des données en format HTML ;
- exporter une table ou une requête Access en format HTML ;
- utiliser un lien hypertexte pour atteindre directement une page Web ou un élément d'un autre programme Office ;
- faire appel à l'Assistant Publication Web pour créer des liens statiques ou dynamiques entre une base de données Access et le réseau Internet. Vous avez même la possibilité de "paramétrer" vos requêtes afin qu'une personne parvenant sur le réseau puisse choisir les données Access qu'elle souhaite consulter.

Importer et exporter en format HTML

Le format HTML est un format particulier, spécialement destiné à formater les données qui doivent être publiées sur Internet. C'est lui qui détermine la façon dont les informations sont présentées et qui renferme les indications relatives à la taille et à l'aspect des caractères (comme le style "gras"). Access 97 vous permet d'importer des fichiers en format HTML. Ouvrez une base de données, choisissez Fichier/Données externes/Importer, puis sélectionnez Documents HTML dans le menu local Type de fichier. Désignez le fichier .htm souhaité, puis cliquez sur Importer afin de lancer l'Assistant Importation HTML.

L'exportation d'une table ou d'une requête Access en format HTML est tout aussi facile à réaliser. Commencez par sélectionner la table ou la requête souhaitée, puis choisissez Fichier/Enregistrer au format HTML. Access lance l'Assistant Publication Web qui convertit les données et constitue un fichier portant l'extension .htm qu'il ouvre dans une fenêtre de Microsoft Explorer. Par défaut, le document HTML est stocké dans le dossier Mes documents. Pour en savoir plus, reportez-vous au Chapitre 7.

Utiliser l'Assistant Publication Web

Cet Assistant vous permet de publier vos données Access sur le Web en créant des pages statiques ou dynamiques. Les *pages statiques* sont publiées sur le Web une seule fois et ne sont modifiées que lorsque vous les mettez à jour. En revanche, les *pages dynamiques* sont mises à jour systématiquement chaque fois que vous les consultez afin de refléter les modifications apportées à la base de données Access. Nous examinerons la publication sur le Web plus en détail dans le Chapitre 7.

Pour les utilisateurs avancés et pour les programmeurs

Les programmeurs et développeurs d'applications vont être conquis par deux caractéristiques de Microsoft Access, de Microsoft Office et des autres applications évoluant dans l'environnement Windows. Il s'agit de l'*OLE Automation* et du langage *Visual Basic pour Applications*. Pour savoir de quoi il retourne, lisez la fin de ce chapitre.

À propos de Visual Basic (VBA)

Visual Basic est un langage de programmation qui permet de construire des programmes évoluant sous Microsoft Office et qui remplace le langage Access Basic qui était implémenté dans la version précédente du programme, soit Access 2.0. Tout l'intérêt de ce langage est qu'il vous permet, moyennant quelques adaptations mineures, de réutiliser du code écrit pour Access dans Microsoft Excel, Visual Basic ou Projet.

Le Chapitre 25 vous présente ce langage. Consultez aussi l'index de l'aide et son entrée *Visual Basic* ; ou bien, depuis le sommaire de l'aide, ouvrez le livre *Visual Basic Édition Applications* et passer ses rubriques en revue.

À propos d'OLE Automation

OLE Automation est une norme industrielle standardisée que les programmes utilisent afin d'exposer leurs serveurs OLE aux outils de développement, aux langages macro ainsi qu'aux autres applications gérant cette technologie. Depuis Access, vous pouvez utiliser VBA pour manipuler des objets OLE. Vous pouvez aussi utiliser OLE Automation pour manipuler des objets provenant d'autres applications, comme Microsoft Excel, par exemple.

Le Chapitre 27 vous fait découvrir OLE Automation. L'entrée d'index du même nom du fichier d'aide en fait autant.

Et maintenant, que faisons-nous ?

Vous venez de découvrir comment Microsoft Windows 95, Microsoft Access 97 pour Windows 95 et les autres programmes de Microsoft Office 95 peuvent travailler en harmonie et vous permettre ainsi de tirer tout le parti possible de vos données Access. Vous avez aussi entrevu les nouvelles fonctionnalités Internet d'Access 97. Le chapitre suivant vous apprend à créer des bases de données instantanées et à bâtir des applications prêtes à l'emploi, en quelques clics de souris.

Quoi de neuf ?

Certaines fonctions de partage de données comme l'importation et l'exportation, la technologie OLE et les liaisons Office existaient déjà dans la version précédente d'Access, mais n'étaient pas d'un emploi aussi commode. Il en va de même des barres de menus et d'outils qui ont été complètement remodelées. La grande nouveauté : la possibilité de partager des données Access via le Web.

Partie II

Créer une base de données

Créer une base de données et une application

Commençons par quelques définitions indispensables. Une application est un système informatique qui vous permet de réaliser des tâches utiles, comme gérer vos commandes, vos avoirs, vos inventaires, ou tout autre type d'information. Une application clé en main facilite la saisie et la manipulation des données puisqu'elle vous dispense de savoir ce qui se passe sous le capot. Une base de données Access est un fichier qui regroupe tous les objets d'une seule application, c'est-à-dire les tables, les formulaires, les états, les requêtes, les modules et les macros. Ce Chapitre vous apprend à créer des bases de données et à construire plus de vingt applications clé en main.

Si ce n'est pas chose faite, réalisez les leçons de la visite guide du Chapitre 3. Celles-ci vous montrent comment créer une base de données et élaborer une application clé en main ; elles vous initient également au maniement des Assistants d'Access.

Après avoir créé votre base de données, vous pouvez recourir à l'Assistant Fractionnement de la base de données (Outils/Compléments/Fractionnement de bases de données) pour fractionner votre base en deux fichiers, l'un contenant les tables et l'autre regroupant les états, formulaires, macros et modules. Sur réseau, vous exploiterez plus rapidement une base qui est fractionnée qu'une base qui ne l'est pas. Le Chapitre 18 vous en apprend plus à ce sujet.

Une base de données n'est pas une table

Si vous êtes un habitué de "xBASE", vous pourriez croire que l'expression *base de données* est synonyme de *table*. Il n'en est rien : Access se conforme à la terminologie communément admise qui veut que l'expression *base de données* désigne non seulement l'ensemble des données, mais également tous les objets qui permettent de les exploiter.

Rappelez-vous que vous *ne devez pas* créer une nouvelle base de données chaque fois que vous voulez ajouter une table ou un objet quelconque. Placez plutôt toutes les tables et tous les objets qui constituent une même application dans une *seule et même* base. Il est en effet plus logique de stocker ensemble des éléments apparentés.

Allez-y

Pour créer une application, vous devez avant tout constituer une fichier base de données. Si votre intention est d'importer des données ou d'attacher la plupart de vos tables à des données stockées dans des fichiers enregistrés sur d'autres ordinateurs, vous avez tout intérêt à partir d'une base de données vide (Chapitre 7). C'est également le cas si vous faites partie de ces développeurs qui préfèrent créer les objets dont ils ont besoin en partant de zéro.

Attention ! Il est plus ardu de démarrer avec une base vide que de recourir à l'aide de l'un ou l'autre Assistant. En effet, cette façon d'agir sous-entend généralement que vous réalisiez les actions suivantes :

1. Créer une base ne comportant aucune information (voyez "Créer une base de données vide", dans ce chapitre).
2. Créer, importer ou attacher les tables (Chapitres 6 et 7).
3. Créer les formulaires indispensables pour l'encodage des données (Chapitres 11 et 13).
4. Encoder les données grâce aux formulaires ou agir en mode feuille de données (Chapitre 8).
5. Créer les objets supplémentaires indispensables : formulaires, états, requêtes (Chapitres 10-13).
6. Recourir aux techniques de programmation, boutons de formulaires, macros et autres astuces pour assembler les objets et constituer ainsi une application prête à l'emploi (quatrième et cinquième parties).

Si vous envisagez de confier cette mission aux Assistants d'Access, vous avez pratiquement fini avant de commencer. En fait, votre chemin de croix est réduit à trois étapes principales :

1. Mettre en action l'Assistant Création d'applications pour créer la base et l'application (voyez "Créer une base de données avec l'Assistant Création d'applications" dans ce chapitre).
2. Encoder les données (Chapitre 8).
3. Imprimer les états souhaités (Chapitres 3 et 9).

Rien s'oppose à ce que vous adaptiez, après coup, l'application créée avec l'aide de l'Assistant à vos besoins spécifiques. Le reste de cet ouvrage vous montre comment procéder.

En étudiant les applications exemples créées par l'Assistant Création d'applications, vous découvrirez plus vite les techniques de constitution et de personnalisation d'applications. Ainsi, vous apprendrez à gérer les objets en mode création ; vous étudierez également les relations qu'entretiennent les tables d'une base (Chapitre 6).

Créer une base de données vide

Lancez-vous.

1. Réalisez l'une des actions suivantes :

- Si vous agissez depuis l'espace de travail Microsoft Access, choisissez Fichier/ Nouvelle base de données, ou enfoncez les touches Ctrl + N, ou encore activez le bouton Nouveau de la barre d'outils Base de données (représenté à gauche). La boîte de dialogue Nouveau s'affiche (Figure 5.1).
- Si vous agissez depuis la boîte de dialogue de démarrage de Microsoft Access (voyez le Chapitre 1), choisissez Nouvelle base de données et cliquez sur OK. La boîte de dialogue Fichier Nouvelle base de données s'affiche (Figure 5.2). Passez alors directement à l'étape n° 3.

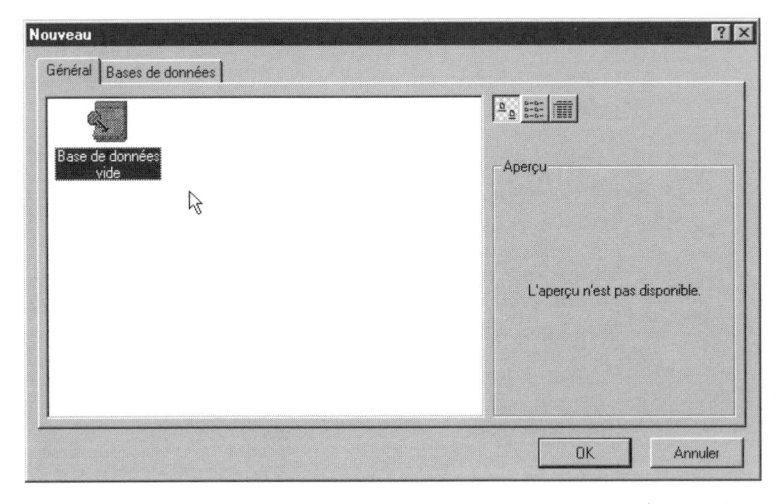

Figure 5.1 : La boîte de dialogue Nouveau vous permet de créer une base de données vide (onglet Général) ou de choisir parmi la vingtaine d'applications clé en main proposées par l'onglet Bases de données.

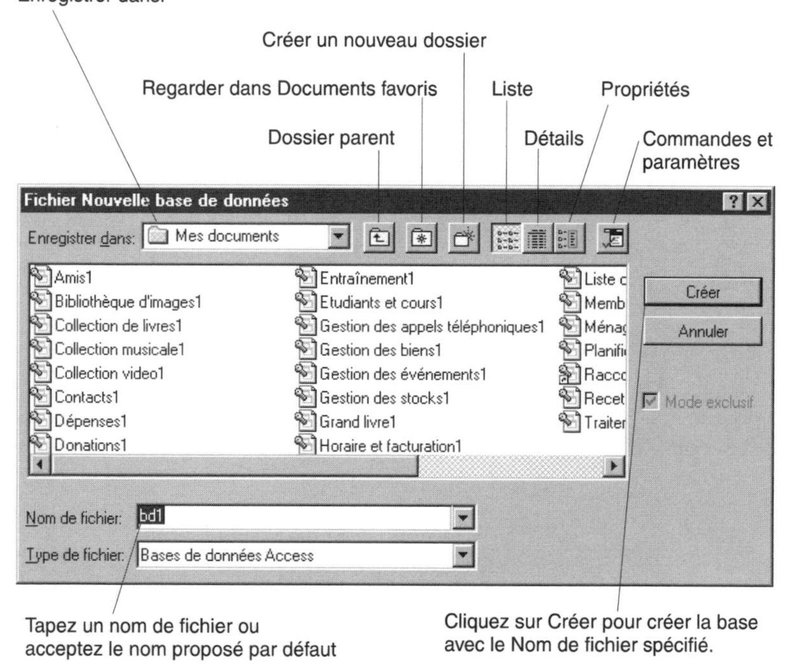

Figure 5.2 : Utilisez la boîte de dialogue Fichier Nouvelle base de données pour attribuer à votre base en création un nom et un emplacement sur le disque. Vous pouvez aussi, depuis cette fenêtre, créer de nouveaux dossiers ou détruire des bases de données qui ne vous sont plus d'aucune utilité.

2. Dans la boîte de dialogue Nouveau, activez si nécessaire l'onglet Général, cliquez deux fois sur l'icône Base de données vide (représentée à gauche). La boîte de dialogue Fichier Nouvelle base de données s'affiche (Figure 5.2).

3. Dans la case Nom de fichier, tapez le nom de votre nouvelle base (ou acceptez le nom proposé par défaut). Ce nom peut être d'une longueur illimitée et comprendre des espaces ou des marques de ponctuation. Quelques exemples : Traitement des commandes, Ma collection de vidéos, Mes factures.

4. Par défaut, Access se propose de stocker votre base dans le dossier Mes documents sur le lecteur C. Pour désigner un autre emplacement, choisissez le lecteur ou le dossier dans la liste Enregistrer dans. Pour des renseignements complémentaires, voyez “Utiliser la boîte de dialogue Fichier Nouvelle base de données”, plus loin dans ce chapitre.

5. Cliquez sur Créer.

La Figure 5.3 montre la fenêtre de base de données vide qui apparaît après activation du bouton Créer. Vous pouvez à présent ajouter de nouvelles tables, comme vous l'explique le Chapitre 6.

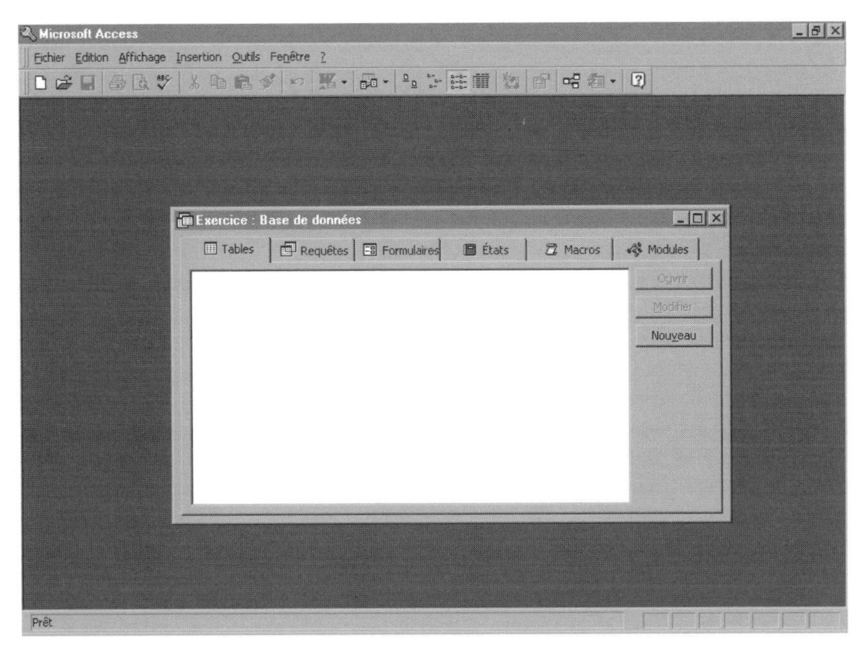

Figure 5.3 : La fenêtre Base de données d'une nouvelle base vide intitulée "Exercice".

Les bases de données Access présentent l'extension .mdb. Toutefois, cette extension est généralement masquée (comme c'est le cas pour la plupart de vos fichiers, de quelque application qu'ils émanent). Pour afficher les extensions de noms de fichiers dans les boîtes de dialogue qui indiquent les noms des fichiers, cliquez deux fois sur le Poste de travail du bureau de Windows. Lorsque sa fenêtre s'ouvre, choisissez Affichage/Options, puis activez l'onglet Affichage. Désactivez ensuite l'option Masquer les extensions MS-DOS pour les types de fichiers enregistrés ; cliquez sur OK pour valider votre choix. Fermez la fenêtre du Poste de travail.

Utiliser la boîte de dialogue Fichier Nouvelle base de données

La boîte de dialogue Fichier Nouvelle base de données (Figure 5.2) ressemble à s'y méprendre à la boîte Ouvrir décrite au Chapitre 1. Apprenez à vous exprimer dans cette fenêtre en suivant les indications que nous vous fournissons ci-dessous qui vous aideront à choisir l'emplacement et le nom de votre base de données :

- **Pour désigner le poste, l'unité ou le dossier où la base de données doit être stockée**, déroulez le menu local Enregistrer dans et sélectionnez l'élément souhaité.
- **Pour ouvrir un élément figurant dans la liste Regarder dans,** cliquez deux fois sur l'élément ou son icône.
- **Pour ouvrir le dossier placé immédiatement au-dessus du dossier actuellement sélectionné**, cliquez sur le bouton Dossier parent, ou cliquez n'importe où dans la liste affichée et enfoncez la touche Retour arrière.

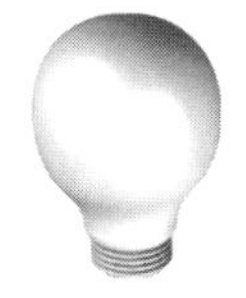

Pour connaître la fonction d'un bouton de barre d'outils dans une fenêtre ou dans une boîte de dialogue, positionnez le pointeur sur ce bouton ; une info-bulle apparaît, fournissant un commentaire succinct de l'utilité du bouton. (Voyez à ce sujet "Utilisez les barres d'outils" plus loin dans ce chapitre.)

- **Pour afficher une liste de vos bases de données et de vos dossiers "favoris"**, cliquez sur le bouton Regarder dans Documents favoris. La liste Enregistrer dans se restreint alors à vos bases et dossiers favoris.
- **Pour créer un nouveau dossier dans celui actuellement sélectionné,** activez le bouton Créer un nouveau dossier. Dans la boîte de dialogue Nouveau dossier, tapez le nom à attribuer à ce dossier, puis cliquez sur OK. Pour ouvrir ce dossier, cliquez deux fois sur son nom.
- **Pour entrer manuellement l'unité, le répertoire, et/ou le nom du fichier**, entrez les informations souhaitées dans la case Nom de fichier de la partie inférieure gauche de la boîte de dialogue ; vous pouvez également choisir l'un des éléments de ce menu local.

La boîte de dialogue Fichier Nouvelle base de données ne vous a pas encore livré tous ses secrets ; vous pouvez en effet y réaliser une foule d'autres actions, comme :

- **Pour que la liste proposée sous Enregistrer dans soit présentée d'une autre manière**, utilisez les boutons Liste, Détails, Propriétés ou Aperçu.

- **Pour explorer le dossier actuellement sélectionné** (dans l'Explorateur Windows), contrôler le partage des dossiers, afficher leurs propriétés, etc., cliquez avec le bouton droit de la souris dans une zone vide de la liste Enregistrer dans, puis choisissez les options souhaitées dans le menu contextuel correspondant.
- **Pour afficher ou modifier les propriétés** d'un élément sélectionné dans la liste Enregistrer dans, ou pour contrôler l'ordre dans lequel les noms de fichiers sont répertoriés, ou encore pour connecter un lecteur réseau, activez le bouton Commandes et paramètres et invoquez la commande adéquate.
- **Pour gérer une base de données existante** (et, par exemple, couper, copier, supprimer, rebaptiser ou afficher les propriétés), cliquez avec le bouton droit de la souris dans la liste présentée sous Enregistrer dans et sélectionnez l'option que vous désirez dans le menu contextuel qui s'affiche sous le pointeur.

Lorsque vous avez mené toutes les actions souhaitées dans cette boîte de dialogue, cliquez sur Créer (pour créer la base de données dont le nom est affiché dans la case Nom de fichier), ou cliquez sur Annuler (pour regagner l'espace de travail d'Access sans créer la base).

Créer une base de données avec l'Assistant Création d'applications

Le Chapitre 3 vous a montré comment utiliser l'Assistant Création d'applications pour bâtir une application clé en main capable de gérer votre fichier d'adresses. Apprenez à présent comment élaborer plus de vingt applications de ce type dans Access.

1. Si vous agissez depuis la boîte de dialogue de démarrage, choisissez Assistant Création d'applications, puis cliquez sur OK. Depuis l'espace de travail d'Access, choisissez Fichier/Nouvelle base de données, ou enfoncez les touches Ctrl + N, ou encore activez le bouton Nouvelle base de données de la barre d'outils Base de données.
2. Dans la boîte de dialogue Nouvelle, activez l'onglet Bases de données (Figure 5.4), et faites défiler le contenu de la fenêtre pour visualiser les catégories d'informations que vous souhaitez gérer. Lorsque vous avez trouvé l'icône que vous cherchez, cliquez deux fois dessus.
3. La boîte de dialogue Fichier Nouvelle base de données s'affiche (Figure 5.2). Dans la case Nom de fichier, tapez le nom à attribuer à la base (ou acceptez

celui proposé par défaut). Si nécessaire, sélectionnez un lecteur et un dossier dans la liste déroulante Enregistrer dans. Pour terminer, cliquez sur Créer.

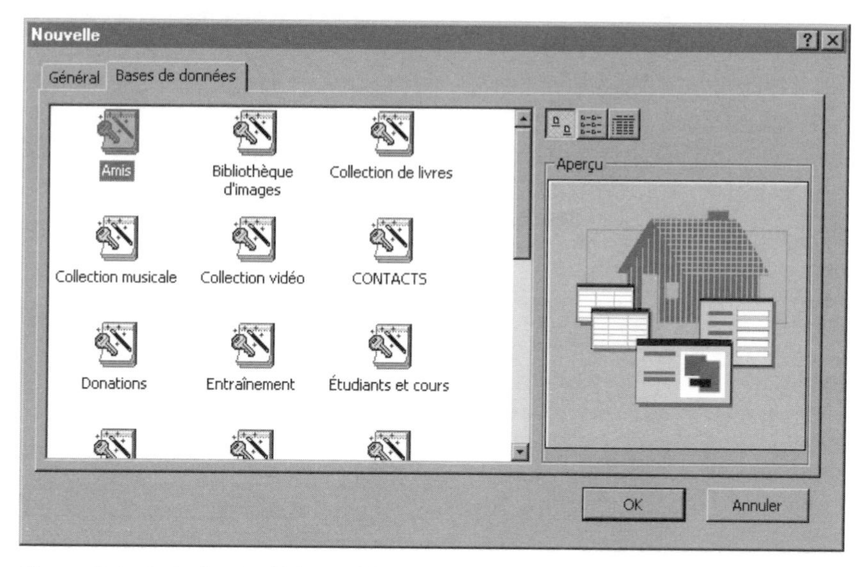

Figure 5.4 : La boîte de dialogue Nouvelle, avec l'onglet Bases de données activé.

3. La boîte de dialogue Fichier Nouvelle base de données s'affiche (Figure 5.2). Dans la case Nom de fichier, tapez le nom à attribuer à la base (ou acceptez celui proposé par défaut). Si nécessaire, sélectionnez un lecteur et un dossier dans la liste déroulante Enregistrer dans. Pour terminer, cliquez sur Créer.

Parvenu au terme de cette troisième étape, vous allez voir apparaître brièvement une fenêtre Base de données vide, puis l'Assistant Création d'applications va prendre la main. Voici comment dialoguer avec lui :

4. Prenez connaissance du premier message, puis cliquez sur Suivant.

Tous les Assistants d'Access sont équipés de boutons de commande dans leur partie inférieure. Annuler met un terme à l'action de l'Assistant et vous fait regagner l'endroit où vous vous trouviez lorsque vous l'avez invoqué. Précédent affiche la boîte de dialogue précédente. Suivant affiche la boîte de dialogue suivante. Enfin, Terminer vous transporte vers la dernière boîte de dialogue de l'Assistant ; celui-ci utilise alors les paramètres par défaut pour les étapes que vous avez sautées.

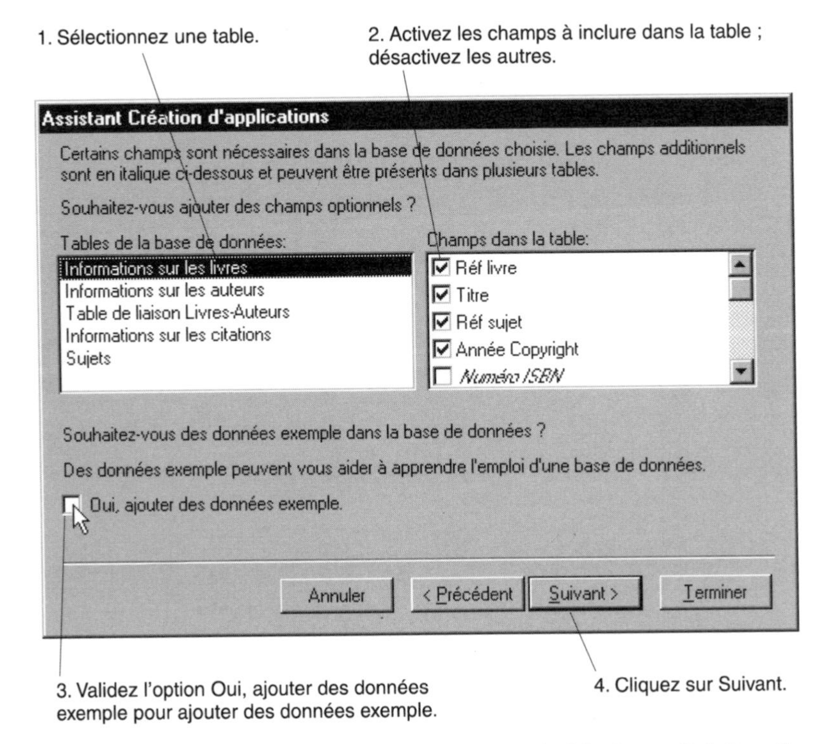

Figure 5.5 : Dans la deuxième boîte de dialogue de l'Assistant Création d'applications, sélectionnez les champs à inclure dans la table désignée sous Tables dans la base de données ; optez éventuellement pour l'adjonction de données exemple.

5. Dans la deuxième boîte de dialogue (Figure 5.5), désignez les champs qui doivent faire partie de chaque table et indiquer à l'Assistant si vous souhaitez l'insertion de données exemples. Lorsque vous avez terminé, cliquez sur Suivant.

- **Pour sélectionner une table**, faites défiler si nécessaire la liste des tables située dans la partie gauche, puis cliquez sur le nom de la table concernée. Dans la liste des champs située dans la partie droite, faites défiler si nécessaire ; ensuite, pour ajouter un champ optionnel, cochez la case en regard du champ optionnel concerné ; pour exclure un champ, procédez à l'inverse, c'est-à-dire désactivez sa case. Les champs optionnels sont présentés en italique. Par défaut, les champs indispensables sont cochés et affichés en caractères normaux. (Vous ne pouvez pas désactiver ces champs). Répétez la procédure autant de fois que nécessaire.

- **Pour ajouter des données exemple,** cochez l'option Oui, ajouter des données exemple ; à l'inverse, pour ne pas ajouter ces données, désactivez l'option. Ces données vous aideront à devenir plus rapidement performant. Lorsque vous serez plus aguerri, vous pourrez supprimer ces échantillons, voire supprimer la base tout entière pour en créer une nouvelle, dépourvue de données exemple.

6. Dans la troisième boîte de dialogue de l'Assistant Création d'applications, choisissez une couleur de fond et un style général pour vos formulaires. La partie gauche de la zone affiche alors un aperçu de l'aspect qu'auront vos formulaires si vous validez votre choix dans la liste. Cliquez ensuite sur Suivant.
7. Dans la quatrième boîte de dialogue, choisissez un style général pour l'impression de vos états. Comme dans le cas précédent, vous pouvez examiner les différentes options ; choisissez le style qui vous plaît davantage, puis cliquez sur Suivant.
8. Dans la cinquième boîte de dialogue de l'Assistant Création d'applications, vous pouvez définir un nouveau titre pour votre base de données ainsi que sélectionner une image qui apparaîtra sur tous vos états (reportez-vous au Chapitre 3 si vous ne savez plus comment réaliser cette action). Cliquez ensuite sur Suivant pour poursuivre votre tâche.
9. Dans la dernière boîte, vous avez la possibilité d'ouvrir la base de données dès que l'Assistant l'aura constituée. Ainsi, si vous validez Oui, ouvrir la base de données, l'Assistant affichera un formulaire Menu Général qui vous donnera la possibilité de commencer, sans plus attendre, à travailler dans votre base. Si vous désactivez cette option, vous gagnerez la fenêtre Base de données sans transiter par ce Menu. Vous pouvez aussi demander l'affichage d'une aide en ligne, vous indiquant comment travailler dans une base de données. De nouveau, reportez-vous au Chapitre 3 qui détaille davantage ces opérations.
10. Cliquez sur Terminer pour créer la base et l'application correspondante, appelée Menu Général.

Ce n'est pas plus compliqué que cela ! Patientez quelques instants, le temps pour l'Assistant de constituer la base, ses tables, ses formulaires, ses états, etc. (La progression s'affiche à l'écran.) Lorsqu'il s'est acquitté de sa mission, l'Assistant disparaît, cédant sa place au Menu Général principal (si vous avez activé l'option Oui, ouvrir la base de données). La Figure 5.6 montre le Menu Général principal de la nouvelle base Collection de livres ; la Figure 5.7 représente l'onglet Tables de la feuille Base de données du même fichier.

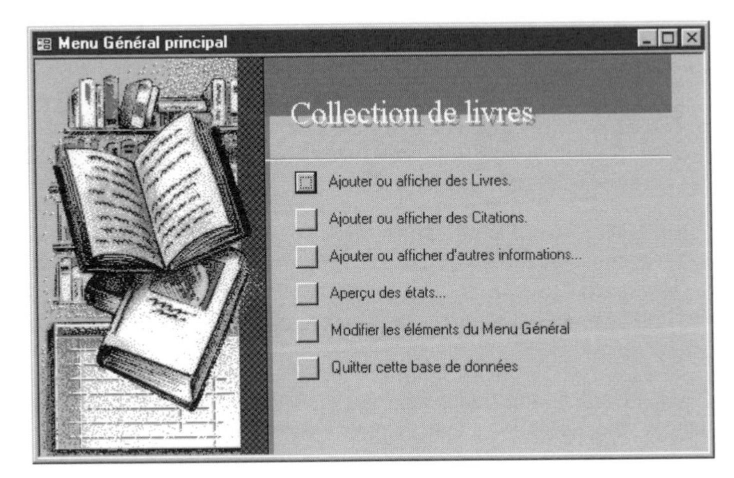

Figure 5.6 : Le Menu Général principal de la base de données Collection de livres1 créé par l'Assistant Création d'applications.

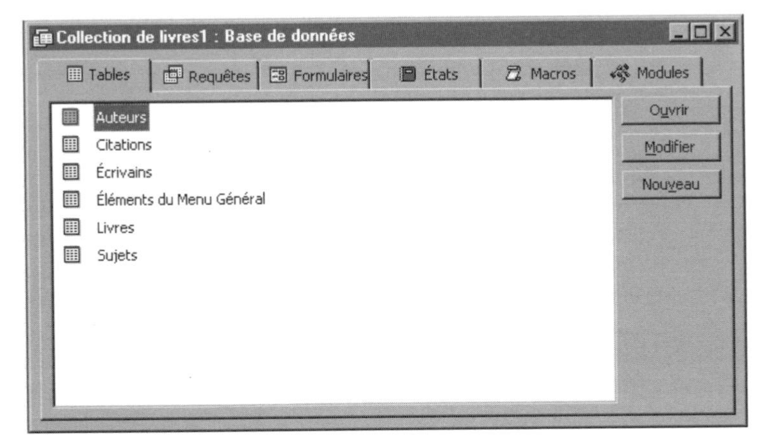

Figure 5.7 : L'onglet Tables de la fenêtre Base de données de la base intitulée Collection de livres1.

La section suivante vous expose brièvement les différentes bases susceptibles d'être créées automatiquement par l'Assistant Création d'applications. L'entrée d'index bases de données et applications exemple du fichier d'aide vous apportent de plus amples informations sur les applications exemple fournies avec Access. Vous ne savez plus exactement comment agir dans la fenêtre Base de données ? Reportez-vous au Chapitre 1. Enfin, n'hésitez pas à replonger dans le Chapitre 3 si vous avez oublié comment élaborer une application complète.

À propos des bases de données exemple

Si vous envisagez d'ores et déjà une application précise, il y a beaucoup de chances qu'Access soit en mesure de la créer automatiquement pour vous. L'Assistant Création d'applications peut en effet élaborer des bases de données commerciales, éducatives et personnelles :

Base de données vide

Amis

Bibliothèque d'images

Collection de livres

Collection musicale

Collection vidéo

Contacts

Dépenses

Donations

Entraînement

Étudiants et cours

Gestion des appels téléphoniques

Gestion des biens

Gestion des événements

Gestion des stocks

Grand livre

Horaire et facturation

Liste de vins

Membres

Ménage

Planification des ressources

Recettes

Traitement des commandes

Les sections suivantes décrivent ces différentes bases et dressent la liste des tables, formulaires et états de chacune d'elles. (Prêtez une attention toute particulière aux états clé, car ils sont autant d'indices vous permettant de savoir quel type d'information vous pouvez extraire de la base.) L'ambition de ces sections est de vous aider à faire votre choix parmi les bases susceptibles d'être constituées automatiquement par l'Assistant, ou de sélectionner celle d'entre elles qui servira le mieux de point de départ à une base personnelle que vous personnaliserez par la suite.

Plutôt que de dresser une liste exhaustive des tables, formulaires et états de chaque base, nous avons préféré décrire uniquement les objets clé. D'une manière générale, il est préférable de gérer les données, remplir les formulaires et imprimer les états de ces bases depuis le Menu Général, plutôt que depuis la fenêtre Base de données. Certains états, comme les factures et les bons de commande, ne sont pas repris dans les sections États clé parce que vous devez cliquer sur un bouton de formulaire pour prévisualiser et imprimer ces états correctement. Les noms des formulaires clé dotés de boutons spéciaux "Aperçu/Imprimer" sont signalés par un astérisque et la mention du type d'état imprimé.

Ces bases de données (avec des données exemple) figurent également sur le CD-ROM qui accompagne cet ouvrage.

Base de données vide

Base de données vide

Cette base de données est avant tout destinée aux développeurs d'applications Access ainsi qu'aux utilisateurs désireux de partir de zéro ou envisageant d'importer ou de lier des données en provenance de base externes (Chapitre 7).

Tables clé : Aucune.

Formulaires clé : Aucun.

États clé : Aucun.

Amis

Amis

Utilisez cette base pour stocker des noms, adresses, numéros de téléphone et renseignements divers. Le Chapitre 3 vous a fait découvrir, étape par étape, la constitution d'une base de ce type et vous a piloté dans quelques manoeuvres de personnalisation.

Tables clé : Adresses.

Formulaires clé : Adresses.

États clé : Adresses par nom, Anniversaires du mois en cours, Feuille des faits, Liste des cartes de voeux.

Bibliothèque d'images

Utilisez cette base pour créer des albums photos, c'est-à-dire pour stocker vos photographies et les éventuels commentaires qui les accompagnent. Vous allez enfin pouvoir savourer ces milliers de clichés que vous avez pris au Musée du Louvre !

Tables clé : Albums photo, Pellicules, Photographies.

Formulaires clé : Albums photo, Pellicules.

États clé : Photographies par date de prise, Photographies par emplacement, Photographies par pellicule, Photographies par sujet.

Collection de livres

Cette base fera le bonheur des bibliophiles, étudiants, professeurs et bibliothécaires ; grâce à elle, ils pourront stocker les données relatives à leurs ouvrages, auteurs et citations préférés.

Tables clé : Auteurs, Citations, Livres, Sujets.

Formulaires clé : Auteurs, Citations, Livres, Sujets.

États clé : Citations par auteur, Titres par auteur, Titres par sujet.

Collection musicale

Si vous êtes mélomane et possédez une foule de disques, de cassettes et d'albums CD, cette base vous aidera à stocker les informations correspondantes (titres, plages, artistes, etc.).

Tables clé : Artistes, Catégories musicales, Plages.

Formulaires clé : Artistes, Catégories musicales, Plages.

États clé : Albums par artiste, Albums par catégories, Albums par format, Plages par album.

Collection vidéo

Cette base de données ravira les cinéphiles et les fous de télé auxquels elle permettra de gérer, dans le confort, leur vaste vidéothèque.

Tables clé : Acteurs, Cassettes vidéo, Programmes vidéo, Type de programmes.

Formulaires clé : Acteurs, Cassettes vidéo, Type de programmes.

États clé : Liste alphabétique des programmes, Liste des programmes par acteur, Liste des programmes par type.

Contacts

Toute personne qui vous remet sa carte de visite ou vous invite à déjeuner est une personne dont il faut garder la trace. La base de données Contacts vous aidera à gérer les informations relatives à ces personnes, à relever les échanges téléphoniques que vous avez eus avec elles, à composer automatiquement leur numéro d'appel grâce à un modem connecté à votre ordinateur.

Tables clé : Appels, Contacts, Types de contact.

Formulaires clé : Contacts, Types de contact.

États clé : Liste alphabétique des contacts, Résumé hebdomadaire des appels.

Donations

Les sociétés de bienfaisance, les associations sans but lucratif et les auteurs en manque de droits peuvent recourir à cette base pour garder la trace des dons qui leur sont faits et des actions qui sont menées pour recueillir des fonds à leur intention.

Tables clé : Donateurs, Paramètres de la campagne, Promesses de dons.

Formulaires clé : Donateurs, Informations sur les campagnes.

États clé : Dons à recevoir, Liste des promesses, Résumé de la campagne.

Entraînement

Si vous faites chaque jour votre culture physique ou vous soumettez à un entraînement sportif quelconque, vous pourrez, grâce à cette base, vérifier si vous avez respecté votre programme et consigner les progrès que vous réalisez de jour en jour.

Tables clé : Détails des entraînements, Entraînements, Exercices, Historique des entraînements, Types d'exercice, Unités.

Formulaires clé : Entraînements, Exercices, Historique des entraînements, Types d'exercice, Unités.

États clé : Historique des entraînements par exercice, Liste des exercices par type, Statistiques mensuelles.

Étudiants et cours

Les professeurs et le personnel administratif des établissements scolaires apprécieront cette base qui leur permettra de gérer les étudiants, les classes, les matières et les résultats.

Tables clé : Cours, Devoirs, Départements, Étudiants, Professeurs.

Formulaires clé : Cours, Départements, Étudiants, Professeurs.

États clé : Étudiants, Horaires des étudiants, Liste des cours par département, Notes par devoir, Notes par étudiant, Synthèse des notes obtenues au cours.

Frais

FRAIS

Rien de plus simple que de remplir les fiches des paye des employés si vous vous faites seconder par la base Frais. Envoyez les formulaires traditionnels se faire recycler et acquittez-vous désormais informatiquement de cette tâche en un tournemain.

Tables clé : Catégories des frais, Détail des frais, État des frais, Employés.

Formulaires clé : Catégories de frais, État des frais par employé (*État des frais).

États clé : État des frais, Résumé de l'état des frais par catégorie, Résumé de l'état des frais par employé.

Gestion des appels téléphoniques

Les sociétés de service qui envoient du personnel chez le client tireront indiscutablement profit de cette base de données grâce à laquelle ils pourront gérer leurs clients, leurs employés, leurs commandes, leurs factures, leurs paiements, etc.

Tables clé : Commande, Employés, Informations sur ma société, Main d'oeuvre de la commande, Moyens de paiement, Paiements, Pièce, Pièces de la commande, Utilisateurs.

Formulaires clé : Employés, Informations sur ma société, Modes de paiement, Pièce, Commandes par client (*Facture).

États clé : Commandes complétées avec les stocks, Commandes en cours, Revenus par employé, Suivi des commandes, Ventes par mois.

Gestion des biens

Gestion des biens

Utilisez cette base pour gérer les avoirs de votre société. Très utile pour les entreprises ayant consenti des investissements importants.

Tables clé : Amortissements, Biens, Catégories des biens, Employés, Maintenances, Statuts.

Formulaires clé : Biens, Catégories des biens, Employés, Statuts.

États clé : Biens par catégorie, Biens par date d'achat, Biens par employé, Historique de la maintenance, Synthèse des amortissements.

Gestion des événements

Gestion des événements

Prendre en charge les différents aspects administratifs qu'implique l'organisation d'événements importants tels que séminaires, formations, symposiums et concerts devient en jeu d'enfant grâce à cette base de données.

Tables clé : Calendrier des inscriptions, Employés, Événements, Informations sur ma société, Inscription, Moyens de paiement, Participants, Paiements, Types d'événement.

Formulaires clé : Calendrier des charges, Employés, Événements, Informations sur ma société, Participants (*Facture), Modes de paiement, Types d'événement

États clé : Liste des participants, Ventes par employé, Ventes par événement.

Gestion des stocks

Gestion des stocks

Cette base vous fournit tous les outils nécessaires à la gestion des stocks de votre entreprise.

Tables clé : Catégories, Employés, Fournisseurs, Informations sur ma société, Mouvements de stock, Moyens de transport, Produits (*Bon de commande).

Formulaires clé : Catégories, Employés, Fournisseurs, Informations sur ma société, Moyens de transport, Produits (*Bon de commande).

États clé : Achats de produits par fournisseur, Comparaison des coûts des produits, Détails des opérations par produit, Détails du produit.

Grand livre

Grand livre

Utilisez cette base pour tenir à jour les mouvements et transactions comptables.

Tables clé : Comptes, Opérations, Types de compte.

Formulaires clé : Comptes, Opérations, Types de compte.

États clé : Liste des opérations, Résumé du compte, Résumé par type de compte.

Horaire et facturation

Horaire et facturation

Cette base de données autorise une facturation efficace des prestations des consultants, avocats et autres professions libérales rémunérées sur base horaire.

Tables clé : Clients, Codes des dépenses, Codes des tâches, Employés, Fiches horaires, Heures des fiches horaires, Informations sur ma société, Moyens de paiement, Paiements, Projets.

Formulaires clé : Clients (*Facture), Codes de dépense, Codes de tâche, Employés, Informations sur ma société, Modes de paiement, Fiches horaires (*Feuille horaire).

États clé : Facturation client par projet, Facturation du projet par code de tâche, Facturation employé par projet, Liste des clients,

Liste de vins

Liste de vins

Oenophiles, réjouissez-vous ! La base de données Liste de vins va vous permettre d'exercer un contrôle permanent sur votre case à vins. Vous ne confondrez plus jamais Muscat et Cadillac et pourrez accéder rapidement au descriptif de chacune de vos précieuses bouteilles.

Tables clé : Achats de vin, Types de vin, Vins.

Formulaires clé : Types de vin, Vins.

États clé : Vins par cuvée, Vins par négociant, Vins par type.

Membres

Outil parfait pour les associations soucieuses de gérer efficacement leurs membres, leurs instances et leurs cotisations.

Tables clé : Comités, Membres, Mon organisation, Moyens de paiement, Paiements, TypesDeMembre.

Formulaires clé : Comités, Informations sur mon organisation, Membres (*Facture), Modes de paiement, Types de membre.

États clé : Liste alphabétique des membres, Liste par type de membre, Membres du comité, Soldes impayés.

Ménage

Votre assureur va être comblé : cette base vous aide à tenir, pièce par pièce, un inventaire de votre mobilier (meubles, tableaux, bibelots, etc.). Veillez à conserver une copie de cette base dans votre coffre à la banque, ou dans tout endroit à l'abri des catastrophes.

Tables clé : Catégories, Ménage, Pièces.

Formulaires clé : Catégories, Ménage, Pièces.

États clé : Inventaire détaillé, Inventaire par catégorie, Inventaire par pièce, Inventaire par valeur.

Planification des ressources

Grâce à cette base, planifiez l'utilisation des ressources de votre société, telles que salles de conférence, parc automobile, rétroprojecteurs, avions et équipement divers. Ainsi, vous ne risquerez plus, à l'avenir, d'assigner une même ressource à plusieurs clients simultanément.

Tables clé : Détails de l'horaire, Horaire, Ressources, Types de ressources, Utilisateurs.

Formulaires clé : Réservations, Ressources, Types de ressource, Utilisateurs.

États clé : Horaire, Ressources par type.

Recettes

Où avez-vous bien pu ranger votre recette de bavarois aux marrons glacés ? Une question que vous ne vous poserez plus si vous utilisez cette base pour planifier vos menus, établir la liste des courses et mettre la main à la pâte.

Tables clé : Catégories alimentaires, Ingrédients, Recettes.

Formulaires clé : Catégories alimentaires, Ingrédients, Recettes.

États clé : Détails de la recette, Recettes (par ordre alphabétique), Recettes par catégories.

Traitement des commandes

Si l'essence même de votre activité est la prise de commandes, cette base de données vous fournira tous les outils nécessaires à la gestion des clients, des produits, des commandes, des paiements et des livraisons.

Tables clé : Commandes, Détails commande, Employés, Informations sur ma société, Moyens de paiement, Moyens de transport, Paiements, Produits, Utilisateurs.

Formulaires clé : Commandes par client (*Facture), Employés, Informations sur ma société, Modes de paiement, Moyens de transport, Produits.

États clé : Liste des clients, Échéancier client, Ventes par client, Ventes par employé, Ventes par produit.

Modifier les propriétés de la base

Vous pouvez afficher et changer les propriétés de votre base de données grâce à la commande Fichier/Propriétés de la base, ou en cliquant avec le bouton droit de la souris sur la barre de titre de la fenêtre Base de données (ou dans n'importe quelle zone grisée de la cette fenêtre) et en choisissant Propriétés de la base dans le menu contextuel.

La Figure 5.8 affiche les propriétés de la base de données Traitement des commandes1 que nous avons créée avec l'Assistant. Voyez, à la page suivante, à quoi correspondent les onglets de cette boîte de dialogue.

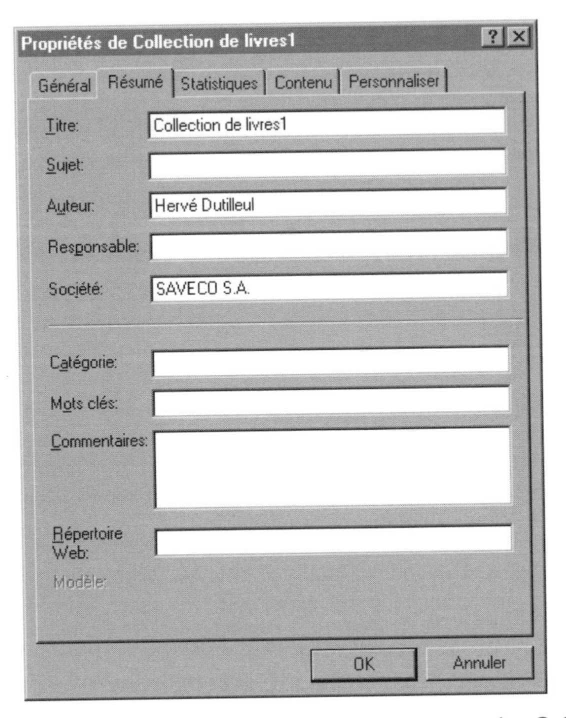

Figure 5.8 : Les propriétés de la base de données Collection de livres1, avec l'onglet Résumé activé.

- **Général** : Affiche des informations générales concernant la base de données.
- **Résumé** : Affiche et vous permet de modifier les informations de résumé (Figure 5.8).
- **Statistiques** : Affiche des données statistiques sur votre fichier, notamment les dates de : création et dernière modification, ouverture et impression.
- **Contenu** : Dresse la liste des tables, requêtes, formulaires, états, macros et modules de votre base de données.
- **Personnaliser** : Affiche et vous permet d'ajouter ou de supprimer des propriétés personnalisées qui vous aident à localiser rapidement votre base.

Activez l'onglet approprié de la boîte de dialogue Propriétés pour Collection de livres1, puis affichez et modifiez le cas échéant ses propriétés. Lorsque vous avez terminé, cliquez sur OK pour regagner la base.

Mais pourquoi, nous direz-vous, modifier ces propriétés ? Tout simplement parce qu'elles peuvent vous servir, par la suite, à retrouver facilement une base de données dont vous auriez oublié le nom ou l'emplacement. Pour ouvrir une base en faisant appel à ses propriétés, choisissez la commande d'ouverture du menu Fichier, que vous soyez dans Microsoft Access, Word ou Excel. Lorsque la boîte de dialogue correspondante apparaît à l'écran, cliquez sur le bouton Approfondir ; dans la boîte de dialogue Recherche approfondie, spécifiez les propriétés qui doivent faire l'objet de la recherche, puis cliquez sur Rechercher.

Pour en apprendre davantage sur les propriétés de bases de données, cherchez l'entrée *Propriétés* dans l'index de l'aide. Cet index et son entrée *boîte de dialogue Recherche avancée* vous explique en détails comment définir des critères de recherche dans la boîte de dialogue Ouvrir.

Et maintenant, que faisons-nous ?

Dès que vous avez créé une base de données, vous pouvez commencer à l'utiliser.

- Si vous avez créé une base de données vide et que vous ne possédez pas de données disponibles sur votre ordinateur, passez au Chapitre 6.
- Si vous avez créé une base de données vide et que vos possédez déjà des données stockées quelque part sur votre disque dur, passez au Chapitre 7.
- Si vous avez fait appel à l'Assistant Création d'applications pour créer votre base, sautez directement au Chapitre 8.

Quoi de neuf ?

Dans cette nouvelle version d'Access, la création de bases de données est nettement simplifiée. Les améliorations les plus frappantes sont :

- L'Assistant Création d'applications est d'un usage encore plus commode qu'auparavant.
- Un Assistant particulier reconnaît les types de champs que vous ajoutez à vos tables en mode feuille de données ; il reconnaît même le nouveau type de champ Lien hypertexte.

Chapitre 6

Créer des tables Access

Les données que vous entendez manipuler avec Access doivent être stockées dans des tables. Si les données dont vous avez besoin existent déjà dans une base de données quelconque, vous pourrez sans doute procéder à une importation vers Access (Chapitre 7). Mais si les données n'existent que sur papier ou dans un format qu'Access est incapable d'importer ou de lier, vous devrez immanquablement commencer par créer des tables qui stockeront vos données. Ce chapitre est d'ailleurs consacré à la création de ces tables.

Si vous avez utilisé l'Assistant Création d'applications pour créer votre base de données, vous pouvez sauter ce chapitre et passer directement au Chapitre 8 qui vous explique en détail comment entrer des données dans vos tables. Vous pourrez toujours, par la suite, revenir au Chapitre 6 pour apprendre comme ajouter, modifier ou supprimer des champs.

Pour en savoir plus sur les sujets abordés dans ce chapitre, affichez le sommaire de l'aide et ouvrez le livre *Création, importation et liaison de tables*, puis consultez ses rubriques. Le Chapitre 3 vous propose une approche fonctionnelle et pratique des manoeuvres de création et d'ouverture d'une base de données et de ses tables.

Créer une base de données

Si cela n'est pas encore chose faite, créez une base de données dans laquelle vous stockerez vos tables (Chapitre 5). Si vous avez déjà créé votre base, ouvrez-la (Chapitre 1).

Rappelez-vous : une table *n'est pas* une base de données. Une base de données peut en effet comporter plusieurs tables. Ne créez donc pas une nouvelle base chaque fois que vous voulez créer une table. Dans la mesure où la table que vous voulez créer présente un lien avec les autres tables d'une base existante, ajoutez la nouvelle table à la base.

Créer des tables avec l'Assistant Table

Vous avez un urgent besoin d'une table ? Recourez aux services de l'Assistant Table.

1. Dans la fenêtre Base de données, activez l'onglet Tables, puis cliquez sur Nouveau. Ou déroulez le menu local Nouvel objet de la barre d'outils Base de données (représenté à gauche) et choisissez Table. Autre solution : choisissez Insertion/Table.

   La boîte de dialogue Nouvelle table s'affiche.

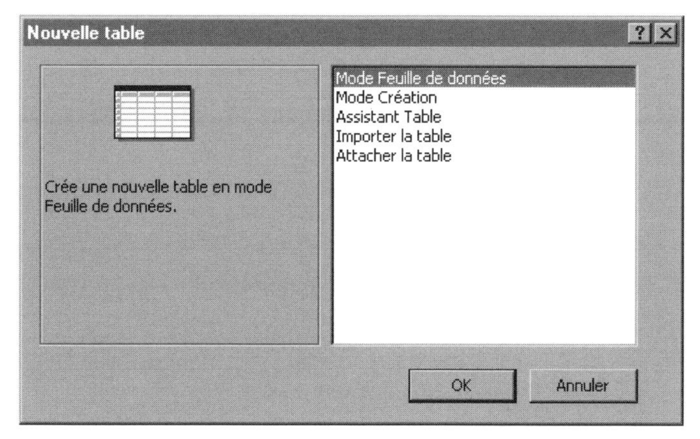

2. Cliquez deux fois sur Assistant Table. La boîte de dialogue correspondante apparaît à l'écran, comme le montre la Figure 6.1.

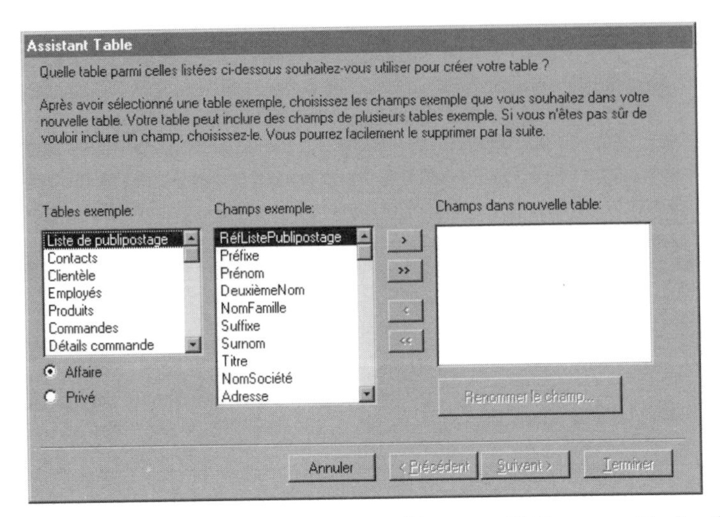

Figure 6.1 : La boîte de dialogue de l'Assistant Table vous aide à créer une table.

3. Choisissez Affaire ou Privé.

4. Dans la liste Tables exemple, sélectionnez le nom de la table qui semble le plus adapté à votre projet (Liste de publipostage, Contacts, Utilisateurs, etc.).

5. Pour inclure un champ dans cette table, sélectionnez le champ concerné dans la liste Champs exemple, puis cliquez sur > (ou cliquez deux fois sur le nom du champ). Ou cliquez sur >> pour inclure en une seule opération tous les champs de la liste. Les champs ainsi transférés apparaissent dans la liste Champs dans nouvelle table, dans l'ordre où le transfert s'est effectué. Pour gérer efficacement cette liste :

- **Pour supprimer un champ**, cliquez sur le champ concerné dans la liste Champs dans nouvelle table, puis cliquez sur <.
- **Pour supprimer tous les champs de la liste Champs dans nouvelle table**, cliquez sur <<.
- **Pour déplacer un champ vers le haut ou vers le bas dans la liste**, commencez par supprimer ce champ de la liste Champs dans nouvelle table. Dans cette même liste, cliquez alors à l'endroit où le champ devra apparaître. Cliquez ensuite deux fois sur le nom du champ dans la liste Champs exemple.
- **Pour changer le nom d'un champ**, cliquez sur le champ concerné dans la liste Champs dans nouvelle table, puis cliquez sur Renommer le champ. Tapez le nouveau nom, puis validez par OK.

Comme c'est le cas avec tous les Assistants, vous pouvez recourir au bouton Précédent pour revenir en arrière, et au bouton Suivant pour passer à l'étape suivante. Quant à Terminer, il vous transporte directement vers la fin de la procédure. Enfin, Annuler interrompt l'action de l'Assistant et vous ramène à l'endroit où vous vous trouviez lorsque vous l'avez invoqué. Par ailleurs, prenez le temps de lire les messages que vous envoie cet Assistant : ils vous aideront à faire votre choix parmi les différentes options disponibles.

6. Lorsque vous avez transféré vers la liste Champs dans nouvelle table tous les champs souhaités, cliquez sur Suivant.
7. Dans la boîte de dialogue qui s'affiche alors, l'Assistant Table vous propose un nom de table. Conservez ce nom (si aucune table de la même base ne porte déjà un nom identique) ou spécifiez-en un autre. Respectez les contraintes imposées aux noms de fichiers ; l'encart présenté à la fin de cette section les répertorie.
8. La même boîte de dialogue vous demande d'indiquer ce que vous souhaitez faire à propos de la clé primaire. Deux options sont disponibles :

- **Pour laisser Access prendre une décision à votre place** (c'est le plus simple), sélectionnez Oui, définir une clé primaire pour moi, puis cliquez sur Suivant.
- **Pour définir vous-même la clé primaire**, sélectionnez Non, je définirai moi-même la clé primaire, puis cliquez sur Suivant. Choisissez alors, dans la liste déroulante, le champ devant faire office de clé primaire. Vous devrez également signaler à Access le type de données que contiendra ce champ (nombres assignés par Access, nombres que vous assignez vous-même lorsque vous ajoutez des enregistrements, ou encore nombres et/ou lettres assignés par vos soins lors de la saisie). Une fois ces éléments spécifiés, cliquez sur Suivant.

Si vous ne savez trop comment désigner cette clé primaire, laissez Access agir à votre place. Lors de l'étape n° 8, choisissez Oui, définir une clé primaire pour moi, puis cliquez sur Suivant. Vous en apprendrez davantage à propos des clés primaires plus loin dans ce chapitre, à la section intitulée "Définir une clé primaire".

9. Si votre base comporte déjà au moins une table, l'Assistant vous demande si vous désirez relier la nouvelle table à d'autres tables de la base. Deux possibilités s'offrent à vous :

- **Si vous n'y connaissez rien en liaisons entre tables**, cliquez sur Suivant pour afficher la boîte de dialogue suivante. Le cas échéant, vous définirez ces relations plus tard, lorsque vous saurez exactement de quoi il retourne. La section "Définir les relations entre tables" présentée plus loin dans ce chapitre vous indiquera comment procéder.

- **Si vous savez quelles relations vous souhaitez définir** entre la nouvelle table et celles qui existent déjà dans la base, sélectionnez une table existante dans la liste, puis cliquez sur Relations. Dans la boîte qui s'affiche, indiquez la manière dont la nouvelle table est en relation avec la table existante, puis cliquez sur OK. Répétez la procédure autant de fois que nécessaire pour définir toutes les relations souhaitées. Lorsque vous avez terminé, cliquez sur Suivant.

10. Dans la dernière boîte de dialogue de l'Assistant Table (qui affiche le drapeau traditionnel), indiquez à l'Assistant ce que vous souhaitez faire une fois qu'il aura constitué la table. Cliquez ensuite sur Terminer.

Selon l'option sélectionnée à l'étape n° 10, la table s'affiche en mode création ou en mode formulaire, à moins que ce ne soit le mode feuille de données qui s'active. Pour regagner la fenêtre Base de données , choisissez Fichier/Fermer, ou cliquez dans la case de fermeture de la fenêtre qui s'affiche, ou encore enfoncez les touches Ctrl + W. Si Access vous demande s'il doit procéder à la sauvegarde, répondez affirmativement ou négativement.

Contraintes imposées aux noms de fichiers

Access n'impose que peu de contraintes aux noms que vous attribuez aux tables, champs, formulaires, états, requêtes, macros et modules :

- Deux objets d'une même base ne peuvent porter le même nom. Ainsi, votre base ne peut contenir deux tables baptisées Étiquettes publipostage. En revanche, Étiquettes publipostage1 et Étiquettes publipostage2 sont admis.

- Une table ne peut porter le même nom qu'un état, et vice versa.

- Lorsque vous attribuez un nom à un champ, à un contrôle ou à un objet, assurez-vous que ce nom n'est pas déjà assigné à une propriété ou à un autre élément dont Access se sert. Cette mise en garde vaut tout particulièrement en cas de programmation en Visual Basic.

- Le nom peut comprendre un maximum de 64 caractères, espaces compris. Attention : un nom ne peut pas commencer par un blanc.
- Toutes les combinaisons de lettres, de chiffres et d'espaces sont admises.
- Il en va de même des marques de ponctuation, *à l'exception* du point (.), du point d'exclamation (!), de l'accent grave (`) et des crochets ([ ]).
- Si vous envisagez d'écrire des programmes qui seront appelés à fonctionner avec votre base de données, évitez les blancs dans les noms d'objet. Ainsi, utilisez InfoClients plutôt que Info Clients (pour une table), ou NomFamille plutôt que Nom Famille (pour un champ). Il est plus facile de programmer quand les noms ne comportent pas d'espace.
- Les caractères de contrôle ne sont pas admis (ASCII 00 à ASCII 31).
- Évitez d'attribuer aux champs des noms qui sont identiques à ceux de fonctions ou de propriétés inhérentes à Access. Les réactions du programme deviennent alors imprévisibles !

Pour en savoir plus sur ces conventions, faites appel à l'aide : opérez une recherche sur *spécifications*, puis choisissez la rubrique *Recherche des spécifications de Microsoft Access* dans la liste des Procédures.

Lorsque vous faites appel à l'Assistant Table pour créer une table, Access crée spontanément un *masque de saisie* pour certains champs (comme ceux qui stockent le numéro de téléphone ou de fax, le code postal et les dates éventuelles). Ces masques tendent à faciliter la saisie puisqu'ils contrôlent l'emplacement où la donnée est encodée, le type de données autorisé, le nombre de caractères admis. D'autres détails concernant ces masques vous sont donnés dans ce chapitre.

Nous reviendrons plus tard sur la fenêtre de création et sur les possibilités d'aménagement de la structure d'une table. Pour l'instant, voyons comment créer une table sans l'aide de l'Assistant.

Envisager de créer une table sans l'aide de l'Assistant

Au lieu de faire appel à l'Assistant pour créer une table, vous pouvez parfaitement la concevoir de toutes pièces. Vous devez alors commencer par dresser la liste des champs à y inclure. Si vous vous fondez sur un formulaire papier existant, votre tâche s'en trouvera simplifiée. La règle à suivre : créer un champ pour chaque "case" du formulaire. Une seule restriction à ce principe "une case, un champ" : vous devez éviter de créer des champs appelés à stocker les résultats de calcul. Pourquoi ? Lisez ce qui suit.

N'incluez pas de champs calculés

Access est capable de réaliser des calculs instantanés sur les données d'une table et d'afficher le résultat de l'opération dans une requête, dans un formulaire ou dans un état (les chapitres suivants traitent de ce sujet). Dès lors, évitez de créer des champs qui doivent afficher le résultat de calculs. Faute de quoi vous vous exposez aux problèmes suivants :

- Vous risquez d'obtenir des résultats erronés lors de l'impression de vos états, car vous agissez sur des données qui ne sont pas mises à jour.
- Vous gaspillez de l'espace disque. En effet, pourquoi stocker des données qu'Access est capable de calculer tout seul en moins de temps qu'il n'en faut pour le dire ?
- Vous devrez réaliser les calculs vous-même, ce qui représente un surcroît de travail et augmente le risque d'erreur.

En résumé, les tables ne doivent comporter que des données brutes - uniquement les chiffres nécessaires à la réalisation des calculs - et, en aucun cas, le résultat de ces calculs.

Créer une table sans l'aide de l'Assistant

Suivez la procédure décrite à la page suivante si vous désirez créer une table de toutes pièces, sans l'aide de l'Assistant Table.

1. Activez l'onglet Tables de la fenêtre Base de données, puis cliquez sur Nouveau. Ou déroulez le menu local Nouvel objet de la barre d'outils Base de données et choisissez Table. Ou encore choisissez Insertion/Table.
2. Dans la boîte de dialogue Nouvelle table, cliquez deux fois sur Mode Création.

Le Chapitre 8 vous explique comment définir des champs en entrant tout simplement des données dans une feuille de données vierge ; il vous apprend également à ajouter, rebaptiser et supprimer des champs depuis le mode feuille de données.

La fenêtre de création de table s'affiche (Figure 6.2) ; vous allez pouvoir indiquer à Access quels champs inclure dans la table.

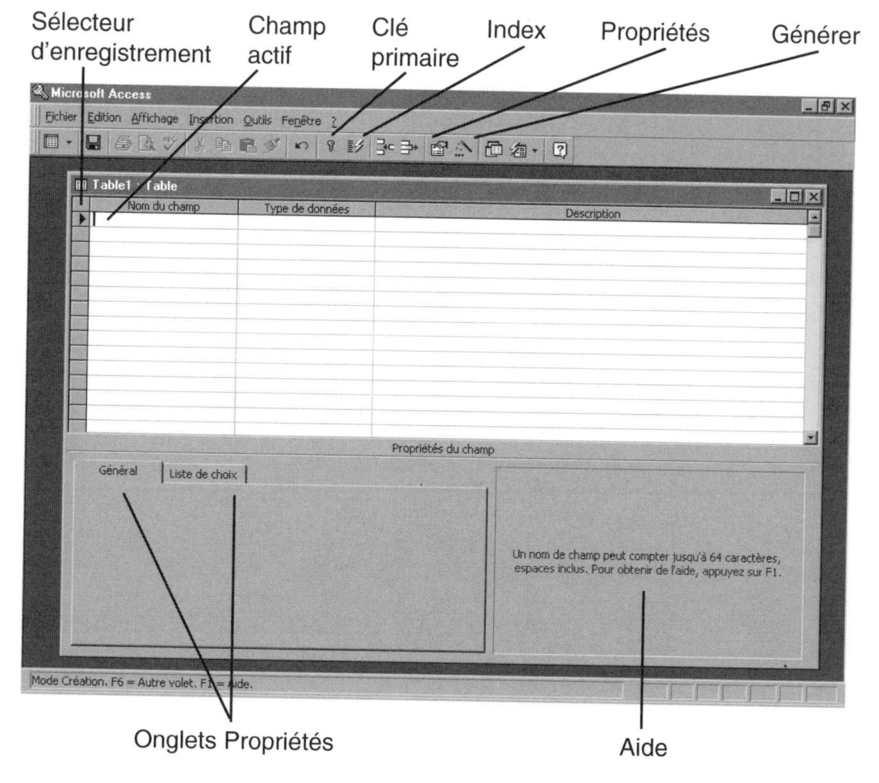

Figure 6.2 : Utilisez la fenêtre de création de table pour définir le nom, le type de données et les propriétés de tous les champs de la table.

Vous pouvez faire appel à l'Assistant pour créer une table ressemblant très fort à celle que vous souhaitez créer. Cliquez ensuite avec le bouton droit de la souris sur le nom de la table, choisissez Modifier, puis appliquez les techniques que nous décrivons dans ce chapitre pour personnaliser la table et l'adapter à vos besoins.

Créer les champs de la table

Pour définir les champs de votre table, suivez la procédure décrite ci-dessous. Consultez régulièrement la case Conseil dans la partie inférieure droite de la boîte de dialogue. (N'oubliez pas que la touche F1 vous fournit une aide contextuelle chaque fois que vous en ressentez le besoin.)

1. Dans la case Nom du champ, entrez le nom du champ (maximum 64 caractères, espaces compris). Respectez les règles énoncées précédemment à propos des noms.
2. Cliquez dans la case voisine de la colonne Type de données et sélectionnez le type souhaité dans la liste déroulante. (Voyez plus loin la section “Choisir le type de données”.)
3. Cliquez dans la case voisine de la colonne Description et décrivez-y la fonction du champ. Cette étape n'est pas obligatoire, mais s'avère particulièrement utile étant donné que cette description apparaîtra plus tard dans la barre d'état, pendant que vous encoderez vos données.
4. Activez éventuellement l'onglet Général ou Liste de choix de la zone Propriétés et définissez les propriétés du champ. Voyez “Définir les propriétés d'un champ”, plus loin dans ce chapitre.
5. Répétez la procédure autant de fois que nécessaire jusqu'à avoir défini tous les champs souhaités.

Enregistrez votre travail comme vous l'indique la section “Enregistrer la structure d'une table”, plus loin dans ce chapitre.

Si vous préférez vous faire seconder par un Assistant, cliquez dans la case de la colonne Nom du champ dans laquelle vous voulez placer le nouveau champ. Enfoncez alors le bouton droit de la souris et choisissez Générer dans le menu contextuel, ou activez le bouton Générer de la barre d'outils Création de table (voyez la Figure 6.2). Le générateur de champ vous guidera tout au long de la procédure.

Choisir le type de données

Access est capable de stocker différents types d'informations dans différents formats. Par conséquent, lorsque vous construisez une table, vous devez indiquer le type d'informations que chaque champ est appelé à stocker.

Pour définir le type de données d'un champ, cliquez dans la colonne Type de données en regard du nom du champ concerné, puis déroulez le menu local et sélectionnez dans la liste le type de données adéquat. Le Tableau 6.1 dresse la liste des choix possibles.

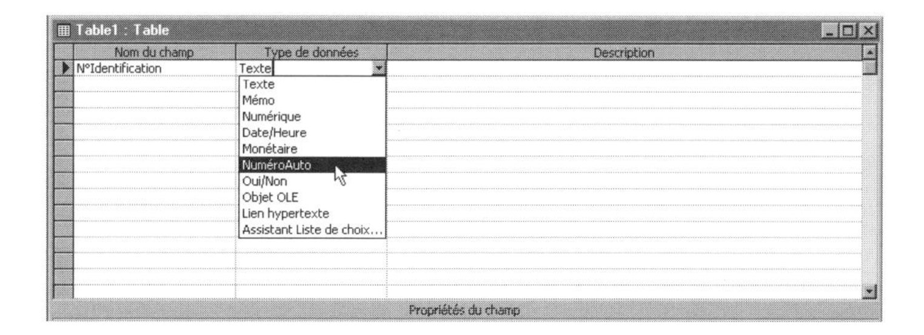

Veillez à attribuer le type Texte - plutôt que Numérique - aux champs tels que numéro de téléphone, numéro de fax, code postal, adresse e-mail. À la différence du type Numérique, le type Texte autorise les lettres et les caractères de ponctuation comme dans les exemples suivants : (520)555-5947 pour un numéro de téléphone ou de fax ; 73444,2330 ou Charles@RNAA47.com pour une adresse e-mail ; 85711-1234 ou H3A3G2 pour un code postal.

Type de données	Nature des données
Texte	Textes d'une longueur maximale de 255 caractères ; nombres que vous ne comptez pas faire intervenir dans des expressions calculées ; données "type numérique" comme les codes postaux, les numéros de téléphones ; codes produits contenant des lettres, des tirets ainsi que d'autres caractères non numériques.
Mémo	Textes longs, comprenant jusqu'à 64 000 caractères.

Tableau 6.1 : Les types de données d'Access.

Type de données	Nature des données
Numérique	Nombres (comme des quantités). Astuce : utilisez les propriétés Taille du champ, Format et Décimales de l'onglet Général pour définir la manière dont ces données seront présentées.
Date/Heure	Dates (comme 31/3/96) et heures. Astuce : utilisez la propriété Format de l'onglet Général pour définir la manière dont ces données seront présentées.
Monétaire	Sommes en francs.
NuméroAuto	Un numéro est assigné automatiquement et n'est plus jamais modifié. Astuce : utilisez la propriété Nouvelles valeurs de l'onglet Général pour choisir entre une numérotation incrémentée ou aléatoire.
Oui/Non	Valeur "vrai" ou "faux" seulement. Astuce : utilisez la propriété Format de l'onglet Général et la propriété Afficher le contrôle de l'onglet Liste de choix pour définir la manière dont ces données seront présentées.
Objet OLE	Tout objet OLE (comme une image, un son, un document de traitement de texte, etc.).
Lien hypertexte	Adresses hypertextes.
Liste de choix	Valeurs provenant d'une autre table ou d'une requête, ou liste de valeurs que vous tapez. Astuce : utilisez l'onglet Liste de choix pour définir un champ de ce type, ou faites appel à l'Assistant Liste de choix pour créer ce champ automatiquement.

Tableau 6.1 : Les types de données d'Access (suite).

Pour obtenir un complément d'informations à propos des différents types de données disponibles, cliquez dans la colonne Type de données de la fenêtre de création de table et enfoncez la touche F1. Vous pouvez aussi rechercher l'entrée *type de données* dans l'index du fichier d'aide.

Définir les propriétés d'un champ

Vous pouvez modifier les propriétés d'un champ (ses caractéristiques) grâce aux différentes options des onglets Général et Liste de choix, disponibles dans la partie inférieure de la fenêtre de création de table. Ces propriétés varient bien entendu selon le type sélectionné.

La zone Propriétés n'affiche les propriétés que d'un seul champ à la fois. Assurez-vous que le sélecteur d'enregistrement se trouve bien sur la ligne correspondant au champ à paramétrer.

Pour définir les propriétés d'un champ :

1. Sélectionnez le champ concerné dans la partie supérieure de la fenêtre de création de table.
2. Activez l'onglet souhaité (Général ou Liste de choix).
3. Cliquez dans la case de la propriété à définir.
4. Réalisez ensuite l'une des actions suivantes :

- Tapez une valeur.
- Déroulez le menu local (s'il apparaît) et sélectionnez l'option souhaitée. Pour les propriétés équipées d'un menu de ce type, vous pouvez aussi cliquer deux fois dans la case de la propriété pour faire apparaître, les unes après les autres, les options de la liste.
- Pour obtenir de l'aide sur la manière de définir la propriété, activez le bouton Générer (s'il apparaît), ou cliquez avec le bouton droit de la souris dans le champ concerné, puis choisissez Générer.

N'oubliez pas que la touche F1 vous fournit une aide contextuelle. Vous disposez également de l'entrée d'index *propriétés, champs* du fichier d'aide en ligne.

Principales propriétés de l'onglet Général

Vous trouverez, à la page suivante, présentées par ordre alphabétique, les principales propriétés des champs proposées par l'onglet Général (celles de l'onglet Liste de choix seront commentées plus loin dans ce chapitre).

Chaîne vide autorisée : Cette propriété fait en sorte que le champ accepte une "chaîne vide", même si la propriété Null interdit vaut Oui. Cette chaîne vide apparaîtra sous la forme de deux guillemets accolés ("") lorsque le pointeur atteindra le champ ; ces guillemets disparaîtront dès que le pointeur passera à un autre champ de la table.

Décimales : Cette propriété vous permet d'indiquer le nombre de chiffres admis après la virgule dans les nombres décimaux des champs numériques. Choisissez Auto si vous souhaitez que ce nombre soit défini automatiquement.

Format : Cette propriété sert à définir l'aspect qu'auront les données.

Indexé : Cette propriété vous permet d'indexer le champ et d'autoriser les doublons dans l'index. Voyez "Définir des index", plus loin dans ce chapitre.

Légende : Cette propriété vous permet de définir un autre nom pour le champ qui sera affiché en mode feuille de données, ou une étiquette qui sera utilisée dans les formulaires et dans les états. La légende vous permet de rendre les colonnes de votre feuille de données et vos étiquettes plus lisibles lorsque les noms de champs ne comportent pas d'espaces. Ainsi, si vous avez baptisé un champ NomFamille, vous pouvez créer une légende Nom Famille, plus facile à lire.

Masque de saisie : Cette propriété détermine la façon dont une donnée doit être saisie. Pour une assistance lors de la création du masque d'un champ Texte ou Date/Heure, recourez au bouton Générer après avoir sélectionné cette propriété ; l'Assistant Masque de saisie vous guide pendant toute la procédure. N'oubliez pas que la touche F1 reste à votre disposition.

Message si erreur : Cette propriété définit le message d'erreur qui s'affichera si les données encodées ne correspondent pas à ce qui a été défini par la propriété Valide si. (Consultez le Tableau 6.2 pour des exemples.)

Valeur par défaut	Valeur qui s'inscrit automatiquement dans le champ
=Date()	Date du jour (à utiliser avec le type de données Date/Heure)*
=Maintenant()	Date du jour et heure actuelle (à utiliser avec le type de données Date/Heure)*
0	Chiffre zéro (à utiliser avec le type de données Numérique ou Monétaire)
Oui	Une valeur "vrai" (à utiliser avec le type de données Oui/Non)

Tableau 6.2 : Exemples des valeurs par défaut que vous pouvez attribuer à un champ via la propriété Valeur par défaut.

Non	Une valeur "faux" (à utiliser avec le type de données Oui/Non)
CA	Les lettres CA (pour un champ Texte qui définit l'abréviation en deux lettres de l'état de Californie, comme cela se pratique aux États-Unis)

* Utilisez la propriété Format de l'onglet Général pour définir la manière dont ces données seront présentées.

Tableau 6.2 : Exemples des valeurs par défaut que vous pouvez attribuer à un champ via la propriété Valeur par défaut (suite).

À la différence de la plupart des systèmes de gestion de base de données, Access ne complète pas par des blancs le texte qui est plus court que la taille allouée ; il se limite, en fait, à mémoriser les caractères effectivement entrés. Vous n'êtes donc pas pénalisé en espace disque si vous attribuez à un champ Texte une longueur excessive. Gardez toutefois à l'esprit qu'il est préférable, pour soulager la mémoire et accélérer les traitements, de calculer au plus juste la largeur maximale de ces champs Texte.

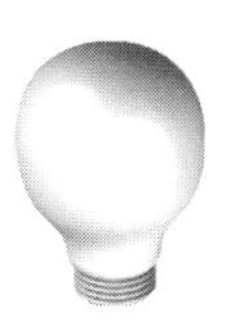

En plus de définir une expression Valide si, vous pouvez limiter les données saisies à une valeur existant dans une autre table. Pour ce faire, vous pouvez : 1) définir des relations entre les tables ; 2) créer des champs consultation ; 3) placer, dans un formulaire, une liste déroulante personnalisée. Les méthodes 1 et 2 sont commentées plus loin dans ce chapitre ; la troisième méthode est décrite au Chapitre 13.

Null interdit : Cette propriété interdit que le champ soit laissé vide.

Taille du champ : Cette propriété définit la longueur maximale du contenu du champ, ou une fourchette de valeurs. La taille par défaut d'un champ Texte est établie à 50 ; celle d'un champ Numérique est Entier long. Vous pouvez néanmoins modifier ces attributs grâce à la commande Outils/Options : choisissez cette commande, activez l'onglet Tables/Requêtes, puis modifiez les valeurs des cases de la rubrique Taille de champ par défaut (Chapitre 15).

Valeur par défaut : Cette propriété vous autorise à définir une valeur qui s'inscrira automatiquement dans le champ. Cela ne vous empêchera pas, si le coeur vous en dit, de taper, dans le champ, une valeur différente de celle prédéfinie. (Consultez le Tableau 6.3 pour des exemples.) Dans le cas d'un champ Texte, la valeur par défaut est une chaîne vide ; dans le cas d'un champ Numérique ou Monétaire, elle est égale à 0.

Valide si : Cette propriété vous laisse créer une *expression* vous permettant de tester les données saisies dans le champ et de rejeter celles qui ne correspondent pas. (Consultez le Tableau 6.3 pour des exemples.)

Valide si	Exemple de message d'erreur	Limite appliquée aux données
>0	Entrez une valeur supérieure à zéro	Refuse la valeur 0 ainsi que les valeurs négatives dans un champ Numérique ou Monétaire
< >0	Entrez une valeur différente de zéro	Accepte des valeurs positives ou négatives, mais refuse la valeur 0
Entre 1 et 100	Entrez une valeur comprise entre 1 et 100	Refuse toute valeur non comprise entre 1 et 100 dans un champ Numérique ou Monétaire
>=Date()	Antidate interdite !	Refuse toute valeur antérieure à la date du jour dans un champ Date/Heure
>=#31/3/96#	Entrez une date postérieure au 31 mars 1996	Refuse toute valeur antérieure à la date spécifiée dans un champ Date/Heure

Tableau 6.3 : Exemples d'expressions Valide si et de Messages si erreur.

Pour tester vos expressions Valide si sur des données existantes de la table, choisissez Édition/Test des règles de validation/Oui.

Définir une clé primaire

Une *clé primaire* est un champ (ou une série de champs) qui identifie chaque enregistrement de façon non équivoque (comme une plaque d'immatriculation identifie un et un seul véhicule). Lorsque vous définissez une clé primaire, vous demandez à Access de réaliser trois opérations.

- S'assurer que deux enregistrements de la table ne présentent pas la même valeur dans le champ clé primaire.
- Trier (classer) les enregistrements selon les données du champ clé primaire.
- Accélérer les traitements.

Pour définir une clé primaire, vous n'êtes pas limité à un seul champ ; vous pouvez, en effet, en employer plusieurs. Lorsque c'est le cas, Access considère que deux enregistrements sont identiques uniquement lorsque les contenus de chacun des champs définissant la clé primaire sont rigoureusement les mêmes.

Lors de la saisie des données, vous ne pouvez laisser vide aucun des champs constituant la clé primaire.

Pour définir une clé primaire :

1. Sélectionnez le champ appelé à servir de clé en cliquant sur le sélecteur d'enregistrement placé en regard. Si vous désirez sélectionner plusieurs champs, activez la touche Ctrl et maintenez-la enfoncée, puis cliquez sur les différents champs concernés.
2. Activez le bouton Clé primaire de la barre d'outils Création de table (représenté à gauche). Ou choisissez Édition/Clé primaire. Ou encore cliquez avec le bouton droit de la souris sur le sélecteur d'enregistrement correspondant et choisissez Clé primaire.

Une icône de clé apparaît dans le sélecteur du ou des champs désignés, comme le montre l'illustration suivante.

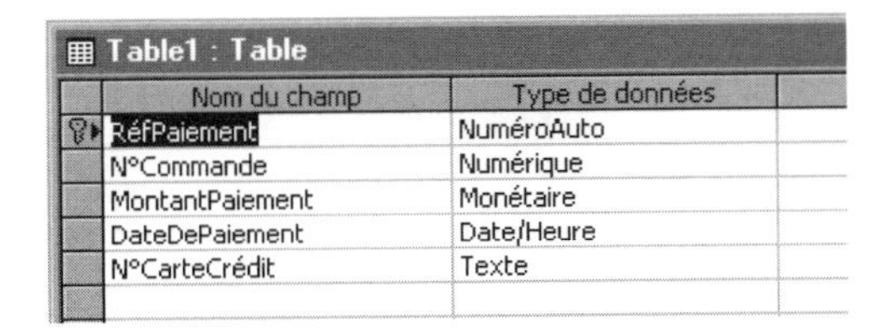

Table1 : Table

Nom du champ	Type de données
RéfPaiement	NuméroAuto
N°Commande	Numérique
MontantPaiement	Monétaire
DateDePaiement	Date/Heure
N°CarteCrédit	Texte

Si, après avoir désigné la clé, vous changez d'avis et souhaitez sélectionner d'autres champs, répétez tout simplement la procédure.

Définir des index

Vous pouvez ajouter un index aux champs de certains types de données afin d'accélérer le tri et la recherche basés sur ce champ. Chaque table de votre base peut inclure un maximum de 32 index.

Sachez toutefois que l'index ralentit légèrement la saisie et l'édition des données. Access doit, en effet, mettre l'index à jour chaque fois que vous intervenez sur les données. Aussi est-il préférable de n'indexer que les champs sur lesquels vous comptez baser vos tris et vos recherches. (Pour vous simplifier la vie, l'Assistant Création d'applications et l'Assistant Table indexent automatiquement les champs appropriés.)

Si le type de données vous y autorise, si le champ n'est pas une clé primaire et si son nom commence ou se termine par ID, clé, code ou num, Access crée automatiquement un index Oui - Sans doublons. Pour spécifier les noms de champs qui provoqueront la création automatique d'un index, choisissez Outils/Options, activez l'onglet Tables/Requêtes, puis modifiez ou remplacez le texte de la case Index automatique à l'importation/création. Reportez-vous au Chapitre 15 pour des informations supplémentaires.

Pour indexer un champ et pour supprimer cet index :

1. Cliquez sur le nom du champ concerné.
2. Activez l'onglet Général de la zone réservée aux Propriétés.
3. Si l'option est disponible, cliquez sur Indexé, puis choisissez l'une des options proposées :

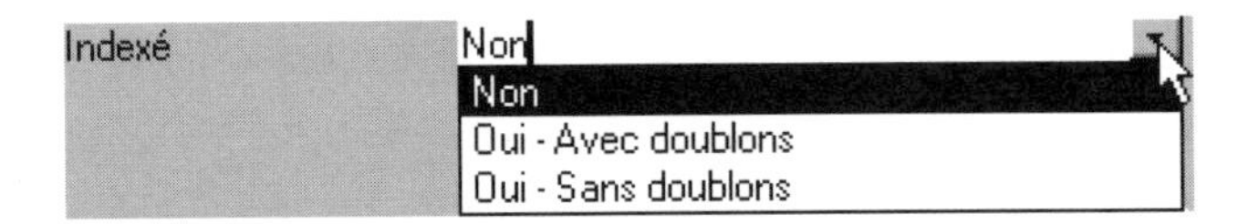

Choisissez Oui - Avec doublons plutôt que Oui - Sans doublons, sauf si vous êtes absolument certain que deux enregistrements de la table n'auront jamais, dans ce champ, une valeur identique. Pour supprimer un index, choisissez Non dans la case Indexé. Des exemples de champs indexés vous sont proposés dans la suite de ce chapitre.

La clé primaire est automatiquement indexée avec l'option Oui - Avec doublons. Vous ne pouvez rien y changer, sauf si vous supprimez la clé primaire de ce champ.

Vous pouvez, en une seule opération, afficher et modifier le nom de l'index, le nom du champ, l'ordre de tri et les propriétés de l'index de tous les champs de la table. Pour ce faire, choisissez Affichage/Index, ou activez le bouton Index de la barre d'outils Création de table (Figure 6.2).

Enregistrer la structure d'une table

Une fois que vous êtes (raisonnablement) satisfait des champs de votre table, enregistrez sa structure :

1. Choisissez Fichier/Fermer, ou enfoncez les touches Ctrl + W, ou cliquez dans la case de fermeture de la fenêtre de création de table. Une fenêtre comme celle représentée ci-dessous s'affiche :

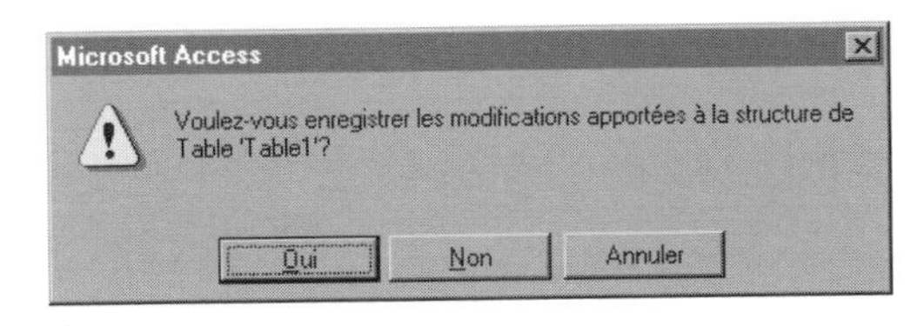

2. Cliquez sur Oui.
3. Si Access vous demande ensuite quel nom attribuer à la table, tapez le nom que vous souhaitez (maximum 64 caractères, espaces compris), puis cliquez sur OK. Si vous n'avez pas défini de clé primaire, le message suivant apparaît :

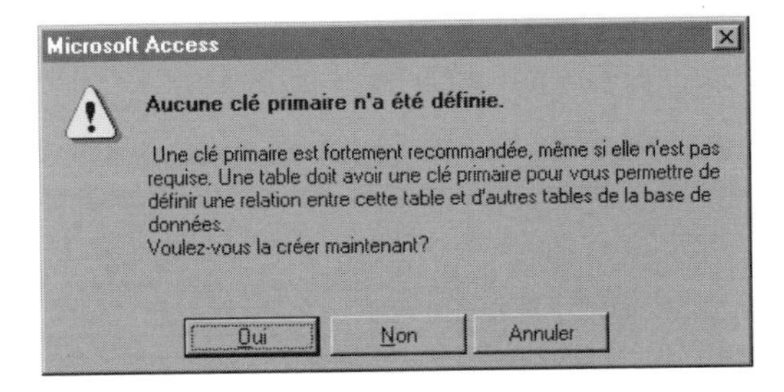

4. Définissez une clé primaire. Si vous ne savez pas quoi répondre, cliquez sur Oui et laisser à Access le soin de créer cette clé pour vous. (Access créera un champ N°, de type NuméroAuto.) Normalement, l'exploitation de votre base se fait plus rapidement si chaque table comporte une clé primaire.

Revenez à présent à la fenêtre Base de données ; votre nouvelle table apparaît dans l'onglet Tables.

Vous pouvez enregistrer la structure de la table sans pour autant fermer d'abord la fenêtre de création. Pour ce faire, depuis cette fenêtre, activez le bouton Enregistrer de la barre d'outils Base de données, ou enfoncez les touches Ctrl + S, ou encore choisissez Fichier/Enregistrer. Access enregistre vos modifications et maintient la fenêtre de création active.

Lorsque vous enregistrez des tables, des formulaires, des états, des requêtes ou d'autres objets, la taille de votre base augmente. Pour réduire cette taille, vous devez compacter votre base de données. Pour ce faire, procédez d'abord à sa fermeture, puis choisissez Outils/Utilitaires de base de données/Compacter une base de données et spécifiez la base concernée. Le Chapitre 17 explique cette procédure en détail.

Ouvrir une table

Une fois que vous avez créé une table, vous pouvez l'ouvrir depuis la fenêtre Base de données :

1. Dans la fenêtre Base de données, activez l'onglet Tables.
2. Cliquez sur le nom de la table concernée. Puis...

- **Pour ouvrir la table afin d'y saisir ou modifier des *données*,** cliquez sur Ouvrir ou cliquez deux fois sur le nom de la table.
- **Pour afficher et modifier la *structure* de la table,** cliquez sur Modifier.

Vous pouvez aussi ouvrir ou modifier une table en cliquant sur son nom avec le bouton droit de la souris depuis la fenêtre Base de données et en choisissant ensuite Ouvrir ou Modifier dans le menu contextuel qui s'affiche sous le pointeur. Ce menu offre d'autres commandes intéressantes pour la gestion des tables, comme Imprimer, Couper, Copier, Créer un raccourci, Supprimer, Renommer ou Propriétés. Pour découvrir l'action de ces diverses commandes, utilisez la touche F1.

Commuter entre les modes création et feuille de données

Lorsqu'une table est ouverte, il est facile de commuter entre les modes création et feuille de données. Ce qui différencie ces deux modes :

- **En mode feuille de données**, vous travaillez sur le contenu de la table (les données). Cela ne vous empêche pas d'apporter des changements à la structure de la table (Chapitre 8).
- **En mode création**, vous travaillez sur la structure exclusivement (noms des champs, types de données, propriétés), et en aucun cas sur son contenu.

Pour passer d'un mode à l'autre, activez le bouton Mode feuille de données de la barre d'outils Mode formulaire.

Ce bouton vous fait passer du mode feuille de données en mode création.

Celui-ci vous fait basculer du mode création en mode feuille de données.

Vous pouvez également passer d'un mode à l'autre grâce aux articles du menu Affichage (Création et Mode Feuille de données), ou en déroulant le menu local Affichage de la barre d'outils Création de table et en y sélectionnant l'option souhaitée.

Pourquoi deux modes ?

Le mode feuille de données vous permet d'ajouter des données à votre table, comme l'explique le Chapitre 8. La Figure 6.3 montre quelques noms et adresses tapés dans la table Fournisseurs que nous avons créée au début de ce chapitre avec l'aide de l'Assistant Table. En mode feuille de données, les noms de champs sont affichés horizontalement ; aucune information concernant la structure de la table (comme les types de données et les propriétés) n'est affichée. Par manque de place, tous les champs ne sont pas toujours visibles ; pour les visualiser, faites défiler la table horizontalement à l'aide de la barre de défilement correspondante.

Fournisseurs : Table

	Code fournisse	Fournisseur	Adresse	Ville	Code postal
	1	Duteil	4, rue de Livourr	Cebazat	63118-
	2	Martin	18, clos des Ac	Marly	95670-
	3	Artinaud	7, rue des Maçc	Montauban	82000-
*	(NuméroAuto)				

Enr: 3 sur 3

Figure 6.3 : La table Fournisseurs en mode feuille de données.

Lorsque vous ajoutez des données dans une table qui comporte un champ NuméroAuto (comme le champ Code fournisseur de la Figure 6.3), Access numérote normalement les enregistrements de manière séquentielle, démarrant à 1 (1, 2, 3, etc.). Vous pouvez faire démarrer la numérotation à un autre chiffre que 1, comme 10021, 1002, etc. (Voyez "Changer la valeur de départ d'un champ NuméroAuto" à la fin de ce chapitre.)

En mode création, vous pouvez afficher et modifier la structure de la table. Les champs sont inscrits dans la colonne de gauche, puis viennent le type de données, la description et les propriétés. Les données de la table ne sont pas visibles sous ce mode. La Figure 6.4 montre la même table Fournisseurs en mode création.

Modifier la structure d'une table

Nous vous présentons ici quelques techniques permettant de modifier la structure de la table en mode création :

1. Ouvrez la table concernée en mode création (ou basculez en mode création si le mode feuille de données est actif).

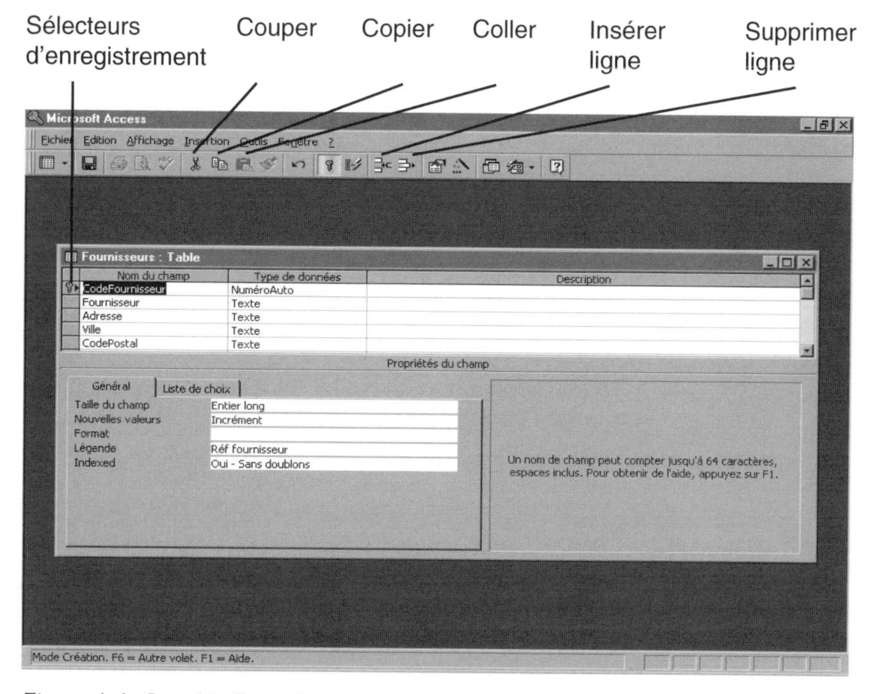

Figure 6.4 : La table Fournisseurs en mode création.

Ensuite :

- **Pour changer le nom d'un champ**, son type de données, sa description ou ses propriétés, utilisez les mêmes techniques que celles que vous avez mises en oeuvre lors de la création de la table.

- **Pour insérer un nouveau champ**, placez le pointeur à l'endroit où l'insertion doit avoir lieu, puis activez le bouton Insérer ligne de la barre d'outils Création de table (représenté à gauche), ou enfoncez la touche Insert, ou encore choisissez Insertion/Champ.

- **Pour supprimer un champ**, placez le pointeur dans le champ concerné, puis activez le bouton Supprimer ligne (représenté à gauche). Vous pouvez aussi choisir Édition/Supprimer la ligne.
- **Pour annuler une insertion ou une suppression accidentelle**, activez le bouton Annuler d'une barre d'outils quelconqu, ou choisissez Édition/Annuler, ou encore enfoncez les touches Ctrl + Z.

Avant de rebaptiser un champ ou de le supprimer, réfléchissez posément à l'effet de votre action, car les requêtes, formulaires, états et autres objets qui y faisaient référence ne fonctionneront plus normalement.

Sélectionner des lignes en mode création

En mode création, vous pouvez sélectionner des lignes (c'est-à-dire des champs).

- **Pour sélectionner une ligne**, cliquez sur le sélecteur d'enregistrement placé à gauche du champ concerné. La ligne est mise en surbrillance, comme le montre l'illustration ci-dessous :

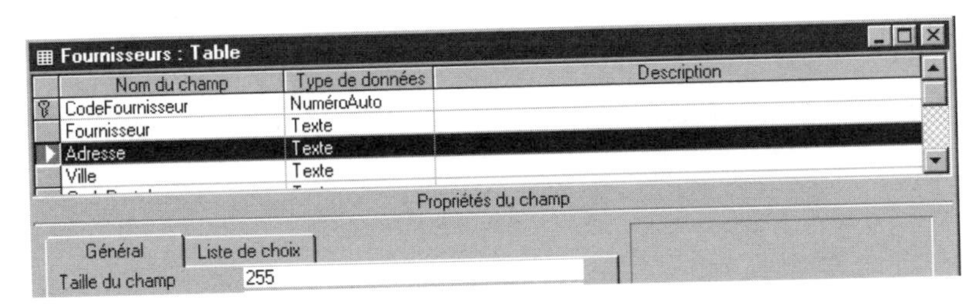

- **Pour sélectionner plusieurs lignes adjacentes**, cliquez-glissez sur les sélecteurs d'enregistrement des lignes concernées. Ou bien cliquez sur le sélecteur de la première ligne, puis enfoncez la touche Majuscule tandis que vous cliquez sur celui de la dernière.
- **Pour sélectionner plusieurs lignes non adjacentes**, maintenez la touche Ctrl enfoncée et cliquez sur les sélecteurs des différentes lignes à regrouper dans une sélection.
- **Pour désélectionner des lignes sélectionnées**, cliquez dans n'importe quelle case Nom du champ, Type de données ou Description.
- **Pour désélectionner une seule ligne** dans un groupe de lignes sélectionnées, appuyez sur la touche Ctrl et cliquez sur la ligne concernée.

Lorsque vous avez réalisé votre sélection, vous pouvez mener les actions suivantes :

- **Pour déplacer une ligne sélectionnée**, cliquez de nouveau sur son sélecteur d'enregistrement tout en maintenant enfoncé le bouton de la souris, et faites glisser vers le nouvel emplacement.
- **Pour copier une sélection**, choisissez Édition/Copier, ou enfoncez les touches Ctrl + C, ou activez le bouton Copier d'une barre d'outils quelconque.

Cliquez ensuite sur le sélecteur de l'enregistrement vide dans lequel vous souhaitez copier la sélection et choisissez Édition/Coller. Vous pouvez aussi recourir à l'équivalent clavier Ctrl + V, ou à l'icône Coller de barre d'outils. Enfin, *renommez le ou les champs copiés puisque deux champs d'une même table ne peuvent porter le même nom.*

- **Pour supprimer une sélection**, enfoncez la touche Suppr.
- **Pour insérer une ou plusieurs lignes vides au-dessus d'une sélection**, enfoncez la touche Insert.

Enregistrer les modifications de structure

Pour enregistrer les modifications apportées à la table, réalisez l'une des actions suivantes :

- Basculez en mode feuille de données ou fermez la fenêtre de création de table (Fichier/Fermer). Si Access vous demande confirmation avant d'enregistrer la nouvelle structure, répondez par l'affirmative si telle est votre intention.
- Choisissez Fichier/Enregistrer, ou enfoncez les touches Ctrl + S, ou encore activez le bouton Enregistrer d'une barre d'outils quelconque.

Si votre table comporte déjà des données et que vos modifications de structure vont avoir un effet sur elles, un message s'affiche, comme celui représenté ci-dessous :

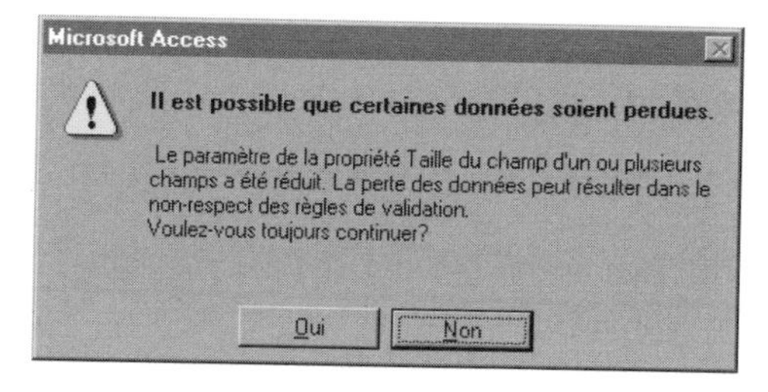

Lisez attentivement ce message, puis cliquez sur le bouton de commande approprié.

Déplacer, copier, supprimer et renommer une table entière

Dans la fenêtre Base de données, vous avez la possibilité de copier, déplacer ou renommer des tables entières. Le Chapitre 1 explique ces manipulations en détail, dans la section “Gérer les objets”.

Changer les propriétés d'un objet ou d'une table entière

Vous pouvez à tout moment changer les propriétés d'un objet Access ou d'une table entière. Vous pouvez, par exemple, ajouter une Description qui s'affichera dans la fenêtre Base de données.

1. Activez la fenêtre du mode création de l'objet ou activez l'onglet approprié de la fenêtre Base de données, puis cliquez sur le nom de l'objet concerné. Les propriétés disponibles diffèrent, selon que vous avez agi depuis la fenêtre création ou depuis la fenêtre Base de données. De toute manière, vous pouvez parvenir à vos fins dans les deux cas.

2. Choisissez Affichage/Propriétés, ou activez le bouton Propriétés d'une barre d'outils quelconque (représenté à gauche). Autre solution : si vous agissez depuis la fenêtre Base de données, cliquez avec le bouton droit de la souris sur le nom de l'objet et choisissez Propriétés.
3. Complétez la boîte de dialogue Propriétés qui s'affiche.

Quelques trucs et astuces supplémentaires

Il est facile d'afficher la description d'un objet depuis la fenêtre Base de données : choisissez Affichage/Détails, ou activez le bouton Détails de la barre d'outils Base de données (représenté à gauche), ou encore cliquez dans une zone vide de la fenêtre Base de données et choisissez Affichage/Détails.

Vous pouvez trier les objets de la fenêtre par nom, par description, par date de création ou de modification, ou encore par type. Voici comment vous y prendre :

- Si vous avez validé l'affichage des détails (Affichage/Détails), cliquez dans la tête de la colonne destinée à servir de clé de tri. Ainsi, pour un tri alphabétique croissant (A-Z) sur le nom, cliquez dans la case Nom. Cliquez de nouveau dans cette case pour trier par ordre décroissant.
- Choisissez Affichage/Réorganiser les icônes, ou cliquez avec le bouton droit de la souris dans une zone vide de la fenêtre Base de données et choisissez Réorganiser les icônes. Choisissez ensuite par nom, par type, par date de création ou par date de modification.

Les tables de la base de données Ordentry (Gestionnaire de commandes)

Tout au long de cet ouvrage, il sera régulièrement fait référence à une application baptisée Ordentry (Gestionnaire de commandes) que nous avons déjà mentionnée. Nous avons bâti cette application en recourant aux services de l'Assistant Création d'applications (décrit aux Chapitres 3 et 5). Rien ne vous empêche, bien entendu, de créer votre propre gestionnaire de commandes, comme nous vous y avions engagé précédemment (rappelez-vous la base Traitement des commandes1 que vous avez peut-être créée au début de ce chapitre).

La Figure 6.5 dresse la liste des tables de la base Ordentry (Gestionnaire de commandes). Les sections suivantes sont plus explicites à cet égard.

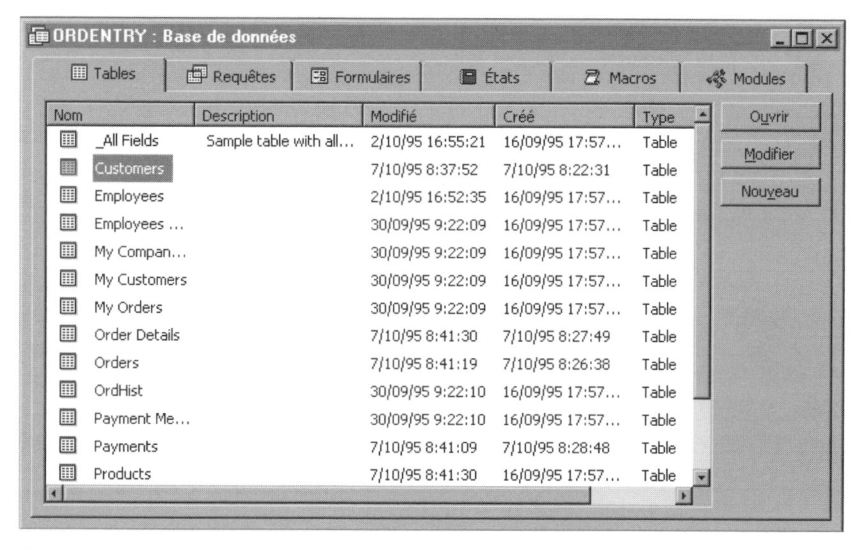

Figure 6.5 : La fenêtre Base de données de la base Ordentry (Gestionnaire de commandes) affiche la liste des tables ainsi que leurs détails.

La table Customers (Clients)

La table Customers (Clients) est une table importante étant donné qu'elle stocke les données relatives aux clients de l'entreprise. La Figure 6.6 montre les noms des champs et les types de données de cette table.

Clé primaire et index de la table Customers (Clients)

Dans la table Clients, la clé primaire est le champ CustomerID (N° Client). Il s'agit d'un champ NuméroAuto, ce qui signifie que tout nouveau client ajouté à la table se voit automatiquement attribuer un numéro d'identification unique. Ce numéro est attribué une fois pour toutes (la valeur d'un champ NuméroAuto ne peut varier), et deux clients ne porteront donc jamais le même numéro. Comme tous les champs clé primaire, CustomerID (N° Client) est indexé, avec l'option Oui - Sans doublons sélectionnée.

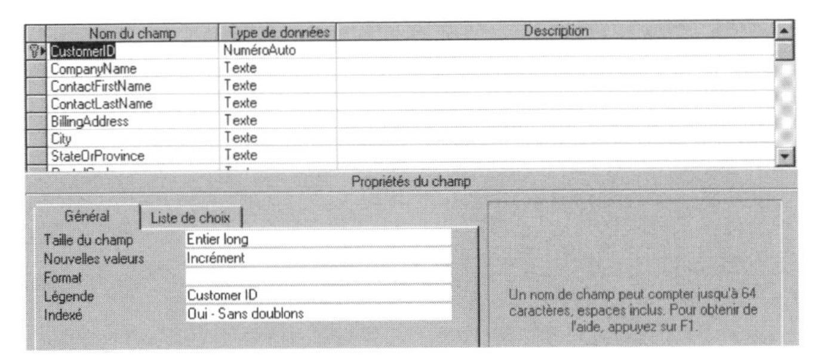

Figure 6.6 : La table Customers (Clients) de la base de données Ordentry (Gestionnaire de commandes) présentée en mode création.

La propriété Nouvelles valeurs de l'onglet Général vous propose deux manières d'assigner des valeurs aux champs NuméroAuto. Le choix par défaut, Incrément, augmente la valeur de 1 pour chaque nouvel enregistrement. Pour assigner des valeurs aléatoires, choisissez l'autre option, baptisée fort à propos Aléatoire. Vous ne pouvez définir qu'un seul champ NuméroAuto par table.

Modifier la taille de votre écran

La plupart des figures présentées dans cet ouvrage ont été prises sur un écran dont l'espace est configuré en 800 x 600 pixels. Si vous utilisez Windows 95 et si votre ordinateur le permet, vous pouvez modifier ces valeurs. Commencez par réduire ou fermer la fenêtre d'Access (si elle est ouverte), puis cliquez avec le bouton droit de la souris dans une zone vide du *bureau de Windows* (et non dans la fenêtre Access), choisissez Propriétés, activez l'onglet Configuration, réglez l'espace du bureau grâce au taquet correspondant, puis cliquez sur OK. Réagissez aux éventuels messages qui s'affichent.

Validation et masques de saisie

Il est courant d'attribuer à certains champs des masques de saisie, la propriété Null interdit ainsi que d'autres restrictions. Ainsi, si vous examinez les propriétés générales de la table Customers (Clients), vous verrez que des masques de saisie ont été définis pour les champs PostalCode (CodePostal), PhoneNumber (NuméroTéléphone) et FaxNumber (NuméroFax) :

PostalCode (CodePostal) : Le masque de saisie 00000\-9999 vous permet d'entrer des codes de ce type sans avoir à taper le tiret. Ainsi, vous tapez **857114747**, et le masque de saisie transforme votre entrée en 85711-4747.

PhoneNumber (NuméroTéléphone) : Le masque de saisie !\(999")"000\-0000 vous permet d'entrer des numéros d'appels de ce type sans avoir à taper les parenthèses qui définissent le préfixe, ni le tiret. Ainsi, vous tapez **6035551234**, et le masque de saisie transforme votre entrée en (603)555-1234.

FaxNumber (NuméroFax) : Le masque de saisie est identique au précédent, !\(999")"000\-0000.

Si le numéro de téléphone ou de fax que vous voulez encoder dans un champ muni d'un tel masque de saisie ne comporte pas de préfixe, utilisez votre souris ou votre clavier pour sauter la partie du masque réservée à cet élément.

Si vous voulez pouvoir facilement gérer des noms et des adresses à l'étranger, vous devrez sans doute supprimer ces masques de saisie. Le fait de présenter les données d'une certaine manière (ou tout simplement d'exiger la présence d'une donnée) risque, en effet, d'empêcher la saisie d'adresses étrangères. En ce qui nous concerne, nous ignorons tout de la manière dont les codes postaux et les numéros de téléphone sont présentés au fin fond du Zimbabwe. Et vous ?

Les propriétés restrictives peuvent considérablement limiter, voire paralyser l'encodage de données. Dans les premiers temps, n'en abusez pas. Vous pourrez toujours, lorsque vous serez plus expérimenté, définir davantage de restrictions.

La table Products (Produits)

La table Products (Produits) répertorie les informations concernant les produits vendus par l'entreprise. Sa structure est représentée par la Figure 6.7. Le champ ProductID (CodeProduit) en est la clé primaire afin d'être certain que chaque produit sera identifié par un code unique.

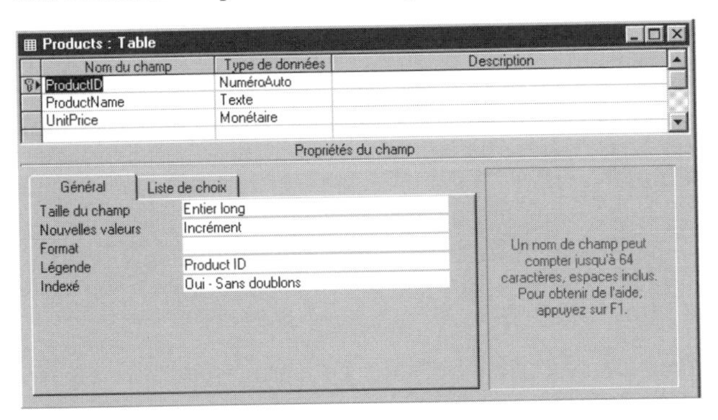

Figure 6.7 : La structure de la table Products (Produits) de la base de données Ordentry (Gestionnaire de commandes).

La table Orders (Commandes)

La table Orders (Commandes) a pour fonction de stocker toutes les commandes passées à l'entreprise. En fait, les informations relatives à ces commandes sont réparties en deux tables, d'une part Orders (Commandes) et, d'autre part, Order Details (Détails Commandes) ; il existe en effet une relation un-à-plusieurs naturelle entre une commande et le détail de cette commande (c'est-à-dire les lignes d'article). (Voyez la Figure 6.8.)

Orders : Table

Order ID	Customer ID	Employee ID	Order Date	PO Number	Ship Name	Ship Address	Sh
1	ABC Corpora	Ajar, Doris	1/02/95	52	ABC Corporatio	87 Polk St.	San F
2	ABC Corpora	Ajar, Doris	14/03/95	32	ABC Corporatio	87 Polk St.	San F

Enr: 1 sur 25

Order Details : Table

Order Detail I	Order ID	Product ID	Quantity	Unit Price	Discount
1	1	Crystal ball	2	45,55 FB	0,00%
2	1	Tether ball	5	9,65 FB	0,00%
3	1	Basketball	2	4,95 FB	0,00%
4	1	Football	2	5,65 FB	0,00%
5	1	Foosball	4	17,85 FB	0,00%
6	2	Tether ball	1	9,65 FB	0,00%
7	2	Football	1	5,65 FB	0,00%
8	2	Soccer ball	1	12,95 FB	0,00%
9	2	Crystal ball	1	45,55 FB	0,00%
10	2	Golf balls	2	6,75 FB	0,00%

Enr: 1 sur 49

Figure 6.8 : Il existe une relation un-à-plusieurs naturelle entre une commande et les articles commandés (parfois appelés détails de la commande).

La base Ordentry (Gestionnaire de commandes) est équipée d'un formulaire Orders by customer (Commandes par client) qui vous permet de saisir et d'afficher des données de plusieurs tables simultanément. Vous apprendrez à créer des formulaires de ce type aux Chapitres 11 et 13.

La Figure 6.9 montre la structure de la table Orders (Commandes). Le champ OrderID (N° Commande) est la clé primaire ; il est de type NuméroAuto afin que les commandes soient automatiquement numérotées à mesure qu'elles sont consignées dans la table. Le fait que ce champ soit de type NuméroAuto exerce une influence sur la table Order Details (Détails Commandes), comme vous allez le voir.

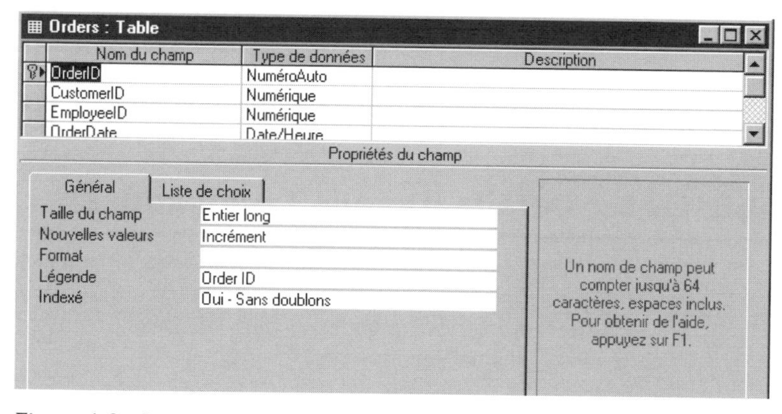

Figure 6.9 : La structure de la table Orders (Commandes) de la base de données Ordentry (Gestionnaire de commandes).

Le champ CustomerID (N° Client) de la table Orders (Commandes) assume deux fonctions primordiales. Tout d'abord, il fait appel aux *propriétés Liste de choix*. Concrètement, cela signifie que ce champ CustomerID (N° Client) de la table Orders (Commandes) consulte la valeur enregistrée dans le champ CustomerID (N° Client) de la table Customers (Clients). Ces champs que nous appellerons "champs consultation" accélèrent la saisie et diminuent considérablement le risque d'erreur (nous développerons cet aspect plus loin dans ce chapitre).

Ensuite, le champ CustomerID (N° Client) de la table Orders (Commandes) met la commande en relation avec le champ CustomerID (N° Client) de la table Customers (Clients), faisant ainsi en sorte que la base affiche, pour chaque commande passée, un numéro de client correct. Dans la table Customers (Clients), le champ CustomerID (N° Client) est de type NuméroAuto. Dans la table Orders (Commandes), le champ CustomerID (N° Client) *doit* avoir la propriété Entier long afin qu'Access établisse correctement la relation entre les deux champs. Une relation de même nature s'établit entre le champ OrderID (N° Commande) de la table Orders (Commandes) et OrderID (N° Commande) de la table Order Details (Détails Commandes). (Voyez la section "Établir une relation quand un champ est de type NuméroAuto", plus loin dans ce chapitre.)

D'autres champs dans cette table sont dignes d'intérêt :

EmployeeID (N° Employé) : Il s'agit d'un champ consultation qui vous permet de désigner l'employé qui a signé la commande.

ShippingMethodID (N° ModeLivraison) : Il s'agit aussi d'un champ consultation qui vous permet de sélectionner le mode de livraison de la commande.

SalesTaxRate (TauxTVA) : Il s'agit d'un nombre affiché en format Pourcentage. Une expression Valide si exige que les entrées soient inférieures à 1(<1) et affiche un message d'erreur si vous entrez une valeur supérieure ou égale à 1. Par exemple : si vous tapez **.065** dans le champ SalesTaxRate (TauxTVA), Access affiche 6,5 %. Si vous tapez **6,5** dans le même champ, Access affiche le Message si erreur "Cette valeur doit être inférieure à 100 %."

La table Order Details (Détails Commandes)

La table Order Details (Détails Commandes) stocke un enregistrement pour chaque ligne d'article de la commande. La Figure 6.10 vous fait découvrir sa structure. Dans cette table, le champ OrderDetailID (N° DétailCommandes) est la clé primaire ; il est de type NuméroAuto.

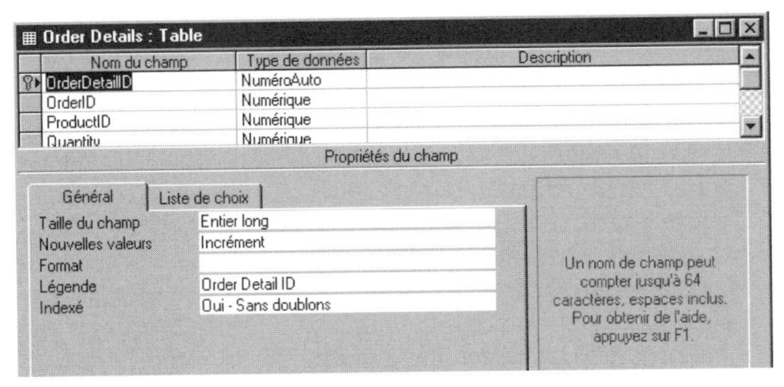

Figure 6.10 : La structure de la table Order Details (Détails Commandes) de la base de données Ordentry (Gestionnaire de commandes).

Le champ OrderID (N° Commande) de la table Order Details (Détails Commandes) relie chaque enregistrement à l'enregistrement correspondant de la table Orders (Commandes), de façon à être assuré que chaque ligne d'article propose un numéro correct. OrderID (N° Commande) est une clé externe du champ clé primaire NuméroAuto OrderID (N° Commande) de la table Orders (Commandes). Ce champ est indexé, avec doublons autorisés, afin que chaque commande puisse contenir plusieurs lignes d'article.

On appelle *clé externe* le ou les champs de table qui font référence au(x) champ(s) clé primaire d'une autre table. Lorsque la clé primaire présente le type NuméroAuto, le champ clé externe *doit* être de type Numérique et de taille Entier long. (Voyez à la fin de ce chapitre la section "Établir une relation quand un champ est de type NuméroAuto" pour de plus amples informations sur les clés externes.) Pour les autres types de données, la clé externe et sa clé primaire correspondante doivent présenter *exactement* le même type de données et la même taille.

D'autres champs sont à prendre en considération :

Product ID (Code Produit) : Il s'agit d'un champ consultation qui vous permet de sélectionner un produit dans la table Products (Produits).

Discount (Remise) : Comme le champ SalesTaxRate (TauxTVA) de la table Orders (Commandes), ce champ est affiché en format Pourcentage et doit présenter une valeur inférieure à 1.

La table Employees (Employés)

La table Employees (Employés) regroupe les informations relatives au personnel. La Figure 6.11 vous montre quelle en est la structure. Remarquez que le champ EmployeeID (N° Employé) est la clé primaire et qu'il est de type NuméroAuto. Le champ WorkPhone (TéléphoneTravail) est doté d'un masque de saisie classique pour les numéros de téléphone.

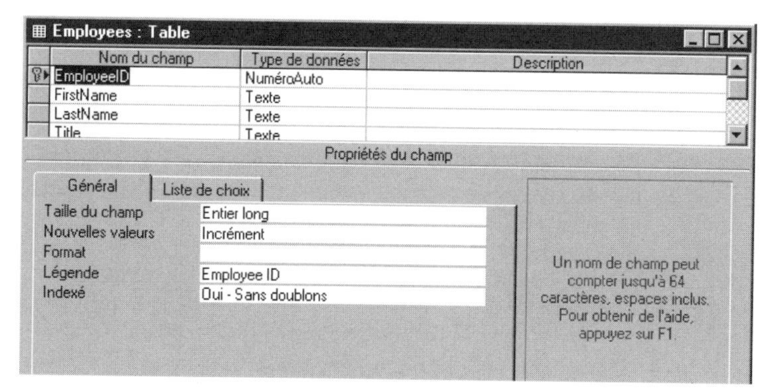

Figure 6.11 : La structure de la table Employees (Employés).

La table Payments (Paiements)

Dans la base de données Ordentry (Gestionnaire de commandes), c'est la table Payments (Paiements) qui, notamment, tient à jour la liste des commandes qui ont été payées, qui permet de savoir, en cas de paiement partiel, quelle partie de la commande a été acquittée, et qui indique la date à laquelle le paiement a été effectué. Sa structure est présentée à la Figure 6.12. Ici, c'est le champ PaymentID (N° Paiement) qui est la clé primaire et qui est un champ de type NuméroAuto.

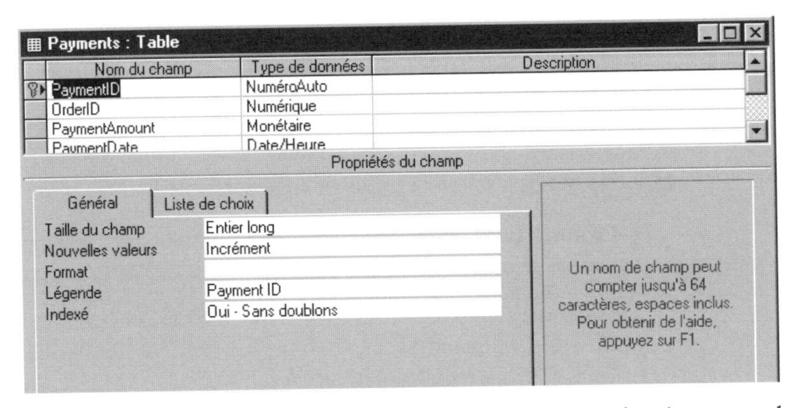

Figure 6.12 : La structure de la table Payments (Paiements) qui conserve la trace des paiements effectués par la clientèle.

D'autres champs méritent votre attention :

OrderID (N° Commande) : Ce champ lie le paiement à une commande de la table Orders (Commandes) ; il est indexé (avec doublons).

PaymentDate (DatePaiement) : Ce champ Date/Heure avec masque de saisie 99/99/00 vous permet d'entrer des dates comme **020296**, **022/96** ou **2/2/96** et d'obtenir l'affichage 2/2/96.

CreditCardExpDate (CarteCréditExpiration) : Ce champ Date/Heure présente le même masque de saisie que le champ PaymentDate (DatePaiement).

PaymentMethodID (N° ModePaiement) : Ce champ consultation vous permet de choisir un mode de paiement dans la table Payments Methods (Moyens de paiement).

D'autres tables de la base Ordentry (Gestionnaire de commandes)

Notre base de données Ordentry (Gestionnaire de commandes) fait appel à deux tables secondaires, Payments Methods (Modes de paiement) et Shipping Methods (Modes de livraison), qui fournissent des informations liées aux tables principales que nous avons décrites.

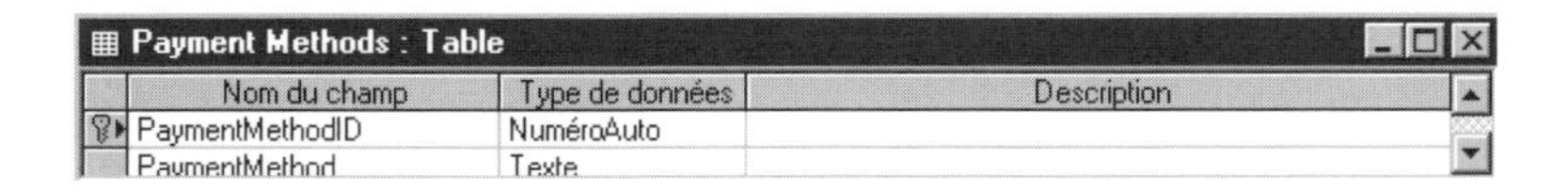
Payment Methods : Table

Nom du champ	Type de données	Description
PaymentMethodID	NuméroAuto	
PaymentMethod	Texte	

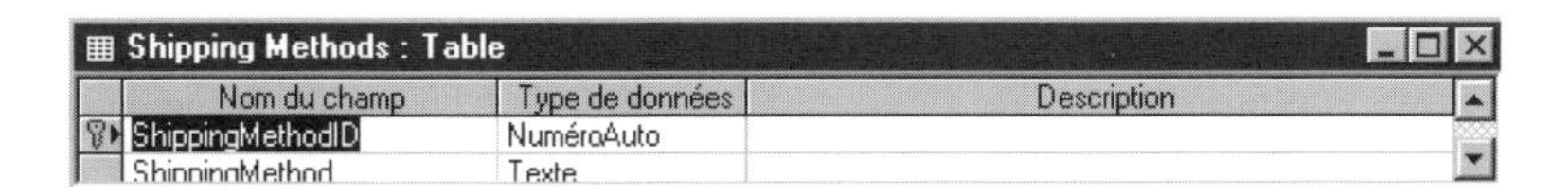
Shipping Methods : Table

Nom du champ	Type de données	Description
ShippingMethodID	NuméroAuto	
ShippingMethod	Texte	

Enfin, une table intitulée My Company Information (Informations sur ma société) est utilisée pour entrer du texte standard et définir les paramètres par défaut des factures. Sa structure est la suivante :

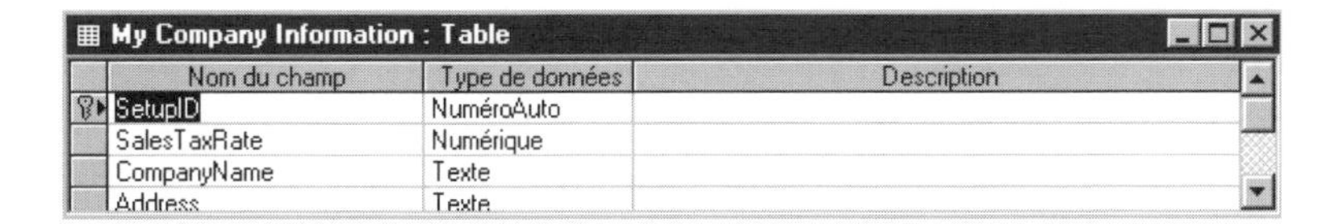
My Company Information : Table

Nom du champ	Type de données	Description
SetupID	NuméroAuto	
SalesTaxRate	Numérique	
CompanyName	Texte	
Address	Texte	

Dans cette table, plusieurs champs sont pourvus d'un masque de saisie. Le champ SalesTaxRate (TauxTVA) s'est vu affecter la propriété Null interdit et une expression Valide si qui lui fait refuser toute entrée supérieure ou égale à 1. Le champ PostalCode (CodePostal) a un masque de saisie 00000\-999, et les champs PhoneNumber (NuméroTéléphone) et FaxNumber (NuméroFax), un masque !\(999")"000\-0000.

Nous avons mentionné les champs consultation à plusieurs reprises au cours de ce chapitre. Nous allons à présent vous apprendre à les créer dans une base de données Access.

À propos des champs consultation

Vous pouvez créer des *champs consultation* afin de faciliter et d'accélérer la saisie des données dans une table ou dans un formulaire.

Comme son nom l'indique, un champ consultation *consulte* une autre table que la table courante, et reporte automatiquement la valeur que vous y sélectionnez dans la case active de cette table. Les données source peuvent être issues de :

- Une table qui comporte un champ clé primaire.
- Une requête (ou une instruction SQL) qui affiche les colonnes et les données spécifiques d'une table.
- Une liste finie de valeurs que vous spécifiez lorsque vous créez le champ.
- Une liste des noms des champs d'une table.

Ainsi, lorsque vous saisissez des données dans la table Order Details (Détails Commandes), vous pouvez consulter et remplir le champ ProductID (CodeProduit) en sélectionnant une valeur dans une liste déroulante. La Figure 6.13 vous montre le champ ProductID (CodeProduit) du formulaire Orders (Commandes) après que nous avons cliqué sur la flèche du menu déroulant. Pour remplir (ou changer) le ProductID (CodeProduit), il nous suffit de sélectionner une entrée de la liste.

Les champs consultation apparaissent lorsque le menu local est déroulé.

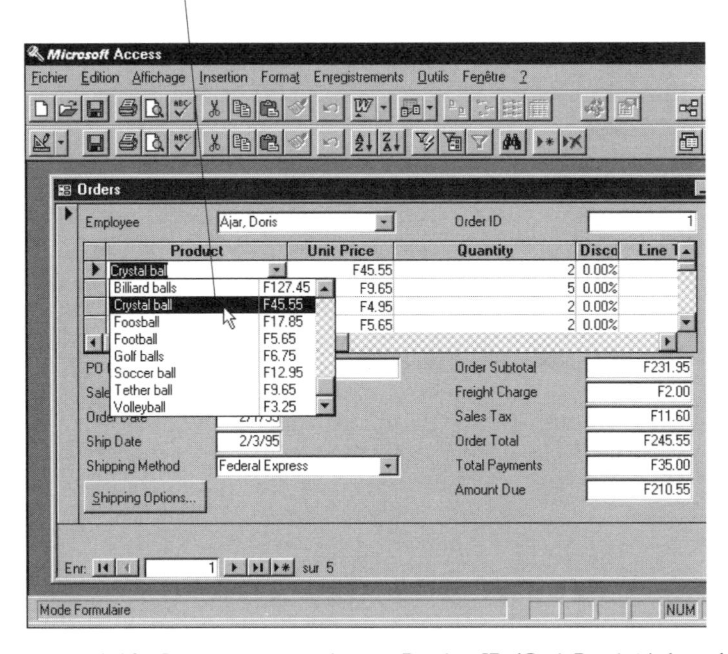

Figure 6.13 : Le champ consultation ProductID (CodeProduit) (représenté ici sur le formulaire Orders (Commandes)) vous permet de consulter et de remplir le champ ProductID (CodeProduit) en un seul clic de souris. Les données qui s'inscrivent dans ce champ consultation proviennent de la table Products (Produits).

En mode feuille de données, un champ consultation apparaît toujours sous la forme d'une liste déroulante, même si vous avez choisi de le présenter sous forme de liste simple via la propriété Afficher le contrôle de l'onglet Liste de choix ; en fait, Access paramètre les propriétés à votre place. En revanche, lorsque vous ajoutez un champ de ce type à un formulaire (comme le formulaire Orders (Commandes) représenté à la Figure 6.13), Access vous laisse le choix entre la liste déroulante (munie d'une flèche qui, une fois activée, fait apparaître les options disponibles) et la liste simple (qui affiche d'emblée ces options, et qui, dès lors, est dépourvue de flèche).

Quand utiliser une requête, une table, une liste de valeurs ou encore une liste des noms des champs d'une table pour afficher les données source pour un champ consultation ? Les sections suivantes devraient vous aider à faire votre choix.

Utiliser une requête quand...

Il est préférable de recourir à des requêtes ou à des instructions SQL pour afficher la liste des valeurs dans un champ consultation lorsque...

- Vous voulez que les colonnes de la liste déroulante du champ consultation apparaissent dans un ordre particulier, comme PersonID (N° Identification), LastName (NomFamille) et FirstName (Prénom).
- Vous désirez afficher le résultat de calculs, ou combiner des données issues de plusieurs champs dans une même colonne. Grâce à une requête ou à une instruction SQL, vous pouvez facilement afficher le nom d'un client ou d'un membre du personnel, comme "Ajar, Doris" plutôt que d'éclater ces données dans deux colonnes distinctes. (Le champ EmployeeID (N° Employé) de la table Orders (Commandes) et le formulaire Orders (Commandes) affichent les noms des employés sous la forme LastName (NomFamille), FirstName (Prénom), comme le montre la Figure 6.13.)
- Vous entendez restreindre les valeurs du champ consultation aux lignes sélectionnées dans une table. Ainsi, supposons que votre table Products (Produits) comporte des produits non disponibles. Quoi de mieux qu'une requête qui filtre ces produits pour afficher, dans le champ consultation, uniquement ceux qui sont effectivement livrables ?
- Vous souhaitez que les changements apportés aux données de la ou des tables source de la requête soient répercutés dans la liste déroulante *et* dans le champ consultation qui fait appel à cette requête.

En résumé, les requêtes et instructions SQL représentent le meilleur moyen de faire en sorte que le champ consultation affiche exactement ce que vous voulez qu'il affiche. Elles sont d'ailleurs plus efficaces que les tables seules. Le Chapitre 10 vous enseigne à créer des requêtes.

Une *instruction SQL* est une expression qui définit une commande SQL (Structured Query Language). Access utilise des instructions SQL sans que vous en ayez connaissance ; elles lui permettent d'interpréter toutes les requêtes que vous créez dans la fenêtre de création de requêtes. Les instructions SQL servent principalement dans les requêtes et dans les fonctions de regroupement, ainsi qu'en tant que source pour les formulaires, états, listes simples ou déroulantes que créent les Assistants d'Access. Pour davantage d'informations à propos du langage SQL, consultez l'aide en ligne.

Utiliser une table quand...

Vous pouvez recourir aux tables pour afficher les listes de valeurs d'un champ Liste de données lorsque...

- Les colonnes de la table sont présentées dans le même ordre que celui dans lequel vous souhaitez qu'elles apparaissent pendant l'encodage dans la liste déroulante du champ consultation.
- Vous ne savez pas comment construire une requête ni une instruction SQL, ou vous ne voulez tout simplement pas savoir.
- Vous souhaitez que les modifications apportées aux données dans la table source soient répercutées sur la liste déroulante *et* dans le champ consultation qui fait appel à la table.

Utilisez une liste de valeurs quand...

Il se pourrait que vous ayez envie d'utiliser une liste de valeurs si ces valeurs ne sont pas appelées à changer souvent et si elles ne doivent pas être stockées dans une table. Une liste de ce type est tout indiquée pour les salutations et titres de civilité. N'oubliez pas que les changements apportés aux données de la liste seront répercutés sur la liste déroulante, mais *non* sur les enregistrements que vous aurez ajoutés au champ consultation avant que la modification de la liste n'intervienne.

Utiliser une liste de tous les noms de champs d'une table quand...

Cette méthode s'adresse principalement aux développeurs d'applications. Supposons que vous soyez en train de créer un formulaire pour l'encodage de données, destiné à être utilisé par une personne connaissant mal Access. Supposons en outre que cet utilisateur débutant souhaite pouvoir trier les enregistrements de la table sur n'importe quel champ. Pour rencontrer ces desiderata, vous pourriez ajouter un champ consultation à liste simple ou déroulante qui afficherait tous les champs de la table. Ensuite, vous placeriez un contrôle pour ce champ sur le formulaire et attacheriez à la propriété Sur mise à jour une macro ou une procédure événementielle qui trierait les données selon le champ que l'utilisateur désignerait dans la liste.

Si vous souhaitez que l'utilisateur ne puisse choisir comme clé de tri que certains champs particuliers, prévoyez une liste de valeurs regroupant ces champs plutôt qu'une liste présentant tous les champs de la table. La méthode faisant appel à la liste de valeurs est conseillée si la table que vous envisagez de faire trier contient des types de champs ne pouvant être soumis à un tri, comme les champs Mémo ou objets OLE.

Si vous êtes dépassé, ne vous affolez pas. Il n'est pas indispensable de s'y connaître en macros ni en procédures événementielles pour utiliser des champs consultation. Les Chapitres 20 et 25 vous décrivent ces techniques en détail.

Créer un champ consultation

Access vous propose deux moyens d'action. Le premier, automatique, consiste à faire appel à l'Assistant Liste de choix qui vous guide, pas à pas, dans la constitution du champ. Le second, manuel, met en oeuvre les options de l'onglet Liste de choix de la zone réservée aux propriétés dans la fenêtre de création de table.

Avec l'Assistant Liste de choix

Au début, vous préférerez sans doute vous faire aider.

1. Activez le mode création de table.
2. Déplacez votre pointeur vers la ligne vide appelée à abriter le nouveau champ consultation. Vous n'êtes pas obligé de donner un nom à ce champ, car l'Assistant s'en chargera de toute façon.

3. Cliquez dans la case voisine, dans la colonne Type de données, et déroulez le menu local qui s'y affiche ; choisissez Assistant Liste de choix. L'Assistant correspondant entre en action.

4. Dans la première boîte de dialogue de cet Assistant, optez pour l'une ou l'autre des deux possibilités offertes : obtenir des valeurs d'une table ou d'une requête, ou taper ces valeurs. Cliquez ensuite sur Suivant.

Comme d'habitude, le bouton Suivant vous transporte vers la prochaine étape, tandis que le bouton Précédent vous permet de faire marche arrière. Annuler, pour sa part, met prématurément un terme à la procédure.

5. Complétez les boîtes de dialogue à mesure qu'elles vous sont proposées. Prenez le temps de lire les informations qui y sont présentées à votre intention ; cliquez sur Suivant pour passer à l'étape suivante. Assurez-vous que vous choisissez et définissez les noms de colonnes dans l'ordre où vous voulez les voir apparaître dans la liste déroulante qui sera utilisée lors de la saisie. En fait, prêtez attention aux points suivants :

- **Quelles colonnes doivent figurer dans la liste déroulante qui servira lors de l'encodage ?** Par défaut, les colonnes apparaîtront dans l'ordre que vous aurez défini dans la fenêtre correspondante de l'Assistant Liste de choix (même si vous devez recourir aux barres de défilement pour visualiser l'intégralité des options). Cependant, la clé primaire n'apparaît généralement pas. Vous pouvez en décider autrement dans la boîte de dialogue de l'Assistant qui vous permet d'ajuster la largeur des colonnes. Voici comment vous y prendre : masquez n'importe quelle colonne en faisant glisser vers la gauche le bord droit de la tête de la colonne concernée jusqu'à le superposer au bord droit de la colonne précédente ; vous pouvez également régler la largeur des colonnes en opérant un cliquer-glisser sur le bord droit de la tête de colonne, vers la gauche pour rétrécir ou vers la droite pour élargir.
- **Quelles relations s'établissent en arrière-plan ?** Si les données de votre nouveau champ proviennent d'une table, l'Assistant Liste de choix crée une relation entre la table courante et celle dont vous souhaitez consulter les données. Dans cette relation, le champ que vous créez devient la clé externe. Ces relations d'arrière-plan servent à vous empêcher de supprimer par inadvertance la table consultée ou les champs consultation, sans procéder d'abord à la suppression de la relation.
- **Quelles valeurs apparaissent dans la table lorsque, pendant l'encodage, vous avez fixé votre choix sur une option de la liste déroulante ?** La première colonne dont vous avez maintenu l'affichage apparaît dans la table.

- **Quelles valeurs sont réellement stockées dans le nouveau champ lorsque les données sont issues d'une table mise en relation ?** Si vous avez décidé de cacher la colonne clé correspondante, le nouveau champ stockera des valeurs provenant du *champ clé primaire* de la table en relation. Dans le cas *contraire*, le nom de champ que vous sélectionnez dans l'avant-dernière boîte de dialogue de l'Assistant contrôle quelles données sont stockées dans le nouveau champ. (Cette boîte de dialogue vous demande de désigner le champ qui identifie une ligne de manière univoque.)
- **Quelles valeurs sont réellement stockées dans le nouveau champ lorsque les données proviennent d'une requête ou d'une liste de valeurs que vous tapez ?** Le nom du champ que vous sélectionnez dans l'avant-dernière boîte de dialogue de l'Assistant contrôle quelles données sont stockées dans le nouveau champ.
- **Quel nom est assigné au nouveau champ ?** Si les données du nouveau champ sont issues d'une table ou d'une requête, l'Assistant Liste de choix attribue à ce nouveau champ le même nom que la clé primaire de la table en relation, ou que le premier champ de la requête ; par ailleurs, il définit comme propriété Légende du nouveau champ le nom que vous allez choisir lors de l'étape n° 6 ci-dessous. Si les données du nouveau champ proviennent d'une liste de valeurs que vous tapez, l'Assistant utilise comme nom de champ celui que vous spécifiez à l'étape n° 6 et laisse vide la propriété Légende.

6. Lorsque vous parvenez à la dernière boîte de dialogue, tapez éventuellement l'étiquette que vous souhaitez utiliser pour votre nouveau champ, puis cliquez sur Terminer. Réagissez aux messages éventuels.

En plus de prendre en charge les étapes que nous venons d'énumérer, l'Assistant Liste de choix définit spontanément les propriétés Liste de choix. Pour en prendre connaissance, activez la fenêtre de création de table, cliquez dans la ligne qui contient le champ consultation, puis activez l'onglet Liste de choix de la zone réservée aux propriétés.

Avec l'onglet Liste de choix

Pour agir avec cet onglet, suivez la procédure suivante :

1. Activez le mode création.
2. Si ce n'est pas encore fait, spécifiez le nom du champ consultation et son type de données.
3. Activez l'onglet Liste de choix.
4. Cliquez dans la case Afficher le contrôle, déroulez le menu local, puis choisissez Zone de liste ou Zone de liste modifiable.
5. Spécifiez quelles doivent être les autres propriétés (voyez la section suivante pour plus d'informations).

La Figure 6.14 affiche les propriétés Liste de choix pour le champ EmployeeID (N° Employé) de la table Orders (Commandes). La Figure 6.15 affiche la requête qui se trouve "derrière" l'instruction SQL représentée dans la case Contenu de la figure 6.14. Quant à la Figure 6.16, elle montre les résultats de l'exécution de la requête (nous avons exécuté cette requête afin que vous puissiez voir la relation entre les résultats de la requête et les propriétés Liste de choix). Les Chapitres 3 et 10 fournissent de plus amples informations sur les requêtes.

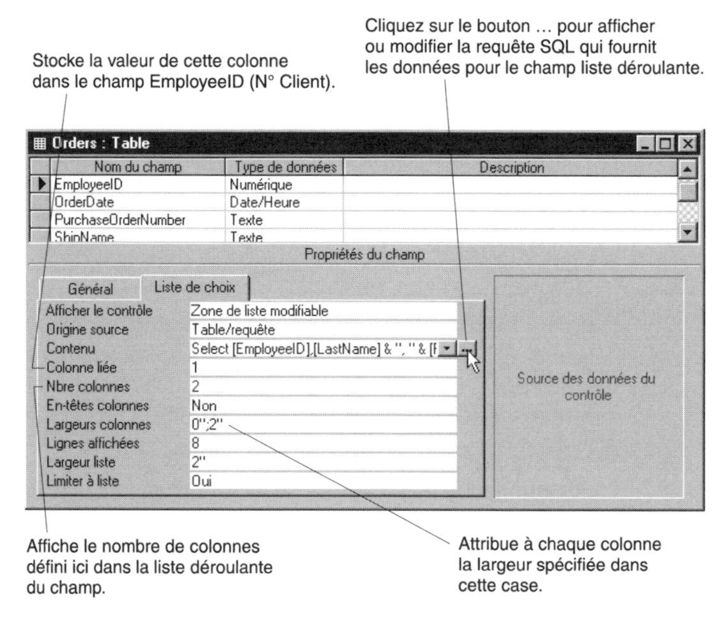

Figure 6.14 : Les propriétés Liste de choix du champ EmployeeID (N° Client) de la table Orders (Commandes).

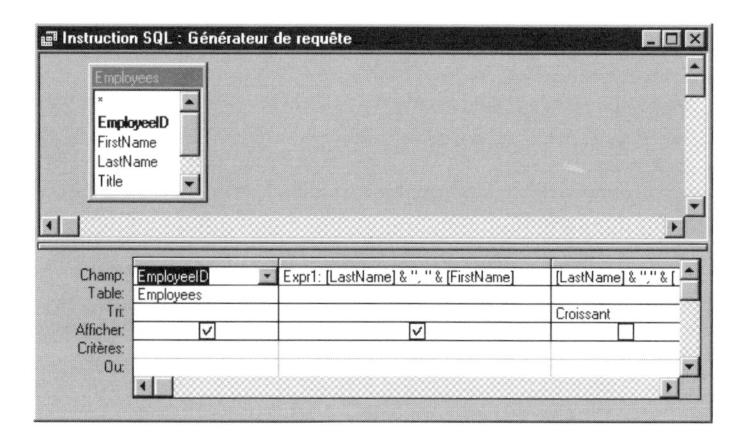

Figure 6.15 : La requête derrière l'instruction SQL de la propriété Contenu représenté à la Figure 6.14. Pour afficher cette requête, nous avons cliqué dans la case Contenu de l'onglet Liste des propriétés, puis sur le bouton Générer qui s'est affiché alors. Nous avons également élargi la deuxième colonne de la grille de création de la requête.

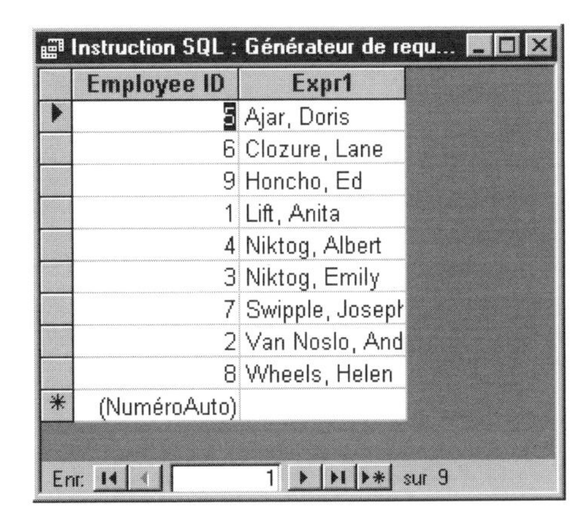

Employee ID	Expr1
5	Ajar, Doris
6	Clozure, Lane
9	Honcho, Ed
1	Lift, Anita
4	Niktog, Albert
3	Niktog, Emily
7	Swipple, Joseph
2	Van Noslo, And
8	Wheels, Helen
(NuméroAuto)	

Figure 6.16 : Les résultats de l'exécution de la requête affichée à la Figure 6.15.

Bon à savoir si vous manipulez des champs consultation

Les champs consultation vous rendront de précieux services, à condition que vous n'oubliiez pas que :

- Si vous envisagez d'utiliser une table ou une requête pour fournir des valeurs à un champ consultation, il est impératif que cette table ou cette requête existe. (Si vous agissez depuis l'onglet Liste de choix plutôt qu'avec l'aide de l'Assistant, vous pouvez créer une requête en un tournemain : il vous suffit de cliquer dans la case Contenu, puis sur le bouton Générer (...) qui apparaît alors. Le Chapitre 10 vous en apprend davantage à propos des requêtes.)
- Si vous utilisez une table pour fournir des valeurs à un champ consultation, cette table doit comporter un champ clé primaire.
- Vous pouvez cacher une colonne dans votre liste déroulante en attribuant à cette colonne une largeur égale à zéro dans la case Largeurs colonnes.
- La *première* colonne de la liste déroulante est systématiquement celle que vous voyez dans le champ consultation (à moins que vous n'ayez caché la colonne en lui attribuant une largeur nulle ; dans ce cas, la colonne que vous voyez est la première qui n'est pas cachée).

- La valeur qui est réellement stockée dans le champ consultation est celle qui est spécifiée comme étant la *colonne liée* (nous n'allons pas tarder à expliquer plus en détail de quoi il retourne). Le type de données du champ consultation doit être compatible avec la colonne liée, quelle que soit la donnée qui s'affiche dans le champ pendant l'encodage.

Peut-être ces deux derniers points sont-ils un peu confus. En fait, vous devez vous rappeler que la première colonne (non cachée) contrôle *ce que vous voyez* lorsque vous faites défiler la table en mode feuille de données. La colonne liée contrôle *la donnée effectivement stockée* (ce que vous avez) dans le champ consultation.

Cela étant dit, examinons de plus près les propriétés de l'onglet Liste de choix de la fenêtre de création de table.

Comprendre les propriétés Liste de choix

Ne vous laissez pas intimider par la feuille de propriétés de l'onglet Liste de choix (Figure 6.14).

Afficher le contrôle : Cette propriété vous permet de choisir le type de contrôle utilisé pour l'affichage du champ sur la feuille de données et sur les formulaires. (Pour les champs consultation, choisissez Zone de liste ou Zone de liste modifiable.)

Origine source : Cette propriété vous permet de choisir le type de source pour les données du champ (Table/requête, Liste valeurs ou Liste des champs). Vous choisirez le plus souvent Table/requête.

Contenu : Cette propriété vous permet de désigner la source des données. Dans la Figure 6.14, le contenu est l'instruction SQL "Select" qui produit l'état représenté à la Figure 6.15.

Colonne liée : Cette propriété vous permet de spécifier quelle colonne du contenu contient la valeur à stocker dans le champ consultation. Le type de données du champ doit être compatible avec les valeurs de la colonne liée. Ainsi, si cette colonne liée stocke des valeurs numériques (comme celles du champ Employee ID (N° Employé)), le type de données du champ consultation doit aussi être numérique (type Numérique ou Monétaire) ; si la colonne liée stocke des entiers longs, le type de données du champ consultation doit être soit Entier long, soit NuméroAuto.

Nbre colonnes : Cette propriété vous permet d'établir le nombre de colonnes que vous souhaitez afficher. Dans l'exemple de la Figure 6.14, nous avons demandé à Access d'afficher deux colonnes (bien que la première soit cachée puisque sa largeur a été fixée à 0).

En-têtes colonnes : Cette propriété vous permet d'afficher ou, au contraire, de masquer les en-têtes de colonnes. Par défaut, aucun en-tête n'apparaît. Pour inverser cette option prédéfinie, choisissez Oui dans la case correspondante.

Largeurs colonnes : Cette propriété vous laisse définir la largeur de chacune des colonnes de la liste déroulante. Dans la Figure 6.14, la première colonne propose une largeur nulle (cachée) et la deuxième, une largeur fixée à 2 pouces (5,08 cm). Lorsque vous spécifiez ce paramètre, utilisez le point-virgule (;) pour séparer les largeurs des différentes colonnes . Par ailleurs, notez que vous ne devez pas stipuler l'unité de mesure ; ainsi, si vous tapez **0;5** dans la case Largeurs colonnes, Access modifiera votre entrée en **0cm;5cm** lorsque le curseur quittera la case.

Lignes affichées : Cette propriété vous permet de spécifier le nombre de lignes que vous voulez afficher dans la liste déroulante (le nombre par défaut étant fixé à 8).

Largeur liste : Cette propriété vous permet de définir la largeur de la liste déroulante. (L'option *Auto* fait en sorte qu'Access évalue cette largeur automatiquement.)

Limiter à liste : Si vous activez Oui, seules les valeurs présentées dans la liste seront admises pendant l'encodage. Si vous activez Non, Access vous autorisera à saisir des valeurs ne figurant pas dans la liste.

Pour une aide plus détaillée sur les propriétés Liste de choix, cliquez sur la propriété concernée, puis enfoncez la touche F1.

Définir les relations entre tables

L'établissement des relations entre tables peut s'effectuer à tout moment. Toutefois, il est préférable de vous acquitter de cette tâche le plus tôt possible (avant d'ajouter des volumes importants de données) :

- Lorsque, dans une requête, vous ouvrez plusieurs tables liées (Chapitre 10), ces tables liées sont jointes automatiquement, vous dispensant donc de ce travail.

- Access crée automatiquement les index indispensables afin que vos tables liées fonctionnement plus rapidement.
- Quand vous joignez des tables, vous pouvez définir entre elles des relations d'*intégrité référentielle*. Celle-ci fait en sorte que les relations qu'entretiennent les enregistrements des tables liées restent valables ; par ailleurs, elle résout les problèmes pouvant survenir lors de la suppression ou de la modification d'un enregistrement lié à d'autres enregistrements d'une autre table. Un exemple : l'intégrité référentielle peut faire en sorte qu'à chaque enregistrement de la table Orders (Commandes) corresponde un enregistrement de la table Customers (Clients). Cette intégrité peut aussi vous empêcher de supprimer un client qui n'a pas encore acquitté toutes ses commandes.

Pour définir des relations entre tables existantes :

1. Fermez toutes les tables ouvertes afin que seule soit visible la fenêtre Base de données.
2. Choisissez Outils/Relations, ou activez le bouton Relations de la barre d'outils Base de données (représenté à gauche), ou cliquez avec le bouton droit de la souris dans une zone vide de la fenêtre Base de données et choisissez Relations. La fenêtre Relations apparaît. (Elle est vide, sauf si vous avez déjà défini des relations entre vos tables.)

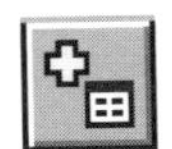

3. Pour afficher les tables pour lesquelles vous désirez définir des relations, choisissez Relations/Afficher la table, ou activez le bouton Afficher la table de la barre d'outils Relations (représenté à gauche), ou encore cliquez avec le bouton droit de la souris dans une zone vide de la fenêtre Relations et choisissez Afficher la table.

   Une boîte de dialogue semblable à celle-ci apparaît à l'écran :

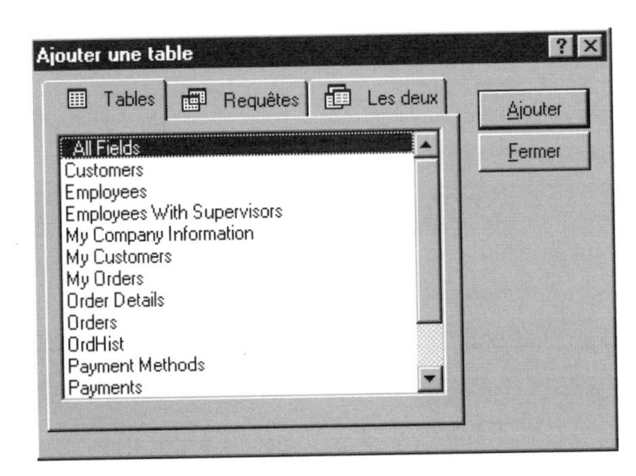

4. Pour ajouter une table ou une requête à la fenêtre Relations, activez l'onglet adéquat (Tables, Requêtes ou Les deux). Sélectionnez ensuite la table ou la requête souhaitée, puis cliquez sur Ajouter, ou cliquez deux fois sur le nom de la table ou de la requête. Pour ajouter plusieurs tables en une seule opération, utilisez le Majuscule-clic (pour une sélection continue) ou le Ctrl-clic (pour une sélection discontinue), puis cliquez sur Ajouter.

5. Répétez l'étape n° 4 autant de fois que nécessaire. Lorsque vous avez ajouté toutes les tables et/ou toutes les requêtes pour lesquelles vous entendez définir des relations, cliquez sur Fermer.

6. Établissez les relations comme vous l'explique la section suivante.

La Figure 6.17 montre les tables de la base Ordentry (Gestionnaire de commandes) qui sont des candidates valables à l'établissement de relations. Nous avons disposé ces tables et les avons dimensionnées, mais nous n'avons pas affiché les relations qu'elles entretiennent.

Pour déplacer les tables, cliquez-glissez sur leur barre de titre ; pour les redimensionner, faites glisser leurs bords.

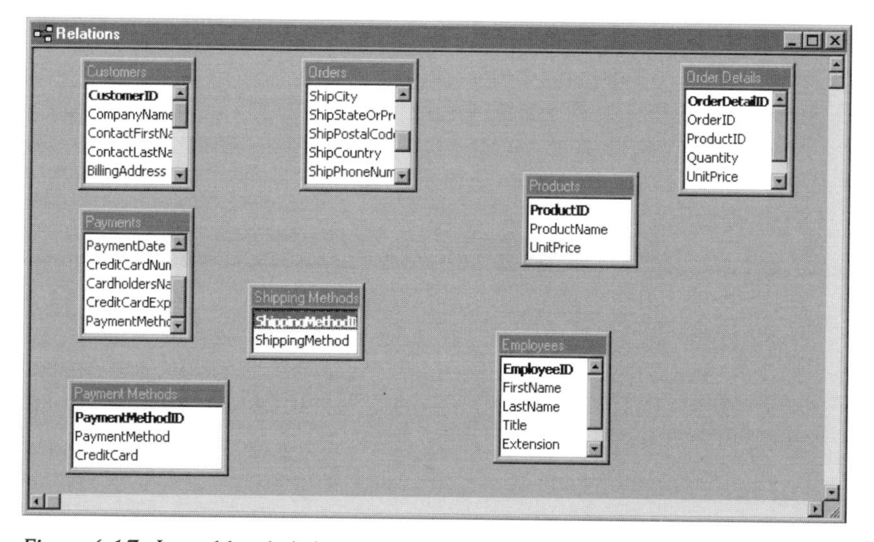

Figure 6.17 : Les tables de la base de données Ordentry (Gestionnaire de commandes) dans la fenêtre Relations. Les relations entre ces tables n'ont pas encore été définies.

Si vous avez créé une base Traitement des commandes avec l'aide de l'Assistant Création d'applications, toutes les relations entre tables sont définies automatiquement, sans que vous ayez à intervenir. Dans ce cas, votre écran ressemble davantage à la Figure 6.18 qu'à la Figure 6.17. (Il se peut toutefois que vous soyez amené à réorganiser les tables pour rendre leurs relations plus faciles à repérer.)

Mettre deux tables en relation

Pour établir une relation entre deux tables :

1. Placez votre pointeur dans le champ clé primaire de la *table primaire* (celle qui se trouve du côté "un" de la relation un-à-plusieurs). Ce champ est affiché en gras dans la liste des champs.
2. Cliquez et faites glisser ce champ vers le champ correspondant de l'autre table (en d'autres termes, faites-le glisser vers la *clé externe* appropriée).

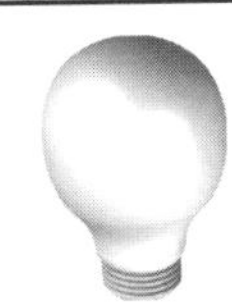

Vous pouvez travailler en sens inverse, c'est-à-dire opérer un cliquer-glisser depuis le champ clé externe de la table à lier vers le champ clé primaire de la table primaire. Le résultat est le même.

3. Lorsque vous relâchez le bouton de la souris, une boîte de dialogue semblable à la suivante s'affiche :

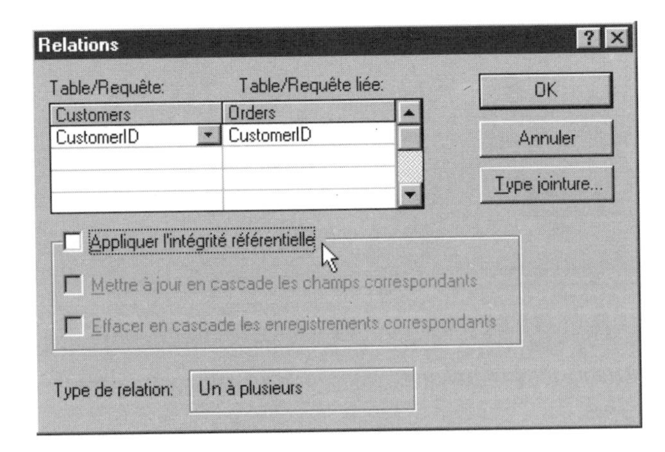

4. Si vous désirez valider l'intégrité référentielle entre les deux tables, activez (cochez) l'option Appliquer l'intégrité référentielle. Ensuite, signalez éventuellement à Access comment gérer les changements et les suppressions de la table primaire :

- Si vous souhaitez que les *modifications* apportées à la table du côté "un" soient automatiquement répercutées sur la table liée, activez (cochez) Mettre à jour en cascade les champs correspondants.
- Si vous désirez que les *suppressions* dans une table soient automatiquement répercutées sur la table liée, choisissez Effacer en cascade les enregistrements correspondants.

Afin d'appliquer l'intégrité référentielle entre tables, le champ correspondant de la table primaire doit être une clé primaire et comporter un index unique ; les champs liés doivent être de même type (ou bien être soit NuméroAuto, soit Entier long) ; de plus, les deux tables doivent faire partie de la même base de données Access. Les règles d'intégrité référentielle sont expliquées de manière plus approfondie dans le fichier d'aide : cliquez sur F1 alors que vous avez sous les yeux la boîte de dialogue Relations.

---

5. Si vous désirez modifier les caractéristiques de la jointure, cliquez sur Type jointure, choisissez le type de jointure souhaité, puis cliquez sur OK. (En cas de doute, ne changez pas les options prédéfinies. Vous pourrez toujours définir la relation dans une requête, comme vous y invite le Chapitre 10.)

Le terme *jointure* désigne la correspondance entre le champ d'une table et celui d'une autre table. Bien qu'il existe différents types de jointures, la jointure par défaut (appelée *équijointure* ou *jointure interne*) convient parfaitement dans la plupart des cas. Vous en apprendrez davantage sur les jointures en consultant l'index de l'aide, à l'entrée *jointures, définition des types de jointures pour les tables.*

---

6. Cliquez sur Créer pour clôturer la procédure.

Access matérialise la relation entre deux tables par un trait joignant les champs reliés. L'aspect de ce trait traduit le type de jointure que vous avez choisi ; il signale en outre si vous avez appliqué l'intégrité référentielle. Dans l'exemple ci-dessous, le trait épais de la ligne de jointure indique que l'intégrité référentielle est appliquée entre les tables ; le chiffre 1 signale que la table qu'il désigne est du côté "un" de la relation, alors que le signe ∞ indique, quant à lui, que la table qu'il désigne se trouve du côté "plusieurs".

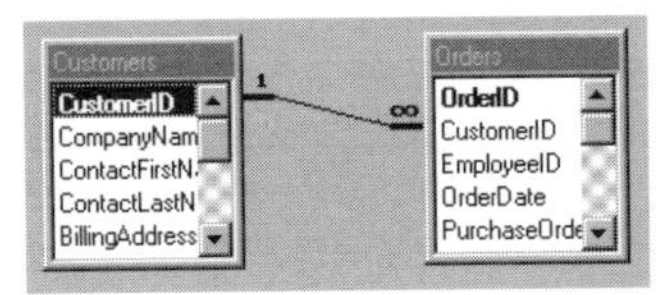

Vous pouvez répéter les étapes 1 à 6 ci-dessus pour définir toutes les relations souhaitées entre les tables de votre base. La Figure 6.18 affiche toutes les relations établies entre les tables de la base Ordentry (Gestionnaire de commandes), telles que l'Assistant Création d'applications les a définies.

Dans cette base de données, l'intégrité référentielle avec mises à jour et suppressions en cascade a été appliquée entre les tables suivantes : Customers (Clients) et Orders (Commandes), Orders (Commandes) et Payments (Paiements), Orders (Commandes) et Order Details (Détails Commandes), Products (Produits) et Order Details (Détails Commandes). Afin d'assurer un confort d'encodage maximal, cette intégrité *n'a pas* été attribuée entre les tables suivantes : Shipping Methods (Modes Livraison) et Orders (Commandes), Payments Methods (Modes Paiement) et Payments (Paiements), Employees (Employés) et Orders (Commandes).

Lorsque vous entreprenez la création d'une base de données, évitez de définir trop de relations entre vos tables. Si l'écheveau est trop serré, l'encodage devient complexe. Vous pourrez toujours ajouter ou supprimer des relations ultérieurement, lorsque le besoin s'en fera sentir. Dans un premier temps, agissez donc avec modération. Quand vous aurez ajouté quelques enregistrements exemple, vous pourrez reconsidérer la question.

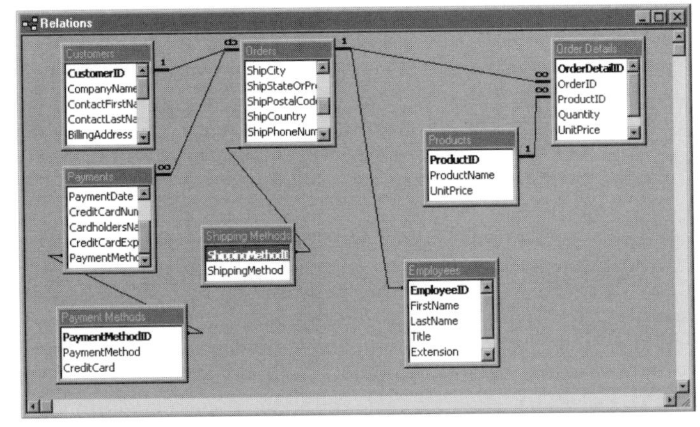

Figure 6.18 : La fenêtre Relations de la base de données Ordentry (Gestionnaire de commandes), qui affiche l'ensemble des relations définies par l'Assistant Création d'applications.

Quelques astuces supplémentaires concernant la fenêtre Relations

Nous vous livrons ici quelques astuces intéressantes à propos des actions possibles dans la fenêtre Relations :

- **Pour montrer les tables qui sont en relation directe avec la table sélectionnée**, cliquez sur cette table, puis activez le bouton Afficher les relations directes de la barre d'outils Relations (représenté à gauche). Ou cliquez avec le bouton droit de la souris sur la table qui vous intéresse, puis choisissez Afficher les relations directes dans le menu contextuel. Ou encore choisissez Relations/Afficher les relations directes.

- **Pour afficher toutes les tables et les relations qu'elles entretiennent**, activez le bouton Afficher toutes les relations de la barre d'outils Relations (représenté à gauche). La commande Relations/Afficher toutes les relations est également à votre disposition.
- **Pour masquer une table que vous avez ajoutée à la fenêtre Relations**, cliquez sur la table concernée. Enfoncez alors la touche Retour arrière, ou cliquez avec le bouton droit de la souris et choisissez Masquer la table. La commande Masquer la table du menu Relations s'acquitte aussi de cette mission. Si vous agissez de la sorte, sachez que vous ne supprimez pas la table de la base, pas plus que vous ne supprimez les relations que vous avez définies pour elle. En fait, il s'agit uniquement de soustraire la table à la vue. (Pour l'afficher de nouveau, cliquez sur le bouton Afficher la table, cliquez deux fois sur le nom de la table concernée, puis cliquez sur Fermer.)

- **Pour effacer toutes les tables de la fenêtre Relations**, choisissez Édition/ Effacer la mise en forme, ou activez le bouton Effacer la mise en forme de la barre d'outils Relations (représenté à gauche). Lorsqu'Access vous demande confirmation, répondez Oui. La fenêtre se vide. De nouveau, ni les tables ni les relations ne sont affectées. Pour réafficher le contenu de la fenêtre, cliquez avec le bouton droit de la souris dans une zone vide, puis choisissez Afficher toutes les relations.
- **Pour modifier l'aspect d'une table présente dans la fenêtre Relations**, cliquez dans cette table avec le bouton droit de la souris, puis choisissez Modifier la table. Lorsque vous avez procédé aux changements souhaités, cliquez dans la case de fermeture de la fenêtre de création, ou enfoncez les touches Ctrl + W. Vous regagnez ainsi la fenêtre Relations.

Imprimer la fenêtre Relations

Il n'existe malheureusement aucune procédure directe vous permettant d'imprimer la fenêtre Relations. La seule solution qui s'offre à vous est de disposer le contenu de la fenêtre comme cela vous convient le mieux, puis d'enfoncer les touches Alt + Prt Sc afin de transférer vers le Presse-papiers une image de l'écran. Lancez alors le programme de dessin Paint : choisissez Démarrer/Programmes/Accessoires/Paint. Lorsque ce programme tourne, choisissez Édition/Coller, ou enfoncez les touches Ctrl + V. Enfin, imprimez l'image depuis ce programme en choisissant Fichier/Imprimer/OK.

Enregistrer les relations

Lorsque vous faites appel à la fenêtre Relations pour ajouter, réorienter ou supprimer des relations, votre action est enregistrée automatiquement. Ce n'est toutefois pas le cas des modifications apportées à l'aspect des tables, que vous devez enregistrer manuellement. Plusieurs techniques sont à votre disposition : choisissez Fichier/Enregistrer, ou enfoncez les touches Ctrl + S, ou activez le bouton Enregistrer d'une barre d'outils quelconque, ou encore cliquez avec le bouton droit de la souris dans une zone vide de la fenêtre Relations et choisissez Enregistrer la mise en page. Pour, en une seule opération, enregistrer le nouvel aspect de la fenêtre et fermer celle-ci, choisissez Fichier/Fermer, ou enfoncez les touches Ctrl + W, ou cliquez dans la case de fermeture ; lorsqu'Access vous demande si vous souhaitez enregistrer vos modifications, répondez par l'affirmative.

Lorsque vous avez défini toutes vos relations, fermez la fenêtre Relations et enregistrez les changements apportés.

Modifier (ou supprimer) une relation

Si, dans la suite de votre travail, vous regrettez d'avoir établi telle ou telle relation, vous pouvez réactiver la fenêtre Relations et procéder à des aménagements.

- **Pour modifier la relation entre deux tables**, cliquez deux fois sur le segment fin du trait qui les unit, puis opérez les adaptations souhaitées dans la fenêtre Relations. Ou cliquez avec le bouton droit de la souris sur ce segment et choisissez Modifier une relation dans le menu contextuel. Ou encore cliquez sur ce segment et choisissez Relations/Modifier une relation.

- **Pour supprimer une relation entre deux tables**, cliquez avec le bouton droit de la souris sur le segment fin du trait qui les unit, choisissez ensuite Supprimer dans le menu contextuel. Ou cliquez sur ce segment et réalisez l'une des deux actions suivantes : enfoncez la touche Retour arrière ou choisissez Édition/Supprimer. Répondez Oui à la demande de confirmation.

Pour tout complément d'information sur les relations, ouvrez le livre du fichier d'aide *Création, importation et liaison de tables*, puis sélectionnez *Définition de relations et paramétrage d'options d'intégrité référentielle*. L'entrée d'index *relations* représente un autre accès.

Considérations importantes sur les champs NuméroAuto

Les champs NuméroAuto vous permettent, dans Access, d'économiser un temps précieux. Mais encore faut-il les employer judicieusement. À cet effet, nous allons commencer par vous apprendre comment changer la valeur de départ d'un champ de ce type ; nous vous expliquerons ensuite comment vous y prendre pour définir une relation entre deux tables lorsqu'un des champs est de type NuméroAuto.

Attention : les champs NuméroAuto ne sont pas forcément la panacée. En effet, ils ne constituent pas systématiquement le bon choix dans le cas de champs assumant une fonction d'identificateur puisque vous ne pouvez ni changer ni supprimer les valeurs des champs auxquels ce type est affecté. De plus, si vous créez un champ de cette sorte puis supprimez des enregistrements, votre numérotation aura des "trous". Ainsi, si vous enregistrez trois fiches pour vos clients, le champ NuméroAuto leur attribue automatiquement les valeurs 1, 2 et 3. Si vous supprimez ensuite les clients 2 et 3, le champ NuméroAuto du prochain enregistrement sera 4. Parfois, cette façon d'agir vous conviendra, parfois pas.

Si la table pour laquelle vous modifiez les valeurs d'un champ NuméroAuto contient des données et entretient une relation d'intégrité référentielle, vous risquez fort de perdre des enregistrements des tables liées (si les suppressions en cascade sont autorisées), ou de ne pouvoir mener à bien

l'étape n° 13 décrite ci-dessous. Dès lors, vous ne devriez entamer la procédure que nous commentons ici que si vos tables liées sont vides (ou ne contiennent que quelques enregistrements auxquels vous ne tenez pas spécialement).

Changer la valeur de départ d'un champ NuméroAuto

Si vous créez un champ NuméroAuto pour identifier de façon unique des clients dans une table, mais que vous désirez que la numérotation démarre à une autre valeur que 1 (comme 1001 ou 10001, par exemple), voici comment vous devez vous y prendre :

1. Ouvrez, en mode création, la table qui comporte le champ NuméroAuto. (Assurez-vous que la propriété Nouvelles valeurs de l'onglet Général est bien fixée sur Incrément.)
2. Choisissez Fichier/Enregistrer sous, entrez un nouveau nom (comme _Temp), puis cliquez sur OK. (Vérifiez si la barre de titre de la fenêtre de création affiche bien ce nom.)
3. Attribuez au champ NuméroAuto le type Numérique, puis sélectionnez Entier long pour la propriété Taille du champ.
4. Passez en mode feuille de données et cliquez sur Oui lorsqu'Access vous propose de procéder à la sauvegarde.
5. Tapez le numéro de départ à utiliser dans le champ NuméroAuto, *moins 1*. (Vous devez également entrer une valeur dans tous les champs Null interdit que vous avez définis.) Dans l'exemple ci-dessous, nous avons assigné au premier client le numéro 1000 afin que nos numéros de clients pour les données "réelles" démarrent à 1001.

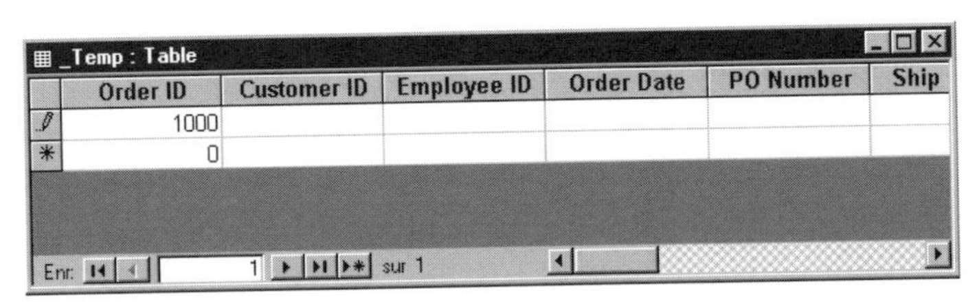

6. Fermez cette table temporaire (enfoncez les touches Ctrl + W).
7. Dans la fenêtre Base de données, mettez en surbrillance le nom de cette table temporaire, puis choisissez Édition/Copier.
8. Choisissez Édition/Coller.

9. Dans la case Nom de la table, tapez le nom de la table *originale* (Customers (Clients), par exemple).

10. Validez Ajouter les données à une table.

11. Cliquez sur OK pour terminer la procédure de copie.

12. Dans la fenêtre Base de données, cliquez deux fois sur le nom de la table originale (Customers (Clients), par exemple) afin d'afficher son contenu. Vous devez normalement avoir sous les yeux les enregistrements originaux (si cette table en comportait) et ceux qui profitent de la nouvelle numérotation, comme le montre l'illustration ci-dessous.

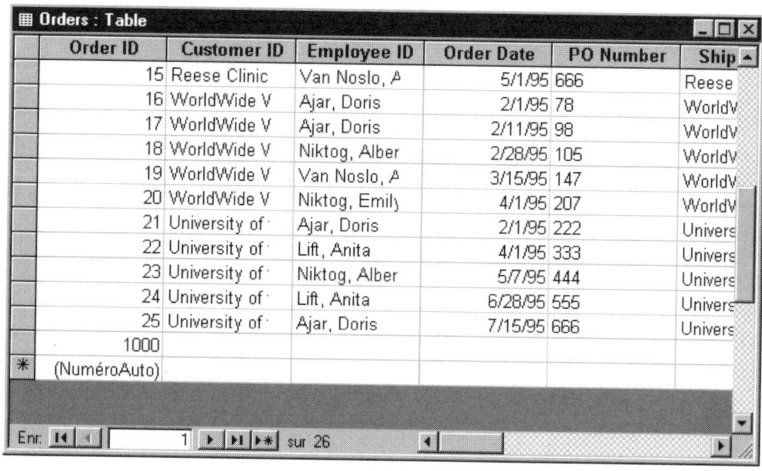
Orders : Table

Order ID	Customer ID	Employee ID	Order Date	PO Number	Ship
15	Reese Clinic	Van Noslo, A	5/1/95	666	Reese
16	WorldWide V	Ajar, Doris	2/1/95	78	WorldV
17	WorldWide V	Ajar, Doris	2/11/95	98	WorldV
18	WorldWide V	Niktog, Alber	2/28/95	105	WorldV
19	WorldWide V	Van Noslo, A	3/15/95	147	WorldV
20	WorldWide V	Niktog, Emily	4/1/95	207	WorldV
21	University of	Ajar, Doris	2/1/95	222	Univers
22	University of	Lift, Anita	4/1/95	333	Univers
23	University of	Niktog, Alber	5/7/95	444	Univers
24	University of	Lift, Anita	6/28/95	555	Univers
25	University of	Ajar, Doris	7/15/95	666	Univers
1000					
(NuméroAuto)					

Enr: 1 sur 26

13. Si la table ne comporte aucun ancien enregistrement, passez à l'étape n° 15. Sinon, déplacez ces anciens enregistrements vers le Presse-papiers. Pour ce faire, faites glisser votre pointeur sur tous les sélecteurs d'enregistrement *à l'exception de* celui que vous venez d'ajouter, puis choisissez Édition/Couper (ou enfoncez les touches Ctrl + X, puis cliquez sur Oui).

14. Réinjectez ensuite ces enregistrements dans la table grâce à la commande Édition/Coller par ajout/Oui. Les enregistrements ainsi collés commenceront à la première valeur automatique disponible, soit 1001 dans notre exemple.

15. Cliquez sur le sélecteur d'enregistrement de la fiche qui est temporairement vide (1000 dans notre cas), puis enfoncez la touche Suppr, et confirmez par Oui.

16. Si votre table était vide et si vous envisagez de compresser la base de données qui la contient (Chapitre 17), ajoutez un minimum d'un enregistrement à la table afin d'empêcher que la compression ne réduise vos efforts de nouvelle numérotation à néant.

17. Fermez la table ; si un message vous demande si le contenu du Presse-papiers doit être préservé, répondez Non.
18. Sélectionnez la table temporaire (_Temp), enfoncez la touche Suppr, puis cliquez sur Oui pour confirmer la suppression.

Cette procédure ne fonctionne *que si* le numéro de départ de la table temporaire (par exemple 1000) est supérieur d'au moins une unité à la valeur de compteur la plus élevée actuellement stockée dans la table à renuméroter.

À ce stade, tout nouvel enregistrement ajouté à la table recevra une valeur de compteur égale à celle du dernier enregistrement augmentée de 1.

Établir une relation quand un champ est de type NuméroAuto

Lorsque vous définissez une relation entre deux tables dans laquelle le champ clé primaire de la table se trouvant du côté "un" de la relation est un champ NuméroAuto par incrément, la clé externe (c'est-à-dire le champ correspondant du côté "plusieurs") doit impérativement être de type Numérique et de taille Entier long. La Figure 6.19 illustre ce point.

Vous pouvez mettre en correspondance un champ NuméroAuto de taille N° de réplication avec un champ Numérique de taille N° de réplication. La réplication est traitée au Chapitre 17 ; l'aide *réplication* vous informe à ce sujet.

La raison de cet impératif est d'origine technique : Access stocke les données des champs NuméroAuto sous forme numérique, sur quatre octets. Seule une clé externe codée sur le même nombre d'octets peut donc correspondre à la clé primaire. Choisir la taille Entier long pour la propriété Taille du champ garantit que la valeur stockée dans le champ sera codée sur quatre octets.

Si vous oubliez de choisir cette taille pour la clé externe, vous ne pourrez pas établir de relations entre les tables. Ou pire encore, si vous ajoutez des données aux deux tables impliquées sans les mettre d'abord en relation et tentez ensuite d'accéder à des enregistrements apparentés dans ces deux tables, les résultats seront incorrects et source de confusion.

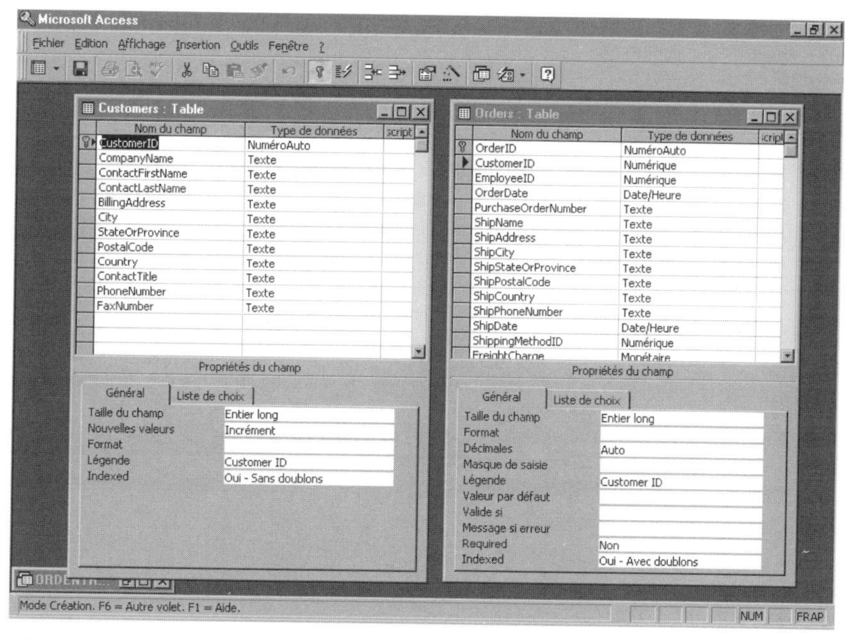

Figure 6.19 : Lorsque la clé primaire du côté "un" de la relation est un champ NuméroAuto, le champ correspondant du côté "plusieurs" doit avoir la taille Entier long

N'oubliez pas cet inconvénient, faute de quoi les problèmes surviendront immanquablement. Vous regretterez alors de ne pas avoir prêté davantage d'attention aux propriétés des tables et vous vous en mordrez les doigts.

Documenter votre base et vos tables

Lorsque vous commencerez à développer d'autres objets dans votre base de données, vous apprécierez sans doute le fait de pouvoir imprimer des informations relatives à la structure de vos tables. Le Chapitre 17 décrit par le menu les outils qui permettent cet audit, mais nous ébauchons d'ores et déjà dans cette section un aperçu des techniques disponibles à l'intention des impatients :

- **Pour imprimer des informations sur la structure de n'importe quel objet d'une base de données** (y compris les tables ou la base tout entière), choisissez Outils/Analyse/Documentation, ou déroulez le menu local Analyse de la barre d'outils Base de données et choisissez Documentation.

- **Pour afficher ou modifier les propriétés de la base**, choisissez Fichier/ Propriétés de la base, ou cliquez avec le bouton droit de la souris dans la barre de titre de la fenêtre Base de données ou dans une zone vide de cette fenêtre, et choisissez Propriétés de la base.
- **Pour imprimer la fenêtre de création de table ou la fenêtre Relations**, recourez aux techniques standard de couper/copier-coller pour copier une image de l'écran dans le Presse-papiers, coller ensuite cette image dans Paint, puis procédez à l'impression. Pour plus de détails, reportez-vous à l'encart intitulé Imprimer la fenêtre Relations, plus haut dans ce chapitre.

Analyser les performances de votre base et de vos tables

Access vous propose deux Assistants capables d'optimiser vos tables et d'améliorer les performances de votre base de données. Le Chapitre 16 en dit long à ce sujet. Résumons ici les possibilités offertes :

- **L'Assistant Analyseur de table** : Cet Assistant analyse n'importe quelle table de votre base et vous permet, le cas échéant, de fractionner une table unique en plusieurs tables. Pour le déclencher, choisissez Outils/Analyse/ Table, ou déroulez le menu local Analyse de la barre d'outils Base de données et choisissez Analyse table.
- **L'Assistant Analyseur de performance** : Cet Assistant analyse les relations, tables, requêtes, formulaires, états, macros, modules et objets divers, et vous fait des suggestions visant à améliorer les performances de votre base. Pour le déclencher, choisissez Outils/Analyse/Performance, ou déroulez le menu local Analyse de la barre d'outils Base de données et choisissez Analyse performance.

Et maintenant, que faisons-nous ?

Dans ce chapitre, vous avez appris à définir la structure de vos tables grâce à l'Assistant Table et grâce au mode création. Que faire à présent ?

- Pour apprendre à importer ou à lier des données existantes à vos tables, passez au Chapitre 7.
- Pour en apprendre davantage sur l'encodage, voyez le Chapitre 8.

Quoi de neuf ?

Dans Access 97 pour Windows 95, la création et la gestion des tables répond à la même implémentation que dans la version précédente. La seule nouveauté est l'introduction d'un nouveau type de champ, le champ Lien hypertexte, qui vous permet de stocker, dans vos tables, des adresses hypertextes. Ces liens servent à assurer un accès direct à toutes sortes d'informations : objets de base de données, autres documents Microsoft Office, voire des données sur Internet ou sur un quelconque réseau intranet.

Chapitre 7

Lier, importer et exporter des données

Si vous disposez de données et souhaitez injecter ces données dans Access, ou si vous avez créé une base Access et désirez exporter les informations qu'elle contient vers un autre programme, ce chapitre vous intéresse. La plupart des procédures décrites ici sont simples et fonctionnelles. Quelques aspects seront peut-être plus nébuleux, notamment si vous manipulez des fichiers ODBC, Paradox ou dBASE. Mais ne vous inquiétez pas : l'aide en ligne est particulièrement explicite. N'hésitez pas à consulter l'index de cette aide aux entrées suivantes : importation de données à partir d'autres programmes et formats et exportation de données vers un autre format de fichier.

Le Chapitre 4 explique comment partager des données entre applications Microsoft Office.

Liaison, importation, exportation : quelle est la différence ?

Access vous propose différents moyens de partager des données avec d'autres programmes.

Lier : Cette technique vous permet d'accéder directement à des données stockées dans une autre base. Les changements apportés à l'aide d'Access sont reportés tant sur la base Access que sur la base originale. En d'autres mots, vous travaillez sur des *données vivantes.*

Les versions précédentes d'Access ne parlaient pas de "lier", mais d'"attacher".

Importer : Cette technique vous permet de transférer les données d'autres programmes et d'autres formats dans une table Access. Les changements apportés à l'aide d'Access n'ont aucun effet sur la table originale.

Exporter : Cette technique vous permet de transférer les données d'une table Access *vers* un autre programme ou un autre format, comme Microsoft Word ou Excel, voire vers une autre base Access. Les données exportées sont indépendantes et ne sont en aucune manière liées au fichier Access original.

Lorsque vous avez lié ou importé dans Access des données issues d'un autre programme, vous pouvez manipuler ces données comme vous le feriez avec des données originales Access. Ainsi, si vous liez ou importez une table Paradox dans votre base Access, vous pouvez ouvrir cette table et l'utiliser comme s'il s'agissait d'une table Access standard.

De manière analogue, vous pouvez traiter des données Access exportées vers un autre programme exactement comme vous traiteriez des données créées directement dans ce programme. Ainsi, vous pouvez exporter une table Access vers Paradox, lancer Paradox et ouvrir la table comme s'il s'agissait d'une table "native".

OLE est une technologie qui propose une autre procédure pour combiner des informations issues de programmes divers. Sachez qu'OLE vous laisse partager des *objets* plutôt que des *données.* Le Chapitre 8 aborde cette technologie.

Automatiser les procédures d'importation et d'exportation

Vous pouvez faire appel à une macro pour automatiser la liaison, l'importation et l'exportation de certains types de données. Voici les macros et les actions Visual Basic qui sont requises :

TransferDatabase (TransférerBase) : Cette action vous permet d'importer ou d'exporter des données entre la base courante Access et une autre base. Consultez l'index de l'aide aux entrées *action TransférerBase* et *méthode TransferDatabase.*

TransferSpreadsheet (TransférerFeuilleCalcul) : Cette action vous permet d'importer et d'exporter des données entre la base courante Access et une feuille de calcul. Consultez l'index de l'aide aux entrées *action TransférerFeuilleCalcul* et *méthode TransferSpreadsheet.*

TransferText (TransférerTexte) : Cette action vous permet d'importer ou d'exporter des données entre la base courante Access et un fichier texte. Consultez l'index de l'aide aux entrées *action TransférerTexte* et *méthode TransferText.*

TransferDatabase (TransférerBase) : Cette action vous permet d'importer ou d'exporter des données entre la base courante Access et une autre base. Consultez l'index de l'aide aux entrées action TransférerBase et méthode TransferDatabase.

SendObject (EnvoyerObjet) : Cette action vous permet d'inclure une table, une requête, un formulaire, un état ou un module Access en format Microsoft Excel (.xls), Rich Text Format ou format texte enrichi (.rtf), Texte MS-DOS (.txt), HTML (.htm), ou encore HTX/IDC (.htx, .idc) dans une messagerie électronique qui permet de l'afficher ou de le rediriger. Consultez l'index de l'aide aux entrées *action EnvoyerObjet* et *méthode SendObject.*

Les quatrième et cinquième parties de cet ouvrage vous initient aux macros et au langage Visual Basic.

Interagir avec d'autres bases de données

La liaison et l'importation de données sont réalisables depuis les formats de bases de données suivants :

- dBASE III, III+, IV et 5.
- Paradox versions 3.x, 4.x et 5.0
- Microsoft FoxPro versions 2.0, 2.5, 2.6 et 3.0
- Bases de données Open Database Connectivity (ODBC), notamment Microsoft SQL Server. Vous aurez besoin, dans ce cas, d'un pilote ODBC correctement installé et configuré.
- Bases de données créées avec le moteur de bases de données Jet, notamment Microsoft Access (versions 1.x, 2.0 et 7.0) et Microsoft Visual Basic.
- Bases de données contenues dans des feuilles de calcul Microsoft Excel, versions 5.0 et 7.0.
- Tables et listes HTML et HTX.
- Fichiers Lotus 1-2-3 (en lecture seule lorsqu'ils sont liés).

Access n'installe pas automatiquement les pilotes nécessaires à Paradox et à Lotus 1-2-3. Si vous en avez besoin, vous les trouverez dans le dossier ValuPak du dossier Office 97 si vous disposez de la version Microsoft Office Professional. Sinon, ce dossier peut être téléchargé depuis le site Web de Microsoft. Pour y parvenir, choisissez ? (Aide)/Microsoft sur le Web/Produits gratuits. Consultez l'aide pour obtenir davantage d'informations sur ce dossier ValuPak.

Avant d'insérer des données sauvées dans ces formats dans une base Access, vous devez décider si les données doivent être liées ou importées. Le Tableau 7.1 vous aide à prendre votre décision.

Table importée	Table liée
La table externe est copiée dans votre base de données ouverte. (Exige de l'espace supplémentaire sur le disque dur.)	La table externe est liée à votre base de données ouverte. Aucune copie n'est réalisée. (Économise l'espace disque.)

Tableau 7.1 : Différences entre tables importées et tables liées.

Table importée	Table liée
À utiliser lorsque vous ne souhaitez plus que l'application originale mette les données à jour.	À utiliser lorsque vous souhaitez que l'application originale continue de mettre les données à jour.
La table importée est convertie en format Access et fonctionne exactement comme une table que vous auriez créée de toutes pièces dans Access.	La table conserve le format de son application d'origine, mais "se comporte" comme une table Access.
Vous pouvez modifier toutes les propriétés d'une table importée, y compris sa structure.	Vous pouvez modifier quelques propriétés d'une table liée, mais vous ne pouvez changer sa structure.
Access travaille plus rapidement avec les tables importées qu'avec les tables liées.	Access peut ralentir considérablement les traitements lorsqu'il a affaire à des tables liées.

Tableau 7.1 : Différences entre tables importées et tables liées (suite).

Icônes des tables importées/liées

Lorsque vous importez ou liez des données issues d'une autre base, Access les traite comme s'il s'agissait de ses propres données. Afin de faciliter le repérage des données liées, celles-ci sont identifiées par des icônes spéciales dans la fenêtre Base de données.

Dans la Figure 7.1, nous vous montrons à quoi ressemblent ces icônes.

Expense Categories (Catégories Dépenses) est une table Access ; BIOLIFE est une table Paradox ; Grades est une table dBASE 5 ; enfin, Sales (Ventes) est une feuille de calcul Excel importée. (Remarquez que, dans ce cas, la table ne présente aucune différence par rapport à la présentation classique d'Access.)

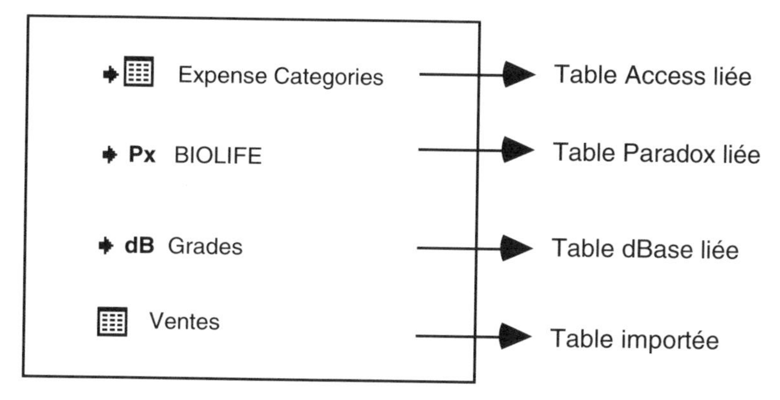

Figure 7.1 : Les tables liées sont identifiées par des icônes spéciales.

Importer ou lier une table

Nous exposons ici la méthode générale qui permet d'importer ou de lier des tables. En fait, les détails de mise en oeuvre varient selon le type des données que vous voulez importer ou lier. Reportez-vous aux sections appropriées ci-dessous.

1. Ouvrez (ou créez) la base de données dans laquelle vous voulez importer ou lier une table. Affichez la fenêtre Base de données si elle ne l'est pas déjà.
2. Réalisez l'une des actions suivantes, selon que vous importez ou que vous liez :

- **Pour *importer***, choisissez Fichier/Données externes/Importer ou cliquez avec le bouton droit de la souris dans une zone vide de la fenêtre Base de données et choisissez Importer. Vous pouvez également activer l'onglet Table de cette fenêtre, cliquer une fois sur Nouveau, puis deux fois sur Importer la table dans la boîte de dialogue Nouvelle table.
- **Pour *lier***, choisissez Fichier/Données externes/Lier les tables ou cliquez avec le bouton droit de la souris dans une zone vide de la fenêtre Base de données et choisissez Lier les tables. De même, vous pouvez activer l'onglet Table de cette fenêtre, cliquer sur Nouveau, puis deux fois sur Attacher la table dans la boîte de dialogue Nouvelle table.

Il est impossible de supprimer des lignes d'une table Excel liée ou d'un fichier Texte lié.

3. Dans le menu déroulant Type de fichier, choisissez le type des données que vous voulez importer ou lier. Par exemple, cliquez sur la flèche, puis sélectionnez dBASE 5 pour importer ou lier une table dBASE.

4. Localisez le fichier concerné, puis sélectionnez-le dans la liste Regarder dans. La Figure 7.2 vous montre une boîte de dialogue Attacher typique ; la boîte Importer est identique.

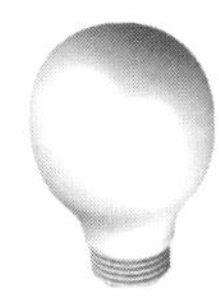

Les techniques vous permettant de localiser des unités, des dossiers et des fichiers dans les boîtes de dialogue Attacher et Importer sont les mêmes que celles en vigueur dans les boîtes Fichier/Ouvrir et Fichier/Nouvelle base de données (voyez à ce sujet les Chapitres 1 et 5, respectivement).

5. Cliquez sur Importer ou sur Attacher, ou cliquez deux fois sur le nom du fichier concerné.

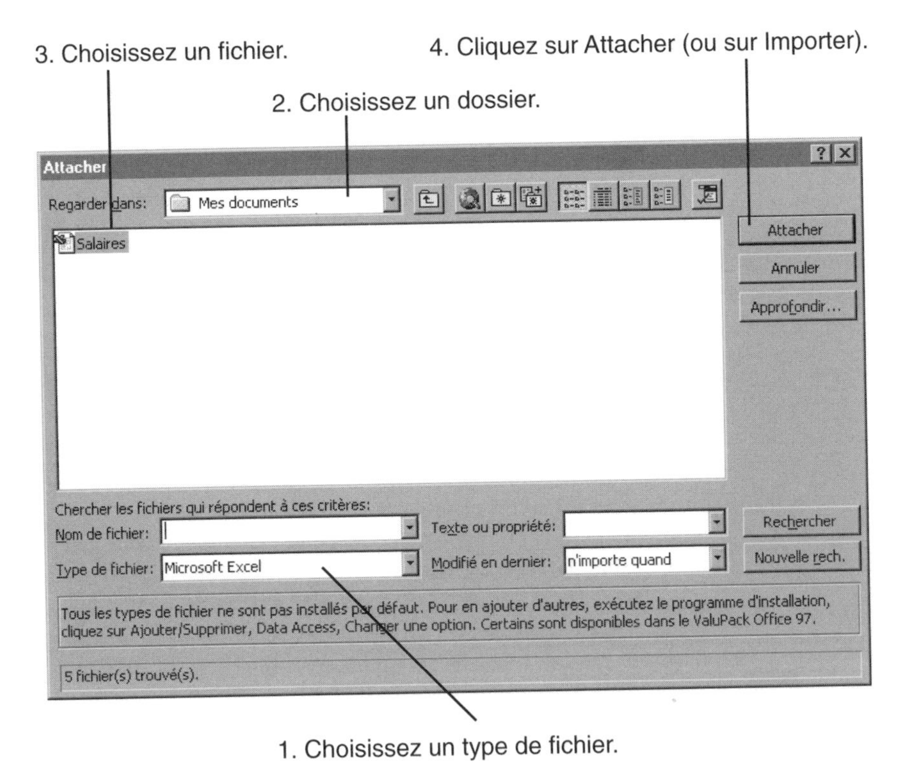

Figure 7.2 : La boîte de dialogue Attacher avec un fichier Excel sélectionné.

6. Réagissez aux éventuels messages et boîtes de dialogue.

➪ Si vous liez une table dBASE ou FoxPro, Access vous demandera de sélectionner un ou plusieurs indexes existants afin de les associer à la table. Cette sélection d'index accélère l'accès aux données de la table liée.

➪ Si vous liez ou importez une table Paradox ou une base SQL, il se peut qu'Access vous demande d'entrer un mot de passe. Celui-ci a été défini dans le programme original et n'a rien à voir avec le mot de passe utilisateur d'Access.

Les mots de passe des tables liées sont stockés dans votre base de données afin que vous puissiez, par la suite, ouvrir la table en effectuant tout simplement un double clic sur son nom depuis la fenêtre Base de données d'Access. Attention : ce mot de passe est crypté. Pour assurer une réelle protection des données dans une table liée, il est préférable de coder la base plutôt que d'utiliser un mot de passe. (Le Chapitre 18 traite de ce sujet ; il en va de même du fichier d'aide et de son entrée d'index *liaisons de tables, bases de données protégées par mot de passe.*)

7. Lorsqu'un message s'affiche vous informant que l'opération est terminée, cliquez sur OK.

8. Si la boîte de dialogue Importer ou Attacher reste affichée à l'écran, répétez les étapes 3 à 7 jusqu'à ce que vous ayez importé ou lié toutes les tables souhaitées. Lorsque vous avez terminé, cliquez sur Fermer.

Dans le fichier d'aide, le livre *Création, importation et liaison de tables* du sommaire de l'aide, puis *Importation ou liaison de tables* vous en apprennent plus à ce sujet. Les entrées d'index *importation de données* et *liaison de données* à partir d'autres programmes en font autant.

Importer ou lier des tables Paradox

Access est en mesure d'importer ou de lier des tables Paradox (fichiers .db), versions 3, 4 et 5.

1. Activez la fenêtre Base de données d'Access et choisissez la commande Importer ou Lier les tables (en utilisant soit le menu Fichier, soit le menu contextuel).

2. Dans la liste Type de fichier, choisissez Paradox.

3. Localisez le fichier Paradox à importer ou à lier, puis cliquez deux fois sur son nom lorsqu'il apparaît dans la liste Regarder dans.

4. Si Access vous demande d'entrer un mot de passe, tapez celui qui est assigné à la table Paradox, puis cliquez sur OK.

5. Lorsqu'un message apparaît vous signalant que la procédure est terminée, accusez-en réception en cliquant sur OK.

6. Répétez les étapes 3 à 5 autant de fois que nécessaire. Lorsque vous avez terminé, cliquez sur Fermer.

Problèmes ? Voici quelques considérations qui peuvent vous aider :

- Une table Paradox liée doit absolument comporter un fichier clé primaire (.px) si vous avez l'intention de la mettre à jour via Access ; de plus, ce fichier doit être accessible, faute de quoi Access ne pourra lier la table. En l'absence de clé primaire, vous pourrez tout au plus visualiser la table, mais en aucun cas la modifier.
- D'une manière générale, tous les fichiers auxiliaires exploités par Paradox pour les besoins de la table (comme le fichier .mb pour les champs Mémo) doivent être disponibles pour Access.
- Étant donné qu'Access est incapable d'ouvrir les objets OLE stockés dans une table Paradox liée ou importée, ne vous étonnez pas qu'aucun champ OLE n'apparaisse lorsque vous ouvrez la table dans Access.
- Lorsque vous liez une table Paradox provenant d'un serveur, il faut que l'option ParadoxNetPath du Registre Windows indique le chemin d'accès du fichier Paradox.net ou Pdoxusrs.net. De plus, si vous utilisez la version 4 ou 5 de Paradox pour partager des données dans votre groupe de travail, vous devez spécifier le paramètre "4.x" dans l'option ParadoxNetStyle. En ce qui concerne les tables de la version 3, cette option doit afficher le paramètre "3.x" (la valeur par défaut étant "4.x").

Pour en savoir plus sur la liaison et l'importation de tables Paradox, adressez-vous en ces termes au Compagnon Office : *importer ou lier une table Paradox*. L'index et ses entrées *Registre Windows* et *Éditeur de registre* sont également disponibles.

Access risque de réagir de manière imprévue si vous apportez des modifications incorrectes dans l'Éditeur de registre. Un conseil : effectuez une copie de sauvegarde de la totalité du Registre avant de commencer. Consultez l'aide pour savoir comment procéder.

Importer ou lier des fichiers dBASE et FoxPro

Access vous permet d'importer et de lier des tables (fichiers .dbf) issues de dBASE III, IV et dBASE 5, ainsi que de FoxPro, versions 2.0, 2.5, 2.6 et 3.0.

1. Activez la fenêtre Base de données d'Access et choisissez la commande Importer ou Lier les tables.
2. Dans la liste Type de fichier, choisissez dBASE III, dBASE IV, dBASE 5 ou Microsoft FoxPro.
3. Localisez le fichier dBASE ou FoxPro à importer ou à lier, puis cliquez deux fois sur son nom lorsqu'il apparaît dans la liste Regarder dans.
4. Si la boîte de dialogue Sélectionner les fichiers d'index s'affiche, cliquez deux fois sur le fichier d'index que vous souhaitez utiliser. Répétez l'opération jusqu'à ce que vous ayez indiqué tous les fichiers d'index associés au fichier .dbf que vous avez sélectionné lors de l'étape n°3. Lorsque vous avez terminé, cliquez sur Fermer ou sur Annuler.
5. Lorsqu'un message apparaît vous signalant que la procédure est terminée, accusez-en réception en cliquant sur OK.
6. Répétez les étapes 3-5 autant de fois que nécessaire. Lorsque vous avez terminé, cliquez sur Fermer.

Lorsque vous liez des fichiers dBASE ou FoxPro, n'oubliez pas que :

- Pour améliorer les performances de traitement, vous pouvez laisser Access utiliser un ou plusieurs fichiers d'index dBASE (.ndx ou .mdx) ou FoxPro (.idx ou .cdx). Les fichiers d'index sont conservés dans un fichier spécial d'information (.inf) ; ils sont automatiquement mis à jour lorsque vous modifiez des données via Access.
- Si vous utilisez dBASE ou FoxPro pour mettre à jour les données d'un fichier lié .dbf, vous devez mettre à jour manuellement les index associés ; si vous ne le faites pas, Access ne sera plus en mesure d'exploiter la table liée.
- Ne déplacez pas et ne supprimez pas les fichiers .ndx, .mdx ou .inf qu'Access utilise, sous peine de rendre le programme incapable d'ouvrir la table liée.
- Pour lier des tables provenant d'un lecteur protégé en écriture ou d'un lecteur CD-ROM, Access doit stocker le fichier .inf dans un répertoire où l'écriture est autorisée. Pour déclarer ce répertoire, vous devez entrer le chemin du fichier .inf dans le Registre Windows.

L'Assistant Office est en mesure de vous fournir des informations sur *importer ou lier une base dBASE ou FoxPro*. Il en va de même de l'entrée d'index *Registre Windows* et *Éditeur de registre*.

Importer ou lier des tables SQL

Vous pouvez utiliser les pilotes Access et ODBC (Open Database Connectivity) pour ouvrir des tables sur serveur Microsoft SQL et autres serveurs de données SQL en réseau, à condition que ces pilotes soient correctement installés.

1. Activez la fenêtre Base de données d'Access et choisissez la commande Importer ou Lier les tables.
2. Dans la liste Type de fichier, choisissez Base de données ODBC.
3. Dans la boîte de dialogue Sélectionner la source de données, cliquez deux fois sur la source de données SQL que vous souhaitez utiliser. (Si nécessaire, vous pouvez définir une nouvelle source de données pour tout pilote ODBC installé en cliquant sur Nouveau et en suivant les instructions qui s'affichent. Après avoir créé la nouvelle source, vous pouvez cliquer deux fois sur son nom pour reprendre la procédure. Vous pouvez également gérer vos sources de données ODBC en cliquant deux fois sur l'icône ODBC 32 bits du Panneau de configuration.)
4. Complétez les boîtes de dialogue restantes à mesure qu'elles s'affichent, puis cliquez sur OK pour valider vos choix (le contenu de ces boîtes dépend de la nature des données). Ainsi, Access vous demandera, selon le cas :

- Votre ID login (nom d'utilisateur réseau) et votre mot de passe.
- En cas de liaison, si vous désirez enregistrer le login et le mot de passe.
- Les tables que vous voulez importer ou lier.
- Les champs qui identifient chaque enregistrement de manière unique.

5. Lorsque vous avez terminé l'importation ou la liaison, cliquez sur Fermer.

Si vous rencontrez des difficultés, sachez que :

- Avant de vous connecter à une base SQL, vous devez installer le pilote ODBC approprié à votre réseau et à votre base de données SQL. L'entrée d'index *installation*, *installation de pilotes* vous explique comment vous y prendre.
- Access est fourni avec les pilotes ODBC pour Microsoft SQL Server, Access, Paradox, dBASE, FoxPro, Excel , Oracle 7 et Texte. Avant toute utilisation de ces pilotes, assurez-vous auprès de votre fournisseur qu'ils fonctionnent correctement.

- Si vous souhaitez pouvoir modifier une table SQL, cette table doit idéalement ne comporter qu'un seul index. En l'absence de cet index unique, vous pouvez en créer un en exécutant une requête de définition de données dans Access. Voyez le sommaire de l'aide : *Référence du moteur de base de données Microsoft Jet SQL*, puis *Langage de définition de données*, et enfin l'instruction *CREATE INDEX (SQL)*.
- Si les structures de la table SQL changent après que vous avez établi la liaison, vous devrez faire appel au Gestionnaire d'attaches pour mettre à jour le lien avec la table (voyez "Recourir au Gestionnaire d'attaches", plus loin dans ce chapitre), ou le supprimer et l'établir de nouveau.
- Si une erreur se produit pendant la liaison, l'importation ou l'utilisation de la table SQL, il est possible que l'erreur soit due à un problème d'autorisation d'accès au serveur de données SQL ou à un problème relatif à la base elle-même. Dans ce cas, mettez-vous en rapport avec l'administrateur de la base de données SQL.

Demandez au Compagnon Office de l'aide sur *importer ou lier une table SQL* pour obtenir le détail de ces procédures.

Importer ou lier d'autres bases Access

En principe, vous stockez dans une seule et même base de données toutes les tables, formulaires, états et autres objets qui la constituent. Il se peut cependant, dans une société d'envergure, que différents services créent chacun leurs propres bases. Il est heureusement possible d'importer des objets (tables, requêtes, formulaires, états, macros et modules) ou des tables liées depuis des bases de données Access non ouvertes vers la base courante. Ces objets ou ces tables sont alors exploitables comme s'ils faisaient partie de cette base. En ce qui concerne les objets, la procédure d'importation est beaucoup plus simple que celle qui consiste à utiliser le copier-coller pour déplacer simultanément plusieurs objets apparentés. En ce qui concerne les tables, les tables liées facilitent la gestion d'un seul exemplaire des données par les différents membres d'un réseau.

Il est possible d'importer uniquement la structure, ou la structure et les données des tables Access. Si vous avez l'intention d'importer des objets (formulaires, états, requêtes, etc.) et de les exploiter avec des tables dans la base active, les noms et la structure de ces tables doivent correspondre exactement avec les noms et la structure des tables externes qui ont servi à créer les objets que vous importez.

Pour importer des objets et lier des tables depuis une base de données Access non ouverte :

1. Activez la fenêtre Base de données d'Access et choisissez la commande Importer ou Lier les tables.
2. Dans la liste Type de fichier, choisissez Microsoft Access.
3. Localisez le fichier Microsoft Access à importer ou à lier, puis cliquez deux fois sur son nom lorsqu'il apparaît dans la liste Regarder dans.
4. Réalisez ensuite l'une des actions suivantes :

- En cas de liaison, la boîte de dialogue Attacher représentée à la Figure 7.3 apparaît ; passez alors à l'étape n° 6.
- En cas d'importation d'objets, c'est la boîte de dialogue Importer des objets représentée à la Figure 7.4 qui s'affiche, auquel cas vous pouvez passer à l'étape n° 5.

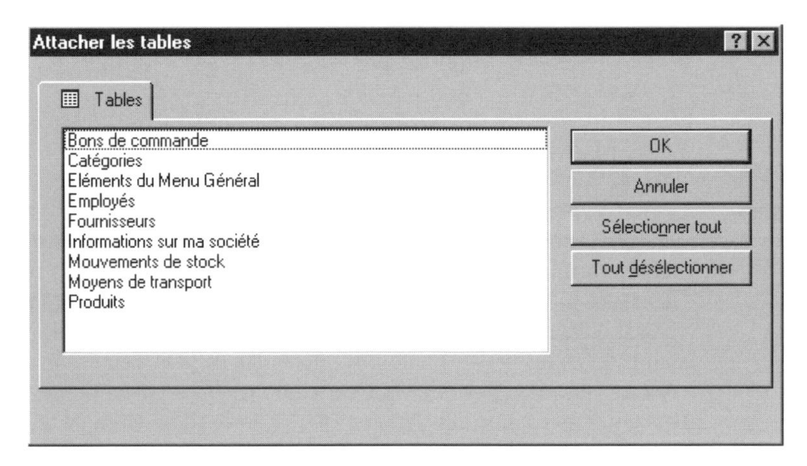

Figure 7.3 : La boîte de dialogue Attacher les tables.

5. Si vous importez des objets, activez l'onglet correspondant au type d'objet à importer. Comme le montre la Figure 7.4, les options disponibles sont Tables, Requêtes, Formulaires, États, Macros et Modules. Pour accéder à d'autres options d'importation, cliquez sur Options (Figure 7.4), puis validez les options souhaitées. (La case ? de la fenêtre vous fournit des informations sur ces options.)
6. Appliquez ensuite l'une des techniques énumérées ci-dessous pour sélectionner le(s) objet(s) que vous voulez importer ou lier, puis cliquez sur OK.

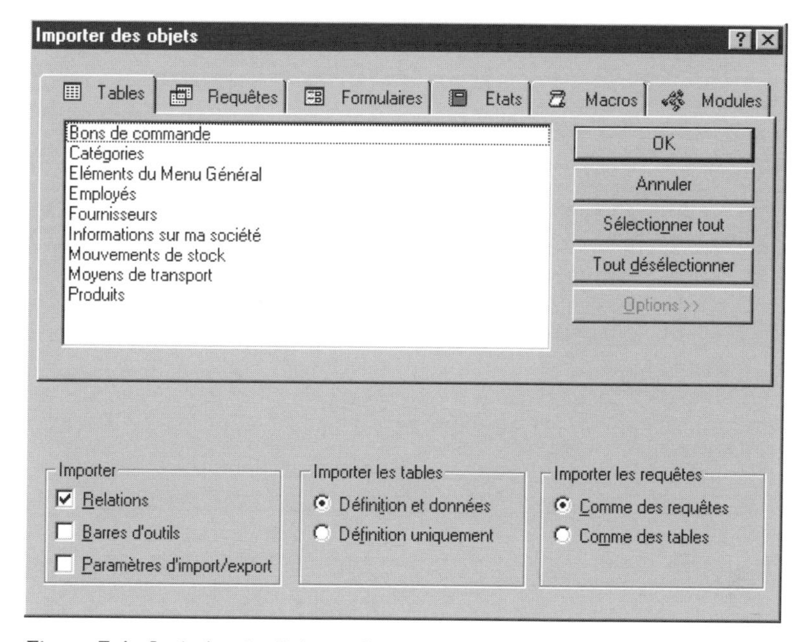

Figure 7.4 : La boîte de dialogue Importer des objets après que nous avons cliqué sur le bouton Options.

- **Pour sélectionner tous les objets d'un type donné en une seule opération,** cliquez sur Sélectionner tout.
- **Pour désélectionner tous les objets sélectionnés,** cliquez sur Tout désélectionner.
- **Pour sélectionner un objet qui n'est pas encore sélectionné,** ou pour désélectionner un qui l'est déjà, cliquez sur son nom.

Access importe ou lie tous les objets sélectionnés, puis réactive la fenêtre Base de données.

Opération inverse de l'importation ou de la liaison, le fractionnement vous permet d'accélérer le traitement de votre base de données lorsque vous fonctionnez en réseau. Vous pouvez faire appel à l'Assistant Fractionnement de base de données (via la commande Outils/Compléments/Fractionnement de bases de données) pour fractionner une base en deux fichiers, le premier contenant les tables et le second regroupant les requêtes, formulaires, états, macros et modules. Le Chapitre 18 détaille cette mise en oeuvre.

Une raison de plus pour utiliser les Assistants

Sachez que les objets créés par les différents Assistants d'Access sont d'excellents candidats à la liaison et à l'importation d'une base de données vers d'autres comportant des objets créés avec l'aide de ces Assistants. Prenons un exemple : si vous avez utilisé l'Assistant Création d'applications ou l'Assistant Table (en conservant les options par défaut) pour créer les tables Customers (Clients) des bases Ordentry (Gestionnaire de commandes) et Gestion des appels téléphoniques, ces tables présentent une structure identique dans les deux bases de données. Dès lors, si vous importez dans la base Gestion des appels téléphoniques un état qui a été conçu pour imprimer la table Customers de la base Ordentry, cet état s'acquittera de sa tâche à la perfection.

Exploiter des tables liées

Après liaison d'une table d'une autre base de données, vous pouvez *presque* l'exploiter comme une table Access normale. Vous pouvez saisir et modifier des données, utiliser des requêtes, formulaires et états existants ou en créer de nouveaux. Ainsi, même si les données résident dans un autre programme (éventuellement même sur un ordinateur distant), Access est capable d'exploiter la table externe, quasiment comme si vous l'aviez créée de toutes pièces dans la base courante. En fait, vos seules limitations sont les suivantes :

- Vous ne pouvez modifier la structure des tables liées.
- Vous ne pouvez pas supprimer les lignes dans une table Excel liée ou dans un fichier Texte lié.
- Les fichiers Lotus 1-2-3 que vous liez à une base de données Access sont en lecture seule.

Après avoir *importé* une table d'une base externe, vous pouvez utiliser la table importée exactement comme s'il s'agissait d'une table Access quelconque. Access lui-même ne fait aucune différence entre une table importée et une table originale.

Définir les propriétés des tables liées

Bien que vous ne puissiez ajouter, supprimer ni réorganiser les champs d'une table liée, vous pouvez cependant définir certaines de leurs propriétés, comme Format, Masque de saisie, Décimales et Légende. Vous agirez en mode création (Chapitre 6) : dans la fenêtre Base de données, cliquez avec le bouton droit de la souris sur le nom de la table dans l'onglet Tables, choisissez Propriétés, puis procédez aux modifications souhaitées.

Chaque fois que vous activez l'onglet Général ou Liste de choix de la zone réservée aux propriétés, la case Conseil située dans la partie droite de la fenêtre vous signale si vous êtes ou non autorisé à modifier la propriété sélectionnée.

Renommer des tables liées ou importées

La plupart des objets liés ou importés conservent leur nom de fichier d'origine. Vous pouvez néanmoins leur attribuer un nom plus explicite dans la fenêtre Base de données d'Access. Ainsi, une table dBASE intitulée *CredCard* peut, après importation ou liaison, être rebaptisée *Credit Cards (source dBASE)*.

Pour renommer rapidement une table importée ou liée, cliquez avec le bouton droit de la souris sur son nom dans la fenêtre Base de données, choisissez Renommer, tapez le nouveau nom, puis enfoncez la touche Entrée.

Accélérer le traitement des tables liées

Bien que les tables liées se comportent comme des tables Access, elles ne sont pas stockées dans votre base de données Access. En fait, chaque fois que vous voulez visualiser des données liées, Access est contraint d'accéder aux enregistrements dans le fichier source qui se trouve éventuellement sur un autre ordinateur du réseau ou dans une base de données SQL. Et l'attente risque d'être longue !

C'est pourquoi nous vous fournissons quelques conseils visant à augmenter la vitesse de traitement d'une table liée implantée sur réseau dans une base SQL :

- Ne demandez pas l'affichage du dernier enregistrement d'une grande table, sauf si vous souhaitez ajouter des enregistrements.

- Restreignez l'affichage aux données dont vous avez absolument besoin et ne faites pas défiler votre écran sans raison.
- Si vous êtes appelé à ajouter fréquemment de nouveaux enregistrements à une table liée, créez un formulaire dont la propriété Entrée données de l'onglet Données affiche Oui. Ainsi, lors de la saisie de nouveaux enregistrements, Access ne prendra pas la peine d'afficher les enregistrements existants de la table (Chapitre 13). Ce mode *Entrée données* (également appelé mode *ajout*) est beaucoup plus rapide que la procédure qui consiste à ouvrir le formulaire en mode édition, puis à sauter au dernier enregistrement. (Si vous souhaitez, à un moment donné, visualiser de nouveau tous les enregistrements, choisissez Enregistrements/Afficher tous les enregistrements.)

Voici trois autres moyens d'ouvrir un formulaire ou une table en mode Entrée données : 1) Choisissez Enregistrements/Saisie de données après avoir ouvert la table ou le formulaire. 2) Lorsque vous ajoutez un formulaire à un menu général, choisissez Ouvrir le formulaire en mode modification dans la zone Commande du Gestionnaire de Menu général (Chapitres 3 et 21). 3) Dans la fenêtre de création de macros, utilisez l'action OuvrirFormulaire pour ouvrir un formulaire et choisissez Ajout comme argument Mode données (Chapitre 20).

- Utilisez des requêtes et des filtres pour limiter le nombre d'enregistrements que vous pouvez afficher dans un formulaire ou dans une feuille de données.
- Évitez d'employer des fonctions dans vos requêtes, et plus particulièrement des fonctions de regroupement domaine comme DSum( ). Ces fonctions contraignent en effet Access à traiter *l'intégralité* des données de la table liée (Chapitre 10).
- Si vous partagez en réseau des tables externes avec d'autres utilisateurs, évitez de verrouiller les enregistrements plus longtemps que nécessaire. Le verrouillage ralentit en effet le temps de réponse des autres utilisateurs et vous rend immanquablement impopulaire. Le Chapitre 18 détaille l'utilisation d'Access en réseau.

Recourir au Gestionnaire d'attaches

Access stocke les informations relatives aux liaisons dans votre base de données. Si vous déplacez le fichier qui contient une table liée vers un nouveau dossier, Access n'est plus en mesure d'ouvrir la table liée. Le Gestionnaire d'attaches vient alors lui prêter main forte ; il est en effet capable de localiser les tables déplacées et de rétablir les liaisons en péril.

Pour l'utiliser :

1. Ouvrez la base de données à laquelle vous avez lié des objets.
2. Choisissez Outils/Compléments/Gestionnaire de table attachée pour ouvrir la boîte de dialogue Gestionnaire d'attaches (Figure 7.5). Cette fenêtre dresse la liste des objets liés et fournit le chemin d'accès complet des fichiers source associés.
3. Pour sélectionner les tables liées que vous voulez mettre à jour, cochez les cases correspondantes. Si vous sélectionnez une table par erreur, cliquez de nouveau dans sa case pour la désélectionner ; ou cliquez sur Sélectionner tout ou Désélectionner tout pour activer ou désactiver toutes les cases à cocher en une seule opération.
4. Pour contraindre le Gestionnaire d'attaches à demander l'emplacement de chaque table sélectionnée à l'étape n°3, validez (cochez) Toujours demander un nouvel emplacement.

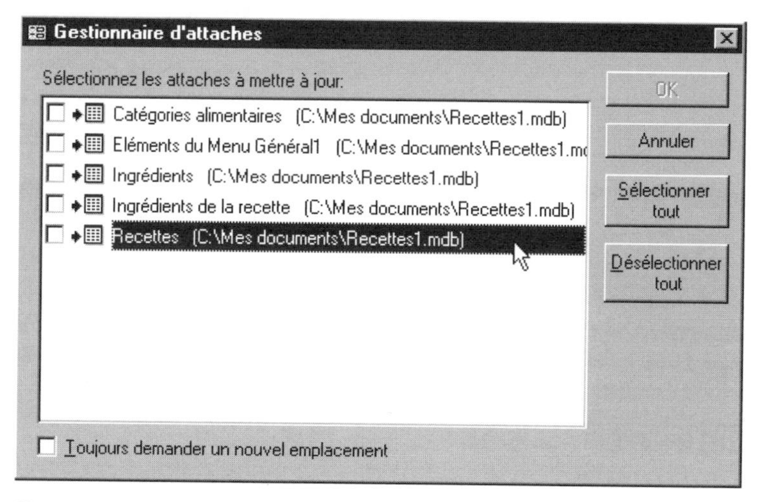

Figure 7.5 : La boîte de dialogue Gestionnaire d'attaches d'une base de données comportant différents objets liés.

5. Cliquez sur OK.
6. Utilisez la boîte de dialogue Sélectionner le nouvel emplacement de... qui s'affiche ensuite pour localiser le dossier qui contient la table source déplacée, puis cliquez deux fois sur le nom du fichier dont elle fait partie. Répétez l'opération autant de fois que nécessaire.
7. Lorsqu'Access vous avertit que les liaisons ont été mises à jour avec succès, cliquez sur OK, puis cliquez sur Fermer dans la boîte de dialogue Gestionnaire d'attaches.

La boîte de dialogue Sélectionner le nouvel emplacement de... fonctionne comme d'autres fenêtres que vous connaissez déjà : Ouvrir, Fichier Nouvelle base de données, Importer ou Attacher des tables. Les Chapitres 1 et 5 y ont consacré plusieurs sections.

Les limites du Gestionnaire d'attaches

Le Gestionnaire d'attaches est d'un grand secours lorsqu'il s'agit de localiser les *fichiers* qui ont été déplacés d'un dossier à un autre, d'un lecteur à un autre, ou qui ont été renommés. Malheureusement, si un utilisateur a renommé la table liée ou changé son mot de passe, Access ne peut plus localiser la table et le Gestionnaire d'attaches est impuissant. Dans ces cas-là, vous devez détruire la liaison, puis rétablir un lien avec la table comportant le nom et/ou le mot de passe correct.

Ne comptez pas non plus sur le Gestionnaire d'attaches pour déplacer vos bases de données ou vos tables à votre place. Pour réaliser ces tâches, c'est à l'Explorateur Windows et au Poste de travail que vous devrez faire appel. À moins que vous ne préfériez utiliser les boîtes de dialogue d'Access intitulées Fichier/Ouvrir, Fichier/Nouvelle base de données, Fichier/Lier les tables, Fichier/Importer ou Sélectionner le nouvel emplacement de... : dans ces boîtes, cliquez avec le bouton droit de la souris dans une zone vide de la liste Regarder dans, choisissez Explorer dans le menu contextuel, et explorez comme vous le feriez avec l'Explorateur Windows.

Supprimer une liaison

Lorsqu'une table liée ne vous est plus d'aucune utilité (ou qu'Access ne parvient plus à la localiser parce qu'un autre utilisateur a modifié son nom ou son mot de passe), vous pouvez supprimer la liaison. Commencez par ouvrir la fenêtre Base de données qui contient la table liée et activez l'onglet Tables. Ensuite, sélectionnez la table concernée et enfoncez la touche Suppr. Lorsqu'Access vous demande confirmation, répondez par l'affirmative.

Rappelez-vous que la suppression d'une liaison efface les informations dont Access se sert pour accéder à la table liée, mais qu'elle n'affecte pas la table proprement dite. Vous pouvez donc rétablir le lien à tout moment.

Importer ou lier des feuilles de calcul et des fichiers Texte

Access autorise l'importation et la liaison des formats Texte et feuille de calcul suivants :

- Microsoft Excel versions 2, 3, 4, 5 et 7 (également connu sous le nom Excel pour Windows 95 ou Excel 95), ainsi que Microsoft Excel 8 (Excel 97).
- Lotus 1-2-3 ou 1-2-3 pour Windows (fichiers .wk1, .wk3 et .wk4). Les fichiers Lotus qui sont liés sont ouverts en lecture seule.
- Texte délimité (où les valeurs sont séparées les unes des autres par des points-virgules, des tabulations ou tout autre caractère faisant office de séparateur).
- Texte à longueur fixe, notamment Fusion Microsoft Word (où chaque valeur de champ a une longueur déterminée).

Lors de l'importation d'une feuille de calcul ou d'un fichier Texte, vous pouvez créer une nouvelle table ou bien ajouter les données importées à une table existante. Si la première ligne de la feuille de calcul ou du fichier Texte comporte des noms de champs, Access peut les utiliser comme noms de champs dans sa table.

Dans ce cas, le programme examine la première ligne de données et s'efforce d'assigner à chaque champ importé le type de données qui lui correspond le mieux. Ainsi, l'importation de la plage de cellules A1:C10 de la feuille de calcul représentée à la Figure 7.6 crée la table Access représentée dans la partie inférieure.

Nous avons demandé à Access d'utiliser la première rangée (ligne 1) comme noms de champs. Les valeurs de la ligne 2 (la première ligne de données "réelles") ont ensuite été analysées par le programme et lui ont permis de déterminer le type de données de chaque champ.

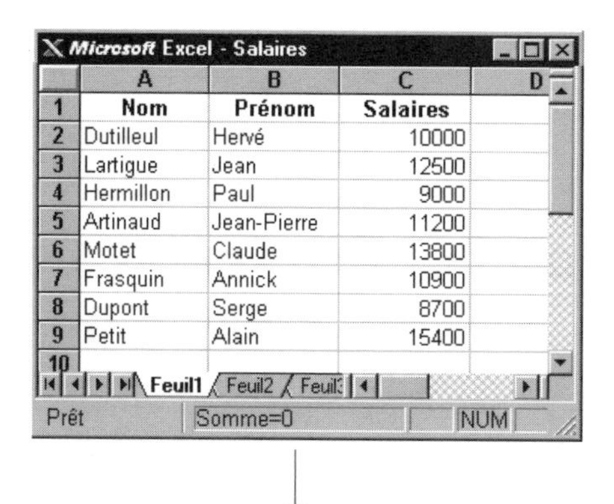

Microsoft Excel - Salaires

	A	B	C	D
1	Nom	Prénom	Salaires	
2	Dutilleul	Hervé	10000	
3	Lartigue	Jean	12500	
4	Hermillon	Paul	9000	
5	Artinaud	Jean-Pierre	11200	
6	Motet	Claude	13800	
7	Frasquin	Annick	10900	
8	Dupont	Serge	8700	
9	Petit	Alain	15400	
10				

Feuil1 Feuil2 Feuil3 — Prêt — Somme=0 — NUM

Lorsque vous importez la plage A1:C10 de cette feuille de calcul Excel…

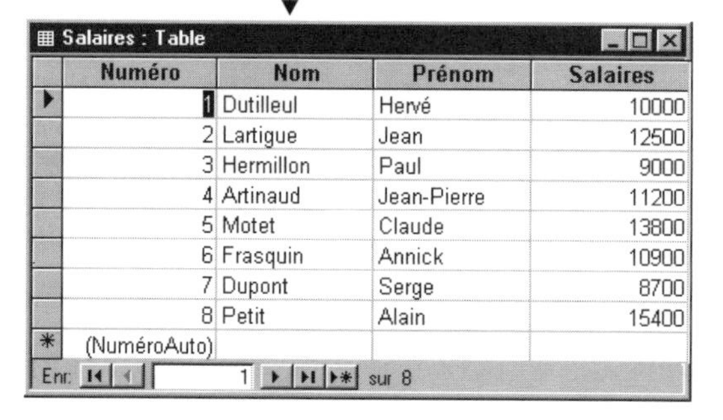

Salaires : Table

Numéro	Nom	Prénom	Salaires
1	Dutilleul	Hervé	10000
2	Lartigue	Jean	12500
3	Hermillon	Paul	9000
4	Artinaud	Jean-Pierre	11200
5	Motet	Claude	13800
6	Frasquin	Annick	10900
7	Dupont	Serge	8700
8	Petit	Alain	15400
(NuméroAuto)			

Enr: 1 sur 8

… Access crée cette table.

Figure 7.6 : Importation d'une plage de cellules provenant d'une feuille de calcul Excel dans une table Access.

Vous pouvez, pendant la procédure, changer les noms des champs et les types de données attribués à la table importée. Vous pouvez aussi fonctionner à l'inverse : commencer par créer une table vide avec les noms de champs et les types de données que vous souhaitez, puis *ajouter* le contenu de la feuille de calcul à cette table.

La Figure 7.7 montre le résultat de l'importation d'un fichier Texte délimité dans lequel les données ont été séparées par une virgule. Comme dans le cas précédent, nous avons demandé à Access d'analyser la deuxième ligne pour définir les types de données.

La Figure 7.8, pour sa part, montre le résultat de l'importation d'un fichier Texte à longueur fixe dans une table Access. Cette fois, nous avons indiqué à Access quel nom de champ utiliser pour chaque champ (il définit spontanément les autres attributs, comme la position des champs et le type de données).

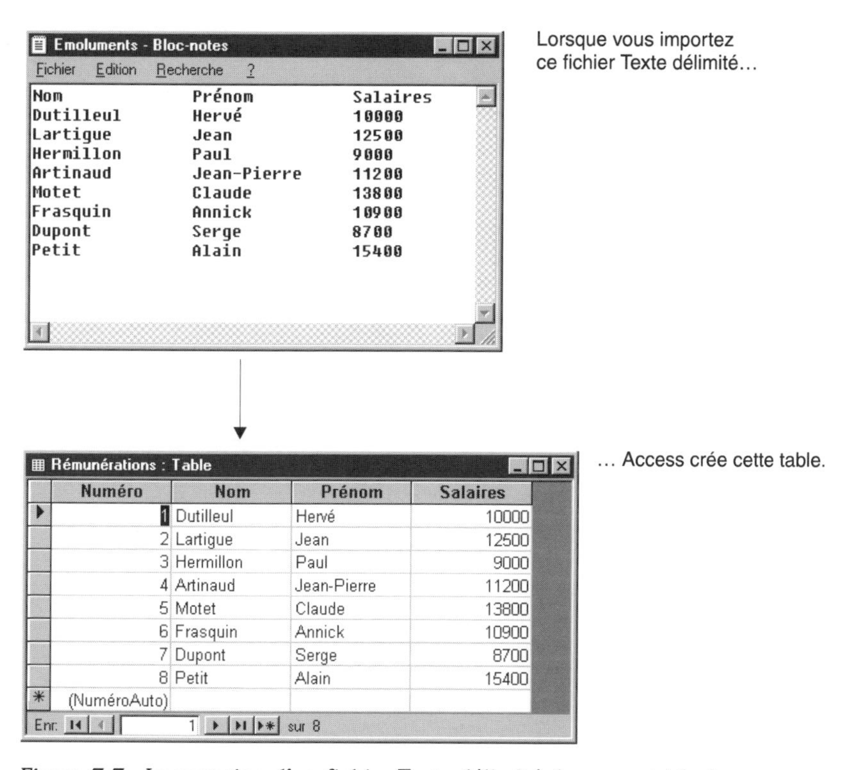

Numéro	Nom	Prénom	Salaires
1	Dutilleul	Hervé	10000
2	Lartigue	Jean	12500
3	Hermillon	Paul	9000
4	Artinaud	Jean-Pierre	11200
5	Motet	Claude	13800
6	Frasquin	Annick	10900
7	Dupont	Serge	8700
8	Petit	Alain	15400
(NuméroAuto)			

Figure 7.7 : Importation d'un fichier Texte délimité dans une table Access.

Importer ou lier des feuilles de calcul

Grâce à l'Assistant Importation de feuille de données, cette opération s'exécute en un clin d'oeil. Mais avant de l'entreprendre, rappelez-vous que les données de votre feuille de calcul doivent être organisées de manière que :

- toutes les valeurs d'un même champ présentent le même type de données ;
- toutes les lignes contiennent les mêmes champs ;
- la première ligne de la feuille de calcul contienne soit les noms des champs, soit les premières données réelles que vous voulez importer (à moins que vous n'ayez attribué un nom à la plage à importer).

Si la feuille de calcul que vous voulez importer ne répond pas à ces exigences, vous devez la modifier jusqu'à ce que ce soit le cas.

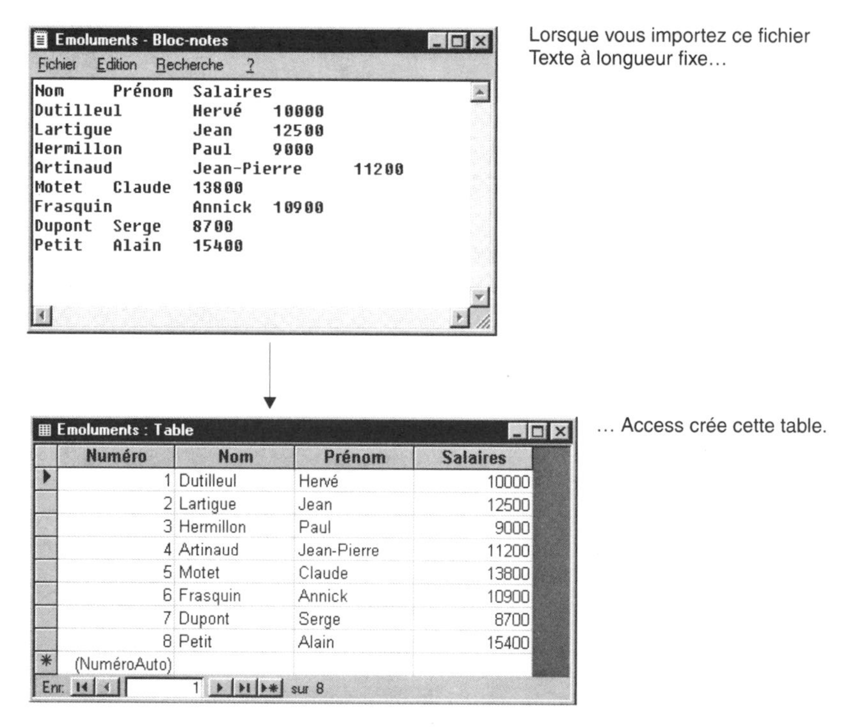

Emoluments - Bloc-notes

Fichier Edition Recherche ?

```
Nom     Prénom  Salaires
Dutilleul       Hervé   10000
Lartigue        Jean    12500
Hermillon       Paul    9000
Artinaud        Jean-Pierre     11200
Motet   Claude  13800
Frasquin        Annick  10900
Dupont  Serge   8700
Petit   Alain   15400
```

Lorsque vous importez ce fichier Texte à longueur fixe…

Emoluments : Table

Numéro	Nom	Prénom	Salaires
1	Dutilleul	Hervé	10000
2	Lartigue	Jean	12500
3	Hermillon	Paul	9000
4	Artinaud	Jean-Pierre	11200
5	Motet	Claude	13800
6	Frasquin	Annick	10900
7	Dupont	Serge	8700
8	Petit	Alain	15400
(NuméroAuto)			

Enr: 1 sur 8

… Access crée cette table.

Figure 7.8 : Importation d'un fichier Texte à longueur fixe dans une table Access.

Pour importer ou lier une feuille de calcul :

1. Activez la fenêtre Base de données d'Access qui doit accueillir la nouvelle table, puis choisissez Importer ou Lier les tables.

2. Dans la liste Type de fichier, choisissez le format de feuille de calcul que vous voulez importer. Vous avez le choix entre Microsoft Excel (pour importer ou pour lier) et Lotus 1-2-3 (pour importer seulement).

3. Localisez la feuille de calcul à importer ou à lier, puis cliquez deux fois sur son nom lorsqu'il apparaît dans la liste Regarder dans. L'Assistant Importation de feuille de calcul prend en charge la suite des opérations. Si votre feuille de calcul comporte soit une plage nommée, soit plusieurs feuilles, une boîte de dialogue semblable à celle représentée à la Figure 7.9 s'affiche (cette fenêtre est la même, que vous procédiez à une importation ou à une liaison ; la seule différence se situe au niveau de la barre de titre).

4. Choisissez d'afficher les feuilles de données ou les plages nommées ; cliquez ensuite sur la feuille ou la plage à utiliser, puis sur Suivant. La Figure 7.10 montre la boîte de dialogue suivante.

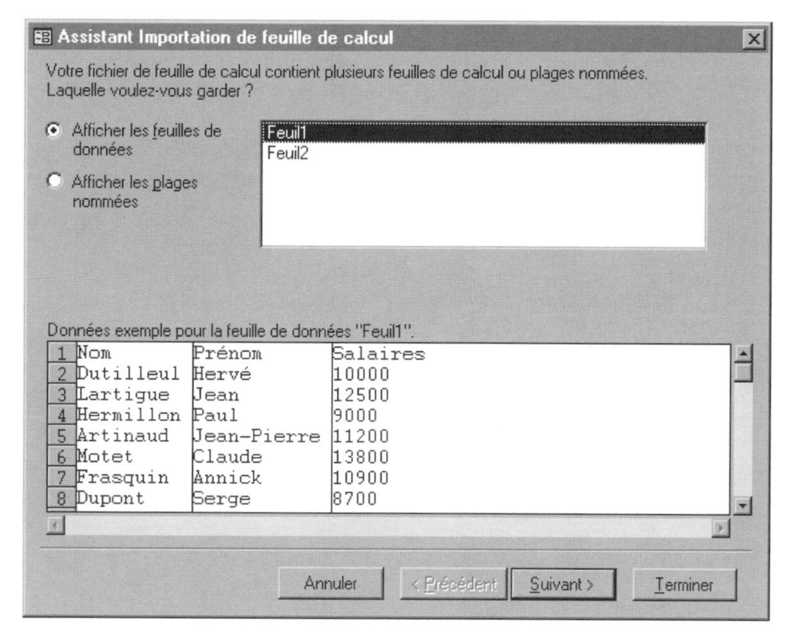

Figure 7.9 : Cette boîte de dialogue de l'Assistant Importation de feuille de calcul s'affiche si votre feuille de calcul comporte plusieurs feuilles ou une plage nommée.

5. La Figure 7.10 montre la boîte de dialogue suivante. Si la première rangée des données que vous importez ou liez comporte les noms des champs de la table, activez Première ligne contient les en-têtes de colonnes. Si vous ne validez pas cette option, Access traite la première ligne comme étant des données réelles et utilise comme noms de champs le mot “Champ” suivi d'un numéro d'ordre (Champ1, Champ2, Champ3...). Cliquez sur Suivant pour continuer et passer à une boîte de dialogue qui vous permet de choisir d'importer les données dans une nouvelle table ou dans une table existante.

6. Faites votre choix et sélectionnez une table dans la base de données ouverte si vous avez choisi *Dans une table existante.* Cliquez ensuite sur Suivant.

7. La boîte de dialogue de la Figure 7.11 s'affiche si vous procédez à une importation. Elle vous permet de spécifier des informations sur chacun des champs importés. Pour indiquer à l'Assistant quel champ vous souhaitez définir, cliquez dans n'importe quelle donnée du champ concerné dans la partie inférieure de la fenêtre. Entrez ensuite le nom de ce champ dans la case Nom du champ, spécifiez s'il doit ou non être indexé en choisissant Non, Oui - Avec doublons ou Oui - Sans doublons dans le menu local Indexé, puis choisissez le type de données souhaité grâce à la liste déroulante Type de données (si elle

est disponible). Si vous préférez sauter le champ (c'est-à-dire ne pas l'importer), activez (cochez) Ne pas importer le champ (sauter). Répétez l'étape n° 6 autant de fois que nécessaire, puis cliquez sur Suivant.

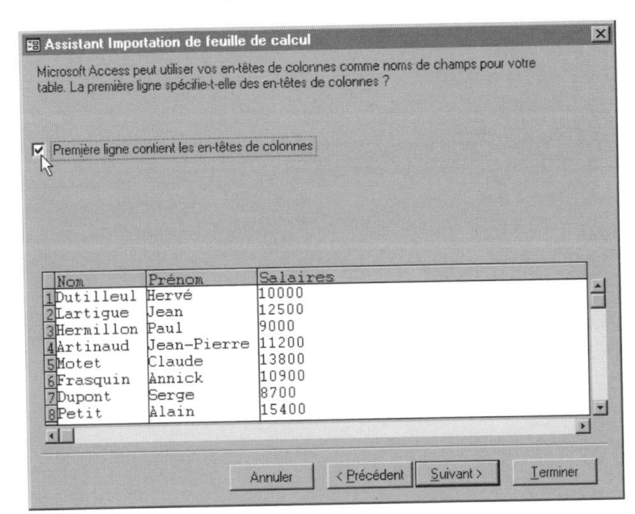

Figure 7.10 : Cette boîte de dialogue vous permet de spécifier si la première ligne des données importées ou liées contient les noms des champs. Dans notre exemple, nous avons importé la feuille de calcul Excel "Salaires" (représentée à la Figure 7.6). Rappelons que la fenêtre d'attache est identique.

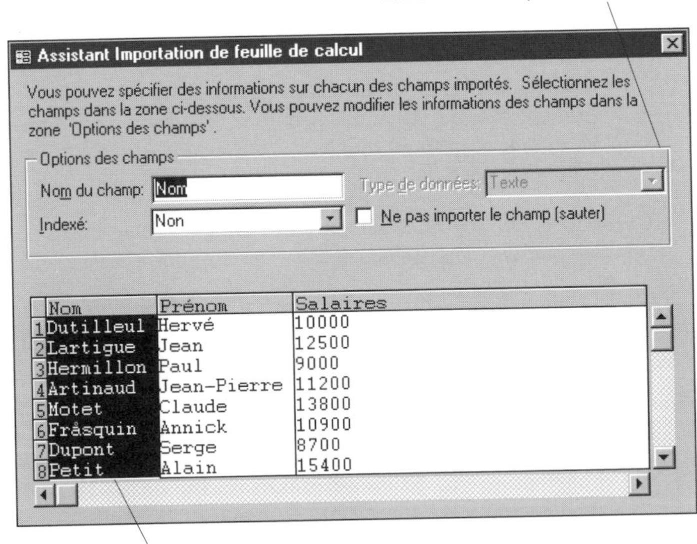

Figure 7.11 : Cette boîte de dialogue vous permet de spécifier les noms des champs, d'opter pour l'indexation et de définir le type de données de chaque champ importé ; vous pouvez également renoncer à importer tel ou tel champ.

8. En cas d'importation, la boîte de dialogue suivante vous permet de stipuler comment Access doit assigner la clé primaire. Vous pouvez laisser au programme le soin d'ajouter cette clé, la choisir vous-même dans le menu déroulant Choisir ma propre clé primaire, ou encore renoncer à faire un choix. Quand votre décision est prise, cliquez sur Suivant.
9. La dernière boîte de dialogue vous permet de définir un nom de table. En cas d'importation, vous pouvez également demander que l'Assistant analyse la structure de votre table dès qu'il aura importé les données (Le Chapitre 16 décrit l'Assistant Analyseur de table.). Complétez cette fenêtre, puis cliquez sur Terminer.
10. Si Access vous demande l'autorisation d'écraser une table existante, cliquez sur Oui pour écraser cette table et passer à l'étape n°10, ou cliquez sur Non pour ne pas l'écraser et retourner à l'étape n°8.
11. Lorsqu'Access vous annonce qu'il a terminé l'importation ou la liaison, cliquez sur OK. La nouvelle table apparaît dans la liste de la fenêtre Base de données.

Importer ou lier des fichiers Texte

Un fichier Texte *délimité* est un fichier dans lequel les champs sont séparés par un caractère spécial, comme un point-virgule ou une tabulation, et où chaque enregistrement se termine par un retour de ligne ou par un retour chariot. Le contenu des champs est généralement placé entre guillemets.

Un fichier Texte *à longueur fixe* est un fichier dans lequel chaque champ a une largeur bien déterminée, et où chaque enregistrement se termine par un retour de ligne ou par un retour chariot.

Avant d'importer ou de lier un fichier Texte, assurez-vous qu'il est correctement présenté : toutes les valeurs d'un même champ doivent être de même type et toutes les lignes doivent comporter les mêmes champs. La première ligne peut afficher les noms des champs que vous voulez qu'Access utilise lors de la création de la table.

La procédure d'importation et de liaison des fichiers Texte est sous la tutelle d'un Assistant qui rend la tâche indolore. En fait, vous passerez plus de temps à lire les étapes de cette procédure qu'à la réaliser effectivement.

1. Activez la fenêtre Base de données d'Access qui doit accueillir la nouvelle table, puis choisissez Importer ou Lier les tables.
2. Dans la liste Type de fichier, choisissez Fichiers texte.
3. Localisez le fichier Texte à importer ou à lier, puis cliquez deux fois sur son nom lorsqu'il apparaît dans la liste Regarder dans. L'Assistant prend la main (Figure 7.12).

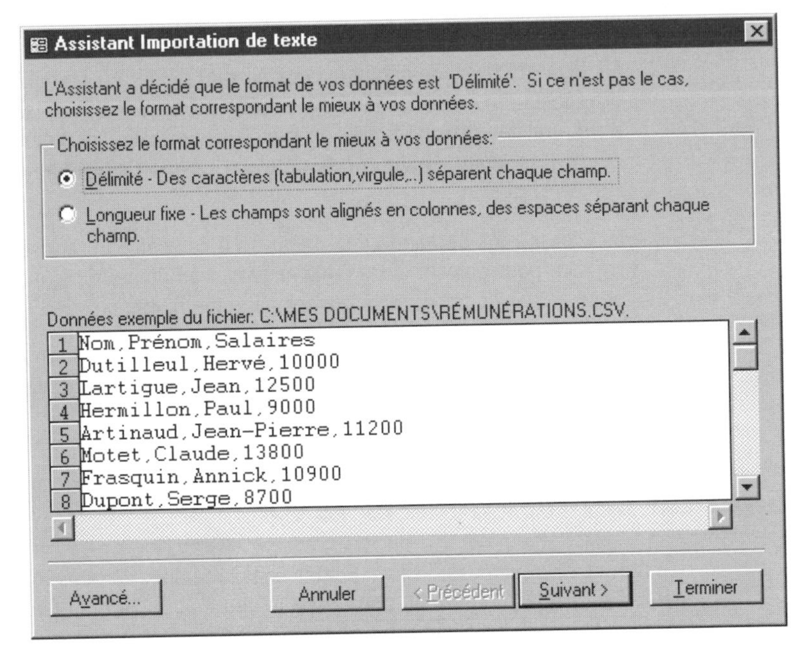

Figure 7.12 : La première boîte de dialogue de l'Assistant Importation de texte vous permet de choisir le format des données importées. Si vous procédez à une liaison, l'Assistant Attache de texte affiche une boîte de dialogue identique, exception faite de la barre de titre.

4. Si Access ne sélectionne pas le bon format, rectifiez son erreur : choisissez Délimité - Des caractères (tabulation, virgule…) séparent chaque champ, ou préférez Longueur fixe - Les champs sont alignés en colonnes, des espaces séparant chaque champ. Cela étant fait, cliquez sur Suivant.

Le bouton Avancé des boîtes de dialogue des Assistants Importation/ Attache de texte vous permet de définir, sauver, charger ou supprimer des spécifications d'importation. Grâce à lui, vous exercez un contrôle approfondi sur la procédure : ordre de date, délimiteur de date, délimiteur

d'heure, etc. Dans la plupart des cas, vous n'aurez pas besoin de recourir à ces paramètres, car l'Assistant s'en charge à votre place. Nous reviendrons sur cet aspect des choses plus loin dans ce chapitre.

5. L'étape suivante dépend du choix que vous avez fait à l'étape n°4.

- Si vous avez choisi Délimité, la boîte de dialogue représentée à la Figure 7.13 apparaît. Choisissez le délimiteur qui sépare vos champs, spécifiez si la première ligne contient les noms des champs et stipulez le caractère qui délimite le texte dans les champs (le Délimiteur de texte). La partie inférieure de la fenêtre montre l'effet des options activées ; vous pouvez ainsi voir directement si vous faites le bon choix.

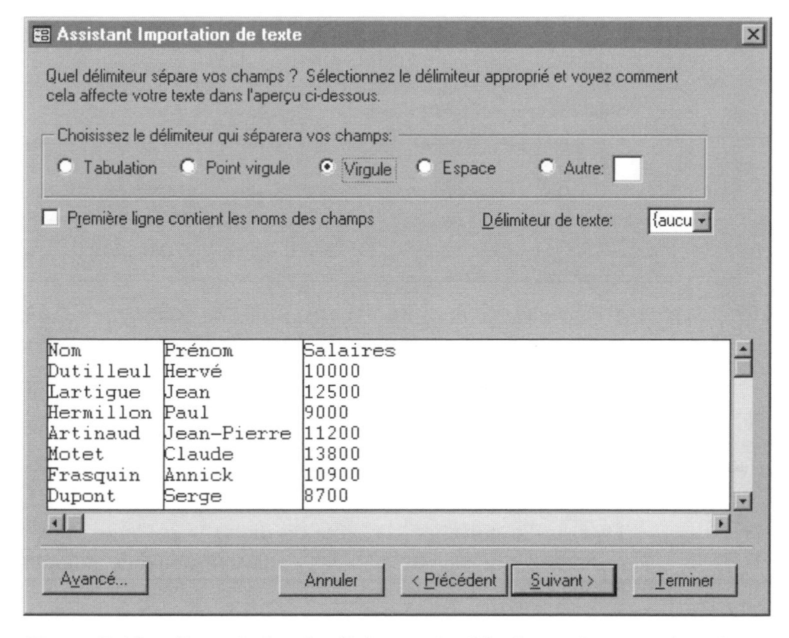

Figure 7.13 : Cette boîte de dialogue de l'Assistant Importation de texte vous permet de choisir le délimiteur qui sépare vos champs ainsi qu'un éventuel délimiteur de texte. Vous pouvez également spécifier si la première ligne contient ou non les noms des champs. La boîte de dialogue de l'Assistant Attache de texte est identique.

- Si vous avez choisi Longueur fixe, c'est la boîte représentée à la Figure 7.14 qui s'affiche. Si l'emplacement des séparateurs de champs est correct, vous n'avez pas besoin de le modifier. Si ce n'est pas le cas, suivez les instructions affichées à l'écran (c'est l'enfance de l'art !). Les données présentées dans la partie inférieure de la fenêtre reflètent vos choix.

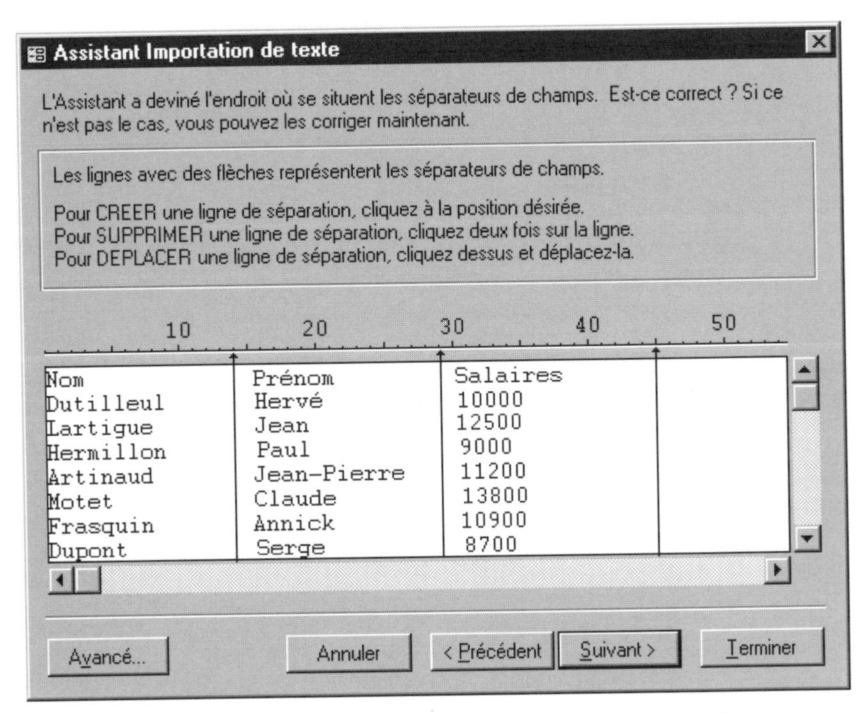

Figure 7.14 : Cette boîte de dialogue de l'Assistant Importation de texte vous permet de spécifier la position et la largeur de chaque champ de votre fichier Texte à longueur fixe. La boîte de dialogue de l'Assistant Attache de texte est identique.

6. Cliquez sur Suivant.
7. En cas de liaison, passez l'étape n° 8.

   En cas d'importation, la boîte de dialogue suivante vous demande si vous souhaitez stocker vos données dans une nouvelle table ou dans une table existante :

- **Pour sauver vos données dans une nouvelle table**, sélectionnez Dans une nouvelle table, puis cliquez sur Suivant et passez ainsi à l'étape n° 8.
- **Pour ajouter vos données à la fin d'une table existante**, activez Dans une table existante et sélectionnez la table concernée dans la liste déroulante. Cliquez sur Suivant et passez à l'étape n° 10.

Lorsque vous importez des données et les ajoutez à la fin d'une table existante, tous les champs du fichier de données importé doivent présenter le même type que le champ correspondant de la table Access ; de plus, les champs doivent apparaître dans le même ordre ; les données ne doivent pas être redondantes dans les champs clé primaire et doivent respecter toutes les règles Valide si éventuellement définies. Si la première rangée contient les noms des champs, ceux-ci doivent correspondre exactement à ceux de la table cible. (Si ces règles ne sont pas respectées, Access vous envoie des messages d'erreur et vous donne alors la possibilité de poursuivre la procédure ou, au contraire, de l'interrompre.)

8. Si vous importez dans une nouvelle table ou si vous liez, spécifiez le nom de chaque champ, son indexation et son type de données ; décidez le cas échéant de sauter l'un ou l'autre champ. Les procédures sont identiques à celles décrites à l'étape n°6 de la section "Importer ou lier des feuilles de calcul". Répétez cette procédure autant de fois que nécessaire, puis cliquez sur Suivant.

9. Si vous importez dans une nouvelle table, indiquez à Access ce qu'il doit faire en matière de clé primaire. Soit il assigne lui-même cette clé, soit vous la sélectionnez dans la liste déroulante mise à votre disposition ; vous pouvez aussi renoncer à spécifier une clé. Cliquez sur Suivant. La dernière boîte de dialogue vous permet d'attribuer un nom à la table.

10. En cas d'importation, vous pouvez aussi demander à l'Assistant Importation de texte de passer la main à l'Assistant Analyseur de table qui, après importation, procédera à l'analyse de la structure de cette table (Chapitre 16). Fixez vos choix, puis cliquez sur Suivant.

11. Si Access vous demande l'autorisation d'écraser une table existante, cliquez sur Oui pour écraser cette table et passer à l'étape n°12, ou cliquez sur Non pour ne pas l'écraser et retourner à l'étape n°10.

12. Lorsqu'Access vous annonce qu'il a terminé l'importation ou la liaison, cliquez sur OK. La nouvelle table apparaît dans la liste de la fenêtre Base de données.

Recourir aux spécifications d'importation ou d'attache

Dans la plupart des cas, le bouton Avancé des Assistants Importation/Attache de texte ne vous est d'aucune utilité. Toutefois, il lui arrivera de vous rendre des services.

Ainsi, imaginons que les dates qui figurent dans votre fichier Texte ne soient pas présentées dans l'ordre habituel jour-mois-année, ou que le séparateur de date soit un point plutôt qu'une barre oblique. Supposons encore que le texte ait été rédigé dans une application MS-DOS ou OS/2 plutôt que dans une application Windows.

Dans ce genre de situations, vous devez faire appel aux *spécifications d'importation* pour fournir à l'Assistant des renseignements complémentaires quant au format de votre fichier source.

Pour charger une spécification déjà définie ou pour en définir une nouvelle, cliquez sur le bouton Avancé, accessible dans toutes les boîtes de dialogue des Assistants Importation/Attache de texte (Figures 7.11 à 7.13).

La Figure 7.15 affiche la fenêtre de spécification d'importation pour un fichier Texte délimité ; la Figure 7.16 fait de même pour un fichier Texte à longueur fixe. Les fenêtres de spécification d'attache sont les mêmes, à l'exception, bien entendu, de leur barre de titre.

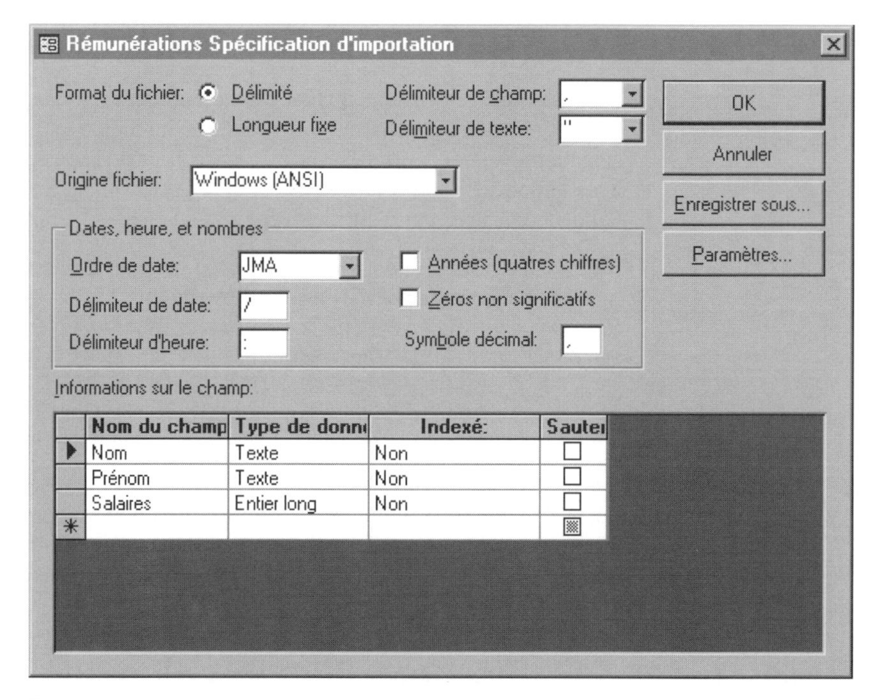

Figure 7.15 : La boîte de dialogue Spécification d'importation d'un fichier Texte délimité. La fenêtre Spécification d'attache est identique.

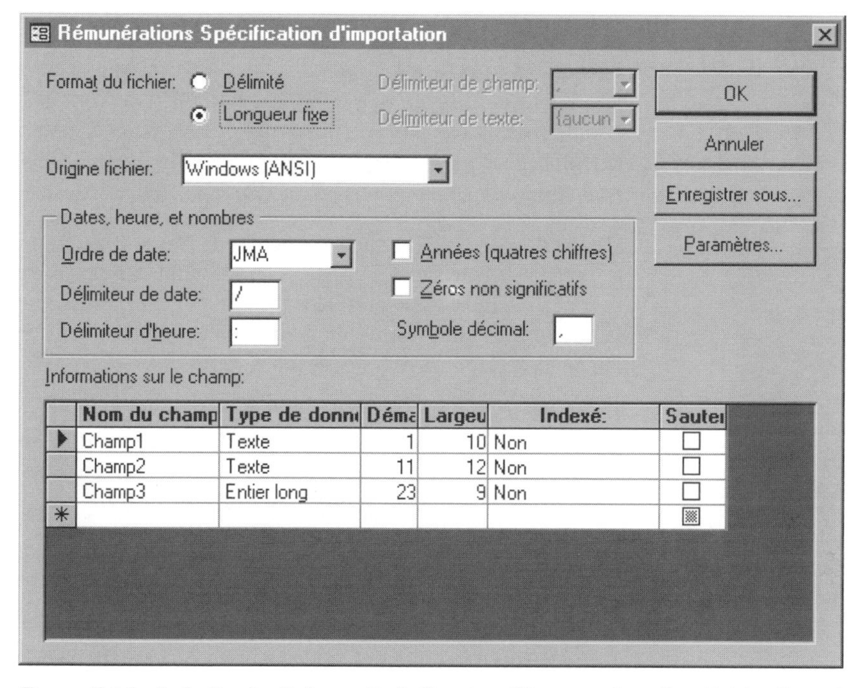

Figure 7.16 : La boîte de dialogue Spécification d'importation d'un fichier Texte à longueur fixe. La fenêtre Spécification d'attache est identique.

Définir des spécifications

Dans la partie supérieure de la boîte de dialogue Spécification d'importation/d'attache, vous avez la possibilité de définir le format du fichier (soit Délimité, soit Longueur fixe). Pour les fichiers délimités, vous pouvez en outre spécifier :

Délimiteur de champ : Si les champs sont séparés par un autre caractère que le point-virgule, tapez le caractère correct dans la case correspondante, ou déroulez le menu local et sélectionnez une option dans la liste. Vous avez le choix entre les caractères suivants : virgule, point-virgule, tabulation ou espace.

Délimiteur de texte : Si le contenu des champs est délimité par des caractères autres que les guillemets ("), tapez le caractère correct dans la case correspondante, ou déroulez le menu local et sélectionnez une option dans la liste. Choisissez {aucun} si votre fichier n'utilise pas de délimiteur de texte.

Dans la partie centrale de la fenêtre, vous pouvez modifier ces paramètres :

Origine fichier : Ce paramètre contrôle la manière dont Access interprète les caractères étendus (ceux dont le code ASCII est supérieur à 128). Si votre fichier Texte a été créé dans une application Windows, choisissez Windows (ANSI) dans le menu local correspondant. S'il a été conçu dans un programme DOS ou OS/2, choisissez DOS ou OS/2 (PC-8).

Ordre de date : Si les dates du fichier Texte ne sont pas présentées dans le format JMA (jour, mois, année) couramment utilisé en Europe, choisissez l'ordre souhaité dans le menu local correspondant. Ainsi, aux États-Unis, c'est le format MJA qui est généralement employé (mois, jour, année) alors que les Suédois préfèrent AMJ (année, mois, jour).

Délimiteur de date : Si les dates du fichier Texte ne sont pas séparés par une barre oblique (comme 11/9/53 pour le 9 novembre 1953), entrez le délimiteur correct dans la case correspondante. Les Français recourent souvent au point (09.11.53) ; les Suédois utilisent le tiret (53-11-09).

Délimiteur d'heure : Si les heures, les minutes et les secondes sont délimitées par un autre caractère que le signe deux points (:), spécifiez le caractère correct dans la case correspondante.

Années (quatre chiffres) : Si les années de votre fichier Texte sont établies sur quatre chiffres (comme 11/9/1953), validez cette option.

Zéros non significatifs : Si les dates de votre fichier Texte comportent des zéros non significatifs (comme le format français courant 09.11.53), sélectionnez cette option.

Symbole décimal : Si le début de la partie décimale des nombres est marqué par un autre caractère que le point, tapez le caractère correct dans la case correspondante.

Dans la rubrique Informations sur le champ située dans la partie inférieure de la fenêtre, vous pouvez définir le Nom du champ et son Type de données ; vous pouvez aussi opter pour son indexation. Pour sauter un champ (c'est-à-dire renoncer à l'importer), utilisez la colonne Sauter.

Si votre fichier est à longueur fixe, vous pouvez également spécifier son Démarrage et sa Largeur (bien qu'il soit plus commode d'agir dans la fenêtre de l'Assistant qui vous permet de situer les séparateurs de champs). Si vous fixez les valeurs Démarrage et Largeur manuellement, assurez-vous qu'il n'existe ni blanc entre deux champs, ni superposition.

Pour calculer la valeur de démarrage d'un champ, ajoutez une unité aux valeurs Démarrage et Largeur du champ précédent. Ainsi, si le premier champ démarre à 1 et que sa largeur vaut 12, le deuxième champ doit démarrer à 13 (soit 1 + 12).

Gérer les spécifications

Il est possible de sauvegarder les spécifications que vous avez définies afin de pouvoir les réemployer par la suite, lors d'une prochaine importation ou exportation de fichiers Texte. Vous pouvez les réutiliser ou les supprimer. Deux boutons s'acquittent de ces tâches :

Enregistrer sous : Ce bouton vous permet de sauvegarder une spécification d'importation ou d'exportation. Cliquez sur ce bouton, attribuez un nom à la spécification (ou acceptez le nom proposé par défaut), puis cliquez sur OK. Access procède à la sauvegarde, puis vous ramène dans la boîte de dialogue Spécification d'importation/d'attache.

Paramètres : Ce bouton vous permet d'utiliser ou de supprimer une spécification d'importation ou d'exportation. Cliquez sur ce bouton, puis sélectionnez la spécification souhaitée. Pour l'utiliser, cliquez sur Ouvrir. Pour la supprimer, cliquez sur Supprimer. Cliquez ensuite sur Annuler.

Terminer la procédure

Lorsque vous en avez fini avec les spécifications, cliquez sur OK pour regagner la boîte de dialogue de l'Assistant Importation/Attache de texte.

Importer ou lier des fichiers HTML

Access vous permet d'importer ou de lier à une de ses bases de données des fichiers enregistrés au format HTML (HyperText Markup Language). Ce langage est spécifiquement destiné aux fichiers destinés à être publiés sur le réseau Internet. Il en existe trois variantes, dont les extensions sont, respectivement, .htm, .html et .htx. La Figure 7.17 montre la fenêtre de l'Explorateur Internet de Microsoft (Microsoft Internet Explorer) qui affiche le fichier c:\Program Files\Microsoft Office\Office\Exemples\cajun.htm. La Figure 7.18 montre le même fichier après importation dans une nouvelle table d'une base de données Access.

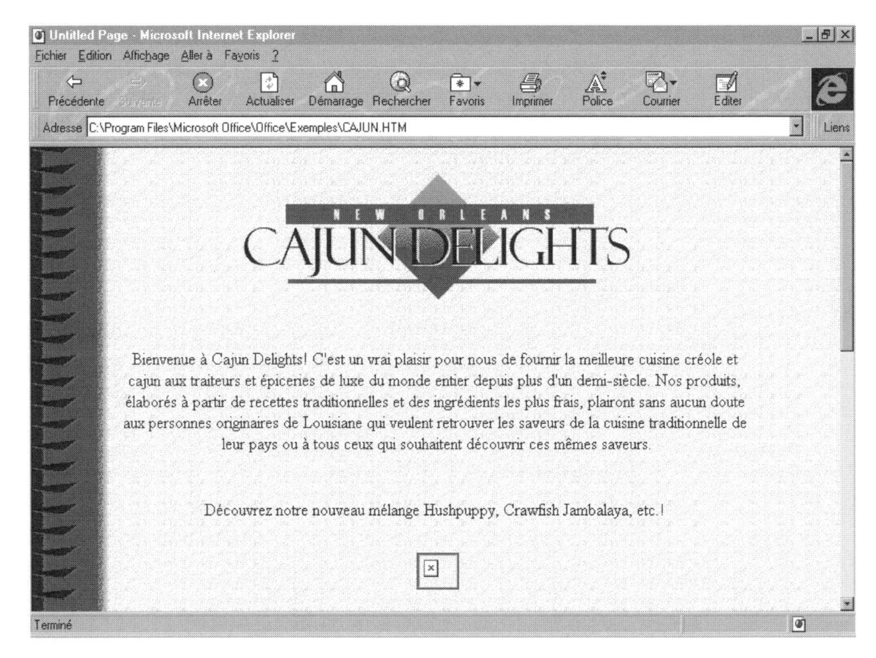

Figure 7.17 : Un fichier affiché dans la fenêtre de Microsoft Internet Explorer.

Produits Cajun : Table

Numéro	Champ1	Champ2	Champ3	Champ4
1	Nouveauxprodu			
2	Catégorie	Produit	Unité	Prix
3	Assaisonnemer	BBQ Sauce	12 bouteilles	99,00 FF
4	Assaisonnemer	Etouffee Mix	boîte de 24	135,00 FF
5	Assaisonnemer	Red Bean Seas	boîte de 24	135,00 FF
6	Friandises	Beignet Mix	boîte de 12	100,00 FF
7	Friandises	King Cake Mix	boîte de 12	195,00 FF
8	Céréales	Dirty Rice Mix	boîte de 18	101,00 FF
9	Céréales	Hushpuppy Mix	boîte de 12	90,00 FF
10	Denrées	Black-eyed Pea	boîte de 12	40,00 FF
11	Denrées	Corn Soup Mix	boîte de 24	210,00 FF
12	Denrées	Hot Pickled Ok	18 pots	101,00 FF
13	Fruits de mer	Crawfish Jamba	boîte 12	895,00 FF
(NuméroAuto)				

Enr: 1 sur 13

Figure 7.18 : Une table baptisée Produits Cajun importée depuis un fichier HTML.

Pour importer ou lier un fichier HTML :

1. Activez la fenêtre Base de données d'Access qui doit accueillir la nouvelle table, puis choisissez Importer ou Lier les tables.
2. Dans la liste Type de fichier, choisissez Documents HTML.
3. Localisez le document HTML à importer ou à lier, puis cliquez deux fois sur son nom lorsqu'il apparaît dans la liste Regarder dans. L'Assistant Importation HTML entre en jeu. La première boîte de dialogue est identique, exception faite de sa barre de titre, à celle de l'Assistant Importation de feuille de calcul.
4. Validez l'option *Première ligne contient les en-têtes de colonnes* si ces en-têtes figurent dans le document HTML. Cliquez sur Suivant.
5. En cas d'importation, la boîte de dialogue suivante vous demande si vous souhaitez stocker vos données dans une nouvelle table ou dans une table existante. Dans cette seconde éventualité, sélectionnez la table concernée dans la liste déroulante. Cliquez sur Suivant.
6. En cas d'importation, vous pouvez à présent spécifier les noms des champs, opter pour leur indexation, définir les types de données et, le cas échéant, désigner les champs à ne pas importer. Pour les détails de mise en oeuvre, reportez-vous à l'étape n° 7 de la procédure d'importation ou de liaison des feuilles de calcul. Répétez cette étape autant de fois que nécessaire, puis cliquez sur Suivant.
7. En cas d'importation dans une nouvelle table, stipulez comment Access doit assigner la clé primaire. Vous pouvez laisser au programme le soin d'ajouter cette clé, la choisir vous-même dans le menu déroulant Choisir ma propre clé primaire, ou encore renoncer à faire un choix. Quand votre décision est prise, cliquez sur Suivant.
8. La dernière boîte de dialogue vous permet de définir un nom de table. En cas d'importation, vous pouvez également demander que l'Assistant analyse la structure de votre table dès qu'il aura importé les données (Le Chapitre 16 décrit l'Assistant Analyseur de table.). Complétez cette fenêtre, puis cliquez sur Terminer.
9. Si Access vous demande l'autorisation d'écraser une table existante, cliquez sur Oui pour écraser cette table et passer à l'étape n°10, ou cliquez sur Non pour ne pas l'écraser et retourner à l'étape n°8.
10. Lorsqu'Access vous annonce qu'il a terminé l'importation ou la liaison, cliquez sur OK. La nouvelle table apparaît dans la liste de la fenêtre Base de données.

Remanier la structure d'une table importée

Lorsque vous avez importé une table, vous pouvez améliorer sa structure de différentes manières. Pour commencer, ouvrez la table concernée et activez le mode création. Vous pouvez ensuite, selon les besoins de la cause...

- **Changer les noms de champs et ajouter des descriptions.** Cette possibilité est particulièrement intéressante si vous n'avez pas importé les noms des champs en même temps que les données.
- **Modifier les types de données.** Access fait de son mieux pour attribuer à chaque champ le type qui lui convient le mieux en fonction des données qui y sont stockées ; il vous donne néanmoins la possibilité de procéder à des aménagements.
- **Déterminer les propriétés des champs** (comme la taille, le format, etc.).
- **Définir une clé primaire** qui identifie de manière unique chaque enregistrement de la table et accroît les performances de traitement.

Si vous désirez en savoir plus à ce sujet, voyez le Chapitre 6.

Résoudre les problèmes d'importation

Access peut rencontrer des problèmes lorsqu'il importe des enregistrements dans une table ; il affiche alors un message semblable à celui représenté ci-dessous. Pour chaque enregistrement source d'erreur, le programme écrit une ligne dans une nouvelle table de votre base de données qu'il baptise x_ErreursImportation (ou x_ErreursImportation1, x_ErreursImportation, etc.), où x est le nom de la table importée. Vous pouvez ouvrir cette table depuis la fenêtre Base de données pour afficher la description des erreurs.

La Figure 7.17 montre la table Rémunérations Mauvais_ErreursImportation créée par Access lorsque nous avons tenté d'importer le fichier Texte délimité Rémunérations Mauvais représenté dans la partie supérieure. Remarquez que la troisième ligne de ce fichier comporte un tilde (~) à la place de la virgule comme délimiteur de champ, et que la sixième ligne comporte un point d'exclamation (!) dans la valeur Salaires. La table Rémunérations Mauvais représentée dans la partie inférieure contient les enregistrements qu'Access a importés. Le troisième enregistrement n'est pas correct : le nom et le prénom ainsi que le tilde apparaissent dans le premier champ et le salaire dans le deuxième, le troisième champ étant vide. Le sixième enregistrement n'est pas correct non plus : le salaire n'apparaît pas.

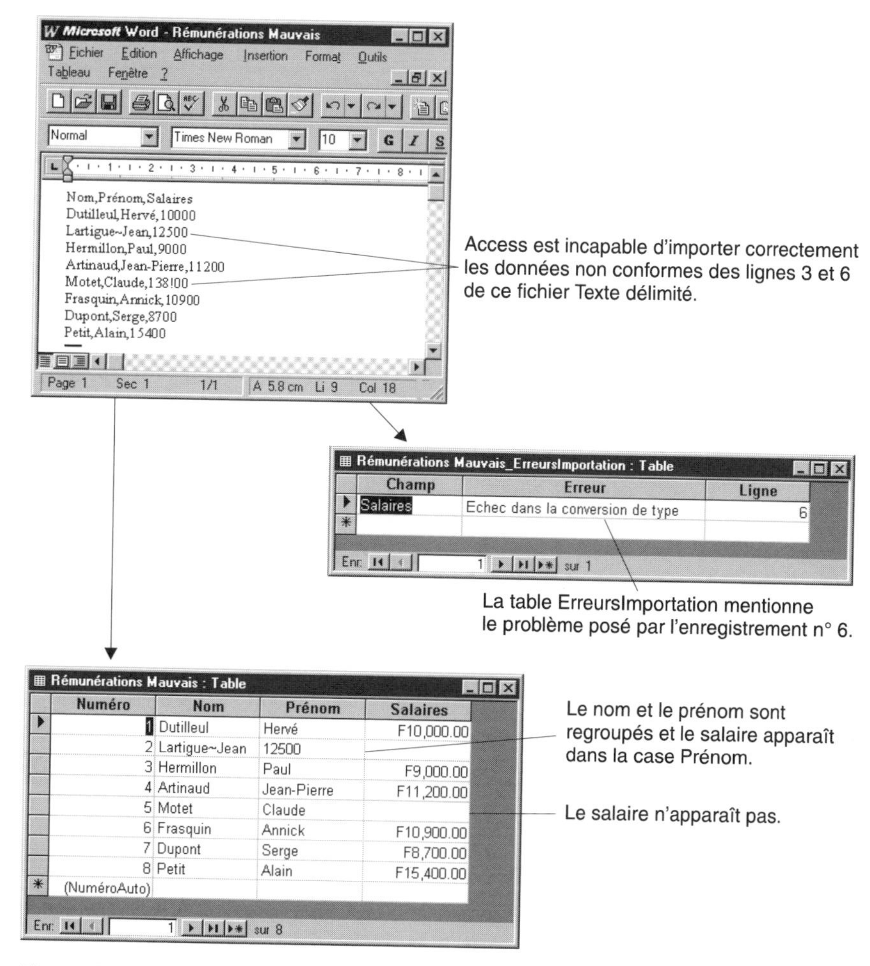

Numéro	Nom	Prénom	Salaires
1	Dutilleul	Hervé	F10,000.00
2	Lartigue~Jean	12500	
3	Hermillon	Paul	F9,000.00
4	Artinaud	Jean-Pierre	F11,200.00
5	Motet	Claude	
6	Frasquin	Annick	F10,900.00
7	Dupont	Serge	F8,700.00
8	Petit	Alain	F15,400.00
(NuméroAuto)			

Figure 7.19 : Le fichier Texte délimité présenté dans la partie supérieure a provoqué des erreurs d'importation recensées dans la table ErreursImportation. Les enregistrements valables du fichier Texte sont stockés dans la table Rémunérations Mauvais.

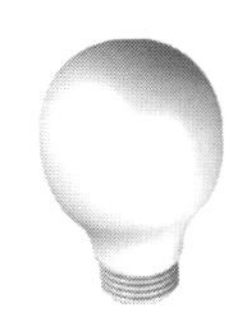

Lorsque vous importez un fichier Texte douteux, n'assignez pas de clé primaire. Les enregistrements de la table constituée par l'importation apparaîtront dans le même ordre que celui en vigueur dans le fichier original, ce qui rend les champs et les enregistrements vides plus faciles à repérer et à mettre en parallèle avec les lignes correspondantes du fichier Texte. Vous assignerez une clé primaire lorsque tous les problèmes d'importation seront résolus.

Problèmes lors de l'importation dans une nouvelle table

Voici les problèmes qui risquent de se poser lorsque vous importez des enregistrements dans une *nouvelle* table :

- Access choisit un type de données erroné pour un champ parce que la première ligne de données ne reflète pas le type correct. Cette situation peut notamment se produire lorsque vous oubliez de spécifier que la première ligne contient les noms des champs, ou quand un champ comporte un nombre dans la première ligne de données et du texte dans les autres lignes.
- Une ou plusieurs lignes du fichier contiennent plus de champs que la première ligne.
- Les données d'un champ ne correspondent pas au type de données qu'Access a choisi pour ce champ, ou ce dernier est vide. Ainsi, un nombre peut inclure un caractère incorrect (voir l'exemple de la Figure 7.19), ou bien une ligne peut comporter des caractères bizarres ou des informations de résumé.

Problèmes lors de l'importation dans une table existante

Les problèmes suivants sont susceptibles de survenir lors de l'importation dans une table *existante* :

- Les données d'un champ numérique sont trop larges et dépassent la taille allouée au champ dans la table d'accueil. Ainsi, Access est incapable d'importer un enregistrement si le champ de la table d'accueil a une propriété Taille définie comme Octet alors que le contenu du champ est une valeur supérieure à 255 (codée sur plus d'un octet).

- Un ou plusieurs enregistrements du fichier importé correspondant au champ clé primaire de la table sont en double alors que la propriété Indexé est fixée sur Oui - Sans doublons.
- Une ou plusieurs lignes du fichier contiennent plus de champs que la table n'en propose.
- Les données d'un champ du fichier Texte ou feuille de calcul ne sont pas du même type que le champ correspondant de la table. Un exemple : le champ de la table est de type Monétaire alors que les données sont des noms de personne.

L'importation prend parfois du temps. Si l'attente vous semble anormalement longue, il se peut que ce retard soit dû à de multiples erreurs d'importation. Pour annuler la procédure, enfoncez les touches Ctrl + Pause.

Si Access recense une ou plusieurs erreurs, ou si votre table importée comporte des champs ou des enregistrements vides, ouvrez la table ErreursImportation et essayez de comprendre à quoi ces erreurs sont dues. Vous devrez sans doute corriger votre fichier source ou modifier la structure de la table existante. Lorsque les problèmes seront résolus, vous pourrez tenter une nouvelle importation.

Lors de cette nouvelle tentative, évitez d'ajouter des enregistrements en double. Un bon conseil : réalisez une copie de votre fichier original, puis supprimez de cette copie tous les enregistrements qui ont été importés correctement. Apportez les aménagements requis aux données ou à la table ; choisissez ensuite Dans une table existante lorsque vous importez la suite des données. Une autre technique consiste à supprimer la table créée lors de la première importation, puis à relancer la procédure ; vous pouvez encore laisser Access détruire lui-même cette table non valable.

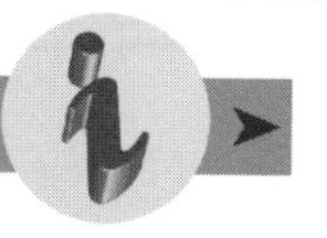

Pour plus d'informations concernant la table ErreursImportation, voyez l'entrée d'index *importation de données, problèmes et solutions.*

Exporter des données depuis Access

Vous pouvez exporter des données issues de tables Access dans tous les formats de fichier Texte, feuille de calcul ou base de données que nous avons déjà énumérés ; vous pouvez conserver vos données dans Access tout en les utilisant dans une foule d'autres programmes. Vous pouvez aussi exporter des objets d'une base de données Access vers d'autres bases Access ou vers votre programme de messagerie électronique.

De nombreux gestionnaires de base de données n'autorisent pas les espaces dans les noms de table ou de champ ; de plus, ces noms ne peuvent comprendre que 64 caractères (comme c'est le cas dans Access). Lors de l'exportation d'une table, Access ajuste automatiquement les noms afin qu'ils soient conformes aux règles en vigueur dans l'application cible.

Différentes options d'exportation sont disponibles (nous les commenterons en détail sous peu) :

Enregistrer sous/Exporter : (dans le menu Fichier et dans le menu contextuel accessible depuis la fenêtre Base de données) ; cette commande convertit une base de données Access en format Microsoft Access, Microsoft Excel (97, 5-7, 4 ou 3), Texte, Paradox (3, 4 ou 5), Lotus 1-2-3 (wk1 ou wk3), HTML (htm), dBASE (III, IV ou 5), Microsoft FoxPro (2.0, 2.5, 2.6 ou 3.0), Rich Text Format (ou format texte enrichi), Fusion Microsoft Word et bases de données ODBC.

Enregistrer au format HTML : (dans le menu Fichier) ; cette commande vous permet de convertir un objet Access en format HTML. Elle sert également à lancer l'Assistant Publication Web.

Liaisons Office : (dans le menu Outils et dans le menu local Liaisons Office de la barre d'outils Base de données) ; cette commande vous permet de sauvegarder vos données dans un fichier et de lancer immédiatement le programme Microsoft correspondant. Les options disponibles sont Fusionner avec MS Word (dans le cas d'un document Microsoft Word), Exporter vers MS Word (dans le cas d'un fichier Microsoft Word RTF) et Exporter vers MS Excel (dans le cas d'une feuille de calcul Excel).

Envoyer : (dans le menu Fichier) ; cette commande convertit un objet d'une base de données Access en un fichier Microsoft Excel, Rich Text Format (format texte enrichi) ou Texte MS-DOS, puis envoie ce fichier à un autre utilisateur via un service de messagerie électronique.

Exporter des objets

Les techniques relatives à l'exportation d'objets sont sensiblement les mêmes que celles utilisées pour l'importation.

1. Activez la fenêtre Base de données qui contient l'objet que vous souhaitez exporter. Pour exporter l'intégralité de cet objet, cliquez sur son nom dans la fenêtre Base de données. Pour exporter une sélection d'enregistrements d'une table ou d'une requête, ouvrez la table ou exécutez la requête, puis sélectionnez les enregistrements souhaités.
2. Choisissez Fichier/Enregistrer sous/Exporter ou cliquez avec le bouton droit de la souris dans une zone grisée de la fenêtre Base de données et choisissez Enregistrer sous/Exporter.
3. Dans la boîte de dialogue suivante, choisissez Vers un fichier ou une base de données externe, puis cliquez sur OK. La boîte de dialogue Enregistrer apparaît.
4. Dans la liste déroulante Type de fichier, choisissez le format souhaité. Par exemple, déroulez cette liste, faites défiler ses options, puis choisissez Rich Text Format (Format texte enrichi) pour copier l'objet dans un fichier RTF.
5. Localisez le dossier dans lequel vous voulez stocker votre fichier, puis tapez le nom de ce fichier dans la case Nom de fichier, ou acceptez le nom proposé par défaut.

Les techniques permettant de localiser les unités, les dossiers et les fichiers dans cette boîte de dialogue sont identiques à celles en vigueur dans les fenêtres Fichier/Ouvrir et Fichier/Nouvelle base de données (voyez les Chapitres 1 et 5, respectivement).

6. Selon le type de fichier sélectionné, vous avez accès à différents options :

   Enregistrer formaté : Activez (cochez) cette option si vous souhaitez que les données exportées conservent la plupart de leurs attributs de mise en forme ; désactivez-la pour exclure le formatage de la procédure.

   Démarrage automatique : Activez (cochez) cette option pour ouvrir directement le fichier exporté afin de le visualiser dans le programme de destination.

   Enregistrer Tout/Sélection : Tout sauve l'intégralité du fichier ; Sélection sauve les enregistrements sélectionnés à l'étape n° 1.

7. Cliquez sur Exporter. Si le nom de fichier que vous avez défini existe déjà, Access vous demande s'il doit le remplacer. Cliquez sur Oui pour procéder à la substitution et passez ensuite à l'étape n° 8 ; cliquez sur Non pour y renoncer et retourner à l'étape n° 5.
8. Réagissez aux messages éventuels qui vous sont adressés.

Access exporte l'objet Access dans le format demandé et enregistre le résultat de cette exportation dans le fichier spécifié à l'étape n° 5. Si vous avez activé le démarrage automatique au cours de l'étape n° 6, le programme de destination démarre (cliquez dans la case de fermeture de sa fenêtre ou choisissez Fichier/Quitter pour revenir à la fenêtre Base de données d'Access).

L'aide en ligne vous renseigne sur les procédures d'exportation : voyez le livre du sommaire intitulé *Exportation ou partage de données et d'objets avec d'autres applications*, puis *Exportation de données*. L'entrée d'index *exportation de données* se tient également à votre disposition. Les sections suivantes détaillent l'exportation vers différents types de fichiers cible.

Exporter vers un fichier Texte ou Excel 5-7 ou 97

Vous pouvez exporter des tables, des requêtes, des formulaires et des états Access vers des fichiers Texte exploitables par un programme de traitement de texte ou vers des feuilles de calcul Excel, versions 5-7. ou 97.

1. Répétez les étapes 1 à 3 de la procédure générale décrite à la section précédente “Exporter des objets”.
2. Dans la liste déroulante Type de fichier, choisissez l'un des formats suivants :

- **Pour exporter les données Access dans un format utilisable par les programmes de traitement de texte orientés texte**, comme le Bloc-Notes de Windows ou WordPerfect pour DOS, choisissez Fichiers texte.
- **Pour exporter les données Access en format Texte délimité Fusion Microsoft Word**, choisissez Fusion Microsoft Word.
- **Pour exporter les données Access en format RTF (Rich Text Format)**, choisissez Rich Text Format (Format texte enrichi). Vous pouvez manipuler les fichiers de ce type dans Microsoft Word, dans le Bloc-Notes ainsi que dans les différents programmes de traitement de texte tournant sous Windows.
- **Pour exporter les données Access en format feuille de calcul Excel versions 5-7 ou 97**, choisissez Microsoft Excel 5-7 ou Microsoft Excel 97.

3. Localisez le dossier dans lequel vous voulez stocker votre fichier, puis tapez le nom de ce fichier dans la case Nom de fichier ou acceptez le nom proposé par défaut.
4. Validez éventuellement l'une des options disponibles (Enregistrer formaté, Démarrage automatique ou Enregistrer Tout/Sélection) commentées dans la section précédente.

5. Cliquez sur Exporter.

Si vous avez choisi le format Fichiers texte et *n'avez pas* activé l'option Enregistrer formaté, l'Assistant Exportation de texte prend la main. Les boîtes de dialogue et les options qu'il propose sont les mêmes que lors de l'importation. Voyez donc "Importer ou lier des fichiers Texte", plus haut dans ce chapitre.

Access procède à l'exportation dans le format sélectionné. La première ligne de la feuille de calcul ou du fichier Texte affichera les noms des champs de la table ou de la requête. Si vous avez coché l'option Démarrage automatique à l'étape n°4, le programme de destination démarre et ouvre le fichier exporté. Vous pouvez le visualiser et le modifier le cas échéant (cliquez dans la case de fermeture de sa fenêtre ou choisissez Fichier/Quitter pour revenir à la fenêtre Base de données d'Access).

Exporter vers une feuille de calcul ou vers un fichier Paradox, FoxPro ou dBASE

Pour exporter des tables ou des requêtes Access vers Microsoft Excel, Lotus 1-2-3, Paradox, FoxPro ou dBASE, suivez la procédure décrite ci-dessous. Les sections suivantes vous expliqueront comment exporter des données vers d'autres systèmes de bases de données.

1. Répétez les étapes 1 à 3 de la procédure générale décrite à la section précédente "Exporter des objets".

2. Dans la liste déroulante Type de fichier, choisissez l'un des formats suivants : Microsoft Excel, Paradox, Lotus 1-2-3, dBASE ou Microsoft FoxPro.

3. Localisez le dossier dans lequel vous voulez stocker votre fichier, puis tapez le nom de ce fichier dans la case Nom de fichier ou acceptez le nom proposé par défaut.

4. Cliquez sur Exporter.

La base de données ou la feuille de calcul ainsi créée comporte toutes les données de la table ou de la requête Access. Dans le cas des feuilles de calcul, la première rangée affiche les noms de champs de la table ou de la requête.

Exporter vers une base de données SQL

Pour exporter une table ou une requête Access vers une base SQL :

1. Répétez les étapes 1 à 3 de la procédure générale décrite à la section précédente “Exporter des objets”.
2. Dans la liste déroulante Type de fichier, choisissez Base de données ODBC. La boîte de dialogue Exporter apparaît.
3. Dans cette boîte, spécifiez le nom de la table dans la base de données ODBC, puis cliquez sur OK.
4. Dans l’onglet Source de données fichier de la boîte de dialogue Sélectionner la source de données qui s’affiche ensuite, cliquez deux fois sur la source de données ODBC vers laquelle vous souhaitez exporter. (Vous pouvez définir une nouvelle source de données pour tout pilote ODBC installé en cliquant sur Nouveau et en suivant les instructions à mesure qu’elles apparaissent. Après avoir créé la source, cliquez deux fois sur son nom pour continuer la procédure.)
5. Entrez les informations requises par la source de données ODBC et cliquez sur OK pour valider vos choix. Comme lors de l’importation, vous serez sans doute amené à entrer votre logon (code de connexion) et votre mot de passe.

Access se connecte à la source de données ODBC et crée la nouvelle table.

Lorsque vous exportez une table Access vers une base de données ODBC, Access n’exporte ni la clé primaire, ni l’index. Si vous établissez ensuite un lien avec la table exportée sans avoir modifié sa structure de la base ODBC, le programme n’ouvre la table qu’en mode lecture seule.

L’exportation vers des sources de données ODBC est commentée dans le fichier d’aide (entrée d’index *exportation de données*).

Exporter vers une autre base de données Access

Dans ce chapitre, vous avez appris comment importer ou lier des objets d’une base Access vers la base courante. L’opération inverse est bien entendu possible : copier une table, une requête, un formulaire, un état, une macro ou un module dans la base active et l’exporter vers une autre base Access.

1. Répétez les étapes 1 à 3 de la procédure générale décrite à la section précédente “Exporter des objets”.
2. Dans la liste déroulante Type de fichier, choisissez Microsoft Access.
3. Localisez le dossier dans lequel se trouve la base de données Access de destination.
4. Cliquez sur Exporter.
5. Dans la boîte de dialogue Exporter, spécifiez le nom que vous voulez attribuer à l’objet ou acceptez le nom proposé par défaut. En cas d’exportation d’une table, choisissez l’une des deux options proposées dans la rubrique Exporter les tables : Définition et données ou Définition uniquement. Cliquez sur OK. Si la base de données vers laquelle vous exportez comporte déjà un objet du même nom, Access vous demande s’il doit le remplacer.
6. Cliquez sur Oui pour procéder à la substitution ; cliquez sur Non pour y renoncer et retourner à l’étape n° 5.

Access copie l’objet dans la base de données de destination.

Exporter en format HTML

HTML est le format spécifique des fichiers destinés à être publiés sur Internet. Il utilise des codes particuliers qui contrôlent l’affichage des fichiers graphiques et la mise en forme du texte (taille des caractères, attribut gras, etc.). Un fichier HTX fait partie d’une publication qui entretient une liaison dynamique avec une base de données. Lors d’une exportation HTX, Access crée deux fichiers : un fichier .htx qui fait référence à un documet HTML utilisé comme modèle, et un fichier .idc qui regroupe les informations sur la manière de se connecter à la source de données ODBC qui contient les données à publier. Pour exporter une table ou une requête Access en format HTML :

1. Répétez les étapes 1 à 3 de la procédure générale décrite à la section précédente “Exporter des objets”.
2. Choisissez Fichier/Enregistrer sous/Exporter, puis, dans la boîte de dialogue Enregistrer sous, validez Vers un fichier ou une base de données externe. Cliquez sur OK.
3. Dans la liste déroulante Type de fichier de la boîte de dialogue suivante, choisissez Documents HTML.
4. Localisez le dossier dans lequel vous voulez stocker votre fichier, puis tapez le nom de ce fichier dans la case Nom de fichier ou acceptez le nom proposé par défaut.
5. Cliquez sur Exporter.

Utiliser l'Assistant Publication Web

Cet Assistant peut vous être d'un grand secours à l'heure de préparer un fichier destiné à être publié sur Internet. Les données publiées peuvent être statiques (il s'agit alors d'un "instantané" d'un objet Access tel qu'il se présentait quand vous l'avez publié), ou dynamiques (les données sont constamment réactualisées).

Pour déclencher l'Assistant Publication Web :

1. Choisissez Fichier/Enregistrer au format HTML.
2. Si vous avez déjà invoqué cet Assistant et enregistré un profil de publication Web, l'option Utiliser un profil de publication Web déjà créé avec cet Assistant est disponible. Activez-la si vous souhaitez réutiliser ce profil.

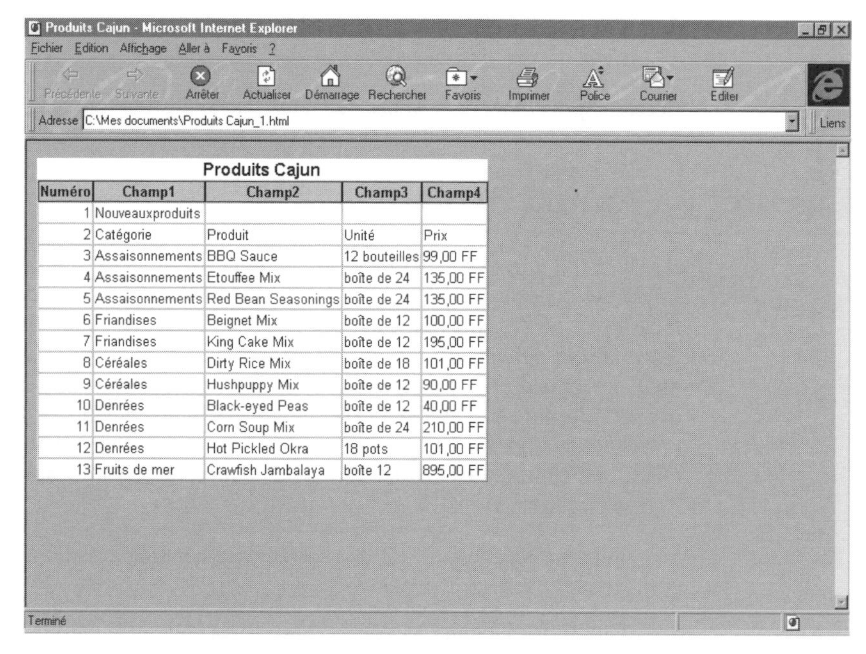

Produits Cajun

Numéro	Champ1	Champ2	Champ3	Champ4
1	Nouveauxproduits			
2	Catégorie	Produit	Unité	Prix
3	Assaisonnements	BBQ Sauce	12 bouteilles	99,00 FF
4	Assaisonnements	Etouffee Mix	boîte de 24	135,00 FF
5	Assaisonnements	Red Bean Seasonings	boîte de 24	135,00 FF
6	Friandises	Beignet Mix	boîte de 12	100,00 FF
7	Friandises	King Cake Mix	boîte de 12	195,00 FF
8	Céréales	Dirty Rice Mix	boîte de 18	101,00 FF
9	Céréales	Hushpuppy Mix	boîte de 12	90,00 FF
10	Denrées	Black-eyed Peas	boîte de 12	40,00 FF
11	Denrées	Corn Soup Mix	boîte de 24	210,00 FF
12	Denrées	Hot Pickled Okra	18 pots	101,00 FF
13	Fruits de mer	Crawfish Jambalaya	boîte 12	895,00 FF

Figure 7.20 : Le fichier Produits Cajun.htm est présenté ici dans la fenêtre de l'Explorateur Internet de Microsoft (Microsoft Internet Explorer). Ce fichier a été créé par exportation au format HTML de la table Produits Cajun.

3. Cliquez sur Suivant. La boîte de dialogue suivante ressemble à la fenêtre Base de données, avec ses onglets Tables, Requêtes, Formulaires, États et Tous. Vous pouvez sélectionner un ou plusieurs objets.

4. Cochez les objets à sélectionner. Utilisez les boutons Sélectionner tout et Désélectionner pour activer ou désactiver en une seule opération tous les objets d'un même onglet. Cliquez ensuite sur Suivant. (Comme tous les autres Assistants, l'Assistant Publication Web vous permet, via son bouton Terminer, d'écourter la procédure en validant, pour les étapes non franchies, les paramètres par défaut.)

L'étape suivante vous permet de désigner un document HTML comme modèle par défaut afin d'obtenir, à moindre effort, la définition de paramètres typiques de pages Web, comme l'arrière-plan, les boutons de navigation et les styles pour le texte.

5. Ne spécifiez aucun document ou recourez au bouton Parcourir pour sélectionner un fichier .htm ou .html existant. Le cas échéant, validez Choisir des modèles différents pour certains des objets sélectionnés. Cliquez sur Suivant.

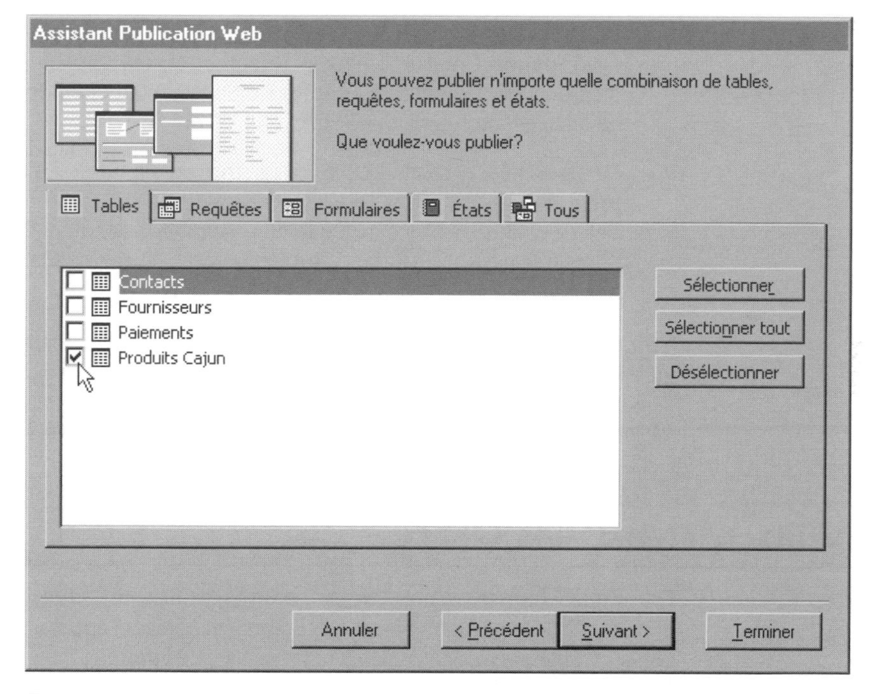

Figure 7.21 : L'Assistant Publication Web vous propose une boîte de dialogue ressemblant de manière frappante à la fenêtre Base de données. Désignez-y les objets que vous souhaitez publier.

6. Dans la boîte de dialogue suivante, validez ASP dynamique pour créer une publication dotée de liens dynamiques avec les objets Access. Sinon, acceptez l'option HTML statique cochée par défaut. Activez éventuellement l'option Sélectionner des types de format différents pour certains objets sélectionnés si vous souhaitez publier à la fois des objets statiques et des liens dynamiques. Cliquez sur Suivant.

7. Réalisez l'une de ces actions :

- **Pour publier les objets localement,** spécifiez le dossier souhaité en entrant son nom dans la case Placer ma publication Web dans ce dossier ou utilisez à cette fin le bouton Parcourir.
- **Pour publier directement sur le Web** (en partant du principe que vous disposez d'une connexion Internet), sélectionnez Oui, utiliser l'Assistant Publication Web pour définir de nouvelles spécifications de publication Web ou Oui, utiliser un serveur de publication Web dont le "nom mnémotechnique" a été défini précédemment. Choisissez le nom souhaité dans la liste déroulante, puis cliquez sur Suivant.

8. Demandez éventuellement à l'Assistant de créer une page d'accueil en validant l'option Créer une page d'accueil et en entrant son nom dans la case d'édition correspondante. Cliquez sur Suivant pour atteindre la dernière boîte de dialogue de l'Assistant Publication Web.

9. Le cas échéant, cochez Oui, enregistrer les réponses à l'assistant dans un profil de publication Web et spécifiez le nom de ce profil. (Rappelez-vous l'étape n° 2 de la procédure que nous sommes en train de décrire : elle vous donnait la possibilité de sélectionner un profil enregistré.) Cliquez sur Terminer pour publier les objets désignés lors de l'étape n° 3.

Utilisez Microsoft Internet Explorer pour visualiser votre nouvelle publication telle qu'elle se présentera sur Internet. Il suffit, pour ce faire, d'ouvrir l'Explorateur Windows, de localiser le fichier .htm et de cliquer deux fois sur son nom. Windows 95 lance automatiquement l'Explorer et ouvre le fichier spécifié.

Utiliser les liaisons Office

Faites une expérience intéressante : utilisez les liaisons Office pour exporter des données Access vers un fichier et lancer immédiatement l'application cible Microsoft Office. Commencez par choisir l'objet ou la sélection que vous désirez exporter. Déroulez ensuite le menu local Liaisons Office de la barre d'outils Base de données et choisissez l'une des options proposées ; vous pouvez aussi invoquer la commande Outils/Liaisons Office. Le menu déroulant de barre d'outils est représenté à la page suivante.

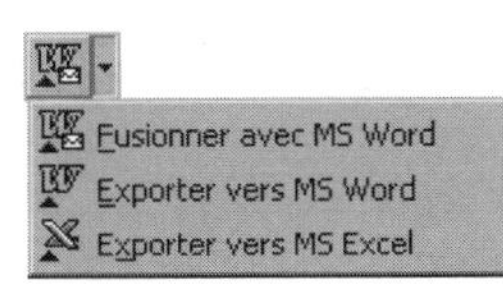

Le Tableau 7.2 décrit brièvement les options de ce menu et de la commande correspondante du menu Outils. Ce menu déroulant est accessible dans les barres d'outils Base de données et Aperçu avant impression.

Option	Programme Microsoft Office
Fusionner avec MS Word	Microsoft Word pour Windows (fonction publipostage)
Exporter vers MS Word	Microsoft Word for Windows
Exporter vers MS Excel	Microsoft Excel

Tableau 7.2 : Les options du menu déroulant Liaisons Office de la barre d'outils Base de données.

Pour utiliser les liaisons Office :

1. Dans la fenêtre Base de données, activez l'onglet correspondant au type d'objet que vous voulez exporter (Tables, Requêtes, Formulaires ou États), puis sélectionnez l'objet concerné. Vous pouvez aussi ouvrir la table ou exécuter la requête et sélectionner les enregistrements à exporter. Vous pouvez encore ouvrir l'objet en mode Aperçu avant impression (choisissez Fichier/Aperçu avant impression).
2. Choisissez Outils/Liaisons Office, puis sélectionnez la commande appropriée. (L'option Fusionner avec MS Word n'est disponible que si vous avez choisi une table ou une requête.)
3. Réagissez aux messages éventuels.

Access crée le fichier dans le dossier sélectionné et l'ouvre dans le programme que vous avez désigné à l'étape n° 2. Lorsque vous voulez regagner Access, cliquez dans la case de fermeture du programme de destination ou choisissez Fichier/Quitter.

Ce que vous voyez dans Access n'est pas forcément ce que vous obtenez dans le programme ouvert par liaison Office. Quelques exemples : quand vous exportez vers Excel des données de formulaires et d'états Access, ces données y apparaissent organisées en lignes et en colonnes. Lorsque vous exportez vers Word, les données d'Access sont présentées sous la forme de tableau de cellules. Enfin, les graphiques et les objets OLE sont vides, car ils ne peuvent être exportés.

Envoyer un objet Access par messagerie électronique

Vous pouvez faire appel à la commande Envoyer pour exporter des objets Access en format HTML (.htm, .html), Microsoft Excel (.xls), Rich Text Format ou format texte enrichi (.rtf) ou Texte MS-DOS (.txt). En fait, cette commande ne crée pas un fichier (comme c'est le cas des commandes Exporter ou Liaisons Office), mais transforme les données en une icône qu'elle inclut dans un message de courrier électronique (e-mail) qu'elle envoie ensuite au destinataire.

1. Dans la fenêtre Base de données d'Access, activez l'onglet correspondant au type d'objet que vous voulez envoyer (Tables, Requêtes, Formulaires, États ou Modules), puis sélectionnez l'objet concerné.
2. Choisissez Fichier/Envoyer.
3. Dans la boîte de dialogue Envoyer, sélectionnez le format souhaité. Cliquez sur OK.
4. Si vous avez sélectionné le format HTML ou HTX, une boîte de dialogue intitulée Paramètres par défaut pour publier s'affiche. Choisissez-y éventuellement le document HTML appelé à servir de modèle. Si la boîte de dialogue Choisir un profil s'affiche, choisissez le profil souhaité, puis cliquez sur OK. Le programme de messagerie électronique assume la suite des opérations.
5. Réagissez aux éventuels messages qui vous sont adressés, identifiez-vous (si nécessaire), puis envoyez le message selon la procédure classique.

Comme dans le cas des liaisons Office, ce que vous voyez dans Access n'est pas nécessairement ce que vous obtenez dans le message e-mail. Quelques exemples : quand vous envoyez vers Excel des données de formulaires ou d'états Access, ces données y apparaissent organisées en lignes et en colonnes. Lorsque vous envoyez des données de formulaires en format Rich Text Format (format texte enrichi), ces données sont stockées dans des tableaux. Enfin, les graphiques et objets OLE n'apparaissent pas.

Dans la plupart des programmes de messagerie électronique, vous pouvez prévisualiser, voire éditer l'objet avant de le faire parvenir à son destinataire. Lorsque le message e-mail apparaît, cliquez deux fois sur l'icône de l'objet. Ainsi, si vous envisagez d'envoyer la table Customers (Clients)

en format Microsoft Excel, cliquez deux fois sur l'icône Customers.xls (Clients.xls) pour ouvrir l'objet dans Excel. Après l'avoir visualisé, fermez ce programme (Fichier/Quitter), enregistrez éventuellement les modifications, puis envoyez votre message e-mail normalement.

Pour prendre connaissance du fichier, le destinataire doit s'identifier, ouvrir sa boîte à lettres et cliquer deux fois sur l'icône de l'objet. Ce double clic lance le programme associé au fichier envoyé et permet de le visualiser. Dans ces conditions, si l'utilisateur clique deux fois sur une icône de fichier .xls, le fichier s'ouvre dans Microsoft Excel.

La commande Fichier/Envoyer n'est disponible que si votre application est correctement installée et si elle prend en charge l'interface MAPI (Messaging Application Programming Interface - Interface de programmation d'applications de messagerie). Pour utiliser Access avec un programme e-mail supportant le protocole VIM (Vendor Independent Mail), vous devez installer et paramétrer la bibliothèque de liaison dynamique (nommée Mapivim.dll) qui convertit les messages MAPI en fonction de ce protocole VIM. Le Microsoft Office Resource Kit, disponible chez Microsoft, vous aide à installer et à paramétrer ce protocole particulier.

Importer et exporter depuis ou vers des applications non reconnues

Si vous souhaitez importer ou exporter des données vers ou depuis un programme qu'Access ne reconnaît pas directement, vous pouvez utiliser un format intermédiaire qu'Access identifie.

Ainsi, la plupart des applications vous permettent d'importer et d'exporter des données en format Texte délimité. Vous pouvez donc exporter des données dans ce format et les importer ensuite dans le même format.

Par ailleurs, beaucoup de programmes sont capables de lire les formats produits par d'autres. Cette lecture s'effectue soit directement, soit après une procédure de conversion (dans laquelle vous aurez sans doute à intervenir). Ainsi, Quattro Pro ouvre directement des fichiers Lotus 1-2-3. Or, Access est capable de créer des fichiers de ce type. Dès lors, pour exporter des données Access vers Quattro Pro, il suffit d'exporter la table Access en format Lotus 12-3 WK3. Il ne reste plus alors qu'à lancer Quattro Pro et à ouvrir normalement le fichier .wk3 exporté. Un autre exemple : Microsoft Works et Microsoft Access sont tous deux à même d'ouvrir et de créer des fichiers dBASE. Dans ce cas, pour exporter des données Access vers une base de données Works, exportez la table Access en format dBASE ; lancez ensuite Microsoft Works et ouvrez-y le fichier dBASE. C'est astucieux !

Pour importer et exporter des fichiers depuis d'autres applications, consultez la documentation de ces applications. N'oubliez pas que les fichiers Texte délimité portent d'autres dénominations : fichier délimité ASCII, fichier Texte ASCII ou, tout simplement, fichier Texte DOS.

Et maintenant, que faisons-nous ?

Si vous avez participé à la visite guidée proposée au Chapitre 3, vous connaissez déjà les rudiments des opérations de saisie, d'édition et d'affichage de données. Faites alors l'impasse sur le Chapitre 8 et sautez sans plus attendre au Chapitre 9 ; vous y apprendrez à trier, rechercher et imprimer vos données. En revanche, si vous n'avez pas participé à la visite ou si vous souhaitez apprendre à encoder vos données de manière plus efficace, emboîtez-nous le pas et passez au Chapitre 8.

Quoi de neuf ?

Ce sont surtout les fonctionnalités Web qui représentent la nouveau en matière de partage de fichiers.

- Importation de fichiers aux formats HTML et HTX.
- Exportation d'objets Access (tables, formulaires, requêtes et états) aux formats HTML et ICD/HTX.
- Utilisation de l'Assistant Publication Web pour publier des données statiques ou dynamiques sur Internet.

Chapitre 8

Saisir, modifier et afficher des données

Les Chapitres 6 et 7 vous ont appris à ouvrir une base de données, à créer et à ouvrir des tables, à importer, exporter ou lier des données. Le chapitre que vous entamez à présent se propose de vous montrer comment saisir, modifier et supprimer des données dans les tables. Il vous initie aussi aux formulaires (bien que ceux-ci soient traités en détail dans les Chapitres 11 et 13).

Mode feuille de données et mode formulaire

Vous pouvez manipuler les données d'Access en mode *feuille de données* ou en *mode formulaire* :

Mode feuille de données : (également appelé *mode tableau*) ; vous pouvez afficher plusieurs enregistrements simultanément, sous forme de tableau.

Mode formulaire : Vous ne pouvez voir qu'un seul enregistrement à la fois, dans une présentation qui rappelle celle des formulaires imprimés classiques.

La Figure 8.1 affiche un tableau de données en mode feuille de données, et les mêmes données en mode formulaire.

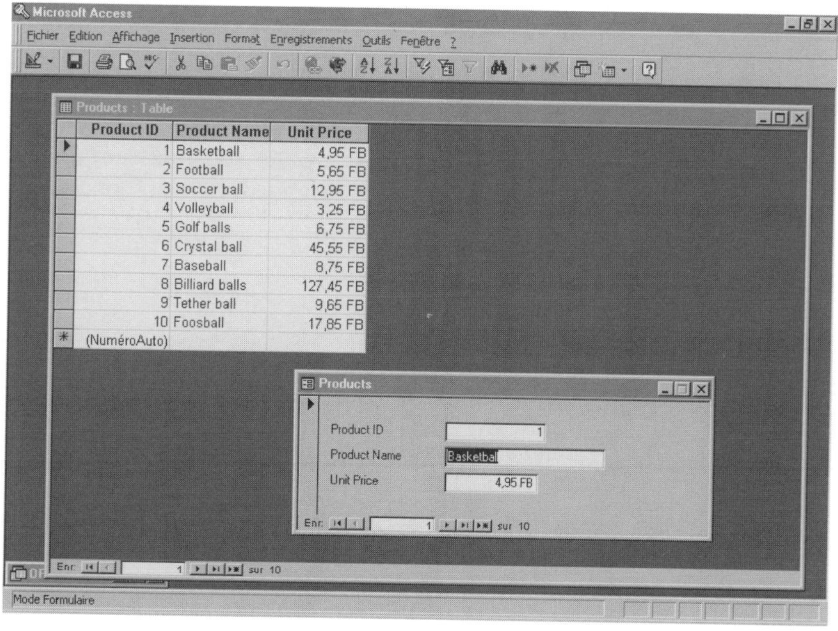

Figure 8.1 : En mode feuille de données, vous pouvez visualiser plusieurs enregistrements simultanément. En mode formulaire, vous n'agissez généralement que sur un seul enregistrement.

Créer un formulaire instantané

Normalement, lorsque vous ouvrez une table, c'est le mode feuille de données qui s'active par défaut. Pour passer en mode formulaire, vous devez créer un formulaire ou employer un formulaire existant. (Bien entendu, vous ne devrez créer *qu'une seule fois* ce formulaire si vous le sauvegardez après l'avoir constitué.) Les Chapitres 11 et 13 sont consacrés aux formulaires, mais ne vous privez pas du plaisir de créer, dès à présent, un formulaire en deux temps trois mouvements.

1. Dans la fenêtre Base de données, activez l'onglet Table ou Requêtes, puis sélectionnez le nom de la table ou de la requête.

2. Déroulez le menu local Objet de la barre d'outils Base de données (représenté à gauche) et choisissez Formulaire instantané ; ou choisissez Insertion/Formulaire instantané.

Access construit un formulaire simple qu'il affiche à l'écran.

Si quelques clics supplémentaires de souris ne vous effraient pas, vous pouvez améliorer l'aspect de votre formulaire. Dans l'étape n° 2 ci-dessus, choisissez Formulaire (plutôt que Formulaire instantané) dans le menu local Nouvel objet. Cliquez ensuite deux fois sur FormulaireInstantané : Colonnes dans la boîte de dialogue Nouveau formulaire.

Fermer un formulaire

Pour fermer un formulaire dont vous ne souhaitez plus vous servir :

1. Assurez-vous que ce formulaire est en fenêtre active. (En cas de doute, cliquez dans sa barre de titre.)
2. Cliquez dans sa case de fermeture ou choisissez Fichier/Fermer ou encore, enfoncez les touches Ctrl + W. S'il s'agit d'un nouveau formulaire ou d'un formulaire existant que vous avez modifié, Access vous demande s'il doit procéder à la sauvegarde.
3. Cliquez sur Oui, puis donnez-lui un nom (ou acceptez le nom proposé par défaut) ; cliquez sur OK. Pour renoncer à l'enregistrement, cliquez sur Non.

Vous pouvez activer l'onglet Formulaires de la fenêtre Base de données pour afficher la liste de tous les formulaires sauvegardés.

Afficher des données en mode feuille de données ou en mode formulaire

Les deux modes vous permettent de visualiser les données de votre base.

Mode feuille de données : Pour afficher les données en mode feuille de données, activez l'onglet Tables ou Requêtes de la fenêtre Base de données. Cliquez ensuite deux fois sur la table ou sur la requête dont vous voulez visualiser les données ; ou cliquez sur le nom de la table ou de la requête, puis cliquez sur Ouvrir. Vous pouvez aussi cliquer avec le bouton droit de la souris sur le nom de la table ou de la requête et choisir Ouvrir dans le menu contextuel.

Mode formulaire : Pour afficher les données en mode formulaire, activez l'onglet Formulaires de la fenêtre Base de données. Cliquez ensuite deux fois sur le formulaire que vous voulez ouvrir ; ou bien cliquez sur le nom de ce formulaire et ensuite sur Ouvrir. De même, vous pouvez cliquer avec le bouton droit de la souris sur le nom du formulaire et choisir Ouvrir dans le menu contextuel.

En mode feuille de données, vous pouvez ouvrir une table ou une requête, créer un formulaire pour une table ou pour une requête et ouvrir ce formulaire. Chaque fois que vous ouvrez un formulaire, vous ouvrez aussi automatiquement la table ou la requête sous-jacente.

Certaines requêtes modifient les données ou créent des tables plutôt que de remplir une simple mission d'affichage. Ne les ouvrez donc pas inconsidérément. Le Chapitre 10 vous renseignera plus en détail à ce sujet.

Basculer d'un mode à l'autre

Lorsque vous ouvrez un formulaire, vous pouvez facilement basculer d'un affichage à l'autre : déroulez le menu local Affichage de la barre d'outils Formulaire (premier bouton à gauche), puis choisissez l'option souhaitée (Création, Mode Formulaire ou Mode Feuille de données). Vous pouvez aussi activer l'article qui vous intéresse dans le menu Affichage (Création, Mode Formulaire ou Mode Feuille de données).

Les options du mode formulaire n'apparaissent pas si vous ouvrez la table en mode feuille de données. Dès lors, pour disposer d'un maximum de souplesse il est préférable d'ouvrir le formulaire plutôt que la table.

L'option Création est toujours disponible. Son action dépend de la manière dont vous avez activé le mode courant :

- Si vous avez ouvert la table active en mode feuille de données, le mode création affiche la structure de la table.
- Si vous avez ouvert un formulaire, le mode création affiche la structure de ce formulaire (Chapitres 11 et 13).

Le Tableau 8.1 répertorie les différentes options des menus déroulants Mode Formulaire et Table.

Si cette vue est active...	le bouton ressemble à...
Mode formulaire ou feuille de données	
Mode création formulaire	
Mode création table	

Tableau 8.1 : Ces boutons de la barre d'outils vous permettent de basculer d'un mode à l'autre.

Pour activer rapidement le mode représenté par le bouton, cliquez directement sur le bouton, sans dérouler la liste.

À quoi sert le mode création ?

Si vous vous perdez entre les différents modes, rappelez-vous ceci : le mode création sert uniquement à concevoir (créer et modifier) des objets et non à gérer des données. Il est en effet impossible d'afficher celles-ci sous ce mode. Par conséquent, si vous êtes en mode création et désirez voir vos données, vous devez activer le mode feuille de données ou le mode formulaire.

Voici une autre façon de voir les choses : si vous ouvrez une table en mode feuille de données et activez ensuite le mode formulaire, vous ne pouvez pas utiliser le bouton de la barre d'outils, ni les commandes correspondantes du menu Affichage, car Access ignore quel formulaire il doit ouvrir. Vous devez donc ouvrir le formulaire à partir de la fenêtre Base de données si vous souhaitez travailler avec le plus de confort possible.

Si vous êtes perdu

Si votre écran est trop encombré, fermez tous les objets affichés jusqu'à ce que la fenêtre Base de données apparaisse de nouveau. Notez que la touche F11 l'affiche directement au premier plan. Vous pouvez alors activer n'importe quel onglet, sélectionner un objet, puis cliquer sur Nouveau, Ouvrir (ou Aperçu ou Exécuter) ou Modifier ; voyez à ce sujet la section "Travailler dans la fenêtre Base de données" du Chapitre 1. Ne vous inquiétez pas : vous n'allez pas tarder à vous y retrouver.

Personnaliser le mode feuille de données

Si vous souhaitez afficher et imprimer une liste bien présentée des données d'une table, vous pouvez personnaliser le mode feuille de données ; la procédure est simple et rapide. La Figure 8.2 montre deux versions de la feuille de données de la table Products (Produits) : la version originale et une version remaniée. Ce remaniement s'opère en un tournemain grâce à une barre d'outils spéciale, baptisée Mise en forme (Feuille de données), et à des commandes de menu, classique ou contextuel.

Pour imprimer un état sous forme de colonnes avec une mise en forme identique à celle du mode feuille de données, personnalisez le mode feuille de données et sélectionnez éventuellement vos enregistrements (voyez les sections suivantes de ce chapitre). Choisissez ensuite Fichier/Imprimer (Ctrl + P), définissez les paramètres requis, puis cliquez sur OK. (Pour prévisualiser vos enregistrements, choisissez plutôt Aperçu avant impression.)

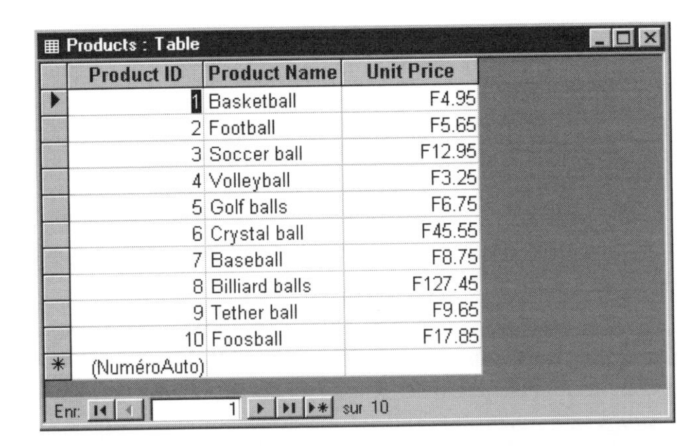

Products : Table

Product ID	Product Name	Unit Price
1	Basketball	F4.95
2	Football	F5.65
3	Soccer ball	F12.95
4	Volleyball	F3.25
5	Golf balls	F6.75
6	Crystal ball	F45.55
7	Baseball	F8.75
8	Billiard balls	F127.45
9	Tether ball	F9.65
10	Foosball	F17.85
(NuméroAuto)		

Enr: 1 sur 10

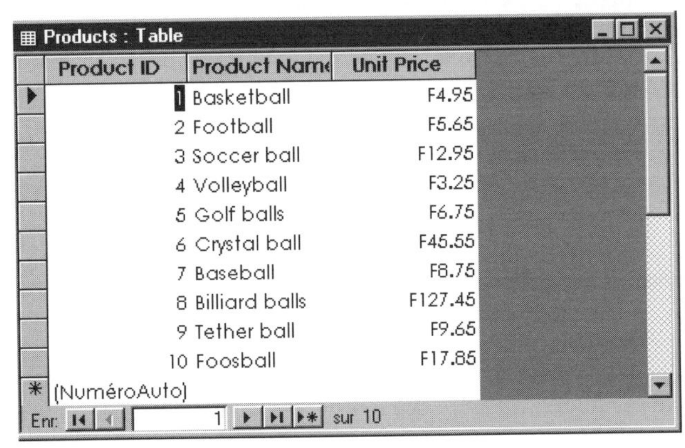

Products : Table

Product ID	Product Nam	Unit Price
1	Basketball	F4.95
2	Football	F5.65
3	Soccer ball	F12.95
4	Volleyball	F3.25
5	Golf balls	F6.75
6	Crystal ball	F45.55
7	Baseball	F8.75
8	Billiard balls	F127.45
9	Tether ball	F9.65
10	Foosball	F17.85
(NuméroAuto)		

Enr: 1 sur 10

Figures 8.2 : La table Products (Produits) dans sa forme originale, puis dans une présentation remaniée. Nous avons masqué le quadrillage et changé la police de caractères.

Utiliser la barre d'outils Mise en forme

La barre d'outils Mise en forme (Feuille de données) représentée à la Figure 8.3 vous aide à modifier l'apparence du texte de votre feuille de données, à choisir une couleur pour l'arrière-plan, le premier plan et le quadrillage de cette feuille, ainsi qu'à contrôler l'aspect des traits de ce quadrillage.

Pour utiliser cette barre d'outils, vous devez avant tout l'afficher ; c'est évident !

Voici comment vous y prendre :

- En mode feuille de données, cliquez avec le bouton droit de la souris dans une zone vide d'une barre d'outils quelconque, puis choisissez Mise en forme (Feuille de données).

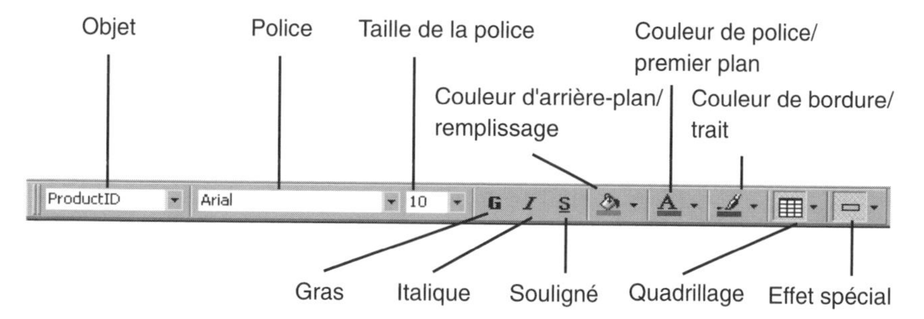

Figure 8.3 : La barre d'outils Mise en forme (Feuille de données) vous permet de personnaliser le mode feuille de données.

Pour utiliser cette barre d'outils, vous devez avant tout l'afficher ; c'est évident ! Voici comment vous y prendre :

- En mode feuille de données, cliquez avec le bouton droit de la souris dans une zone vide d'une barre d'outils quelconque, puis choisissez Mise en forme (Feuille de données).
- Si aucune barre d'outils n'est affichée, choisissez Affichage/Barres d'outils/ Personnaliser. Dans la boîte de dialogue Personnaliser, cochez l'option Mise en forme (Feuille de données), puis cliquez sur Fermer.

Pour masquer cette barre d'outils, répétez la procédure décrite ci-dessus, mais au lieu d'activer l'option Mise en forme (Feuille de données), désactivez-la.

Lorsque la barre est affichée, vous pouvez réaliser les actions suivantes :

- **Pour atteindre une colonne donnée de l'enregistrement courant**, choisissez le nom de la colonne (c'est-à-dire du champ) dans la liste déroulante Atteindre champ.
- **Pour attribuer une autre police au texte**, choisissez la police souhaitée dans la liste déroulante Police.

- **Pour attribuer une autre taille au texte**, choisissez la taille souhaitée dans la liste déroulante Taille de la police.
- **Pour présenter le texte en gras**, activez le bouton Gras. Pour supprimer cet attribut, cliquez de nouveau sur ce bouton. Les boutons Italique et Souligné fonctionnent de manière analogue.
- **Pour changer la couleur du fond**, choisissez la couleur souhaitée dans la liste déroulante Couleur d'arrière-plan/remplissage. Utilisez la même technique pour changer la couleur du texte ou du quadrillage, grâce aux boutons Couleur de police/premier plan et Couleur de bordure/trait.
- **Pour choisir un autre quadrillage (ou masquer le quadrillage courant)**, choisissez l'option souhaitée dans la liste déroulante Quadrillage. Le menu local Effet spécial vous permet, pour sa part, de faire votre choix parmi différentes options de présentation du contour de la case.

Remodeler la feuille de données en moins de temps qu'il ne faut pour le dire

Plutôt que de faire appel à la barre d'outils Mise en forme (Feuille de données) qui ne vous permet de modifier qu'un seul paramètre à la fois, vous pouvez invoquer les commandes Format/Cellules et Format/Police qui vous autorisent à changer, en une seule opération, plusieurs paramètres.

- Pour modifier le quadrillage et choisir une couleur de fond, choisissez Format/Cellules.
- Pour changer la police, son style, sa taille, sa couleur, etc., choisissez Format/Police.
- Pour changer l'aspect par défaut des feuilles de données de toutes les bases que vous ouvrez, choisissez Outils/Options, puis activez l'onglet Feuille de données. Le Chapitre 15 vous apprend à personnaliser davantage Access.

Lorsque les boîtes de dialogue Apparence des cellules et Caractères s'affichent, sélectionnez les options souhaitées ; la case Exemple vous montre l'effet de vos choix. Cliquez sur OK pour confirmer ; cliquez sur Annuler (ou enfoncez la touche Esc) pour infirmer.

Sélectionner et organiser les colonnes et les lignes de la feuille de données

En mode feuille de données, Access vous permet de réorganiser les colonnes de la feuille, d'ajuster la hauteur des lignes, de modifier la largeur des colonnes, voire de les masquer.

Sélectionner des colonnes

Pour, en une seule opération, redimensionner, déplacer ou masquer plusieurs colonnes adjacentes, vous devez d'abord sélectionner ces colonnes.

- **Pour sélectionner une colonne**, cliquez sur le sélecteur de champ situé au sommet de la colonne.
- **Pour sélectionner plusieurs colonnes**, faites glisser le pointeur sur les sélecteurs de champ des colonnes concernées. Vous pouvez aussi cliquer sur le sélecteur de la première colonne, puis, si c'est nécessaire, vous déplacer horizontalement au moyen de la barre de défilement, et enfin Majuscule + cliquer sur le sélecteur de la dernière des colonnes à inclure dans la sélection.
- **Pour désélectionner les colonnes sélectionnées**, cliquez dans une cellule quelconque.

Lorsque vous placez votre pointeur sur un sélecteur de champ, il prend la forme d'une flèche épaisse orientée vers le bas.

Voici une feuille de données où une seule colonne est sélectionnée :

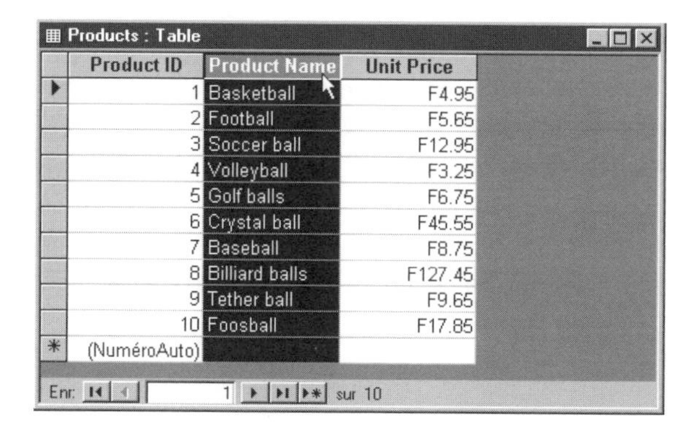

Products : Table

Product ID	Product Name	Unit Price
1	Basketball	F4.95
2	Football	F5.65
3	Soccer ball	F12.95
4	Volleyball	F3.25
5	Golf balls	F6.75
6	Crystal ball	F45.55
7	Baseball	F8.75
8	Billiard balls	F127.45
9	Tether ball	F9.65
10	Foosball	F17.85
(NuméroAuto)		

Enr: 1 sur 10

Organiser les lignes et les colonnes

Pour ajuster la hauteur des lignes et la largeur des colonnes, ainsi que pour déplacer, masquer et réafficher des colonnes, suivez les mises en oeuvre décrites ci-dessous.

- **Pour modifier la hauteur de toutes les lignes**, placez votre pointeur sur le trait inférieur du sélecteur de ligne (il prend la forme d'une flèche double, orientée verticalement) et faites glisser ; ou bien choisissez Format/Hauteur de ligne ; entrez la hauteur souhaitée (en points) ou validez Hauteur standard, puis cliquez sur OK.
- **Pour modifier la largeur d'une colonne**, placez votre pointeur sur le bord droit du sélecteur de champ de la colonne concernée (il prend la forme d'une flèche double, orientée horizontalement) et faites glisser. Pour ajuster automatiquement la largeur de la colonne à celle de son contenu, cliquez deux fois sur le bord droit de la colonne concernée.
- **Pour modifier la largeur d'une colonne ou de plusieurs colonnes adjacentes**, sélectionnez la ou les colonnes concernées. Choisissez ensuite Format/Largeur de colonne ou cliquez avec le bouton droit de la souris dans une cellule quelconque de la sélection et choisissez Largeur de colonne. Dans la boîte de dialogue Largeur de colonne, entrez la largeur souhaitée (en nombre de caractères) ou validez Largeur standard, puis cliquez sur OK. Vous pouvez aussi cliquer sur Ajuster. Si vous préférez agir avec votre souris, faites glisser le sélecteur de champ d'une des colonnes sélectionnées vers la gauche ou vers la droite.

Si vous sélectionnez plusieurs colonnes, puis cliquez avec le bouton droit de la souris dans une cellule quelconque de cette sélection, prenez soin de cliquer sur une *donnée* et non sur un sélecteur de champ sous peine d'exclure de la sélection les colonnes adjacentes.

- **Pour déplacer une ou plusieurs colonnes**, sélectionnez la ou les colonnes concernées, puis cliquez sur l'un des sélecteurs de champ de la sélection et faites glisser vers la gauche ou vers la droite. (Le pointeur de la souris se dote d'un carré grisé pendant le cliquer-glisser.)
- **Pour masquer une ou plusieurs colonnes**, sélectionnez la ou les colonnes concernées, puis choisissez Format/Masquer les colonnes. De même, vous pouvez cliquer avec le bouton droit de la souris dans une cellule quelconque de la sélection et choisir Masquer les colonnes.

⇨ **Pour masquer ou réafficher une colonne**, choisissez Format/Afficher les colonnes. Activez (cochez) les noms des colonnes à réafficher, désactivez celles à masquer, puis cliquez sur Fermer.

Figer et libérer les colonnes

Lorsque la table est plus grande que l'écran, vous êtes contraint de faire défiler pour visualiser vos données. Malheureusement, lorsque vous faites défiler vers la droite, vous ne voyez plus la colonne de gauche. C'est pourquoi Access vous permet de figer une ou plusieurs colonnes de manière à les exclure du défilement.

Dans la Figure 8.4, nous avons figé les colonnes Company Name (Nom Société), Contact FirstName (Prénom Contact) et Contact LastName (Nom Contact). Nous pouvons ainsi faire défiler jusqu'au numéro de téléphone tout en conservant sous le regard le nom du client.

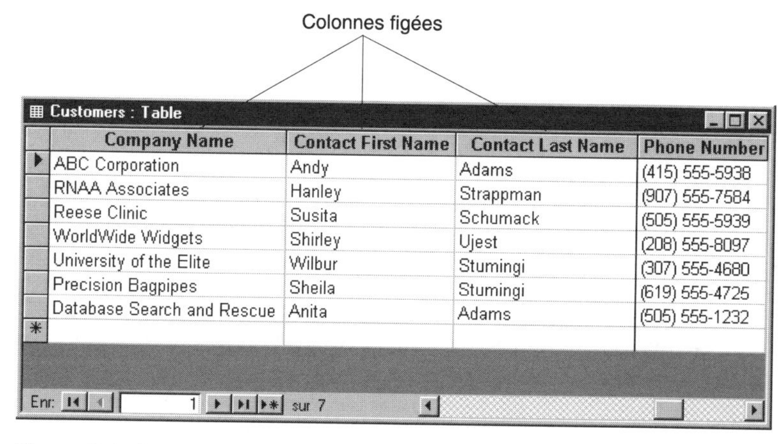

Figure 8.4 : Les trois premières colonnes sont figées afin que ces champs restent visibles lorsque nous ferons défiler vers la droite.

Pour figer une ou plusieurs colonnes :

1. Sélectionnez la ou les colonnes concernées.
2. Choisissez Format/Figer les colonnes ou cliquez avec le bouton droit de la souris dans une cellule quelconque de la sélection et choisissez Figer les colonnes dans le menu contextuel.

Les colonnes sélectionnées sont automatiquement déplacées vers la gauche et restent visibles lorsque vous faites défiler l'écran vers la droite. Un trait vertical épais signale la frontière entre les colonnes figées et celles qui ne le sont pas.

Pour libérer les colonnes, choisissez Format/Libérer toutes les colonnes.

Si la barre de défilement horizontal disparaît lorsque vous figez des colonnes, vous ne pourrez visualiser les colonnes figées. Pour résoudre ce problème, libérez les colonnes ou réduisez la largeur des colonnes figées. Ensuite, augmentez éventuellement la largeur de la feuille de données jusqu'à ce que la barre de défilement horizontal réapparaisse.

Sauver ou ne pas sauver vos modifications

Si vous avez personnalisé votre feuille de données, Access vous demandera si vous désirez enregistrer vos modifications. Si c'est le cas, répondez Oui ; dans le cas contraire, répondez Non.

Vous n'êtes pas obligé d'attendre qu'Access vous sollicite. La commande Fichier/Enregistrer et son équivalent clavier Ctrl + S sont accessibles à tout instant pour vous permettre de sauvegarder votre travail. N'oubliez pas non plus le bouton Enregistrer de la barre d'outils Base de données.

Changeons à présent de vitesse et découvrons comment voyager dans les formulaires et dans les feuilles de données ; apprenons aussi à entrer des données dans les tables.

L'entrée *mode Feuille de données* de l'index de l'aide vous explique en détail les techniques évoquées ici.

Naviguer dans les formulaires et dans les feuilles de données

Pour *naviguer* (c'est-à-dire vous déplacer) dans une table, faites appel aux techniques suivantes. (Bien entendu, vous ne pouvez voyager d'enregistrement en enregistrement que lorsque vous avez introduit des données dans la table.)

- **Pour aller d'un enregistrement à un autre**, utilisez les boutons de déplacement situés dans la partie inférieure du formulaire ou de la feuille de données. Vous pouvez également choisir Édition/Atteindre, puis sélectionner l'option souhaitée. Les possibilités offertes sont : Premier, Dernier, Suivant, Précédent et Nouvel enregistrement.

- **Pour faire défiler les enregistrements (lignes) en mode feuille de données**, utilisez la barre de défilement vertical située le long du bord droit de l'écran. Si vous y faites glisser l'ascenseur, le numéro de l'enregistrement qui s'affichera lorsque vous relâcherez cet ascenseur ainsi que le nombre total d'enregistrements apparaissent dans une case à proximité du pointeur :

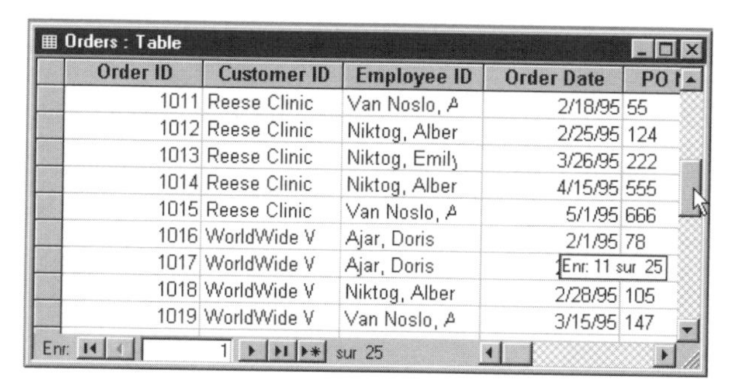

- **Pour faire défiler les champs (colonnes) en mode feuille de données,** utilisez la barre de défilement horizontal située le long du bord inférieur de la fenêtre.

- **Pour afficher plus de champs en mode formulaire**, utilisez la barre de défilement vertical située le long du bord droit de la fenêtre ou utilisez la barre de navigation placée dans la partie inférieure.

Comme c'est traditionnellement le cas, les barres de défilement ne sont présentes que si la fenêtre est trop petite pour afficher toutes les informations. (Elles n'apparaissent pas non plus si la taille de la fenêtre est particulièrement réduite. Attribuez donc à la fenêtre une taille suffisante.)

- **Pour se déplacer de champ en champ et d'enregistrement en enregistrement**, utilisez les touches répertoriées dans le Tableau 8.2.

- **Pour atteindre un enregistrement sur la base du contenu d'un champ,** utilisez la commande Rechercher (vous pouvez ainsi rechercher "Ajar" dans le champ EmployeeID (N° Client) de la table Orders (Commandes)). Le Chapitre 9 détaille les procédures de recherche.

Touche(s)	Action
F2	Permute entre les modes déplacement et édition.
F5	Met en surbrillance le numéro d'enregistrement affiché dans la case Enr située dans la partie inférieure de la fenêtre (Figure 8.5). Tapez-y le numéro de l'enregistrement à atteindre, puis enfoncez la touche Entrée.
↑, ↓	Vous déplace vers l'enregistrement précédent ou suivant (en mode feuille de données), ou vers le champ précédent ou suivant (en mode formulaire).
Ctrl + ↑, Ctrl + ↓	Vous déplace vers le premier enregistrement de la table (dans la colonne ou dans le champ courant).
←, →	Vous déplace vers le caractère précédent ou suivant (en mode édition), ou vers le champ précédent ou suivant (en mode déplacement).
Ctrl + ←, Ctrl + →	Vous déplace d'un mot vers la gauche ou vers la droite en mode édition.
Tabulation, Majuscule + Tabulation	Vous déplace vers le champ suivant ou précédent.
Entrée	En mode feuille de données, vous déplace vers le champ suivant. En mode formulaire, marque la fin d'une ligne ou d'un paragraphe, ou insère une ligne blanche, dans un champ Mémo ou dans un champ Texte dont la propriété Effet touche Entrée est fixée sur Nouvelle lgn. dans chp.
Ctrl + Entrée	Marque la fin d'une ligne ou d'un paragraphe, ou insère une ligne blanche dans un champ Mémo ou dans un champ Texte particulièrement long dont la propriété Effet touche Entrée est fixée sur Défaut.

Tableau 8.2 : Ces touches vous permettent de naviguer dans une table.

Touche(s)	Action
Pg Préc, Pg Suiv	En mode feuille de données, vous déplace d'un écran vers le haut ou vers le bas. En mode formulaire, vous déplace vers l'enregistrement précédent ou suivant. Dans un formulaire comportant plusieurs pages, vous déplace vers la page précédente ou suivante, ou vers l'enregistrement précédent ou suivant de la même page.
Ctrl + Pg Préc, Ctrl + Pg Suiv	En mode feuille de données, vous déplace d'une fenêtre vers la gauche ou vers la droite. En mode formulaire, vous déplace vers l'enregistrement précédent ou suivant.
Origine, Fin	Vous déplace vers le premier ou vers le dernier enregistrement (en mode déplacement), ou vers le début ou la fin de la ligne courante (en mode édition).
Ctrl + Origine, Ctrl + Fin	Vous déplace vers le premier champ du premier enregistrement ou vers le dernier champ du dernier enregistrement (en mode déplacement), ou vers le début ou la fin du champ Texte ou Mémo (en mode édition).

Tableau 8.2 : Ces touches vous permettent de naviguer dans une table (suite).

Pour un rappel des possibilités de déplacement, voyez les entrées d'index suivantes : *raccourcis, touches de raccourcis, Utilisation des touches de raccourci, Utiliser les touches de raccourci en mode Feuille de données et en mode Formulaire.*

Ajouter des données à une table

Pour ajouter des données à une table, il suffit de sélectionner un nouvel enregistrement vide et de taper une donnée dans chaque champ. Après avoir rempli un champ, vous pouvez activer le champ voisin grâce aux touches Tabulation ou Entrée. Vous pouvez aussi cliquer dans le champ concerné et y taper votre donnée. Voici le détail de la procédure :

1. Ouvrez votre table en mode feuille de données ou en mode formulaire. Ensuite, si le curseur ne se trouve *pas* déjà dans un enregistrement vierge, procédez comme décrit à la page suivante pour ajouter un nouvel enregistrement :

- Activez le bouton Nouvel enregistrement de la barre d'outils (représenté à gauche).
- Choisissez Édition/Atteindre/Nouvel enregistrement.
- Cliquez sur le bouton Nouvel enregistrement de la barre de navigation située dans la partie inférieure gauche de la fenêtre (Figure 8.5).

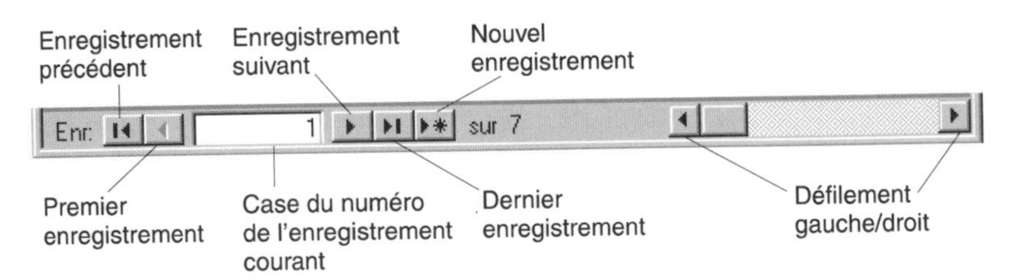

Figure 8.5 : Les boutons de navigation de la barre du même nom.

2. Tapez le contenu de ce champ (celui dans lequel le point d'insertion est sélectionné). Enfoncez ensuite la touche Tabulation ou Entrée pour gagner le champ voisin ou cliquez directement dans le champ que vous souhaitez compléter.
3. Répétez l'étape n° 2 jusqu'à avoir encodé toutes vos données.

Conseils pour l'ajout d'enregistrements

Voici quelques considérations qui vous simplifieront la vie lorsque vous ajouterez des enregistrements à une table :

(NuméroAuto) : Si la table comporte un champ NuméroAuto, ce champ n'affichera que la mention (NuméroAuto), intégralement ou partiellement. Ne vous préoccupez pas de cette mention ; n'essayez pas non plus de la modifier. Access remplit ce champ automatiquement lorsque vous entrez une donnée dans l'un des champs de l'enregistrement concerné.

Champ vide : Pour laisser un champ vide, n'introduisez dans ce champ aucun caractère. Enfoncez simplement la touche Tabulation pour passer au champ suivant ou cliquez directement dedans. (Vous ne pouvez laisser vide un champ qui présente la propriété Null interdit.)

Date/Heure : Vous pouvez recourir à la combinaison de touches Ctrl + ; pour insérer la date courante et à la combinaison Ctrl + Majuscule + ; pour insérer l'heure courante.

Dupliquer une valeur : Si vous souhaitez introduire dans le champ d'un nouvel enregistrement une valeur identique à celle du même champ dans l'enregistrement précédent, enfoncez les touches Ctrl + " (guillemets) ou Ctrl + ' (apostrophe).

Champs Lien hypertexte : Pour remplir ces champs, faites appel aux techniques que nous décrivons plus loin dans ce chapitre.

Champs Mémo et OLE : Pour remplir ces champs, faites appel aux techniques que nous décrivons plus loin dans ce chapitre.

Lorsque vous avez rempli le dernier champ d'un enregistrement, vous pouvez enfoncer la touche Tabulation ou Entrée pour créer automatiquement une nouvelle fiche. Si telle n'est pas votre intention, fermez la table ou le formulaire (ou activez l'enregistrement précédent). Ne vous inquiétez pas si, par mégarde, vous créez un enregistrement vide inutile.

Lorsque vous saisissez des données dans un champ Texte ou Mémo, Access corrige spontanément certaines fautes de frappe dès que votre curseur quitte le champ (anée devient année, baes devient base, quio devient quoi, etc.) C'est la fonction Correction automatique qui prend ces corrections en charge. Elle est décrite au Chapitre 9 (qui vous apprend également à vérifier l'orthographe des champs Texte et Mémo).

Sauvegarder un enregistrement

Lorsque vous terminez l'encodage d'un enregistrement et passez à l'enregistrement suivant, Access sauvegarde l'enregistrement que vous venez de créer ; vous n'avez donc pas à vous préoccuper de cette sauvegarde. Toutefois, si un enregistrement ne peut être sauvegardé parce qu'il n'est pas conforme, un message d'erreur vous est adressé, qui décrit le problème. Voyez la section intitulée "Problèmes lors de la saisie et de l'édition des données" plus loin dans ce chapitre.

Pour vous remémorer rapidement comment ajouter des données à une table, consultez le sommaire de l'aide, ouvrez le livre *Travail avec des données* et explorez-en les différentes rubriques.

Les icônes du sélecteur d'enregistrement

Lorsque vous entrez ou modifiez des données dans une table, le sélecteur d'enregistrement affiche différentes icônes :

Enregistrement courant.

Nouvel enregistrement, vide.

Enregistrement en cours de modification ; les changements ne sont pas encore sauvegardés.

Insérer un enregistrement

Impossible ! Cela peut vous paraître bizarre, surtout si vous utilisez couramment une feuille de calcul. Mais rien, dans Access, ne justifie l'insertion d'un nouvel enregistrement entre deux enregistrements existants. En effet, une telle insertion est inutile puisque le programme vous permet, à tout moment, de trier vos fiches sur n'importe quel champ. Contentez-vous donc d'ajouter des enregistrements à la fin de la table, puis faites appel aux techniques décrites dans le Chapitre 9 pour trier vos enregistrements sur une clé quelconque.

Modifier des données dans une table

Modifier des données dans une table est une opération facile à réaliser. Placez le curseur à l'endroit voulu, puis modifiez la donnée en recourant aux techniques standard d'édition de Windows. La seule précaution à prendre : avant d'éditer, regardez si le contenu du champ est sélectionné ou non. La Figure 8.6 vous montre les deux cas de figure.

- Si le contenu du champ *est* sélectionné, ce que vous tapez *remplace* intégralement le contenu actuel. Pour annuler la sélection avant de commencer à taper, enfoncez la touche F2 ou cliquez dans le champ concerné.
- Si le contenu du champ *n'est pas* sélectionné, ce que vous tapez s'ajoute au niveau du point d'insertion. Les touches flèche gauche et flèche droite vous permettent de placer le curseur au bon endroit.

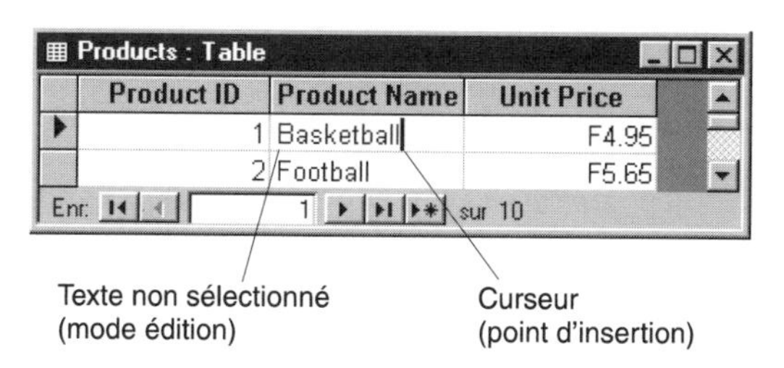

Figure 8.6 : Lorsque le texte est sélectionné, vous êtes en mode déplacement ; lorsqu'il ne l'est pas, vous êtes en mode édition.

Si vous remplacez accidentellement le contenu d'un champ alors que vous vouliez y insérer du texte, faites appel à la commande Annuler pour réparer votre erreur. Concrètement, utilisez la touche Esc, le bouton Annuler de la barre d'outils Base de données, la commande Édition/Annuler, ou encore son équivalent clavier Ctrl + Z.

Mode déplacement et mode édition

Que le contenu d'un champ soit sélectionné ou non lorsque vous y positionnez votre curseur pour la première fois dépend de la façon dont vous naviguez entre les champs :

- Si vous accédez au champ à l'aide du clavier (par exemple, en utilisant les touches →, ←, Tabulation ou Majuscule + Tabulation), le contenu du champ est instantanément sélectionné. Ce mode est appelé *mode déplacement* parce que les touches fléchées déplacent le curseur d'un champ à l'autre.
- Si vous accédez au champ à l'aide de votre souris (en cliquant dans le champ), le curseur se positionne à l'emplacement exact du clic et le texte *n'est pas* sélectionné. Ce mode est appelé *mode édition* parce que les touches fléchées positionnent le point d'insertion à des fins d'édition.

Il existe un moyen rapide pour basculer d'un mode à l'autre : la touche F2.

Touches servant à modifier les données

Le Tableau 8.3 recense les touches et combinaisons de touches qui vous permettent de modifier les données en mode feuille de données et formulaire. N'oubliez pas que la souris vous sert aussi à sélectionner une partie d'un champ : faites simplement glisser le pointeur sur le texte à sélectionner.

Pour vous rafraîchir la mémoire, voyez l'entrée d'index intitulée *champs, édition de données à l'intérieur de.*

Touche(s)	Action
F2	Permute entre le mode déplacement (lorsque les touches fléchées sélectionnent le champ) et le mode édition (lorsque ces mêmes touches déplacent le curseur dans le texte).
Retour arrière	Efface la sélection ou le caractère situé à gauche du curseur.
Suppr	Efface la sélection ou le caractère situé à droite du curseur.
Insert	Permute entre les modes insertion et suppression.
Ctrl + ' ou Ctrl + "	Recopie dans le champ courant la donnée du même champ de l'enregistrement précédent.
	(idem que Ctrl + Majuscule +')
Esc	La première activation annule les modifications apportées au champ ; la seconde les rétablit.
Ctrl + + (signe +)	Ajoute un nouvel enregistrement.
Ctrl + -	Supprime l'enregistrement courant.
Ctrl + ;	Insère la date courante.
Ctrl + :	Insère l'heure courante.
Majuscule + Entrée	Sauvegarde l'enregistrement courant à condition que ses données soient conformes.
Ctrl + Alt + Barre d'espacement	Insère une valeur par défaut, si une valeur de ce type a été définie.

Tableau 8.3 : Ces touches vous permettent d'éditer des données dans une table.

Sélectionner des enregistrements et des champs

Le sélecteur d'enregistrement placé à gauche de chaque fiche vous permet de sélectionner un enregistrement complet en un seul clic de souris :

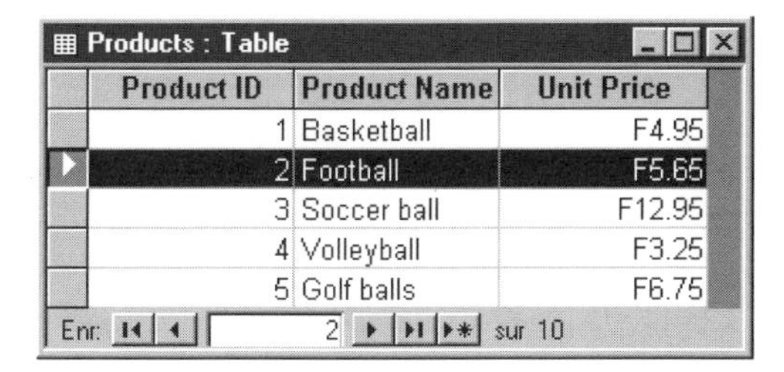

En mode feuille de données, vous pouvez sélectionner plusieurs enregistrements en faisant glisser la souris sur leur sélecteur d'enregistrement (voyez ci-dessous). Autre technique : cliquez sur le premier des enregistrements à sélectionner, puis Majuscule + cliquer sur le dernier. Pour sélectionner tous les enregistrements de la table, cliquez dans le sélecteur de table, dans l'angle supérieur gauche de la fenêtre (Figure 8.1).

Le Tableau 8.4 présente les différents moyens de sélectionner (ou de désélectionner) dans une table. Les sections suivantes vous expliquent comment supprimer, copier ou déplacer des données.

Pour sélectionner...	Réalisez l'action suivante
Une partie de la donnée	Faites glisser le pointeur sur la partie de la donnée à sélectionner ou utilisez les combinaisons de touches Majuscule + →, Majuscule + ←, Majuscule + Origine ou Majuscule + Fin.
Le mot placé à gauche ou à droite	Enfoncez les touches Ctrl + Majuscule + → ou Ctrl + Majuscule + ←.
Toute la donnée	Accédez au champ en utilisant une touche fléchée ou enfoncez la touche F2 pour activer le mode déplacement ; ou encore, cliquez sur le nom du champ (l'étiquette, pas la donnée) en mode formulaire.
Un enregistrement entier	Cliquez sur le sélecteur d'enregistrement situé à gauche du premier champ de la fiche ou choisissez Édition/Sélectionner l'enregistrement ; ou, encore enfoncez les touches Majuscule + Barre d'espacement (mode déplacement).
Plusieurs enregistrements	En mode feuille de données, faites glisser le pointeur sur les sélecteurs des enregistrements concernés ou étendez la sélection en opérant un Majuscule + clic sur le dernier enregistrement à inclure dans la sélection. Vous pouvez aussi enfoncer la touche Majuscule pendant que vous sélectionnez des sélecteurs adjacents ou encore étendre la sélection avec les combinaisons Majuscule + ↓ ou Majuscule + ↑.
Une colonne entière	En mode feuille de données, cliquez sur le sélecteur de champ placé au sommet de la colonne ou enfoncez les touches Ctrl + Barre d'espacement en mode déplacement.
Plusieurs colonnes	Faites glisser sur les sélecteurs des champs concernés ou Majuscule + cliquez sur les sélecteurs. De même, vous pouvez enfoncer les touches Ctrl + Barre d'espacement pour sélectionner une colonne, puis étendre la sélection avec Majuscule + → ou Majuscule + ←.

Tableau 8.4 : Liste des techniques vous permettant de sélectionner des données dans une table.

Pour sélectionner...	Réalisez l'action suivante
La table entière (en mode feuille de données)	Choisissez Édition/Sélectionner tous les enregistrements ou enfoncez les touches Ctrl + A ou Ctrl + Majuscule + Barre d'espacement. Vous pouvez également cliquer sur le sélecteur de table (Figure 8.1).
Avec le clavier	Enfoncez la touche Majuscule et maintenez-la dans cet état pendant que vous déplacez le curseur avec les touches fléchées. Vous pouvez aussi enfoncer la touche F8 pour activer le mode extension (EXT s'affiche dans la barre d'état) et utiliser ensuite les touches de curseur ou la souris pour étendre la sélection. Autre possibilité : enfoncez la touche F8 à plusieurs reprises pour sélectionner le mot, le champ, l'enregistrement ou la table entière. Pour désactiver le mode extension, enfoncez ESC (EXT disparaît de la barre d'état).
Annuler la sélection	Enfoncez la touche F2 ou cliquez dans n'importe quelle cellule.

Tableau 8.4 : Liste des techniques vous permettant de sélectionner des données dans une table (suite).

Supprimer des données

C'est l'enfance de l'art : sélectionnez les données que vous voulez supprimer, puis débarrassez-vous-en avec la touche Suppr.

Supprimer une donnée dans un champ

Deux techniques vous sont proposées :

- Placez votre curseur à l'endroit où vous voulez que la suppression commence, puis enfoncez la touche Suppr (vers l'avant) ou Retour arrière (vers l'arrière) autant de fois que nécessaire (chaque activation effaçant un caractère).

- Sélectionnez la donnée dans le champ, puis enfoncez une seule fois la touche Suppr ou Retour arrière pour supprimer d'un coup toute la sélection.

Si vous vous ravisez et voulez récupérer ce que vous avez effacé, enfoncez la touche Esc ou activez le bouton Annuler de la barre d'outils Base de données. Vous pouvez aussi faire appel à la commande Annuler du menu Édition ou à son équivalent clavier Ctrl + Z.

Supprimer des enregistrements

Pour supprimer des enregistrements entiers :

1. Avec le sélecteur d'enregistrement, sélectionnez les enregistrements concernés.
2. Enfoncez la touche Suppr (ou choisissez Édition/Supprimer).

Cette suppression ne peut être annulée ; réfléchissez avant d'agir !

3. Lorsqu'Access vous demande confirmation, répondez Oui pour supprimer les enregistrements sélectionnés ; répondez Non pour les conserver.

Si vous ne voulez supprimer que l'enregistrement courant, voici un raccourci : assurez-vous que le curseur se trouve bien dans cet enregistrement, puis activez le bouton Supprimer l'enregistrement de la barre d'outils Mode Formulaire (représenté à gauche) ou choisissez Édition/Supprimer l'enregistrement et répondez affirmativement à la demande de confirmation.

Autres techniques de suppression

D'autres techniques sont disponibles pour réaliser des suppressions d'enregistrements. Ainsi, vous pouvez supprimer tous les enregistrements qui répondent à un critère donné, comme tous les produits Baseball de la table Products (Produits). Comment ? En créant un filtre (Chapitre 9) qui isole ces fiches, en les sélectionnant (Édition/Sélectionner tous les enregistrements ou Ctrl + A), puis en enfonçant la touche Suppr, ou encore en construisant une requête Suppression (Chapitre 10).

Copier et déplacer des données

Toutes les procédures classiques de couper-coller en vigueur dans Windows sont à votre disposition pour couper des données et les coller dans une table, dans Access ou dans un autre programme.

1. Sélectionnez les données concernées.

- **Pour copier (dupliquer)** les données sélectionnées, activez le bouton Copier d'une barre d'outils quelconque ; ou choisissez Édition/Copier ; ou encore, enfoncez les touches Ctrl + C.

- **Pour déplacer les données sélectionnées**, activez le bouton Couper d'une barre d'outils quelconque ; ou choisissez Édition/Couper ; ou bien enfoncez les touches Ctrl +X.

2. Placez votre pointeur à l'endroit où vous voulez coller les données, puis activez le bouton Coller ; ou choisissez Édition/Coller ou encore, enfoncez les touches Ctrl + V.

Pour ajouter des enregistrements à la fin d'une table Access, choisissez Édition/Coller par ajout à l'étape n° 2.

Access s'exécute, mais requiert parfois un complément d'information selon l'endroit où vous avez coupé ou copié et celui où vous souhaitez coller. Répondez à sa demande.

Quand le couper-coller ne fonctionne pas

Il se peut qu'Access ne parvienne pas à coller les données dans la table ; les raisons de cet échec sont les suivantes :

- Access ne peut coller des données qui sont incompatibles avec le type de données courant. Ainsi, vous ne pouvez coller des caractères alphabétiques dans un champ Numérique ou Monétaire.

- Access ne peut coller des données qui produisent un doublon au niveau du champ clé primaire ou d'un champ indexé pour lequel vous avez interdit les doublons.

- Si les données importées sont trop longues par rapport à la taille du champ, la partie excédentaire est tronquée. Vous pouvez résoudre ce problème en augmentant la taille du champ (la propriété Taille est décrite au Chapitre 6).
- Les données non conformes aux règles établies pour un champ ne peuvent être importées.

Si Access ne peut procéder au collage, il en indique la cause dans une table intitulée Table des erreurs. Vous pouvez ouvrir cette table afin de voir les données qui n'ont pu être collées ; vous pouvez également tenter de coller les données depuis cette table dans la table originale, en procédant champ par champ.

Utiliser des liens hypertextes dans une table

Lorsque vous incluez dans une table un champ Lien hypertexte, vous pouvez utiliser ce lien pour atteindre n'importe quelle information d'une feuille de données ou d'un formulaire. Il vous suffit de cliquer sur l'adresse hypertexte affichée dans le champ pour être directement transporté vers un autre objet, voire vers un autre programme. Voici quelques exemples d'éléments auxquels une adresse hypertexte peut faire référence :

- une page Web sur le réseau Internet ;
- un objet de base de données, comme un formulaire ou un état ;
- un document issu d'un programme de traitement de texte, une feuille de calcul ou un graphique.

Vous pourriez, par exemple, ajouter un champ Lien hypertexte à la table Products (Produits) de la base de données Ordentry (Gestionnaire de commandes) de manière à pouvoir passer directement de cette table à une page proposant des informations sur les différents produits ; cette page serait stockée sur un réseau local ou sur Internet. Une fois qu'un lien hypertexte est établi, un simple clic suffit pour ouvrir la page liée par l'entremise de Microsoft Internet Explorer. Autre exemple : vous pourriez coupler, via un lien hypertexte, la table Employees (Employés) à un album de photos qui vous permettrait, en cliquant sur le nom d'un employé, d'afficher sa photo.

Pour introduire des liens hypertextes dans un formulaire ou dans un état, il n'est pas impératif de prévoir un champ Lien hypertexte dans la table sous-jacente si vous ne devez pas stocker différents liens hypertextes pour chaque enregistrement de cette table. Le Chapitre 13 traite de cet aspect des choses ; nous nous concentrons ici sur les liens hypertextes qui sont stockés dans des champs de table.

Pour utiliser des liens de ce type dans une table Access :

1. Dans la fenêtre Base de données, sélectionnez la table concernée et ouvrez-la en mode Création.
2. Ajoutez un champ à cette table et attribuez-lui le type Lien hypertexte. Répétez l'opération jusqu'à avoir introduit tous les champs Lien hypertexte souhaités. Pour reprendre l'exemple que nous énoncions plus haut, ajoutez un champ Informations produits à la table Products (Produits). (Le Chapitre 6 vous apprend comment ajouter des champs à une table et comment en modifier la structure.)
3. Cliquez sur le bouton Affichage de la barre d'outils afin de passer en mode feuille de données. Répondez affirmativement quand Access vous demande si vous souhaitez enregistrer vos modifications.

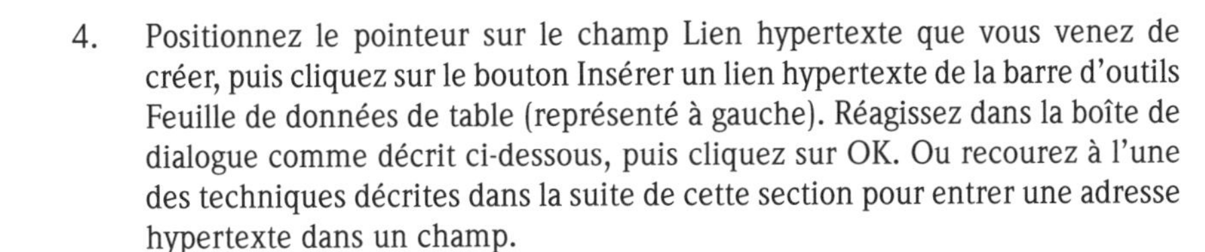

4. Positionnez le pointeur sur le champ Lien hypertexte que vous venez de créer, puis cliquez sur le bouton Insérer un lien hypertexte de la barre d'outils Feuille de données de table (représenté à gauche). Réagissez dans la boîte de dialogue comme décrit ci-dessous, puis cliquez sur OK. Ou recourez à l'une des techniques décrites dans la suite de cette section pour entrer une adresse hypertexte dans un champ.

Pour utiliser un lien hypertexte, il suffit de cliquer dessus. La Figure 8.7 vous montre la table Products (Produits) où le produit n° 1 est doté d'un lien hypertexte vers le fichier c:\Program Files\Microsoft Office\Office\Exemples\cajun.htm. Lorsque vous cliquez sur le lien, Microsoft Internet Explorer démarre et affiche ce fichier (Figure 8.8).

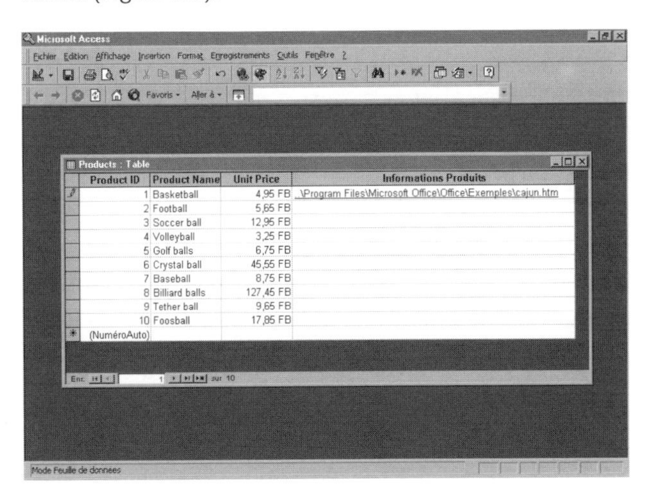

Product ID	Product Name	Unit Price	Informations Produits
1	Basketball	4,95 FB	..\Program Files\Microsoft Office\Office\Exemples\cajun.htm
2	Football	5,65 FB	
3	Soccer ball	12,95 FB	
4	Volleyball	3,25 FB	
5	Golf balls	6,75 FB	
6	Crystal ball	45,55 FB	
7	Baseball	8,75 FB	
8	Billiard balls	127,45 FB	
9	Tether ball	9,65 FB	
10	Foosball	17,85 FB	
(NuméroAuto)			

Figure 8.7 : Dans la table Products (Produits), le premier enregistrement possède une adresse hypertexte dans le champ Informations Produits. Lorsque vous cliquez sur ce lien, le fichier cajun s'ouvre.

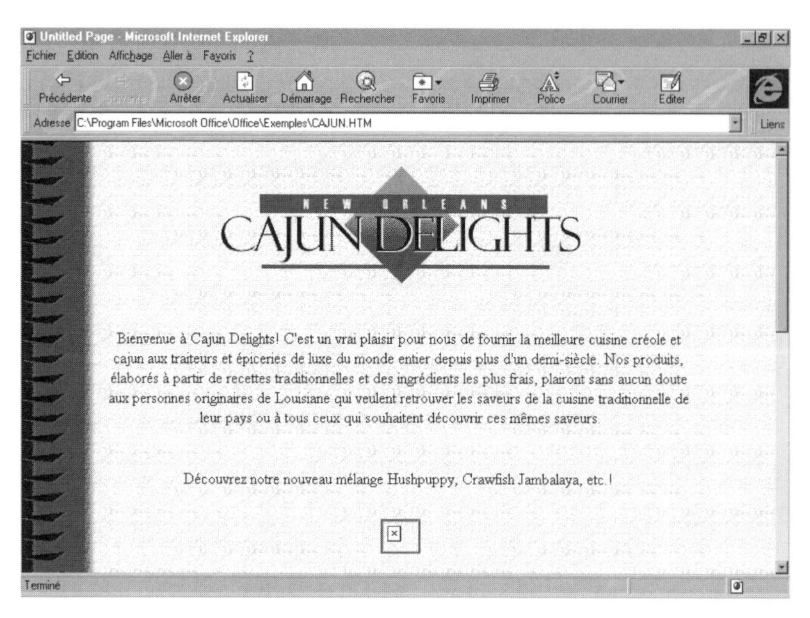

Figure 8.8 : Le fichier cajun.htm s'ouvre dès que vous cliquez sur le lien hypertexte correspondant dans la table Products (Produits).

Entrer des adresses hypertextes

Dans l'exemple que nous venons de vous présenter, nous avons fait appel au bouton Insérer un lien hypertexte pour entrer une adresse dans un champ Lien hypertexte. Il existe d'autres moyens d'action :

- Utiliser le bouton de barre d'outils Insérer un lien hypertexte.
- Taper directement l'adresse.
- Copier l'adresse dans un document et la coller dans le champ Lien hypertexte.
- Copier un texte dans un document Office et le coller dans le champ Lien hypertexte afin de créer un lien entre le champ et le document.
- Glisser-déposer pour créer un lien hypertexte avec un document Office, une icône ou un fichier .url.

Ces différentes techniques ne fonctionnent pas dans toutes les situations. Ainsi, vous ne pouvez utiliser le glisser-déposer si vous voulez créer un lien hypertexte entre un formulaire Access et un autre formulaire ou une feuille de données. Avant de créer le lien, vous devrez donc, selon sa nature, choisir la méthode la plus appropriée.

Utiliser le bouton Insérer un lien hypertexte

Ce bouton ouvre une boîte de dialogue dans laquelle vous pouvez créer un lien avec une adresse Internet (fichiers .url), avec des documents présents sur votre ordinateur ou sur votre réseau local, ou avec une base de données Access. Cette boîte comporte une option grâce à laquelle vous pouvez atteindre un emplacement bien défini, comme un signet dans un document Word, une plage nommée dans une feuille de calcul Excel, ou un objet dans une base de données Access.

Pour utiliser ce bouton :

1. Ouvrez la feuille de données ou le formulaire contenant le champ Lien hypertexte que vous voulez paramétrer.
2. Cliquez dans ce champ s'il est vide. S'il comporte déjà une adresse hypertexte, n'y sélectionnez pas le point d'insertion : ce faisant, vous activeriez le lien et seriez immédiatement transporté vers l'emplacement qu'il définit. Utilisez plutôt, pour désigner le champ, la touche Entrée, Tabulation ou l'une des flèches de déplacement du curseur.

3. Activez le bouton Insérer un lien hypertexte de la barre d'outils Feuille de données de table (représenté à gauche) ou choisissez Insertion/Lien hypertexte. La boîte de dialogue représentée à la Figure 8.9 s'ouvre.

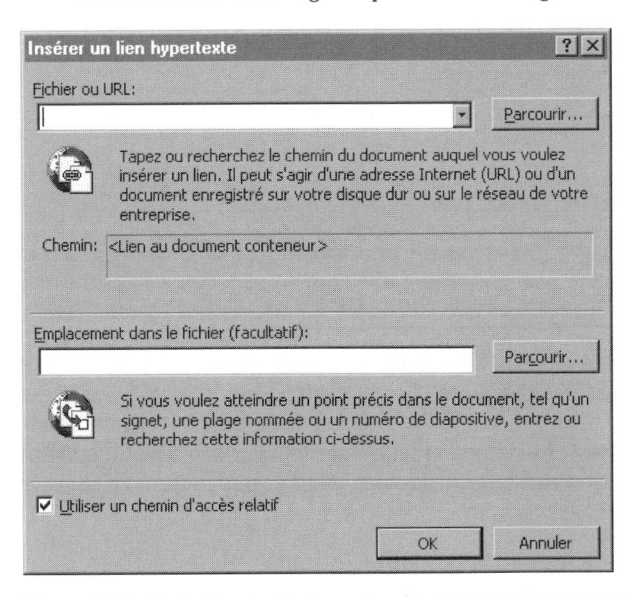

Figure 8.9 : La boîte de dialogue Insérer un lien hypertexte vous permet d'entrer des adresses hypertextes. Un lien hypertexte vous permet d'atteindre directement une adresse Internet, un document stocké sur votre ordinateur ou sur le réseau local, ou encore un objet d'une base de données Access.

4. Dans la case *Fichier ou URL*, entrez un nom de fichier ou une adresse URL. Le bouton Parcourir ouvre une boîte de dialogue intitulée Lier au fichier qui ressemble à la boîte de dialogue de la commande Fichier/Ouvrir et grâce à laquelle vous pouvez désigner le fichier concerné en parcourant l'arborescence de votre disque dur. Sachez que le menu déroulant correspondant vous propose toute une série d'options qui peuvent vous intéresser.
5. Si vous désirez atteindre un emplacement particulier du fichier que vous venez de désigner, cliquez sur le bouton Parcourir placé dans la rubrique inférieure intitulée Emplacement dans le fichier (facultatif). L'aspect de la boîte de dialogue qui s'affiche alors diffère selon le type de document sélectionné. Si vous établissez un lien avec une base de données Access, cette boîte ressemble fort à la fenêtre Base de données. Faites votre choix, puis cliquez sur OK afin de regagner la fenêtre Insérer un lien hypertexte.
6. Cliquez sur OK pour introduire l'adresse dans le champ Lien hypertexte.

Par défaut, les adresses hypertexte sont signalées dans les champs correspondants par un soulignement bleu. Une fois que vous avez utilisé ce lien, le soulignement change de couleur et vire au pourpre. Ces couleurs prédéfinies peuvent être modifiées. Pour ce faire, utilisez l'onglet Liens hypertextes/HTML de la commande Outils/Options et choisissez les couleurs souhaitées dans les deux menus déroulants de la rubrique Couleur des liens hypertextes.

Taper une adresse hypertexte

Il n'est pas indispensable de transiter par la boîte de dialogue Insérer un lien hypertexte pour introduire une adresse hypertexte dans un champ. Rien ne s'oppose, en effet, à ce que vous entriez cette adresse manuellement. Mais attention :

- Une adresse hypertexte peut comprendre jusqu'à quatre éléments, séparés par le signe dièse # ; ces quatre éléments sont : un message facultatif qui s'affiche dans le champ au lieu de l'adresse, l'adresse proprement dite et une sous-adresse optionnelle (qui désigne un emplacement spécifique). (Certaines adresses de documents Word possèdent une sous-sous-adresse, introduite par Access.)
- Si vous introduisez une adresse commençant par http, il n'est pas indispensable d'introduire le signe dièse #. Un exemple : vous pouvez vous contenter d'entrer http://www.microsoft.com plutôt que # http://www.microsoft.com##.
- Ces signes ne sont pas requis non plus lorsque vous entrer une adresse dépourvue de message ou de sous-adresse.

- Pour faire référence à un objet d'une base de données ouverte, il suffit d'entrer le nom de l'objet. Si plusieurs objets portent le même nom (une table et un formulaire qui s'appellent tous les deux Produits), faites précéder le nom du type de l'objet, par exemple Formulaire Produits.

Le tableau 8.5 montre quelques exemples d'adresses hypertextes. Pour en savoir plus à ce sujet, consultez l'index de l'aide aux entrées *adresse de lien hypertexte, adresses URL* et *liens hypertextes.* N'oubliez pas que le Compagnon Office se tient également à votre disposition.

Une adresse introduite dans un champ Lien hypertexte peut se présenter différemment selon que c'est le mode feuille de données qui est actif, ou le mode formulaire. En mode formulaire, Access soustrait à l'affichage les signes dièse # et les sous-adresses. Pour visualiser l'adresse complète, enfoncez la touche F2. Vous pouvez alors modifier l'adresse. Ou cliquez à l'intérieur avec le bouton droit de la souris et choisissez Lien hypertexte/ Modifier le lien hypertexte.

Entrez cette adresse	pour vous rendre à...
http://www.microsoft.com	http://www.microsoft.com
Formulaire Produits	Le formulaire baptisé Produits de la base de données courante.
Projet#c:\Mes documents\Projet.doc##	Le document Word baptisé Projet qui se trouve dans le dossier Mes documents ; Projet s'affiche dans le champ Lien hypertexte en lieu et place de l'adresse complète.
c:\Mes documents\Projet.doc	Le document Word baptisé Projet qui se trouve dans le dossier Mes documents.

Copier-coller une adresse hypertexte

Si l'adresse hypertexte qui vous intéresse figure dans un document ou dans une fenêtre d'Internet Explorer, vous pouvez l'y copier, puis la coller dans le champ Lien hypertexte :

1. Sélectionnez l'adresse concernée.
2. Activez le bouton Copier de la barre d'outils.

3. Sélectionnez le champ Lien hypertexte dans lequel l'adresse doit apparaître. (Si ce champ comporte déjà une adresse, ne cliquez pas dedans : vous seriez immédiatement transporté vers l'objet du lien.)
4. Activez le bouton Coller de la barre d'outils. Si l'adresse ainsi introduite est reconnue comme lien hypertexte, vous pouvez également utiliser la commande Coller comme lien hypertexte du menu Édition.

Créer un “signet” hypertexte

Pour établir un lien avec un emplacement spécifique d'un document :

1. Sélectionnez cet emplacement dans le document ou dans le fichier Office.
2. Activez le bouton Copier de la barre d'outils.
3. Sélectionnez le champ Lien hypertexte dans lequel vous souhaitez coller le lien. (Si ce champ comporte déjà une adresse, ne cliquez pas dedans : vous seriez immédiatement transporté vers l'objet du lien.)
4. Choisissez Édition/Coller comme lien hypertexte.

Glisser-déposer un lien hypertexte

La technique du glisser-déposer est intéressante, mais comporte une limitation : vous ne pouvez glisser-déposer entre deux formulaires Access, ni entre un formulaire et une feuille de données. Vous pouvez cependant appliquer cette procédure pour faire glisser une adresse hypertexte vers un document (défini ou non), vers un emplacement donné d'un document, vers une icône placée sur le bureau de Windows, ou vers un fichier .url.

1. Sélectionnez l'emplacement dans le document, l'adresse hypertexte ou l'icône vers laquelle vous souhaitez établir le lien.
2. Cliquez avec le bouton droit de la souris et faites glisser vers le champ Lien hypertexte en mode formulaire ou feuille de données.
3. Choisissez Coller le lien hypertexte dans le menu déroulant qu'Access déroule alors.

Modifier une adresse hypertexte

Pour modifier une adresse hypertexte :

- Déplacez le curseur vers l'adresse sans la sélectionner. Enfoncez la touche F2 et procédez aux modifications souhaitées. Enfoncez de nouveau la touche F2 afin de sélectionner l'intégralité du champ.

- Cliquez sur l'adresse avec le bouton droit de la souris, choisissez Lien hypertexte/Modifier le lien hypertexte et procédez, dans la boîte de dialogue Modifier le lien hypertexte, aux aménagements souhaités. Cliquez sur OK pour valider vos modifications.

Supprimer une adresse hypertexte

Pour supprimer une adresse dans un champ Lien hypertexte :

- Déplacez le curseur vers l'adresse sans la sélectionner. Enfoncez la touche Suppr.

Ou bien :

- Cliquez sur l'adresse avec le bouton droit de la souris et choisissez Couper.

Insérer des objets OLE (images, sons, etc.)

Grâce à OLE, vous pouvez insérer, dans un champ, des images, des sons, des graphiques, des clips vidéo ainsi que d'autres objets, à la seule condition que le champ dans lequel vous insérez l'objet soit de type Objet OLE (Chapitre 6).

Ne confondez pas objet OLE (un graphique, un son, un clip ou un dessin) et objet de base de données Access (une table, un formulaire, un état ou une macro). Un objet OLE est créé dans un programme extérieur à Access. Lorsque vous avez lié ou incorporé l'objet OLE dans un champ de table Access, vous pouvez, dans la plupart des cas, le mettre à jour dans Access même.

Prenons l'exemple d'une table qui stocke des informations relatives à vos employés. Supposons que vous souhaitiez qu'un champ affiche le curriculum vitae de ces employés et que vous désiriez utiliser WordPerfect, Microsoft Word ou le Bloc-Notes de Windows pour créer et éditer ces CV. Dans ce cas, vous devez créer un champ CV de type Objet OLE (et non Texte ou Mémo).

La Figure 8.10 montre la structure d'une table baptisée Star Search Models (Recherche de modèles) (qui ne fait *pas* partie de la base de données Ordentry (Gestionnaire de commandes) présentée précédemment, mais de la base Starsrch, disponible aussi sur le CD d'accompagnement). Nous nous y référerons à plusieurs reprises. Remarquez la présence de plusieurs champs Objet OLE.

OLE existe depuis la sortie de Windows version 3.1. Si ses concepts et sa terminologie vous sont connus, sautez à la section "Insérer facilement des objets" plus loin dans ce chapitre. Dans le cas contraire, lisez ce qui suit.

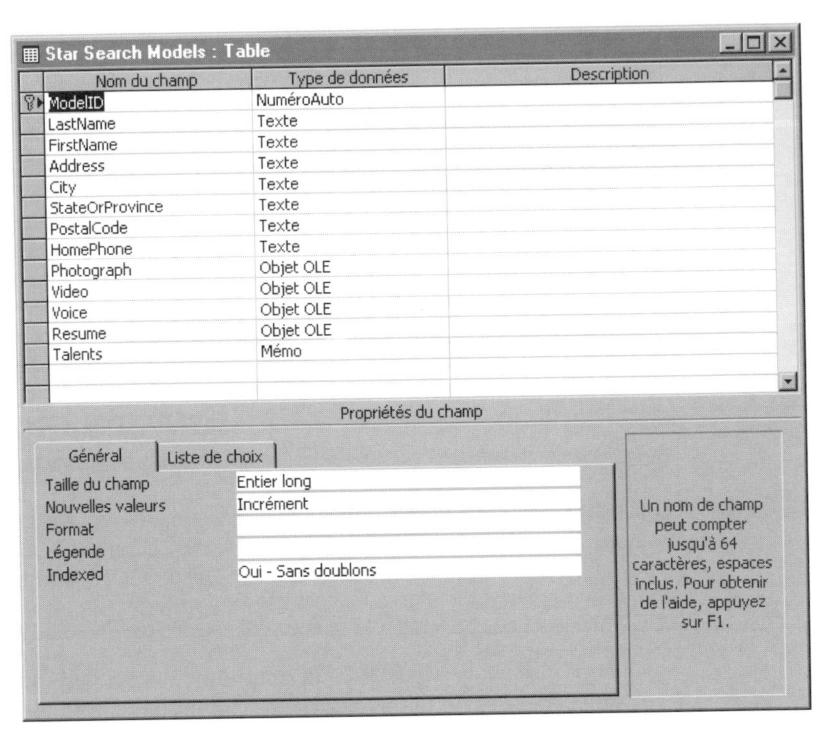

Figure 8.10 : La table Star Search Models (Recherche de modèles) comporte plusieurs champs de type Objet OLE.

Les serveurs et clients OLE

OLE vous permet d'insérer des objets d'une application Windows dans une autre ; il distingue deux catégories d'applications : les serveurs et les clients.

Serveur : Un programme OLE serveur est un programme qui "sert" des objets qui seront exploités dans un autre programme. Ainsi, les applications Windows Paint, Enregistreur de sons et WordPad fournies avec Windows, Microsoft Graph qui accompagne Access, ainsi que d'autres programmes Microsoft Office (dont Word, Excel et PowerPoint) fonctionnent comme serveurs OLE.

Client : Un programme OLE client est un programme qui accepte les services (c'est-à-dire les objets) d'autres programmes, notamment ceux mentionnés ci-dessus.

Access peut agir comme client ou comme serveur. Ainsi, vous pouvez incorporer ou lier une feuille de calcul Excel dans un champ Objet OLE d'Access (Access est alors client). Vous pouvez aussi incorporer ou lier une base de données Access dans une feuille de calcul Excel en choisissant la commande Objet du menu Insertion d'Excel (Access est alors serveur et la base de données apparaît dans la feuille de calcul sous la forme d'une icône).

Vous n'aurez que rarement à vous préoccuper de savoir quel programme est capable d'être serveur et quel programme ne l'est pas. Occupez-vous uniquement de l'objet. Ainsi, supposons que vous scanniez une photo et que vous la stockiez dans un fichier baptisé PhotoHélène.bmp. Tout ce que vous avez à faire ensuite est de demander à Access de coller PhotoHélène.bmp dans un champ Objet OLE. Et le tour est joué !

L'application source

Dans OLE, l'application source est celle qui sert à créer ou à éditer l'objet. Ainsi, supposons que vous utilisiez Microsoft Word pour taper un curriculum vitae et enregistriez ce fichier sous le nom CVHélène.doc. Dans ce cas, CVHélène.doc est un objet OLE que vous pouvez placer dans une table Access, Word étant le programme source de cet objet.

De la même manière, si vous disposez d'un fichier son intitulé VoixHélène.wav, le programme source est sans doute l'Enregistreur de sons de Windows ou un autre programme d'édition de sons.

Liaison ou incorporation ?

Il existe deux manières d'insérer un objet OLE dans une table Access : l'incorporation ou la liaison.

Incorporation : Une copie de l'objet est insérée dans la table. Cette copie est complètement indépendante de l'objet original.

Liaison : Access conserve une connexion avec l'objet original. Ainsi, si un exemplaire est modifié, tous les autres le sont également.

Reprenons l'exemple du curriculum vitae tapé dans Word et sauvé sous le nom CVHélène.doc. Supposons que vous l'introduisiez dans une table Access. Une semaine plus tard, vous lancez Word et modifiez ce fichier. Si vous avez *incorporé* CVHélène.doc dans votre table Access, la copie dans la table Access est mise à jour. En revanche, si vous avez *lié* le fichier, la copie n'est pas mise à jour.

Insérer facilement des objets

La manière la plus facile d'insérer (lier ou incorporer) un objet dans une table Access consiste à introduire une copie terminée de l'objet (par "terminée", entendez son, image ou autre document déjà stocké sur votre disque). Vous apprendrez plus loin dans ce chapitre à insérer des objets OLE qui n'existent pas encore. Pour l'instant, vous devez bien entendu savoir où cet objet est stocké et quel est son nom. Prenons le cas d'un fichier son enregistré sous le nom c:\Mesdonnées\VoixHélène.wav.

Si vous connaissez le nom et l'emplacement de l'objet que vous voulez insérer, voici comment vous y prendre pour réaliser l'insertion :

1. Lancez Access et ouvrez la base et la table concernées. (La table peut être ouverte en mode feuille de données ou formulaire ; n'employez pas le mode création !).
2. Activez l'enregistrement et le champ Objet OLE dans lequel l'objet doit être introduit.
3. Cliquez avec le bouton droit de la souris et choisissez Insérer un objet ou choisissez Insertion/Objet.
4. Dans la boîte de dialogue Insérer un objet, activez À partir d'un fichier. La fenêtre ressemble à celle représentée ci-dessous :

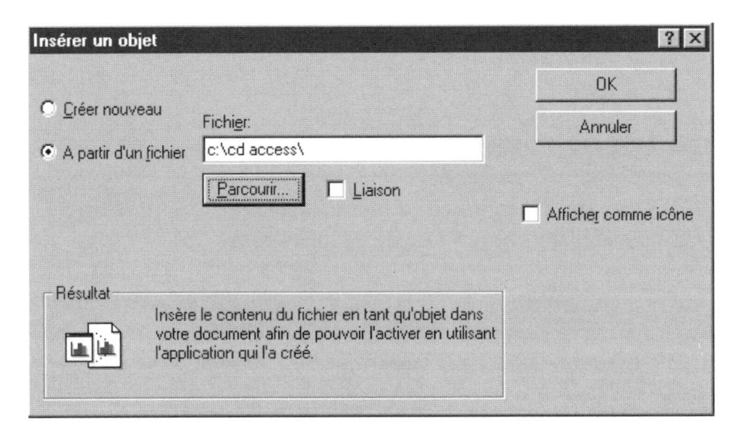

5. Si vous connaissez avec précision le nom et l'emplacement de l'objet (comme c:\Mesdonnées\VoixHélène.wav.), entrez ces données dans la case Fichier. Dans le cas contraire, utilisez le bouton Parcourir.

6. Lorsque la case Fichier est complétée, exécutez l'une des actions suivantes :

- **Pour établir un lien** entre l'objet original et la copie introduite dans votre table, activez (cochez) Liaison.
- **Pour incorporer une copie** de l'objet dans votre table, désactivez cette option.
- **Pour afficher l'objet sous la forme d'une icône**, activez (cochez) Afficher comme icône.
- **Pour afficher l'objet tel qu'il est réellement** (comme une photo), désactivez cette option.

7. Cliquez sur OK.

Aspect des objets

L'aspect de l'objet une fois introduit dans votre table varie.

- En mode feuille de données, seule une description succincte de l'objet apparaît, comme le montre l'illustration suivante.

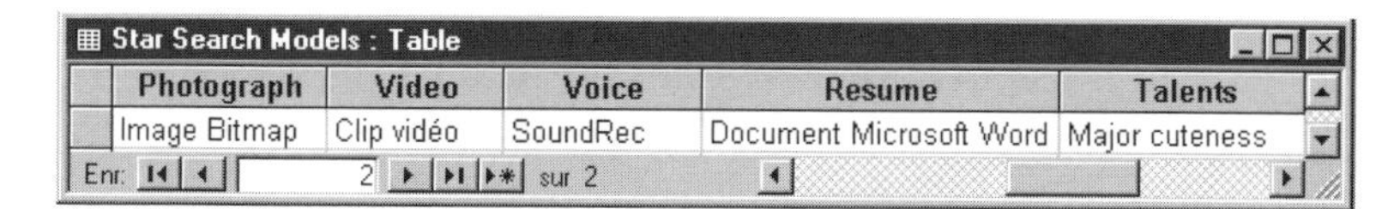

- En mode formulaire, l'objet apparaît sous sa forme réelle à condition qu'il s'agisse d'une image, d'un graphique ou de tout autre objet visualisable (Figure 8.11).
- Par contre, s'il s'agit d'un son ou d'un autre objet non visualisable, ou si vous avez activé l'option Afficher comme icône, une icône représentant l'objet apparaît sur le formulaire (Figure 8.11).

Nous avons fait appel aux techniques décrites dans les Chapitres 11 et 13 pour créer le formulaire représenté à la Figure 8.11.

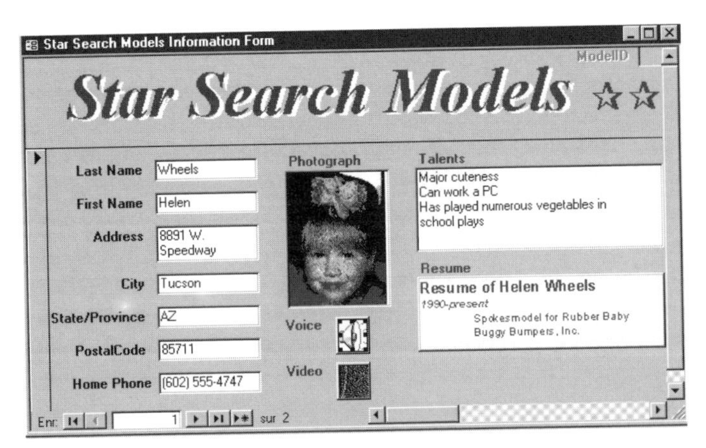

Figure 8.11 : Les objets OLE de la table Star Search Models (Recherche de modèles), affichés en mode formulaire.

Activer et modifier des objets OLE

Certains objets, comme les photos ou les graphiques, sont appelés à être regardés (même si vous êtes amené, à l'occasion, à les éditer). D'autres objets, comme les sons et les séquences vidéo, sont destinés à être activés. Vous pouvez activer ou éditer un objet en cliquant deux fois sur lui. Ce qui se passe après le double clic dépend du type d'objet :

- **Si vous cliquez deux fois sur un objet affiché,** vous ouvrez son *programme source*. L'objet apparaît soit dans une fenêtre séparée, soit dans un cadre qui vous permet d'agir depuis Access. Vous pouvez alors éditer cet objet. Pour regagner Access, quittez le programme source soit en choisissant Fichier/Quitter ou en cliquant dans la case de fermeture de la fenêtre (si une fenêtre séparée s'est ouverte), soit en cliquant en dehors du cadre de l'objet (s'il s'est ouvert dans une fenêtre Access). Réagissez aux différents messages qui vous sont adressés.
- **Si vous cliquez deux fois sur un son, une séquence vidéo ou un autre objet de ce type,** Access “joue” l'objet.

Vous pouvez cliquer avec le bouton droit de la souris sur un objet afin d'ouvrir un menu contextuel qui reprend les principales commandes relatives à cet objet.

Autres techniques d'insertion

La méthode d'insertion que nous venons de détailler n'est pas la seule. Ainsi, vous pouvez faire appel au copier-coller pour insérer tout ou partie d'un objet existant. Vous pouvez aussi créer un objet directement dans une table Access. Vous pouvez encore opérer un glisser-déposer pour incorporer un objet d'un programme serveur vers un champ Objet OLE d'Access. Voyons cela en détail.

Couper-coller (tout ou partie d') un objet

Le Presse-papiers de Windows vous permet de couper une partie d'un objet ou son intégralité et de copier votre sélection dans une table Access.

1. Ouvrez la table Access en mode feuille de données ou formulaire.
2. Lancez le programme source. Ainsi, pour lancer Paint, choisissez Démarrer/ Programmes/Accessoires/Paint.
3. Dans le programme source, créez ou ouvrez l'objet que vous voulez insérer dans votre table Access. Si vous envisagez une liaison, l'objet doit être enregistré dans un fichier stocké sur votre disque dur.

Pour n'insérer qu'une partie de l'objet, sélectionnez cette partie selon les techniques en vigueur dans le programme source. Ainsi, utilisez l'outil Sélection de Paint pour sélectionner une partie seulement d'une image.

4. Enfoncez les touches Ctrl + C ou choisissez Édition/Copier dans la barre des menus du programme source.
5. Cliquez sur le bouton Microsoft Access dans la barre des tâches de Windows.
6. Cliquez dans la table Access, dans le champ concerné.
7. Réalisez ensuite l'une des actions suivantes :

- **Pour *incorporer* l'objet,** enfoncez les touches Ctrl + V ou choisissez Édition/Coller dans la barre des menus d'Access. Sautez ensuite le reste de la procédure, que nous décrivons ci-dessous.
- **Pour lier l'objet ou changer son type de données,** choisissez Édition/ Collage spécial dans la barre des menus d'Access. Une boîte de dialogue apparaît, semblable à celle représentée à la page suivante.

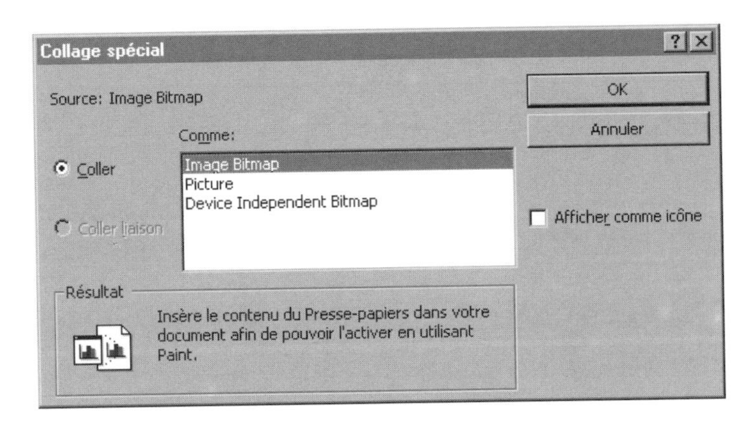

8. Validez les options souhaitées. Par exemple :

- Choisissez Coller pour incorporer l'objet ou Coller liaison pour le lier.
- Sélectionnez un format dans la liste Comme. Ainsi, si vous choisissez Picture, vous incorporez l'objet en tant qu'image ; celle-ci ne pourra plus être modifiée ni activée.
- Activez (cochez) Afficher comme icône pour afficher l'objet sous la forme d'une icône. Celle-ci s'affiche sous l'option, en même temps qu'un bouton Changer d'icône qui vous permet de remplacer l'icône proposée par défaut par une autre plus à votre goût.

9. Cliquez sur OK.

Le formulaire représenté à la Figure 8.11 montre une image Paint que nous avons sélectionnée et collée dans notre table Access. Rappelez-vous que seule une brève description de l'objet apparaît lorsque le mode feuille de données est actif. (Vous apprendrez bientôt à faire en sorte que l'image s'adapte mieux à son cadre.)

Créer un objet juste avant de l'insérer

Pour créer un objet OLE avant de l'introduire dans un champ Access :

1. Activez le mode feuille de données ou formulaire ; placez le curseur dans le champ Objet OLE appelé à accueillir l'objet.
2. Choisissez Insertion/Objet ou cliquez avec le bouton droit de la souris et choisissez Insérer un objet.
3. Dans la boîte de dialogue Insérer un objet, activez Créer nouveau.
4. Dans la liste Type d'objet, cliquez deux fois sur le type souhaité.
5. Créez l'objet dans le programme source.

6. Lorsque la création est terminée, choisissez Fichier/Quitter dans le programme source (si le programme s'est ouvert dans une fenêtre séparée) ou cliquez en dehors du champ Objet OLE (si vous agissez depuis Access).
7. Si Access vous demande si vous voulez mettre à jour l'objet incorporé, cliquez sur Oui ou sur Non.

Et c'est fait ! En mode formulaire, vous devez normalement voir l'objet.

Utiliser le glisser-déposer et OLE 2

Sans doute avez-vous déjà entendu parler de OLE 2, la nouvelle version de OLE qui supporte le glisser-déposer et l'édition sur place. *Glisser-déposer* signifie que vous pouvez copier de la source à la cible en faisant tout simplement glisser votre sélection. Vous n'avez pas besoin de faire appel aux menus, ni au Presse-papiers de Windows.

Quant à *Édition sur place*, cela signifie que, lorsque vous cliquez deux fois sur un objet OLE dans une table Access (par exemple), le programme source ne démarre pas ; néanmoins tous ses outils et fonctionnalités sont mis à votre disposition dans Access même.

Les programmes Microsoft Office, Corel WordPerfect Suite 7 et Corel Office Professional sont des programmes Windows supportant OLE 2. Si Microsoft Word est installé sur votre ordinateur, utilisez-le comme serveur dans les procédures décrites ci-dessous.

Il est facile d'utiliser le glisser-déposer pour incorporer un objet OLE d'un document serveur dans une table Access :

1. Ouvrez votre table ou votre formulaire Access comme d'habitude, puis faites défiler jusqu'à visualiser l'enregistrement qui contient le champ Objet OLE que vous voulez traiter.
2. Lancez le programme serveur OLE, puis ouvrez ou créez l'objet que vous voulez incorporer dans votre table Access.
3. Sélectionnez cet objet selon les procédures en vigueur dans le programme serveur.
4. Faites en sorte de tenir simultanément sous le regard le programme serveur et la table ou le formulaire Access. Pour ce faire, fermez ou réduisez les fenêtres qui n'interviennent pas dans la procédure, ouvrez les deux fenêtres impliquées, puis cliquez avec le bouton droit de la souris dans une zone vide de

la barre des tâches de Windows et choisissez Mosaïque horizontale ou Mosaïque verticale.

5. Pour glisser-déposer l'objet, réalisez l'une des actions suivantes :

- **Pour *copier* l'objet sélectionné** du programme serveur vers le champ de la table Access, enfoncez la touche Ctrl et maintenez-la dans cet état, faites ensuite glisser la sélection du programme serveur vers le champ Objet OLE de la table ou du formulaire Access, puis relâchez la touche Ctrl.

- **Pour *déplacer* l'objet sélectionné du programme serveur vers le champ de la table Access**, faites glisser la sélection du programme serveur vers le champ Objet OLE concerné (sans invoquer la touche Ctrl).

Pour soulager la mémoire de votre ordinateur, fermez le programme serveur.

Glisser-déposer d'Access vers d'autres programmes

Vous venez d'apprendre que vous pouvez glisser-déposer d'un programme serveur OLE 2 vers un champ Objet OLE d'Access. Vous pouvez également réaliser la procédure inverse : glisser-déposer des données Access dans d'autres programmes. Toutes les applications n'acceptent pas de faire ainsi de la haute voltige, mais WordPad, Word et Excel s'y prêtent de bonne grâce. Supposons que vous souhaitiez glisser-déposer des données Access dans un tableau de cellules de Word ou dans une feuille de calcul d'Excel. Voici comment vous devez vous y prendre :

1. Dans Access, sélectionnez les enregistrements en mode feuille de données.

2. Ouvrez le document Microsoft Word pour Windows 95 ou la feuille de calcul Microsoft Excel pour Windows 95.

3. Faites en sorte que les deux fenêtres soient simultanément affichées à l'écran. Pour ce faire, cliquez avec le bouton droit de la souris dans une zone vide de la barre des tâches de Windows, puis choisissez Mosaïque horizontale ou Mosaïque verticale.

4. Placez votre pointeur juste à droite du sélecteur d'enregistrement d'un des enregistrements sélectionnés. Votre pointeur est correctement positionné lorsqu'il se transforme en une flèche blanche.

5. Faites glisser la sélection vers le document Word ou vers la feuille Excel, puis relâchez le bouton de la souris.

Les données Access sélectionnées sont copiées dans le document cible.

Les objets dépendants et indépendants

Dans ce chapitre, nous vous avons exposé les techniques vous permettant de placer un *objet OLE dépendant* dans un champ de table. Par *dépendant*, entendez que l'objet est *lié* à une table particulière.

Vous verrez dans la suite de cet ouvrage (et dans le fichier d'aide) qu'Access est capable de stocker des *objets OLE indépendants*, c'est-à-dire attachés à un formulaire ou à un état, plutôt qu'à une table. Le Chapitre 13 vous apprend à insérer un objet de ce type dans un formulaire.

La liaison et l'incorporation d'objets sont décrites dans le fichier d'aide : voyez à ce sujet l'entrée d'index *objets OLE*.

Techniques spéciales pour les champs Mémo

Si vous êtes amené à taper des textes particulièrement longs dans un champ Mémo, vous avez intérêt à créer un formulaire pour cette table (voyez le champ Mémo "Talents" de la Figure 8.11). Vous pouvez également enfoncer les touches Majuscule + F2 pour ouvrir une boîte Zoom.

Dans les deux cas, vous bénéficierez d'un espace accru dans lequel vous pourrez taper votre texte.

Quand vous enfoncez la touche Entrée dans un champ Mémo, les réactions sont diverses :

- **Si vous agissez dans le champ Mémo depuis un *formulaire***, l'activation de la touche Entrée met fin à la ligne, commence un nouveau paragraphe ou insère une ligne blanche dans le texte, comme c'est le cas dans la plupart des programmes de traitement de texte.
- **Si vous agissez dans le champ Mémo depuis la *feuille de données***, l'activation de la touche Entrée vous fait quitter le champ et déplace votre pointeur vers le champ ou l'enregistrement suivant.
- **Si vous êtes dans une case Zoom,** l'activation de la touche Entrée (ou un clic sur OK) ferme la case. Pour créer une nouvelle ligne plutôt que de quitter le champ ou de fermer la case Zoom, c'est la combinaison de touches Ctrl + Entrée que vous devez invoquer.

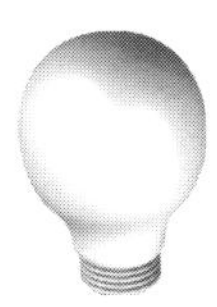

N'hésitez pas à ouvrir une case Zoom (Majuscule + F2) chaque fois que vous devez entrer, dans un champ, un texte plus long que la taille définie pour ce champ. Cette fonction est disponible dans les feuilles de propriétés, en mode feuille de données, ainsi que dans les cellules de la grille des modes de création de tables, de requêtes, de tri/filtre avancé et de macros.

Contrôler l'Effet touche Entrée

Le comportement de la touche Entrée dans les formulaires est sous le contrôle d'une propriété particulière baptisée Effet touche Entrée.

Pour accéder à cette propriété, activez le mode création de formulaire. Cliquez ensuite sur le contrôle dont vous voulez modifier la propriété, puis ouvrez la feuille de propriétés (Affichage/Propriétés). Activez l'onglet Autres, puis cliquez dans la case Effet touche Entrée.

Deux options sont disponibles :

- **Défaut** : Cette option fait en sorte que le pointeur quitte le champ dès l'activation de la touche Entrée ; en fait, elle active l'option sélectionnée par défaut dans la rubrique Effet de la touche Entrée de l'onglet Clavier de la commande Outils/Options, cette option étant Champ suivant. Défaut est généralement activé pour les contrôles qui affichent des champs texte.

Pour modifier l'option de la rubrique Effet de la touche Entrée, choisissez Outils/Options, activez l'onglet Clavier, puis cochez l'option souhaitée dans cette rubrique. Les possibilités disponibles sont : Aucun effet, Champ suivant et Enregistrement suivant. Le Chapitre 15 vous apprend à contrôler les paramètres prédéfinis d'Access.

- **Nouvelle lgn. dans chp.** : Cette option fait en sorte que l'appui sur la touche Entrée ajoute une ligne au champ. Elle est généralement activée pour les contrôles qui affichent des champs Mémo.

Le Chapitre 13 vous explique par le menu comment agir sur les propriétés des formulaires.

Techniques spéciales pour le dimensionnement des photographies

Placer des photographies dans des tables ou dans des formulaires est une opération délicate. De fait, les photos sont particulièrement exposées à un mauvais cadrage, et la moindre distorsion est immédiatement visible. Supposons que vous scanniez une photo de 3 x 5 cm et recouriez à la technique OLE décrite précédemment pour placer une copie de cette photographie dans un champ d'une table Access. Dans votre formulaire, vous pouvez attribuer à l'image différents modes d'affichage : Découpage, Échelle et Zoom ; ces modes sont représentés ci-dessous. Mais, malgré tous vos efforts, vous n'obtenez pas le résultat escompté.

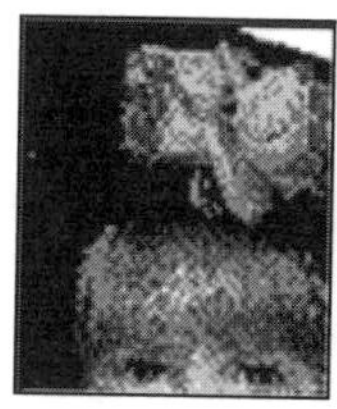
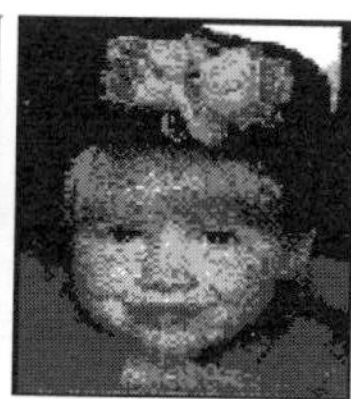
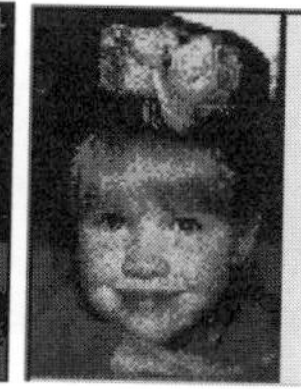

Les problèmes sont les suivants :

Découpage : La photo est plus grande que le cadre ; Découpage tronque l'affichage et ne fait apparaître que la partie supérieure gauche de la photo.

Échelle : La photo est plus petite que le cadre ; Échelle l'élargit dans les deux axes afin qu'elle s'adapte à son cadre, avec un effet évident de distorsion.

Zoom : La photo est plus petite que le cadre ; Zoom l'élargit dans un axe seulement, ce qui réduit l'effet de distorsion, mais fait apparaître une zone blanche à l'intérieur du cadre.

La solution est évidente : choisissez la bonne taille pendant le scannage ; vous obtiendrez ainsi un placement correct puisque vous bénéficierez d'une parfaite correspondance entre l'image et son cadre d'accueil. Exposons les choses depuis le début pour vous montrer comment prendre les mesures du cadre.

Une autre solution consiste à créer un cadre ayant les mêmes dimensions que la photo. Dans ce cas, toutes les photos que vous comptez placer dans ce cadre doivent avoir exactement le même format.

Étape n° 1 : Créer la table et le champ

Si vous envisagez de placer une photo dans chaque enregistrement d'une table, vous devez prévoir un champ capable d'accueillir cette photo. Il s'agira en l'occurrence d'un champ de type Objet OLE. Ainsi, le champ Photograph (Photographie) de la table Star Search Models (Recherche de modèles) est un champ Objet OLE capable de stocker des photos. Après avoir créé la structure de la table, fermez la fenêtre et procédez à la sauvegarde de manière traditionnelle.

Étape n° 2 : Créer le formulaire

Créez ensuite le formulaire qui affichera la photo et saisissez les autres données de la table. Faites appel aux techniques décrites aux Chapitres 11 et 13 pour créer ce formulaire ainsi que pour dimensionner, placer et aligner ses contrôles comme vous le souhaitez. Le formulaire de la Figure 8.11 (représenté précédemment) convient parfaitement. (Si vous souhaitez utiliser un simple formulaire, cliquez sur le nom de la table en fenêtre Base de données, puis choisissez Insertion/Formulaire instantané comme nous l'avons décrit plus haut dans ce chapitre.)

Étape n° 3 : Mesurer le cadre de la photo

Lorsque vous avez configuré le formulaire selon vos désirs, ouvrez-le en mode création. Cliquez sur le contrôle destiné à afficher la photo, ouvrez la feuille des propriétés (Affichage/Propriétés), puis activez l'onglet Format. Repérez les propriétés Largeur et Hauteur et notez les valeurs qu'elles affichent (vous n'allez pas tarder à en avoir besoin). La Figure 8.12 montre le formulaire Star Search Models (Recherche de modèles) en mode création. Le contrôle qui affiche la photo est sélectionné et sa feuille de propriétés est ouverte. Comme vous le voyez, la largeur du contrôle est de 2,416 cm et sa hauteur, de 3,157 cm.

Étape n° 4 : Scanner, rogner et fixer la taille de la photo

Lorsque vous connaissez la taille du cadre qui affichera la photo, vous pouvez scanner cette dernière ; pendant cette opération, vous rognerez l'image et fixerez sa taille en fonction de son cadre. Cela vous évitera de devoir la modifier quand elle sera stockée sur votre disque. Les scanners sont, bien entendu, équipés de fonctions diverses vous permettant d'exercer ces contrôles. Access n'est pas spécialement équipé en la matière ; ce n'est d'ailleurs pas son rôle.

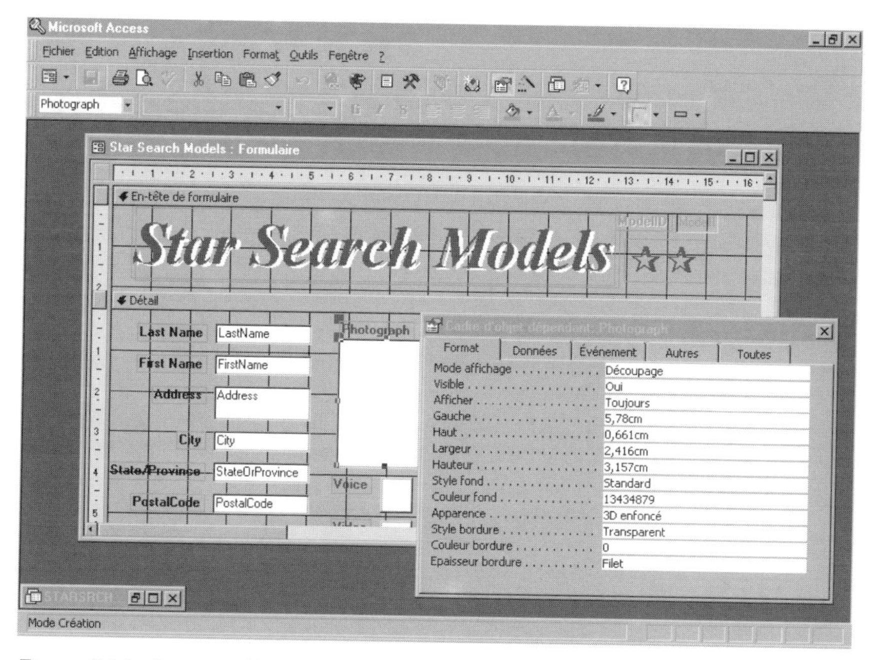

Figure 8.12 : Le contrôle qui affichera la photographie sur notre formulaire exemple mesure 2,416 cm de large et 3,157 cm de haut.

Nous avons scanné une photo grâce au logiciel DeskScan II fourni avec notre scanner HP ScanJet IIc (d'autres logiciels sont utilisables, bien entendu). Nous avons réduit la taille de 28 % et cadré une portion de l'image de manière à ce qu'elle ait une taille sensiblement égale à celle du cadre du formulaire.

Appliquez le même traitement à toutes les images que vous voulez introduire dans la table.

Étape n° 5 : Lier ou incorporer l'image

Enregistrez l'image scannée. Regagnez ensuite votre base de données Access et introduisez l'image dans son cadre en recourant aux techniques OLE décrites précédemment.

Problèmes lors de la saisie et de l'édition des données

Envisageons à présent les problèmes que vous risquez de rencontrer alors que vous saisirez ou éditerez vos données.

Doublons non autorisés

Si vous tapez, dans une table, un nouvel enregistrement qui est un doublon de clé primaire (c'est-à-dire si le contenu du champ clé primaire est identique à celui d'un autre enregistrement de la table), le message suivant s'affiche :

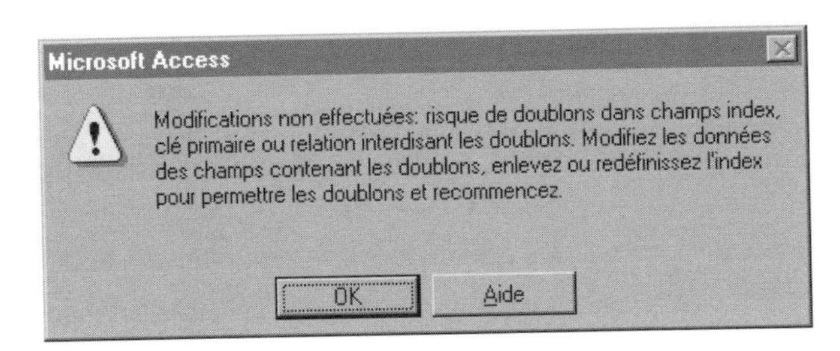

Ce message est troublant, car il n'apparaît pas lorsque vous tapez la valeur fautive, mais lorsque vous quittez l'enregistrement courant. Ne vous laissez pas dérouter : rappelez-vous qu'il fait référence au champ défini comme clé primaire (ou à tout champ indexé qui n'accepte pas les doublons).

Accusez réception du message en cliquant sur OK. Exécutez ensuite l'une des actions suivantes :

- **Pour supprimer le doublon**, placez votre curseur dans le champ clé primaire et entrez une nouvelle valeur, différente de toutes les valeurs existant déjà dans ce champ.
- **Pour renoncer à ajouter l'enregistrement**, choisissez Édition/Annuler champ/enregistrement en cours ou enfoncez la touche Esc pour effacer l'enregistrement complet.

Si vous avez réellement besoin d'entrer des doublons dans un champ, réalisez la procédure décrite ci-dessus pour repartir d'une situation saine. Activez ensuite le mode création de table et supprimer l'option sans doublons (ou clé primaire) du champ concerné ou encore, utilisez deux ou plusieurs champs pour définir la clé primaire.

Ne peut contenir une valeur Null

Un message s'affiche si vous tentez de quitter un enregistrement sans avoir tapé une valeur dans le champ clé primaire (ou dans tout champ indexé avec propriété Null interdit). Cliquez sur OK pour revenir à la table. Remplissez ensuite le champ qui exige une valeur. Ou supprimez l'enregistrement entier en choisissant Édition/Annuler champ/enregistrement en cours ou en enfonçant la touche Esc.

Valeur inadéquate pour ce type de champ

Un message s'affiche également si vous tapez dans un champ une valeur qui ne correspond pas au type de données défini pour ce champ. C'est notamment le cas si, dans un champ de type Date/Heure, vous entrez un nom, une adresse ou une valeur numérique.

De nouveau, accusez réception du message, entrez une donnée correcte, puis sauvegardez votre enregistrement (en vous déplaçant vers une autre fiche de la base). Vous pouvez aussi enfoncer la touche Esc pour qu'Access annule votre saisie.

Les nouveaux enregistrements semblent disparaître

Si vos enregistrements semblent disparaître après que vous les avez encodés, ne vous affolez pas. Fermez la table, puis rouvrez-la. Rappelez-vous que si votre table comporte une clé primaire, Access établit l'ordre des enregistrements en se fondant sur le ou les champs qui définissent cette clé primaire. Toutefois, cette réorganisation n'intervient qu'après que vous avez fermé la base (afin de ne pas ralentir inutilement la saisie de données).

Par conséquent, même si les enregistrements que vous ajoutez apparaissent en fin de table pendant l'encodage, ils seront correctement positionnés la prochaine fois que vous ouvrirez la table. Vous pouvez faire défiler votre écran pour vous assurer que toutes vos fiches sont bien présentes.

Règles de validation non respectées

Si vous avez défini une règle de validation pour un champ (Chapitre 6) et que la donnée que vous y saisissez enfreint cette règle, un message comme celui représenté à la page suivante vous est adressé (le message d'erreur dépend du texte que vous avez spécifié dans la feuille des propriétés).

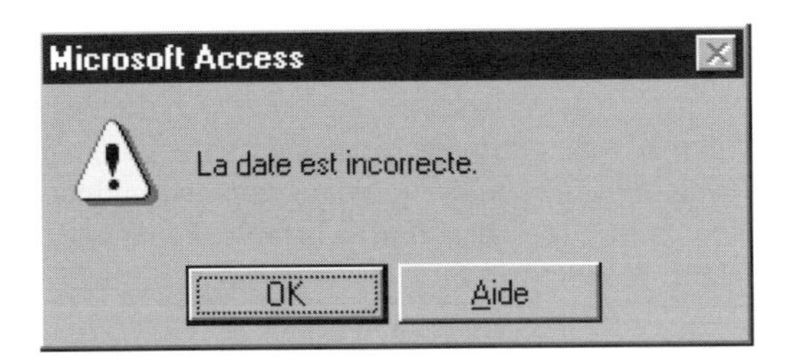

Cliquez sur OK pour vous débarrasser du message. Changez la valeur du champ concerné afin de la rendre conforme aux règles de validation définies, ou supprimez l'enregistrement qui pose problème avant de vous déplacer vers le champ suivant.

Si vous estimez que la donnée est correcte et que c'est votre règle de validation qui ne l'est pas, commencez par rectifier la situation comme décrit dans le paragraphe précédent. Activez ensuite le mode création de table et modifiez la propriété Valide si. Si nécessaire, changez les données des champs qui violent la nouvelle règle.

Access interdit la saisie ou l'édition des données

Il se pourrait que vous soyez dans l'impossibilité de saisir ou d'éditer vos données.

- **Si vous ne pouvez modifier aucune donnée de la table,** il est probable que la propriété Modif autorisée est fixée sur Non.
- **Si vous pouvez modifier certains champs et pas d'autres,** les propriétés Activé et Verrouillé sont peut-être responsables de ce blocage. Le Chapitre 13 décrit les formulaires et les propriétés des champs.
- **Si vous partagez des données sur un réseau,** il se peut qu'un message vous avertisse que l'enregistrement que vous venez de modifier a déjà été modifié par un autre utilisateur juste avant vous. Vous pouvez alors sauvegarder l'enregistrement et écraser les modifications opérées par l'autre utilisateur, copier vos changements dans le Presse-papiers et consulter ceux apportés par l'autre personne, ou tout simplement renoncer à votre mise à jour. Si vous optez pour la deuxième solution, vous devrez ensuite faire appel à la commande Édition/Coller par ajout pour transférer votre enregistrement du Presse-papiers vers la table Access.
- **Si vous fonctionnez sur un système de base de données avec sécurités,** l'administrateur de la base (c'est-à-dire la personne responsable de son bon fonctionnement) a le pouvoir d'interdire l'accès ou l'édition de certaines données à certains utilisateurs. Si vous ne parvenez pas à accéder à des données, demandez à l'administrateur d'élargir vos droits.

- **Si l'enregistrement courant comporte un champ NuméroAuto qui affiche (NuméroAuto) et que vous n'arrivez pas à déplacer le curseur vers l'enregistrement suivant,** tentez d'entrer une donnée dans n'importe quel champ de l'enregistrement courant (sauf dans le champ NuméroAuto). Dès qu'une donnée est saisie, le champ NuméroAuto est mis à jour ; vous pouvez alors atteindre la fiche suivante.

Modifier la structure de la table en mode feuille de données

Nous avons déclaré précédemment que le mode feuille de données servait exclusivement à la saisie de données et que le mode création servait, lui, uniquement à la gestion de la structure de la table. En fait, c'était un pieux mensonge ! En effet, vous pouvez utiliser le mode feuille de données pour :

- changer le nom d'un champ ou d'une colonne ;
- insérer un nouveau champ Texte, Lien hypertexte ou consultation ;
- supprimer un champ ;
- créer une table en partant d'une feuille de données vide.

Bien entendu, les changements apportés à une table en mode feuille de données sont automatiquement répercutés sur le mode création, et inversement. Par conséquent, si vous souhaitez modifier la structure de votre table sans quitter le mode feuille de données, consultez les sections suivantes. (Vous ne pouvez toutefois modifier la structure des tables liées.)

Tout changement de nom de champ ou toute suppression de champ risque d'affecter considérablement les autres objets de votre base de données qui font appel à ces champs. N'opérez donc des modifications en mode feuille de données que si vous êtes absolument certain qu'elles n'affecteront pas les autres objets de la base. Sachez par ailleurs qu'Access opère automatiquement une sauvegarde lorsque vous insérez une colonne en mode feuille de données.

Renommer un champ

Il est facile de changer le nom d'une colonne (c'est-à-dire d'un champ) lorsque vous êtes en mode feuille de données. Commencez par désigner la colonne concernée.

- Cliquez deux fois sur le sélecteur de champ placé au sommet de la colonne concernée. Le nom de la colonne est sélectionné, comme dans l'exemple ci-dessous :

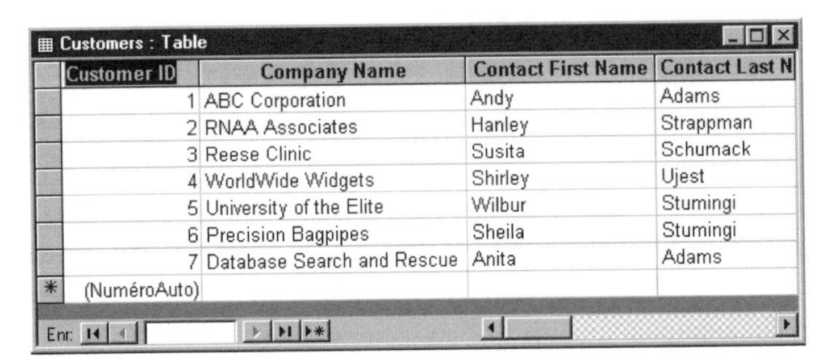

Customers : Table

Customer ID	Company Name	Contact First Name	Contact Last N
1	ABC Corporation	Andy	Adams
2	RNAA Associates	Hanley	Strappman
3	Reese Clinic	Susita	Schumack
4	WorldWide Widgets	Shirley	Ujest
5	University of the Elite	Wilbur	Stumingi
6	Precision Bagpipes	Sheila	Stumingi
7	Database Search and Rescue	Anita	Adams
(NuméroAuto)			

Enr:

- Placez votre pointeur sur le sélecteur de champ de la colonne concernée, puis enfoncez le bouton droit de la souris et choisissez Renommer la colonne dans le menu contextuel. Le nom du champ est sélectionné.

- Cliquez dans n'importe quelle cellule de la colonne concernée et choisissez Format/Renommer la colonne. Comme dans les deux cas précédents, le nom de la colonne est sélectionné.

Lorsque ce nom est en surbrillance, tapez le nouveau nom, puis enfoncez la touche Entrée. Access modifie le contenu du sélecteur de champ. Si vous basculez en mode création, vous verrez que la modification y a été instantanément reportée.

Ajouter un champ Texte

Vous pouvez insérer une nouvelle colonne (c'est-à-dire un nouveau champ) à la gauche de n'importe quelle colonne existante. Commencez par ouvrir votre table en mode feuille de données, puis :

1. Cliquez dans la colonne à la gauche de laquelle vous voulez insérer une nouvelle colonne vide, puis choisissez Insertion/Colonne ; ou cliquez avec le bouton droit de la souris sur le sélecteur de champ de cette colonne, puis choisissez Insérer colonne. Une nouvelle colonne apparaît dans la feuille de données.

2. Attribuez un nom à cette colonne (voyez la section précédente).

Ce nouveau champ est de type Texte et présente une largeur établie par défaut à 50. Si ces paramètres ne vous conviennent pas, passez en mode création de table et modifiez-les.

Ajouter un champ Lien hypertexte

Pour insérer dans une feuille de données une nouvelle colonne hypertexte (c'est-à-dire un nouveau champ Lien hypertexte) :

1. Cliquez dans la colonne à la gauche de laquelle vous voulez insérer une nouvelle colonne vide, puis choisissez Insertion/Colonne lien hypertexte ; ou cliquez avec le bouton droit de la souris sur le sélecteur de champ de cette colonne, puis choisissez Insérer colonne. Une nouvelle colonne apparaît dans la feuille de données.
2. Attribuez un nom à cette colonne (voyez la section précédente).
3. Si, pour ajouter le champ, vous avez utilisé, à l'étape n° 1, le menu contextuel et sa commande Insérer colonne, entrez une adresse hypertexte dans n'importe quelle ligne de la colonne représentant le nouveau champ (exemple : http://www.microsoft.com). Access reconnaît l'adresse comme lien hypertexte et convertit le champ de type Texte en type Lien hypertexte.

Ajouter un champ consultation

Le Chapitre 6 vous a expliqué en détail comment définir des champs consultation en mode création de table. Voici comment procéder en mode feuille de données :

1. Cliquez dans la colonne à la gauche de laquelle vous voulez insérer une nouvelle colonne vide, puis choisissez Insertion/Colonne de recherche ; ou cliquez avec le bouton droit de la souris sur le sélecteur de champ de cette colonne, puis choisissez Colonne de recherche. L'Assistant Liste de choix entre en action.
2. Répondez aux différentes questions qu'il vous pose (Chapitre 6). Lorsque vous avez parcouru toutes les étapes, cliquez sur Terminer pour créer le champ.
3. Attribuez éventuellement un nom à ce champ (voyez la section "Renommer un champ" ci-dessus).

Le type de données et les propriétés de ce nouveau champ sont fixés par Access. Vous pouvez, bien entendu, rectifier ses choix en basculant en mode création de table et en agissant depuis ce mode.

Supprimer un champ

L'opération est facile à réaliser, mais attention ! Lorsque vous supprimez un champ, vous supprimez également toutes les données qu'il contient. Pire encore : vous ne pouvez annuler la suppression !

1. Réalisez l'une des actions suivantes :

- Cliquez avec le bouton droit de la souris sur le sélecteur du champ concerné (la colonne est sélectionnée), puis choisissez Supprimer la colonne.
- Cliquez dans n'importe quelle cellule de la colonne concernée, puis choisissez Édition/Supprimer la colonne.

2. Access vous demande de confirmer votre action. Si vous êtes certain de vouloir vous débarrasser de la colonne et de ses données, cliquez sur Oui. Dans le cas contraire, cliquez sur Non.

Si vous avez choisi Oui, la colonne disparaît de la base de données (et de la liste des champs du mode création).

Si vous essayez de supprimer un champ qui fait partie d'une relation, un message d'erreur s'affiche, vous indiquant que vous devez commencer par supprimer la relation dans la fenêtre Relations. Cliquez sur OK pour accuser réception du message, affichez la fenêtre Relations et supprimez la relation qui fait obstacle à la suppression (Chapitre 6). Supprimez ensuite le champ.

Créer une table dans une feuille de données vide

Si vous êtes plus habitué aux feuilles de calcul qu'aux bases de données, vous préférerez sans doute créer des tables en partant d'une feuille de données vide.

1. Ouvrez la base de données destinée à accueillir la nouvelle table.
2. Dans la fenêtre Base de données, activez l'onglet Tables, puis cliquez sur Nouveau.

3. Dans la boîte de dialogue Nouvelle table, cliquez sur Mode Feuille de données, puis sur OK (ou cliquez deux fois sur Mode Feuille de données).
4. Tapez vos données dans les colonnes et dans les lignes de cette feuille de données.
5. Utilisez les techniques décrites précédemment pour attribuer un nom aux champs qui reçoivent, par défaut, les noms génériques Champ1, Champ2, Champ3, etc. (voyez la section "Renommer un champ").
6. Pour enregistrer vos modifications et baptiser votre table, activez le bouton Enregistrer d'une barre d'outils quelconque ou choisissez Fichier/Enregistrer.
7. Lorsque la boîte de dialogue Enregistrer sous apparaît, tapez le nom à attribuer à la table dans la case Nom de la table (maximum 64 caractères), puis cliquez sur OK.
8. Lorsqu'Access vous demande si vous souhaitez définir une clé primaire, cliquez sur Oui ou sur Non, selon le cas.

Access analyse les données que vous avez encodées et définit automatiquement les types et les formats des champs. Pour améliorer l'aspect de votre nouvelle table, passez en mode création et opérez les aménagements souhaités. Lorsque vous avez terminé votre travail, cliquez dans la case de fermeture de la fenêtre ou enfoncez les touches Ctrl + W.

L'entrée d'index *mode Feuille de données* explique en détail comment modifier la structure d'une table en mode feuille de données. Consultez tout spécialement les points suivants : *ajout de champs à des tables et noms de champ*. En matière de suppression de champs, invoquez l'aide intuitive *supprimer des champs en mode feuille de données*, cliquez sur Rechercher, puis cliquez deux fois sur la procédure *Supprimer un champ* et consultez la section baptisée *Supprimer un champ de la table en mode Feuille de données*.

Et maintenant, que faisons-nous ?

Dans ce chapitre, vous avez appris les techniques de base vous permettant de personnaliser le mode feuille de données, de saisir des informations et de modifier la structure d'une table en mode feuille de données. Le Chapitre 9 vous enseigne à trier vos données (par ordre alphabétique), à rechercher des enregistrements spécifiques, à filtrer des fiches que vous voulez temporairement soustraire à l'affichage ainsi qu'à imprimer vos données.

Quoi de neuf ?

La saisie et l'édition des données dans les tables et formulaires n'a pas subi de modification. La nouveauté principale se situe au niveau des liens hypertextes (voyez le Chapitre 7). Si vous souhaitez introduire, dans vos bases de données, des champs Lien hypertexte, reportez-vous à la section intitulée "Utiliser des liens hypertextes dans une table". Vous y découvrirez comment créer et éditer des liens hypertextes et comment les exploiter pour atteindre directement toutes sortes de données sur Internet, dans d'autres programmes Office, ou dans d'autres bases de données Access.

Chapitre 9

Trier, rechercher, filtrer et imprimer

Ce chapitre vous apprend à trier (par ordre alphabétique), rechercher, filtrer et imprimer des données. Ces opérations peuvent être menées tant en mode feuille de données qu'en mode formulaire, bien que le premier soit plus pratique que le second puisqu'il affiche directement le résultat de la manipulation.

Trier vos données (par ordre alphabétique)

Trier des données signifie les présenter dans un ordre significatif. Ainsi, il est courant de trier une liste d'adresses par ordre alphabétique pour faciliter l'accès à l'information. Access vous permet de réaliser toutes sortes de tris en quelques clics de souris.

Tri simple et rapide

Voici comment réaliser un tri simple et rapide sur un champ quelconque de votre table (exception faite des champs Mémo, Lien hypertexte et Objet OLE) :

1. Ouvrez votre table, votre requête ou votre formulaire en mode feuille de données ou formulaire.
2. Cliquez dans le champ appelé à servir de clé de tri. Ainsi, pour trier les employés de la table Employees (Employés) par ordre alphabétique, cliquez sur le sélecteur du champ LastName (Nom) (en mode feuille de données) ou sur le champ LastName (Nom) (en mode formulaire).
3. Réalisez l'une des actions suivantes :

- **Pour trier les enregistrements par ordre croissant** (du plus petit au plus grand ou de A à Z), activez le bouton Tri croissant de la barre d'outils (représenté à gauche), ou choisissez Enregistrements/Trier/Tri croissant. Ou encore cliquez avec le bouton droit de la souris sur le sélecteur du champ concerné (en mode feuille de données) ou dans le champ concerné (en mode formulaire), puis choisissez Tri croissant dans le menu contextuel.

- **Pour trier les enregistrements par ordre décroissant** (du plus grand au plus petit ou de Z à A), activez le bouton Tri décroissant de la barre d'outils (représenté à gauche), ou choisissez Enregistrements/Trier/Tri décroissant. Ou encore cliquez avec le bouton droit de la souris sur le sélecteur du champ concerné (en mode feuille de données) ou dans le champ concerné (en mode formulaire), puis choisissez Tri décroissant dans le menu contextuel.

En mode feuille de données, vous vérifierez facilement les résultats du tri en consultant la colonne qui a fait office de clé (Figure 9.1). En mode formulaire, la vérification sera moins aisée, car vous ne pouvez visualiser qu'un seul enregistrement à la fois. Mais si vous passez d'un enregistrement à l'autre, vous verrez quand même qu'ils sont bel et bien classés. (Passez éventuellement en mode feuille de données pour vous simplifier la vie.)

Noms de famille présentés dans l'ordre original.

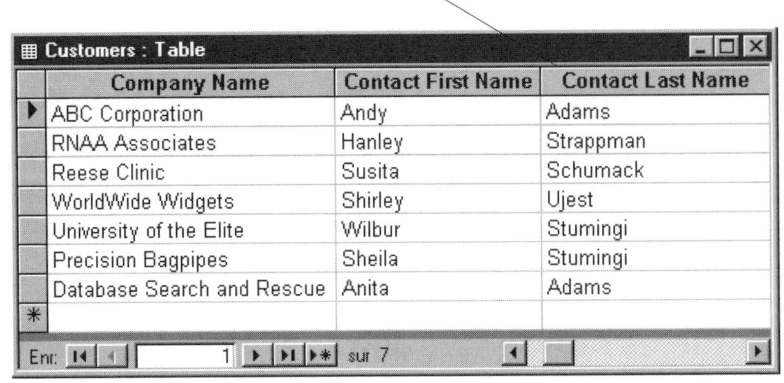

Customers : Table

Company Name	Contact First Name	Contact Last Name
ABC Corporation	Andy	Adams
RNAA Associates	Hanley	Strappman
Reese Clinic	Susita	Schumack
WorldWide Widgets	Shirley	Ujest
University of the Elite	Wilbur	Stumingi
Precision Bagpipes	Sheila	Stumingi
Database Search and Rescue	Anita	Adams

Enr: 1 sur 7

Noms de famille triés par ordre (alphabétique) croissant.

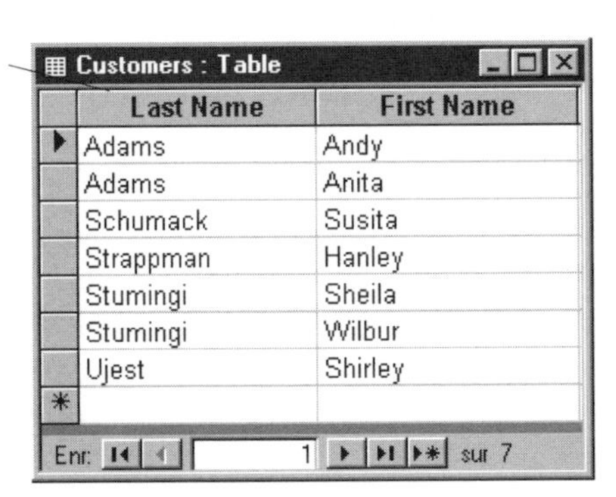

Customers : Table

Last Name	First Name
Adams	Andy
Adams	Anita
Schumack	Susita
Strappman	Hanley
Stumingi	Sheila
Stumingi	Wilbur
Ujest	Shirley

Enr: 1 sur 7

Figure 9.1 : La table Employees (Employés) originale et la même table triée et affichée en mode feuille de données.

Tri sur clés multiples

Il vous arrivera fréquemment de devoir trier vos données sur deux ou plusieurs champs.

Ainsi, si plusieurs clients portent un patronyme identique, vous trierez sur le champ LastName (Nom) et sur le champ FirstName (Prénom). Un premier tri organisera les enregistrements en fonction du nom de famille et, en cas de doublons, un second tri présentera les clients en fonction de leur prénom. La Figure 9.2 montre le résultat d'un tel tri.

Les enregistrements sont triés uniquement sur le nom (les deux employés dénommés Stumingi ne sont pas classés par ordre alphabétique sur le prénom).

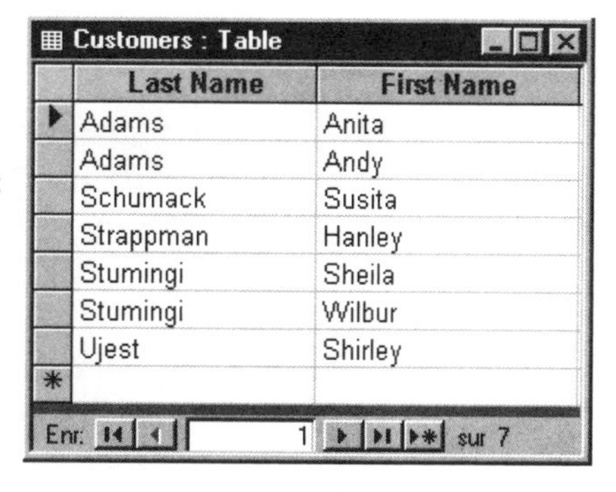

Les enregistrements sont triés sur le nom et sur le prénom.

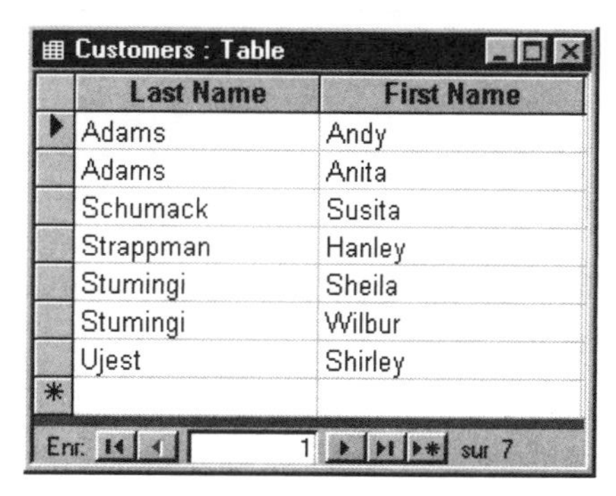

Figure 9.2 : Tri de la table Employees (Employés) sur une clé et sur deux clés.

Le tri sur clés multiples est facile à réaliser :

1. Ouvrez la table ou la requête en mode feuille de données. Si le mode formulaire est actif, basculez en mode feuille de données.

2. Les champs appelés à servir de clés doivent être adjacents. Le cas échéant, déplacez les champs concernés vers l'extrême gauche (Chapitre 8). Access trie de gauche à droite. Ainsi, pour trier d'abord sur le nom, puis sur le prénom, la colonne LastName (Nom) doit être placée immédiatement à gauche de la colonne FirstName (Prénom).

3. Sélectionnez les colonnes appelées à servir de clés. Pour ce faire, cliquez sur la première d'entre elles, enfoncez la touche Majuscule et cliquez sur les autres colonnes à inclure dans la sélection. Dans l'exemple de la page suivante, nous avons sélectionné les champs LastName (Nom) et FirstName (Nom).

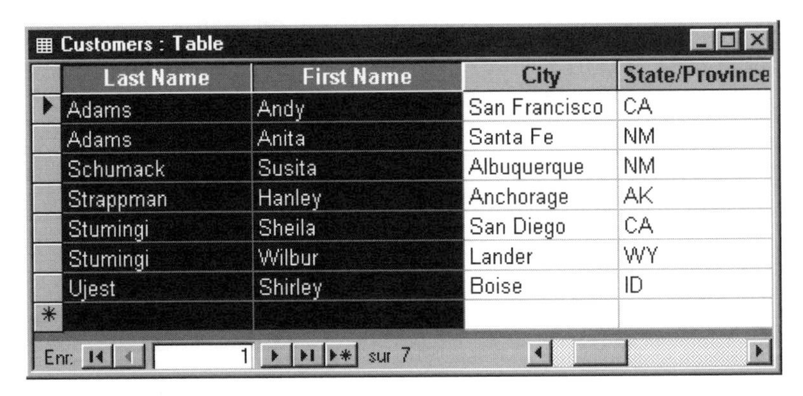

Customers : Table

Last Name	First Name	City	State/Province
Adams	Andy	San Francisco	CA
Adams	Anita	Santa Fe	NM
Schumack	Susita	Albuquerque	NM
Strappman	Hanley	Anchorage	AK
Stumingi	Sheila	San Diego	CA
Stumingi	Wilbur	Lander	WY
Ujest	Shirley	Boise	ID

Enr: 1 sur 7

4. Activez le bouton Tri croissant ou Tri décroissant de la barre d'outils Mode Formulaire (selon le tri que vous désirez réaliser) ou utilisez les commandes équivalentes des menus normal ou contextuel, décrites précédemment.

Rétablir l'ordre original

Pour rétablir les enregistrements dans l'ordre dans lequel ils se présentaient avant le tri, choisissez Enregistrements/Afficher tous les enregistrements. Ou choisissez la même commande dans le menu contextuel.

Si vous fermez une table dans laquelle vous avez réalisé un tri (expliqué ci-dessus) ou utilisé un filtre (expliqué ci-dessous), Access vous demande s'il doit ou non procéder à la sauvegarde de la structure de la table. Si vous répondez Oui, le programme stocke le tri et le filtre courants dans la propriétés Filtre et Tri par de la table.

Le tri est commenté dans l'aide en ligne : choisissez *Recherche et tri de données* dans le sommaire, puis *Tri de données dans les tables, requêtes et formulaires* dans le sous-sommaire.

Rechercher un enregistrement

Si vous n'êtes pas pressé, vous pouvez faire défiler le contenu de votre fenêtre. Dans le cas contraire, vous préférerez sans doute invoquer une commande spécialisée dans la localisation d'un enregistrement particulier.

1. Ouvrez la table, la requête ou le formulaire qui contient les données concernées. Vous pouvez agir en mode feuille de données ou formulaire, c'est égal.
2. Si votre recherche ne porte que sur un seul champ, cliquez dans ce champ. La commande Rechercher peut examiner tous les types de champs, *à l'exception* des champs Oui/Non, Objet OLE et consultation.

3. Activez le bouton Rechercher d'une barre d'outils quelconque (représenté à gauche). Ou choisissez Édition/Rechercher ou enfoncez les touches Ctrl + F.

   La boîte de dialogue Rechercher s'affiche à l'écran.

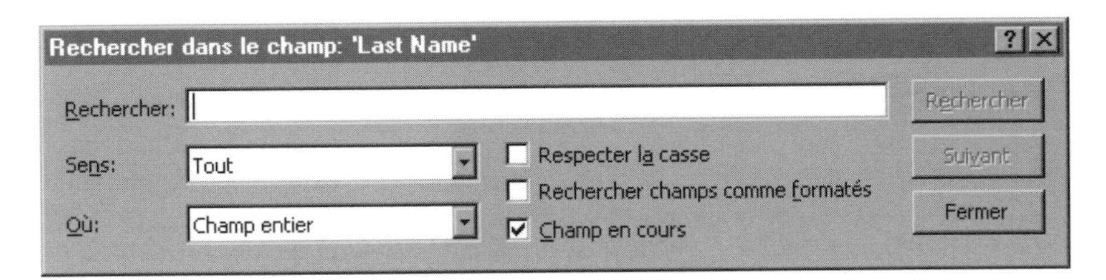

4. Dans la case Rechercher, tapez le texte à rechercher (par exemple **Stumingi**). Vous pouvez faire appel à des caractères joker (Tableau 9.1).

Joker	Remplace	Exemple
?	Un caractère	**Du?ont** localise Dupont, Dulont, Duront, etc.
*	Zéro ou plusieurs caractères	**Du*** localise Dupont, Durant, Dutilleul, etc.
#	Un chiffre	**4##, rue de la Liberté** localise toutes les adresses de 400 à 499, rue de la Liberté.
[]	Tous les caractères entre crochets	**Du[pl]ont** localise Dupont et Dulont, mais pas Duront.
[-]	Tous les caractères dans la plage indiquée	[N-Z] localise tout texte commençant une lettre comprise entre N et Z, ces deux lettres étant incluses. Attention : il faut que l'option Début de champ soit sélectionnée dans la liste Où.

Tableau 9.1 : Vous pouvez utiliser ces caractères joker dans la case Rechercher de la commande du même nom.

Joker	Remplace	Exemple
[!]	Tous les caractères sauf ceux de la plage	[!N-Z] localise tout texte ne commençant pas par une lettre comprise en N et Z, ces deux lettres étant incluses. Attention : il faut que l'option Début de champ soit sélectionnée dans la liste Où.
" "	Chaîne vide	" " localise les chaînes vides. Attention : il faut que l'option Champ entier soit sélectionnée dans la liste Où.
Null/Est Null	Champ vide non formaté	Null localise les champs vides. Attention : il faut que l'option Champ entier soit sélectionnée dans la liste Où et que l'option Rechercher champs comme formatés ne le soit pas.

Tableau 9.1 : Vous pouvez utiliser ces caractères joker dans la case Rechercher de la commande du même nom (suite).

5. Activez éventuellement les options Respecter la casse, Rechercher champs comme formatés et Champ en cours ; choisissez un sens (Tout, Haut ou Bas) dans la liste déroulante Sens ; dans la liste Où, sélectionnez une position (N'importe où dans le champ, Champ entier ou Début de champ). Si vous menez la recherche dans un champ consultation et que l'option Où est fixée sur Champ entier ou Début de champ, assurez-vous que les options Champ en cours et Rechercher champs comme formatés sont validées, faute de quoi la procédure n'aboutira pas.

Par défaut, les fonctions de recherche et de remplacement exécutent une "recherche rapide", c'est-à-dire qu'Access recherche seulement dans le champ courant et considère uniquement l'intégralité de la donnée. Pour modifier ce comportement prédéfini, choisissez Outils/Options, activez l'onglet Modifier/Rechercher et sélectionnez l'une des options de la rubrique Rechercher/Remplacer par défaut. Le Chapitre 15 vous en apprend plus à ce sujet ; le bouton ? (Aide) de la fenêtre en fait autant.

6. Pour lancer la recherche, cliquez sur Rechercher (pour localiser la première occurrence du texte spécifié dans la table) ou sur Suivant (pour localiser la première occurrence du texte spécifié en partant de la position du pointeur).

S'il existe, Access localise le premier enregistrement correspondant aux critères de recherche définis. Si la boîte de dialogue masque les données localisées, déplacez-la.

Répétez les étapes 4-6 ci-dessus (ou cliquez sur Suivant) jusqu'à ce que vous trouviez l'enregistrement que vous recherchez. Si la recherche d'Access est infructueuse, il vous en avertit par un message d'alerte. Accusez-en réception. Lorsque la procédure est terminée, cliquez sur Fermer ou enfoncez la touche Esc pour fermer la boîte de dialogue.

Après fermeture de la fenêtre Rechercher, vous pouvez enfoncer les touches F4 pour localiser l'occurrence suivante du texte que vous avez spécifié lors de la dernière recherche.

Le livre *Recherche et tri de données*, puis *Recherche d'enregistrements ou de données* vous décrit ces procédures.

Corriger les fautes de frappe automatiquement

Si la frappe n'est pas votre fort, vous serez ravi d'apprendre qu'Access est équipé d'une fonction de correction automatique capable de corriger vos erreurs, pendant ou après la saisie.

Les fonctions de correction automatique et de vérification de l'orthographe d'Access sont quasiment identiques à celles présentes dans les autres applications Microsoft, notamment Word et Excel.

Corriger en temps réel

Si vous ortografié souvant (pardon, *orthographiez souvent* !) les mêmes mots de travers, ou si vous utilisez fréquemment des abréviations qui doivent ensuite être exprimées sous leur forme complète, la fonction de correction automatique va vous plaire. Son implémentation est simple : vous signalez à la fonction le mot ou l'abréviation qu'elle doit remplacer et lui indiquer le mot ou le texte de substitution. À l'avenir, Access corrigera le mot ou introduira le texte complet de l'abréviation de manière automatique. La fonction peut s'étendre à des erreurs de casse (c'est notamment le cas lorsque vous tapez deux majuscules au début d'un mot au lieu d'une seule, ou quand vous oubliez de mettre des majuscules aux noms de jour).

Si vous ajoutez des corrections à la liste, celles-ci sont sans effet sur les enregistrements existants.

Ajouter des corrections à la liste prédéfinie

Pour apprendre de nouveaux mots à l'outil Correction automatique (ou pour modifier l'une ou l'autre de ses entrées), ouvrez n'importe quelle base et activez la fenêtre Base de données. Ensuite :

1. Choisissez Outils/Correction automatique. La Figure 9.3 montre la boîte de dialogue correspondante après que nous avons complété les cases Remplacer et Par.

Remarquez que la liste des corrections prédéfinies est particulièrement fournie ; elle regroupe les erreurs de frappe les plus courantes.

2. Pour paramétrer cette fonction, employez l'une des techniques suivantes :

- **Pour remplacer deux majuscules à l'initiale d'un mot** par une seule capitale, activez (cochez) Supprimer la 2e majuscule d'un mot. Désactivez cette option pour empêcher Access de procéder au remplacement de la deuxième capitale par une minuscule.
- **Pour mettre en majuscule le premier mot des phrases,** activez (cochez) Majuscule en début de phrase. Désactivez cette option pour empêcher Access de procéder au remplacement de la minuscule par une majuscule.
- **Pour mettre une majuscule au nom des jours** si vous oubliez de le faire, activez (cochez) Mettre une majuscule aux noms des jours. Désactivez cette option pour paralyser le remplacement de la minuscule par la majuscule correspondante.
- **Pour qu'Access vous prévienne quand vous avez, par erreur, laisser le verrouillage majuscule branché,** activez (cochez) Inverser la casse.
- **Pour remplacer les mots de la colonne de gauche** par ceux de la colonne de droite, activez (cochez) Correction en cours de frappe. Désactivez cette option pour inhiber la substitution.

3. Recourez à l'une des techniques suivantes pour ajouter, modifier ou supprimer des éléments dans la liste de substitution :

- **Pour ajouter un nouvel élément**, tapez le mot mal orthographié ou l'abréviation dans la case Remplacer. Tapez ensuite la correction ou l'expression complète dans la case Par. Cliquez sur Ajouter.

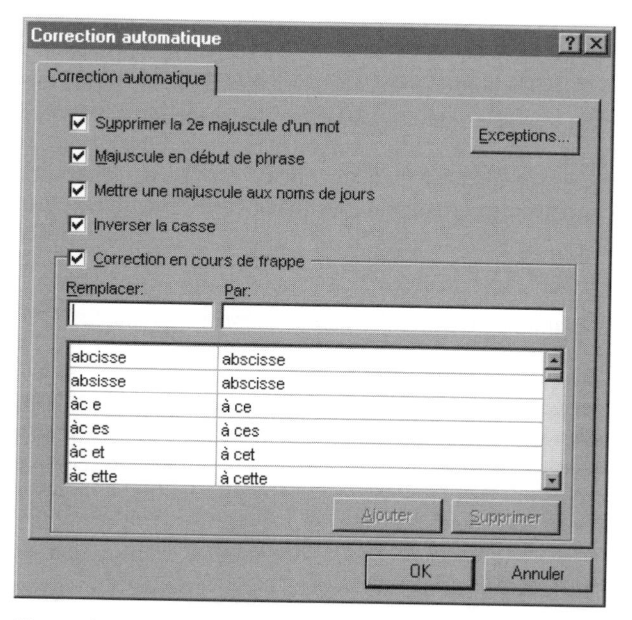

Figure 9.3 : Utilisez la boîte de dialogue Correction automatique pour personnaliser la manière dont Access corrige votre frappe en temps réel dans les champs Texte et Mémo. Pour afficher cette fenêtre, choisissez Outils/Correction automatique.

- **Pour changer un élément et/ou sa substitution**, faites défiler la liste, sélectionnez-y l'élément concerné (les entrées sont présentées par ordre alphabétique). Les cases Remplacer et Par affichent l'élément sélectionné ; opérez les modifications souhaitées, puis cliquez sur Ajouter ou sur Remplacer (selon le bouton qui est disponible) afin de mettre la liste à jour.
- **Pour supprimer un élément et sa substitution**, faites défiler la liste, sélectionnez l'élément concerné, puis cliquez sur Supprimer.

4. Répétez les étapes 2 et 3 autant de fois que nécessaire. Lorsque vous avez terminé, cliquez sur OK.

Vous pouvez profiter d'une vérification orthographique pour ajouter des éléments à la liste. Voyez la section consacrée à cette vérification, plus loin dans ce chapitre.

Utiliser la fonction pendant la saisie

Lorsque vous tapez du texte dans un champ Texte ou Mémo ou que vous y collez un mot ou une abréviation, la fonction de correction automatique corrige vos erreurs et développe vos abréviations de manière automatique. (Elle est sans effet sur le texte déjà saisi.) Elle agit en fait lorsque vous entrez, dans un champ, un espace ou une marque de ponctuation, ou quand vous passez d'un champ à un autre.

Pour annuler son action, enfoncez les touches Ctrl + Z (ou choisissez Édition/ Annuler correction automatique ; le texte est réaffiché tel que vous l'avez saisi. Pour rétablir de nouveau la correction, enfoncez les touches Ctrl + Z ou choisissez Édition/Annuler champ/enregistrement en cours.

Désireux d'en savoir plus ? Ouvrez le sommaire de l'aide et consultez les livres *Travail avec des données - Vérification de l'orthographe et correction automatique en cours de frappe.*

Vérifier l'orthographe

Access est en mesure de vérifier et de corriger l'orthographe du contenu des champs Texte et Mémo d'une feuille de données, ou un texte sélectionné dans une feuille de données ou dans un formulaire. Les champs qui ne sont ni Texte ni Mémo sont ignorés pendant la procédure.

Voici comment mener cette vérification :

1. Réalisez l'une des actions suivantes, selon la quantité de texte à traiter :

- **Pour vérifier l'orthographe en mode feuille de données**, sélectionnez les enregistrements, les colonnes ou les champs, ou bien une chaîne de caractères à l'intérieur d'un champ.
- **Pour vérifier l'orthographe en mode formulaire**, sélectionnez le champ ou une chaîne de caractères à l'intérieur du champ concerné.
- **Pour vérifier tous les champs Texte et Mémo d'une table**, ouvrez la fenêtre Base de données, activez l'onglet Tables ou Requêtes, puis cliquez sur la table ou sur la requête à traiter. Vous pouvez aussi ouvrir la table ou la requête en mode feuille de données et sélectionner toutes les colonnes.

2. Activez le bouton Orthographe d'une barre d'outils quelconque (représenté à gauche), ou choisissez Outils/Orthographe, ou encore enfoncez la touche F7. La vérification démarre immédiatement.

3. Réagissez aux messages qui s'affichent. En fait, la suite de la procédure dépend des erreurs qu'elle localise (s'il y en a). Voyez à ce sujet la section "Corriger un mot ou l'ignorer" ci-dessous.

4. Lorsque la vérification est terminée, cliquez sur OK pour vous débarrasser du message qui vous en informe.

Corriger un mot ou l'ignorer

Lorsque le vérificateur orthographique repère un mot qui ne figure pas dans son dictionnaire, il le met en surbrillance dans la feuille de données ou dans le formulaire, suggère une correction s'il en est capable, puis attend vos instructions. La Figure 9.4 montre la fenêtre du vérificateur après qu'il a trébuché sur le mot "Foosball", absent de son dictionnaire.

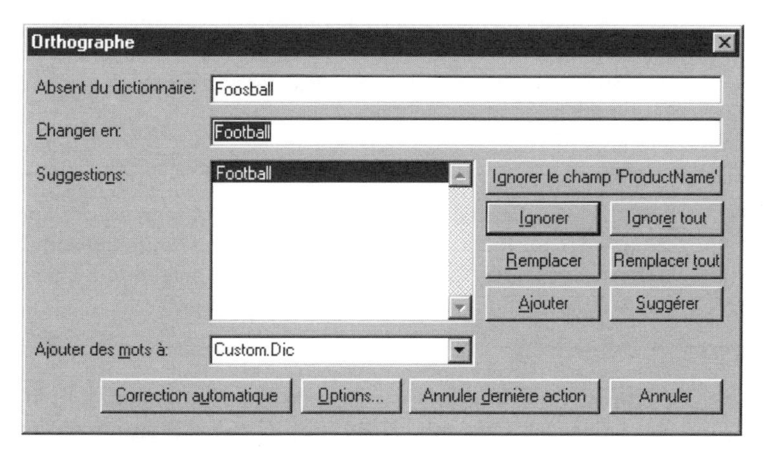

Figure 9.4 : La boîte de dialogue Orthographe dans laquelle Access signale qu'il ne connaît pas le mot "Foosball".

Ignorer le champ x (où x représente le nom d'un champ) : Cliquez sur ce bouton pour ne pas traiter le champ mentionné. La procédure continue.

Ignorer et Ignorer tout : Cliquez sur Ignorer pour ignorer l'occurrence du mot qui est affiché dans la case Absent du dictionnaire. Cliquez sur Ignorer tout pour ignorer toutes les occurrences de ce mot. La procédure continue.

Suggérer : Cliquez sur Suggérer, ou tapez un mot dans la case Changer en, puis cliquez sur Suggérer pour afficher une liste de corrections possibles pour le mot affiché dans la case Absent du dictionnaire. Pour introduire l'une des suggestions de la liste dans cette case, cliquez dessus. Vous pouvez répéter cette opération autant de fois que nécessaire.

Remplacer et Remplacer tout : Cliquez sur Remplacer pour remplacer l'occurrence du mot affiché dans la case Absent du dictionnaire par le mot entré dans la case Changer en ; cliquez sur Remplacer tout pour remplacer toutes ses occurrences. Si nécessaire, utilisez le bouton Suggérer décrit ci-dessus ou tapez un mot dans la case Changer en, ou encore sélectionnez un mot de la liste des suggestions. La procédure continue.

Ajouter : Ce bouton vous permet d'ajouter le mot affiché dans la case Absent du dictionnaire au dictionnaire orthographique affiché dans la case Ajouter des mots à. Si le dictionnaire affiché n'est le bon, commencez par dérouler le menu local correspondant et choisissez le dictionnaire souhaité, avant d'ajouter le mot. (N'introduisez pas dans ce dictionnaire des mots mal orthographiés ! Voyez l'encart "Gérer les dictionnaires personnels" pour des détails supplémentaires.)

Correction automatique : Ce bouton vous permet d'ajouter le mot affiché dans la case Absent du dictionnaire au dictionnaire des corrections automatiques et de lui assigner une substitution dans la case Changer en. Ce bouton vous dispense d'ajouter manuellement des entrées à la liste des corrections (voyez la section consacrée à cette fonction, plus haut dans ce chapitre).

Si vous ajoutez par erreur un terme au dictionnaire des corrections automatiques, terminez la vérification orthographique (ou annulez-la). Ensuite, choisissez Outils/Correction automatique, sélectionnez dans la liste le mot entré par erreur, puis cliquez sur Supprimer.

Options : Ce bouton ouvre la boîte de dialogue Options d'orthographe (représentée ci-dessous). Dans cette fenêtre, vous pouvez choisir le dictionnaire principal à utiliser lors de la vérification et fixer les options annexes :

- **Toujours suggérer** : Activée, cette option affiche automatiquement une liste de suggestions de correction. Désactivée, elle ne l'affiche pas, sauf si vous cliquez sur le bouton Suggérer.
- **À partir du dictionnaire principal uniquement** : Activée, cette option puise les suggestions uniquement dans le dictionnaire principal. Désactivée, elle étend l'action au dictionnaire personnel.
- **Ignorer : Mots en MAJUSCULES** : (comme SAVECO) Activée, cette option soustrait à la vérification les mots en majuscules.
- **Ignorer : Mots avec chiffres** : (comme RNAA47) Activée, cette option soustrait à la vérification les mots comprenant des chiffres.

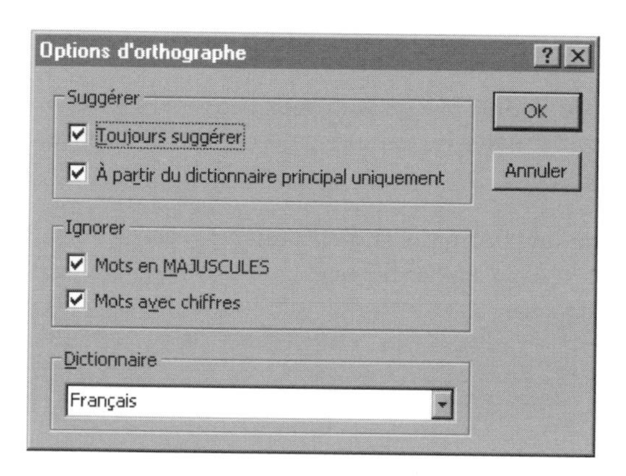

Gérer les dictionnaires personnels

Lorsque la boîte de dialogue Orthographe est ouverte, vous pouvez créer un dictionnaire personnel (destiné à stocker les termes d'un domaine technique bien particulier, par exemple). Pour créer un dictionnaire personnel :

1. Dans la boîte de dialogue Orthographe, effacez le nom du dictionnaire qui est affiché dans la case Ajouter des mots à.
2. Tapez le nom du dictionnaire que vous souhaitez employer, puis enfoncez la touche Entrée. Vous pouvez aussi sélectionner ce nom dans le menu local correspondant. Le dictionnaire personnel par défaut est dénommé *PERSO.DIC*, mais vous pouvez lui attribuer le nom que vous voulez, à condition que ce nom se termine par un point et l'extension *dic*. Ainsi, Mesmots.dic ou Termes médicaux.dic sont des noms admis.
3. Si Access vous demande la permission de créer le dictionnaire, répondez affirmativement.

Ce dictionnaire personnel est un fichier texte normal où chaque entrée (un mot) occupe une ligne et où les différentes entrées sont classées par ordre alphabétique. Ces dictionnaires utilisateur sont stockés dans le dossier \Program Files\Fichiers communs\Microsoft Shared\Proof sur le disque C (si vous avez conservé l'emplacement par défaut). Si vous ajoutez par erreur un mot mal orthographié à un dictionnaire personnel, vous pouvez utiliser le Bloc-Notes de Windows et WordPad (en mode texte) pour supprimer cette entrée indésirable. Faites attention à ce que vous faites !

Lorsque les options souhaitées sont sélectionnées, cliquez sur OK.

Annuler dernière action : Ce bouton vous permet d'annuler la dernière correction en date. Pour annuler les actions précédentes, cliquez sur ce bouton à plusieurs reprises.

Annuler : Ce bouton interrompt la vérification et réactive la feuille de données ou le formulaire.

Pour en savoir plus sur la vérification orthographique, consultez le livre *Travail avec des données*, puis *Vérification de l'orthographe et correction automatique d'erreurs en cours de frappe* dans l'aide en ligne.

Remplacer des données dans plusieurs enregistrements

Access est équipé d'une fonction vous permettant de modifier le contenu d'un champ dans plusieurs ou dans tous les enregistrements de la table. Ne vous lancez pas dans cette aventure à la légère : lisez d'abord les mises en garde suivantes.

Vous ne pouvez annuler que la dernière substitution de la commande Remplacer. Prenez donc la précaution de réaliser une copie de votre table avant de déclencher la procédure. Ainsi, si vous faites une grosse bêtise, vous pourrez toujours fermer la table, puis renommer votre copie intacte afin de remplacer la version altérée. Le Chapitre 1 vous a appris à copier et renommer des objets de base de données.

Pour remplacer des données dans une table :

1. Ouvrez la table, la requête ou le formulaire qui contient les données concernées.
2. Si vous désirez limiter le remplacement à un champ donné, cliquez dans ce champ. La commande Remplacer est capable de traiter les champs de tous les types, *à l'exception* des champs Objet OLE, NuméroAuto et consultation.
3. Choisissez Édition/Remplacer ou enfoncez les touches Ctrl + H. La boîte de dialogue Remplacer s'affiche.

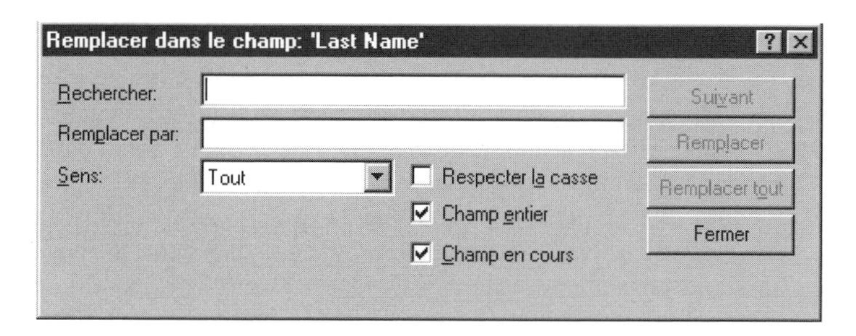

4. Dans la case Rechercher, entrez le texte à rechercher et à remplacer. Vous pouvez utiliser des caractères joker (voyez le Tableau 9.1).
5. Dans la case Remplacer par, tapez le texte de substitution.
6. Activez éventuellement les options Respecter la casse, Champ entier ou Champ en cours, et choisissez un sens (Tout, Haut ou Bas) dans la liste déroulante Sens. Ensuite, exécutez l'une des actions suivantes :

- **Pour remplacer systématiquement** (Access traitant automatiquement toutes les occurrences), cliquez sur Remplacer tout.
- **Pour remplacer sélectivement** (Access sollicitant votre avis pour chaque occurrence), cliquez sur Suivant. (Si nécessaire, déplacez la fenêtre de manière à visualiser vos données qui se trouvent à l'arrière-plan.). Pour remplacer le terme localisé, cliquez sur Remplacer. Pour ne pas le remplacer, cliquez sur Suivant. Répétez la procédure autant de fois que nécessaire.

7. Si vous avez cliqué sur Remplacer tout à l'étape n° 6, vous avez la possibilité de changer d'avis. Cliquez sur Oui pour continuer et passer à l'étape n° 9 ; cliquez sur Non pour interrompre et retourner à l'étape n° 4, 5 ou 6.
8. Si Access ne parvient pas à trouver l'élément recherché, il vous en avertit par un message. Cliquez sur OK pour en accuser réception.
9. Lorsque vous avez traité tous les enregistrements, cliquez sur Fermer.

Gardez les points suivants à l'esprit :

- **Pour remplacer systématiquement de grandes quantités de données** de façon rapide, ou pour réaliser des calculs sur les données (par exemple, augmenter le prix d'un article de 10 %), faites appel à une requête Mise à jour plutôt qu'à la commande Remplacer.
- **Pour modifier les paramètres par défaut des commandes de recherche et de remplacement**, choisissez Outils/Options et activez l'onglet Modifier/Rechercher. Changez les paramètres souhaités, puis cliquez sur OK. Le Chapitre 15 détaille le contrôle des options prédéfinies.

Un exemple de recherche-remplacement

Supposons que plusieurs utilisateurs aient encodé des données dans votre table. Certains ont tapé les noms de ville en entier, comme *Paris*, alors que d'autres ont préféré utiliser des abréviations, comme *PA*. Ce manque d'homogénéité risque fort de vous être préjudiciable dans la suite des opérations. Ainsi, imaginez que vous désiriez envoyer un courrier à tous vos clients parisiens. Si vous isolez les enregistrements présentant la valeur *Paris* dans le champ Ville, votre sélection sera incomplète puisque ceux qui affichent *PA* dans ce même champ n'en feront pas partie. Pourquoi ? Parce que votre ordinateur n'est pas suffisamment intelligent pour savoir que *Paris* et *PA*, c'est la même chose !

La solution consiste à uniformiser le contenu du champ Ville et à opter pour *Paris* ou pour *PA*. Pour ce faire, cliquez dans le champ Ville, choisissez Édition/Remplacer, puis complétez la boîte de dialogue de la manière suivante :

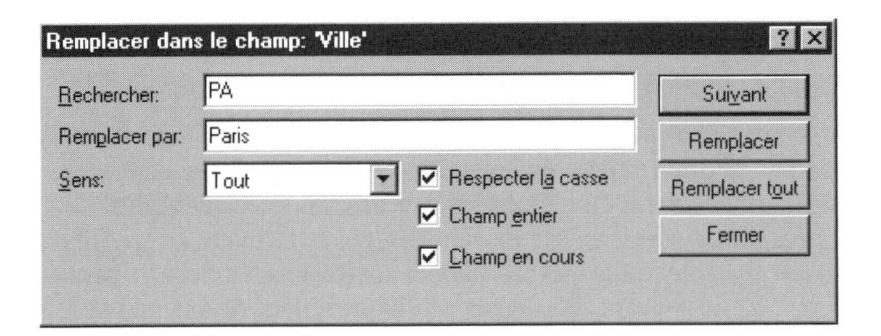

Pour lancer la procédure, cliquez sur Remplacer tout. Et ça y est ! (Répondez aux éventuelles questions qui vous sont posées.)

Pour empêcher que les utilisateurs de votre base n'encodent à l'avenir PA au lieu de Paris, vous pouvez définir une correction automatique qui convertirait "PA" en "Paris". Voyez la section "Corriger les fautes de frappe automatiquement", plus haut dans ce chapitre.

N'hésitez pas à consulter l'index de l'aide, à l'entrée *remplacement de valeurs dans les champs.*

Filtrer les enregistrements

Access vous permet de *filtrer* vos enregistrements de manière à écarter temporairement ceux qui ne vous intéressent pas (ou, à l'inverse, à réaliser des *sélections*).

Vous pourrez donc, par exemple, isoler dans votre clientèle les clients lyonnais. Plusieurs techniques servent à filtrer :

- **Filtrer pour** vous permet de créer un filtre à partir du menu contextuel d'un champ.
- **Filtrer par sélection** et **Filtrer hors sélection** vous permettent de créer un filtre en sélectionnant un texte ou en cliquant dans le champ qui contient le texte à filtrer.
- **Filtrer par formulaire** vous permet de créer un filtre en tapant les valeurs que vous recherchez dans un formulaire ou dans une feuille vierge.
- **Filtre/tri avancé** vous permet de créer un filtre en utilisant une fenêtre semblable à celle de création de requête. Vous y sélectionnez le champ à rechercher ou à trier, puis spécifiez l'ordre de tri ou les valeurs à localiser.

Vous pouvez filtrer tous les types de champs *à l'exception* des champs Mémo ou Objet OLE.

Le Tableau 9.2 établit un bref comparatif de ces trois méthodes ; les sections suivantes les commentent en détail. N'hésitez pas à consulter l'entrée d'index *filtre des enregistrements* pour tout complément d'information.

Pour passer de la conception d'un filtre par formulaire à celle d'un filtre/tri avancé et vice versa, ouvrez le menu Filtre depuis la fenêtre de création et choisissez Filtre/Filtrer par formulaire ou Filtre/Filtre/tri avancé, selon le cas.

Pour faire...	Filtrer pour	Filtrer par/hors sélection	Filtrer par formulaire	Filtre/tri avancé
Localiser des enregistrements qui répondent à un critère *et* à un autre	Oui (si vous spécifiez un seul critère à la fois)	Oui (si vous spécifiez un seul critère à la fois)	Oui	Oui
Localiser des enregistrements qui répondent à un critère *ou* à un autre	Non	Non	Oui	Oui
Localiser des enregistrements dont le critère est une expression	Oui	Non	Oui	Oui
Localiser des enregistrements et les trier par ordre croissant ou décroissant	Non	Non	Non	Oui

Tableau 9.2 : Comparaison des méthodes de filtrage.

Filtrer pour

Filtrer pour vous permet d'isoler des enregistrements grâce au menu contextuel d'un champ. Ce filtre vous permet, notamment, de localiser tous les enregistrements qui comportent "Paris" dans le champ Ville. Mais il est capable de réaliser des actions plus complexes, comme recourir à des opérateurs de comparaison, à des caractères joker ou à des fonctions. Ainsi, l'utilisation de l'expression ">t" dans un champ Nom sélectionne toutes les personnes dont le patronyme commence par une lettre supérieure à T. Autre exemple : "D*" dans le champ Prénom isole tous les individus dont le prénom commence par D.

Pour utiliser ce filtre :

1. Ouvrez la table, la requête ou le formulaire que vous voulez filtrer.
2. Cliquez avec le bouton droit de la souris dans le champ que vous désirez utiliser pour le filtre, en évitant cependant de cliquer dans l'en-tête de colonne.
3. Entrez une valeur dans la case Filtrer pour et enfoncez la touche Entrée.

Pour d'autres exemples, voyez l'aide en ligne, à l'entrée d'index intitulée *filtres, critères,* puis à la sous-entrée *Exemples d'expression servant de critères pour les requêtes ou les filtres.*

Filtrer par/hors sélection

Supposons que vous ayez localisé un enregistrement qui contient une donnée particulière, comme "Paris" dans un champ Ville. Si vous entendez isoler tous vos clients qui n'habitent pas Paris, Access vous propose un moyen d'action simple et efficace.

1. Ouvrez la table, la requête ou le formulaire que vous voulez filtrer (en mode feuille de données ou formulaire).
2. Localisez l'enregistrement et le champ qui contiennent la donnée que vous voulez faire filtrer par Access. Ainsi, dans le cas de notre clientèle, sélectionnez une fiche qui propose "Paris" dans le champ Ville.
3. Indiquez à Access comment traiter le champ :

- **Pour traiter l'intégralité du champ**, sélectionnez tout le champ, ou cliquez dedans sans rien sélectionner. Par exemple : pour localiser *Paris* (le champ entier), cliquez dans un champ qui affiche la valeur *Paris*, comme illustré ci-dessous :

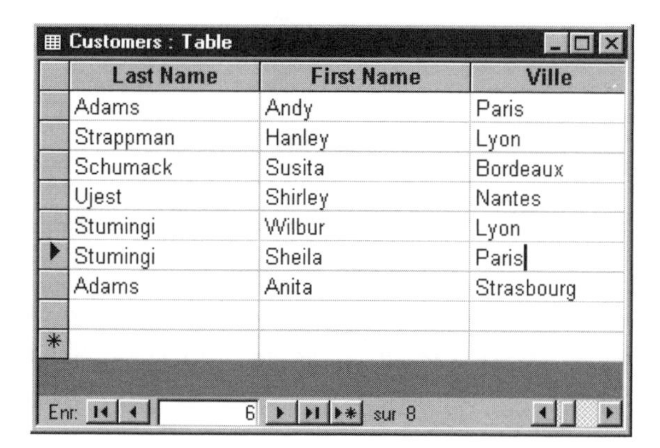

Last Name	First Name	Ville
Adams	Andy	Paris
Strappman	Hanley	Lyon
Schumack	Susita	Bordeaux
Ujest	Shirley	Nantes
Stumingi	Wilbur	Lyon
Stumingi	Sheila	Paris
Adams	Anita	Strasbourg

- **Pour traiter une partie du champ à partir du premier caractère**, sélectionnez le texte en commençant par le début (voyez ci-dessous). Par exemple : pour traiter les champs qui commencent par *Par*, sélectionnez *Par* au début du champ. Toutes les entrées commençant par *Par* seront localisées.

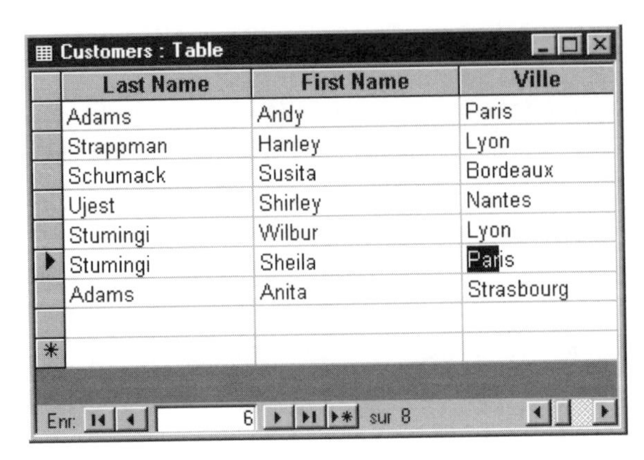

Last Name	First Name	Ville
Adams	Andy	Paris
Strappman	Hanley	Lyon
Schumack	Susita	Bordeaux
Ujest	Shirley	Nantes
Stumingi	Wilbur	Lyon
Stumingi	Sheila	Paris
Adams	Anita	Strasbourg

- **Pour traiter une partie du champ après le premier caractère**, sélectionnez le texte à l'intérieur du champ. Par exemple : pour traiter les champs qui contiennent *ari*, sélectionnez *ari* (voyez ci-dessous). Toutes les entrées comportant *ari* seront localisées.

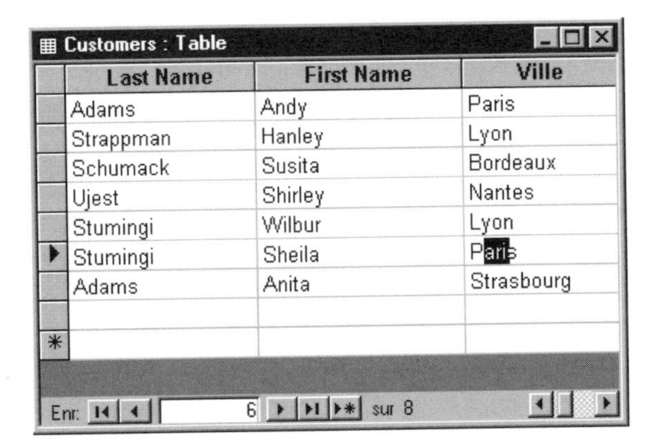

Last Name	First Name	Ville
Adams	Andy	Paris
Strappman	Hanley	Lyon
Schumack	Susita	Bordeaux
Ujest	Shirley	Nantes
Stumingi	Wilbur	Lyon
Stumingi	Sheila	Paris
Adams	Anita	Strasbourg

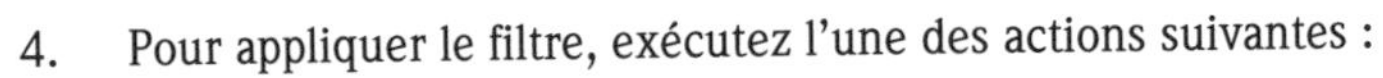

4. Pour appliquer le filtre, exécutez l'une des actions suivantes :

- **Pour n'afficher que les enregistrements qui correspondent au filtre**, activez le bouton Filtrer par sélection de la barre d'outils Mode Formulaire (représenté à gauche), ou choisissez Enregistrements/Filtre/Filtrer par sélection, ou encore cliquez avec le bouton droit de la souris dans le champ et choisissez Filtrer par sélection.

- **Pour n'afficher que les enregistrements qui ne correspondent pas au filtre**, cliquez avec le bouton droit de la souris dans le champ et choisissez Filtrer hors sélection dans le menu contextuel. (Access écarte les enregistrements correspondant au filtre ainsi que ceux qui présentent une valeur Null dans le champ.)

Le mode feuille de données ou formulaire reflète votre choix. La barre de navigation située dans la partie inférieure de la fenêtre affiche la mention (Filtré) et la barre d'état indique FILT afin de vous rappeler que vous avez sous les yeux des données filtrées.

Pour soumettre les fiches à un filtrage plus pointu, répétez les étapes 2-4 autant de fois que nécessaire. Vous pouvez faire appel aux techniques de tri que nous avons décrites précédemment pour trier vos fiches ou les présenter par ordre alphabétique.

Lorsque vous appliquez un filtre, ce que vous faites en réalité, c'est définir la propriété Filtre de la requête ou du formulaire. Pour afficher cette propriété, passez en mode création, puis choisissez Affichage/Propriétés ou activez le bouton Propriétés de la barre d'outils Base de données. Dans le cas d'un formulaire, activez l'onglet Données. Dans le cas d'une requête, cliquez dans la zone grisée dans la partie supérieure de la fenêtre de création de requête.

Supprimer ou réappliquer un filtre

Rien n'est plus simple que de supprimer un filtre ou de le réappliquer quand vous en avez besoin.

- **Pour supprimer (ou réappliquer) uniquement le filtre**, activez le bouton Supprimer le filtre de la barre d'outils Mode Formulaire (représenté à gauche). Ce bouton est à bascule : un clic supprime le filtre (le bouton est relâché) ; un nouveau clic active le filtre (le bouton est enfoncé). L'info-bulle change d'ailleurs de contenu et s'intitule tour à tour Supprimer le filtre et Appliquer le filtre.
- **Pour supprimer le filtre et le tri**, cliquez avec le bouton droit de la souris dans n'importe quel champ et choisissez Afficher tous les enregistrements. Ou choisissez Enregistrements/Afficher tous les enregistrements.

Ces deux procédures fonctionnent avec *tous* les types de filtres (Filtre par sélection, Filtre hors sélection et Filtre/tri avancé). Vous pouvez aussi supprimer les filtres et les tris en effaçant le contenu des propriétés Filtre et Tri par qui s'affichent dans la feuille des propriétés en mode création de table, de requête ou de formulaire.

Enregistrer le filtre dans la feuille de données ou dans le formulaire

Si vous désirez retrouver votre filtre la prochaine fois que vous ouvrirez votre table, votre requête ou votre formulaire, vous devez procéder à sa sauvegarde. La mise en oeuvre que nous détaillons ici est valable pour *tous* les filtres : Filtre par sélection, Filtre hors sélection et Filtre/tri avancé.

1. Affichez la feuille de données ou le formulaire.
2. Activez le bouton Enregistrer d'une barre d'outils quelconque, ou enfoncez les touches Ctrl + S, ou encore choisissez Fichier/Enregistrer. Vous pouvez aussi fermer la feuille de données et répondre Oui quand Access vous demande s'il doit enregistrer les modifications apportées à la structure de la table.

Le programme enregistre automatiquement les filtres appliqués à un formulaire lorsque vous fermez ce formulaire. Dans ce cas, vous n'avez donc pas à les sauvegarder. Contentez-vous d'activer le bouton Appliquer le filtre (ou ses commandes équivalentes dans le menu normal ou dans le menu contextuel) pour réappliquer le dernier filtre utilisé.

Lorsque vous ouvrirez de nouveau la feuille de données ou le formulaire, toutes les données apparaîtront. Pour filtrer de nouveau, activez le bouton Appliquer le filtre.

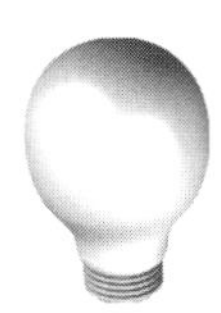

Pour créer un formulaire ou un état qui bénéficie automatiquement du filtre sauvé avec la feuille de données, ouvrez cette feuille, appliquez-y le filtre, puis activez le bouton Enregistrer de la barre d'outils. Déroulez ensuite le menu local Nouvel objet et sélectionnez l'option adéquate : Formulaire instantané, État instantané, Formulaire ou État.

Filtrer par formulaire

Si vous préférez bâtir vos filtres en remplissant des cases, recourez au filtre par formulaire.

1. Ouvrez la table, la requête ou le formulaire que vous voulez filtrer (en mode feuille de données ou formulaire).

2. Activez le bouton Filtrer par formulaire de la barre d'outils Mode Formulaire (représenté à gauche), ou choisissez Enregistrements/Filtre/Filtrer par formulaire. En mode feuille de données, une feuille de données apparaît, vide, constituée d'une seule ligne (Figure 9.5). En mode formulaire, c'est un formulaire vierge qui s'affiche (Figure 9.6).

3. Cliquez dans le champ que vous voulez utiliser pour définir le critère auquel les enregistrements devront répondre pour être sélectionnés.

Un critère est un ensemble de conditions restrictives, comme *Paris* ou >47. Un critère ou une combinaison de critères permettent d'isoler une série d'enregistrements.

4. Définissez vos critères en sélectionnant la valeur que vous recherchez dans la liste déroulante (si elle comporte des valeurs) ou en tapant la valeur ou l'expression souhaitée dans le champ. Pour apprendre à remplir les champs, lisez la suite de cette section ; pour savoir comment entrer des expressions, voyez la section "Utiliser un filtre/tri avancé", plus loin dans ce chapitre.

5. Pour définir des conditions supplémentaires qui devront toutes être vérifiées pour que les enregistrements qui les remplissent soient sélectionnés, répétez les étapes 3 et 4 autant de fois que nécessaire.

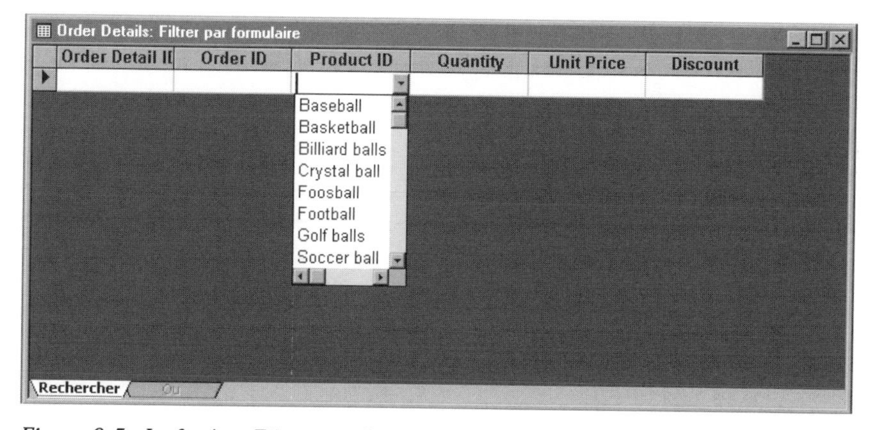

Figure 9.5 : La fenêtre Filtrer par formulaire présentée sous la forme d'une feuille de données constituée d'une seule ligne, dans laquelle nous avons déroulé la liste du champ ProductID (CodeProduit). Notez la présence des mentions Rechercher et Ou dans la partie inférieure de la fenêtre.

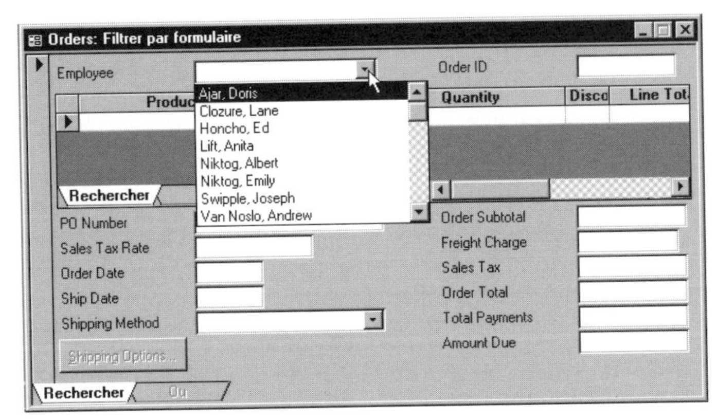

Figure 9.6 : La fenêtre Filtrer par formulaire présentée sous la forme d'un formulaire vierge, dans lequel nous avons déroulé la liste EmployeeID (N° Employé). Dans cet exemple, la partie inférieure du formulaire principal et du sous-formulaire affiche les mentions Rechercher et Ou.

6. Pour définir des conditions supplémentaires dont une seulement devra être vérifiée pour que les enregistrements qui les remplissent soient sélectionnés, activez l'onglet Ou dans la partie inférieure de la fenêtre Filtrer par formulaire et définissez-y ces critères alternatifs (voyez les étapes 3 et 4). Vous pouvez spécifier des critères alternatifs supplémentaires en activant de nouveau l'onglet Ou. Un clic sur un onglet vous permet d'activer la fenêtre correspondante.

Toutes les valeurs spécifiées sur le même onglet sont unies par ET : seuls seront sélectionnés les enregistrements répondant à tous les critères définis. En revanche, les valeurs spécifiées sur des onglets différents sont unies par OU : les enregistrements seront sélectionnés s'ils répondent ne fût-ce qu'à un seul des critères définis. Ainsi, pour sélectionner les personnes habitant Paris et ayant plus de 50 ans, vous spécifierez ces deux critères sur le même onglet. Par contre, pour sélectionner les personnes habitant Paris ou Rouen, vous spécifierez ces deux critères sur des onglets différents.

7. Lorsque vous êtes prêt à appliquer le filtre, activez le bouton Appliquer le filtre, ou choisissez Filtre/Appliquer le filtre/tri.

Access s'exécute et affiche les enregistrements sélectionnés en feuille de données ou en formulaire. Comme dans le cas du filtre par sélection, vous pouvez supprimer le filtre ou le sauvegarder en mode feuille de données ou formulaire.

Un exemple de filtre par formulaire

Vous allez voir comment il est simple d'appliquer ce filtre. Supposons que vous souhaitiez isoler, dans la table Order Details (Détails Commandes), les enregistrements des clients qui ont commandé cinq (5) tether balls (balles de jokari). Vous voulez aussi afficher toutes les commandes de basketballs (ballons de basket) et toutes les commandes d'un minimum de deux crystal balls (boules de cristal).

1. Ouvrez la table Order Details (Détails Commandes) en mode feuille de données ou formulaire (nous avons choisi le mode feuille de données).
2. Activez le bouton Filtrer par formulaire.
3. Dans le champ ProductID (CodeProduit), tapez **tether ball**. (Si vous fonctionnez sur les données exemple fournies par Access, il vous suffit de taper **t** pour afficher *tether ball* dans le champ.)

En règle générale, les filtres n'établissent aucun distinction entre majuscules et minuscules. Ne vous préoccupez donc pas de cet aspect des choses. Vous pouvez taper tether ball, Tether Ball ou TETHER BALL, ainsi que toute autre combinaison de majuscules/minuscules. Attention : les espaces sont importants ; dès lors, si, dans notre exemple, vous recherchez tetherball, la procédure n'aboutira pas. (Les filtres qui fonctionnent sur des données attachées sont *parfois* sensibles aux différences de casse. Ainsi, un serveur SQL peut être configuré pour établir une distinction majuscules/minuscules ou, au contraire, pour n'en établir aucune.)

4. Dans le champ Quantity (Quantité), tapez **5**. La fenêtre du filtre par formulaire présente l'aspect suivant :

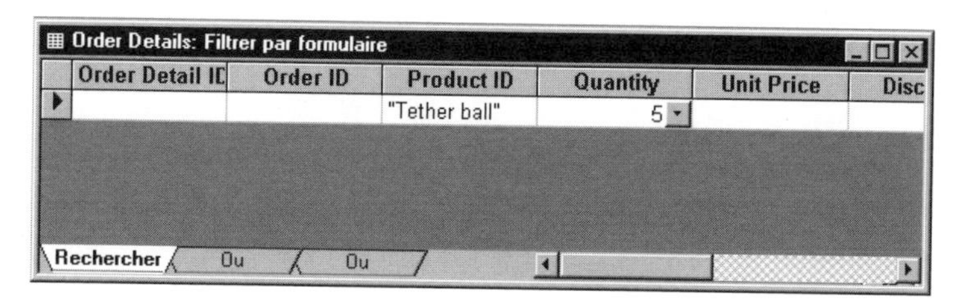

5. Activez l'onglet Ou dans la partie inférieure de la fenêtre Filtrer par formulaire, cliquez dans le champ ProductID (CodeProduit), puis tapez **basketball** (ou tout simplement **bask**, selon vos données exemple) comme le montre l'illustration représentée à la page suivante.

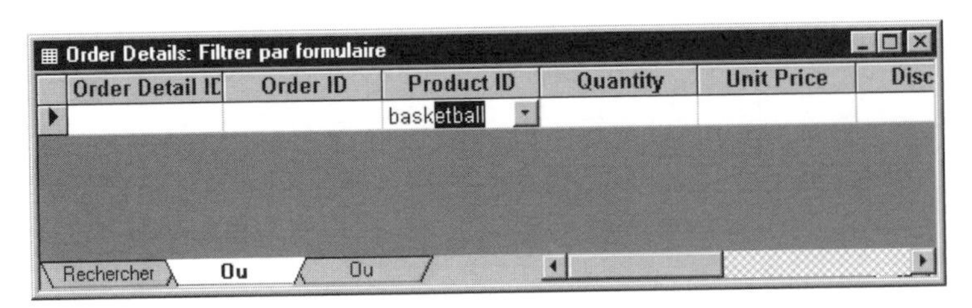

6. Activez l'onglet Ou suivant, cliquez dans le champ ProductID (CodeProduit), puis tapez **crystal ball** (ou simplement **c**), cliquez dans le champ Quantity (Quantité) et tapez **>=2** (supérieur ou égal à 2). Votre écran affiche :

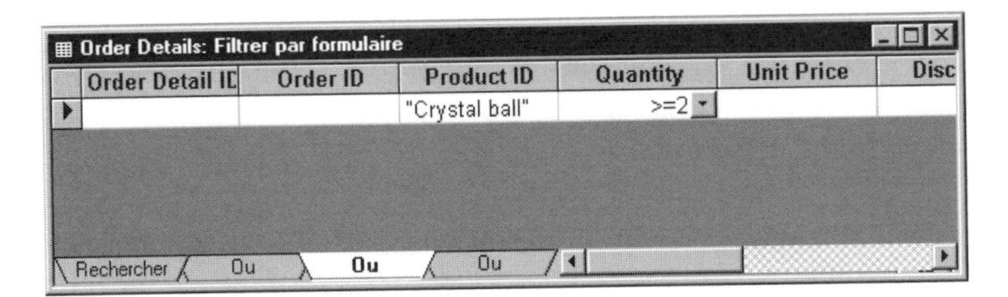

7. Activez le bouton Appliquer le filtre.

8. Apportez la touche finale en sélectionnant les colonnes ProductID (CodeProduit) et Quantity (Quantité), puis en activant le bouton Tri croissant de la barre d'outils Mode Formulaire. En agissant de la sorte, vous triez les enregistrements sélectionnés sur la base de deux clés : la première, le code du produit et la deuxième, la quantité.

Order Details : Table

Order Detail ID	Order ID	Product ID	Quantity
45	21	Basketball	1
40	17	Basketball	1
37	17	Basketball	2
22	8	Basketball	2
3	1	Basketball	2
13	3	Crystal ball	2
1	1	Crystal ball	2
34	15	Crystal ball	3
2	1	Tether ball	5

Enr: 1 sur 9 (Filtré)

Figure 9.7 : Les enregistrements filtrés de la table Order Details (Détails Commandes).

Conseils pour agir dans la fenêtre Filtrer par formulaire

Pour vous exprimer plus efficacement dans cette fenêtre :

- **Pour effacer tous les champs**, activez le bouton Effacer la grille de la barre d'outils Filtrer/Trier (représenté à gauche), ou choisissez Édition/Effacer la grille.
- **Pour supprimer un onglet Ou**, activez l'onglet concerné, puis choisissez Édition/Supprimer la tabulation.
- **Pour obtenir de l'aide à propos des onglets Rechercher et Ou**, activez le bouton Aide d'une barre d'outils quelconque ou enfoncez les touches Majuscule + F1, puis cliquez sur l'onglet à propos duquel vous souhaitez des informations.

Accélérer l'action du filtre par formulaire

Si le filtre par formulaire agit rapidement sur les petites tables, son action ralentit fortement dès qu'il doit traiter des tables plus imposantes. Vous pouvez heureusement modifier cet état de choses.

Si les listes se déroulent lentement pendant la création du filtre, vous pouvez changer certains paramètres. Pour accélérer le traitement de *toutes* les tables, requêtes et formulaires, choisissez Outils/Options et activez l'onglet Modifier/Rechercher. Effacez le contenu de la case Ne pas afficher les listes dont le nombre de lignes est supérieur à et entrez une nouvelle valeur, plus réduite. Plus le nombre d'options validées est important et plus le nombre de lignes à afficher dans les listes est élevé, moins rapide sera l'affichage des listes lorsque vous créez votre filtre. Cliquez sur OK lorsque vous avez fixé vos choix.

Vous pouvez aussi accélérer l'action du filtre lorsque vous affichez des listes pour des contrôles Texte sur un formulaire donné. Commencez par ouvrir la fenêtre de création de formulaire, puis choisissez Affichage/Propriétés et activez l'onglet Données de la feuille des propriétés. Cliquez dans chaque contrôle Texte à optimiser et sélectionnez la propriété Rechercher filtre souhaitée. Vous avez le choix entre :

- **Paramètres par défaut** : Cette option utilise les paramètres de l'onglet Modifier/Rechercher de la commande Outils/Options.
- **Jamais** : N'affiche jamais les valeurs disponibles dans la liste pour le champ sélectionné ; n'affiche que Est Null et Est Pas Null.
- **Toujours** : Affiche toujours les valeurs disponibles dans la liste pour le champ sélectionné.

Prenons un exemple qui vous montrera comment faire votre choix parmi ces trois possibilités. Supposons que vous travailliez pour une grosse société et que vous fassiez souvent appel au filtre par formulaire pour sélectionner les employés qui ont un patronyme particulier. Comme vous n'invoquez quasiment jamais le champ Prénom lorsque vous filtrez par formulaire, vous pouvez accélérer la procédure en fixant sa propriété Rechercher filtre sur Jamais. Par la suite, même si vous cliquez accidentellement sur la flèche du champ Prénom, Access ne déroulera pas sa liste de valeurs. (Bien entendu, cela ne vous empêchera pas de cliquer dans ce champ Prénom et d'y taper une valeur si, d'aventure, vous en ressentez le besoin.)

Si vous faites régulièrement appel au même champ non indexé pour filtrer vos données, pensez à indexer ce champ (Chapitre 6).

Utiliser un filtre/tri avancé

Si vous devez créer des filtres complexes, le filtre/tri avancé est sans doute celui qu'il vous faut. Il vous permet, en effet, de trier des champs et de spécifier plusieurs critères en une seule opération, sans vous obliger à passer d'un onglet à un autre (comme vous y contraint le filtre par formulaire).

1. Ouvrez la table, la requête ou le formulaire que vous voulez filtrer, en mode feuille de données ou en mode formulaire.

2. Choisissez Enregistrements/Filtre/Filtre/tri avancé. La fenêtre de création du filtre s'ouvre, comme le montre la Figure 9.8.

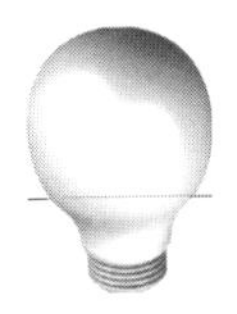

Vous pouvez afficher et mettre à jour le filtre "avancé" qui se trouve derrière un filtre par sélection, un filtre hors sélection ou un filtre par formulaire. Créez un de ces filtres comme expliqué précédemment, puis choisissez Enregistrements/Filtre/Filtre/tri avancé.

3. Dans la liste située dans la partie supérieure de la fenêtre, cliquez sur le nom du champ à chercher et à trier, puis faites-le glisser vers la grille de création située dans la partie inférieure. Vous pouvez aussi cliquer deux fois sur le nom de ce champ.

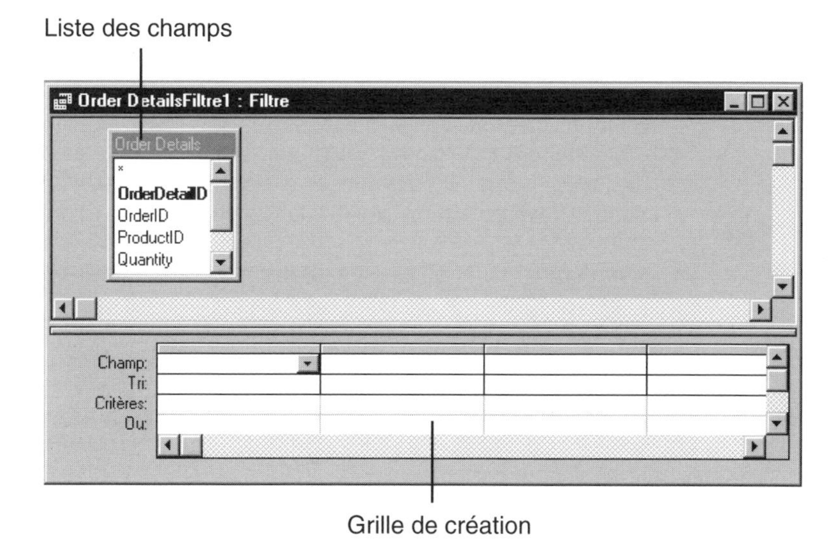

Figure 9.8 : La fenêtre Filtre de la table Order Details (Détails Commandes). La première étape consiste généralement à copier le(s) champ(s) que vous voulez rechercher de la liste vers la grille.

Cette grille est appelée grille QBE, qui signifie *query by example* (recherche par exemple), car vous recherchez des enregistrements en présentant des *exemples* de ce que vous voulez sélectionner. La grille qui sert ici à la création du filtre est identique à celle qui est utilisée pour créer les requêtes (Chapitres 3 et 10).

4. Choisissez éventuellement Croissant ou Décroissant dans la case Tri si vous souhaitez trier les enregistrements selon le champ spécifié à l'étape n° 3.

5. Tapez la valeur recherchée dans la case Critères, sous le nom du champ correspondant.

Il se peut qu'Access traduise votre critère dans une syntaxe qui lui est plus familière (ajout de guillemets ou d'autres signes de ponctuation). Généralement, vous n'avez pas à vous préoccuper de ces présentations particulières, bien que vous puissiez les introduire manuellement si vous y tenez. Le Tableau 9.3 vous montre les mêmes valeurs, présentées avec ou sans ponctuation.

6. Répétez le cas échéant les étapes 3-5 jusqu'à avoir spécifié tous les critères souhaités. (La section "Créer des filtres complexes" présentée plus loin dans ce chapitre vous en apprend davantage à ce sujet.) La Figure 9.9 montre la grille de création après que nous y avons copié les champs ProductID (CodeProduit) et Quantity (Quantité), tapé **9** (le code produit d'une tether ball) dans la case Critères sous le champ ProductID (CodeProduit) et sélectionné Croissant dans la case Tri du champ Quantity (Quantité).

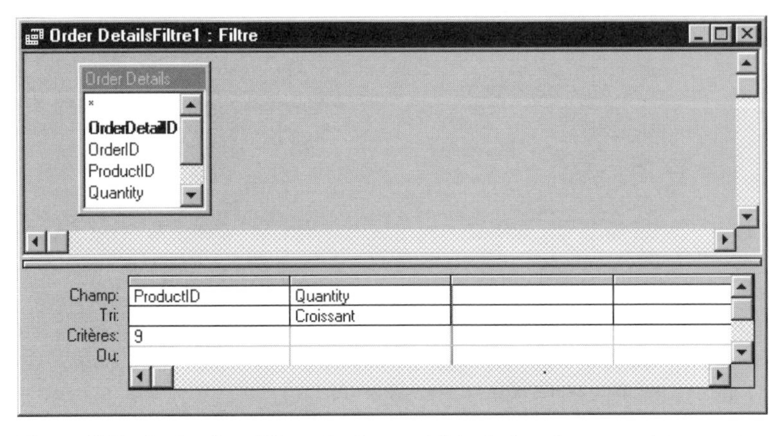

Figure 9.9 : La fenêtre Filtre ainsi complétée isolera les enregistrements comprenant des tether balls (CodeProduit 9) et triera les fiches ainsi sélectionnées par ordre croissant sur la quantité (de la plus petite commande à la plus importante).

7. Lorsque vous êtes prêt à appliquer le filtre, activez le bouton Appliquer le filtre d'une barre d'outils quelconque, ou choisissez Filtre/Appliquer le filtre/tri.

Tous les enregistrements qui ne remplissent pas les conditions énoncées disparaissent. Ne vous inquiétez pas : ils sont masqués, c'est tout. La barre de navigation indique (Filtré) et la barre d'état affiche FILT pour vous rappeler que vous avez sous les yeux le résultat d'un filtrage.

Comme dans le cas des filtres par formulaire et par sélection, vous pouvez supprimer le filtre (activez le bouton Supprimer le filtre) ; vous pouvez également l'enregistrer dans votre feuille de données ou dans votre formulaire (activez le bouton Enregistrer).

Lorsque vous supprimez le filtre, tous les enregistrements de la table sont de nouveau affichés ; les mentions (Filtré) et FILT disparaissent. Pour réappliquer le filtre, activez le bouton Appliquer le filtre de la barre d'outils.

Utiliser des champs consultation dans les filtres

Il est sans doute plus délicat d'utiliser des critères portant sur des champs consultation dans un filtre tri/avancé que dans les autres filtres décrits précédemment. Vous comprendrez aisément pourquoi : dans ces filtres moins complexes, Access crée une requête consultation interne qui met les champs consultation en relation avec les tables correspondantes. Voyez les choses par vous-même : créez un filtre par sélection, un filtre hors sélection ou un filtre par formulaire qui sélectionne des valeurs dans un champ consultation (comme le champ ProductID (CodeProduit)) et appliquez ce filtre. Choisissez ensuite Enregistrements/Filtre/Filtre/tri avancé pour afficher la requête interne qu'Access a créée automatiquement.

Avec la commande Filtre/tri avancé, une seule table (celle que pour laquelle vous avez créé le filtre) apparaît dans la fenêtre du filtre. Puisque vous n'avez pas la possibilité d'afficher les valeurs de la requête consultation interne, vous devez entrer (dans la case Critères de la grille de création) la valeur qui est réellement stockée dans le champ consultation, et *non* celle qui est apparaît lorsque vous affichez le champ consultation en feuille de données ou en formulaire. Ainsi, dans la Figure 9.9, nous avons voulu isoler les commandes de tether balls. Pour y parvenir, nous avons entré **9** (le code produit des tether balls) et *non* le mot tether ball dans la case Critères sous ProductID (CodeProduit).

Le Chapitre 6 décrit plus en détail les champs consultation ; le Chapitre 10 vous en apprend davantage sur les jointures automatiques entre tables.

Créer des filtres complexes

Lorsque vous filtrez vos enregistrements, vous n'êtes pas limité à une valeur par champ. En réalité, vous pouvez isoler des enregistrements en établissant des critères pour différents champs de la table. Ainsi, vous pouvez sélectionner "toutes les commandes passées au cours des 30 derniers jours par les sociétés installées à Bellevue, Washington ou Jackson, dans le Mississippi".

Vous pouvez définir les mêmes critères avec un filtre par formulaire qu'avec un filtre/tri avancé. Ce qui différencie ces deux filtres, c'est essentiellement le fait que le filtre/tri avancé vous permet de voir tous vos critères en même temps, alors que le filtre par formulaire vous oblige à voyager d'onglet en

onglet. Autre inconvénient du filtre par formulaire : il ne vous permet pas d'associer un tri au filtrage. Vous pouvez bien entendu trier après application du filtre en disposant les colonnes appelées à servir de clés les unes à côté des autres et en plaçant la clé de tri principale à gauche des clés secondaires ; il ne vous reste plus alors qu'à activer le bouton Tri croissant ou Tri décroissant de la barre d'outils Mode Formulaire.

Choisir les champs

Pour indiquer à Access sur quels champs vous entendez établir le filtre/tri avancé, vous devez sélectionner les champs concernés dans la liste et les ajouter dans la grille de création (Figure 9.8). Vous connaissez déjà deux techniques pour vous acquitter de cette tâche. Nous vous proposons ici une liste complète des procédures existantes :

- **Pour localiser rapidement un nom de champ**, cliquez dans la liste des champs et tapez la ou les premières lettres de ce nom. Vous pouvez, bien entendu, utiliser aussi la barre de défilement.
- **Pour introduire un nom de champ dans la grille**, cliquez deux fois sur le nom du champ concerné dans la liste des champs, ou faites glisser le champ depuis la liste vers la première rangée de la grille (Figure 9.9). Ou cliquez dans une case Champ vide de la grille de création, puis tapez les premières lettres du nom du champ. Ou encore cliquez dans la case Champ, déroulez le menu local correspondant et sélectionnez le champ souhaité.
- **Pour introduire plusieurs noms de champ dans la grille**, Majuscule + cliquez sur des noms de champs adjacents dans la liste des champs, ou Ctrl + cliquez sur des noms non adjacents. Faites ensuite glisser votre sélection dans la grille de création.
- **Pour placer tous les noms de champs dans la grille**, cliquez deux fois dans la barre de titre de la liste, puis faites glisser la sélection vers la grille.

Spécifier des critères de sélection

C'est en spécifiant des critères de sélection que vous indiquez à Access quels enregistrements il doit isoler. Pour établir ces critères, vous entrez une expression dans la case Critères sous le nom de champ correspondant. L'expression peut être le contenu exact à isoler (comme **Dupont** ou **100** ou **15/3/97**) ; elle peut aussi faire appel à des opérateurs de comparaison comme > (plus grand que), < (plus petit que), etc.

Nous énumérons ci-dessous quelques règles de syntaxe à respecter :

- Dans un champ Numérique, Monétaire ou NuméroAuto, ne tapez pas de symbole monétaire, ni de séparateur de milliers. Ainsi, tapez **10000** pour rechercher 10 000 F.
- Dans un champ Date/Heure, l'ordre dans lequel vous placez le jour, le mois et l'année doit correspondre à l'ordre défini dans l'onglet Date de la boîte de dialogue Propriétés pour Paramètres régionaux du Panneau de configuration de Windows. Ainsi, en France, vous pouvez taper **15/3/97** ou **15 Mars 1997** ou encore **15-Mar-97** et Access remplacera automatiquement votre saisie par #15/3/97#.
- Dans un champ Texte, vous pouvez taper le texte recherché en majuscules ou en minuscules. Placez entre guillemets tout texte contenant des espaces, des signes de ponctuation ou des opérateurs Access.
- Dans un champ Mémo, employez le caractère joker * pour rechercher une chaîne de caractères à l'intérieur d'un champ. Voyez la section "Isoler une partie de champ", plus loin dans ce chapitre.
- Dans un champ Oui/Non, tapez -1, Oui, Vrai ou Actif pour choisir Oui ; tapez 0, Non, Faux ou Inactif pour choisir Non.
- Les opérateurs sont facultatifs. Si vous ne spécifiez pas d'opérateur, Access part du principe qu'il s'agit de l'opérateur = (égal).

Utiliser des opérateurs et des caractères joker

Lorsque vous tapez des expressions dans la grille de création d'un filtre/tri avancé ou dans la feuille de données ou formulaire du filtre par formulaire, vous pouvez employer, d'une part, les opérateurs et les caractères joker répertoriés dans le Tableau 9.3 et, d'autre part, les opérateurs mathématiques recensés dans le Tableau 9.4.

Opérateur	Signification opérateur	Exemple	Signification exemple
Opérateurs de comparaison			
=	Égal à	=dupont *ou* ="dupont"	Égale *dupont*
>	Plus grand que	>5000	Valeur supérieure à *5 000*
<	Plus petit que	<9/3/97 *ou* <#9/3/97#	Date antérieure au 9 mars 1997

Tableau 9.3 : Opérateurs et caractères joker.

Opérateur	Signification opérateur	Exemple	S ignification exemple
Opérateurs de comparaison			
>=	Plus grand ou égal à	>=M *ou* >="M"	Texte commençant par la lettre M ou par une lettre supérieure à M
<=	Plus petit ou égal à	<=15/4/97 *ou* <=#15/4/97#	Date correspondant au 15 avril 97 ou date antérieure
<>	Différent de	<>CA *ou* <>"CA"	Valeur autre que CA
Entre	Entre deux valeurs (inclusif)	Entre 15 et 25	N'importe quel nombre compris entre 15 et 25
Dans	Dans une série de valeurs	Dans (NY, AZ, NJ) *ou* (Dans "NY", "AZ", "NJ")	Une des valeurs énumé- -rées, soit NY, AZ ou NJ
Est Null	Le champ est vide	Est Null	Enregistrements ne comportant *pas* de valeur dans ce champ
Est Pas Null	Le champ n'est pas vide	Est Pas Null	Enregistrements comportant *une* valeur dans ce champ
Comme	Correspond à un schéma particulier	Comme MO-* *ou* Comme "MO-*"	Enregistrements commençant par MO- suivi de n'importe quelle chaîne de caractères (voyez *Caractères joker* dans ce tableau)
Opérateurs logiques			
Et	Les deux comparaisons sont vraies	>=1 Et >=10	Valeur comprise entre 1 et 10
Ou	Une des comparaiisons est vraie	UT ou AZ *ou* "UT" ou "AZ"	UT ou AZ
Pas	La comparaison est fausse	Pas Comme MO-??? *ou* Pas Comme "MO-???"	Enregistrements ne commençant pas par *Mo-* suivi de trois caractères

Tableau 9.3 : Opérateurs et caractères joker (suite).

Caractères joker			
?	Un caractère quelconque	P?-100 *ou* "P?-100"	Valeurs commençant par *P* suivi d'un caractère quelconque, suivi par *-100*
*	Une chaîne de caractères quelconque	§619)* *ou* "(619)*"	Valeurs textuelles commençant par *(619)*, comme un numéro de téléphone ou de fax
[*nom de champ*]	Un autre champ de la grille de création	<[PrixUnitaire]	Enregistrements où la valeur du champ est inférieure à celle du champ PrixUnitaire

Tableau 9.3 : Opérateurs et caractères joker (suite).

Opérateur	Signification
+	Addition
-	Soustraction
*	Multiplication
/	Division
\	Division entière
^^	Exponentiation
Mod	Reste de la division entre deux nombres ou modulo
&	Concaténation de chaînes de caractères

Tableau 9.4 : Opérateurs mathématiques.

Vous pouvez aussi faire appel à la fonction Date() pour rechercher les enregistrements selon une date, en rapport avec la date courante. Le Tableau 9.5 vous montre quelques exemples. Une autre fonction baptisée AjDate() vous permet de spécifier une date à laquelle un intervalle de temps a été ajouté.

Exemple	Isole les enregistrements dont le champ comporte...
Date()	La date courante
<=Date()	La date courante ou toute date antérieure
>=Date()	La date courante ou toute date postérieure

Tableau 9.5 : Fonctions Date() et AjDate().

Exemple	Isole les enregistrements dont le champ comporte...
<=Date()-30	Une date antérieure ou égale à il y a 30 jours
Entre Date() Et Date()-30	La date d'un des 30 derniers jours
Entre Date() Et Date()+30	La date d'une des 30 prochains jours
Entre Date()-60 Et Date()-30	Une date comprise entre les 30 et les 60 derniers jours
>AjDate("m",1,Date())	Une date à partir d'aujourd'hui plus un mois
Entre AjDate("m",-2,Date()) et Date()	Une date dans les deux derniers mois
Entre AjDate("m",2,Date())	Une date dans les deux prochains mois
<AjDate("aaaa"-1,Date())	Une date antérieure à il y a un an

Tableau 9.5 : Fonctions Date() et AjDate() (suite).

Pour en savoir plus sur les fonctions et la manière de les mettre en oeuvre, voyez l'index de l'aide en ligne, entrée *références, fonctions*.

Définir des critères "Et/Ou"

Il vous arrivera de ne vouloir afficher que les enregistrements qui répondent à toutes les conditions définies.

Ainsi, pour localiser dans la table Customers (Clients) les enregistrements correspondant à Wilbur Stumingi de San Diego, vous devrez demander à Access de ne rechercher que les clients qui ont Wilbur dans le champ FirstName (Prénom), Stumingi dans le champ LastName (Nom) et San Diego dans le champ City (Ville).

Dans d'autres circonstances, vous voudrez localiser les enregistrements qui répondent à l'une ou à l'autre des conditions définies. Ainsi, vous pourriez localiser les produits dont le prix unitaire est de 50 F ou de 60 F.

Le Tableau 9.6 résume les techniques à utiliser dans la grille de création pour spécifier des relations "Et" et "Ou" entre les critères.

Pour établir une relation...	dans...	faites ceci...
ET	Plusieurs champs	Placez les critères sur une même ligne dans la grille de création.
ET	Un seul champ	Utilisez l'opérateur **ET**.
OU	Plusieurs champs	Placez les critères dans des lignes différentes dans la grille de création.
OU	Un seul champ	Utilisez l'opérateur **OU**, ou utilisez l'opérateur **DANS**, ou *empilez* les critères dans la colonne du champ.

Tableau 9.6 : Techniques permettant de définir des relations "Et" et "Ou" (suite).

Réorganiser la grille de création

Si vous êtes aux prises avec un filtre complexe incluant un grand nombre de champs, vous serez peut-être amené à réorganiser la grille de création. Vous retrouvez ici des techniques sensiblement identiques à celles en vigueur dans le mode feuille de données.

- **Pour sélectionner une colonne**, cliquez sur le sélecteur de la colonne concernée. (Le pointeur de la souris prend la forme d'une flèche épaisse orientée vers le bas.)
- **Pour sélectionner plusieurs colonnes**, faites glisser votre pointeur sur les sélecteurs des colonnes concernées. Ou cliquez sur le sélecteur de la première colonne, puis Majuscule + cliquez sur les sélecteurs des autres colonnes à inclure dans la sélection.
- **Pour sélectionner une ligne de critères**, cliquez sur le sélecteur de ligne à gauche de la ligne. (Le pointeur de la souris prend la forme d'une flèche épaisse orientée vers la droite.)
- **Pour sélectionner plusieurs lignes de critères**, faites glisser votre pointeur sur les sélecteurs des lignes concernées. Ou cliquez sur le sélecteur de la première ligne, puis Majuscule + cliquez sur les sélecteurs des autres lignes à inclure dans la sélection.
- **Pour supprimer les lignes ou les colonnes sélectionnées**, enfoncez la touche Suppr, ou choisissez Édition/Supprimer les lignes ou Édition/Supprimer colonnes.

- **Pour insérer autant de lignes ou de colonnes vides que de lignes ou de colonnes sélectionnées**, enfoncez la touche Insert, ou choisissez Insertion/ Lignes ou Insertion/Colonnes.
- **Pour déplacer les lignes ou les colonnes sélectionnées**, cliquez sur le sélecteur de ligne (pour les lignes) ou sur le sélecteur de colonne (pour les colonnes) dans la sélection. Faites ensuite glisser cette sélection vers son nouvel emplacement.

Pour régler la largeur des colonnes de la grille de création, faites glisser ou cliquez deux fois sur le bord droit du sélecteur de colonne.

Exemple de filtres

Grâce aux opérateurs, fonctions et liens logiques "Et/Ou" qu'Access met à votre disposition, vous êtes à même de construire une infinité de filtres. Nous vous proposons ici quelques exemples adaptés à la structure de la base Ordentry (Gestionnaire de commandes) qui nous sert d'exemple. Ces exemples vous fourniront des bases de réflexion intéressantes.

Isoler une partie d'un champ

Les caractères joker sont précieux lorsqu'il s'agit de localiser des informations faisant partie du contenu d'un champ. Le filtre représenté ci-dessous isolera les enregistrements des clients habitant la rue Polk dans la ville de San Francisco.

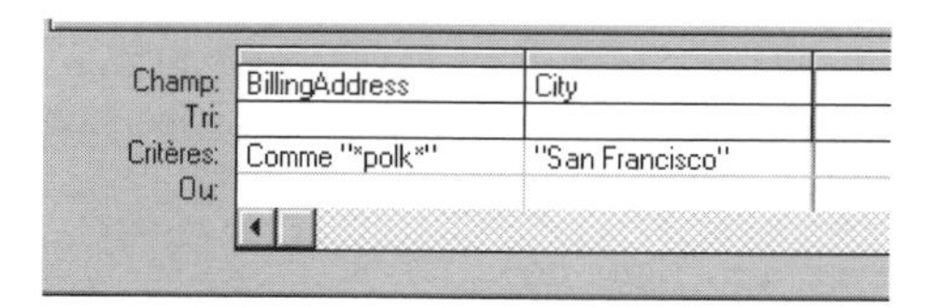

Nous avons libellé le critère du champ BillingAddress (AdresseFacturation) de la manière suivante : *polk*. Access a ajouté automatiquement le terme "Comme" et les guillemets.

La ville, San Francisco, est placée sur la même ligne que l'adresse de facturation. Pour être sélectionné, un enregistrement devra donc répondre aux deux critères : présenter Polk dans le champ BillingAddress (AdresseFacturation) et présenter San Francisco dans le champ City (Ville).

Les caractères joker sont utilisables avec tous les types de données, à l'exception des objets OLE. Supposons que vous souhaitiez créer une table référençant des articles de journaux et que la structure de cette table inclue un champ Mémo baptisé Résumé. Pour isoler tous les enregistrements présentant le texte "équinoxe d'hiver" dans ce champ Résumé, vous devez définir votre critère comme suit : **équinoxe d'hiver** ou *Comme"*équinoxe d'hiver*"*.

Les jokers sont aussi très pratiques lorsqu'il s'agit d'isoler des fiches comportant une date faisant partie d'un mois particulier. Le critère suivant isole les enregistrements dont la date du champ OrderDate (Date Commande) est une date du mois de mars 1995 (partant du principe que le format en vigueur est le format américain qui présente les dates sous la forme mois/jour/année) :

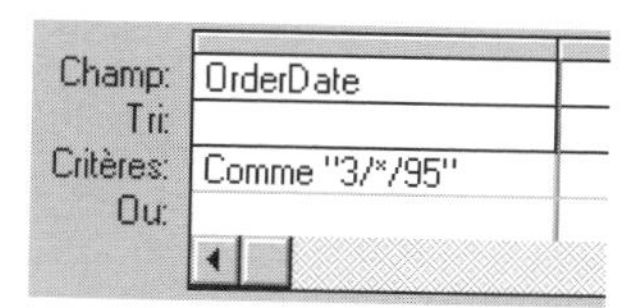

Isoler une plage de valeurs

Les opérateurs de comparaison peuvent vous servir à isoler une plage de valeurs. Ainsi, le filtre suivant isole les clients dont le nom de famille commence par une lettre comprise entre A et M ; il trie en outre les noms ainsi isolés par ordre alphabétique croissant.

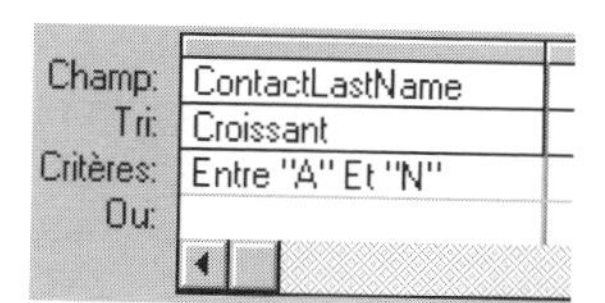

Remarquez que nous avons utilisé la lettre N comme valeur maximale. La raison en est que, comme dans un dictionnaire, tout mot commençant par *m*, même mzzxxxyxysn est "inférieur à" *n*. En revanche, toutes les entrées après *n* sont considérées comme supérieures à "*n*". Ainsi, même un nom simple comme *na* est exclus parce que *na* est plus grand que *n*.

Voici un filtre qui isole et trie (par PostalCode (CodePostal)) les clients habitant une ville dont le code est compris entre 42000 et 46000 :

Lorsque vous définissez vos critères, prenez soin de n'entrer que des chaînes de caractères figurant réellement dans la table. Ainsi, dans les champs qui font partie de tables créées avec l'aide de l'Assistant, les masques de saisie affichent la ponctuation dans les feuilles de données et dans les formulaires (comme les tirets dans les codes postaux ou les parenthèses dans les numéros de téléphone), mais ils ne stockent pas ces caractères dans la table. Il convient donc de les omettre également dans la case Critères.

Encore un exemple : un filtre simple qui isole et trie (par UnitPrice (Prix unitaire)) les enregistrements de la table Products (Produits) dont le prix unitaire est inférieur ou égal à 25 francs.

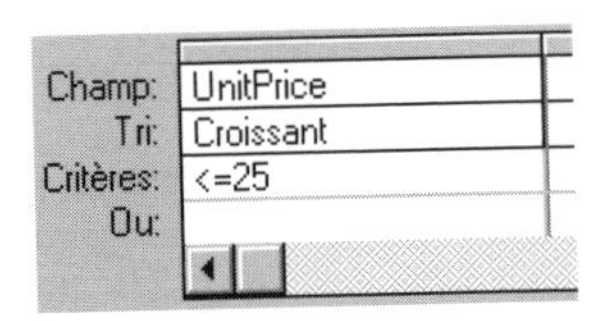

Filtrer des dates

Le filtre présenté ci-dessous isole les enregistrements dont les dates font partie du premier trimestre 1995 (du 1er janvier au 31 mars 1995). Dans cet exemple, vous ne devez pas taper les symboles # : Access les ajoute automatiquement lorsque vous entrez une date dans la case Critères.

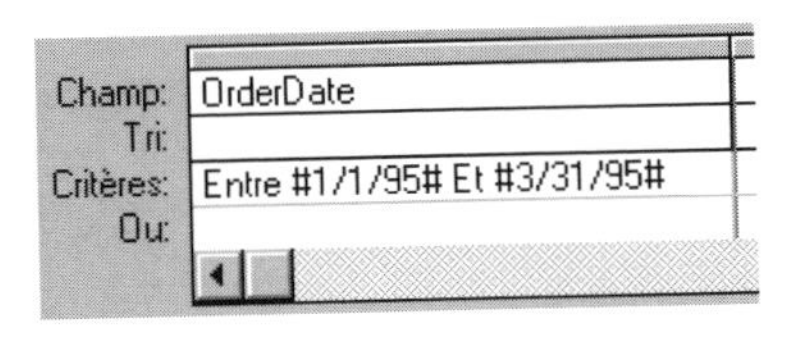

Vous pouvez utiliser la fonction Date() dans un filtre afin de représenter la date courante. Voyez le Tableau 9.5 présenté plus haut dans ce chapitre.

Accepter plusieurs valeurs dans un même champ

Supposons que vous désiriez isoler, parmi vos clients, ceux qui résident dans l'un des trois États suivants : Alaska, Californie ou Wyoming. Vous devez donc accepter les enregistrements qui présentent AK, CA ou WY dans le champ StateOrProvince (EtatOuProvince). Nous vous proposons trois moyens d'y parvenir. Voici le premier :

Le deuxième, qui empile les critères, fonctionne aussi bien :

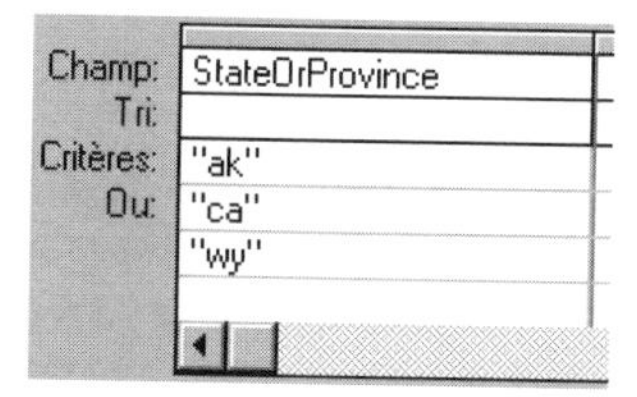

Quant au troisième, il utilise l'opérateur "Dans" pour établir la liste des valeurs acceptables :

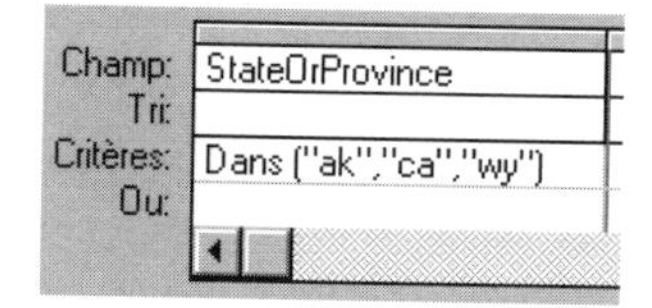

Ces trois méthodes se valent. Employez donc celle qui vous semble la plus naturelle et la plus confortable. Rappelez-vous qu'Access est insensible à la différence majuscules/minuscules dans les cases Critères ; cette souplesse vous autorise à abréger Alaska en **AK**, **Ak**, **ak**, ou même **aK**.

Enregistrer un filtre sous forme de requête

Vous avez appris précédemment dans ce chapitre à sauvegarder un filtre dans la feuille de données ou dans le formulaire. Les filtres ainsi sauvés sont disponibles dès que vous ouvrez la feuille ou le formulaire et appliquez le filtre, ou encore chaque fois que vous affichez la feuille ou le formulaire et créez un nouveau formulaire ou un nouvel état à partir des enregistrements filtrés.

Vous pouvez également enregistrer un filtre en tant qu'objet requête indépendant ; ainsi, il sera toujours à votre disposition. Voici comment procéder :

1. Activez la fenêtre de la commande Filtre/tri avancé. Si la feuille de données ou le formulaire est affiché, choisissez Enregistrements/Filtre/Filtre/tri avancé. Si c'est la fenêtre Filtre par formulaire qui est affichée, choisissez Filtre/Filtre/tri avancé.
2. Activez le bouton Enregistrer comme requête de la barre d'outils Filtrer/Trier, ou choisissez Fichier/Enregistrer comme requête, ou cliquez avec le bouton droit de la souris dans la partie supérieure de la fenêtre et choisissez Enregistrer comme requête.
3. Tapez le nom à attribuer à la requête, puis cliquez sur OK. Comme c'est la coutume dans Access, le nom ne peut excéder 64 caractères, espaces compris (voyez l'encart intitulé "Contraintes imposées aux noms de fichiers" dans le Chapitre 6). Access enregistre le filtre sous forme de requête.

Pour réutiliser cette requête :

1. Ouvrez la table à laquelle vous souhaitez appliquer le filtre. Il doit s'agir de la même table que celle que vous avez utilisée pour créer le filtre.
2. Réactivez la fenêtre de la commande Filtre/tri avancé.
3. Choisissez Fichier/Charger à partir d'une requête, ou cliquez avec le bouton droit de la souris dans la partie supérieure de la fenêtre et choisissez Charger à partir d'une requête, ou encore utilisez le bouton correspondant de la barre d'outils Filtrer/Trier.
4. Cliquez deux fois sur le nom du filtre concerné ; il s'affiche dans sa fenêtre. (Son aspect peut différer légèrement de celui qu'il présentait lorsque vous l'avez sauvegardé, mais son effet reste identique.)
5. Pour appliquer le filtre, activez le bouton Appliquer le filtre d'une barre d'outils quelconque.

Problèmes de filtres

Si vos filtres ne vous semblent pas fonctionner correctement, sachez que :

- Si un opérateur Access (par exemple, le mot "Et") se trouve dans le texte à isoler (comme le nom d'une société, par exemple Demay Et Associés), placez tout le texte entre guillemets :

  "Demay Et Associés"

Sinon, Access interprète votre donnée de la manière suivante :

"Demay" Et "Associés"

- Si vous voulez isoler un texte qui comporte des signes de ponctuation (c'est-à-dire des caractères autres qu'alphanumériques), placez ce texte entre guillemets. Vous pouvez utiliser des guillemets simples (' ') ou doubles (" ").
- Dans les premiers temps, les opérateurs logiques "Et" et "Ou" vous donneront du fil à retordre. Efforcez-vous de ne pas les confondre. Prenons un exemple : pour isoler les clients qui habitent l'État du Mississippi ou l'État de Washington, vous devez utiliser le critère "Ou", comme **"MS" ou "WA"**. Dans cet exemple, si vous utilisiez le critère "Et", Access n'isolerait aucun enregistrement pour la simple et bonne raison qu'il ne peut répondre Oui à la question "Cet enregistrement présente-t-il la valeur MS dans le champ StateOrProvince (EtatOuProvince) et présente-t-il WA dans le même champ ?".
- N'oubliez pas que chaque ligne de critères constitue une ligne séparée et indépendante. Si Access peut répondre "Oui" à l'une de ces questions, l'enregistrement est sélectionné.

Ce dernier point est important car il est source de confusion chez les utilisateurs débutants. Ainsi, considérez le filtre suivant et voyez si vous êtes capable de deviner les enregistrements qu'il permet d'isoler :

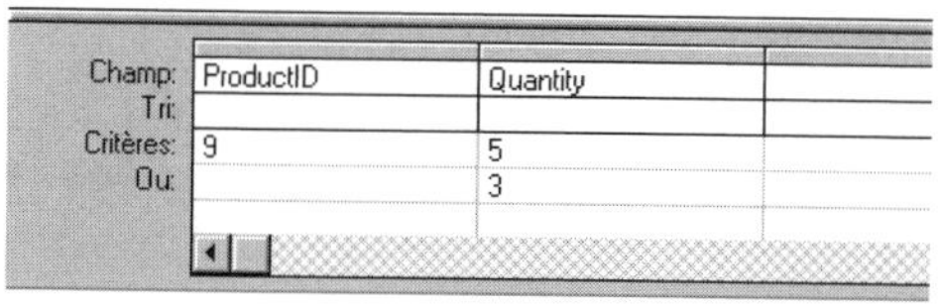

Champ:	ProductID	Quantity	
Tri:			
Critères:	9	5	
Ou:		3	

À première vue, vous seriez tenté de dire : "Ce filtre isole toutes les commandes de tether balls (ProductID 9 - CodeProduit 9) dans lesquelles la quantité commandée oscille entre 5 et 3 unités". Mais ce n'est pas tout à fait juste. En fait, le filtre isole toutes les commandes de tether balls dans lesquelles la quantité commandée est de 5 unités, ainsi que tous les produits (quel que soit leur code) pour lesquels la quantité commandée vaut 3. Pourquoi ? Parce que le filtre comporte deux questions séparées :

Question 1 : L'enregistrement présente-t-il la valeur 9 dans le champ ProductID (CodeProduit) et la valeur 5 dans le champ Quantity (Quantité) ?

Question 2 : L'enregistrement présente-t-il la valeur 3 dans le champ Quantity (Quantité) ?

Tout enregistrement répondant à l'une ou à l'autre de ces deux conditions passe le filtre. La question 2 ci-dessus ne définit aucun critère pour le champ ProductID (CodeProduit).

Si vous désirez sélectionner toutes les commandes de tether balls dont la quantité est 5, ainsi que toutes les commandes de tether balls dont la quantité est 3, vous devez vous exprimer de la manière suivante :

Champ:	ProductID	Quantity
Tri:		
Critères:	9	5
Ou:	9	3

Les deux questions que pose ce filtre sont :

Question 1 : L'enregistrement présente-t-il la valeur 9 dans le champ ProductID (CodeProduit) et la valeur 5 dans le champ Quantity (Quantité) ?

Question 2 : L'enregistrement présente-t-il la valeur 9 dans le champ ProductID (CodeProduit) et la valeur 3 dans le champ Quantity (Quantité) ?

Seuls les enregistrements présentant la combinaison 9/5 ou la combinaison 9/3 passeront le filtre.

Pour en savoir plus sur les filtres, voyez l'index de l'aide en ligne, à l'entrée *filtres* ; en cas de difficultés, consultez également la sous-entrée *filtres, problèmes de dépannage*.

Imprimer rapidement

Si vous avez sous les yeux une feuille de données ou un formulaire et souhaitez en obtenir une version papier, activez le bouton Imprimer d'une barre d'outils quelconque afin d'imprimer vos données avec les derniers paramètres d'impression en date.

Access vous propose, bien sûr, des contrôles étendus, comme vous l'expliquent les sections suivantes.

Prévisualiser

Pour voir à quoi ressemblera votre version imprimée, passez en prévisualisation :

1. Affichez le mode feuille de données ou formulaire, puis...

2. Activez le bouton Aperçu avant impression d'une barre d'outils quelconque (représenté à gauche), ou choisissez Fichier/Aperçu avant impression. Une image pleine page de votre feuille de données ou de votre formulaire s'affiche à l'écran.

3. Réalisez l'une des actions suivantes :

- **Pour agrandir ou réduire une partie de la page**, activez le bouton Zoom de la barre d'outils Aperçu avant impression. La Figure 9.10 montre la table Products (Produits) après un zoom sur les données.

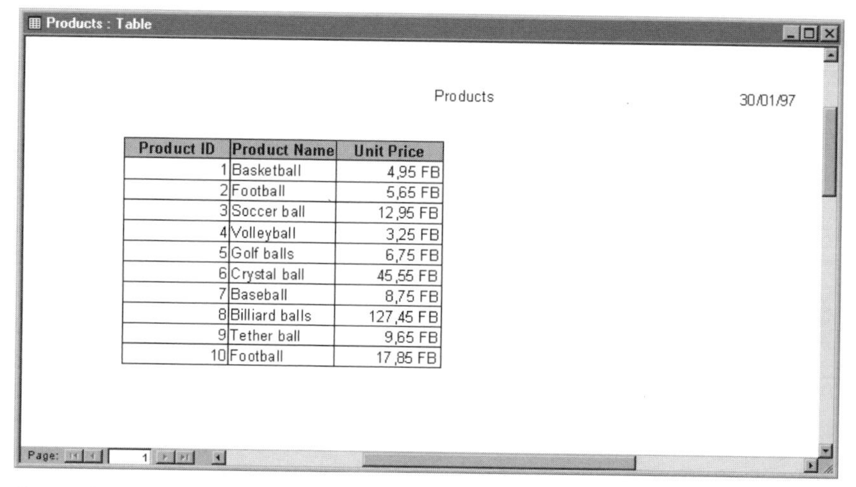

Product ID	Product Name	Unit Price
1	Basketball	4,95 FB
2	Football	5,65 FB
3	Soccer ball	12,95 FB
4	Volleyball	3,25 FB
5	Golf balls	6,75 FB
6	Crystal ball	45,55 FB
7	Baseball	8,75 FB
8	Billiard balls	127,45 FB
9	Tether ball	9,65 FB
10	Football	17,85 FB

Figure 9.10 : La fenêtre Aperçu avant impression de la table Products (Produits), après que nous avons agrandi l'affichage.

- **Pour afficher deux pages simultanément**, activez le bouton Deux pages de la barre d'outils Aperçu avant impression. Pour rétablir l'affichage mono-page, utilisez le bouton Une page de la même barre d'outils.

- **Pour afficher plusieurs pages simultanément** (de 1 à 6) : activez le bouton Afficher plusieurs pages de la barre d'outils Aperçu avant impression et sélectionnez le nombre souhaité dans le menu déroulant correspondant. Pour rétablir l'affichage mono-page, utilisez l'article 1x1 Pages de ce même menu.

- **Pour choisir un facteur de zoom** entre 10 et 200 % ou ajusté, déroulez le menu local Zoom et choisissez l'option souhaitée.

- **Pour expédier les données vers un autre programme Microsoft**, déroulez le menu local Liaisons Office et choisissez l'une des trois options proposées : Fusionner avec MS Word, Exporter vers MS Word ou Exporter vers MS Excel (Chapitre 7).

- **Pour sélectionner l'une des commandes d'un menu contextuel**, cliquez avec le bouton droit de la souris n'importe où dans la fenêtre et choisissez l'option souhaitée dans le menu représenté ci-dessous. *Zoom* propose les mêmes options que le menu déroulant correspondant ; *Une page* affiche une page à la fois, *Afficher plusieurs pages* affiche une vue chemin-de-fer de 1 à 6 pages ; *Mise en page* ouvre la boîte de dialogue de définition des attributs de mise en page ; *Imprimer* ouvre la fenêtre d'impression ; *Enregistrer sous/Exporter* exporte les données dans un autre format (Chapitre 7) ; enfin, *Envoyer* expédie les données en tant que message e-mail (Chapitre 7).

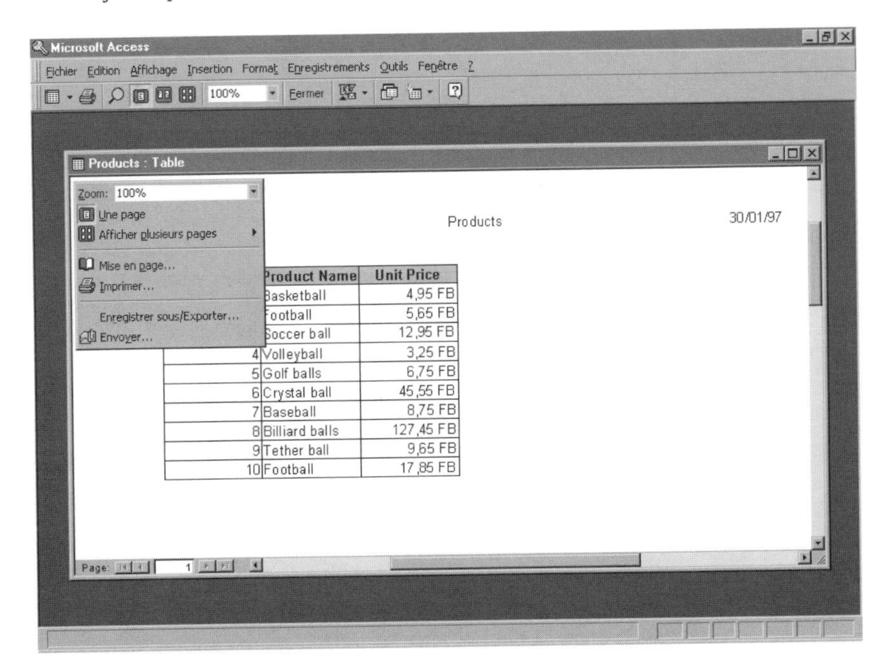

- **Pour imprimer immédiatement le contenu de la fenêtre d'aperçu**, activez le bouton Imprimer. Ou choisissez Fichier/Imprimer (ou enfoncez les touches Ctrl + P) et passez à l'étape n° 3 de la procédure décrite dans la section suivante.

- **Pour revenir à la feuille de données ou au formulaire sans procéder à l'impression**, cliquez sur Fermer.

Imprimer votre feuille de données ou votre formulaire

Pour imprimer votre feuille de données ou votre formulaire sans prévisualiser :

1. Si vous entendez limiter l'impression à certains enregistrements, réalisez la sélection souhaitée.

2. Pour employer les options par défaut et lancer directement l'impression, activez le bouton Imprimer d'une barre d'outils quelconque (représenté à gauche).

   Ou bien :

   Pour exercer un contrôle sur la procédure, choisissez Fichier/Imprimer ou enfoncez les touches Ctrl + P. La boîte de dialogue Imprimer s'affiche.

3. Validez les options souhaitées (nous les commentons plus en détail ci-dessous).

4. Lorsque vous êtes prêt à imprimer, cliquez sur OK.

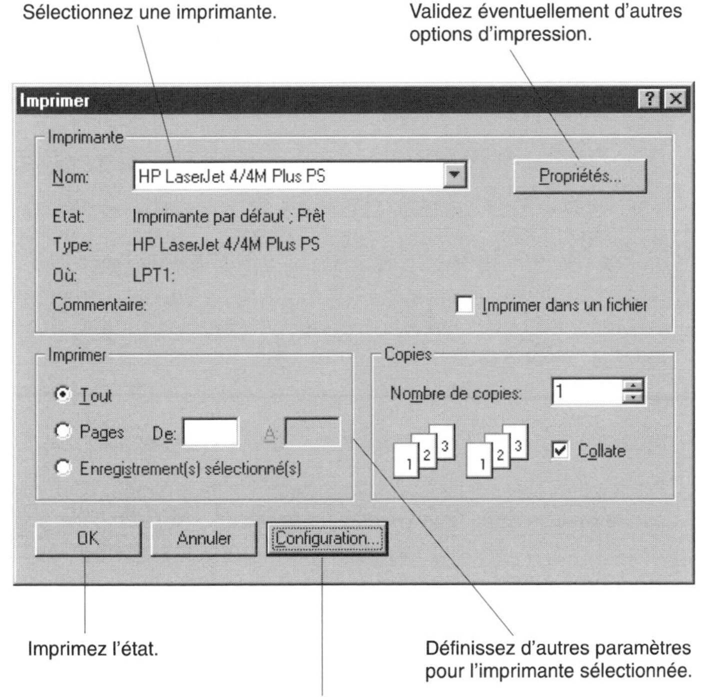

Figure 9.11 : La boîte de dialogue Imprimer.

La plupart des options sont évidentes. Quelques-unes cependant requièrent un complément d'information ; consultez les sections "Changer la mise en page" et "Modifier les paramètres de l'imprimante" ci-dessous. Par ailleurs, le bouton ? (Aide) se tient à votre disposition dans l'angle supérieur droit de la fenêtre, et l'entrée *imprimer* en fait autant dans l'index de l'aide en ligne.

Changer la mise en page

Le bouton Configuration de la boîte de dialogue Imprimer ouvre la fenêtre Mise en page (Figure 9.12) dans laquelle vous pouvez fixer les valeurs des marges et décider d'imprimer les titres ou d'imprimer seulement les données (avec quadrillage, encadrements, éléments graphiques...).

Les options disponibles varient en fonction du type de l'objet que vous imprimez. Ainsi, la Figure 9.12 montre à quoi ressemble la fenêtre Mise en page lorsqu'une table est ouverte en mode feuille de données. Lorsqu'il s'agit d'un formulaire ou d'un état, la fenêtre affiche un second onglet, baptisé Colonnes; quant à l'onglet Marges, une option intitulée Données seulement remplace l'option Imprimer les titres.

Une fenêtre Mise en page plus élaborée vous est proposée si vous invoquez la commande Fichier/Mise en page. Celle-ci comporte un onglet Page qui vous permet de modifier différents réglages relatifs à l'imprimante (orientation, format de papier...). Si vous imprimez un formulaire ou un état, cette fenêtre propose aussi un onglet Colonnes qui vous permet de contrôler certains paramètres, et notamment la distance devant séparer les lignes de données d'un état.

Modifier les paramètres de l'imprimante

Pour agir sur les réglages de l'imprimante sélectionnée, cliquez sur Propriétés depuis la fenêtre Imprimer. Ou choisissez Fichier/Mise en page, activez l'onglet Page, validez l'option Utiliser une imprimante spécifique, puis cliquez sur Imprimante. Si l'imprimante sélectionnée n'est pas la bonne, commencez par opérer la sélection correcte, puis cliquez sur Propriétés.

La Figure 9.13 montre l'onglet Papier de la fenêtre Propriétés pour une imprimante Apple LaserWriter II NTX. Les onglets et leurs options diffèrent bien entendu selon l'imprimante sélectionnée.

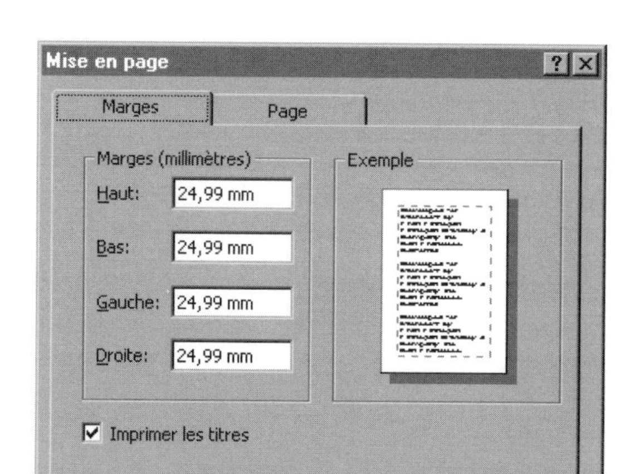

Figure 9.12 : La boîte de dialogue Mise en page s'affiche lorsque vous cliquez sur le bouton Configuration de la fenêtre Imprimer. Une boîte de dialogue plus fournie vous est proposée si vous invoquez la commande Fichier/Mise en page.

Pour un contrôle encore plus pointu des réglages de votre imprimante, cliquez sur Démarrer dans la barre des tâches de Windows, choisissez Paramètres/Imprimantes (vous pouvez faire appel à n'importe quelle technique pour ouvrir la fenêtre Imprimantes). Cliquez avec le bouton droit de la souris sur l'imprimante à configurer et choisissez Propriétés. Attention : les réglages que vous effectuez ici seront actifs dans tous les programmes Windows et pas seulement dans Access.

Les propriétés d'une imprimante se règlent comme celles des autres objets de Windows :

1. Activez l'onglet regroupant les propriétés que vous voulez modifier.
2. Opérez les modifications souhaitées. Si vous ignorez comment vous y prendre, n'hésitez pas à cliquer sur le bouton ? (Aide) dans l'angle supérieur droit de la fenêtre, puis à cliquer sur l'option à propos de laquelle vous souhaitez des informations.

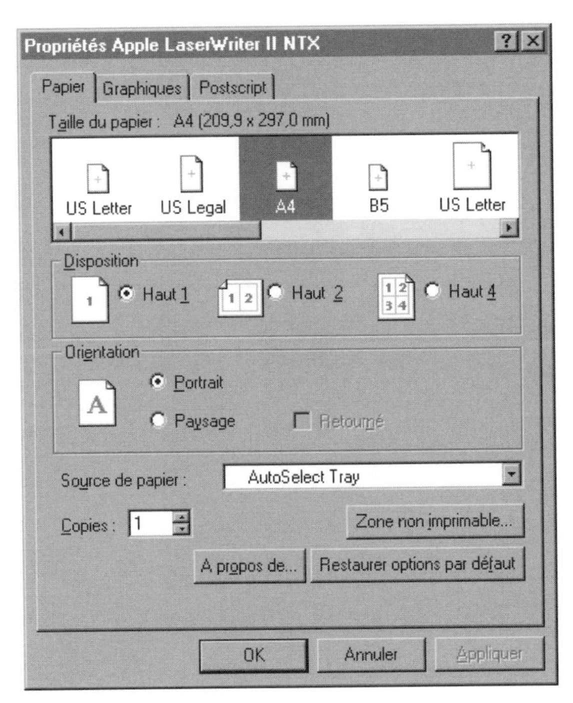

Figure 9.13 : La boîte de dialogue Propriétés pour une imprimante Apple LaserWriter II NTX.

3. Répétez les étapes 1 et 2 autant de fois que nécessaire.
4. Cliquez sur l'un de ces boutons :

- **Pour afficher les informations de copyright et le numéro de version du pilote d'imprimante,** cliquez sur À propos de dans l'onglet Papier. Cliquez sur OK pour fermer la fenêtre.
- **Pour rétablir les réglages prédéfinis,** cliquez sur Restaurer options par défaut dans n'importe quel onglet.
- **Pour appliquer les réglages que vous avez déjà fixés,** cliquez sur Appliquer.

5. Lorsque vous avez réglé toutes les propriétés souhaitées, cliquez sur OK.

Faire les bons réglages

À première vue, faire les bons choix n'est pas chose facile. Nous vous livrons ici quelques trucs qui vous aideront :

- Les changements apportés dans la boîte de dialogue Imprimer sont temporaires ; la prochaine fois que vous ouvrirez cette fenêtre (Fichier/Imprimer ou Ctrl + P), les réglages par défaut seront réactivés.
- Les changements apportés dans la boîte de dialogue Mise en page ou dans la fenêtre des propriétés sont stockés avec le formulaire ou l'état et s'activent chaque fois que vous ouvrez ce formulaire ou cet état et en demandez l'impression. (La manière dont vous avez atteint ces fenêtres est sans importance.)
- Les réglages d'impression prédéfinis sont toujours rétablis après l'impression et la fermeture d'une table, d'une requête ou d'un module. Vos réglages sont donc oubliés dès que vous fermez la table ou la requête.

Conseils d'impression

Nous vous livrons ici quelques conseils qui vous viendront sans doute à point lorsque vous imprimerez depuis le mode feuille de données ou formulaire :

- Si vous personnalisez le mode feuille de données avant d'imprimer, votre impression reflétera cette personnalisation.
- La fenêtre Aperçu avant impression reflète tous les changements que vous demandez dans la fenêtre Mise en page (Fichier/Mise en page).
- Si vous avez créé, sur le bureau de Windows, un raccourci pour un objet Access, vous pouvez rapidement prévisualiser, imprimer ou expédier cet objet par e-mail. Commencez par localiser l'icône de raccourci, puis cliquez dessus avec le bouton droit de la souris. Choisissez alors Aperçu, Imprimer ou Envoyer vers dans le menu contextuel.
- Dans Windows 95, vous pouvez lancer une impression en faisant glisser une icône de raccourci d'un objet Access sur une icône d'imprimante. Pour localiser ces icônes d'imprimantes, ouvrez le Poste de travail et cliquez deux fois sur le dossier Imprimantes ; ou cliquez sur Démarrer dans la barre des tâches de Windows et choisissez Paramètres/Imprimantes. Ou encore ouvrez le Panneau de configuration (Démarrer/Paramètres/Panneau de configuration) et cliquez deux fois sur le dossier Imprimantes.

Le Chapitre 1 vous apprend à créer des raccourcis pour des objets Access.

Et maintenant, que faisons-nous ?

Ce chapitre vous a proposé un pot-pourri de procédures vous permettant de trier, rechercher, filtrer et imprimer des données en mode feuille de données ou formulaire. Le chapitre suivant vous présente les requêtes grâce auxquelles vous pouvez interroger vos informations et les modifier automatiquement. Si vous manipulez sans difficulté le filtre/tri avancé, les requêtes ne devraient pas vous poser de problème.

Quoi de neuf ?

On dénombre quelques nouveautés en matière d'affichage des données.

- Ajout d'un "Filtre pour" grâce auquel vous pouvez appliquer un filtre via le menu contextuel d'un champ ; vous pouvez utiliser, dans ce filtre, des opérateurs de comparaison, des caractères joker et des fonctions.
- Remodelage du mode Aperçu avant impression (zoom et affichage chemin-de-fer, notamment).

Chapitre 10

Bâtir des requêtes

Les requêtes apportent des réponses aux questions que vous posez sur vos données ; elles servent aussi à extraire de l'information des tables et à modifier les données de différentes manières. En fait, c'est parce que vous pouvez bâtir des requêtes que vous utilisez un programme de base de données pour gérer de grandes quantités d'informations - plutôt que de solliciter un tableur ou un traitement de texte. Dans ce chapitre, vous apprendrez à utiliser l'Assistant Requête et les outils graphiques QBE (query by example) pour interroger vos données avec facilité.

Gardez à l'esprit que la plupart des techniques qui vous permettent de personnaliser votre feuille de données et de créer des filtres s'appliquent aussi aux requêtes. Si vous n'avez pas lu le Chapitre 9, nous vous conseillons de le faire avant de partir à la découverte de ce Chapitre 10. Idéalement, vous devriez aussi connaître les procédures de base de création de table (Chapitre 6) ainsi que les techniques d'édition en mode feuille de données (Chapitre 8).

À quoi servent les requêtes ?

Les requêtes servent à afficher uniquement certaines données et à les présenter selon vos désirs. Elles servent aussi à réaliser des calculs sur vos données ainsi qu'à créer des sources de données pour les formulaires, états, graphiques et autres requêtes. Elles servent encore à modifier des tables existantes et à en créer de nouvelles.

Il n'est pas utile de créer une requête pour l'utiliser comme source d'enregistrements pour un formulaire ou pour un état multitable. Dans la plupart des cas, l'Assistant Formulaire et l'Assistant Requête vous permettent d'agir plus rapidement en créant le formulaire ou l'état et en créant, en même temps, une instruction SQL qui définit la source d'enregistrement à votre place. Les Chapitres 11 et 13 décrivent ces Assistants en détail. Bien entendu, si vous devez traiter un grand nombre d'enregistrements, un formulaire ou un état agira plus vite s'il utilise, comme source d'enregistrement, une requête enregistrée (plutôt qu'une instruction SQL).

Lorsque vous exécutez la plupart des requêtes ou lorsque vous appliquez un filtre, Access place les données résultantes dans une *feuille de réponses dynamique*. Bien que cette feuille ressemble à une table et fonctionne de manière analogue, ce n'en est pas une. Il s'agit, en fait, d'une vue "dynamique" d'une ou de plusieurs tables. C'est la raison pour laquelle les éventuelles modifications que vous apportez après l'exécution d'une requête sont reportées dans les tables sous-jacentes de la base de données.

Une feuille de réponses dynamique (dynaset) est un type de *jeu d'enregistrements* (recordset) susceptible d'être mis à jour, un jeu d'enregistrements étant un ensemble de fiches que vous pouvez traiter comme un objet. Certains types de requêtes - comme celles qui créent des analyses croisées et autres résumés - génèrent des jeux d'enregistrements dans lesquels certains champs ou la totalité d'entre eux ne peuvent être mis à jour.

Types de requêtes

Vous pouvez créer différents types de requêtes :

Requête Sélection : Considérée comme la plus courante, la requête Sélection vous permet de sélectionner des enregistrements, de créer de nouveaux champs calculés et de regrouper vos données. Les requêtes Sélection s'apparentent aux filtres (Chapitre 9) ; leur action est cependant plus étendue puisqu'elles vous permettent de :

- traiter plusieurs tables ;
- créer de nouveaux champs calculés ;
- résumer et regrouper vos données ;
- sélectionner les champs à afficher et les champs à masquer.

Requête Analyse croisée : Cette requête répartit des données en catégories et affiche les résultats dans une structure analogue à celle des feuilles de calcul, avec totaux récapitulatifs. Utilisez ces requêtes pour comparer des valeurs et dégager des tendances, afficher des valeurs résumées (comme les ventes mensuelles, trimestrielles ou annuelles), ou encore, répondre à des questions comme "*Qui a commandé combien de quoi ?*". Les requêtes Analyse croisée servent surtout de base à l'élaboration d'états et de graphiques.

Requête Création de table : Cette requête crée une nouvelle table à partir d'une feuille de réponses dynamique. Utilisez ces requêtes pour créer une copie de sauvegarde d'une table, pour constituer une table historique destinée à héberger les enregistrements que vous effacez dans une autre table, ou pour créer une table à exporter vers d'autres applications.

Requête Mise à jour : Cette requête apporte des changements globaux à des enregistrements dans une ou plusieurs tables. Elle constitue à ce titre un moyen puissant, rapide et efficace de modifier une importante série d'enregistrements en une seule opération. Ainsi, vous pouvez faire appel à une requête de ce type pour augmenter le prix d'un article de 25 % ou éliminer le contenu de certains champs.

Requête Ajout : Cette requête ajoute une série d'enregistrements d'une ou de plusieurs tables à la fin d'une table existante. Ces requêtes sont particulièrement utiles lorsqu'il s'agit d'ajouter des anciens enregistrements à la fin d'une table historique. Vous pouvez alors convertir la requête Ajout en une requête Suppression (décrite ci-dessous) et supprimer ainsi les enregistrements de la table originale.

Requête Suppression : Supprime une série d'enregistrements d'une ou de plusieurs tables. Ainsi, vous pouvez supprimer les fiches de tous les clients qui n'ont passé aucune commande au cours des cinq dernières années. Vous pouvez aussi, après ajout de données à une table historique, supprimer les anciens enregistrements de la table originale.

Requête SQL direct : Réservées au travail en SQL, ces requêtes acheminent les instructions SQL vers un serveur de base de données tel que SQL Serveur. Voyez l'entrée d'index *requêtes SQL direct* dans le fichier d'aide en ligne.

Requête Définition des données : Également réservées aux besoins SQL, ces requêtes font appel aux instructions SQL pour créer et modifier des objets de base de données dans la base courante.

Requête Union : SQL encore, ces requêtes utilisent les instructions SQL pour combiner, dans un seul champ, les données de champs de deux ou de plusieurs tables ou requêtes. Voyez l'index et son entrée *requêtes Union.*

Pour créer des requêtes, Access vous propose deux techniques : le recours aux Assistants Requête ou la création à partir de zéro. Envisageons d'abord le recours aux Assistants.

Utiliser les Assistants Requête

Les Assistants Requête vous guident efficacement dans la construction des requêtes suivantes :

Assistant Requête simple : Crée une simple requête Sélection pour une ou plusieurs tables. La requête ainsi constituée peut opérer une sélection simple ou calculer des sommes, des moyennes, des décomptes et autres totaux.

Assistant Requête analyse croisée : Crée une analyse croisée basée sur une table ou sur une requête unique.

Assistant Requête trouver les doublons : Localise les enregistrements doublons dans une table ou dans une requête.

Assistant Requête de non-correspondance : Localise les enregistrements d'une table auxquels ne correspond aucun autre enregistrement d'une autre table. Ainsi, vous pouvez invoquer cet Assistant pour créer des requêtes qui localisent les clients qui n'ont pas passé de commande, ou les employés qui n'ont réalisé aucune vente.

Dans la plupart des cas, vous serez enchanté du travail accompli par ces Assistants. Même si quelques remaniements s'imposent après coup, sachez qu'en recourant à ces outils qui vous guident pas à pas, vous économiserez un temps précieux. Rappelez-vous que vous pouvez, à tout moment, basculer en mode création (nous y venons) et peaufiner le travail de l'Assistant.

Pour utiliser un Assistant Requête :

1. Quelle que soit la fenêtre affichée dans votre base de données, déroulez le menu local Nouvel objet d'une barre d'outils quelconque et choisissez Requête ; ou, dans la fenêtre Base de données, activez l'onglet Requêtes, puis cliquez sur Nouveau ; ou encore, choisissez Insertion/Requête.
2. Dans la boîte de dialogue Nouvelle requête, cliquez deux fois sur l'une des options décrites ci-dessus (Assistant Requête simple, Assistant Requête analyse croisée, Assistant Requête trouver les doublons et Assistant Requête de non-correspondance).
3. Suivez les étapes de l'Assistant et complétez les boîtes de dialogue à mesure qu'elles apparaissent. (Le Chapitre 3 vous enseigne les techniques de base pour l'exploitation des Assistants d'Access.)

Votre requête se bâtit en deux temps trois mouvements ; vous pouvez l'utiliser telle quelle ou la personnaliser le cas échéant.

Créer, exécuter, enregistrer et modifier une requête

Voyons à présent comment créer une requête de toutes pièces. Nous vous apprendrons, par la suite, à exécuter cette requête, à la sauvegarder et à l'éditer si nécessaire.

Créer une requête de toutes pièces

Les Assistants Requête sont capables de créer différents types de requêtes (voyez ci-dessus). Pour certains autres, vous serez contraint de partir de zéro et de travailler sans filet. Voici comment procéder :

1. Quelle que soit la fenêtre affichée dans votre base de données, déroulez le menu local Nouvel objet d'une barre d'outils quelconque et choisissez Requête ; ou, dans la fenêtre Base de données, activez l'onglet Requêtes, puis cliquez sur Nouveau ; ou encore, choisissez Insertion/Requête.

2. Dans la boîte de dialogue Nouvelle requête, cliquez deux fois sur Mode Création. Une *fenêtre de création de requête* baptisée Requête1 : Requête Sélection s'ouvre, puis une boîte de dialogue intitulée Ajouter une table s'affiche au premier plan (Figure 10.1).

Si vous savez au départ quelle table vous souhaitez traiter, affichez la fenêtre Base de données, activez l'onglet Tables, sélectionnez la table concernée, déroulez le menu local Nouvel objet, choisissez Requête, puis cliquez deux fois sur Mode Création. La boîte de dialogue Ajouter une table n'apparaît pas ; vous pouvez néanmoins l'afficher (si nécessaire) en invoquant la commande Requête/Ajouter une table.

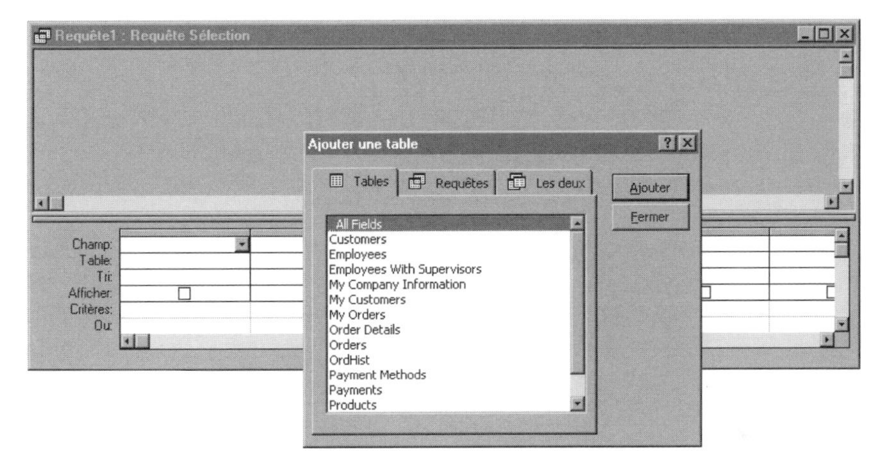

Figure 10.1 : La fenêtre Requête Sélection et la boîte de dialogue Ajouter une table s'affichent lorsque vous créez une nouvelle requête de toutes pièces.

3. Pour ajouter des tables, utilisez l'une des techniques suivantes :

- **Pour désigner les objets à répertorier dans la boîte de dialogue Ajouter une table,** activez l'onglet Tables, Requêtes ou Les deux.
- **Pour ajouter un objet à la fenêtre de création de requête**, cliquez deux fois sur l'objet concerné ou mettez cet objet en surbrillance, puis cliquez sur Ajouter.
- **Pour ajouter plusieurs objets adjacents à la fenêtre de création de requête**, cliquez sur le premier objet à sélectionner, puis Majuscule + cliquez sur le dernier objet à inclure dans la sélection (ou faites glisser votre pointeur sur les noms des objets concernés). Cliquez pour finir sur Ajouter.

- **Pour ajouter plusieurs objets non adjacents à la fenêtre de création de requête**, cliquez sur le premier objet à sélectionner, puis Ctrl + cliquez sur les autres. Cliquez enfin sur Ajouter.

4. Répétez l'étape n° 3 autant de fois que nécessaire. Ensuite, cliquez sur Fermer. Des lignes de jointure apparaissent automatiquement si vous avez créé des relations entre les tables (Chapitre 6) ou si Access devine lui-même les relations. Vous pouvez aussi relier manuellement les tables, comme nous vous l'expliquons plus loin dans ce chapitre.

5. Pour désigner le type de requête que vous voulez créer, déroulez le menu local Type de requête (représenté ci-dessous) ou choisissez l'option souhaitée dans le menu Requête. Vous avez le choix entre Requête Sélection (le type par défaut qui est aussi le plus couramment utilisé), Analyse croisée, Requête Création de table, Requête Mise à jour, Ajouter une requête et Requête Suppression. (Voyez la section "À propos de la barre d'outils Création de requête" plus loin dans ce chapitre.)

Pour passer d'un type de requête à un autre, contentez-vous de sélectionner le type souhaité dans le menu local Type de requête de la barre d'outils Création de requête ou dans le menu Requête.

6. Dans la zone réservée aux tables, cliquez deux fois sur les champs que vous voulez afficher dans la feuille de réponses dynamique ou que vous entendez utiliser en tant que critère de sélection. Vous pouvez aussi faire glisser les champs de la zone des tables vers la grille de création. À moins que vous ne préfériez sélectionner les champs dans la liste déroulante disponible dans la case Champ de cette grille de création.

7. Dans les cases Critères, spécifiez les critères de sélection que vous voulez employer pour chaque champ afin d'isoler les enregistrements dans la feuille de réponses dynamique. Les techniques sont identiques à celles en vigueur pour les filtres (Chapitre 9).

8. Si nécessaire, remplissez les autres zones de la grille. (Voyez "Affiner votre requête" plus loin dans ce chapitre).

9. Le cas échéant, spécifiez les propriétés de la requête proprement dite ou d'un champ particulier. (Voyez "Affiner votre requête" plus loin dans ce chapitre.)

L'exemple de la Figure 10.2 montre une requête Sélection complexe basée sur plusieurs tables mises en relation. Cette requête s'acquittera des tâches suivantes :

- Sélectionner les commandes passées en février 1997 et dont le calcul [Quantity] *[Order Details]![UnitPrice] (soit [Quantité]*[Détails Commandes]![PrixUnitaire]) est supérieur à 75.

- Afficher les champs ContactLastName (NomContact) et ContactFirstName (PrénomContact) de la table Customers (Clients) (voyez les lignes Champ et Table de la Figure 10.2), le champ OrderDate (DateCommande) de la table Orders (Commandes), les champs Quantity (Quantité) et UnitPrice (PrixUnitaire) de la table Order Details (Détails Commandes), un champ calculé appelé $ et le champ ProductName (NomProduit) de la table Produits. Dans la feuille de réponses dynamique, le champ $ s'intitulera *Total Price* (Prix Total) et sera affiché en format Monétaire (voyez la feuille des propriétés des champs affichée dans la Figure 10.2).

- Trier les résultats sur les champs ContactLastName (NomContact) et ContactFirstName (PrénomContact) (ordre croissant) et sur le champ OrderDate (DateCommande) (ordre décroissant), au cas où le même client aurait passé plusieurs commandes.

Étant donné que les tables Order Details (Détails Commandes) et Products (Produits) possèdent toutes deux un champ UnitPrice (PrixUnitaire), nous avons dû indiquer à Access lequel de ces deux champs il devait utiliser, en fait celui de la table Order Details (Détails Commandes). Pour spécifier le nom de table et le nom de champ, exprimez-vous de la manière suivante : *[NomTable]![NomChamp]*, comme dans [Order Details]![UnitPrice] ([Détails Commandes]![PrixUnitaire]).

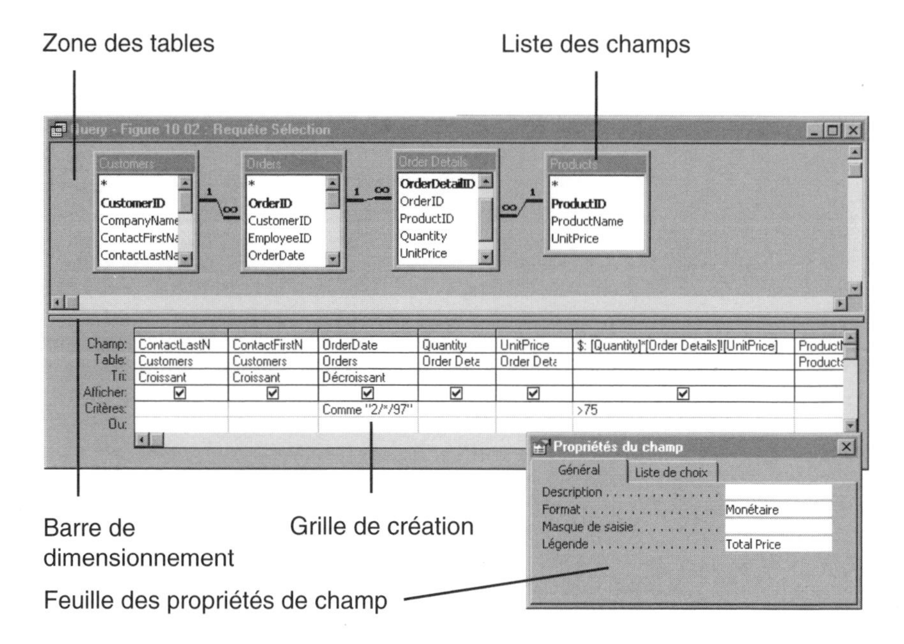

Figure 10.2 : Cette requête Sélection isole les commandes passées à une date donnée pour un montant donné présenté en format Monétaire.

La Figure 10.3 affiche la feuille de réponses dynamique que produit cette requête.

Requête1 : Requête Sélection

Contact First Name	Order Date	Quantity	Unit Price	Total Price	Product Name
Andy	2/1/95	2	F45.55	F91.10	Crystal ball
Shirley	2/1/95	2	F127.45	F254.90	Billiard balls

Enr: 1 sur 2

Les propriétés de champ représentées à la Figure 10.2 contrôlent la légende et le format du champ.

Figure 10.3 : La feuille de réponses dynamique produite par la requête illustrée à la Figure 10.2.

Conseils d'utilisation de la fenêtre de création

Nous vous livrons ici quelques trucs et astuces qui vous aideront à définir une requête.

- **Pour effacer le contenu de la grille**, choisissez Édition/Effacer la grille. Attention : vous ne pouvez annuler cette commande !

- **Pour augmenter la taille d'une case de la grille**, cliquez dans cette case, puis enfoncez les touches Majuscule + F2 ; ou cliquez avec le bouton droit de la souris dans la case et choisissez Zoom. Dans la fenêtre Zoom, modifiez le texte, puis cliquez sur OK pour fermer la boîte.

La boîte Zoom est disponible dans tous les cas où une zone plus large facilite la saisie du texte, y compris dans les feuilles de propriétés, les modes feuille de données et création de table, la grille de création, la fenêtre des filtres et celle des macros.

- **Pour afficher dans la grille les noms des tables sous les champs correspondants**, choisissez Affichage/Noms des tables, ou cliquez avec le bouton droit de la souris dans la grille et choisissez Noms des tables. Une ligne intitulée Table apparaît dans la grille (Figure 10.2). Lorsque vous désactivez l'option, la ligne disparaît.

- **Pour changer le nom d'un champ dans la grille**, cliquez à gauche du premier caractère du nom du champ concerné, puis entrez le nouveau nom suivi du signe : (deux points). Nous avons fait appel à cette technique pour modifier le nom original du champ calculé dans la Figure 10.2. C'est le nouveau nom du champ qui sert de titre de colonne dans la feuille de réponses dynamique, sauf si vous avez spécifié une Légende dans la feuille de propriétés du champ (Figures 10.2 et 10.3).

- **Pour ajouter des tables à la fenêtre de création de requête**, activez le bouton Afficher la table de la barre d'outils Création de requête (représenté à gauche) ou cliquez avec le bouton droit de la souris dans une zone vide de la zone des tables et choisissez Ajouter une table ; ou encore, choisissez Requête/Ajouter une table. Vous pouvez également ouvrir la fenêtre Base de données (F11) et valider alors la commande Fenêtre/Mosaïque verticale afin d'avoir sous les yeux la fenêtre Base de données et la fenêtre de création de requête. Ensuite, activez l'onglet Tables de la fenêtre Base de données, puis faites glisser le nom de la table à ajouter depuis cette fenêtre vers l'autre.

- **Pour supprimer une table de la fenêtre de création de requête**, cliquez sur la table concernée, puis enfoncez la touche Suppr. (Cette action n'a pas pour effet de supprimer la table de la base : elle la supprime seulement de la fenêtre de création de requête.)

- **Lorsqu'une requête devient trop complexe**, scindez-la. Créez, testez et sauvez la première requête. Ensuite, alors que cette première requête est ouverte dans la fenêtre de création ou dans la fenêtre Base de données, déroulez le menu local Nouvel objet d'une barre d'outils quelconque, choisissez Requête, puis cliquez deux fois sur Mode Création. Constituez la deuxième requête, testez-la, puis procédez à sa sauvegarde (la seconde requête étant basée sur la première). À l'avenir, vous pourrez vous contenter d'exécuter la deuxième requête pour obtenir les résultats que produisent les deux requêtes.

Pour obtenir plus d'informations sur la constitution de requêtes, voyez l'aide en ligne et son entrée d'index intitulée *requêtes* ; voyez aussi le livre *Travail avec les requêtes - Création d'une requête*, accessible depuis le sommaire.

Afficher la feuille de réponses dynamique

Vous pouvez afficher cette feuille à tout moment :

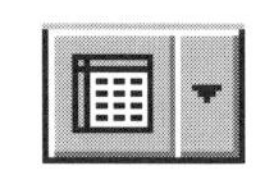

- Activez le bouton Affichage de la barre d'outils Création de requête (représenté à gauche) ou choisissez Affichage/Mode Feuille de données.

Si vous devez interrompre une requête alors qu'elle est en train de s'exécuter, enfoncez les touches Ctrl + Pause. (Il se peut que cette combinaison soit sans effet sur les requêtes complexes.)

La feuille de réponses dynamique apparaît en mode feuille de données (Figure 10.3). Vous pouvez alors réaliser les actions suivantes :

- **Modifier les enregistrements dans la feuille de réponses dynamique.** Vos changements sont reportés dans les tables sous-jacentes.
- **Personnaliser l'aspect de la feuille de réponses dynamique.** Faites appel aux mêmes techniques que celles utilisées pour personnaliser une feuille de données (Chapitre 9).
- **Trier la feuille de réponses dynamique.** Utilisez les mêmes procédures que pour trier une table (Chapitre 9).
- **Prévisualiser et imprimer la feuille de réponses dynamique.** Traitez cette feuille comme s'il s'agissait d'une table classique. Pour prévisualiser les données, activez le bouton Aperçu avant impression d'une barre d'outils quelconque ou choisissez Fichier/Aperçu avant impression. Lorsque vous êtes prêt à imprimer, activez le bouton Imprimer de la barre d'outils Aperçu avant impression ou choisissez Fichier/Imprimer. Le Chapitre 9 traite l'impression en détail.

- **Regagner la fenêtre de création de requête.** Activez le bouton Affichage de la barre d'outils Requête feuille de données (représenté à gauche) ou choisissez Affichage/Création. Votre requête s'affiche de nouveau dans sa fenêtre de création, dans l'état exact où vous l'aviez laissée.

Afficher l'instruction SQL en arrière-plan

Si vous connaissez SQL (ou si vous souhaitez faire connaissance avec ce langage), vous pouvez afficher et éditer votre requête en mode SQL. Pour activer ce mode, ouvrez la requête en mode création ou feuille de données, puis invoquez la commande Mode SQL du menu Affichage, ou la même commande du menu déroulant Affichage dans la barre d'outils. Consultez le contenu de la fenêtre, puis repassez en mode feuille de données afin d'examiner le résultat de votre intervention.

SQL (Structured Query Language) est utilisé en arrière-plan dans les requêtes et autres objets Access. Ne modifiez pas ses instructions si vous ne savez pas exactement ce que vous faites, car, si vous commettez une erreur, vos requêtes et autres objets ne fonctionneront plus correctement. Consultez au besoin l'entrée d'index *instructions SQL, utilisation dans les requêtes.*

Exécuter une requête Action

Si vous avez constitué une requête Action (c'est-à-dire une requête Création de table, Mise à jour, Ajout ou Suppression), le passage en mode feuille de données affiche les enregistrements qui seront affectés lorsque vous *exécuterez* la requête. Mais aucun autre changement ne sera opéré dans les tables et aucune table ne sera créée. Cet affichage en mode feuille de données vous donne un aperçu de l'action de la requête.

Lorsque la feuille de réponses dynamique affiche exactement les enregistrements souhaités, vous pouvez exécuter la requête :

1. Affichez la fenêtre de création de requête et activez le bouton Exécuter de la barre d'outils Création de requête (représenté à gauche) ou choisissez Requête/Exécuter.
2. Réagissez aux éventuels messages qui s'affichent pour confirmer vos modifications. (Nous reparlerons des requêtes Action plus loin dans ce chapitre.)

La requête Action s'exécute, puis vous renvoie à la fenêtre de création de requête.

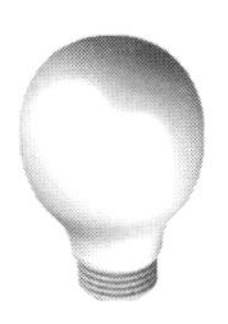

Si les messages de confirmation vous dérangent ou si ces messages ne vous parviennent pas, choisissez Outils/Options, puis activez l'onglet Modifier/Rechercher. Pour faire en sorte que ces messages s'affichent, validez l'option Requêtes action de la rubrique Confirmer. À l'inverse, pour que ces messages ne vous soient plus adressés, désactivez cette option. Cliquez sur OK pour fermer la boîte de dialogue Options.

Pour exécuter une requête Sélection ou Analyse croisée, il suffit de l'afficher en mode feuille de données.

Pour en savoir plus sur la manière d'afficher et d'exécuter les requêtes Action, voyez l'index de l'aide, entrée *requêtes action.*

Enregistrer une requête

Pour enregistrer une nouvelle requête ou une requête qui a été mise à jour, réalisez l'une des actions suivantes :

- **Si vous agissez depuis la fenêtre de création de requête ou depuis la fenêtre feuille de données,** activez le bouton Enregistrer d'une barre d'outils quelconque (représenté à gauche) ou choisissez Fichier/Enregistrer ou bien enfoncez les touches Ctrl + S.
- **Si vous ne comptez plus employer cette requête pour l'instant,** fermez la fenêtre de création de requête ou la feuille de données (par exemple en choisissant Fichier/Fermer ou en enfonçant les touches Ctrl + W). Lorsque Access vous demande s'il doit sauvegarder vos modifications, répondez Oui.

S'il s'agit d'une nouvelle requête, Access sollicite un nom ; entrez ce nom (maximum 64 caractères, espaces compris), puis cliquez sur OK. Remarquez que le programme ne vous permet pas de sauver la requête sous le même nom qu'une table ou qu'une requête existante.

Lorsque vous enregistrez une requête, Access sauvegarde *uniquement* la structure de la requête, et non les résultats que produit son exécution. Vous pourrez donc l'exécuter sur les données de n'importe quelle table.

Ouvrir une requête existante

Pour ouvrir une requête que vous avez enregistrée précédemment :

1. Affichez la fenêtre Base de données et activez l'onglet Requêtes.
2. Réalisez l'une des actions suivantes :

- **Pour afficher la feuille de réponses dynamique ou exécuter une requête Action**, cliquez deux fois sur le nom de la requête concernée ou mettez ce nom en surbrillance, puis cliquez sur Ouvrir.
- **Pour ouvrir la fenêtre de création de la requête**, sélectionnez le nom de la requête concernée, puis cliquez sur Modifier.

Lorsque la requête est ouverte, vous pouvez basculer du mode feuille de données en mode création en cliquant sur le bouton Affichage de la barre d'outils Création de requête.

À propos de la barre d'outils Création de requête

La barre d'outils Création de requête qui s'affiche en même temps que la fenêtre de création de requête comporte un grand nombre de boutons.

Le Tableau 10.1 les représente de gauche à droite et expose brièvement leur fonction. (Nous n'avons pas repris dans ce tableau les boutons standard Copier, Couper et Coller qui figurent dans la plupart des barres Access, ni les boutons Imprimer, Aperçu avant impression, Orthographe et Copier le format qui ne sont pas disponibles.)

Bouton	Nom du bouton	Fonction
Mode Création Mode SQL Mode Feuille de données	Affichage (Création)	Active la fenêtre de création de requête où vous pouvez concevoir et modifier votre requête.
	Affichage (Mode SQL)	Active le mode SQL où vous pouvez utiliser des instructions SQL pour concevoir et modifier votre requête.

Tableau 10.1 : Les principaux boutons de la barre d'outils Création de requête.

Bouton	Nom du bouton	Fonction
	Affichage (Mode Feuille de données)	Active le mode feuille de données où vous pouvez visualiser la feuille de réponses dynamique. Si vous construisez une requête Action, utilisez ce bouton pour prévisualiser les résultats de la requête.
	Enregistrer	Enregistre les dernières modifications apportées à la requête.
	Annuler	Annule la dernière modification en date apportée à un critère (quand vous êtes encore dans le champ).
	Type de requête (Sélection)	Affiche la grille de création d'une requête Sélection.
	Type de requête (Analyse croisée)	Affiche la grille de création d'une requête Analyse croisée.
	Type de requête (Création de table)	Affiche la grille de création d'une requête Création de table.
	Type de requête (Mise à jour)	Affiche la grille de création d'une requête Mise à jour.
	Type de requête (Ajout)	Affiche la grille de création d'une requête Ajout.
	Type de requête (Suppression)	Affiche la grille de création d'une requête Suppression.
	Exécuter	Exécute une requête Action. Dans le cas des requêtes Sélection et Analyse croisée, ce bouton a le même effet que le bouton Requête (Feuille de données).
	Afficher la table	Vous permet d'ajouter plusieurs tables dans la zone des tables de la fenêtre de création.
Σ	Opérations	Affiche une ligne Opération dans la grille de création. Utilisez cette ligne pour spécifier la manière dont les données doivent être regroupées.

Tableau 10.1 : Les principaux boutons de la barre d'outils Création de requête (suite).

Bouton	Nom du bouton	Fonction
Tout	Premières valeurs	Vous permet de retourner à un nombre donné d'enregistrements, à un pourcentage donné d'enregistrements ou à toutes les valeurs. Access utilise le champ trié situé le plus à gauche pour déterminer quelles premières valeurs il doit afficher. Vous pouvez choisir une des options du menu local ou taper dans la case soit une valeur (par exemple **25**), soit un pourcentage (par exemple **47 %**).
	Propriétés	Ouvre la feuille des propriétés dans laquelle vous pouvez définir les propriétés d'un champ ou d'une requête.
	Générer	Ouvre le Générateur d'expression qui vous aide à construire des expressions complexes.
	Fenêtre Base de données	Ouvre la fenêtre Base de données.
	Nouvel objet (Formulaire automatique)	Crée un nouveau formulaire automatique basé sur la requête courante.
	Nouvel objet (État instantané)	Crée un nouvel état automatique basé sur la requête courante.
	Nouvel objet (Table)	Vous permet de créer une nouvelle table non basée sur la requête courante.
	Nouvel objet (Requête)	Vous permet de créer une nouvelle requête basée sur la requête courante.
	Nouvel objet (Formulaire)	Vous permet de créer un nouveau formulaire basé sur la requête courante.

Tableau 10.1 : Les principaux boutons de la barre d'outils Création de requête (suite).

Bouton	Nom du bouton	Fonction
	Nouvel objet (État)	Vous permet de créer un nouvel état basé sur la requête courante.
	Nouvel objet (Macro)	Vous permet de créer une nouvelle macro non basée sur la requête courante.
	Nouvel objet (Module)	Vous permet de créer un nouveau module non basé sur la requête courante.
[?]	Aide	Vous permet de cliquer sur n'importe quel élément et d'obtenir une aide ponctuelle sur celui-ci.

Tableau 10.1 : Les principaux boutons de la barre d'outils Création de requête (suite).

Affiner votre requête

Les sections suivantes vous apprennent à affiner votre requête.

Remplir la grille de création

Cette étape est sans doute la plus difficile de toute la procédure. La Figure 10.2 montrait une requête Sélection typique avec sa grille de création. Les lignes qui s'affichent dans cette grille dépendent du type de requête que vous construisez. Ainsi, les requêtes Suppression ne comportent pas de ligne Tri.

Nous vous décrivons ci-dessous différentes techniques qui vous aideront à remplir les cases de la grille pour une requête Sélection.

- **Dans la ligne Champ**, entrez les champs que vous voulez traiter. Cliquez deux fois sur le nom du champ dans la liste ou faites-le glisser de la liste vers la grille (Chapitre 9). Pour faire en sorte qu'Access affiche tous les champs, même si la structure de la table change, utilisez l'astérisque (*) (voyez ci-dessous "Utiliser l'astérisque dans la grille de création") ; ou cliquez deux fois sur le nom de la table dont vous voulez sélectionner l'intégralité des champs, puis faites glisser un champ quelconque vers la ligne Champ (tous les autres suivent le mouvement). Vous pouvez également utiliser la liste déroulante de la ligne Champ pour sélectionner le champ souhaité. Vous pouvez enfin créer de nouveaux champs calculés dans cette ligne Champ (voyez "Réaliser totaux, moyennes et autres calculs" plus loin dans ce chapitre).

- **Dans la ligne Tri**, sélectionnez, pour chaque champ, l'ordre de tri souhaité. Vous avez le choix entre Croissant, Décroissant ou (Non trié). Comme les filtres (Chapitre 9), les champs de requête sont triés de gauche à droite ; il vous faudra donc, dans certains cas, déplacer les colonnes dans la grille.

Utiliser l'astérisque dans la grille de création

Dans la grille de création, un astérisque signale à Access que vous voulez afficher tous les champs dans la feuille de réponses dynamique. Cette feuille présentera *toujours* tous les champs de la table, même si vous modifiez sa structure par la suite et ajoutez ou supprimez des champs.

Pour ajouter un astérisque dans une colonne Champ de la grille de création, cliquez deux fois sur l'astérisque (*) qui apparaît en première position dans la liste des champs souhaitée de la zone des tables ou faites glisser cet astérisque vers la grille. La colonne de champ affiche alors le nom de la table sélectionnée, suivi d'un point et d'un astérisque :

```
Customers.* (Clients.*)
```

Malgré la présence de l'astérisque, vous pouvez encore trier, sélectionner, regrouper, calculer, etc. sur un champ particulier. Pour y parvenir, ajoutez le champ concerné à la grille. Pour faire ensuite en sorte que ce champ n'apparaisse pas deux fois dans la feuille de réponses dynamique, désélectionnez l'option Afficher.

Lorsque vous bâtissez une requête Création de table, Ajout ou Suppression, pensez à utiliser l'astérisque ; de cette façon, la requête agira toujours sur la structure courante de la table sous-jacente et affichera la totalité des champs.

Changer les propriétés des champs

Ce sont les *propriétés des champs* qui régissent l'aspect qu'ils ont dans la feuille de réponses dynamique. Par défaut, les champs introduits dans la grille de création héritent des propriétés définies dans la table sous-jacente. Ce n'est toutefois pas le cas des champs calculés, comme le champ $: [Quantity]*[Order Details]![UnitPrice] ($: [Quantité]*[Détails Commandes]![PrixUnitaire]) représenté à la Figure 10.2.

Pour attribuer ou modifier ces propriétés :

1. Cliquez dans le champ concerné. (Assurez-vous que sa case Afficher est cochée, faute de quoi vous ne pourrez voir ni modifier ses propriétés.)

2. Si la feuille des propriétés n'est pas affichée, activez le bouton Propriétés d'une barre d'outils quelconque (représenté à gauche) ; ou cliquez avec le bouton droit de la souris dans le champ concerné et choisissez Propriétés. Vous pouvez également choisir Affichage/Propriétés.

3. Activez l'onglet dans lequel se trouvent les propriétés que vous voulez changer, puis opérez les modifications souhaitées.

Pour traiter ensuite un autre champ, cliquez tout simplement dans celui-ci et agissez dans la feuille des propriétés. Lorsque vous avez traité tous les champs souhaités, activez de nouveau le bouton Propriétés ou cliquez dans la case de fermeture de cette feuille.

Nous avons représenté ci-dessous la feuille des propriétés d'un champ qui multiplie la quantité commandée ([Quantity] - [Quantité]) par le prix unitaire ([Order Details![UnitPrice) - [Détails Commandes]![PrixUnitaire]) (Figure 10.2). Nous avons appliqué le format Monétaire et défini une légende, Total Price (Prix Total). Lorsqu'Access affiche la feuille de réponses dynamique, les valeurs de ce champ calculé apparaissent exprimées en francs et la tête de colonne porte le nom Total Price (Prix Total) (Figure 10.3).

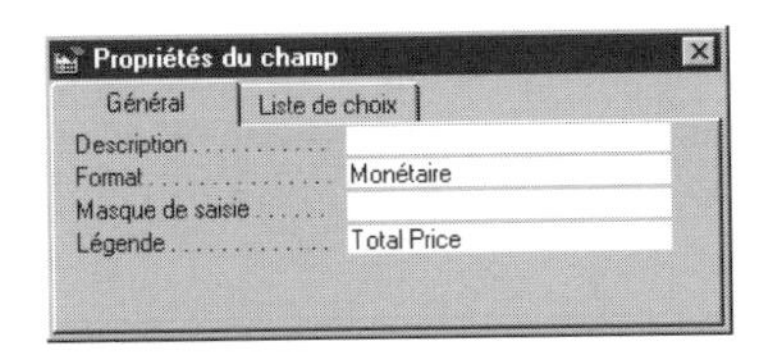

En l'absence d'une légende, Access utilise, comme tête de colonne dans la feuille de réponses dynamique, le nom du champ tel qu'il est défini dans la grille de création, à moins que le champ ne possède une légende dans la table sous-jacente.

Pour connaître l'effet d'une propriété, cliquez dans sa case, puis enfoncez la touche F1 ou la combinaison de touches Majuscule + F1 (ou le bouton Aide), puis désignez la propriété qui vous intéresse.

Changer les propriétés de la requête

Access vous donne la possibilité de modifier les propriétés de la requête proprement dite. La procédure est identique à celle que nous venons de décrire pour les champs, à une différence près : lors de l'étape n° 1, vous devez cliquer dans une zone vide de la zone des tables dans la partie supérieure de la fenêtre de création. La feuille des propriétés d'une requête Sélection ressemble à :

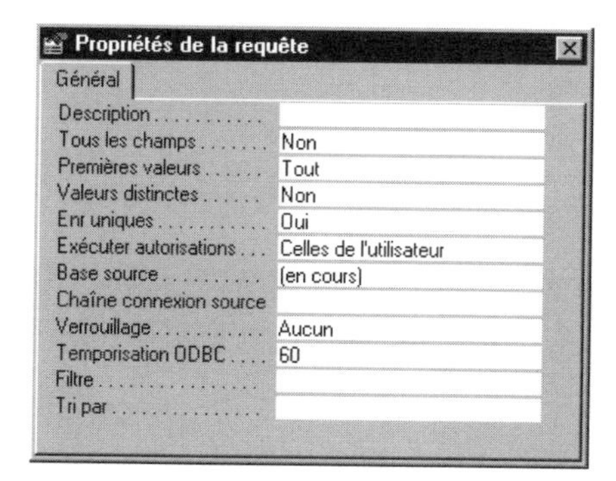

Ne pas afficher les doublons

Lorsque vous bâtissez une requête sur une table unique, Access affiche par défaut tous les enregistrements qui répondent aux critères définis. Si vous voulez éliminer les doublons, il vous suffit de fixer sur Oui la propriété Valeurs distinctes.

La Figure 10.4 illustre cette action. Afin de savoir quels numéros de carte de crédit sont représentés dans la table Payments (Paiements), nous avons construit une requête qui affiche uniquement les champs CardHoldersName (NomDétenteurs-Carte) non vides. Notez que la requête sélectionne tous les enregistrements, y compris les doublons (partie gauche de la Figure 10.4). Pour se débarrasser de ces derniers (partie droite de la Figure 10.4), nous avons sélectionné Oui pour la propriété Valeurs distinctes.

Voici quelques conseils concernant les valeurs distinctes :

- Ne placez dans la grille que le ou les champs pour lesquels vous entendez afficher des valeurs distinctes. Ainsi, pour voir des numéros de carte de crédit uniques, placez uniquement le champ CreditCardNumber (NuméroCarte-Crédit). Pour voir seulement les combinaisons du nom de la carte et de son numéro (par exemple pour connaître les clients qui ont effectué plusieurs paiements par carte), placez les champs CardHoldersName (NomDétenteurs-Carte) et CreditCardNumber (NuméroCarteCrédit).

- Vos choix en matière de propriétés affectent la fenêtre courante de création de requête. Pour afficher de nouveau les doublons, rétablissez Non dans la case de la propriété Valeurs distinctes.
- Si vous désirez compter vos doublons, utilisez une requête Opérations. Voyez “Réaliser totaux, moyennes et autres calculs” plus loin dans ce chapitre.

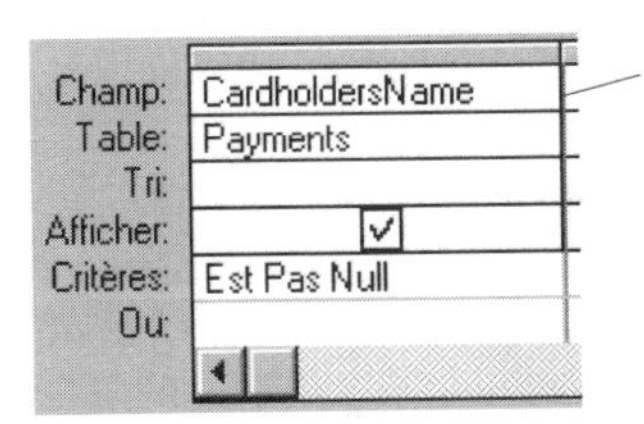

La requête affiche les enregistrements dont le champ CardHoldersName (NomDétenteursCarte) n'est pas vide.

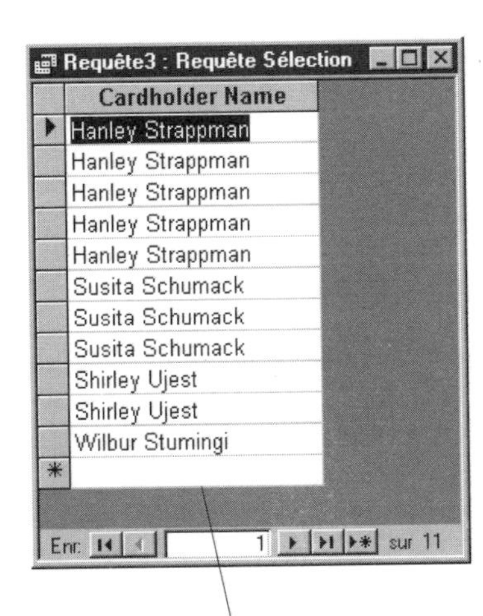

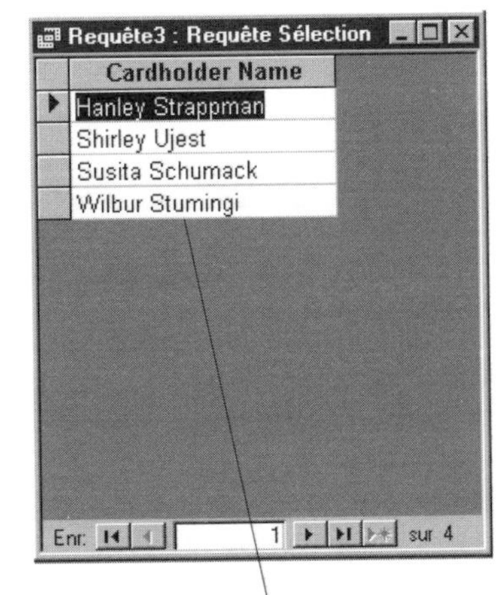

Par défaut, une requête portant une seule table affiche les doublons.

Si la propriété Valeurs distinctes est fixée sur Oui, les doublons ne sont pas affichés.

Figure 10.4 : La propriété Valeurs distinctes de la requête contrôle l'affichage des doublons dans une requête portant sur une table unique.

Lorsque vous construisez une requête basée sur plusieurs tables liées, Access n'affiche normalement pas les enregistrements en double (c'est-à-dire que la propriété Enr uniques est fixée sur Oui), mais bien les valeurs en double. Pour forcer l'affichage des doublons dans une requête multitable, choisissez Non dans les cases des propriétés Enr uniques et Valeurs distinctes. À l'inverse, pour inhiber cet affichage, fixez la propriété Valeurs distinctes sur Oui (la propriété Enr uniques passe automatiquement à Non).

Afficher les premières valeurs

Pour isoler les *n* premières valeurs d'une liste, ou *n* % des enregistrements, modifiez la propriétés Première valeurs de la feuille des propriétés de la requête ; vous pouvez aussi agir dans la case du menu Premières valeurs de la barre d'outils Création de requête. Ainsi, supposons que vous souhaitiez afficher les dix premiers paiements de la table Payments (Paiements).

La requête illustrée à la Figure 10.5 affiche ces dix premiers enregistrements, plus tout enregistrement dont les valeurs dans chaque champ sont égales aux valeurs des champs correspondants du dixième enregistrement.

Notez que le champ utilisé pour afficher les *n* premières valeurs doit être le champ trié placé à l'extrême gauche dans la grille de création ; de plus, vous devez trier ce champ par ordre décroissant si vous voulez voir les premières valeurs. (Pour voir les *n* dernières valeurs, triez par ordre croissant.) La Figure 10.6 montre le résultat de la requête de la Figure 10.5.

Pour afficher les premières ou les dernières valeurs sans doublons, fixez sur Oui la propriété Valeurs distinctes de la feuille des propriétés de la requête.

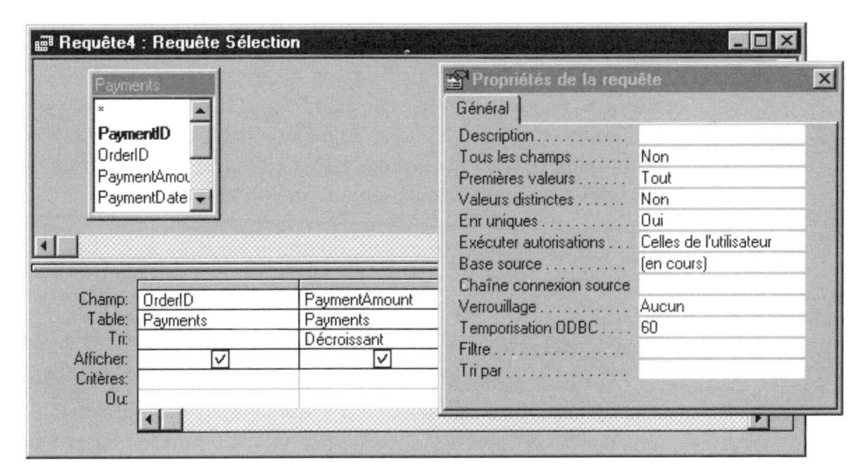

Figure 10.5 : Cette requête affiche les dix premières valeurs.

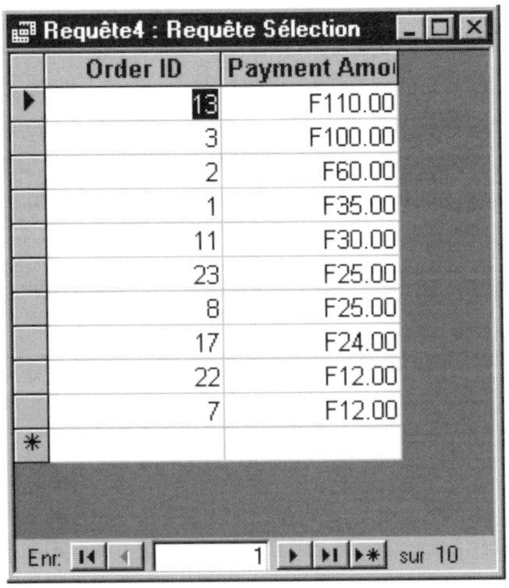

Requête4 : Requête Sélection

Order ID	Payment Amo
13	F110.00
3	F100.00
2	F60.00
1	F35.00
11	F30.00
23	F25.00
8	F25.00
17	F24.00
22	F12.00
7	F12.00

Enr: 1 sur 10

Figure 10.6 : Les dix premières valeurs affichées.

Joindre des tables

Vous pouvez joindre des tables si vous souhaitez limiter le nombre d'enregistrements affichés dans votre feuille de réponses dynamique ou afficher simultanément des données issues de plusieurs tables liées. Ainsi, si vous joignez les tables Customers (Clients) et Orders (Commandes), la feuille de réponses dynamique n'affichera que les enregistrements d'une table qui sont liés à ceux d'une autre table (dans notre exemple : les clients dont la commande n'a pas encore été honorée). Autre exemple ; si vous joignez les tables Employees (Employés) et Orders (Commandes), la feuille de réponses dynamique n'affichera que les employés ayant traité des commandes de la table Orders (Commandes).

Access opère des jointures automatiques lorsque vous ajoutez des tables dans la fenêtre de création de requête...

- Si vous avez établi une relation entre ces tables (Chapitre 6),
- Ou bien si les tables comportent des champs qui ont le même nom et le même type de données (ou un type compatible). Ainsi, étant donné que les tables Customers (Clients) et Orders (Commandes) possèdent toutes deux un champ numérique appelé CustomerID (N° Client), Access joint ces tables automatiquement.

Des traits apparaissent entre les tables liées dans la fenêtre de création de requête, qui traduisent la nature de la relation que ces tables entretiennent, les champs qui sont joints et le statut de l'intégrité référentielle (Figure 10.2).

Il se peut que les jointures automatiques pratiquées par Access ne vous conviennent pas, sauf si vous avez, à dessein, établi ces relations dans la fenêtre Relations (Outils/Relations). Pour empêcher le programme d'établir des liens en se basant sur sa "propre intuition", choisissez Outils/ Options et activez l'onglet Tables/Requêtes. Dans la rubrique Création de requête, désactivez l'option Activer la jointure automatique, puis cliquez sur OK. Le Chapitre 15 vous explique comment personnaliser Access.

Il existe trois sortes de jointures : la *jointure interne* (encore appelée équijointure), la *jointure externe* et la *jointure réflexive* (ou autojointure) ; les sections suivantes leur sont consacrées.

Jointures internes

Dans une jointure interne, les enregistrements des tables jointes doivent comporter des valeurs identiques dans les champs qui servent à la jointure. Ce type de jointure répond à des questions comme : "Qui sont les clients qui ont passé plusieurs commandes ?" Les Figures 10.2 et 10.3 vous ont présenté des jointures internes. Quand Access opère des jointures automatiques fondées sur les noms et les types des champs, il s'agit toujours de jointures internes.

Jointures externes

Dans une jointure externe, tous les enregistrements de la première table sont affichés dans la feuille de réponses dynamique, même ceux qui n'ont pas, dans le champ de jointure, de valeur correspondante dans l'autre table. Par contre, les enregistrements de la seconde table ne sont affichés *que s'il* existe une correspondance dans le champ commun. Les jointures externes se répartissent en deux catégories : les jointures externes gauches et les jointures externes droites.

Prenons l'exemple des employés et des commandes : une *jointure externe gauche* affiche tous les employés et toutes les commandes qu'ils ont traitées (les informations de commande seront vierges pour les employés n'ayant traité aucune commande) ; la Figure 10.7 schématise cette situation.

Cette requête à jointure externe gauche…

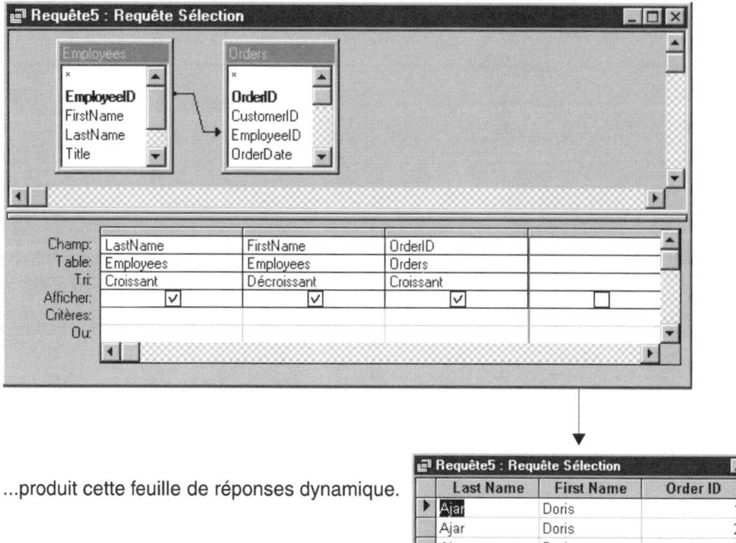

…produit cette feuille de réponses dynamique.

Requête5 : Requête Sélection

Last Name	First Name	Order ID
Ajar	Doris	1
Ajar	Doris	2
Ajar	Doris	6
Ajar	Doris	7
Ajar	Doris	10
Ajar	Doris	16
Ajar	Doris	17
Ajar	Doris	21
Ajar	Doris	25
Clozure	Lane	
Honcho	Ed	
Lift	Anita	3
Lift	Anita	8
Lift	Anita	22

Enr: 1 sur 29

Figure 10.7 : Une jointure externe gauche entre les tables Employees (Employés) et Orders (Commandes) et la feuille de réponses dynamique qui en découle.

Une jointure externe droite afficherait tous les numéros de commandes et les employés qui ont traité ces commandes (ceux qui n'en auraient traité aucune commande n'apparaîtraient pas dans la liste) ; voyez la Figure 10.8.

Jointures réflexives

Enfin, dans une *jointure réflexive*, la table est jointe à elle-même. Ce type de jointure est particulièrement utile dans le cas où un champ d'une table fait référence à un autre champ de la même table. Reprendre figure

Cette requête à jointure externe droite...

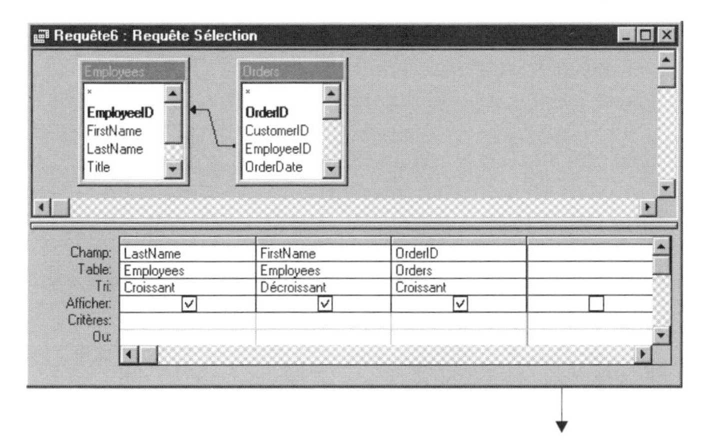

...produit cette feuille de réponses dynamique.

Requête6 : Requête Sélection

Last Name	First Name	Order ID
Ajar	Doris	1
Ajar	Doris	2
Ajar	Doris	6
Ajar	Doris	7
Ajar	Doris	10
Ajar	Doris	16
Ajar	Doris	17
Ajar	Doris	21
Ajar	Doris	25
Lift	Anita	3
Lift	Anita	8
Lift	Anita	22
Lift	Anita	24

Enr: 1 sur 25

Figure 10.8 : Une jointure externe droite entre les tables Employees (Employés) et Orders (Commande) et la feuille de réponses dynamique correspondante.

Prenons l'exemple de la table révisée Employees With Supervisors (Employés Avec Superviseurs) :

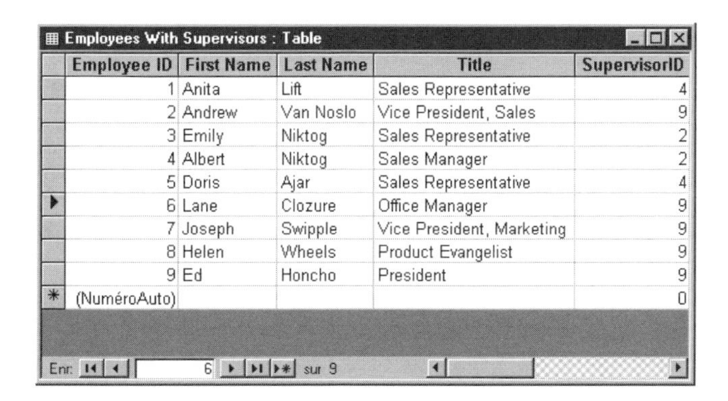

Employees With Supervisors : Table

Employee ID	First Name	Last Name	Title	SupervisorID
1	Anita	Lift	Sales Representative	4
2	Andrew	Van Noslo	Vice President, Sales	9
3	Emily	Niktog	Sales Representative	2
4	Albert	Niktog	Sales Manager	2
5	Doris	Ajar	Sales Representative	4
6	Lane	Clozure	Office Manager	9
7	Joseph	Swipple	Vice President, Marketing	9
8	Helen	Wheels	Product Evangelist	9
9	Ed	Honcho	President	9
(NuméroAuto)				0

Enr: 6 sur 9

La Figure 10.9 illustre une requête qui dresse la liste des superviseurs et des employés qu'ils dirigent. Pour faciliter l'interprétation de la feuille de données dynamique, nous avons attribué une légende à chaque champ. En regardant cette feuille, il est aisé de dégager la structure de la société : Le président Ed Honcho dirige Lane Clozure, Joseph Swipple, Andrew Van Noslo et Helen Wheels ; le responsable des ventes Albert Niktog dirige Doris Ajar et Anita Lift ; le vice-président Andrew Van Noslo dirige Albert Niktog et Emily Niktog.

Cette requête à jointure exclusive...

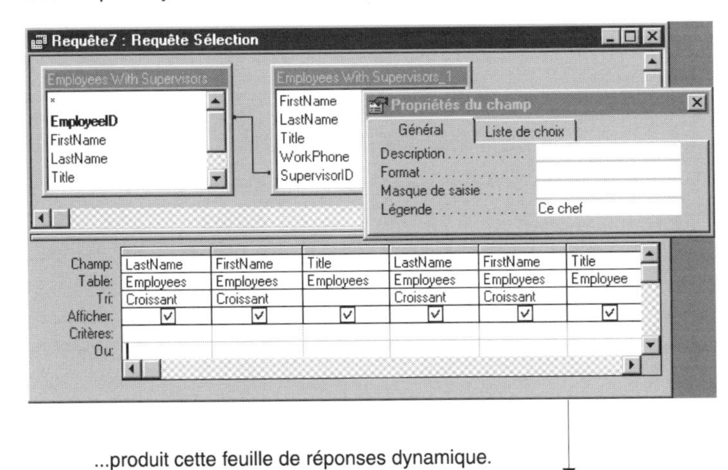

Requête7 : Requête Sélection

Ce chef	>>>	>>>	dirige	<<<	<<<
Honcho	Ed	President	Clozure	Lane	Office Manager
Honcho	Ed	President	Honcho	Ed	President
Honcho	Ed	President	Swipple	Joseph	Vice President, Marketing
Honcho	Ed	President	Van Noslo	Andrew	Vice President, Sales
Honcho	Ed	President	Wheels	Helen	Product Evangelist
Niktog	Albert	Sales Manager	Ajar	Doris	Sales Representative
Niktog	Albert	Sales Manager	Lift	Anita	Sales Representative
Van Noslo	Andrew	Vice President, Sales	Niktog	Albert	Sales Manager
Van Noslo	Andrew	Vice President, Sales	Niktog	Emily	Sales Representative

Enr: 1 sur 9

Figure 10.9 : Cette jointure exclusive de la table Employees (Employés) montre les superviseurs et leurs subordonnés. La table située à gauche est intitulée Employees With Supervisors (Employés Avec Superviseurs) ; la table à jointure exclusive située à droite s'appelle, quant à elle, Employees With Supervisors_1 (Employés Avec Superviseurs_1).

Pour créer une jointure réflexive, placez deux fois la table dans la fenêtre de création de requête. (Access ajoute un trait de soulignement suivi d'un chiffre au nom de la seconde table, comme dans Employees With Supervisors_1 (Employés Avec Superviseurs_1).) Créez ensuite une jointure interne entre les champs concernés des deux tables (voyez la section suivante). Dans la Figure 10.9, par exemple, nous avons joint le champ EmployeeID (N° Employé) de la table Employees With Supervisors (Employés Avec Superviseurs), à gauche au champ SupervisorID (N° Superviseur) dans la table Employees With Supervisors_1 (Employés Avec Superviseurs_1), à droite.

Définir une jointure interne

Pour définir n'importe quel type de jointure, commencez par définir une jointure interne :

1. Affichez la fenêtre de création de requête et ajoutez toutes les tables que vous voulez joindre. Si une ligne de jointure s'affiche spontanément, votre travail est terminé.
2. Dans le cas contraire, pour joindre deux tables manuellement, faites glisser le nom d'une table vers un champ de même type dans l'autre table. Vous choisirez normalement le champ clé primaire (qui est affiché en gras).

Une ligne de jointure apparaît ; elle unit les champs joints dans chaque table, comme dans l'exemple ci-dessous :

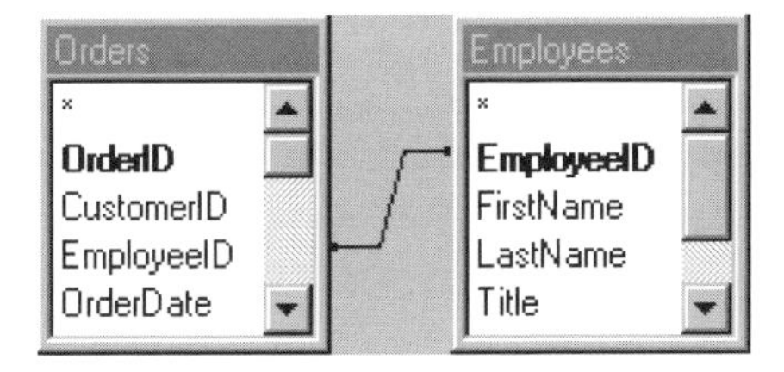

Modifier le type de jointure

Pour modifier le type de jointure qui unit deux tables :

1. Cliquez avec le bouton droit de la souris sur la ligne de la jointure concernée et choisissez Propriétés de la jointure ; ou cliquez deux fois sur le segment fin du trait de jointure. La boîte de dialogue Propriétés de la jointure s'affiche.

Si, lorsque vous cliquez deux fois, votre souris n'est pas positionnée sur le segment fin ou si la ligne n'est pas affichée en gras, c'est la feuille de propriétés de la requête qui s'affiche, plutôt que celle de la jointure. Dans ce cas, fermez la feuille et recommencez la manoeuvre.

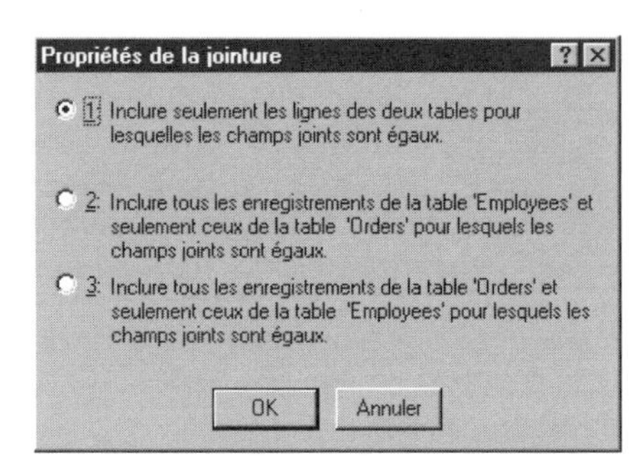

2. Dans cette fenêtre, activez l'option souhaitée. La première produit une jointure interne ; la deuxième crée une jointure externe gauche ; la troisième établit une jointure externe droite.

3. Cliquez sur OK. Access modifie la ligne de jointure afin qu'elle reflète le choix que vous venez de faire.

Les Figures 10.7 et 10.8 représentent des jointures externes gauche et droite, respectivement.

Si vous êtes amené à créer souvent des jointures manuelles, vous avez intérêt à établir des relations permanentes entre les tables. Pour ce faire, réactivez la fenêtre Base de données, choisissez Outils/Options ou activez le bouton Relations de la barre d'outils Base de données ; définissez ensuite le style de jointure que vous souhaitez (Chapitre 6).

Supprimer une jointure

C'est enfantin :

1. Cliquez sur le segment fin de la ligne de la jointure concernée afin que cette ligne s'affiche en gras.

2. Enfoncez la touche Suppr.

Si la ligne de jointure n'apparaît pas en gras lorsque vous appuyez sur la touche Suppr, vous risquez d'effacer la table de la fenêtre de création de requête. Si cela vous arrive, vous devrez rajouter la table (Requête/Ajouter une table) ainsi que ses champs.

Pour en savoir plus sur les jointures, consultez l'entrée d'index *jointures.*

Afficher la structure d'une base de données complète

Vous avez appris dans le Chapitre 6 que la fenêtre Relations vous permet d'obtenir une vue d'ensemble de toutes les tables de votre base de données et des relations qu'elles entretiennent les unes avec les autres. Rappelons brièvement la marche à suivre :

1. Réactivez la fenêtre Base de données et choisissez Outils/Relations ou activez le bouton Relations de la barre d'outils Base de données.
2. Pour afficher toutes les relations, choisissez Relations/Afficher toutes les relations ou activez le bouton Afficher toutes les relations de la barre d'outils Relations.
3. Si nécessaire, réorganisez les tables dans la fenêtre afin que les lignes de jointure ne soient pas entremêlées (Figure 10.10).

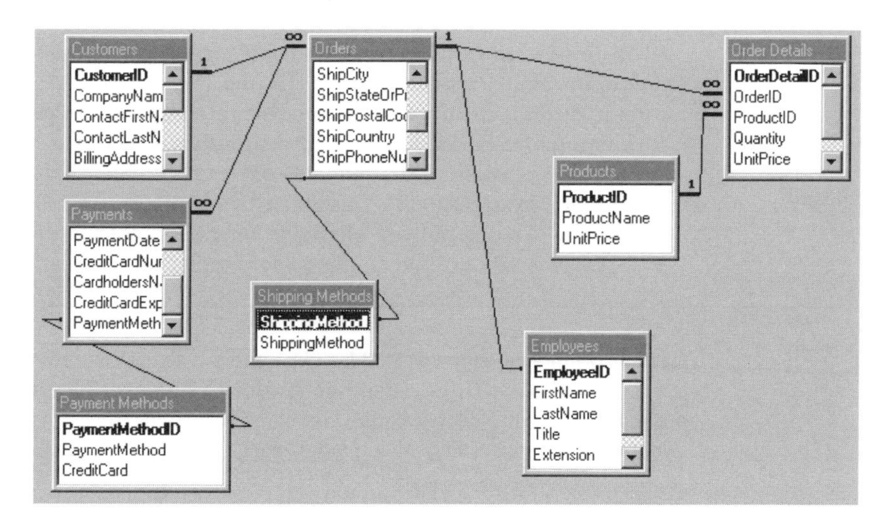

Figure 10.10 : La fenêtre Relations de la base de données Ordentry (Gestionnaire de commandes).

Créer des requêtes autoconsultation

Supposons qu'un client vous appelle pour passer une commande.

Étant donné que ses coordonnées sont stockées dans la table Customers (Clients), vous êtes dispensé de les retaper : il vous suffit de les extraire de cette table en utilisant une requête Sélection spéciale appelée *requête autoconsultation*.

Votre action se bornera à entrer, sur le bon de commande, le numéro du client, c'est-à-dire le CustomerID (N° Client), et Access y inscrira automatiquement toutes les données relatives à ce client.

L'autoconsultation est utilisable dans les requêtes où deux tables sont liées par une relation "un-à-plusieurs" et où le champ de jointure du côté "un" de la relation présente un index unique.

En d'autres termes, le champ de jointure du côté "un" doit être soit une clé primaire, soit un champ indexé (propriété Indexé fixée sur Oui - Sans doublons).

Ne confondez pas champ consultation (Chapitre 6) et requête autoconsultation. Un champ consultation affiche une liste de valeurs qui facilite l'encodage de données dans ce champ. Une requête autoconsultation remplit automatiquement les données correspondantes du côté "un" d'une requête "un-à-plusieurs" lorsque vous entrez de nouvelles données dans le champ de jointure du côté "plusieurs" de la relation. Comme l'illustre la Figure 10.11, vous pouvez employer un champ consultation (par exemple, CustomerID (N° Client)) dans une requête autoconsultation.

Dans l'exemple classique des tables Customers (Clients) et Orders (Commandes), le champ CustomerID (N° Client) de la table Customers (Clients) est une clé primaire du côté "un" de la relation. Le champ CustomerID (N° Client) de la table Orders (Commandes) se trouve, pour sa part, du côté "plusieurs" de cette relation.

Pour construire une requête autoconsultation : placez le champ de jointure du côté "plusieurs" de la relation dans la grille de création. Ce champ est le champ *autoconsultation*. Par exemple, ajoutez dans la grille le champ CustomerID (N° Client) de la table Orders (Commandes) (et non celui la table Customers (Clients)).

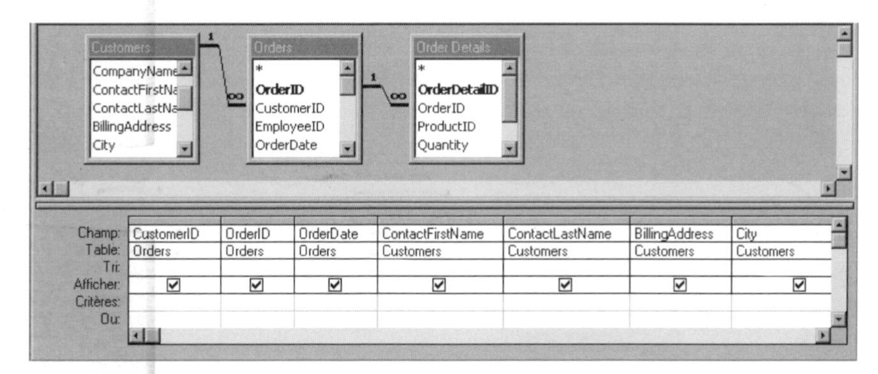

Figure 10.11 : Une requête autoconsultation utilise des champs joints du côté "plusieurs" de la relation pour consulter et inscrire automatiquement des informations dans le champ situé du côté "un" de cette relation.

Pour que l'autoconsultation fonctionne, il est indispensable de pouvoir modifier le contenu du champ d'autoconsultation du côté "plusieurs" de la requête. Si vous essayez de modifier le contenu d'un champ qui n'est pas modifiable, Access vous explique, dans la barre d'état, que cette opération est irréalisable.

La Figure 10.11 affiche une requête autoconsultation dans laquelle le champ CustomerID (N° Client) de la table Orders (Commandes) est un champ autoconsultation pour les informations relatives au client. La Figure 10.12, pour sa part, affiche la feuille de réponses dynamique après que nous avons choisi RNAA Associates dans la liste déroulante du champ CustomerID (N° Client) dans la ligne vide placée dans la partie inférieure de la feuille de données. Dès que nous avons sélectionné un nom de société dans le champ autoconsultation, Access a inscrit automatiquement les informations relatives au client dans les champs correspondants.

Lorsque vous créez des requêtes destinées à l'entrée de données, prenez soin d'inclure les champs requis et les champs validés ; assurez-vous également que leurs boîtes Afficher sont actives dans la grille de création. Si ces champs ne font pas partie de la requête, Access risque d'afficher des messages d'erreur vous indiquant que le contenu de ces champs ne convient pas ou est manquant. Malheureusement, la personne chargée de l'encodage ne pourra pas intervenir parce que ces champs n'apparaissent pas.

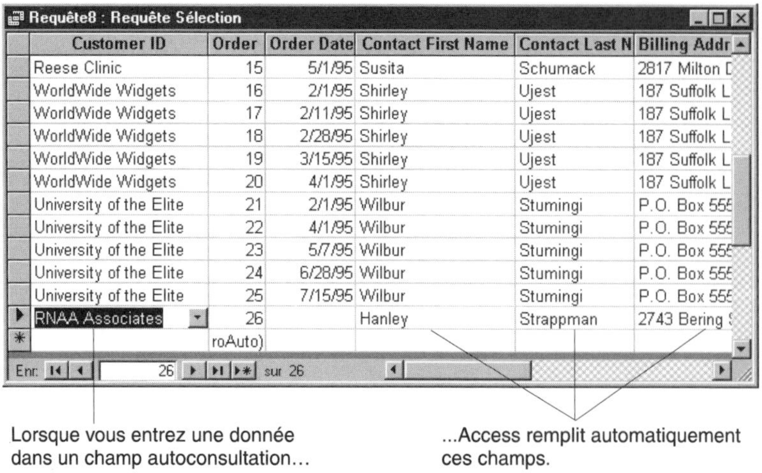

Requête8 : Requête Sélection

	Customer ID	Order	Order Date	Contact First Name	Contact Last N	Billing Addr
	Reese Clinic	15	5/1/95	Susita	Schumack	2817 Milton D
	WorldWide Widgets	16	2/1/95	Shirley	Ujest	187 Suffolk L
	WorldWide Widgets	17	2/11/95	Shirley	Ujest	187 Suffolk L
	WorldWide Widgets	18	2/28/95	Shirley	Ujest	187 Suffolk L
	WorldWide Widgets	19	3/15/95	Shirley	Ujest	187 Suffolk L
	WorldWide Widgets	20	4/1/95	Shirley	Ujest	187 Suffolk L
	University of the Elite	21	2/1/95	Wilbur	Stumingi	P.O. Box 555
	University of the Elite	22	4/1/95	Wilbur	Stumingi	P.O. Box 555
	University of the Elite	23	5/7/95	Wilbur	Stumingi	P.O. Box 555
	University of the Elite	24	6/28/95	Wilbur	Stumingi	P.O. Box 555
	University of the Elite	25	7/15/95	Wilbur	Stumingi	P.O. Box 555
▶	RNAA Associates	26		Hanley	Strappman	2743 Bering S
*		roAuto)				

Enr: 26 sur 26

Lorsque vous entrez une donnée dans un champ autoconsultation...

...Access remplit automatiquement ces champs.

Figure 10.12 : Voici la feuille de réponses dynamique que produit la requête autoconsultation présentée à la Figure 10.11. Dès que nous avons choisi RNAA Associates dans la liste déroulante CustomerID (N° Client), Access a automatiquement introduit toutes les informations relatives au client.

Utiliser des paramètres pour les critères

Si vous devez modifier vos critères chaque fois que vous exécutez une requête Sélection, vous avez tout intérêt, dans les cases de la grille de création, à utiliser des *paramètres* plutôt que des valeurs spécifiques. Un paramètre agit à la manière d'une réserve que vous remplissez lorsque vous exécutez la requête.

Pour définir un paramètre :

1. Créez votre requête normalement, mais ne définissez pas le critère.
2. Cliquez dans la case Critères du champ à isoler. Au lieu d'y entrer la donnée que vous recherchez, tapez un paramètre entre crochets. Ce paramètre ne peut être identique à un nom de champ (bien qu'il puisse en inclure un) et doit idéalement se présenter sous la forme d'une question à laquelle l'utilisateur répondra. Répétez la procédure pour les différents champs concernés.
3. Choisissez Requête/Paramètres ou cliquez avec le bouton droit de la souris dans une place vide de la zone des tables de la fenêtre de création de requête et choisissez Paramètres. La boîte de dialogue Paramètres de la requête s'affiche à l'écran (Figure 10.13).

Figure 10.13 : La boîte de dialogue de la commande Paramètres.

4. Dans la colonne Paramètre, tapez le premier paramètre que vous voulez qu'Access vous soumette lors de l'exécution de la requête ; tapez *exactement* ce qui est inscrit dans la case Critères de la grille de création, crochets exceptés. (Si les deux graphies ne sont pas entièrement identiques, Access affichera un message lors de l'exécution de la requête, vous demandant la valeur des deux paramètres, et vous n'obtiendrez pas les résultats escomptés.)

5. Dans la colonne Type de données, choisissez le type de données du paramètre. Ce type doit être identique ou compatible avec le type de données du champ correspondant dans la grille de création. (Normalement, Access insère lui-même les crochets lorsque vous enfoncez la touche Tabulation ou activez la case Type de données.)

6. Répétez les étapes n° 4 et 5 pour chaque paramètre. Cliquez ensuite sur OK.

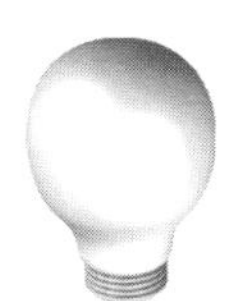

Pour accélérer la procédure, vous pouvez ignorer les étapes 3 à 5 ci-dessus, c'est-à-dire ne pas définir les paramètres dans la boîte de dialogue Paramètres de la requête. Lorsque vous exécuterez cette requête, Access affichera les questions tapées à l'étape n° 2 dans leur ordre d'apparition dans la grille de création, en commençant par celle placée la plus à gauche et en procédant ensuite linéairement. Toutefois, ne sautez pas ces étapes si 1) vous faites appel à des paramètres dans une requête Analyse croisée ou dans une requête comportant des paramètres sur laquelle est fondée une requête Analyse croisée ou un graphique, ou si 2) vous créez un paramètre pour un champ de type Oui/Non ou pour des champs issus d'une table d'une base de données externe. En ce qui concerne les requêtes Analyse croisée, n'oubliez pas de brancher la propriété En-têtes des colonnes de la feuille des propriétés de la requête.

La Figure 10.13 affiche une requête qui fait appel à des paramètres. Lorsque vous exécutez cette requête, Access affiche d'abord le message suivant :

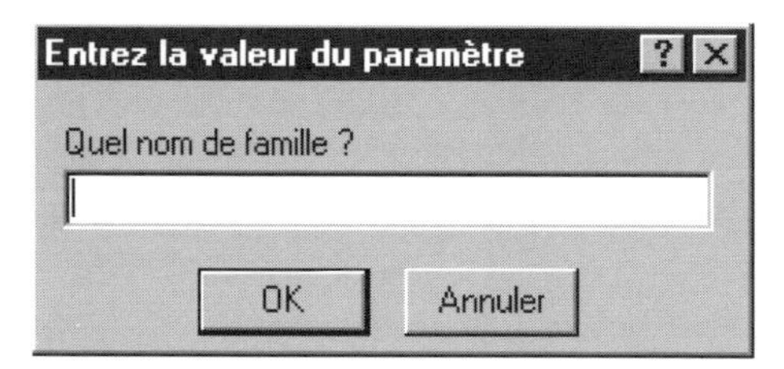

Tapez le nom d'un client, comme **Adams**, puis cliquez sur OK. Un nouveau message apparaît, intitulé "Quel état ?" ; cette fois, entrez un état, comme **CA**, puis cliquez sur OK. (Access vous propose systématiquement les paramètres dans l'ordre dans lequel ils sont placés dans la fenêtre de création. Si vous n'avez rien inscrit dans cette fenêtre, le programme affiche les paramètres de gauche à droite.) La feuille de réponses dynamique affiche un seul client dénommé Adams et habitant la Californie.

Un paramètre peut faire partie d'un critère de sélection. Ainsi, vous pouvez remplacer le critère [Quel nom de famille ?] de la Figure 10.13 par :

```
Comme [Quel nom de famille ?]&"*"
```

Lors de l'exécution de cette requête, Access vous propose le même message, mais la donnée que vous tapez est intégrée à l'expression "Comme", plus générale. Ainsi, si vous tapez **Adams**, le programme convertit votre entrée en **Comme Adams*** et affiche les enregistrements qui commencent par *Adams* (Adams, Adamson, Adams et Lee, etc.)

L'opérateur & sert à concaténer les chaînes de caractères entre lesquelles il est placé. Ainsi, *Comme"*"&[Quel nom de famille ?]&"*"* signifie *Comme*Adams si vous entrez *Adams* dans la boîte de dialogue Entrez la valeur du paramètre. Cet exemple isole des fiches comme McAdams, Adams, Adamson, etc.**

Vous pouvez placer des paramètres dans toutes les cases qui admettent du texte normal ou un nom de champ.

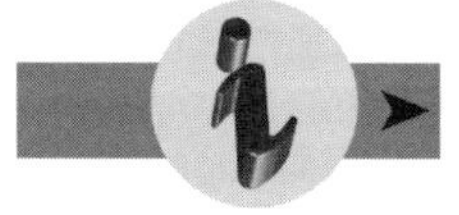

Comme d'habitude, n'hésitez pas à vous faire seconder par l'aide en ligne ; à propos des paramètres, consultez plus particulièrement l'entrée d'index *requêtes paramétrées*.

Réaliser totaux, moyennes et autres calculs

Différents outils vous permettent de réaliser des calculs sur vos données :

- Vous pouvez introduire ces calculs dans les cases Critères (Chapitre 9).
- Vous pouvez réaliser une opération et afficher le résultat qu'elle produit dans un champ calculé stocké dans les tables sous-jacentes. Ainsi, dans la Figure 10.2, un champ calculé nommé $ multiplie le champ [Quantity] ([Quantité]) par le champ [Order Details]![UnitPrice] ([Détails Commandes]![PrixUnitaire]). Les résultats s'affichent dans la colonne Total Price (Prix Total) de la Figure 10.3.
- Vous pouvez regrouper des enregistrements selon le contenu de certains champs et calculer des valeurs récapitulatives pour chaque groupe de données isolé. Vous pouvez ainsi déterminer combien d'articles ont été commandés à telle ou telle date, combien de commandes chaque client a passées, quel est le montant des commandes par produit, etc.

Les sections suivantes vous apprennent à utiliser des champs calculés et des récapitulatifs.

Utiliser des champs calculés

Pour créer un champ calculé, cliquez dans une case Champ vide de la grille de création, puis tapez l'expression du calcul. Si vous faites référence à d'autres champs, placez les noms de ces derniers entre crochets. Si plusieurs tables dans votre requête présentent un nom de champ identique, vous devez spécifier à la fois le nom de la table et celui du champ, en utilisant le format suivant *[Nom de la table]![Nom du champ]*. Ainsi, pour multiplier le champ de la quantité par celui du prix unitaire dans la table Order Details (Détails Commandes), vous devez taper dans une cellule Champ vide **[Quantity]*[Order Details]![UnitPrice]** ([Quantité]*[Détails Commandes]![PrixUnitaire]).

Vous pouvez attribuer un titre à ce champ calculé dans la feuille de réponses dynamique et utiliser ce titre comme nom de champ dans d'autres calculs. Pour ce faire, tapez le titre juste devant l'expression, suivi du signe : (deux-points), comme :

```
ExtPrice:[Quantity]*[Order Details]![UnitPrice]
HorsTaxe:[Quantité]*[Détails Commandes]![PrixUnitaire]
```

Ce champ calculé baptisé *ExtPrice* (HorsTaxe) peut désormais intervenir dans un autre champ calculé. Ainsi, pour calculer le prix taxe comprise :

```
WithTaxe:[ExtPrice]*(1+[SalesTaxRate])
AvecTaxe:[HorsTaxe]*(1+[TauxTVA])
```

Voici l'état de la grille correspondante :

Champ:	ProductName	SalesTaxRate	ExtPrice: [Quantity]*[Order Details]![UnitPrice]	WithTax: [ExtPrice]*(1+[SalesTaxRate])
Table:	Products	Orders		
Tri:	Croissant	Croissant		
Afficher:	☑	☑	☑	☑
Critères:				
Ou:				

Les résultats de cette requête :

Requête10 : Requête Sélection

Product Name	Sales Tax Rat	ExtPrice	WithTax
Baseball	6.00%	8.75	F9.27
Baseball	7.25%	17.5	F18.77
Basketball	0.00%	4.95	F4.95
Basketball	5.00%	9.9	F10.40
Basketball	6.00%	9.9	F10.49
Basketball	7.25%	9.9	F10.62
Basketball	7.25%	4.95	F5.31
Billiard balls	0.00%	127.45	F127.45
Billiard balls	0.00%	254.9	F254.90
Billiard balls	5.25%	127.45	F134.14
Crystal ball	0.00%	45.55	F45.55
Crystal ball	0.00%	45.55	F45.55
Crystal ball	0.00%	45.55	F45.55

Enr: 1 sur 49

Vous pouvez utiliser l'opérateur **&** pour juxtaposer du texte des champs dans un seul champ calculé. Prenez soin de placer le texte entre guillemets, y compris les espaces.

Considérons à présent quelques exemples de champs calculés qui utilisent cet opérateur pour afficher les valeurs des champs FirstName (Prénom) et LastName (Nom) de la table Employees (Employés) dans une seule colonne de la feuille de réponses dynamique.

Partant du principe que le prénom est *Helen* et que le nom est Wheels, le champ calculé suivant affiche *Helen Wheels* :

```
[FirstName]&" "&[LastName]
[Prénom]&" "&[Nom]
```

Pour afficher *Wheels, Helen*, définissez le champ comme suit :

```
[LastName]&", "&[FirstName]
```

```
[Nom]&", "&[FirstName]
```

Et si vous vous sentez en forme, tapez :

```
"Hey "&[FirstName]&" "&[LastName]&" ! How are ya ?"
"Salut "&[Prénom]&" "&[Nom]&" ! Comment va ?"
```

pour afficher :

```
Hey Helen Wheels ! How are ya ?
Salut Helen Wheels ! Comment va ?
```

Pour tirer tout le parti possible des champs calculés, ne négligez pas les règles suivantes :

- **Si vous n'attribuez pas un nom à un champ calculé,** Access lui en affecte un, peu significatif, comme *Expr1, Expr2, Expr3*, etc. Remplacez ces noms génériques par des noms plus évocateurs si vous le jugez nécessaire.
- **Si vous orthographiez mal le nom d'un champ placé entre crochets,** Access traite ce champ comme s'il s'agissait d'un paramètre lorsque vous exécutez la requête. Vous devrez alors cliquer sur Annuler dans la boîte de dialogue Entrez la valeur du paramètre et réactiver le mode de création de requête pour corriger vos erreurs.
- **Si vous souhaitez modifier les propriétés d'un champ calculé** (afin de contrôler sa légende et son format dans la feuille de réponses dynamique), cliquez avec le bouton droit de la souris dans le champ, choisissez Propriétés et définissez les propriétés souhaitées.
- **Si vous entrez des expressions de calcul relativement longues,** utilisez le Zoom (Majuscule + F2) pour disposer d'une zone de saisie plus confortable (la boîte Zoom a été décrite plus haut dans ce chapitre).

- **Si vous devez construire des expressions et des critères complexes,** vous pouvez invoquer le Générateur d'expression (Figure 10.14). Pour accéder à ce Générateur, cliquez dans la case concernée de la grille de création, puis activez le bouton Générer de la barre d'outils Création de requête (représenté à gauche) ; ou cliquez avec le bouton droit de la souris dans cette case et choisissez Générer. Vous pouvez alors taper l'expression et la modifier dans la partie supérieure de la fenêtre du Générateur d'expression. Cet outil est capable d'entrer à votre place des noms de champs, des opérateurs et des expressions diverses : placez votre pointeur dans la case d'édition, puis cliquez une ou deux fois sur les éléments des listes de la partie inférieure de la fenêtre ou cliquez sur les boutons représentant les opérateurs situés dans la partie centrale. (Le bouton ? (Aide) vous fournit de plus amples informations sur la manière de vous exprimer dans cette fenêtre.) Pour quitter le Générateur d'expression et sauvegarder votre travail, cliquez sur OK.

Cliquez sur un bouton pour transférer l'opérateur dans la case d'édition.

Placez votre pointeur, puis tapez ou modifiez le contenu de la case d'édition.

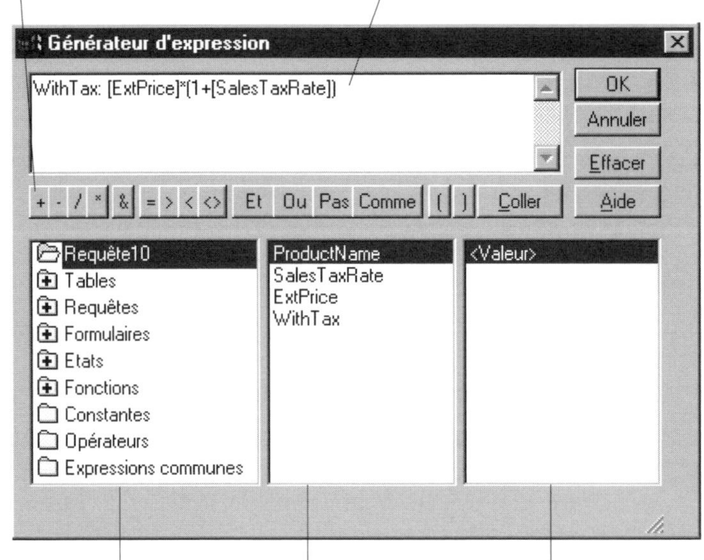

Cliquez une ou deux fois dans cette liste pour afficher des informations dans les listes voisines.

Puis cliquez deux fois sur un élément de cette liste pour le coller au niveau du point d'insertion dans la case d'édition de la partie supérieure de la fenêtre, ou mettez cet élément en surbrillance puis cliquez sur Coller.

Puis cliquez dans cette liste pour afficher des informations dans la liste de droite.

Figure 10.14 : Le Générateur d'expression.

Vous ne pouvez accéder au contenu d'un champ calculé dans la feuille de réponses dynamique. Par contre, les autres champs *sont* accessibles ; si vous modifiez leur contenu, la valeur du champ calculé est recalculée automatiquement.

Access dispose de dizaines de fonctions susceptibles d'être exploitées dans des champs calculés. Les plus utiles d'entre elles sont présentées dans la section "Créer vos propres expressions de calcul" plus loin dans ce chapitre. D'une manière générale, les fonc-

tions sont commentées dans l'aide en ligne, sous l'entrée d'index *fonctions, rubriques de référence* ; pensez aussi à y chercher directement le nom de la fonction qui vous intéresse, comme *fonction Moyenne*.

Regrouper vos données

Supposons que vous souhaitiez savoir combien de vos clients habitent Los Angeles et quel est le prix moyen des articles que vous avez vendus en février. Seules des *fonctions de regroupement* permettent de répondre à ces questions. En fait, elles diffèrent des champs calculés par le fait qu'elles sont capables de réaliser des calculs sur des valeurs, comme une somme ou une moyenne, présentes dans *plusieurs enregistrements* d'une table.

Pour regrouper vos données en toute facilité, faites appel à l'Assistant Requête Simple, décrit plus haut dans ce chapitre.

Pour créer une fonction de regroupement :

1. Créez une requête Sélection simple. Faites glisser vers la grille de création tous les champs que vous voulez regrouper ou sur lesquels vous souhaitez réaliser un calcul. N'utilisez pas d'astérisque dans les noms de champs de la grille.

2. Activez le bouton Opérations de la barre d'outils Création de requête (représenté à gauche). Une ligne Opération apparaît dans la grille, avec la mention *Regroupement* affichée dans chaque colonne.
3. Maintenez cette mention dans les champs qui vont servir au regroupement des données.
4. Dans la case Opération du champ dans lequel vous voulez exécuter une fonction de regroupement, choisissez l'une des options répertoriées dans le Tableau 10.2.
5. Si nécessaire, ajoutez des champs calculés, des spécifications relatives au tri et des critères de sélection. Ensuite...

- Si vous avez prévu des critères de sélection dans des colonnes que vous ne souhaitez pas regrouper, affectez à ces colonnes la valeur *Où* dans la case Opération.

- Si vous avez créé des champs calculés dans des colonnes que vous ne souhaitez pas regrouper, affectez à ces colonnes la valeur *Expression* dans la case Opération.

6. Activez le mode feuille de données pour visualiser le résultat.

Fonction de regroupement	Opération effectuée	S'emploie avec des données de type
Compte	Nombre de valeurs non vides	Tous types
Dernier	Valeur du dernier enregistrement	Tous types
Ecartype	Ecart type	NuméroAuto, Monétaire, Date/Heure, Numérique, Oui/Non
Max	Valeur la plus élevée	NuméroAuto, Monétaire, Date/Heure, Numérique, Texte, Oui/Non
Min	Valeur la plus faible	NuméroAuto, Monétaire, Date/Heure, Numérique, Texte, Oui/Non
Moyenne	Moyenne	NuméroAuto, Monétaire, Date/Heure, Numérique, Oui/Non
Premier	Valeur du premier enregistrement	Tous types
Somme	Total	NuméroAuto, Monétaire, Date/Heure, Numérique, Oui/Non
Var	Variance	NuméroAuto, Monétaire, Date/Heure, Numérique, Oui/Non

Tableau 10.2 : Ces fonctions de regroupement s'utilisent dans les requêtes.

Lorsque vous construisez des fonctions de regroupement, souvenez-vous des remarques suivantes :

- Ne vous inquiétez pas si Access modifie légèrement vos fonctions après que vous les avez sauvées, fermées, puis rouvertes ; elles continueront à fonctionner correctement. Ainsi, il se peut que le programme convertisse un opérateur dans la case Opération de *Où* en *Expression*, et transforme la case Champ de :

```
Avg: [Order Details]![UnitPrice]
Moyenne: [Détails Commandes]![PrixUnitaire]
```

en une fonction de regroupement comme :

```
Avg: Avg[Order Details]![UnitPrice]
Moyenne: Moyenne[Détails Commandes]![PrixUnitaire]
```

- Vous ne pouvez pas facilement modifier les champs créés par une fonction de regroupement.

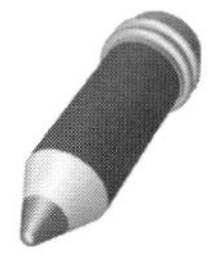

À la différence d'une requête Sélection (qui crée une *feuille de réponses dynamique* que vous pouvez généralement éditer), une fonction de regroupement crée un *instantané*. Bien que celui-ci ressemble à une feuille de réponses dynamique, vous ne pouvez y éditer vos données.

- Vous pouvez regrouper autant de champs que vous le souhaitez ; vous pouvez aussi inclure plusieurs exemplaires d'un même champ dans la grille de création. Voici un exemple qui affiche le nombre de produits et le prix moyen, minimum et maximum des produits commandés en février :

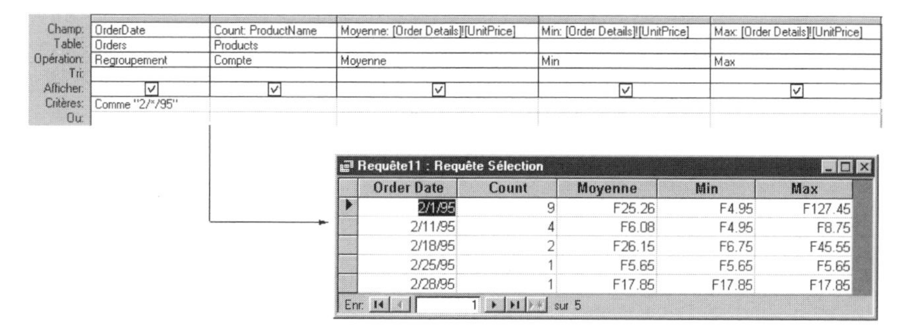

- Pour fonder vos calculs de regroupement sur tous les enregistrements de la table, n'utilisez *Regroupement* dans aucune colonne. Ainsi, pour compter les clients de la table Customers (Clients), contentez-vous de placer le champ CustomerID (N° Client) dans la grille de création et de faire appel à l'opérateur Compte.

- Pour fonder vos calculs de regroupement sur des groupes d'enregistrements (c'est-à-dire pour faire un *sous-total* d'un groupe d'enregistrements), employez *Regroupement* dans la case Opération pour tous les champs qui constituent le groupe. L'exemple de la page suivante montre le nombre de clients dans chaque ville et état/province.

Champ:	City	StateOrProvince	CustomerID
Table:	Customers	Customers	Customers
Opération:	Regroupement	Regroupement	Compte
Tri:			
Afficher:	☑	☑	☑
Critères:			
Ou:			

- Vous pouvez trier des champs regroupés pour les “organiser”. Si vous souhaitez calculer le prix unitaire moyen des produits vendus chaque mois, triez le champ UnitPrice (PrixUnitaire) par ordre décroissant pour organiser les produits de la moyenne la plus haute à la moyenne la plus basse, comme le montre la Figure 10.15. Dans cette Figure, nous avons utilisé la fonction Format([OrderDate],"mmmm") pour extraire le nom du mois de la date de commande.
- Vous pouvez spécifier des critères de tri pour les champs que vous regroupez, comme vous le feriez dans n'importe quelle requête. Cette opération limite l'affichage aux groupes sélectionnés dans les cases Critères du/des champ(s) Regroupement.

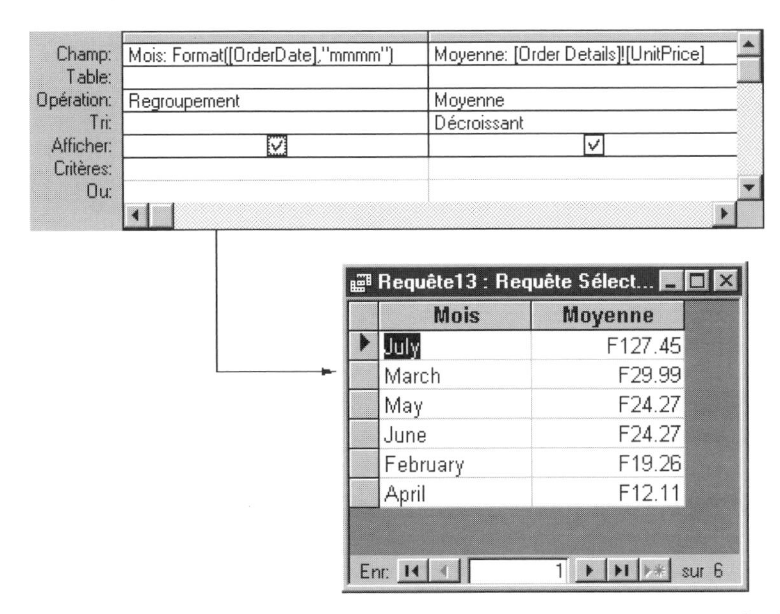

Figure 10.15 : Prix moyen (décroissant) des commandes mensuelles. La fonction Format([OrderDate],"mmmm") extrait le nom du mois de la date de commande.

- Pour appliquer un critère de sélection *avant* d'exécuter une fonction de regroupement, entrez ce critère dans le champ où vous exécutez la fonction.

L'exemple ci-dessous calcule le prix moyen des produits par mois et affiche uniquement ceux dont ce prix moyen est supérieur à 15, par ordre décroissant.

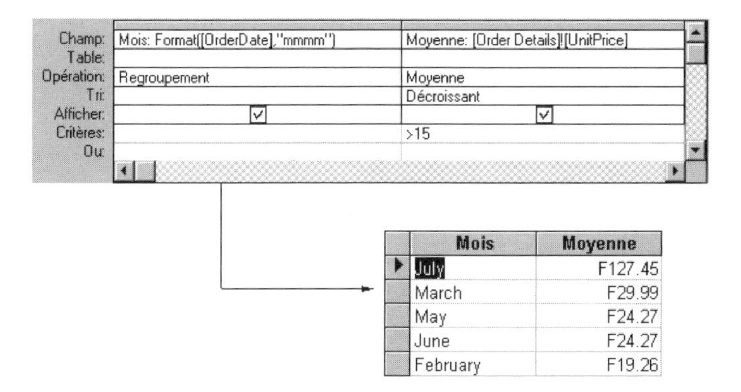

➯ Pour appliquer un critère de sélection *après* avoir exécuté une fonction de regroupement, utilisez l'opérateur *Où* dans la case Opération du champ que vous voulez sélectionner en premier. Désactivez l'option Afficher de ce champ. L'exemple suivant limite les calculs de prix moyen aux produits vendus aux clients en dehors de l'État de Californie. Comparez ces valeurs (qui ne tiennent donc pas compte des clients californiens) avec les moyennes présentées à la Figure 10.15 (qui incluent ces ventes) :

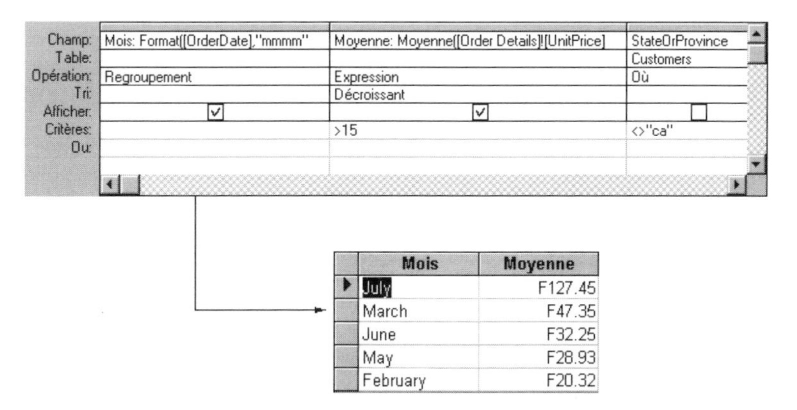

➯ En principe, les fonctions de regroupement ne traitent pas les enregistrements vierges ; par contre, elles retiennent les valeurs nulles dans les champs Numérique. Si vous devez compter tous vos enregistrements, utilisez *Compte(*)* dans la case du champ, comme le montre l'illustration représentée à la page suivante.

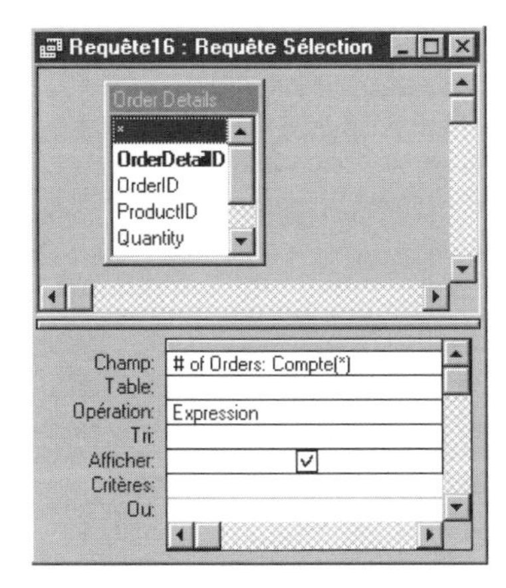

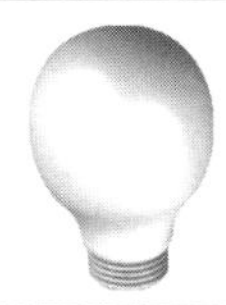

Si la présence d'enregistrements contenant des valeurs nulles ne vous dérange pas, sachez que la fonction Compte(*) s'exécute beaucoup plus rapidement que Compte([nomdechamp]).

- Vous pouvez exécuter des fonctions de regroupement sur des champs calculés. Attention cependant : l'expression de chaque champ calculé doit faire référence à des champs qui existent "réellement" et non à d'autres champs calculés. Ainsi, si vous avez défini le champ calculé suivant :

```
HorsTaxe:[Quantité]*[PrixUnitaire]
```

et que vous souhaitez calculer la TVA moyenne, vous ne pouvez bâtir votre expression de la manière suivante dans le champ dont vous voulez calculer la moyenne :

```
TVAMoyenne:[HorsTaxe]*1.05
```

En fait, vous devrez répéter le calcul :

```
TVAMoyenne:[Quantité]*[PrixUnitaire]*1.05
```

Pour vous faire aider lorsque vous réalisez des calculs de ce type, consultez l'entrée d'index *totaux dans les requêtes.*

Créer vos propres expressions de calcul

Vous pouvez recourir aux fonctions d'Access pour créer vos propres expressions de calcul.

1. Dans la grille de création de requête, faites apparaître la ligne Opération en activant le bouton Opérations de la barre d'outils Création de requête.
2. Placez-vous dans une colonne vierge de cette grille. Si vous utilisez une *fonction de regroupement* ou une *fonction de regroupement domaine* (voyez ci-dessous), choisissez *Expression* dans la case Opération. Pour les *fonctions de formatage*, choisissez *Regroupement* dans cette case.
3. Dans la case Champ de la colonne, entrez une expression qui fait appel à la fonction souhaitée. Les fonctions les plus utiles sont répertoriées dans le Tableau 10.3.

Lorsque vous encodez des fonctions complexes, utilisez le Zoom (Majuscule + F2) dans la cellule Champ. Entrez toujours vos expressions sur une seule ligne.

4. Remplissez le reste de la grille de création.
5. Exécutez la requête selon la procédure habituelle.

Les types de fonctions suivants sont particulièrement utiles pour les calculs de regroupement :

Fonctions de regroupement : Réalisent des calculs statistiques sur un groupe d'enregistrements de la table courante. Exemples : Compte, Moyenne, Somme, Min, Max et Var.

Fonctions de regroupement domaine : Réalisent des calculs statistiques sur tous les enregistrements de n'importe quelle table ou requête, avec préséance sur les expressions *Regroupement*. Exemples : CpteDom, MaxDom, MinDom, MoyDom, SomDom et VarDom.

Fonctions de formatage : Retournent des parties bien spécifiques de données ou formatent les données de différentes manières. Exemples : Gauche, Droite, ExtracChaîne et Format. Ces fonctions sont utiles non seulement pour les calculs de regroupement, mais aussi pour les champs calculés.

Fonctions	Rôle	Exemple
Fonctions de regroupement		
Compte, Ecartype, Max, Min, Moyenne, Somme et Var	Calculs statistiques sur un groupe d'enregistrements dans la table courante.	*Moyenne([Quantité]* * *[PrixUnitaire])* calcule la moyenne du produit *quantité x prix* pour un groupe d'enregistrements.
Fonctions de regroupement domaine		
CpteDom, EcartyDom, EcartyPDom, MaxDom, MinDom, MoyDom, SomDom, VarDom et VarPDom	Calculs statistiques sur tous les enregistrements de n'importe quelle table ou requête, avec préséance sur les expressions *Regroupement.*	*SomDom("[Quantité]* * *[PrixUnitaire]", "Détails Commandes")* calcule le produit *quantité x prix* pour tous les enregistre- de la table Détails Commandes.
Fonctions de formatage		
ArrEnt, CChaîne, CDbl, CLong, CMonnaie, CSmpl et Cvar	Conversion d'expressions d'un format dans un autre. Vous pouvez utiliser ces fonctions plutôt que d'agir au niveau des propriétés du champ.	*CMonnaie(Moyenne ([Quantité]* * *[PrixUnitaire]))* présente en format Monétaire le prix moyen du produit *quantité x prix.*
Format	Formate un nombre, une date, une heure ou une chaîne de caractères.	*Format([DateCommande], "mmmm")* affiche uniquement le mois de la date de commande.
Gauche	Retourne les *n* caractères de gauche d'une chaîne de caractères.	*Gauche([Nom],1)* affiche la première lettre du contenu du champ Nom.

Tableau 10.3 : Les principales fonctions d'Access (suite).

ExtracChaîne	Retourne une chaîne de caractères faisant partie d'une autre chaîne.	*ExtracChaîne([Numéro Téléphone],1,3)* affiche l'indicatif de zone téléphonique contenu dans le champ NuméroTéléphone. Cet exemple se fonde sur le fait que, dans la présentationaméricaine, les indicatifs de zone constitués de trois caractères et placés entre parenthèses ne sont pas stockés dans la table.
Droite	Retourne les *n* caractères de droite d'une chaîne de caractères.	*Droite([Prénom],2)* affiche les deux dernières lettres du contenu du champ Prénom.

Tableau 10.3 : Les principales fonctions d'Access (suite).

Pour obtenir la liste complète des fonctions d'Access, voyez l'entrée d'index *fonctions, rubriques de référence.* Vous pouvez aussi localiser dans cet index une fonction bien particulière.

Exemples de fonctions de regroupement

Étudions à présent quelques exemples de fonctions de regroupement. Le premier, présenté à la Figure 10.16, groupe et trie les enregistrements par mois et calcule à la fois la valeur des commandes passées chacun des mois et le pourcentage que représente chaque mois dans l'ensemble.

Dans cette Figure 10.16, nous avons fait appel à une fonction qui isole la partie mois de la date de commande ; nous avons ensuite trié la colonne par ordre croissant, puis nous l'avons masquée (le calcul n'apparaît pas dans la Figure 10.16). En agissant de cette manière, les mois sont placés dans l'ordre Janvier, Février, Mars, Avril, etc. plutôt que par ordre alphabétique (Avril, Février, Juillet, Juin, etc.).

```
DatePart("m",OrderDate)
```

Le calcul de la première colonne affiche la partie mois de la date de commande :

```
NomMois: Format([OrderDate],"mmmm")
```

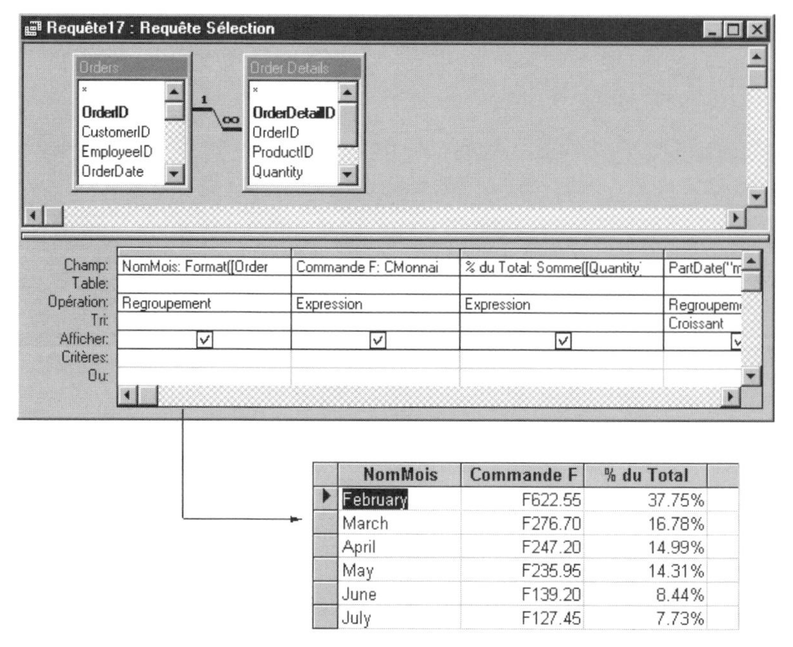

NomMois	Commande F	% du Total
February	F622.55	37.75%
March	F276.70	16.78%
April	F247.20	14.99%
May	F235.95	14.31%
June	F139.20	8.44%
July	F127.45	7.73%

Figure 10.16 : Cet exemple fait appel aux fonctions Somme et SomDom pour calculer la part de chaque mois dans le total des ventes. Elle utilise également la fonction DatePart afin d'extraire le numéro du mois de la date de commande ; de cette manière, nous pouvons présenter les résultats triés chronologiquement par mois plutôt qu'alphabétiquement par nom de mois.

Dans la deuxième colonne de la grille, nous avons entré le calcul suivant :

```
Commande F:CMonnaie(Somme([Quantity]*[UnitPrice])
```

Enfin, dans la troisième colonne :

```
% du Total:Somme([Quantity]*[UnitPrice])/SomDom
("[Quantity]*[UnitPrice]","Order Details")
```

Nous avons fait appel à la feuille des propriétés pour attribuer à la colonne *% du Total* le format Pourcentage.

Dans la fonction Format, vous pouvez remplacer "mmmm" par une autre spécification afin d'obtenir un regroupement selon un autre intervalle de temps. Ainsi, "ee" opère un regroupement par semaine (de 1 à 54) ; "t" réalise un groupement par trimestre ; "aaaa" regroupe par année, et "hh", par heure.

Dans la Figure 10.17, nous avons utilisé les mêmes fonctions de regroupement dans les deuxième et troisième colonnes. Par contre, nous avons ajouté à la requête la table Customers (Clients) et avons groupé les commandes par nom de société plutôt que par mois.

Variez sur le même thème ; ainsi, vous pouvez facilement transformer l'exemple de la Figure 10.17 afin de grouper les commandes sur la première lettre du nom de la société (même si un tel regroupement n'a pas tellement de sens). Il vous suffit en effet de remplacer l'expression de la première colonne par l'expression suivante :

```
PremièreLettre:Gauche([CompanyName],1)
```

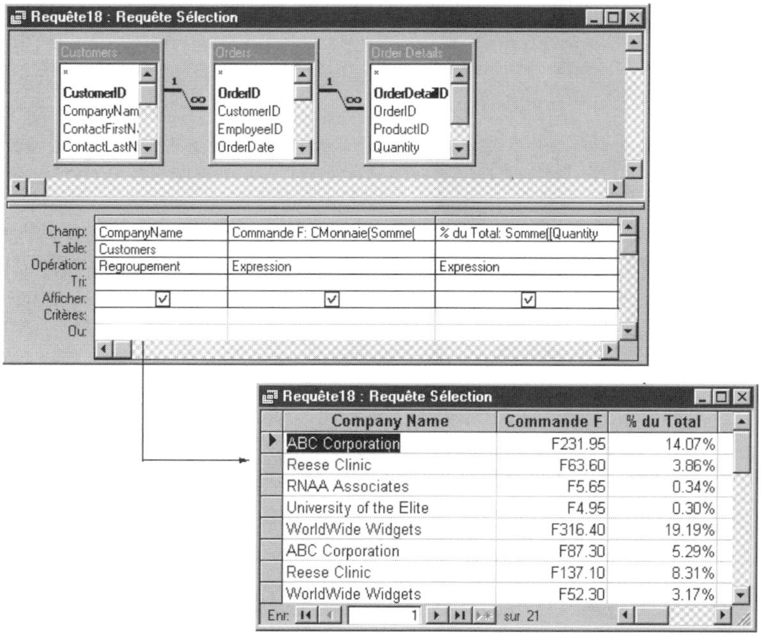

Company Name	Commande F	% du Total
ABC Corporation	F231.95	14.07%
Reese Clinic	F63.60	3.86%
RNAA Associates	F5.65	0.34%
University of the Elite	F4.95	0.30%
WorldWide Widgets	F316.40	19.19%
ABC Corporation	F87.30	5.29%
Reese Clinic	F137.10	8.31%
WorldWide Widgets	F52.30	3.17%

Figure 10.17 : Cet exemple utilise les fonctions Somme et SomDom afin de calculer la somme globale des ventes réalisées par chaque société.

Créer des requêtes Analyse croisée

Les requêtes Analyse croisée affichent les résultats qu'elles produisent sous la forme d'un tableau. L'exemple de la Figure 10.18 répond à la question "Qui a commandé combien de quoi ?".

Pour créer rapidement des analyses portant sur des données consignées dans une seule table, faites appel à l'Assistant Analyse croisée, décrit plus haut dans ce chapitre.

Lorsque vous concevez des requêtes Analyse croisée, vous devez indiquer à la requête quels champs elle doit utiliser pour les titres de lignes, titres de colonnes et valeurs de regroupement ; vous devez aussi signaler comment le regroupement doit s'opérer (sommes ou moyennes, par exemple). Voici la procédure à suivre :

1. Activez le mode de création de requête, sélectionnez les tables que vous comptez employer et placez les champs (y compris les champs calculés) dans la grille de création. Vous pouvez spécifier des critères de sélection et des options de tri.
2. Déroulez le menu local Type de requête de la barre d'outils Création de requête et choisissez Analyse croisée ; ou validez la commande Analyse croisée du menu Requête.

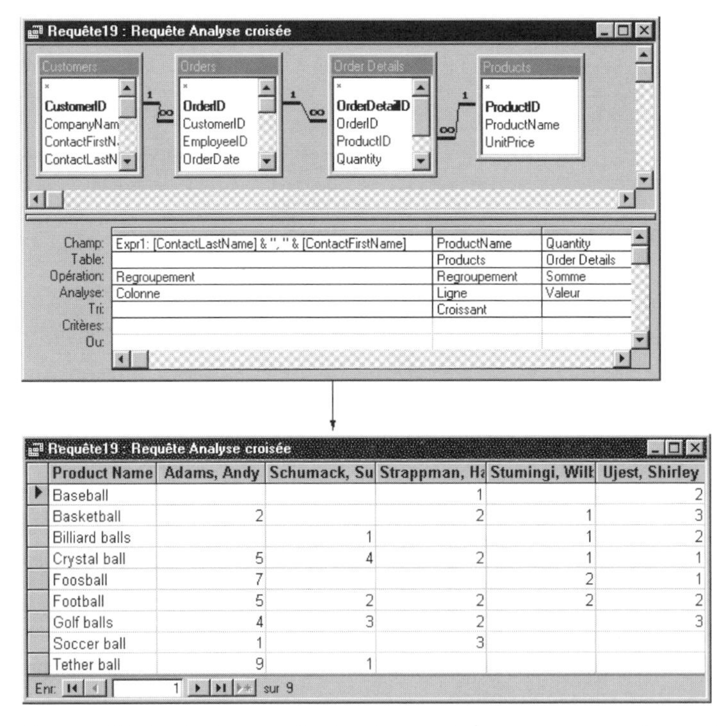

Product Name	Adams, Andy	Schumack, Su	Strappman, Ha	Stumingi, Wilk	Ujest, Shirley
Baseball			1		2
Basketball	2		2	1	3
Billiard balls		1		1	2
Crystal ball	5	4	2	1	1
Foosball	7			2	1
Football	5	2	2	2	2
Golf balls	4	3	2		3
Soccer ball	1		3		
Tether ball	9	1			

Figure 10.18 : Cette requête Analyse croisée vous permet de savoir qui a commandé combien de quoi.

3. Sélectionnez En-tête de ligne dans la case Analyse du champ que vous voulez utiliser comme titre de ligne. Vous pouvez désigner plusieurs champs, mais l'un d'entre eux au moins doit présenter l'option *Regroupement* dans sa case Opération. Par ailleurs, au lieu du nom d'un champ, vous pouvez utiliser, dans la case Champ, une expression permettant de regrouper des valeurs (voyez l'étape suivante).

4. Sélectionnez En-tête de colonne dans la case Analyse du champ que vous voulez utiliser comme titre de colonne. Vous ne pouvez désigner qu'un seul champ qui doit en outre présenter l'option *Regroupement* dans sa case Opération. Par ailleurs, au lieu d'un nom de champ, vous pouvez utiliser, dans la case Champ, une expression permettant de regrouper des valeurs. La Figure 10.18 montre l'expression *Expr1:[ContactLastName]&", "&[ContactFirstName]* utilisée de cette façon.

5. Dans la case Analyse du champ où la fonction de regroupement s'exécute, sélectionnez Valeur. Ensuite, dans la case Opération de ce champ, choisissez la fonction de regroupement souhaitée (généralement, *Somme* ou *Moyenne*). N'activez pas *Regroupement* pour ce champ.

6. Pour regrouper selon des champs supplémentaires sans que ceux-ci apparaissent dans la feuille de réponses dynamique, choisissez (Non affiché) dans la case Analyse de ces champs.

7. Activez le bouton Affichage de la barre d'outils Création de requête pour afficher les résultats.

Access détermine automatiquement les titres de colonne à partir des données de la table, puis trie les titres de gauche à droite. Vous pouvez modifier son comportement en procédant de la façon suivante :

1. Créez la requête et exécutez-la comme décrit ci-dessus. Imprimez les résultats ou prenez note des titres de colonnes, puis regagnez la fenêtre de création de requête.

2. Ouvrez la feuille des propriétés de la requête (cliquez avec le bouton droit de la souris dans une place vide de la zone des tables et choisissez Propriétés ; ou activez le bouton Propriétés d'une barre d'outils quelconque).

3. Dans la case En-têtes des colonnes, tapez les titres que vous voulez utiliser (en prenant soin de les orthographier exactement de la même manière que sur votre version papier ou dans vos notes) dans l'ordre dans lequel vous souhaitez qu'ils apparaissent. Séparez-les par des points-virgules ou par un retour de ligne (Ctrl + Entrée). Vous pouvez aussi placer vos titres entre guillemets doubles et les séparer les uns des autres par des virgules (Figure 10.19). Par exemple : tapez **Janvier;Février;Mars;...** ou **"Janvier", "Février", "Mars",...**

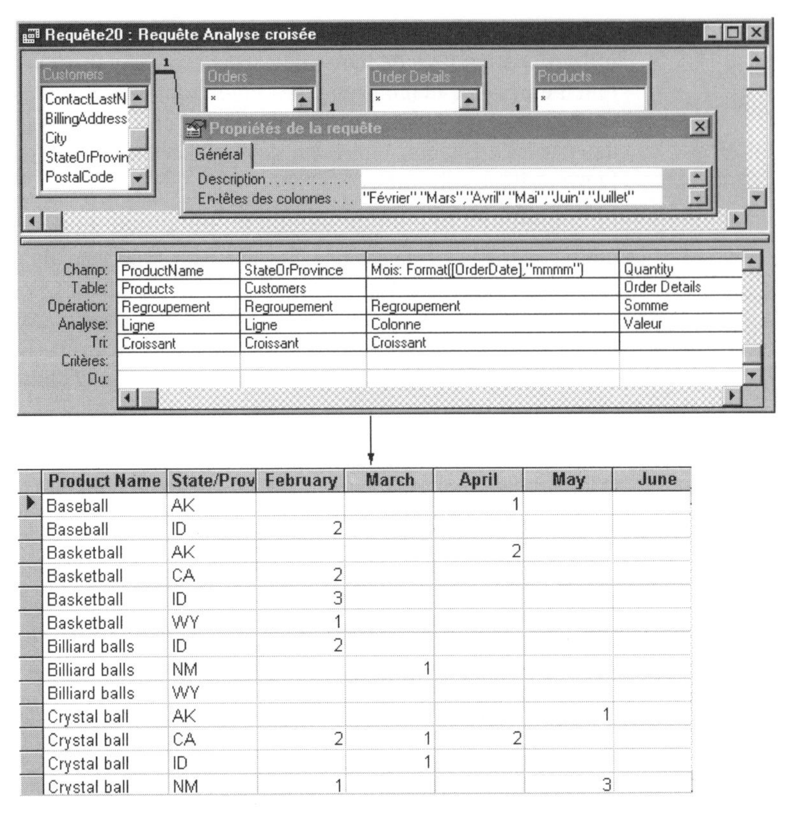

Champ:	ProductName	StateOrProvince	Mois: Format([OrderDate],"mmmm")	Quantity
Table:	Products	Customers		Order Details
Opération:	Regroupement	Regroupement	Regroupement	Somme
Analyse:	Ligne	Ligne	Colonne	Valeur
Tri:	Croissant	Croissant	Croissant	
Critères:				
Ou:				

Product Name	State/Prov	February	March	April	May	June
Baseball	AK			1		
Baseball	ID	2				
Basketball	AK			2		
Basketball	CA	2				
Basketball	ID	3				
Basketball	WY	1				
Billiard balls	ID	2				
Billiard balls	NM		1			
Billiard balls	WY					
Crystal ball	AK				1	
Crystal ball	CA	2	1	2		
Crystal ball	ID		1			
Crystal ball	NM	1			3	

Figure 10.19 : Cette requête Analyse croisée calcule le nombre de commandes par mois par produit et par état. Nous avons personnalisé les propriétés de la requête pour indiquer quels mois nous voulions voir apparaître et dans quel ordre.

4. Exécutez la requête pour visualiser la nouvelle organisation des titres.

La requête Analyse croisée de la Figure 10.19 comporte deux titres de lignes, ProductName (NomProduit) et StateOrProvince (EtatOuProvince). Les titres de colonnes sont extraits de la partie mois de la date de commande. Nous avons modifié les propriétés de la requête pour n'afficher que les mois de février, mars, avril, mai, juin et juillet (aucune commande n'a été passée pendant les autres mois ; c'est pourquoi nous les omettons).

Les requêtes Analyse croisée sont commentées dans le fichier d'aide : voyez l'entrée *requêtes Analyse croisée* ; n'oubliez pas non plus l'Assistant Analyse croisée qui facilite la création de requêtes de ce type.

Créer des requêtes Action

Les requêtes Action diffèrent des requêtes que nous avons exposées jusqu'à présent, car elles modifient ou suppriment des données dans une table. Elles sont de quatre types :

Requête Mise à jour : Modifie des données dans un groupe d'enregistrements.

Requête Ajout : Copie un groupe d'enregistrements d'une table dans une autre.

Requête Suppression : Supprime des enregistrements d'une table.

Requête Création de table : Crée une nouvelle table constituée d'un groupe d'enregistrements d'une table existante.

Les requêtes Action sont extrêmement rapides et peuvent causer des dommages irréparables à votre base de données. Gardez donc bien à l'esprit les points suivants :

- **Faites toujours une copie de sauvegarde de votre base de données ou (au moins) des tables qui vont être affectées.** Pour copier une table, affichez la fenêtre Base de données, activez l'onglet Tables, puis cliquez sur la table concernée. Choisissez Édition/Copier (Ctrl + C), puis Édition/Coller (Ctrl + V) ; ensuite, tapez le nom à attribuer à la table et cliquez sur OK.
- **Pour plus de sécurité**, vous pouvez créer et tester une requête Sélection. Ensuite, lorsque vous êtes convaincu que la requête agit sur les bons enregistrements, convertissez-la en requête Action. Pour opérer cette conversion, déroulez le menu local Type de requête de la barre d'outils Création de requête et choisissez l'option souhaitée ; ou validez la commande équivalente du menu Requête. (Les sections suivantes vous proposent une autre approche - tout aussi sécurisante - pour créer et exécuter des requêtes Action.)

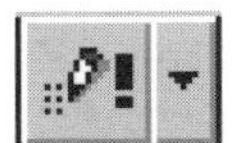

- **Dans la fenêtre Base de données**, le fait de cliquer deux fois sur une requête Action (ou de mettre cette requête en surbrillance et de cliquer sur Ouvrir) *déclenche* la requête. Pour vous rappeler qu'il en est ainsi, le nom de la requête est précédé d'un point d'exclamation (représenté à gauche).

Voyez l'entrée d'index *requêtes action, création* ; voyez aussi les livre et sous-livre du sommaire *Travail avec les requêtes - Création de requêtes action, requêtes Analyse croisée et requêtes paramétrées - Requêtes action.*

Créer des requêtes Mise à jour

Les requêtes Mise à jour vous permettent de modifier rapidement tous les enregistrements d'une table ou un groupe d'entre eux. Pour créer une requête Mise à jour :

1. Dans la fenêtre de création de requête, déroulez le menu local Type de requête de la barre d'outils Création de requête, puis choisissez Mise à jour ; ou choisissez Requête/Requête Mise à jour. Le bouton Type requête change, comme vous le voyez à gauche.
2. Ajoutez les tables, placez les champs que vous voulez mettre à jour ainsi que ceux que vous désirez employer dans des critères de sélection, puis définissez ces critères comme vous le feriez pour une requête Sélection.
3. Dans la case Mise à jour de chaque champ à changer, tapez la nouvelle valeur du champ ou entrez une expression qui calculera cette nouvelle valeur. Pour supprimer le contenu d'un champ, tapez **Null** dans cette case.

4. Pour voir quels enregistrements la requête affectera avant de procéder réellement à la mise à jour, activez le bouton Requête (représenté à gauche) ou choisissez Affichage/Feuille de données. Rectifiez éventuellement votre grille de création jusqu'à ce qu'elle sélectionne exactement les enregistrements que vous voulez mettre à jour.

5. Pour exécuter la requête, réaffichez la fenêtre de création de requête et activez le bouton Exécuter de la barre d'outils Création de requête (représenté à gauche) ; ou choisissez Requête/Exécuter.
6. Lorsqu'Access vous annonce le nombre de lignes qui vont être mises à jour, cliquez sur Oui pour continuer la procédure ; cliquez sur Non pour l'interrompre.

Vous ne pouvez utiliser une requête Mise à jour pour mettre à jour des requêtes Opérations, des champs calculés ou des tables verrouillées.

La partie gauche de la Figure 10.20 montre une requête Sélection et les produits qu'elle isole. La partie droite montre la même requête Sélection convertie en requête Mise à jour, dont la mission est d'augmenter de 15 % le prix des articles sélectionnés. (La conversion s'effectue via le menu Type requête de la barre d'outils Création de requête.) Certains articles n'apparaissent plus parce que leur prix est à présent égal ou supérieur à 20.

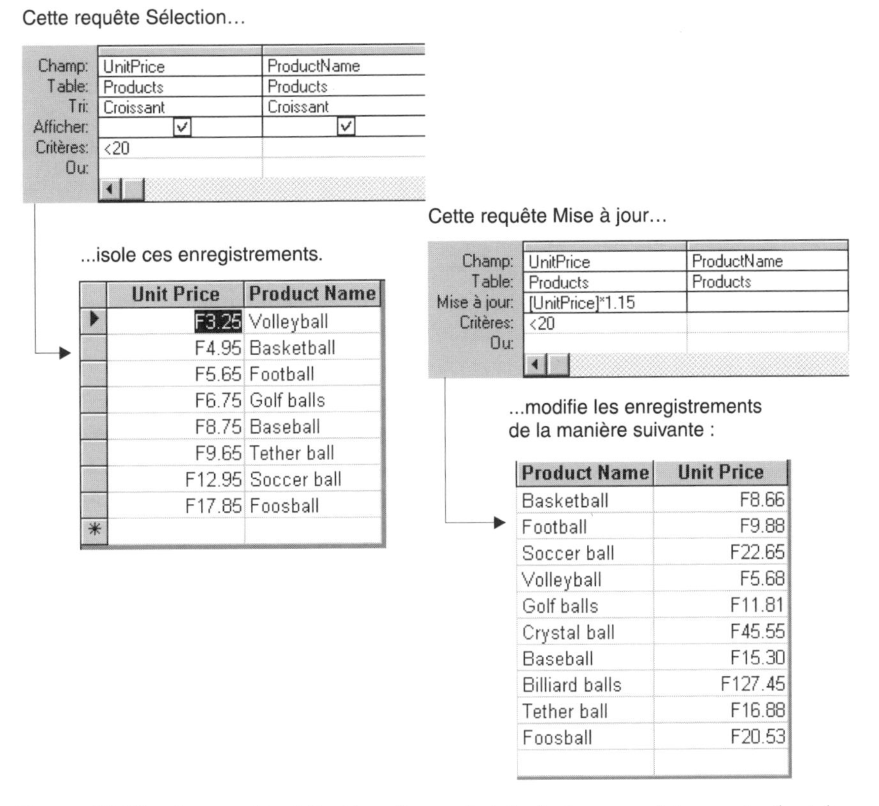

Figure 10.20 : La requête Sélection (à gauche) isole les enregistrements dont le prix est inférieur à 20 ; la requête Mise à jour (à droite) augmente les prix de 15 %.

Comprendre la mise à jour en cascade

Vous avez appris au Chapitre 6 que vous pouviez utiliser la fenêtre Relations pour définir des relations “un-à-plusieurs” entre des tables, activer entre elles l’intégrité référentielle et automatiser la mise à jour en cascade des champs liés. Si vous avez réalisé ces actions, Access répercute la mise à jour du champ situé du côté “un” de la relation sur le champ correspondant du côté “plusieurs”, même si vous n’avez pas inclus, dans votre requête Mise à jour, des tables du côté “plusieurs”.

Supposons que nous ayons établi une relation “un-à-plusieurs” et activé l’intégrité référentielle entre la table Suppliers (Fournisseurs) et la table Products (Produits), deux tables de notre base de données Ordentry (Gestionnaire de commandes). Supposons que nous ayons ensuite sélectionné l’option Mettre à jour en cascade les champs correspondants du côté “un” de chaque relation. Alors, si nous exécutons une requête Mise à jour pour modifier le champ SupplierID (Code Fournisseur) d'un enregistrement de la table Suppliers (Fournisseurs), Access met automatiquement à jour le champ SupplierID (Code Fournisseur) correspondant de la table Products (Produits).

Lorsque l'option Mettre à jour en cascade les champs correspondants est activée, il n'est pas nécessaire de créer une requête Mise à jour si vous souhaitez simplement reporter une mise à jour du champ clé primaire du côté "un" dans les enregistrements correspondants du côté "plusieurs". Contentez-vous d'activer le mode formulaire ou feuille de données pour la table placée du côté "un" et éditez le champ primaire. Access reporte automatiquement la modification sur les champs liés du côté "plusieurs".

Vous ne pouvez modifier les valeurs des champs NuméroAuto dans une table ni dans un formulaire, pas plus que dans une requête Mise à jour. Dans notre base de données exemple Ordentry (Gestionnaire de commandes), tous les champs ID (comme CustomerID, EmployeeID, OrderID (N° Client - N° Employé - N° Commande)) placés du côté "un" de la relation sont définis comme clés primaires et sont de type NuméroAuto.

Créer des requêtes Ajout

Une *requête Ajout* copie tout ou partie des enregistrements d'une table (la *table source*) à la fin d'une autre table (la *table cible*). Elle s'avère donc très pratique pour gérer des données qui sont stockées dans deux tables différentes, mais qui présentent une structure analogue.

Ainsi, vous pourriez imaginer une table Products (Produits) qui stocke les produits disponibles et une table OldProducts (AnciensProduits) qui stocke les produits en rupture de stock ; ou bien une table Orders (Commandes) qui stocke les commandes en cours et une table OrdHist (HistCommandes), une table historique dans laquelle seraient consignées les commandes qui ont déjà été honorées.

Pour créer facilement une nouvelle table qui présente une structure identique à une table existante, activez l'onglet Tables dans la fenêtre Base de données, cliquez sur la table à reproduire, choisissez Édition/Copier (Ctrl + C), puis Édition/Coller (Ctrl + V). Lorsque la boîte de dialogue Coller apparaît, entrez le nom de la nouvelle table (par exemple AnciensProduits), validez l'option Structure seulement, puis cliquez sur OK.

L'exemple ci-dessous ajoute les enregistrements des commandes honorées à la fin d'une autre table présentant une structure analogue.

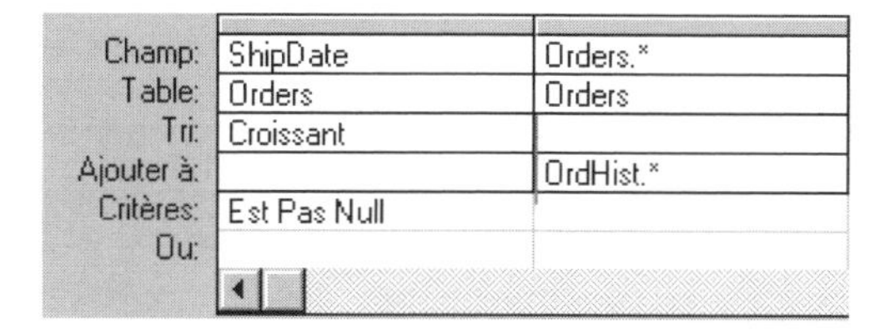

Pour créer une requête Ajout :

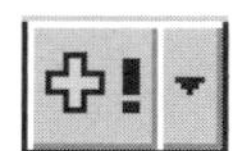

1. Dans la fenêtre de création de requête, déroulez le menu local Type de requête de la barre d'outils Création de requête, puis choisissez Ajouter une requête ; ou choisissez Ajouter une requête dans le menu Requête. (Après l'étape n° 3, le bouton Type de requête se modifie et prend l'aspect représenté à gauche.)

   La boîte de dialogue suivante s'affiche :

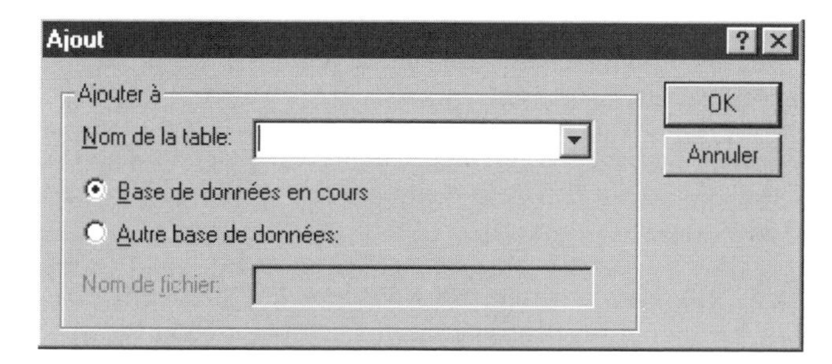

2. Si la table figure dans la même base de données, passez à l'étape n° 3. Dans le cas contraire, activez Autre base de données, enfoncez la touche Tabulation, spécifiez l'unité, le dossier et le nom de cette base (par exemple **c:\MesDocuments\MesDonnées**).

Pour rechercher cette base de données cible, cliquez avec le bouton droit de la souris sur le bouton Démarrer de la barre des tâches de Windows, choisissez Explorer ou Rechercher, puis faites appel aux techniques standard de Windows pour localiser la base. Lorsque c'est chose faite, fermez Explorer ou Rechercher, puis tapez le chemin d'accès exact dans la case Nom de fichier de la boîte de dialogue Ajout.

3. Dans la liste déroulante Nom de la table, sélectionnez la table cible, puis cliquez sur OK.

4. Dans la fenêtre de création de requête, ajoutez les tables, placez les champs que vous voulez copier ainsi que ceux que vous désirez employer dans des critères de sélection, puis définissez ces critères comme vous le feriez pour une requête Sélection.

Si les noms des champs de la table source ne correspondent pas à ceux de la table cible, Access remplit automatiquement les cases Ajouter à ; vous pouvez modifier le contenu de ces cases si nécessaire. Si vous recourez à l'astérisque pour copier tous les champs de la table source, effacez le contenu des cases Ajouter de toutes les colonnes qui contiennent des critères de sélection.

5. Pour voir quels enregistrements la requête affectera avant de procéder réellement à l'ajout, activez le bouton Affichage (ou choisissez Affichage/Feuille de données). Rectifiez éventuellement votre grille de création jusqu'à ce qu'elle sélectionne exactement les enregistrements que vous voulez ajouter.
6. Pour exécuter la requête, réaffichez la fenêtre de création de requête et activez le bouton Exécuter de la barre d'outils Création de requête ; ou choisissez Requête/Exécuter.
7. Lorsqu'Access vous annonce le nombre d'enregistrements qui vont être ajoutés, cliquez sur Oui pour continuer la procédure ; cliquez sur Non pour l'interrompre.

Réagissez aux éventuels messages d'erreur qui vous sont adressés (recourez au bouton ? (Aide) le cas échéant) ; voyez aussi la section consacrée aux problèmes posés par les requêtes Action.

Voici quelques considérations importantes à propos des requêtes Ajout :

- Lorsque vous bâtissez une requête Ajout, vous travaillez avec la table source. Les enregistrements sont *copiés* (et non déplacés) de la table source dans la table cible.
- Les deux tables doivent présenter une structure analogue et des noms de champs identiques ; les deux structures ne doivent pas forcément être similaires.
- Si la table source comporte plus de champs que la table cible, ces champs supplémentaires sont ignorés.
- Si la table source comporte moins de champs que la table cible, les champs dont les noms sont identiques sont copiés ; les autres sont laissés vides.

- Access ne copie *que* les champs que vous avez déclarés dans la grille de création de la table source.
- Si les deux tables présentent des structures identiques, vous pouvez, tant dans les cases Champ qu'Ajouter à, utiliser l'astérisque plutôt que les noms de champs. Si la grille comporte en outre des champs avec critères de sélection, laissez vide leur case Ajouter à.
- Si la table cible comporte une clé primaire, les résultats seront triés (selon cette clé) au lieu d'être simplement ajoutés en fin de table.
- Pour faire en sorte qu'Access assigne de nouvelles valeurs NuméroAuto aux enregistrements qui échouent dans la table cible, *excluez* tout champ NuméroAuto de la grille de création de la table source.
- Pour que les valeurs NuméroAuto de la table source soient reportées dans la table cible, *incluez* le champ NuméroAuto de la table source dans la grille de création.

Si un champ NuméroAuto est la clé primaire de la table cible, les enregistrements ajoutés doivent respecter les règles de cette clé primaire.

- Si vous n'avez besoin d'ajouter que quelques enregistrements à une table, utilisez plutôt la commande Coller par ajout (Chapitre 8). Le Chapitre 7 vous explique comment ajouter des enregistrements dans une base de données non Access.

Créer des requêtes Suppression

Les *requêtes Suppression* vous permettent de supprimer un groupe d'enregistrements qui répondent à un critère donné. Ainsi, la requête Suppression suivante supprime les commandes honorées de la table Orders (Commandes) :

Champ:	ShipDate	Orders.*
Table:	Orders	Orders
Supprimer:	Où	A partir de
Critères:	Est Pas Null	
Ou:		

La procédure pour construire une requête Suppression varie selon que vous supprimez des enregistrements dans une seule table (ou dans plusieurs tables entretenant une relation "un-à-un") ou dans plusieurs tables entretenant une relation "un-à-plusieurs".

Il est impossible d'annuler l'action d'une requête Suppression ! Assurez-vous donc (par prévisualisation) que les enregistrements qui vont être supprimés sont les bons.

Supprimer des enregistrements dans une table

Examinons d'abord le cas le plus simple : la suppression d'enregistrements dans une table unique ou dans plusieurs tables en relation "un-à-un".

1. Dans la fenêtre de création de requête, déroulez le menu local Type de requête de la barre d'outils Création de requête, puis choisissez Requête Suppression ; ou choisissez Requête/Requête Suppression. (Après l'étape n° 3, le bouton Type de requête se modifie et prend l'aspect représenté à gauche.)
2. Dans la fenêtre de création de requête, ajoutez les tables, placez les champs que vous désirez employer dans des critères de sélection, puis définissez ces critères comme vous le feriez pour une requête Sélection.
3. Si votre requête met en jeu plusieurs tables, cliquez deux fois sur l'astérisque (*) de chacune des tables dont vous voulez supprimer des enregistrements.
4. Pour voir quels enregistrements la requête affectera avant de procéder réellement à la suppression, activez le bouton Affichage (ou choisissez Affichage/Feuille de données). Rectifiez éventuellement votre grille de création jusqu'à ce qu'elle sélectionne exactement les enregistrements que vous voulez supprimer.
5. Pour exécuter la requête, réaffichez la fenêtre de création de requête et activez le bouton Exécuter de la barre d'outils Création de requête ou choisissez Requête/Exécuter.
6. Lorsqu'Access vous annonce le nombre d'enregistrements qui vont être supprimés, cliquez sur Oui pour continuer la procédure ; cliquez sur Non pour l'interrompre.

Lorsque vous avez exécuté une requête Ajout pour ajouter des enregistrements de la table "courante" à la table "historique", vous pouvez dérouler le menu local Type de requête de la barre d'outils Création de requête et choisir Requête Suppression pour convertir la requête Ajout en une requête Suppression. Activez alors le bouton Exécuter pour supprimer les anciens enregistrements de la table "courante".

Comprendre la suppression en cascade

Si vous avez activé l'intégrité référentielle entre les tables d'une relation "un-à-plusieurs" et sélectionné l'option Effacer en cascade les enregistrements correspondants, Access supprime automatiquement les enregistrements du côté "plusieurs" de la relation, même si vous n'avez pas inclus dans votre requête la table située de ce côté.

Dans notre base de données exemple Ordentry (Gestionnaire de commandes), il existe une relation "un-à-plusieurs" entre Customers (Clients) et Orders (Commandes), ainsi qu'entre Orders (Commandes) et Order Details (Détails Commandes). Dans les tables placées du côté "un" de la relation, l'option de suppression en cascade est validée. Par conséquent, si nous créons une requête Suppression portant sur une seule table afin de supprimer un enregistrement donné de la table Orders (Commandes), Access détruit non seulement l'enregistrement spécifié de la table Orders, mais aussi l'enregistrement correspondant de la table Order Details (Détails Commandes).

De même, si nous construisons une requête Suppression basée sur une seule table et destinée à détruire l'enregistrement d'un client donné de la table Customers (Clients), Access supprime cet enregistrement ainsi que toutes les fiches correspondantes des tables Orders (Commandes) et Order Details (Détails Commandes). Son action porte donc sur trois tables, puisque ces dernières sont liées. (À vous de voir si cette façon de faire vous convient.)

Lorsque l'option Effacer en cascade les enregistrements correspondants est activée, il n'est pas nécessaire de créer une requête Suppression si vous souhaitez simplement supprimer des fiches du côté "un" de la relation et répercuter cette action sur le côté "plusieurs". Contentez-vous d'activer le mode formulaire ou feuille de données pour la table placée du côté "un" et supprimez le(s) enregistrement(s) souhaité(s). Access supprime automatiquement les enregistrements correspondants du côté "plusieurs".

La technique que nous venons de décrire génère une suppression en cascade qui détruit les enregistrements de *toutes* les tables liées pour lesquelles l'option Effacer en cascade les enregistrements correspondants est activée. Avant de procéder à une suppression de ce type, veillez donc à bien connaître les relations qu'entretiennent vos tables, afin de savoir exactement quelles tables seront affectées par la manoeuvre. Le Chapitre 6 vous apprend à définir des relations entre tables.

Supprimer des enregistrements dans plusieurs tables "un-à-plusieurs"

Si vous n'avez pas activé l'option Effacer en cascade les enregistrements correspondants, mais souhaitez néanmoins supprimer des enregistrements dans des tables multiples impliquées dans une relation "un-à-plusieurs", vous devez exécuter deux requêtes Suppression :

1. Dans la fenêtre de création de requête, déroulez le menu local Type de requête de la barre d'outils Création de requête, puis choisissez Requête Suppression ; ou choisissez Requête/Requête Suppression.
2. Ajoutez les tables que vous voulez utiliser dans la requête.
3. Dans la table située du côté "un" de la relation (par exemple, Products (Produits)), faites glisser le(s) champ(s) que vous désirez employer dans des critères de sélection, puis définissez ces critères selon les techniques habituelles.
4. Dans la/ ou les tables situées du côté "plusieurs" de la relation (par exemple Orders (Commandes)), cliquez deux fois sur l'astérisque (*).
5. Prévisualisez, puis exécutez la requête. Cette opération supprime les enregistrements du côté "plusieurs" de la relation.
6. Réactivez la fenêtre de création de requête et éliminez toutes les tables du côté "plusieurs" (par exemple Order Details (Détails Commandes)).
7. Prévisualisez le résultat de cette requête qui traite, elle, le côté "un" de la relation, puis exécutez-la.

Créer des requêtes Création de table

Une *requête Création de table* crée une nouvelle table à partir des résultats qu'elle produit dans une table existante.

Utilisez une requête de ce type pour :

- Travailler avec une copie "figée" de vos données (dans le but, notamment, d'imprimer un état ou de tracer un graphique).
- Créer une copie modifiable des enregistrements résultant d'un regroupement, d'une analyse croisée ou d'une requête à Valeurs distinctes.
- Exporter des données vers des applications non relationnelles, comme les tableurs, traitements de texte et autres programmes incapables de combiner des données issues de tables multiples.

Pour créer une requête Création de table :

1. Dans la fenêtre de création de requête, déroulez le menu local Type de requête de la barre d'outils Création de requête, puis choisissez Requête Création de table ; ou choisissez Requête/Requête Création de table. (Après l'étape n° 3, le bouton Type de requête se modifie et prend l'aspect représenté à gauche.) Une boîte de dialogue s'affiche, similaire à celle des requêtes Ajout.
2. Si la table que vous voulez créer doit figurer dans la même base de données, passez à l'étape n° 3. Dans le cas contraire, choisissez Autre base de données, enfoncez la touche Tabulation, spécifiez l'unité, le dossier et le nom de cette base (par exemple **c:\MesDocuments\MesDonnées**).

Comme dans le cas des requêtes Ajout, pour rechercher la base de données cible, cliquez avec le bouton droit de la souris sur le bouton Démarrer de la barre des tâches de Windows, choisissez Explorer ou Rechercher, puis faites appel aux techniques standard de Windows pour localiser la base. Lorsque c'est chose faite, fermez Explorer ou Rechercher, puis tapez le chemin d'accès exact dans la case Nom de fichier de la boîte de dialogue Création de table.

3. Dans la case d'édition Nom de la table, entrez le nom de la nouvelle table ; vous pouvez aussi sélectionner la table cible dans le menu local correspondant. Ensuite, cliquez sur OK. Attention : si vous sélectionnez une table existante, Access *écrase* cette table !
4. Dans la fenêtre de création de requête, ajoutez les tables, placez les champs et définissez les critères de sélection qui sélectionneront les enregistrements et les champs de la nouvelle table, comme vous le feriez pour une requête Sélection.
5. Pour voir quels enregistrements la requête affectera avant de procéder réellement à la création, activez le bouton Affichage (ou choisissez Affichage/Feuille de données). Rectifiez éventuellement votre grille de création jusqu'à ce qu'elle sélectionne exactement les enregistrements que vous voulez ajouter.

6. Pour exécuter la requête, réaffichez la fenêtre de création de requête et activez le bouton Exécuter de la barre d'outils Création de requête ; ou choisissez Requête/Exécuter.
7. Si vous avez sélectionné une table existante à l'étape n° 3, Access vous demande si vous souhaitez poursuivre la procédure. Cliquez sur Oui pour supprimer l'ancienne table et poursuivre votre action ; cliquez sur Non pour regagner la fenêtre de création de requête sans supprimer la table. (Si nécessaire, déroulez le menu local Type de requête dans la barre d'outils Création de requête, choisissez de nouveau Requête Création table, puis désignez une table différente.)
8. Lorsqu'Access vous annonce le nombre de lignes qui vont être copiées, cliquez sur Oui pour continuer la procédure ; cliquez sur Non pour l'interrompre.

Problèmes relatifs aux requêtes Action

Les requêtes Action obéissent aux mêmes règles que celles que vous devez respecter lorsque vous saisissez ou éditez vos données depuis le clavier. Si la requête enfreint une règle, Access vous en avertit immédiatement par un message. À ce stade, la requête n'a pas été entièrement exécutée (même si le message semble prétendre le contraire). Si un message de ce type vous est adressé, cliquez sur Non. Regagnez ensuite la requête et les données originales, corrigez votre erreur, puis exécutez de nouveau la requête.

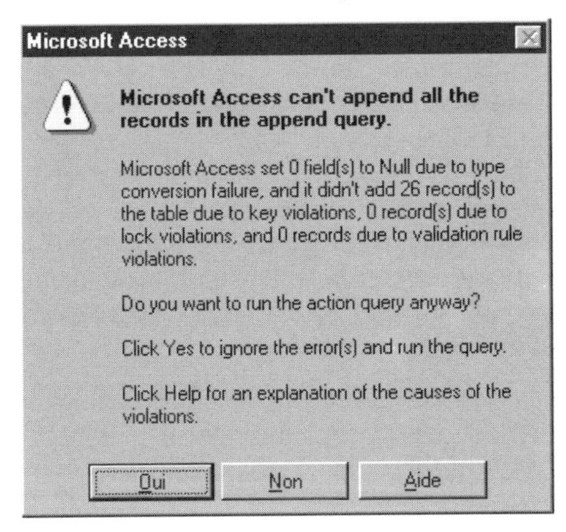

Les problèmes les plus fréquents sont :

- Une requête Ajout ou Mise à jour tente d'entrer dans un champ des données dont le type n'est pas conforme au statut du champ. Dans le cas des requêtes Ajout, assurez-vous que les types de données de la table cible correspondent à ceux de la table source. Dans le cas des requêtes Mise à jour, faites en sorte que la valeur mise à jour soit une valeur compatible avec le type du champ.

- Une requête Ajout ou Mise à jour tente d'ajouter des enregistrements qui provoquent des violations de clé dans une table comportant une clé primaire. Rappelez-vous que la clé primaire doit présenter une valeur unique et qu'elle ne peut contenir de valeurs Null. Dans une requête Ajout, les enregistrements qui violent cette clé ne sont pas ajoutés à la table cible (même s'ils sont maintenus - c'est évident - dans la table source). Dans une requête Mise à jour, aucune modification n'est apportée aux enregistrements qui violent la clé.

- Un autre utilisateur a verrouillé les enregistrements que votre requête Action tente de traiter. Vous avez intérêt à annuler et à patienter jusqu'à ce que la table soit libre. Ensuite, exécutez de nouveau votre requête.

- Une requête Action est sur le point de violer une relation avec intégrité référentielle entre deux tables. Ainsi, une requête Suppression ne peut effacer des enregistrements du côté "un" d'une relation "un-à-plusieurs" si la table placée du côté "plusieurs" comporte des enregistrements apparentés. (La requête peut néanmoins supprimer ces enregistrements si la relation admet les effacements en cascade. Voyez à ce sujet le Chapitre 6 et les sections précédentes du chapitre courant.)

Et maintenant, que faisons-nous ?

Ce chapitre vous a appris à créer différents types de requêtes afin d'interroger vos données, de faire des calculs, d'opérer des mises à jour, de réaliser des suppressions et d'ajouter des données d'une table à une autre. Le chapitre suivant vous apprend à créer des formulaires instantanés avec l'aide d'Assistants.

Quoi de neuf ?

La plupart des fonctions qui géraient les requêtes dans la version précédente d'Access restent d'application dans la nouvelle version. Quelques aménagements ont cependant été apportés :

- L'intitulé de certaines commandes de menus a été revu de manière à être compris plus facilement. Un exemple : "Création de table" est devenu "Requête Création de table".
- Plusieurs propriétés de requêtes ont été ajoutées. Pour les découvrir, cliquez avec le bouton droit de la souris dans la partie grisée d'une fenêtre de requête et sélectionnez Propriétés.

Chapitre 11

Créer des formulaires avec l'aide des Assistants

Un formulaire est une présentation particulière des données stockées dans les tables. À la différence du mode feuille de données, qui affiche toujours les informations en lignes et en colonnes, un formulaire est capable de les afficher dans une infinité de formats. Le plus courant est sans doute la version informatique du formulaire préimprimé traditionnel.

Une série d'Assistants vous aident à créer des formulaires de bonne facture en quelques clics de souris. À l'exception des graphiques et des tableaux croisés (décrits plus loin dans ce chapitre), tous les formulaires autorisent la saisie de données. Ce chapitre décrit le fonctionnement de ces Assistants.

Recourez aux Assistants ! Ils vous permettent de créer des formulaires rapidement et efficacement. Si leur travail ne vous satisfait pas entièrement, vous pourrez toujours retoucher le formulaire par la suite. Le Chapitre 3 vous explique comment travailler avec les Assistants et vous donne quelques pistes pour personnaliser les formulaires qu'ils produisent.

Access dispose d'autres outils destinés à la gestion des formulaires. Dès lors, si vous avez des exigences spécifiques en la matière, consultez le Chapitre 13 : il vous apprend à personnaliser vos formulaires et vos états.

Si vous ne savez plus comment vous y prendre pour créer un nouveau formulaire, consultez la rubrique *Travail avec les formulaires* dans le sommaire de l'aide.

Quels formulaires les Assistants Formulaire sont-ils capables de créer ?

Les Assistants Formulaire sont capables de produire différents types de formulaires, affichant des champs issus d'une ou de plusieurs tables et/ou requêtes.

Pour vous aider à faire votre choix parmi les possibilités offertes, nous vous soumettons, ci-dessous, quelques exemples représentatifs. Nous vous apprendrons ensuite à créer des formulaires avec l'aide des Assistants, à enregistrer ces formulaires et à les utiliser efficacement.

Les formulaires Colonnes

Dans un formulaire à colonnes, chaque champ apparaît sur une ligne séparée et est doté, à gauche, d'une étiquette. Vous ne pouvez voir qu'un seul enregistrement à la fois. L'Assistant remplit la première colonne en y plaçant autant de champs que l'écran est capable d'en accueillir, puis passe à la deuxième colonne, et ainsi de suite. La Figure 11.1 représente un formulaire à colonnes pour la table Customers (Clients).

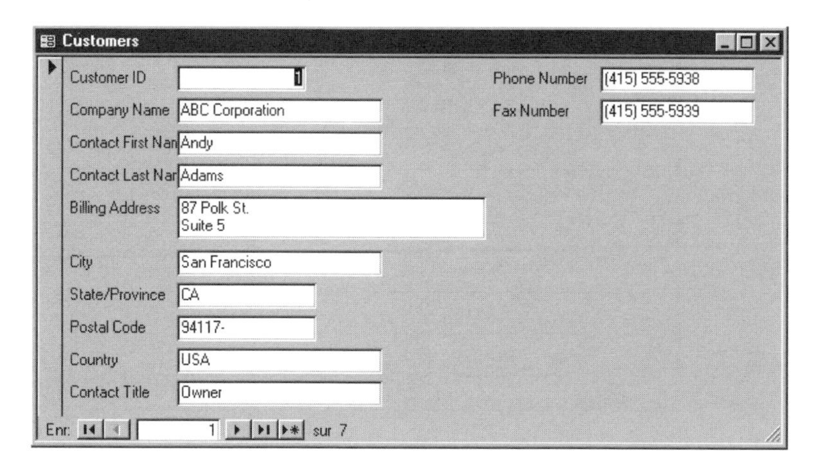

Figure 11.1 : Un formulaire à colonnes pour la table Customers (Clients) ; nous avons choisi le style Standard.

Vous avez la possibilité de personnaliser les styles que vous proposent les Assistants Formulaire. Pour commencer, ouvrez un formulaire quelconque en mode création et choisissez Format/Format automatique. Dans la boîte de dialogue Format automatique, sélectionnez le format souhaité, puis cliquez sur Personnaliser. Le Chapitre 13 vous décrit la suite des opérations.

Les formulaires Tableau

Les formulaires de style tableau ou "formulaires tabulaires" affichent les champs en lignes horizontales, les étiquettes étant placées dans la partie supérieure du formulaire. Chaque enregistrement occupe une rangée. La Figure 11.2 vous présente un formulaire tabulaire pour la table Products (Produits).

Products

Product ID	Product Name	Unit Price
1	Basketball	F8.66
2	Football	F9.88
3	Soccer ball	F22.65
4	Volleyball	F5.68
5	Golf balls	F11.81
6	Crystal ball	F45.55
7	Baseball	F15.30
8	Billiard balls	F127.45
9	Tether ball	F16.88
10	Foosball	F20.53
(NuméroAuto)		

Enr: 1 sur 10

Figure 11.2 : Un formulaire tabulaire pour la table Products (Produits), avec le style Nuages. Cette disposition est conseillée lorsque vous voulez afficher quelques champs relativement étroits et visualiser plusieurs enregistrements simultanément.

Ce type de formulaire convient tout particulièrement lorsque vous ne désirez afficher que quelques champs qui ne sont pas trop éloignés les uns des autres et lorsque vous souhaitez tenir sous le regard plusieurs enregistrements. Pour vous éviter de passer la majeure partie de votre temps à faire défiler le contenu de votre fenêtre, ajoutez quelques champs au formulaire.

Les formulaires Feuille de données

Un formulaire Feuille de données affiche, au départ, les données en mode feuille de données ; il les présente donc telles qu'elles vous apparaissent quand vous ouvrez une table ou exécutez une requête, ou quand vous activez le bouton Affichage de la barre d'outils du même nom pour, depuis un formulaire quelconque, basculer en mode feuille de données.

Ce type de formulaire sert généralement à la création de sous-formulaires, que nous décrivons dans ce chapitre. La Figure 11.3 montre un formulaire Feuille de données de la table Employees (Employés).

Employees

EmployeeID	FirstName	LastName	Title
1	Anita	Lift	Sales Representativ
2	Andrew	Van Noslo	Vice President, Sale
3	Emily	Niktog	Sales Representativ
4	Albert	Niktog	Sales Manager
5	Doris	Ajar	Sales Representativ
6	Lane	Clozure	Office Manager
7	Joseph	Swipple	Vice President, Marl
8	Helen	Wheels	Product Evangelist

Enr: 1 sur 9

Figure 11.3 : Un formulaire Feuille de données de la table Employees (Employés) affiché en mode feuille de données.

Vous basculez du formulaire feuille de données au mode formulaire en choisissant Affichage/Formulaire ou en choisissant Mode Formulaire dans le menu local Affichage de la barre d'outils Mode Formulaire. En mode formulaire, les champs sont présentés sous la forme d'un tableau, mais un seul enregistrement est visible à la fois. La Figure 11.4 montre le formulaire Employees (Employés) après que nous avons basculé du mode feuille de données en mode formulaire ; cet exemple utilise le style International.

Figure 11.4 : Le formulaire Feuille de données affiché en mode formulaire. Utilisez la commande Fenêtre/Ajuster à la taille du formulaire pour afficher les enregistrements en entier.

Les Assistants Formulaire font de leur mieux lorsqu'il s'agit de placer les étiquettes et les champs sur votre formulaire. Lorsque le formulaire est créé, n'hésitez pas à basculer en mode création de formulaire et à apporter les aménagements indispensables. Ainsi, sur la Figure 11.4, l'étiquette EmployeeID (N° Employé) n'apparaît pas en entier parce que la taille de la police utilisée est trop grande. Pour remédier à ce problème, passez en mode création et élargissez ce contrôle, ou sélectionnez un corps plus petit.

Les formulaires hiérarchiques

Il vous arrivera de souhaiter, dans vos formulaires, travailler avec des tables liées. Imaginez un formulaire de commande qui inclurait les informations relatives au client et à la commande, ainsi que des détails sur les articles commandés. Un formulaire hiérarchique est tout indiqué dans un pareil cas puisqu'il affiche les données de tables qui entretiennent une relation un-à-plusieurs.

Les Assistants Formulaire sont capables de créer deux types de formulaires hiérarchiques : soit un formulaire principal et ses sous-formulaires, soit un formulaire principal et des formulaires attachés. (Un *sous-formulaire* est un formulaire séparé qui est incorporé dans le formulaire principal.)

La Figure 11.5 montre un formulaire principal et ses sous-formulaires et affiche des informations issues de quatre tables : Customers (Clients), Orders (Commandes), Order Details (Détails Commandes) et Products (Produits). Le formulaire principal affiche les champs de la table Customers (Clients) présentés en colonne. Les sous-formulaires des tables Orders (Commandes) et Order Details (Détails Commandes) sont présentés en feuille de données.

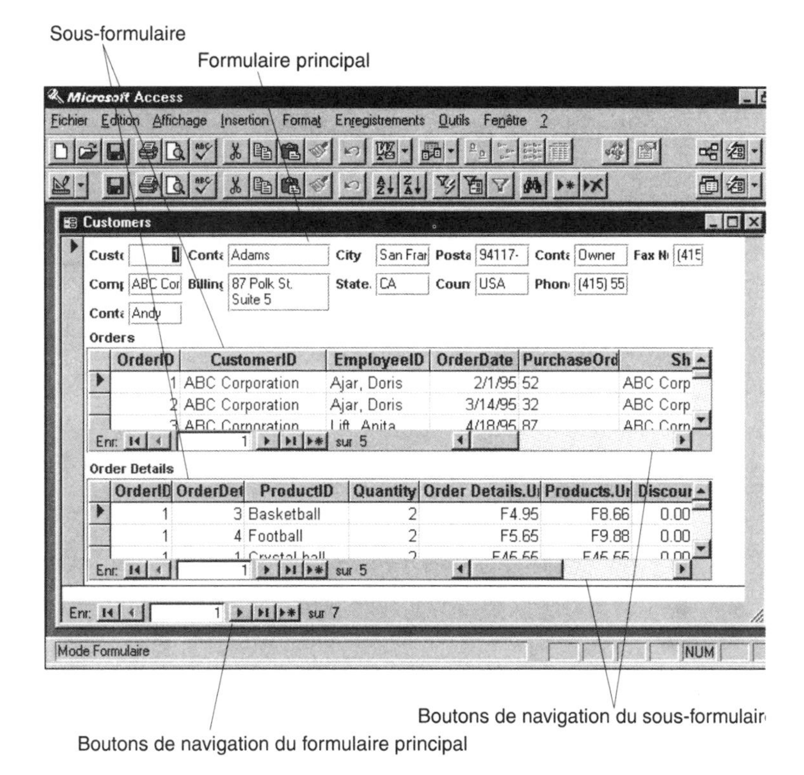

Figure 11.5 : Le formulaire principal hiérarchique affiche les champs de la table Customers (Clients) ; ses deux sous-formulaires feuilles de données affichent les champs des tables Orders (Commandes), Order Details (Détails Commandes) et Products (Produits). Cet exemple utilise le style Coloré 2.

Le formulaire principal et le sous-formulaire sont souvent désignés par les noms *formulaire principal/sous-formulaire, formulaire/sous-formulaire* ou *formulaire maître/formulaire détail.*

Les formulaires attachés (Figures 11.6 et 11.7) présentent, sous forme hiérarchique, des données multitables. Toutefois, au lieu d'afficher tous les champs de la table principale sur la même page que celles qu'utilisent les sous-formulaires, ces champs apparaissent sur un formulaire séparé. Vous pouvez activer le bouton de commande situé dans la partie supérieure du formulaire pour afficher les enregistrements correspondant à l'enregistrement sur le premier formulaire. Le formulaire attaché peut être un formulaire principal, ou un formulaire principal avec un sous-formulaire (Figure 11.7).

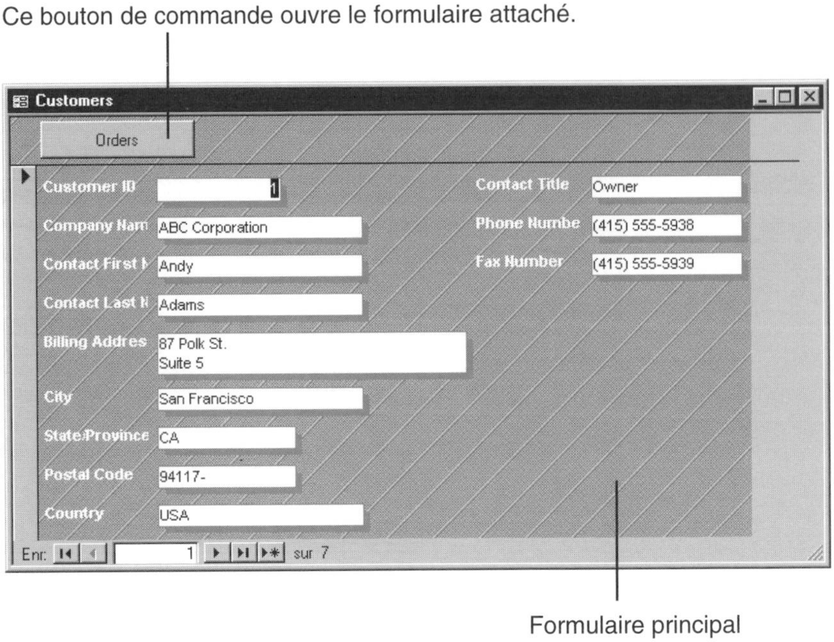

Ce bouton de commande ouvre le formulaire attaché.

Formulaire principal

Figure 11.6 : Ce formulaire attaché montre les données de la table Customers (Clients) sur le formulaire principal. Si vous cliquez sur le bouton de commande Orders (Commandes), le formulaire représenté à la Figure 11.7 apparaît. Cet exemple utilise le style Lin.

Pour créer les formulaires des Figures 11.5 à 11.7, nous avons fait appel à l'Assistant Formulaire et sélectionné tous les champs des tables Customers (Clients), Orders (Commandes) et Order Details (Détails Commandes), ainsi que le champ UnitPrice (PrixUnitaire) de la table Products (Produits). Nous avons affiché le sous-formulaire Order Details (Détails Commandes) et avons fait glisser le champ UnitPrice (PrixUnitaire) de la table Products (Produits) à côté du champ UnitPrice (PrixUnitaire) de la table Order Details (Détails Commandes). Grâce à ces actions, nous pouvons désormais voir le prix unitaire de la table Products (Produits) pendant que nous encodons le prix de vente réel dans le champ UnitPrice (PrixUnitaire) de la table Order Details (Détails Commandes). Nous avons aussi fait glisser le champ OrderID (N° Commande) du sous-formulaire Order Details (Détails Commandes) à gauche du champ OrderDetailID (N° Détail Commande).

Formulaire principal, attaché au formulaire Customers (Clients).

Boutons de navigation du formulaire principal

Boutons de navigation du sous-formulaire

Sous-formulaire

Figure 11.7 : Le formulaire attaché et le sous-formulaire apparaissent quand vous cliquez sur le bouton Orders (Commandes) de la Figure 11.6. Ce formulaire affiche des informations relatives aux commandes, aux détails des commandes et aux produits concernant le client dont le nom est indiqué sur la Figure 11.6. Pour regagner le formulaire principal, fermez le formulaire attaché.

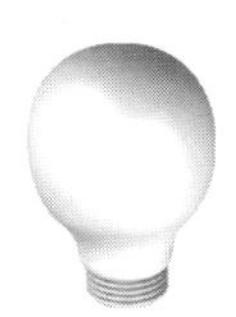

Si vous avez déjà créé des formulaires comprenant les champs liés indispensables, vous pouvez rapidement les combiner et obtenir ainsi un formulaire principal et un sous-formulaire. Pour y parvenir, ouvrez le formulaire principal en mode création, enfoncez la touche F11 pour amener la fenêtre Base de données au premier plan, activez l'onglet Formulaires, puis choisissez Fenêtre/Mosaïque verticale. Faites ensuite glisser le sous-formulaire de la fenêtre Base de données vers l'endroit approprié de la fenêtre de création du formulaire principal ; répondez enfin aux éventuels messages qui s'affichent. Le Chapitre 13 vous explique ces manipulations en détail.

Pour que les formulaires hiérarchiques fonctionnent correctement

Pour que tout se passe bien, il est impératif que le formulaire principal et le sous-formulaire soient liés par un champ commun dans une *relation un-à-plusieurs* (voire, le cas échéant, dans une relation un-à-un). En d'autres termes :

- La table ou la requête du côté "un" de la relation - par exemple Customers (Clients) - fournit les données pour le formulaire principal.
- La table ou la requête du côté "plusieurs" de la relation - par exemple Orders (Commandes) - fournit les données pour le sous-formulaire.
- Les formulaires sont liés par un champ clé primaire du côté "un" et par un champ normal (appelé clé *externe*) du côté "plusieurs". Dans notre exemple, le champ CustomerID (N° Client) est la clé primaire du côté "un", et la clé secondaire du côté "plusieurs".

La difficulté majeure en matière de formulaires hiérarchiques se pose lorsque l'Assistant Formulaire ne parvient pas à attacher votre formulaire principal à votre sous-formulaire. Cette situation peut se produire, par exemple, lorsque vous n'avez pas explicitement établi une relation entre les tables ni via la fenêtre Relations, ni via une requête multitable. Comme vous n'allez pas tarder à l'apprendre, l'Assistant Formulaire vous informe qu'un problème existe et vous donne alors la possibilité de définir les relations manquantes.

Le Chapitre 5 vous explique comment utiliser la fenêtre Relations pour définir des relations entre les tables de votre base de données. Le Chapitre 10 vous montre comment utiliser des requêtes pour définir des relations, sélectionner des données et effectuer des calculs. Le Chapitre 13 vous apprend à définir les propriétés qui lient les formulaires principaux aux sous-formulaires.

Pour que l'Assistant Formulaire crée un formulaire hiérarchique dans de bonnes conditions, mettez toutes les chances de votre côté en incluant tous les champs des tables du côté "plusieurs" de la relation. Vous pourrez toujours, par la suite, réorganiser ces champs, ou vous débarrasser de ceux qui ne vous sont d'aucune utilité.

Dans le cas de tables multiples liées comprenant des champs consultation, il se peut qu'Access ne connecte pas correctement les tables liées ni les champs, sans nécessairement vous en aviser. Ainsi, lorsque nous avons inclus dans un formulaire tous les champs de notre base de données Ordentry (Gestionnaire de commandes) depuis les tables Customers (Clients), Orders (Commandes), Order Details (Détails Commandes) et Products (Produits), la liste déroulante pour le champ ProductID (CodeProduit) du sous-formulaire Order Details (Détails Commandes) était vide et les valeurs de consultation affichées étaient incorrectes.

Pour pallier cet inconvénient, nous avons ouvert, en mode création, le sous-formulaire qui posait problème (sous-formulaire Order Details) ainsi que sa feuille des propriétés (Affichage/Propriétés), puis avons sélectionné le contrôle concerné, soit OrderDetails.ProductID (CodeProduit.Détails Commandes). Nous avons alors modifié sa propriété Contenu pour qu'elle affiche *Products* (Produits) et fixé ses propriétés Nbre Colonnes sur 2 et Largeur de colonne sur 0 cm - 3 cm ; nous avons finalement enregistré le sous-formulaire. Le Chapitre 6 vous en apprend davantage à propos des champs consultation ; le Chapitre 13 détaille l'usage des propriétés.

Évitez aussi de changer le nom des sous-formulaires et des formulaires attachés, Access n'étant alors plus en mesure de les localiser ni de les ouvrir. Si vous souhaitez malgré tout les rebaptiser, vous devez ouvrir chaque formulaire principal et chaque sous-formulaire en mode création, choisir Affichage/Propriétés (si la feuille des propriétés n'est pas visible), et activer l'onglet Toutes. Remplacez ensuite toutes les références faites à l'ancien nom par le nouveau dans les propriétés Nom et Contenu ainsi que dans toutes les propriétés Événement (vous pouvez modifier l'une de ces propriétés, puis utiliser la commande Édition/Remplacer pour reporter la modification dans toutes les références du module courant). Prenez soin de modifier ces propriétés pour l'ensemble du formulaire ainsi que pour tous les boutons de commande et sous-formulaires.

Les formulaires hiérarchiques sont décrits dans l'aide en ligne, sous l'entrée d'index *sous-formulaires, création.* Le Chapitre 13 vous explique comment modifier les propriétés et sélectionner les contrôles. Les quatrième et cinquième parties de cet ouvrage vous en apprennent davantage sur les événements et les codes Visual Basic utilisés dans les procédures événementielles.

Les graphiques

Les graphiques ont pour mission de convertir vos informations numériques en graphiques afin d'en faciliter l'interprétation.

Le graphique représenté à la Figure 11.8 met en évidence la part de chaque client dans le total des ventes. Nous avons utilisé une requête Sélection comme source de données (Figure 10.17). Dans le Chapitre 14, vous découvrirez comment tracer des graphiques.

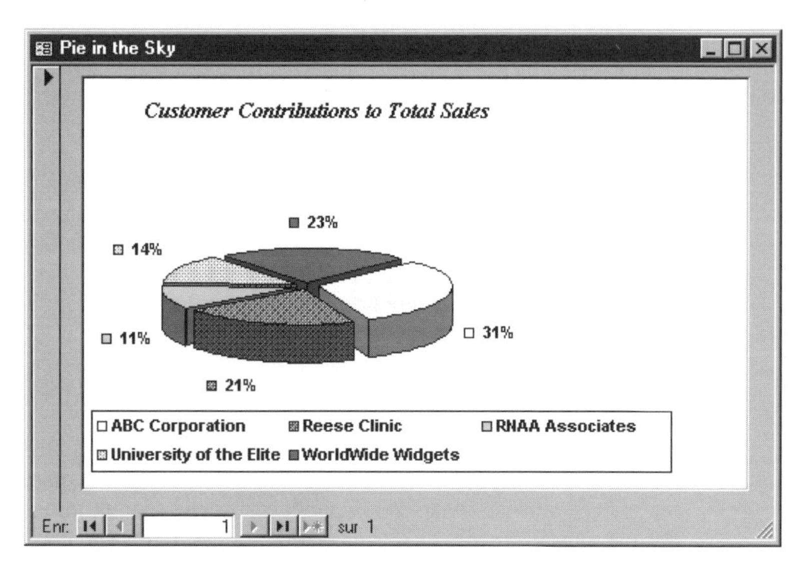

Figure 11.8 : Ce graphique à secteurs montre la part de chaque client dans le total des ventes réalisées par la société. Nous avons modifié l'aspect de ce graphe après l'avoir fait exécuter par l'Assistant Graphique.

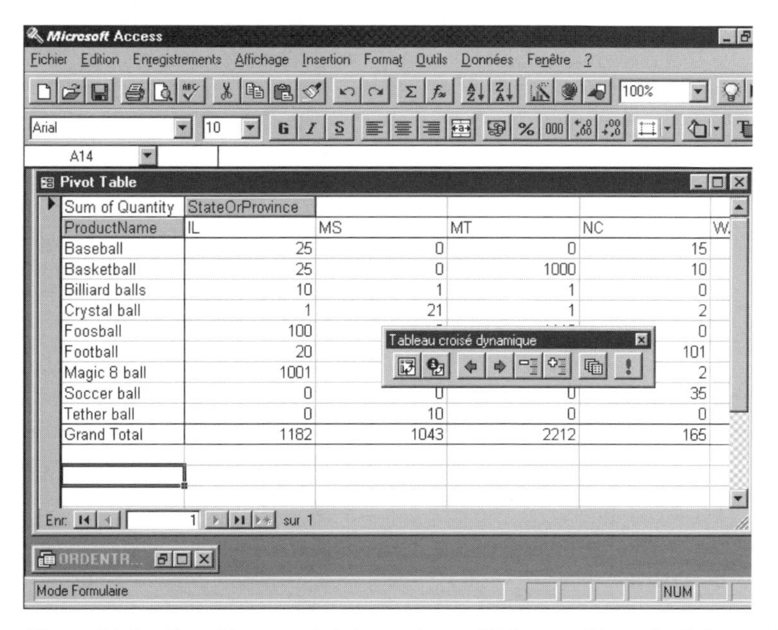

Figure 11.9 : Ce tableau croisé dynamique affiche combien d'unités ont été vendues de chaque produit dans chaque état. Après avoir ouvert ce formulaire dans Access, nous lancerons Microsoft Excel afin d'y personnaliser le tableau.

Les tableaux croisés dynamiques

Un tableau croisé dynamique (PivotTable) sert à regrouper de grandes quantités de données, à la manière d'une requête Analyse croisée (Chapitre 10). Le tableau est toutefois plus souple que la requête parce qu'il vous permet de changer de manière interactive les étiquettes de lignes et de colonnes ainsi que les calculs de regroupement. La Figure 11.9 vous présente un tableau croisé dynamique basé sur la requête représentée ci-dessous. Le Chapitre 14 vous apprend à créer et à utiliser ces tableaux croisés.

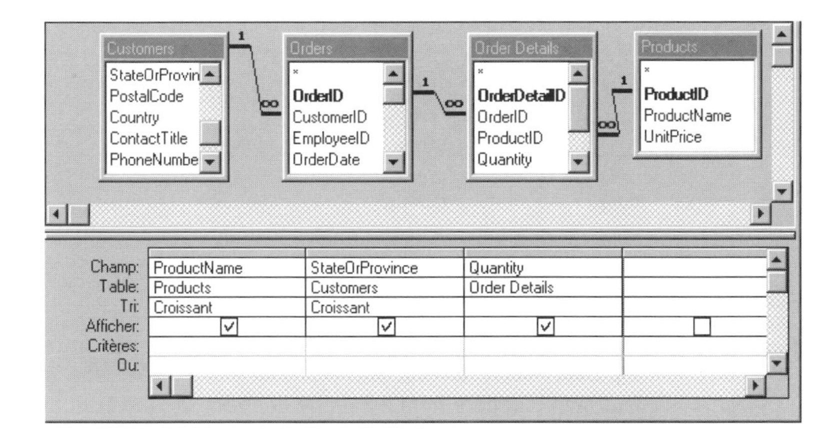

La présence d'Excel sur votre disque est indispensable si vous voulez créer et employer des tableaux croisés dynamiques.

Créer un formulaire avec l'aide d'un Assistant

Après avoir passé en revue les différents types possibles de formulaires, découvrez les Assistants qui vous aident à les constituer.

1. Partez de l'une des fenêtres suivantes :

- **Pour baser votre formulaire sur une table donnée**, ouvrez la fenêtre Base de données, activez l'onglet Tables, puis mettez en surbrillance le nom de la table concernée. Ou bien ouvrez cette table en mode feuille de données. Si elle comporte un filtre et un ordre de tri associé, le nouveau formulaire en héritera automatiquement (Chapitre 9).

Vous pouvez également démarrer en mode création de table. Sachez cependant que, dans ce cas, le formulaire ne pourra être affiché qu'en mode création et que vous recevrez un message d'erreur vous signalant que votre table est verrouillée de manière exclusive (cliquez sur OK pour vous débarrasser de ce message). Pour afficher le formulaire en mode formulaire, déroulez le menu Fenêtre et passez en mode création de table. Fermez ensuite la fenêtre de création de table (Ctrl + W), réactivez la fenêtre de création de formulaire, et activez le bouton Affichage de la barre d'outils Mode Formulaire.

- **Pour baser votre formulaire sur une requête donnée**, ouvrez la fenêtre Base de données, activez l'onglet Requêtes, puis mettez en surbrillance le nom de la requête concernée. Ou bien ouvrez cette requête en mode feuille de données ou création de requête.
- **Si vous n'avez pas encore décidé sur quelle table ou requête vous voulez baser votre formulaire**, partez de n'importe quelle fenêtre d'Access (il faut bien entendu qu'une base de données soit ouverte), ou activez l'onglet Formulaires de la fenêtre Base de données.

2. Déroulez le menu local Nouvel objet d'une barre d'outils quelconque. Le menu s'affiche :

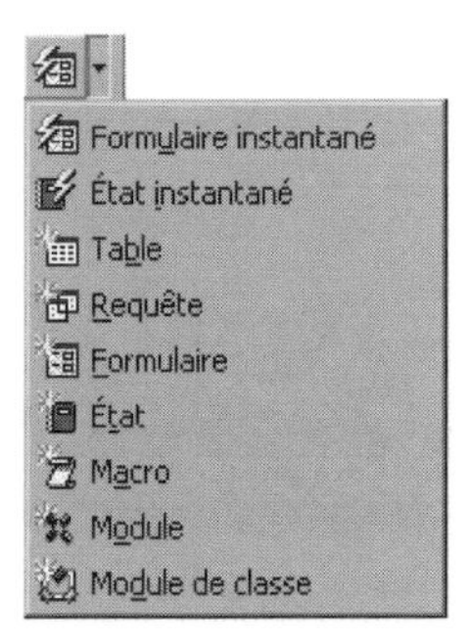

3. Activez l'une des options suivantes :

- **Formulaire instantané** : Crée un formulaire à colonnes basé sur le modèle affiché dans la case Modèle de formulaire de l'onglet Formulaires/États de la boîte de dialogue Options (Outils/Options ; voyez le Chapitre 15).

Normalement, ce modèle s'intitule "Standard" et ressemble au style Standard du formulaire de la Figure 11.1. Après avoir sélectionné cette option, passez à l'étape n° 11 - vous avez terminé ! L'option Formulaire instantané n'est intéressante que si vous avez sélectionné une table ou une requête lors de l'étape n° 1.

- **Formulaire** : Ouvre la boîte de dialogue représentée ci-dessous.

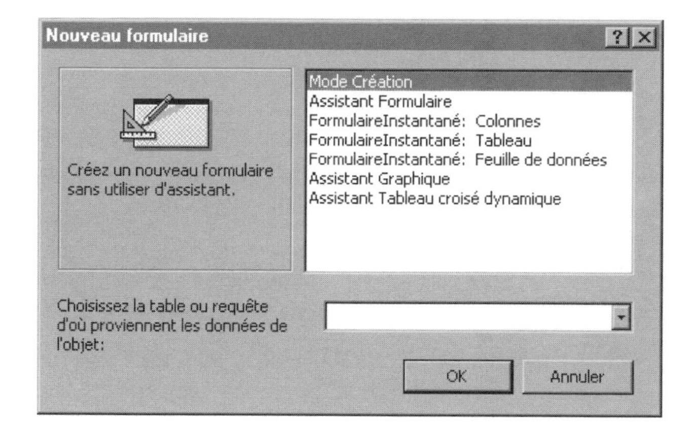

Pour accéder plus rapidement à cette fenêtre, activez l'onglet Formulaires comme nous l'expliquons à l'étape n° 1, puis cliquez sur Nouveau. Ou activez n'importe quel onglet de la fenêtre Base de données, puis choisissez Insertion/Formulaire. Pour créer rapidement un formulaire instantané, sélectionnez une table ou une requête dans l'onglet Tables ou Requêtes de la fenêtre Base de données, puis choisissez Insertion/Formulaire instantané.

4. Dans la liste déroulante Choisissez la table ou requête d'où proviennent les données de l'objet, sélectionnez la table ou la requête sur laquelle vous souhaitez baser le formulaire. (Cette case affiche peut-être déjà la table ou la requête souhaitée.)

Vous devez impérativement désigner une table ou une requête avant de lancer un Assistant Formulaire instantané ou l'Assistant Graphique, comme nous le décrivons à l'étape n° 5. En revanche, si vous avez l'intention de faire appel à l'Assistant Formulaire ou Tableau croisé dynamique, vous pourrez désigner vos tables ou requêtes plus tard.

5. Dans la liste présentée dans la partie supérieure droite de la fenêtre, sélectionnez l'option souhaitée (les choix disponibles sont commentés ci-dessous), puis cliquez sur OK ; vous pouvez aussi cliquer deux fois sur l'option qui vous intéresse. Lorsque vous mettez l'une des ces options en surbrillance, la case de gauche affiche un aperçu du formulaire sélectionné ainsi qu'un commentaire succinct. Les choix disponibles sont :

   Mode Création : Ouvre un formulaire vide en mode création.

   Assistant Formulaire : Lance l'Assistant Formulaire. Celui-ci vous donne la possibilité de sélectionner les tables, les requêtes et les champs que vous voulez inclure dans le formulaire, de créer si nécessaire des sous-formulaires ou des formulaires attachés, de choisir le style du formulaire et de spécifier son titre et son nom. Les Figures 11.1 à 11.7 vous ont montré des exemples de formulaires créés avec l'Assistant Formulaire.

   FormulaireInstantané : Colonnes : Sans vous faire transiter par des zones de dialogue, cet Assistant crée un formulaire à colonnes dans lequel il intègre tous les champs de la table ou de la requête sélectionnée (cf. Figure 11.1).

   FormulaireInstantané : Tableau : Sans vous faire transiter par des zones de dialogue, cet Assistant crée un formulaire tabulaire (cf. Figure 11.2).

   FormulaireInstantané : Feuille de données : Sans vous faire transiter par des zones de dialogue, cet Assistant crée un formulaire feuille de données (cf. Figures 11.3 et 11.4).

Lorsque vous choisissez FormulaireInstantané : Colonnes, FormulaireInstantané : Tableau ou FormulaireInstantané : Feuille de données, Access place les champs dans l'ordre dans lequel ils apparaissent dans la structure de la table ou de la requête, utilise le nom de la table ou de la requête comme titre du formulaire et applique le style par défaut. Ce style est celui que vous (ou un autre utilisateur) avez choisi en dernier lieu. Parfois, l'Assistant crée un formulaire principal et des sous-formulaires, même si vous n'en exprimez pas le désir. Après avoir sélectionné l'une ou l'autre option de formulaire instantané, passez à l'étape n° 11 et enregistrez votre formulaire.

   Assistant Graphique : Crée un formulaire qui représente graphiquement les données de votre table ou de votre requête (cf. Figure 11.8 et Chapitre 14).

   Assistant Tableau croisé dynamique : Crée un formulaire capable d'afficher un tableau croisé dynamique de Microsoft Excel (cf. Figure 11.9 et Chapitre 14).

6. Partant du principe que vous avez sélectionné un Assistant lors de l'étape n° 5, la première boîte de dialogue de cet Assistant s'affiche (Figure 11.10). Recourez à l'une des techniques décrites ci-dessous pour ajouter les champs souhaités des tables ou des requêtes de la base, puis cliquez sur Suivant.

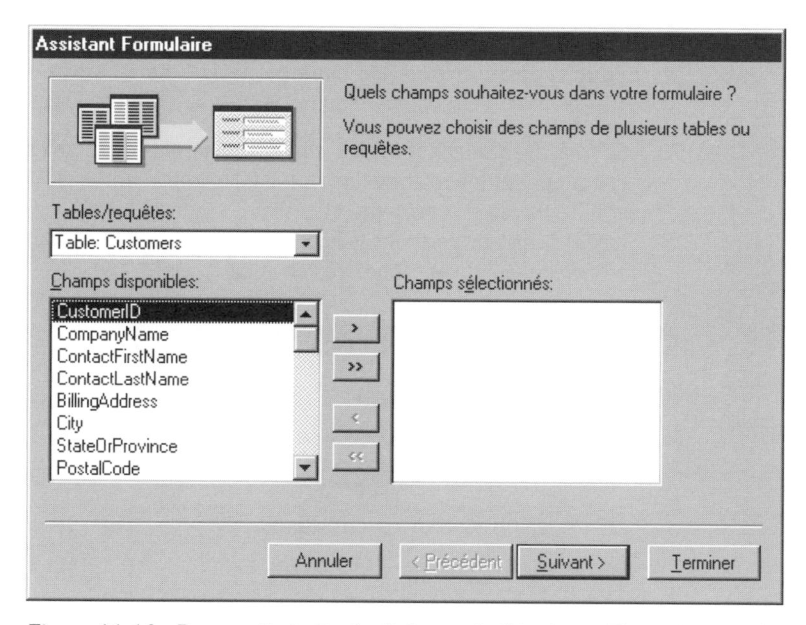

Figure 11.10 : Dans cette boîte de dialogue de l'Assistant Formulaire, spécifiez les champs que vous voulez voir figurer sur le formulaire. Vous pouvez sélectionner des champs provenant de toutes les tables et de toutes les requêtes de votre base de données. Access examine vos sélections et décide de l'aspect du formulaire.

- **Pour sélectionner une table ou une requête**, déroulez le menu local Tables/requêtes, puis sélectionnez la table ou la requête à utiliser.
- **Pour ajouter un champ au formulaire**, sélectionnez éventuellement, dans la liste Champs sélectionnés, le champ en dessous duquel le nouveau champ doit être ajouté (sauf si la liste est vide ou si vous souhaitez que le nouveau champ apparaisse en fin de liste). Cliquez ensuite deux fois sur le nom du champ à ajouter dans la liste Champs disponibles ; ou bien cliquez sur ce champ, puis sur >. Les champs mis en surbrillance sont déplacés vers la liste Champs sélectionnés et figureront sur le formulaire dans l'ordre dans lequel ils apparaissent ici.
- **Pour copier tous les champs disponibles dans la liste Champs sélectionnés**, sélectionnez éventuellement, dans la liste Champs sélectionnés, le champ en dessous duquel les nouveaux champs doivent être ajoutés (sauf si la

liste est vide ou si vous souhaitez que les nouveaux champs apparaissent en fin de liste). Cliquez ensuite sur >>.

- **Pour supprimer un champ de la liste Champs sélectionnés**, cliquez deux fois sur le nom du champ concerné ; ou mettez ce nom en surbrillance, puis cliquez sur <.
- **Pour supprimer tous les champs de la liste Champs sélectionnés**, cliquez sur <<. Les champs réapparaissent dans la liste Champs disponibles.

7. Si vous avez sélectionné des champs dans plusieurs tables mais n'avez pas encore défini les relations que ces tables entretiennent, l'Assistant vous envoie le message représenté ci-dessous. Cliquez sur OK pour quitter l'Assistant et définir les relations (Chapitre 6) ; ou cliquez sur Annuler pour retourner à l'étape n° 6 et supprimer des champs.

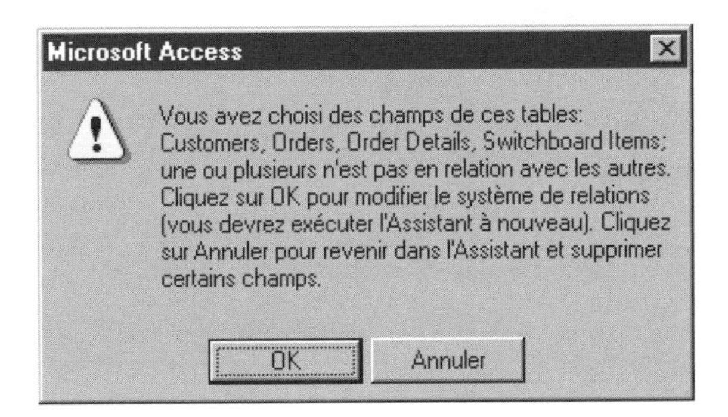

8. Les boîtes de dialogue suivantes vous demandent de choisir une présentation : Colonnes, Tableau, Feuille de données, Justifié, Formulaire avec sous-formulaire(s) ou Formulaires attachés, selon les tables et les champs retenus à l'étape n° 6. Sélectionnez l'option souhaitée, puis cliquez sur Suivant pour afficher la fenêtre suivante.

Pendant que vous faites vos choix dans les boîtes de dialogue commentées aux étapes 7 et 8, l'Assistant vous fournit divers renseignements et affiche des aperçus de votre formulaire à mesure que celui-ci prend forme. Si vous prenez votre temps, la procédure devrait se dérouler sans encombre.

9. Lorsque l'Assistant vous demande de choisir un style, sélectionnez l'une des options proposées, puis cliquez sur Suivant. Le style le plus lisible est Standard. (Vous verrez, au Chapitre 13, que vous pouvez personnaliser les styles existants ou créer des styles originaux. Plus loin dans ce chapitre, vous apprendrez à appliquer sans effort un autre style à un formulaire.)

10. Dans la dernière boîte de dialogue de l'Assistant Formulaire (Figure 11.11), acceptez le titre proposé par défaut ou entrez-en un autre, choisissez l'option Ouvrir le formulaire pour afficher ou entrer des informations (étant donné que c'est souvent par là qu'on commence), puis cliquez sur Terminer.

Le titre que vous spécifiez lors de cette étape n° 10 est utilisé comme nom de formulaire, comme propriété Légende du formulaire (qui gère le texte s'affichant dans la barre de titre du formulaire), comme propriété Légende du bouton de commande (qui gère le texte s'affichant sur le bouton de commande de tout formulaire principal comportant des sous-formulaires) ainsi que dans le code Visual Basic qu'Access crée en arrière-plan. Si vous attribuez au nouveau formulaire un nom déjà assigné à un formulaire de votre base de données, Access vous permettra soit d'écraser l'ancien formulaire, soit de changer le titre du nouveau.

Figure 11.11 : La dernière boîte de dialogue de l'Assistant Formulaire vous permet d'attribuer un titre au formulaire, de décider de votre prochaine action, ou encore d'afficher l'aide relative aux formulaires. Nous vous conseillons d'accepter les options par défaut et de cliquer sur Terminer. Cet exemple montre la dernière fenêtre de l'Assistant lors de la création d'un formulaire principal et de sous-formulaires ; la fenêtre qui clôture la création d'un formulaire simple est quasiment identique.

11. Access crée le formulaire et l'affiche en mode formulaire. Si nécessaire, modifiez la taille de la fenêtre ou agrandissez-la au maximum. Si vous n'activez pas cet agrandissement, vous pouvez faire appel à la commande Fenêtre/Ajuster à la taille du formulaire pour que la fenêtre du formulaire s'adapte à son contenu.

Lorsque votre formulaire s'affiche en mode formulaire, vous pouvez :

- Utiliser votre formulaire pour éditer des enregistrements existants ou pour ajouter de nouveaux enregistrements (voyez "Ouvrir et utiliser un formulaire", plus loin dans ce chapitre).
- Éditer ou ajouter des enregistrements en mode feuille de données. Pour basculer vers ce mode, choisissez Affichage/Feuille de données, ou déroulez le menu local Affichage de la barre d'outils Mode Formulaire et choisissez Feuille de données.

Comment les Assistants s'y prennent-ils ?

Les Assistants font des miracles : ils se contentent de vous poser quelques questions élémentaires auxquelles vous répondez de bonne grâce, et les voilà qui s'attellent à la tâche et qui vous bâtissent des formulaires prêts à l'emploi ! Ils s'assurent que les données issues de tables multiples sont synchronisées correctement, puis dimensionnent et disposent les champs et autres boutons sur le formulaire, de manière que tous les éléments apparaissent à l'écran.

Si vous basez votre formulaire sur des champs issus de tables et/ou de requêtes multiples, l'Assistant crée une instruction SQL en arrière-plan qui spécifie quelles tables, quelles requêtes et quels champs utiliser, et qui définit les relations entre tables qui s'imposent. Toutes ces opérations s'exécutent automatiquement : vous n'avez donc pas à vous en préoccuper. Vous serez rarement amené à définir des requêtes multitables juste pour afficher en même temps des champs provenant de tables différentes.

Lorsqu'il attribue une taille à chaque contrôle, l'Assistant dispose tous les champs requis, sans tenir compte du format de page. Si le formulaire qu'il produit est trop grand pour l'écran, l'Assistant calcule le rapport entre la taille totale du formulaire qui déborde et la taille idéale ; il applique alors ce facteur de réduction à tous les contrôles afin de créer un formulaire adapté. L'utilisation de cette technique simple du facteur de réduction fait que, parfois, la disposition générale ne vous convainc pas complètement. Passez alors en mode création, ajustez les tailles, réglez les positions, changez les polices, etc. Le Chapitre 13 vous explique comment faire.

- Changer la structure du formulaire en mode création (Chapitre 13). Pour passer en mode création, choisissez Affichage/Création, ou activez le bouton Affichage de la barre d'outils Mode Formulaire ; ou encore déroulez le menu local correspondant et validez Création. Dans la plupart des cas, votre action se bornera à déplacer ou élargir champs et étiquettes. La visite guidée du Chapitre 3 vous a décrit la procédure.
- Imprimer ou prévisualiser le formulaire (Chapitres 3 et 9).
- Trier ou filtrer les enregistrements, ou rechercher des enregistrements répondant à certains critères (Chapitres 3 et 9).
- Enregistrer et fermer le formulaire (voyez la section suivante : "Enregistrer un formulaire").

Enregistrer un formulaire

Si l'Assistant n'a pas procédé à la sauvegarde de votre formulaire, c'est à vous de le faire.

1. Pour enregistrer et fermer le formulaire, choisissez Fichier/Fermer, ou enfoncez les touches Ctrl + W. Vous pouvez aussi cliquer dans la case de fermeture de la fenêtre du formulaire (située dans l'angle supérieur droit) ; cliquez ensuite sur Oui. Pour simplement enregistrer vos dernières modifications, contentez-vous d'activer le bouton Enregistrer d'une barre d'outils quelconque.
2. Si votre formulaire n'a pas encore été enregistré, Access vous demande de lui donner un nom. Faites-le (maximum 64 caractères, espaces compris), puis cliquez sur OK.

Ouvrir et utiliser un formulaire

Pour ouvrir un formulaire que vous avez fermé :

1. Affichez la fenêtre Base de données et activez l'onglet Formulaires.
2. Exécutez l'une des actions suivantes :

- **Pour ouvrir le formulaire en mode formulaire** (dans lequel vous visualisez les données), cliquez deux fois sur le nom du formulaire concerné, ou mettez-le en surbrillance, puis cliquez sur Ouvrir.

- **Pour ouvrir le formulaire en mode création** (dans lequel vous pouvez modifier sa structure), sélectionnez le formulaire concerné, puis cliquez sur Modifier.

Supposons que vous ayez choisi le mode formulaire ; toutes les techniques décrites au Chapitre 8 sont à votre disposition pour éditer des données existantes ou pour saisir de nouvelles données. Le Tableau 11.1 résume les actions que vous pouvez entreprendre.

Pour...	enfoncez, cliquez ou choisissez	Bouton de barre d'outils
Passer du mode édition au mode déplacement (le curseur se déplaçant de champ en champ)	F2 ou Tabulation ou Majuscule + Tabulation, ou cliquez sur le nom du champ	
Passer du mode déplacement au mode édition (le curseur se déplaçant à l'intérieur du champ)	F2 ou cliquez dans le champ	
Se déplacer en mode édition		
Fin du champ (dans un champ qui comporte plusieurs lignes)	Ctrl + Fin	
Fin de la ligne	Fin	
Un caractère à gauche	←	
Un caractère à droite	→	
Un mot à gauche	Ctrl + ←	
Un mot à droite	Ctrl + →	
Début du champ (dans un champ qui comporte plusieurs lignes)	Ctrl + Origine	
Début de la ligne	Origine	
Éditer un champ		
Supprimer le caractère à gauche du point d'insertion	Retour arrière	
Supprimer le caractère à droite du point d'insertion	Suppr	
Supprimer un texte sélectionné	Sélectionnez le texte, puis enfoncez la touche Suppr ou Retour arrière	

Tableau 11.1 : Se déplacer et éditer dans un formulaire.

Pour...	enfoncez, cliquez ou choisissez	Bouton de barre d'outils
Éditer un champ		
Supprimer depuis le point d'insertion jusqu'à la fin du mot	Ctrl + Suppr	
Supprimer depuis le point d'insertion jusqu'au début du mot	Ctrl + Retour arrière	
Insérer la valeur par défaut du champ	Ctrl + Alt + Barre d'espacement	
Insérer une nouvelle ligne	Ctrl + Entrée	
Insérer la date système	Ctrl + ;	
Insérer l'heure système	Ctrl + : (ou Ctrl + Majuscule + ;)	
Insérer la valeur du même champ de l'enregistrement précédent	Ctrl + ' ou Ctrl + " (ou Ctrl + Majuscule + ')	
Se déplacer en mode déplacement		
Même champ (dans l'enregistrement suivant)	Ctrl + PgSuiv	
Même champ (dans l'enregistrement précédent)	Ctrl + PgPréc	
En avant ou en arrière en activant tour à tour l'en-tête de formulaire, la section Détail et le pied du formulaire	F6 (vers l'avant) ou Majuscule + F6 (vers l'arrière)	
Une page vers le bas ou l'enregistrement suivant si vous vous trouvez à la fin d'un enregistrement	PgSuiv	
Premier champ (du premier enregistrement)	Ctrl + Origine	
Premier enregistrement	Bouton Premier enregistrement ou Édition/Atteindre/Premier	
Dernier champ (de l'enregistrement courant)	Fin	
Dernier champ (du dernier enregistrement)	Ctrl + Fin	
Dernier enregistrement	Bouton Dernier enregistrement ou Édition/Atteindre/Dernier	
Champ suivant (de l'enregistrement courant)	Tabulation ou → ou Entrée	

Tableau 11.1 : Se déplacer et éditer dans un formulaire (suite).

Pour...	enfoncez, cliquez ou choisissez choisissez	Bouton de barre d'outils
Se déplacer en mode déplacement		
Enregistrement suivant	Bouton Enregistrement suivant ou Édition/Atteindre/Suivant	
Champ précédent (de l'enregistrement courant)	Majuscule + Tabulation ou ←	
Enregistrement précédent	Bouton Enregistrement précédent ou Édition/Atteindre/Précédent	
Un enregistrement particulier	F5, puis tapez le numéro de cet enregistrement et enfoncez la touche Entrée	
Une page vers le haut ou l'enregistrement précédent si vous vous trouvez à la fin d'un enregistrement	PagePréc	
Copier, couper et coller le contenu du Presse-papiers		
Copier le texte sélectionné et transférer cette copie dans le Presse-papiers	Ctrl + C ou bouton Copier ou Édition/Copier	
Couper le texte sélectionné et le transférer dans le Presse-papiers	Ctrl + X ou bouton Couper ou Édition/Couper	
Coller le texte sélectionné depuis le Presse-papiers	Ctrl + V ou bouton Coller ou Édition/Coller	
Ajouter, supprimer, sélectionner et sauvegarder des enregistrements		
Ajouter un enregistrement (les autres enregistrements restent affichés ; les boutons de navigation fonctionnent normalement)	Ctrl + + (signe plus) ou bouton Nouvel enregistrement ou bouton de navigation Nouveau ou Édition/Atteindre/Nouvel enregistrement	
Ajouter un enregistrement en mode Ajout (les autres enregistrements sont masqués)	Enregistrements/Saisie de données Pour reprendre l'édition normale, choisissez Enregistrements/Afficher tous les enregistrements ou cliquez avec le bouton droit de la souris et choisissez Afficher tous les enregistrements	

Tableau 11.1 : Se déplacer et éditer dans un formulaire (suite).

Pour...	enfoncez, cliquez ou choisissez	Bouton de barre d'outils
Copier, couper et coller le contenu du Presse-papiers		
Supprimer l'enregistrement courant	Ctrl + - (signe moins) ou sélectionnez cet enregistrement et enfoncez la touche Retour arrière ou bouton Supprimer	
Sauvegarder l'enregistrement courant	Majuscule + Entrée	
Sélectionner tous les enregistrements	Ctrl + A ou Édition/Sélectionner tous les enregistrements	
Sélectionner l'enregistrement courant	Cliquez sur le sélecteur d'enregistrement situé à gauche ou choisissez Édition/Sélectionner l'enregistrement	
Annuler toutes les modifications apportées au champ ou à l'enregistrement courant	Esc, Ctrl + Z, bouton Annuler ou Édition/Annuler	
Annuler la dernière modification en date	Esc, Ctrl + Z, bouton Annuler ou Édition/Annuler	
Opérations diverses		
Activer le mode feuille de données	Déroulez le menu local Affichage, puis choisissez Mode Feuille de données ou Affichage/Mode Feuille de données	
Activer le mode création	Déroulez le menu local Affichage, puis choisissez Création ou Affichage/Création	
Filtre (appliquer)	Bouton Appliquer le filtre ou Enregistrements/Appliquer le filtre/tri ou cliquez avec le bouton droit et choisissez Appliquer filtre/tri	
Filtrer pour	Cliquez avec le bouton droit de la souris et entrez une valeur dans la case Filtrer pour	
Filtrer par formulaire (créer/éditer)	Bouton Filtrer par formulaire ou Enregistrements/Filtre/Filtrer par formulaire ou cliquez avec le bouton droit et choisissez Filtrer par formulaire	

Tableau 11.1 : Se déplacer et éditer dans un formulaire (suite).

Pour...	enfoncez, cliquez ou choisissez choisissez	Bouton de barre d'outils
Opérations diverses		
Filtrer hors sélection (créer/éditer)	Cliquez avec le bouton droit sur le formulaire et choisissez Filtrer hors sélection	
Filtrer par sélection (créer/éditer)	Bouton Filtrer par sélection ou Enregistrements/Filtre/Filtrer par sélection ou cliquez avec le bouton droit et choisissez Filtrer par sélection	
Filtre/tri avancé (créer/éditer)	Enregistrements/Filtre/ Filtre/tri avancé	
Filtre (supprimer)	Bouton Supprimer le filtre ou Enregistrements/Afficher tous les enregistrements ou cliquez avec le bouton droit et choisissez Afficher tous les enregistrements	
Trouver un enregistrement	Ctrl + F ou bouton Rechercher ou Édition/Rechercher	
Activer le mode formulaire	Déroulez le menu local Affichage, puis choisissez Mode Formulaire ou Affichage/Mode Formulaire	
Prévisualiser les enregistrements	Bouton Aperçu avant impression ou Fichier/Aperçu avant impression	
Imprimer les enregistrements	Bouton Imprimer, Ctrl + P ou Fichier/Imprimer	
Remplacer du texte dans un enregistrement	Ctrl + H ou Édition/Remplacer	
Trier les enregistrements (ordre A-Z, 0-9)	Bouton Tri croissant ou Enregistrements/Trier/Tri croissant ou cliquez avec le bouton droit et choisissez Tricroissant	
Trier les enregistrements (ordre Z-A, 9-0)	Bouton Tri décroissant ou Enregistrements/Trier/Tri décroissant ou cliquez avec le bouton droit et choisissez Tri décroissant	

Tableau 11.1 : Se déplacer et éditer dans un formulaire (suite).

Vous créerez rapidement un nouveau formulaire basé sur un formulaire existant si vous recourez à la commande Copier. Activez l'onglet Formulaires de la fenêtre Base de données, sélectionnez le formulaire à copier, enfoncez les touches Ctrl + C. Ensuite, enfoncez les touches Ctrl + V, tapez le nom du nouveau formulaire, puis cliquez sur OK.

Employer les formulaires hiérarchiques

Lorsque vous avez créé un formulaire principal/sous-formulaire (Figures 11.5 et 11.7), vous l'utilisez comme s'il s'agissait d'un formulaire normal (Tableau 11.1), à quelques différences près que nous énumérons dans le Tableau 11.2

Si vous avez conçu un formulaire attaché, cliquez sur le bouton de commande situé dans sa partie supérieure, puis utilisez le formulaire principal et le sous-formulaire comme décrit dans le Tableau 11.2. Lorsque votre travail sur le formulaire attaché est terminé, cliquez dans sa case de fermeture ou enfoncez les touches Ctrl + W.

Pour...	enfoncez ou choisissez...
En mode déplacement	
Quitter le sous-formulaire ou atteindre le champ suivant si vous n'êtes pas dans un sous-formulaire	Ctrl + Tabulation ou cliquez dans le formulaire principal
Quitter le sous-formulaire ou atteindre le champ précédent si vous n'êtes pas dans un sous-formulaire	Ctrl + Majuscule + Tabulation ou cliquez dans le formulaire principal
Déplacer le point d'insertion du formulaire principal vers le sous-formulaire	Fin ou cliquez dans le sous-formulaire
Déplacer le point d'insertion d'un enregistrement à l'autre dans le formulaire principal	Utilisez les boutons de navigation du formulaire principal, ou cliquez dans le formulaire principal et choisissez l'option souhaitée de la commande Édition/Atteindre
Déplacer le point d'insertion d'un enregistrement à l'autre dans un sous-formulaire	Utilisez les boutons de navigation du sous-formulaire, ou cliquez dans un sous-formulaire et choisissez l'option souhaitée de la commande Édition/Atteindre

Tableau 11.2 : Techniques spéciales relatives à l'utilisation du formulaire principal et des sous-formulaires.

Pour...	enfoncez ou choisissez...
En mode déplacement	
Déplacer le point d'insertion vers le premier champ éditable du formulaire principal	Ctrl + Majuscule + Origine, ou cliquez dans ce champ
Passer, dans le sous-formulaire, du mode feuille de données du sous-formulaire au mode formulaire	Cliquez dans le sous-formulaire, puis choisissez Affichage/Mode Feuille de données du sous-formulaire
Ajouter, supprimer ou modifier des enregistrements	
Ajouter un enregistrement au formulaire principal	Placez votre pointeur dans le formulaire principal, puis cliquez sur le bouton Nouveau ou choisissez Édition/Atteindre/Nouvel enregistrement
Ajouter un enregistrement à un sous-formulaire	Placez votre pointeur dans le sous-formulaire, puis cliquez sur le bouton Nouveau ou choisissez Édition/Atteindre/Nouvel enregistrement
Changer les données du formulaire principal	Placez le curseur dans le champ souhaité du *formulaire principal* et éditez son contenu selon les techniques habituelles
Changer les données d'un sous-formulaire	Placez le curseur dans le champ souhaité du *sous-formulaire* et éditez son contenu selon les techniques habituelles
Supprimer un enregistrement du formulaire principal	Cliquez sur le sélecteur de l'enregistrement concerné du *formulaire principal*, enfoncez la touche Suppr, puis cliquez sur Oui.
Supprimer un enregistrement d'un sous-formulaire	Cliquez sur le sélecteur de l'enregistrement concerné du *sous-formulaire*, enfoncez la touche Suppr, puis cliquez sur Oui.

Tableau 11.2 : Techniques spéciales relatives à l'utilisation du formulaire principal et des sous-formulaire (suite).

Quelques autres considérations à prendre en compte :

- Vérifiez l'emplacement de votre curseur si vous ajoutez ou supprimez des enregistrements dans le formulaire principal ou dans un sous-formulaire. Voyez le Tableau 11.2 pour les détails de mise en oeuvre.
- Vous pouvez régler la hauteur des lignes, la largeur des colonnes ainsi que la position de ces dernières dans un sous-formulaire en appliquant les mêmes techniques que celles en vigueur en mode feuille de données de la table (Cha-

pitre 8). Ainsi, vous pouvez faire glisser des lignes ou des colonnes, comme vous le feriez dans une grille classique en mode feuille de données. Access enregistre automatiquement vos modifications.

- Vous pouvez filtrer vos enregistrements dans le formulaire principal et dans le(s) sous-formulaire(s).
- Si vous ajoutez un enregistrement à un sous-formulaire et changez d'avis alors que votre curseur se trouve toujours dans cet enregistrement, activez le bouton Annuler d'une barre d'outils quelconque ou enfoncez la touche Esc.

Changer le style d'un formulaire

Si vous avez sollicité les services des Assistants pour créer un formulaire de style Lin ou International, comment faire si, après coup, vous voulez changer son style ?

1. Ouvrez le formulaire en mode création. Si vous agissez depuis la fenêtre Base de données, activez l'onglet Formulaires, sélectionnez le formulaire concerné, puis cliquez sur Modifier. Si vous agissez depuis le mode formulaire, activez le bouton Affichage de la barre d'outils Mode Formulaire (représenté à gauche), ou choisissez Affichage/Mode Formulaire.

2. Assurez-vous que le formulaire est bien sélectionné. (Au besoin, cliquez dans la case de sélection située à l'intersection des règles horizontale et verticale.) Choisissez ensuite Format/Format automatique ou activez le bouton Format automatique de la barre d'outils Création de formulaire (représenté à gauche). La boîte de dialogue Format automatique s'affiche à l'écran (Figure 11.12).
3. Dans cette fenêtre, sélectionnez le format souhaité. Une case Aperçu vous montre l'effet de votre choix.
4. Cliquez sur OK pour reformater le formulaire ; répondez aux éventuels messages qui vous sont adressés.
5. Enregistrez les changements apportés (Ctrl + S) et activez le bouton Affichage de la barre d'outils Mode Formulaire, ou choisissez Affichage/Mode Formulaire pour réactiver le mode formulaire.

Le Chapitre 14 vous en apprend plus sur la conception des formulaires grâce à la commande Format automatique et à la création de styles personnels. N'hésitez pas à consulter l'aide en ligne, à l'entrée d'index intitulée *formatage automatique*.

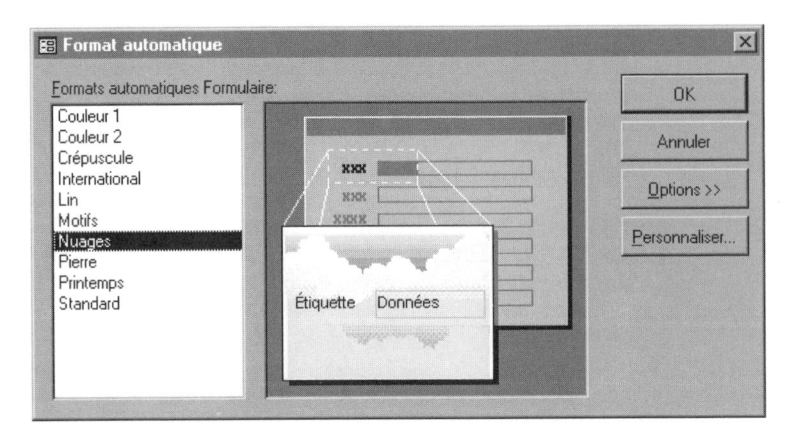

Figure 11.12 : Utilisez la boîte de dialogue Format automatique pour changer le style de votre formulaire ou pour personnaliser un style existant. Pour ce faire, basculez en mode création de formulaire et choisissez Format/Format automatique.

Et maintenant, que faisons-nous ?

Ce chapitre vous a présenté les différents types de formulaires que les Assistants sont capables de créer. Vous pouvez passer au Chapitre 12 pour vous familiariser avec les états, ou sauter directement au Chapitre 13, qui vous apprend à concevoir de toutes pièces formulaires et états, ainsi qu'à personnaliser des formulaires et des états existants.

Quoi de neuf ?

L'Assistant Formulaire a été remodelé et il est désormais plus commode de créer des formulaires qui affichent des données de plusieurs tables.

Chapitre 12

Créer des états avec l'aide des Assistants

Bien souvent, si nous nous donnons la peine de constituer une base de données, c'est dans le but d'imprimer les données que nous stockons dans les tables ou les informations localisées par les requêtes. Les Assistants État d'Access vous proposent des outils grâce auxquels vous pourrez en toute facilité créer des états dans une série impressionnante de formats. Usez et abusez de ces Assistants, même si vous vous sentez l'envie, par la suite, de personnaliser les états qu'ils ont produits afin qu'ils soient plus conformes à vos souhaits.

Le Chapitre 3 vous explique comment traiter les Assistants, en particulier les Assistants État. Le Chapitre 9 détaille l'impression. Le Chapitre 13 vous apprend à concevoir des formulaires et des états en partant de zéro ainsi qu'à personnaliser des structures existantes.

Voyez *Travail avec les états* dans le sommaire de l'aide ou *états, création* dans l'index.

Quels états les Assistants État sont-ils capables de créer ?

Les Assistants État sont capables de créer différents types d'états, montrant les valeurs de champs issus d'une ou de plusieurs tables ou requêtes. Nous vous proposons ici quelques exemples qui, nous l'espérons, vous aideront à faire le bon choix. Nous vous expliquerons ensuite comme créer, enregistrer et utiliser un état constitué par les bons soins d'un Assistant.

Les états Colonnes

Dans un état à colonnes (ou "état vertical"), chaque champ occupe une ligne, l'étiquette du champ étant placée à sa gauche. La Figure 12.1 montre un état Colonnes de la table Products (Produits).

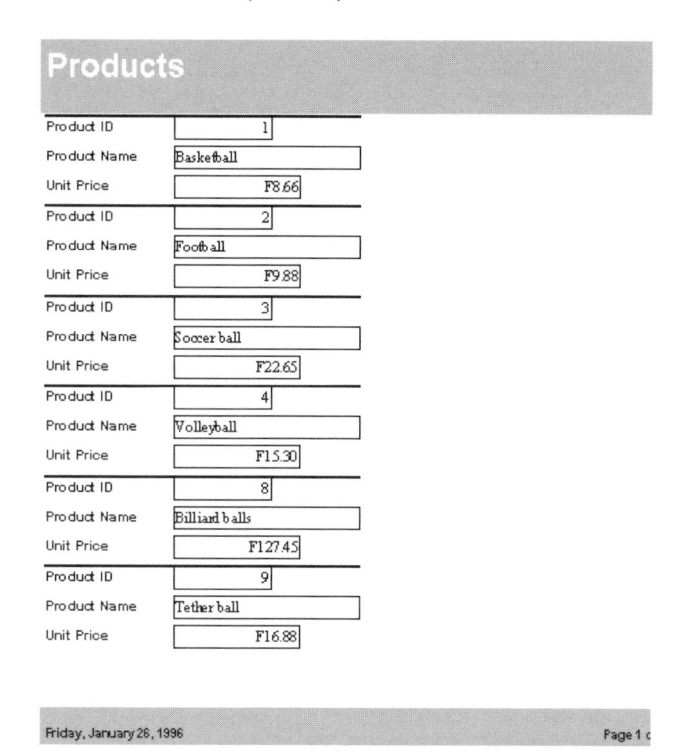

Products

Product ID	1
Product Name	Basketball
Unit Price	F8.66
Product ID	2
Product Name	Football
Unit Price	F9.88
Product ID	3
Product Name	Soccer ball
Unit Price	F22.65
Product ID	4
Product Name	Volleyball
Unit Price	F15.30
Product ID	8
Product Name	Billiard balls
Unit Price	F127.45
Product ID	9
Product Name	Tether ball
Unit Price	F16.88

Friday, January 26, 1996 Page 1 c

Figure 12.1 : Un état Colonnes de la table Products (Produits), en style Gris clair.

Vous pouvez personnaliser les styles proposés par les Assistants État. Pour commencer, ouvrez un état en mode création, puis choisissez Format/Format automatique. Dans la boîte de dialogue Format automatique, sélectionnez le format souhaité dans la liste, puis cliquez sur Personnaliser.

Les états Tableau

La Figure 12.2 montre un état tabulaire de la table Products (Produits). Les champs y apparaissent horizontalement, les étiquettes étant placées dans la partie supérieure.

Products

Product ID	Product Name	Unit Price
1	Basketball	F8.66
2	Football	F9.88
3	Soccer ball	F22.65
4	Volleyball	F5.68
5	Golf balls	F11.81
6	Crystal ball	F45.55
7	Baseball	F15.30
8	Billiard balls	F127.45
9	Tether ball	F16.88
10	Foosball	F20.53

Figure 12.2 : Un état Tableau de la table Products (Produits), en style Gras. Cette présentation convient particulièrement lorsque vous souhaitez afficher quelques champs étroits et visualiser plusieurs enregistrements sur la même page.

Les états Regroupements, Totaux et de synthèse

Les états Regroupements et Totaux (Figure 12.3) organisent vos données en groupes et sont présentés en format tabulaire. À votre demande, l'Assistant réalise les opérations suivantes sur les valeurs des champs Numérique et Monétaire : somme, moyenne, minimum et maximum ; il affiche aussi les sommes sous la forme de pourcentages dans le total.

Lorsque l'Assistant État a besoin de votre aide

L'Assistant État fait tout ce qui est en son pouvoir pour présenter vos états correctement.

Toutefois, il vous arrivera de devoir mettre la main à la pâte et peaufiner ces présentations en mode création, tout spécialement dans le cas d'états comportant des calculs de synthèse et d'états basés sur des requêtes également fondées sur des calculs.

Mais rassurez-vous : cette tâche n'est pas insurmontable et cette façon de faire reste plus rapide que de créer un état complexe de toutes pièces.

Ainsi, nous avons chargé l'Assistant État de créer la première version de l'état représenté à la Figure 12.3. Au terme de cette procédure, nous nous sommes rendus compte que la colonne Quantity (Quantité) était un peu trop étroite et que les formats des calculs Somme, Moyenne, Min, Max et totaux généraux n'étaient pas bien choisis.

Pour remédier à cette situation, nous sommes passés en mode création, avons ouvert la feuille des propriétés (Affichage/Propriétés) et avons activé l'onglet Format. Ensuite :

- Nous avons élargi l'étiquette Quantity (Quantité) placée dans la partie supérieure de la fenêtre.
- Nous avons sélectionné tous les contrôles affichant des calculs de synthèse et avons fixé leur propriété Aligner texte sur Droite.
- Nous avons sélectionné tous les contrôles affichant des calculs de synthèse et des totaux généraux et avons fixé leur propriété Format sur Monétaire.
- Nous avons sélectionné le contrôle qui affiche la quantité moyenne et avons fixé sa propriété Format sur Fixe.
- Nous avons ouvert la boîte de dialogue Trier et regrouper (Affichage/Trier et grouper), puis avons sélectionné OrderDate dans la colonne Champ/expression et avons fixé la propriété Section insécable sur Groupe entier.

Nous avons apporté le même genre d'aménagements à la version Assistant de l'état représenté à la Figure 12.5. Le Chapitre 13 vous en apprend davantage à ce sujet.

Orders by Date

Order Date 2/1/95

Product Name	Quantity	Unit Price	Discount	$ Before T
Basketball	1	F4.95	0.00%	F4:
Basketball	2	F4.95	0.00%	F9:
Billiard balls	2	F127.45	0.00%	F254:
Crystal ball	2	F45.55	0.00%	F91.
Foosball	4	F17.85	0.00%	F71.
Football	1	F5.65	0.00%	F5.
Football	2	F5.65	0.00%	F11.
Football	1	F5.65	0.00%	F5.
Tether ball	5	F9.65	0.00%	F48.

Summary for 'OrderDate' = 2/1/95 (9 detail records)

	Quantity	Unit Price	Discount	$ Before T
Sum	20			F503
Avg	2.22	F25.26	0.00%	F55
Min	1	F4.95	0.00%	F4
Max	5	F127.45	0.00%	F254
Percent	25.97%			F0

Order Date 2/11/95

Product Name	Quantity	Unit Price	Discount	$ Before T
Baseball	2	F8.75	0.00%	F17.
Basketball	1	F4.95	0.00%	F4:
Basketball	2	F4.95	0.00%	F9:
Football	1	F5.65	0.00%	F5.

Summary for 'OrderDate' = 2/11/95 (4 detail records)

	Quantity	Unit Price	Discount	$ Before T
Sum	6			F38
Avg	1.50	F6.08	0.00%	F9
Min	1	F4.95	0.00%	F4
Max	2	F8.75	0.00%	F17
Percent	7.79%			F0

Friday, January 26, 1996 Page 1 c

Figure 12.3 : Un état Regroupements/Totaux en style Hasard ; cet état a opéré un regroupement par date de commande et réalisé des sous-totaux sur les champs Numérique et Monétaire. Nous sommes intervenus manuellement pour modifier l'aspect de cet état après sa création par l'Assistant.

L'état Regroupements/Totaux représenté à la Figure 12.3 est fondé sur la requête illustrée à la Figure 12.4. Le calcul ancré dans la dernière colonne de la requête est le suivant :

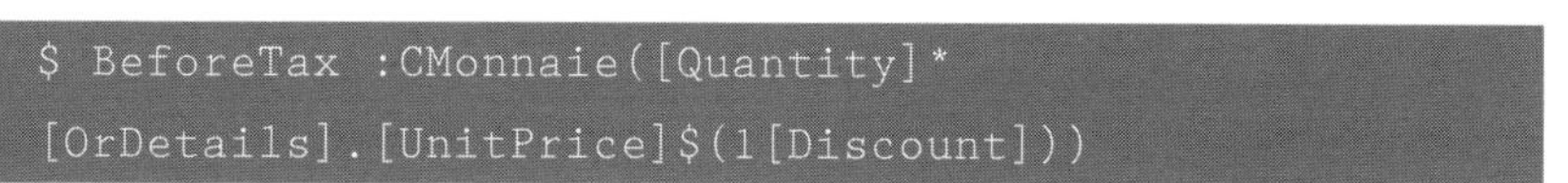

```
$ BeforeTax :CMonnaie([Quantity]*
[OrDetails].[UnitPrice]$(1[Discount]))
```

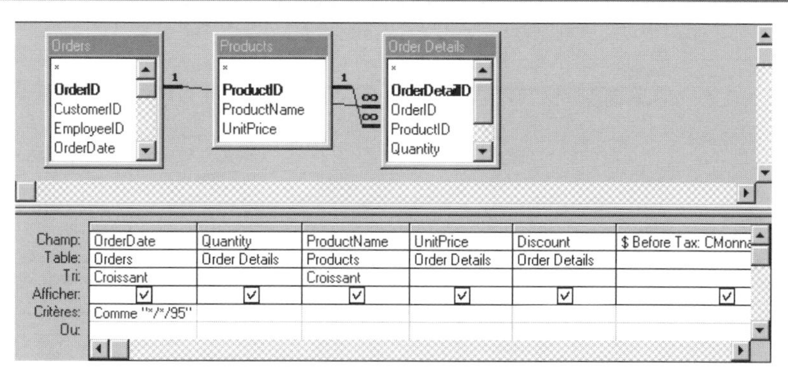

Figure 12.4 : Cette requête multitable fournit les données de l'état représenté à la Figure 12.3 qui affiche les commandes passées en 1995. Le Chapitre 10 vous apprend à construire des requêtes semblables à celle-ci.

Les états de synthèse sont identiques aux états Regroupements et Totaux, à cette différence près qui ne reprennent pas les enregistrements détaillés entre chaque groupe. La Figure 12.5 montre d'ailleurs un état fort semblable à celui de la Figure 12.4. (Nous n'y avons pas inclus le champ ProductName (NomProduit). Cet état est fondé sur la requête représentée à la Figure 12.3.

Les graphiques

Les graphiques convertissent vos données numériques en graphes beaucoup plus parlants. Le graphique de la Figure 12.6 montre la part de chaque client dans le total des ventes. Nous avons fait appel à une requête Sélection comme source de données pour ce graphe (Figure 10.17).

La procédure est sensiblement la même, que vous affichiez le graphique dans un formulaire ou dans un état. Dès lors, lorsque vous savez comment créer un graphique fondé sur un formulaire, vous savez aussi créer un graphique fondé sur un état. Le Chapitre 14 est consacré aux graphes.

Orders By Date (Summary)

Order Date 2/1/95

	Quantity	Unit Price	Discount	$ Before Tax
				Summary for 'OrderDate' = 2/1/95 (0 detail reco
Sum	20			F503.10
Avg	2.22	F25.20	0.00 %	F55.00
Min	1	F4.05	0.00 %	F4.05
Max	5	F127.45	0.00 %	F254.00
Percent	25.07%			30.57%

Order Date 2/11/95

	Quantity	Unit Price	Discount	$ Before Tax
				Summary for 'OrderDate' = 2/11/95 (4 detail reco
Sum	6			F38.00
Avg	1.50	F0.08	0.00 %	F0.50
Min	1	F4.05	0.00 %	F4.05
Max	2	F8.75	0.00 %	F17.50
Percent	7.70 %			2.31 %

Order Date 2/18/95

	Quantity	Unit Price	Discount	$ Before Tax
				Summary for 'OrderDate' = 2/18/95 (2 detail reco
Sum	2			F52.20
Avg	1.00	F20.15	0.05 %	F20.15
Min	1	F0.75	0.00 %	F0.74
Max	1	F45.55	0.10 %	F45.55
Percent	2.00 %			3.18 %

Order Date 2/25/95

	Quantity	Unit Price	Discount	$ Before Tax
				Summary for 'OrderDate' = 2/25/95 (1 detail rec
Sum	2			F11.30
Avg	2.00	F5.05	0.00 %	F11.30
Min	2	F5.05	0.00 %	F11.30
Max	2	F5.05	0.00 %	F11.30
Percent	2.00 %			0.00 %

Friday, January 26, 1996 *Page 1 c*

Figures 12.5 : Un état de synthèse ressemble à un état Regroupements/Totaux mais n'affiche pas les enregistrements détaillés entre chaque groupe. Pour varier les plaisirs, nous avons attribué le style Corporatif à cet état et apporté quelques aménagements au travail réalisé par l'Assistant.Reprendre figure

Si vous avez déjà enregistré un graphique en tant que formulaire, vous pouvez facilement opérer sa conversion en état. Pour y parvenir, activez l'onglet Formulaires de la fenêtre Base de données, cliquez avec le bouton droit de la souris sur le graphique que vous voulez sauvegarder en tant qu'état, choisissez Enregistrer comme un état, tapez un nom pour le nouvel état, puis cliquez sur OK. Le nouvel état apparaît dans la liste des états, présentée par l'onglet États de la fenêtre Base de données.

Customer Contributions to Total Sales

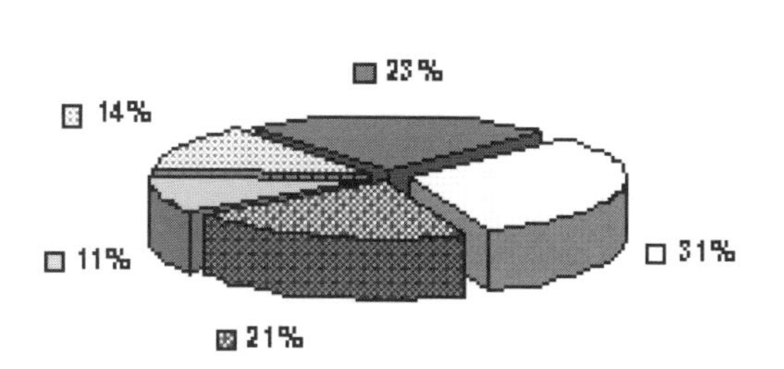

- ABC Corporation
- Reese Clinic
- RNAA Associates
- University of the Elite
- World Wide Widgets

Figure 12.6 : Ce graphique à secteurs montre la part de chaque client dans le total des ventes de la société. Nous avons modifié quelque peu le graphe après sa création par l'Assistant.

Wilbur Sturningi
University of the Elite
P.O. Box 555
Lander, WY 82520-
USA

Shirley Ujest
WorldWide Widgets
187 Suffolk Ln.
Boise, ID 83720-
USA

Susita Schumack
Reese Clinic
2817 Milton Dr.
Albuquerque, NM 87110-
USA

Anita Adams
Database Search and Rescue
5356 E. 20th St.
Santa Fe, NM 87110-3857
USA

Sheila Sturningi
Precision Bagpipes
P.O. Box 23981
San Diego, CA 92575-4747
USA

Andy Adams
ABC Corporation
87 Polk St.
Suite 5
San Francisco, CA 94117-
USA

Hanley Strappman
RNAA Associates
2743 Bering St.
Anchorage, AK 99508-
USA

Figure 12.7 : Des étiquettes de publipostage triées par code postal, nom et prénom, et présentées en format Avery 5196 (disquette 3,5 pouces). Nous avons fait appel à la fonction Format pour afficher les codes postaux avec des tirets (comme 92575-4747).

Les étiquettes de publipostage

Vous pouvez concevoir des étiquettes de publipostage aux formats standard Avery. La Figure 12.7 propose une série d'étiquettes de ce type destinées à être imprimées sur feuilles Avery 5196 (étiquettes de disquettes 3,5 pouces). Voyez la section intitulée "Créer des étiquettes de publipostage", plus loin dans ce chapitre.

Créer un état avec l'aide d'un Assistant

La marche à suivre dépend du type d'état que vous souhaitez créer. Néanmoins, voici les phases communes à toutes les situations :

1. Partez de l'une des fenêtres suivantes :

- **Pour baser votre état sur une table donnée**, ouvrez la fenêtre Base de données, activez l'onglet Tables, puis mettez en surbrillance le nom de la table concernée. Ou bien ouvrez cette table en mode feuille de données. Si elle comporte un filtre et un ordre de tri associé, le nouvel état en héritera automatiquement (voyez le Chapitre 9 et la section intitulée "Supprimer un filtre et un ordre de tri", plus loin dans ce chapitre).

Vous pouvez également démarrer en mode création de table. Sachez cependant que, dans ce cas, l'état ne pourra être affiché qu'en mode création et que vous recevrez un message d'erreur vous signalant que votre table est verrouillée de manière exclusive (cliquez sur OK pour vous débarrasser de ce message). Pour afficher l'état en mode aperçu avant impression, déroulez le menu Fenêtre et passez en mode création de table. Fermez ensuite la fenêtre de création de table (Ctrl + W), réactivez la fenêtre de création d'état, et activez le bouton État de la barre d'outils Créer un état.

- **Pour baser votre état sur une requête donnée (ou sur un filtre enregistré)**, ouvrez la fenêtre Base de données, activez l'onglet Requêtes, puis mettez en surbrillance le nom de la requête concernée. Ou bien ouvrez cette requête en mode feuille de données ou création de requête.
- **Si vous n'avez pas encore décidé sur quelle table ou requête vous voulez baser votre état**, partez de n'importe quelle fenêtre d'Access (il faut bien entendu qu'une base de données soit ouverte), ou activez l'onglet États de la fenêtre Base de données.

2. Déroulez le menu local Nouvel objet d'une barre d'outils quelconque. Le menu s'affiche :

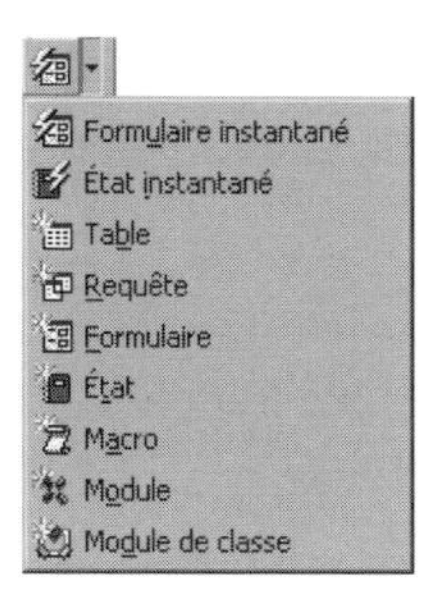

3. Activez l'une des options suivantes :

- **État instantané** : Crée un état à colonnes basé sur le modèle affiché dans la case Modèle d'état de l'onglet Formulaires/États de la boîte de dialogue Options (Outils/Options ; voyez le Chapitre 15). Normalement, ce modèle s'intitule "Standard" et est complètement vide. Après avoir sélectionné cette option, passez à l'étape n° 11 - vous avez terminé ! L'option État instantané n'est intéressante que si vous avez sélectionné une table ou une requête lors de l'étape n° 1.
- **État** : Ouvre la boîte de dialogue représentée ci-dessous.

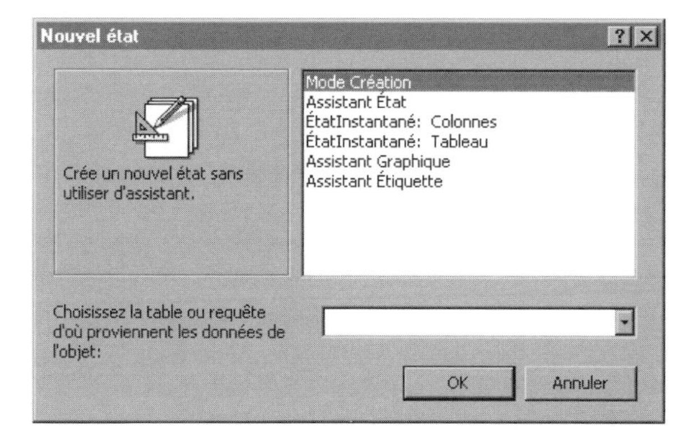

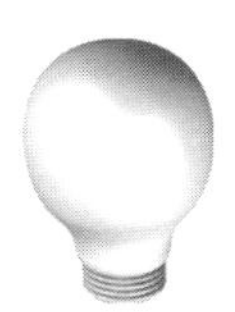

Pour accéder plus rapidement à cette fenêtre, activez l'onglet États comme nous l'expliquons à l'étape n° 1, puis cliquez sur Nouveau. Ou activez n'importe quel onglet de la fenêtre Base de données, puis choisissez Insertion/État. Pour créer rapidement un état instantané, sélectionnez une table ou une requête dans l'onglet Tables ou Requêtes de la fenêtre Base de données, puis choisissez Insertion/État instantané.

4. Dans la liste déroulante Choisissez la table ou requête d'où proviennent les données de l'objet, sélectionnez la table ou la requête sur laquelle vous souhaitez baser l'état. (Cette case affiche peut-être déjà la table ou la requête souhaitée.)

Vous devez impérativement désigner une table ou une requête avant de lancer un Assistant État instantané, l'Assistant Graphique ou l'Assistant Étiquette, comme nous le décrivons à l'étape n° 5. En revanche, si vous avez l'intention de faire appel à l'Assistant État, vous pourrez désigner vos tables ou requêtes plus tard.

5. Dans la liste présentée dans la partie supérieure droite de la fenêtre, sélectionnez l'option souhaitée (les choix disponibles sont commentés ci-dessous), puis cliquez sur OK ; vous pouvez aussi cliquer deux fois sur l'option qui vous intéresse. Lorsque vous mettez l'une des ces options en surbrillance, la case de gauche affiche un aperçu de l'état sélectionné ainsi qu'un commentaire succinct. Les chois disponibles sont :

   Assistant État : Lance l'Assistant État. Celui-ci vous donne la possibilité de sélectionner les tables, requêtes et champs que vous voulez inclure dans l'état, de décider comment grouper, totaliser ou synthétiser cet état, de choisir le style de l'état et de spécifier son titre et son nom.

   ÉtatInstantané : Colonnes : Sans vous faire transiter par des zones de dialogue, cet Assistant crée un état à colonnes dans lequel il intègre tous les champs de la table ou de la requête sélectionnée (Figure 12.1).

   ÉtatInstantané : Tableau : Sans vous faire transiter par des zones de dialogue, cet Assistant crée un état tabulaire (Figure 12.2).

Lorsque vous choisissez ÉtatInstantané : Colonnes ou ÉtatInstantané : Tableau, Access place les champs dans l'ordre dans lequel ils apparaissent dans la structure de la table ou de la requête, utilise le nom de la table ou de la requête comme titre de l'état et applique le style par défaut. Ce style est celui que vous (ou un autre utilisateur) avez choisi lors du dernier recours en date à l'Assistant. Après avoir sélectionné l'une ou l'autre option d'état instantané, passez à l'étape n° 11 et enregistrez votre état.

   Assistant Graphique : Crée un état qui représente graphiquement les données de votre table ou de votre requête (Figure 12.6 et Chapitre 14).

Assistant Étiquette : Crée des étiquettes de publipostage basées sur votre table ou requête (Figure 12.7 et section "Créer des étiquettes de publipostage", plus loin dans ce chapitre).

6. Partant du principe que vous avez sélectionné un Assistant lors de l'étape n° 5, la première boîte de dialogue de cet Assistant s'affiche (Figure 12.8). Recourez à l'une des techniques décrites ci-dessous pour ajouter les champs souhaités des tables ou des requêtes de la base, puis cliquez sur Suivant.

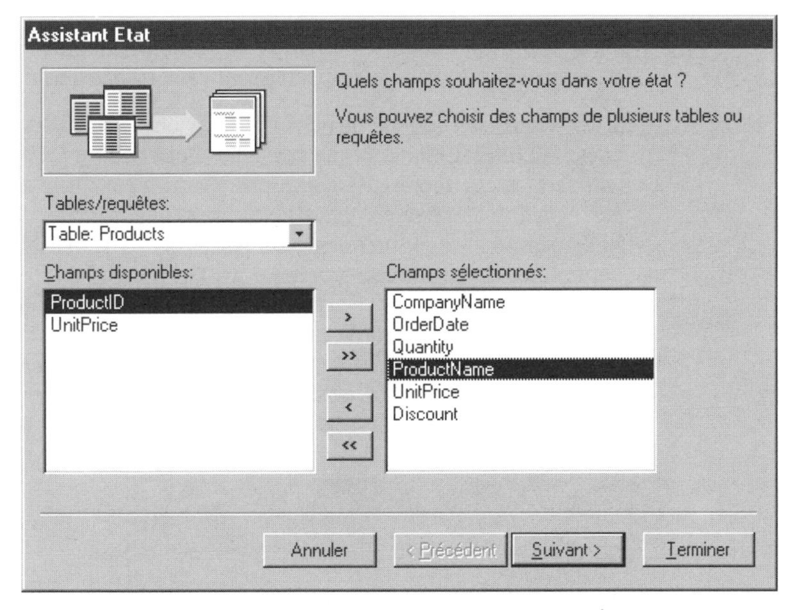

Figure 12.8 : Dans cette boîte de dialogue de l'Assistant État, spécifiez les champs que vous voulez voir figurer sur l'état. Vous pouvez sélectionner des champs provenant de toutes les tables et de toutes les requêtes de votre base de données. Access examine vos sélections et décide de l'aspect de l'état.

- **Pour sélectionner une table ou une requête**, déroulez le menu local Tables/requêtes, puis sélectionnez la table ou la requête à utiliser.
- **Pour ajouter un champ à l'état**, sélectionnez éventuellement, dans la liste Champs sélectionnés, le champ en dessous duquel le nouveau champ doit être ajouté (sauf si la liste est vide ou si vous souhaitez que le nouveau champ apparaisse en fin de liste). Cliquez ensuite deux fois sur le nom du champ à ajouter dans la liste Champs disponibles ; ou bien cliquez sur ce champ, puis sur >. Les champs mis en surbrillance sont déplacés vers la liste Champs sélectionnés et figureront sur l'état dans l'ordre dans lequel ils apparaissent ici.

- **Pour copier tous les champs disponibles dans la liste Champs sélectionnés**, sélectionnez éventuellement, dans la liste Champs sélectionnés, le champ en dessous duquel les nouveaux champs doivent être ajoutés (sauf si la liste est vide ou si vous souhaitez que les nouveaux champs apparaissent en fin de liste). Cliquez ensuite sur >>.

- **Pour supprimer un champ de la liste Champs sélectionnés**, cliquez deux fois sur le nom du champ concerné ; ou mettez ce nom en surbrillance, puis cliquez sur <.

- **Pour supprimer tous les champs de la liste Champs sélectionnés**, cliquez sur <<. Les champs réapparaissent dans la liste Champs disponibles.

7. Si vous avez sélectionné des champs dans plusieurs tables mais n'avez pas encore défini les relations que ces tables entretiennent, l'Assistant vous envoie le message représenté ci-dessous. Cliquez sur OK pour quitter l'Assistant et définir les relations (Chapitre 6) ; ou cliquez sur Annuler pour retourner à l'étape n° 6 et supprimer des champs. Les boîtes de dialogue suivantes vous permettent de personnaliser votre état. Les options disponibles dépendent des tables et des champs sélectionnés lors de l'étape n° 6 ; elles varient également si vous avez choisi de regrouper vos données. Les boîtes de dialogue suivantes vous permettent de personnaliser votre état. Les options disponibles dépendent des tables et des champs sélectionnés lors de l'étape n° 6 ; elles varient également si vous avez choisi de regrouper vos données.

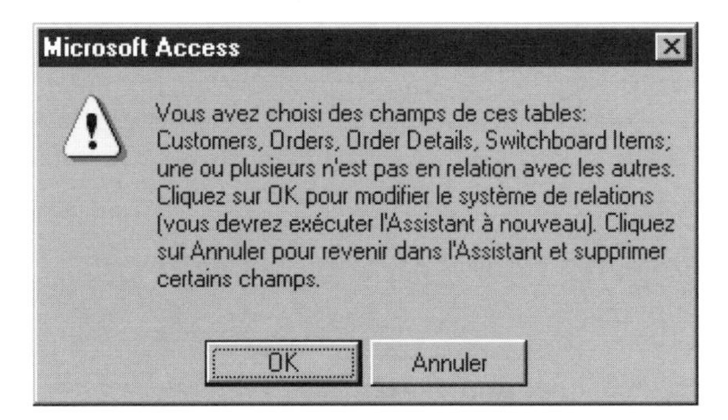

8. Validez les options souhaitées, puis cliquez sur Suivant pour afficher la fenêtre suivante. Voici les fenêtres qui vous sont proposées :

   Comment souhaitez-vous afficher vos données ? Cette boîte de dialogue représentée à la Figure 12.9 s'affiche si votre état peut être groupé de différentes manières. Sélectionnez l'option souhaitée, puis cliquez sur Suivant.

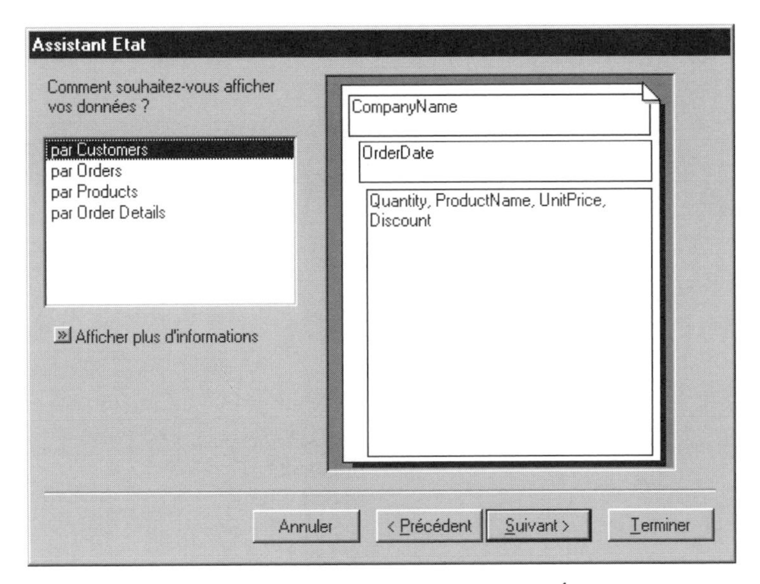

Figure 12.9 : Cette boîte de dialogue de l'Assistant État vous permet de choisir la manière dont vous voulez afficher vos données dans un état qui peut être groupé de différentes façons. Dans les autres cas, cette fenêtre ne vous est pas soumise.

Pendant que vous faites vos choix dans les boîtes de dialogue commentées aux étapes 7 et 8, l'Assistant vous fournit divers renseignements et affiche des aperçus de votre état à mesure que celui-ci prend forme. Prenez votre temps et la procédure devrait se dérouler sans encombre.

Regroupement de données : La boîte de dialogue représentée à la Figure 12.10 s'affiche si votre état vous permet d'ajouter un niveau de regroupement. Pour désigner un champ de regroupement, cliquez deux fois sur ce champ ; ou bien cliquez sur ce champ, puis sur >. Pour le déplacer d'un niveau vers le haut, cliquez sur ↑ ; à l'inverse, pour le déplacer d'un niveau vers le bas, cliquez sur ↓. Pour supprimer le champ de regroupement placé en fin de liste, cliquez sur < (répétez l'opération si nécessaire). Pour contrôler l'intervalle de regroupement des champs supplémentaires, cliquez sur Options de regroupement, choisissez les options souhaitées dans les listes déroulantes Champs de regroupement et Intervalles de regroupement, puis cliquez sur Suivant.

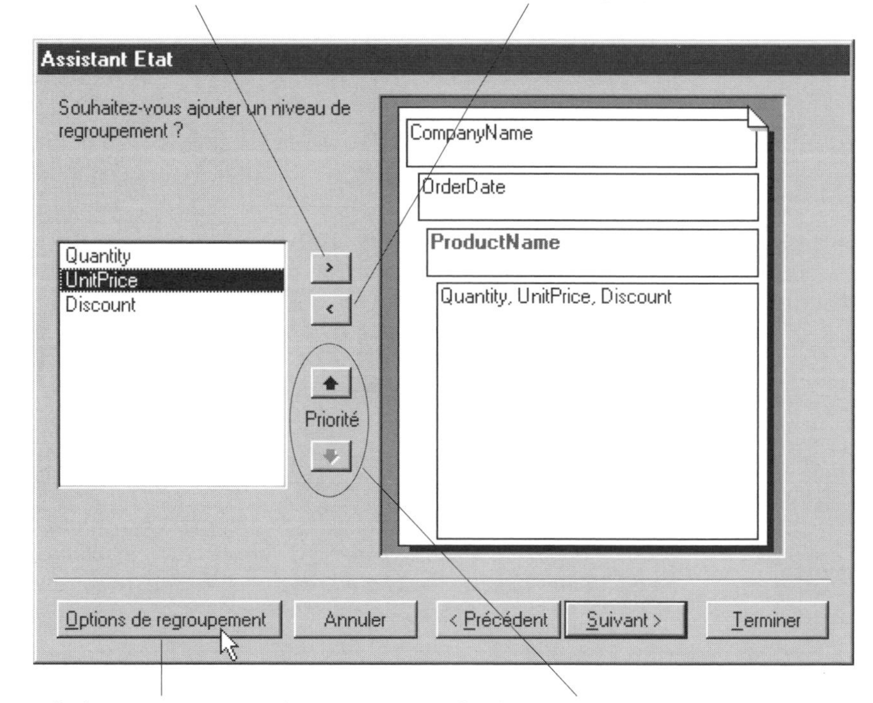

Figure 12.10 : Cette boîte de dialogue de l'Assistant État vous permet de désigner des champs de regroupement supplémentaires et de définir les intervalles correspondants. Cette fenêtre n'apparaît que si vos choix l'exigent.

Ordre de tri et informations de synthèse : La boîte de dialogue représentée à la Figure 12.11 s'affiche si votre état est groupé. Elle vous autorise à trier vos enregistrements sur un maximum de quatre champs, par ordre croissant ou décroissant. Lorsqu'il est disponible, le bouton Options de synthèse vous permet de contrôler les options de regroupements/totaux et de synthèse ; sélectionnez les options souhaitées (Figure 12.12), puis cliquez sur OK. Cliquez ensuite sur Suivant afin de poursuivre la procédure.

Présentation de l'état : L'aspect de cette fenêtre varie selon que votre état est groupé ou non. S'il l'est, elle ressemble à la Figure 12.13 ; s'il ne l'est pas, elle est semblable à la Figure 12.14.

Cliquez sur ces boutons pour choisir un tri ascendant ou descendant.

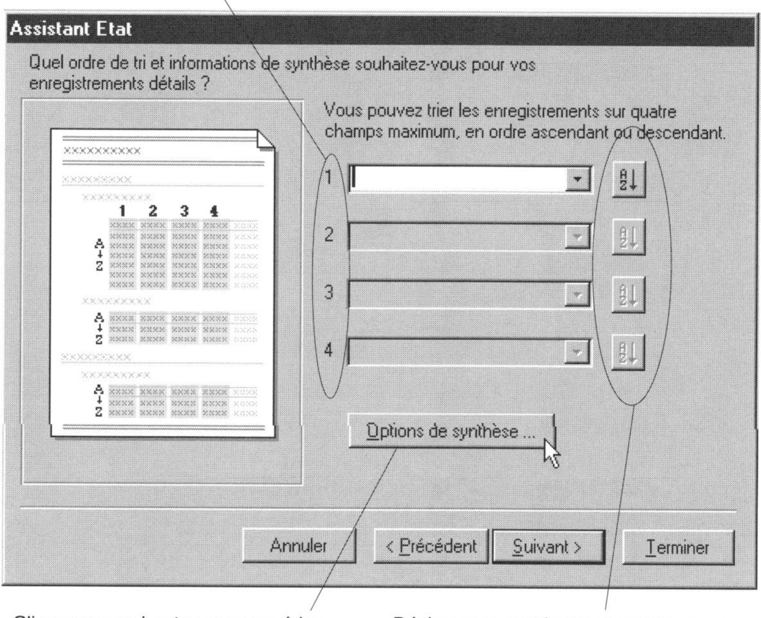

Cliquez sur ce bouton pour accéder aux options de synthèse (Figure 12.12).

Désignez un maximum de quatre champs destinés à faire office de clés de tri.

Figure 12.11 : Cette boîte de dialogue de l'Assistant État vous permet de trier vos enregistrements sur quatre champs maximum et de choisir plusieurs options de synthèse. Cette fenêtre n'apparaît que si vos choix l'exigent ; le bouton Options de synthèse n'est disponible que si votre état comporte des champs numériques.

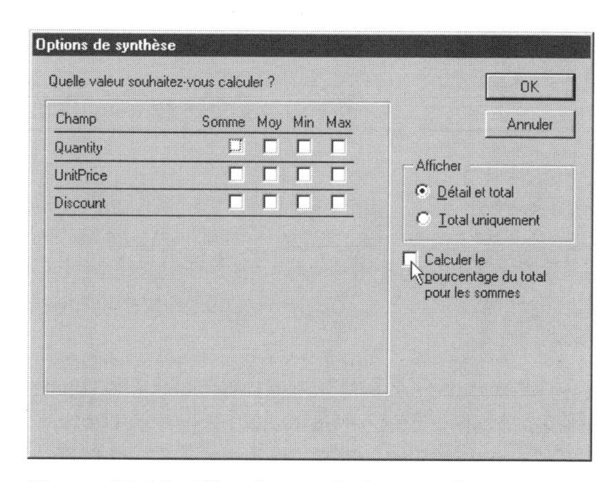

Figure 12.12 : Un clic sur le bouton Options de synthèse représenté à la Figure 12.12 ouvre cette zone de dialogue.

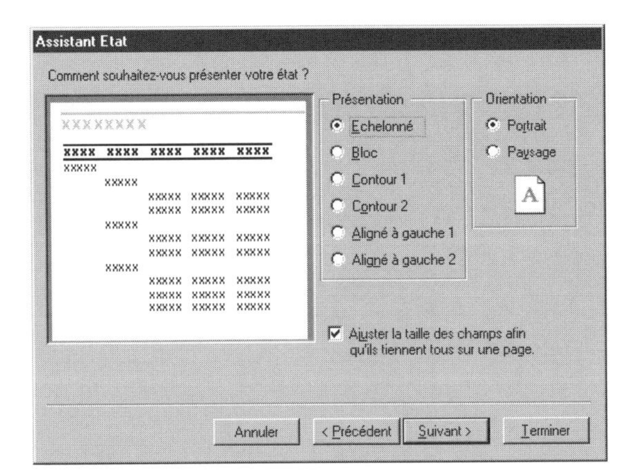

Figure 12.13 : Choisissez dans cette fenêtre le style que vous voulez attribuer à un état groupé.

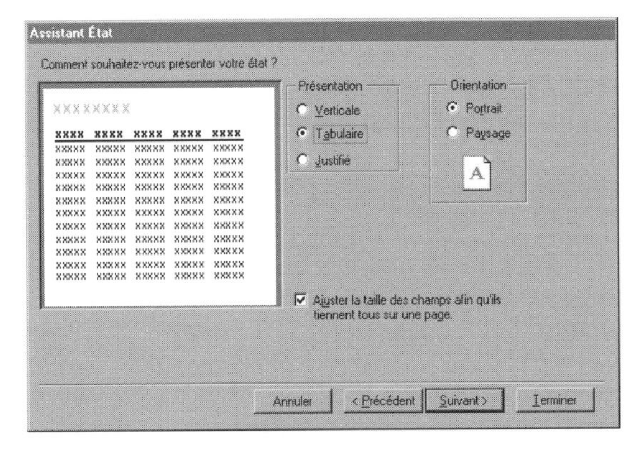

Figure 12.14 : Choisissez dans cette fenêtre le style que vous voulez attribuer à un état non groupé. L'option Verticale de la rubrique Présentation signifie "Colonne simple".

9. Lorsque l'Assistant vous demande de choisir un style, sélectionnez l'une des options proposées, puis cliquez sur Suivant. (Vous verrez, au Chapitre 13, que vous pouvez personnaliser les styles existants ou créer des styles originaux. Plus loin dans ce chapitre, vous apprendrez à appliquer sans effort un autre style à un état.)

10. Dans la dernière boîte de dialogue de l'Assistant État (Figure 12.15), acceptez le titre proposé par défaut ou entrez-en un autre, choisissez l'option Aperçu de l'état (étant donné que c'est souvent par là qu'on commence), puis cliquez sur Terminer.

Figure 12.15 : La dernière boîte de dialogue de l'Assistant État vous permet d'attribuer un titre à l'état, de décider de votre prochaine action, ou encore d'afficher l'aide relative aux états. Nous vous conseillons d'accepter les options par défaut et de cliquer sur Terminer.

Le titre que vous spécifiez lors de cette étape n° 10 est utilisé comme nom d'état, comme propriété Légende de l'état (qui gère le texte qui s'affiche dans la barre de titre du formulaire) et comme titre de l'état. Si vous attribuez au nouvel état un nom qui est déjà assigné à un état de votre base de données, Access vous permettra soit d'écraser l'ancien état, soit de changer le titre du nouveau.

Access crée l'état et l'affiche en mode aperçu avant impression. La Figure 12.16 montre un état affiché en mode aperçu avant impression. Lorsque votre état est affiché dans cette fenêtre, vous pouvez...

- **Imprimer l'état** : Pour imprimer sans transiter par la fenêtre d'impression, activez le bouton Imprimer de la barre d'outils Aperçu avant impression (Figure 12.16). Pour imprimer depuis cette fenêtre, enfoncez les touches Ctrl + P ou choisissez Fichier/Imprimer, validez les options souhaités, puis cliquez sur OK (Le Chapitre 9 traite de l'impression).

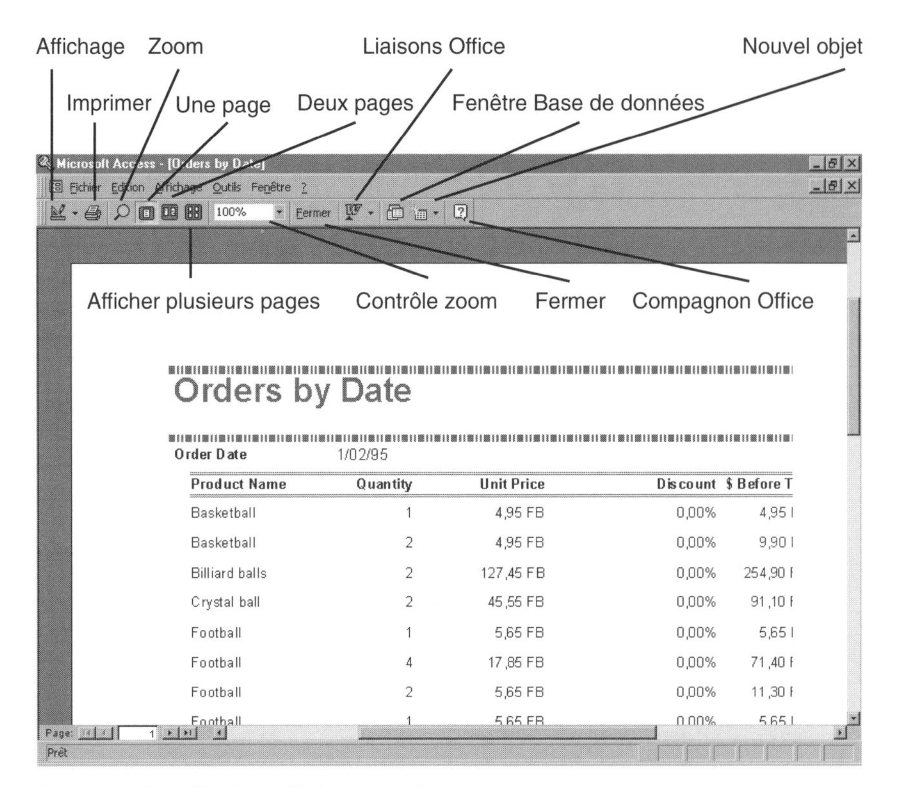

Figure 12.16 : Un état affiché en mode aperçu avant impression.

- **Agrandir ou réduire l'affichage** : Activez le bouton Zoom de la barre d'outils Aperçu avant impression ou cliquez avec le pointeur en forme de loupe sur la zone à traiter. Les boutons Deux Pages, Afficher plusieurs pages et Contrôle zoom sont également à votre disposition, ainsi que les commandes correspondantes du menu contextuel (Chapitre 9).
- **Envoyer l'état vers un fichier Microsoft Word** et ouvrir ce fichier dans Word. Déroulez le menu local Liaisons Office d'une barre d'outils quelconque, puis choisissez Exporter vers MS Word.
- **Envoyer l'état vers une feuille de calcul Microsoft Excel** et ouvrir cette feuille dans Excel. Déroulez le menu local Liaisons Office d'une barre d'outils quelconque, puis choisissez Exporter vers MS Excel.
- **Envoyer l'état sur le réseau via le système de messagerie électronique.** Choisissez Fichier/Envoyer, sélectionner le format du fichier, puis cliquez sur OK. Lorsque le programme de messagerie vous y invite, identifiez-vous, puis envoyez le message selon la procédure classique.

Les graphiques et autres éléments complexes de formatage risquent de ne pas être transférés en Word ni en Excel.

- **Fermer la fenêtre d'aperçu et activer la fenêtre de création**, où vous pouvez intervenir sur la structure de l'état. Cliquez sur le bouton Fermer ou enfoncez les touches Ctrl + W. Vous serez souvent amené à réorganiser vos champs ou à ajuster leur largeur (Chapitre 13).
- **Enregistrer et fermer votre état** : voyez "Enregistrer un état" plus loin dans ce chapitre.

Comment les Assistants s'y prennent-ils ?

Les Assistants État sont aussi performants que les Assistants Formulaire. Ils s'assurent que les données issues de tables multiples sont synchronisées correctement, puis dimensionnent et disposent les champs et autres boutons sur l'état de manière que tous les éléments apparaissent à l'écran.

Si vous basez votre état sur des champs issus de tables et/ou de requêtes multiples, l'Assistant crée une instruction SQL en arrière-plan qui spécifie quelles tables, quelles requêtes et quels champs utiliser, et qui définit les relations entre tables qui s'imposent. Toutes ces opérations s'exécutent automatiquement : vous n'avez donc pas à vous en préoccuper. Vous serez rarement amené à définir des requêtes multitables juste pour afficher en même temps des champs provenant de tables différentes.

Lorsqu'il attribue une taille à chaque contrôle, l'Assistant dispose tous les champs requis, sans tenir compte du format de page. Si l'état qu'il produit est trop grand pour l'écran, l'Assistant calcule le rapport entre la taille totale de l'état qui déborde et la taille idéale ; il applique alors ce facteur de réduction à tous les contrôles afin de créer un état adapté. L'utilisation de cette technique simple du facteur de réduction fait que, parfois, la disposition générale ne vous convainc pas complètement. Passez alors en mode création, ajustez les tailles, réglez les positions, changez les polices, etc. Le Chapitre 13 vous explique comment faire.

Vous pouvez invoquer les commandes Enregistrer sous/Exporter décrites au Chapitre 7 pour créer un document Fusion Microsoft Word à partir d'une table ou d'une requête. Ce Chapitre 7 vous explique également comment enregistrer des états dans les formats suivants : HTML, Texte, Excel et Rich Text Format (format texte enrichi).

Pour en savoir plus sur la création d'états avec le secours des Assistants, voyez l'index de l'aide et son entrée *Assistant État.*

Créer des étiquettes de publipostage

Vous avez la possibilité de créer des étiquettes de publipostage que vous imprimerez ensuite sur feuilles Avery standard (Figure 12.7).

Étiquettes sur imprimante matricielle ou à entraînement par traction

Si vous avez l'intention d'imprimer vos étiquettes sur une imprimante matricielle ou à entraînement par traction, il vous faudra peut-être ajuster le format de page avant de lancer l'Assistant Étiquette. Cliquez sur le bouton Démarrer de la barre des tâches de Windows, puis choisissez Paramètres/Imprimantes. Avec le bouton droit de la souris, cliquez sur l'icône de votre imprimante et choisissez Définir par défaut. Cliquez de nouveau avec le bouton droit de la souris sur l'icône de votre imprimante, choisissez Propriétés, puis activez l'onglet Papier. Sélectionnez l'option Personnalisée dans la rubrique Taille du papier, puis spécifiez l'unité de mesure, la largeur et la hauteur. Cliquez sur OK et regagnez Access.

Pour davantage d'informations, consultez l'index de l'aide en ligne, à l'entrée Assistant Étiquette, Création d'étiquettes de publipostage ou d'un autre type pour une imprimante matricielle.

Pour créer des étiquettes de publipostage avec l'aide de l'Assistant :

1. Activez la fenêtre Base de données ou le mode feuille de données d'une table ou d'une requête.
2. Déroulez le menu local Nouvel objet de la barre d'outils Base de données et choisissez État.
3. Dans la boîte de dialogue Nouvel état, cliquez sur Assistant Étiquette. Dans la partie inférieure de la fenêtre, déroulez le menu local Choisissez la table ou requête d'où proviennent les données de l'objet et sélectionnez la table ou la requête sur laquelle vous souhaitez base votre état (si ce n'est pas déjà chose faite). Cliquez sur OK.

4. Dans la boîte de dialogue représentée à la Figure 12.17, choisissez la taille d'étiquettes souhaitée ainsi que le type. Si nécessaire, cliquez sur Personnaliser pour définir une taille personnelle, puis cliquez sur Fermer. Ou activez (cochez) Afficher les tailles des étiquettes personnalisées et sélectionnez une taille dans la liste. Cliquez sur Suivant.

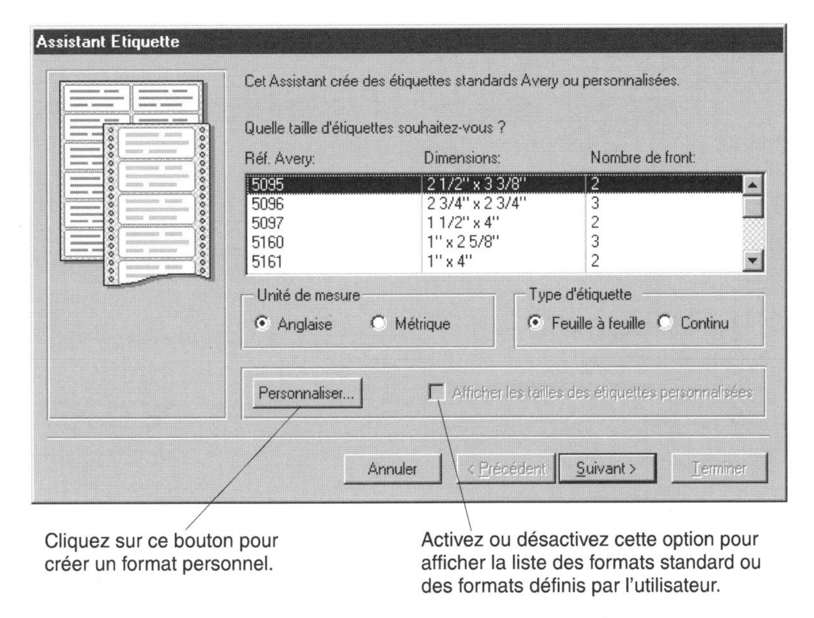

Figure 12.17 : Cette boîte de dialogue de l'Assistant Étiquette vous permet de choisir une taille standard ou de définir une taille personnalisée.

5. Quand Access vous demande quelle police et quelle couleur vous préférez, choisissez la police, la taille, l'épaisseur et la couleur du texte. Vous pouvez également activer ou désactiver les options Italique et Souligné. Cliquez sur Suivant.

6. Dans la boîte de dialogue représentée à la Figure 12.18, désignez les champs que vous voulez voir figurer sur l'étiquette. Pour ajouter un champ, cliquez dans la case Étiquette prototype à l'endroit où vous voulez que le champ soit ajouté. Cliquez ensuite deux fois sur le champ concerné dans la liste Champs disponibles, ou cliquez une fois sur ce champ puis sur le bouton >. Vous pouvez aussi taper un texte ou enfoncer la touche Entrée à l'emplacement du curseur. Pour supprimer un champ ou un texte, sélectionnez le texte en faisant glisser votre pointeur dessus, ou sélectionnez le champ, puis enfoncez la touche Suppr. Cliquez sur Suivant.

Si l'étiquette n'est pas suffisamment large pour accueillir toutes les lignes et tous les champs que vous spécifiez, Access vous en avise, vous avertissant que certains champs n'apparaîtront pas. Faites marche arrière (en cliquant sur le bouton Précédent) et procédez aux aménagements qui s'imposent.

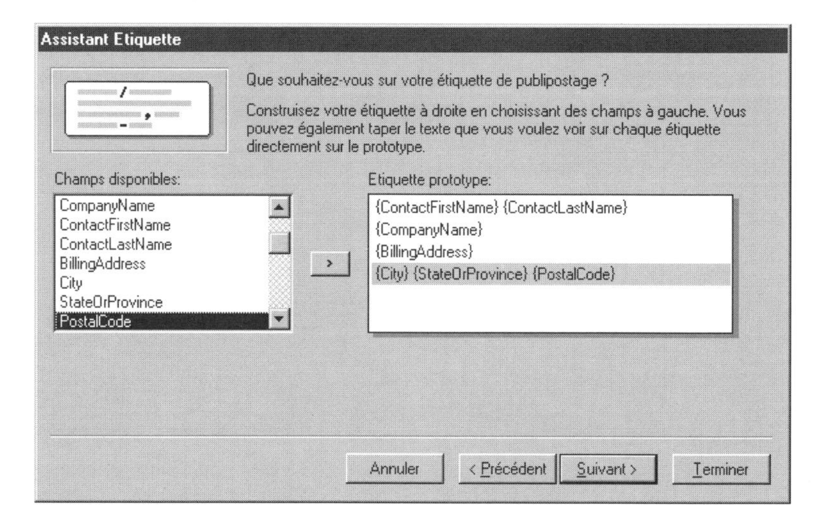

Figure 12.18 : Dans cette boîte de dialogue, composez vos étiquettes. La case Étiquette prototype reflète vos actions.

7. Lorsque l'Assistant vous demande sur quel champ vous voulez trier, sélectionnez les champs dans l'ordre selon lequel vous désirez les trier. Ainsi, pour trier les étiquettes des clients selon le code postal, puis selon le nom et, enfin, selon le prénom, cliquez deux fois sur PostalCode (CodePostal), puis sur ContactLastName (NomContact), et enfin sur ContactFirstName (PrénomContact). Cliquez sur Suivant.

8. Dans la dernière boîte de dialogue de l'Assistant, spécifiez le nom de votre état ou acceptez le nom proposé par défaut. Ce nom doit être unique, car l'Assistant Étiquette ne vous permet pas d'écraser un état étiquettes existant. Validez les options souhaitées (en vous rappelant que vous avez généralement intérêt à accepter les options par défaut), puis cliquez sur Terminer.

Le titre que vous spécifiez lors de cette étape n° 10 est utilisé comme nom d'état et comme propriété Légende de l'état (qui gère le texte qui s'affiche dans la barre de titre de l'état).

Access crée l'état étiquettes et l'affiche à l'écran.

Si Access ne dispose pas d'une largeur suffisante pour afficher l'étiquette complète, il vous en avise. Passez alors en mode création et opérez les réglages indispensables (Chapitre 13). Ou choisissez Fichier/Mise en page, activez l'onglet Colonnes, et réduisez le nombre ou la taille des colonnes.

Formatez les codes postaux et les numéros de téléphone

Si vous laissez aux Assistants d'Access le soin de créer les champs tels que les codes postaux et les numéros de téléphone, les *masques de saisie* font en sorte que les valeurs entrées dans ces champs soient stockées comme du texte, sans caractères de ponctuation. Ce sont ces mêmes masques qui affichent les caractères de ponctuation dans les formulaires et dans les feuilles de données. Ainsi, Access utilise ce masque de saisie pour les champs CodePostal :

```
00000\-9999
```

Et celui-ci pour les numéros de téléphone :

```
!\(999") "000\-0000
```

Si ces masques sont utilisés à bon escient dans la plupart des états, ce n'est pas le cas des étiquettes de publipostage. Ainsi, un code postal peut apparaître constitué de cinq chiffres (85711) ou de neuf chiffres (857114747) ; un numéro d'appel peut s'afficher sous la forme 6195551234. Pour que ces valeurs soient plus faciles à interpréter (comme 85711-4747 pour le code postal, ou (619)555-1234 pour le numéro de téléphone), vous devez faire appel à la fonction Format.

Ainsi, en mode création pour les étiquettes de publipostage (représentées à la Figure 12.7), nous avons modifié le code postal :

```
Format ([PostalCode],"!@@@@@-@@@@")
```

Pour formater le champ numéro de téléphone, nous avons aussi utilisé la fonction Format :

```
Format ([PhoneNumber],"!(@@@) @@@-@@@@")
```

Le Chapitre 10 et l'entrée d'index *Format, fonction* vous en disent plus long sur le formatage des valeurs (chaînes) textuelles.

Enregistrer un état

Si l'Assistant n'a pas procédé à la sauvegarde de votre état, c'est à vous de le faire.

- Pour enregistrer et fermer l'état, basculez en mode création grâce au bouton Fermer de la barre d'outils Aperçu avant impression. Choisissez ensuite Fichier/Fermer, ou enfoncez les touches Ctrl + W, et cliquez sur Oui.
- Pour enregistrer uniquement vos dernières modifications, contentez-vous d'activer le bouton Enregistrer d'une barre d'outils quelconque ou de choisir Fichier/Enregistrer, ou encore d'enfoncer les touches Ctrl + S.

Si votre état n'a pas encore été enregistré, Access vous demande de lui donner un nom. Exécutez-vous (maximum 64 caractères, espaces compris), puis cliquez sur OK.

Ouvrir un état

Pour ouvrir un état que vous avez fermé :

1. Affichez la fenêtre Base de données et activez l'onglet États.
2. Exécutez l'une des actions suivantes :

- **Pour ouvrir l'état en mode aperçu avant impression** (où vous visualisez les données), cliquez deux fois sur le nom de l'état concerné, ou mettez-le en surbrillance, puis cliquez sur Aperçu.

- **Pour ouvrir l'état en mode création** (où vous pouvez modifier sa structure), sélectionnez l'état concerné, puis cliquez sur Modifier.

Vous créerez rapidement un nouvel état basé sur un état existant si vous recourez à la commande Copier. Activez l'onglet États de la fenêtre Base de données, sélectionnez l'état à copier et enfoncez les touches Ctrl + C. Ensuite, enfoncez les touches Ctrl + V, tapez le nom du nouvel état, puis cliquez sur OK.

Supprimer un filtre et un ordre de tri

Si votre état est basé sur une table ou sur une requête que vous avez filtrée ou triée en mode base de données, il hérite automatiquement du filtre et du tri et sera donc filtré et trié chaque fois que vous le prévisualiserez ou que vous l'imprimerez. Pour supprimer le filtre et le tri :

1. Ouvrez l'état en mode création.
2. Choisissez Affichage/Propriétés si la feuille des propriétés n'est pas ouverte. Activez l'onglet Données.
3. Choisissez Édition/Sélectionner le rapport afin d'être certain que vous avez sélectionné l'état tout entier.
4. Cliquez deux fois sur la propriété Filtre actif dans la feuille des propriétés pour basculer de Oui à Non. Si nécessaire, cliquez deux fois dans cette case pour faire permuter les valeurs.
5. Enregistrez vos modifications (Ctrl + S).

Changer le style d'un état

Comme dans le cas des formulaires, vous pouvez changer le style d'un état sans avoir à reprendre la procédure de création à zéro :

Fermer

1. Ouvre l'état en mode création. Si vous agissez depuis la fenêtre Base de données, activez l'onglet États, sélectionnez l'état concerné, puis cliquez sur Modifier. Si vous agissez depuis le mode aperçu avant impression, activez le bouton Fermer de la barre d'outils Aperçu avant impression (représenté à gauche), ou choisissez Affichage/Création.

2. Choisissez Format/Format automatique ou activez le bouton Format automatique de la barre d'outils Créer un état (représenté à gauche).

   La boîte de dialogue Format automatique s'affiche à l'écran, représentée à la Figure 12.19.

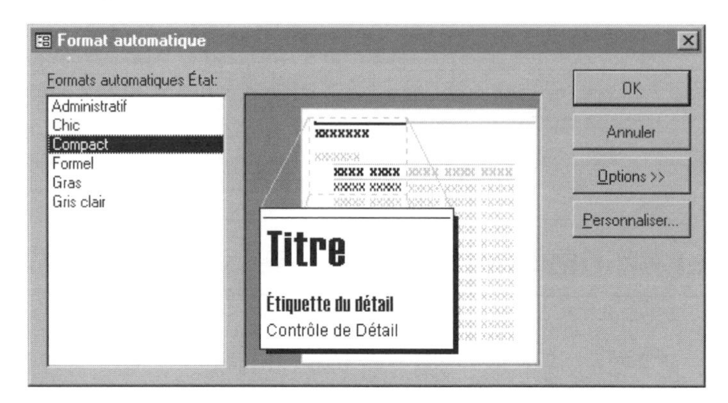

Figure 12.19 : Utilisez la boîte de dialogue Format automatique pour changer le style de votre état ou pour personnaliser un style existant. Pour ce faire, basculez en mode création d'état et choisissez Format/Format automatique.

3. Dans cette fenêtre, sélectionnez le format souhaité, puis cliquez sur OK.
4. Enregistrez vos modifications (Ctrl + S), puis activez le bouton État de la barre d'outils Créer un état, ou choisissez Affichage/Aperçu avant impression pour réactiver la fenêtre d'aperçu.

Et maintenant, que faisons-nous ?

Ce chapitre vous a présenté les différents types d'états et la manière de les créer avec l'aide des Assistants. Passez donc au Chapitre 13 pour apprendre à créer des formulaires et des états de toutes pièces ou pour savoir comment personnaliser des formulaires ou états existants.

Quoi de neuf ?

Le mode de création d'état a été amélioré ; les menus et barres d'outils ont été retravaillés de manière à vous simplifier la vie (notamment la fonction zoom en mode aperçu avant impression).

Chapitre 13

Créer des formulaires et des états de toutes pièces

Access possède quelques outils réellement impressionnants grâce auxquels vous pourrez concevoir des formulaires et des états d'utilisation facile et d'aspect professionnel. Si vous vous êtes déjà servi d'un logiciel de dessin sous Windows, vous n'aurez vraisemblablement aucune difficulté à utiliser ces outils. (Si tel n'est pas le cas, il vous faudra peut-être un peu de temps, mais rassurez-vous, toutes ces manipulations sont, en somme, assez simples.)

N'oubliez pas que vous pouvez personnaliser les formulaires et les états créés par les Assistants (Chapitres 11 et 12), ou créer ces éléments de toutes pièces. Si vous n'êtes pas encore familiarisé avec les formulaires et les états, recourez aux Assistants, puis personnalisez le fruit de leur travail, comme le présent chapitre vous y invite.

Si vous avez envie de mettre la main à la pâte, créez une nouvelle table - éventuellement baptisée Tous les types de champs - qui affiche un champ pour chaque type de données qu'Access propose, et entrez quelques enregistrements. Faites ensuite appel aux Assistants Formulaire et État décrits aux Chapitres 11 et 12 pour créer un formulaire ou un état basé sur les champs de cette table.

Basculer en mode création

Pour modifier l'apparence d'un formulaire ou d'un état existant, vous devez activer le mode création en procédant de l'une des manières suivantes :

- **Pour modifier un formulaire ou un état qui n'est pas ouvert**, affichez la fenêtre Base de données et activez l'onglet Formulaires ou États (selon le cas). Sélectionnez le formulaire ou l'état concerné, puis cliquez sur Modifier ; ou cliquez avec le bouton droit de la souris sur le nom du formulaire ou de l'état, puis choisissez Modifier.

- **Pour modifier un formulaire ou un état qui est déjà ouvert**, activez le bouton Affichage de la barre d'outils Mode Formulaire (représenté à gauche), ou choisissez Affichage/Création si vous voulez agir sur un formulaire.

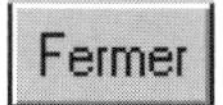

Pour intervenir sur un état, activez le bouton Fermer de la barre d'outils Aperçu avant impression (représenté à gauche), ou choisissez Affichage/Création. Notez que, si vous avez ouvert l'état en aperçu avant impression, un clic sur le bouton Fermer ferme l'état ; vous devrez alors l'ouvrir comme décrit précédemment.

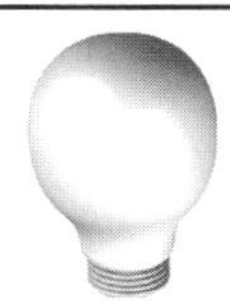

Les leçons du Chapitre 3 vous font découvrir comment modifier un formulaire en mode création.

Rappelez-vous que les outils d'édition ne sont disponibles qu'en *mode création*. Dès lors, sauf lorsque nous indiquerons explicitement que vous devez agir depuis un mode donné, assurez-vous que vous êtes en mode création avant d'intervenir et de mettre en oeuvre les procédures que nous décrivons dans la suite de ce chapitre.

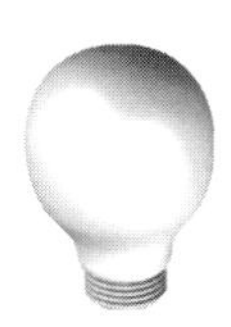

Pendant que vous travaillez sur vos états et formulaires, pensez à masquer temporairement la barre des tâches. Pour ce faire, cliquez avec le bouton droit de la souris dans une zone vide de cette barre, choisissez Propriétés et activez (cochez) Toujours visible et Masquer automatiquement, puis cliquez sur OK. Voyez l'encart "Utilisez tout votre écran" dans le Chapitre 1.

Prévisualiser et enregistrer vos modifications

Pendant votre action en mode création, vous aurez régulièrement envie de voir le résultat de votre travail. Pour ce faire, activez le bouton Affichage de la barre d'outils Création de formulaire (si vous travaillez sur un formulaire), ou le même bouton de la barre d'outils Créer un état (si vous travaillez sur un état). Ces boutons occupent la position à l'extrême gauche de leur barre d'outils respective.

Les commandes du menu Affichage se tiennent également à votre disposition :

- **Pour prévisualiser un formulaire en mode formulaire**, choisissez Affichage/Mode Formulaire.
- **Pour prévisualiser un formulaire en mode feuille de données**, choisissez Affichage/Mode Feuille de données.
- **Pour prévisualiser un état en mode aperçu avant impression**, choisissez Affichage/Aperçu avant impression.
- **Pour prévisualiser un état en mode aperçu du format** (qui affiche juste assez de données pour vous permettre de voir à quoi votre état ressemblera), choisissez Affichage/Aperçu du format. Vous pouvez aussi passer en mode aperçu du format en choisissant Échantillon de l'aperçu dans le menu local Affichage de la barre d'outils Créer un état.

Pour apporter d'autres aménagements, basculez de nouveau en mode création, comme la section précédente vous l'a enseigné.

N'oubliez pas d'enregistrer régulièrement vos modifications : activez le bouton Enregistrer d'une barre d'outils quelconque, ou enfoncez les touches Ctrl + S.

Créer un formulaire ou un état de toutes pièces

Pour créer un formulaire ou un état en partant de zéro, sans l'aide des Assistants :

1. Affichez la fenêtre Base de données, puis utilisez l'une des techniques décrites à la page suivante.

- Activez l'onglet Formulaires ou États, puis cliquez sur Nouveau.
- Activez l'onglet Tables ou Requêtes, sélectionnez la table ou la requête sur laquelle vous désirez baser le formulaire ou l'état, puis déroulez le menu local Nouvel objet de la barre d'outils Base de données, et choisissez Formulaire ou État, selon le cas. La boîte de dialogue Nouveau formulaire ou Nouvel état s'affiche (Figure 13.1).

2. Pour associer le formulaire à une table ou à une requête, sélectionnez cette table ou cette requête dans le menu déroulant placé dans la partie inférieure de la fenêtre. Cette manipulation n'est pas nécessaire lorsque vous créez un formulaire ou un état non lié (comme une fenêtre de dialogue ou un menu général).
3. Sélectionnez l'option Mode Création, puis cliquez sur OK (ou cliquez deux fois sur Mode Création).

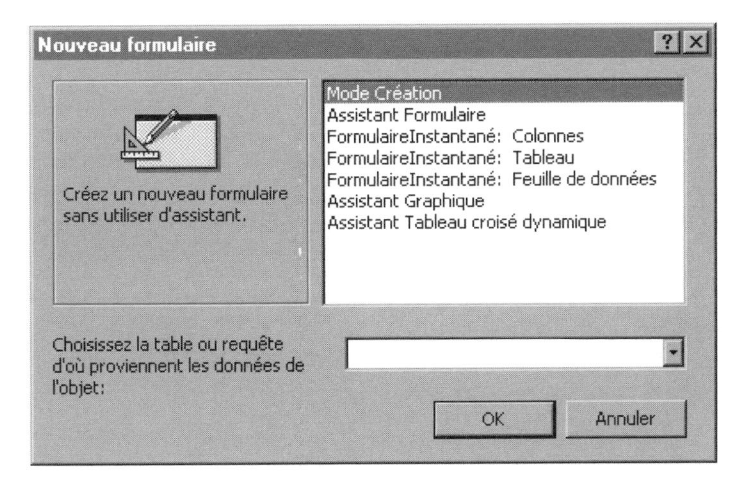

Figure 13.1 : La boîte de dialogue Nouveau formulaire. La fenêtre Nouvel état est identique.

Si la feuille de données de la table ou de la requête possède un filtre ou un tri, le nouveau formulaire ou état en hérite automatiquement. Le Chapitre 9 vous apprend à ajouter et à appliquer des filtres, ainsi qu'à réaliser des tris dans les formulaires. La section "Supprimer un filtre et un ordre de tri" du Chapitre 12 vous explique comment désactiver ou réactiver filtre et tri dans un état.

Access active le mode création et vous propose un formulaire ou un état complètement vierge. Considérez cette fenêtre comme un espace vide dans lequel vous allez pouvoir vous exprimer. Vous devez bien entendu découvrir d'abord les outils que le programme vous propose ; c'est précisément ce que nous allons faire dans la suite de ce chapitre.

Pour annuler une action malencontreuse, enfoncez les touches Ctrl + Z, ou activez le bouton Annuler d'une barre d'outils quelconque, ou encore choisissez Édition/Annuler immédiatement après avoir commis l'erreur.

Pour vous faire assister pendant la création de votre formulaire, consultez la rubrique *Travail avec les formulaires* du sommaire de l'aide.

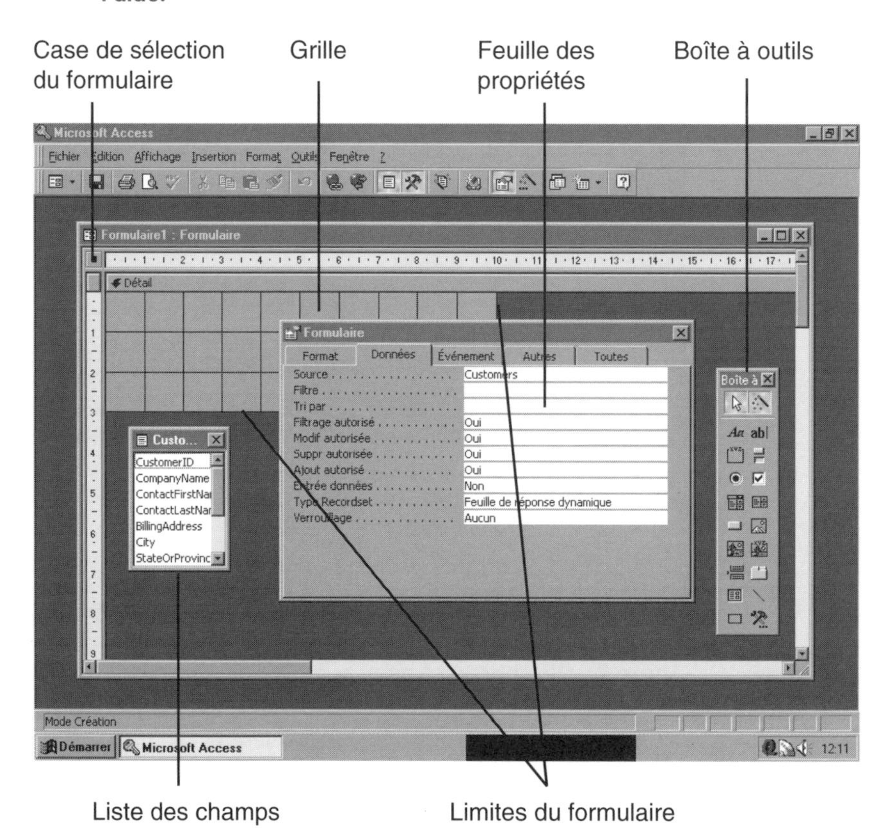

Figure 13.2 : Un formulaire vide en mode création.

Les outils

Les Figures 13.2 et 13.3 vous montrent un formulaire et un état vides, en mode création. Dans les deux cas, nous avons agrandi la fenêtre afin de disposer d'un espace de travail confortable. Arrêtons-nous quelques instants sur les outils disponibles.

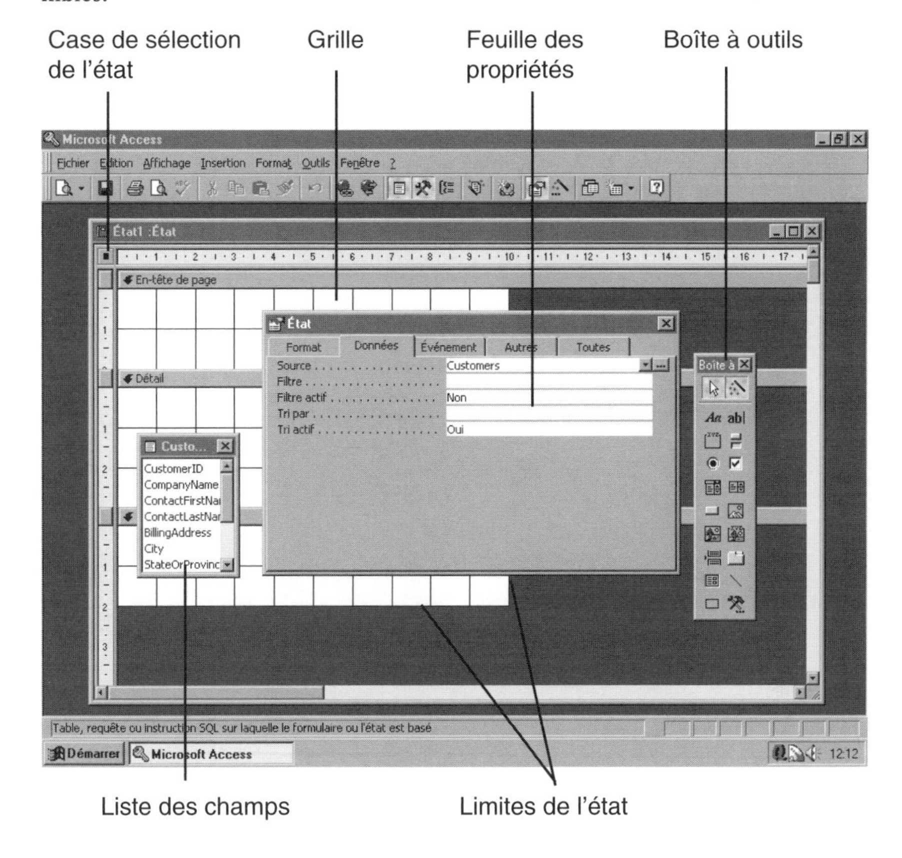

Figure 13.3 : Un état vide en mode création.

Choisir un style

Au départ, votre formulaire ou état a un *look* standard, qui convient dans la plupart des cas. Mais Access vous propose plusieurs styles prédéfinis auxquels vous pouvez faire appel pour changer, à moindre effort, le fond ainsi que la police, la couleur et les bordures des contrôles. Sachez d'ores et déjà que vous pouvez également créer des styles personnels ; nous y viendrons en temps utile.

Dans Access, le mot "contrôle" désigne tout objet graphique placé sur un formulaire ou un état et qui affiche des données, réalise une action ou rend le formulaire ou l'état plus facile à lire en en agrémentant la présentation.

Pour choisir un style :

1. Si vous ne voulez affecter que certains contrôles, commencez par les sélectionner (voyez "Sélectionner des contrôles, des sections, des formulaires et des états", plus loin dans ce chapitre). En l'absence de sélection, Access traite l'intégralité des éléments.

2. Choisissez Format/Format automatique, ou activez le bouton Format automatique s'il est disponible (représenté à gauche). La boîte de dialogue Format automatique s'affiche (Figure 13.4).

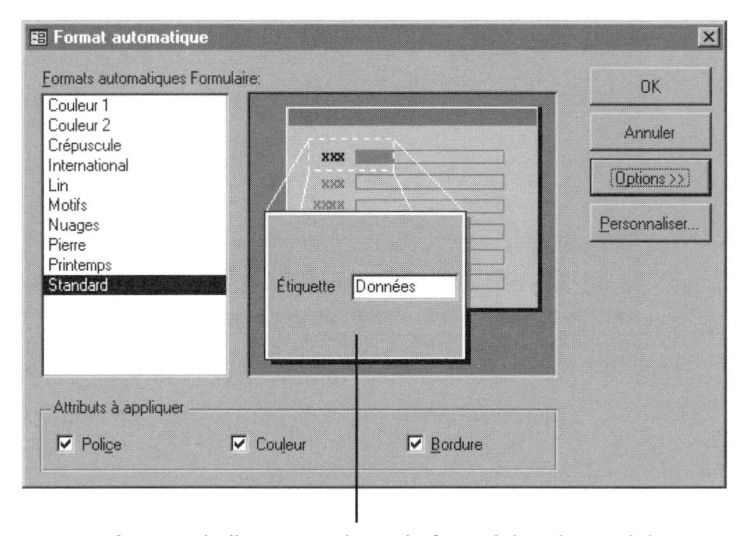

Figure 13.4 : La boîte de dialogue Format automatique d'un formulaire, après que nous avons cliqué sur le bouton Options. Cette fenêtre est identique pour les états. Pour prévisualiser un des styles affichés dans la liste de gauche, sélectionnez le style souhaité et voyez la case Aperçu.

3. Dans la liste Formats automatiques Formulaire/État, sélectionnez le style souhaité. La case Aperçu reflète votre choix. Le nouveau style affecte généralement le fond, ainsi que la police, la couleur et les bordures des contrôles.

4. Le bouton Options vous permet toutefois d'exercer un contrôle à ce niveau : cliquez sur ce bouton, activez (cochez) les styles que vous souhaitez appliquer ou, au contraire, désactivez ceux qui ne doivent pas être impliqués (Figure 13.4). De nouveau, la case Aperçu schématise l'effet de vos choix.

5. Cliquez sur OK.

Access applique le nouveau style au fond du formulaire, à tous les contrôles existants ou sélectionnés, ainsi qu'à ceux que vous créerez par la suite. (Bien entendu, vous pouvez à tout moment appliquer un autre style en répétant cette procédure.) Si vos changements n'apparaissent pas, assurez-vous que le formulaire ou l'état est bien sélectionné (et non un objet quelconque de la fenêtre de création).

Si votre structure comporte un contrôle dont l'apparence n'est pas définie par le format automatique que vous avez appliqué, une boîte de dialogue semblable à celle-ci s'affiche à l'écran :

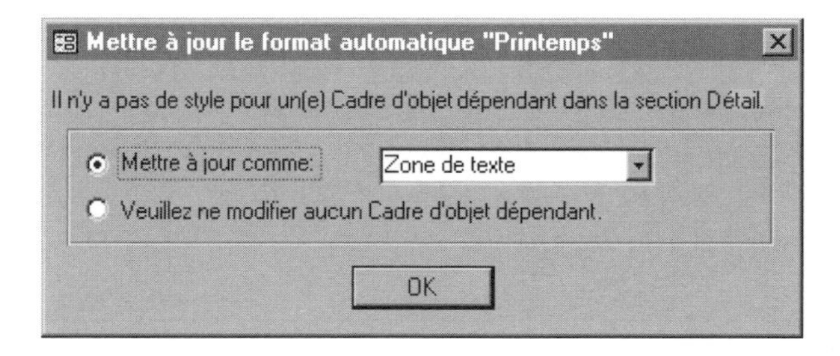

Choisissez l'une des options suivantes, puis cliquez sur OK :

- **Pour appliquer au contrôle concerné le style d'un autre type de contrôle** dans le style du format automatique, déroulez le menu local Mettre à jour comme et choisissez le style souhaité.
- **Pour laisser le contrôle concerné tel quel**, activez Veuillez ne modifier aucun contrôle *x* (où *x* représente le type de contrôle dépourvu de style prédéfini).

Pour en savoir plus sur la création de styles de formats automatiques, voyez "Personnaliser les styles de format automatique" plus loin dans ce chapitre, ou consultez l'entrée d'index *Formatage automatique.*

La liste des champs, les barres d'outils et la boîte à outils

La liste des champs, les barres d'outils et la boîte à outils (Figures 13.2 et 13.3) sont des instruments facultatifs que nous commenterons plus loin dans ce chapitre. Pour l'instant, contentez-vous de savoir, grosso modo, à quoi ils servent :

Barres d'outils du mode création : Les barres d'outils Création de formulaire, Créer un état et Mise en forme (Formulaire/État) vous proposent une kyrielle de raccourcis pour la création et le formatage de vos formulaires et de vos états. Nous vous conseillons de les garder à portée de souris.

Liste des champs : Dresse la liste de tous les champs de la table ou de la requête sous-jacente. Pour placer un champ, faites-le simplement glisser de la liste vers le formulaire ou l'état.

Boîte à outils : Propose toute une série d'outils vous permettant d'ajouter de nouveaux contrôles à votre structure.

La barre d'outils Mise en forme (Formulaire/État) vous permet de choisir la couleur, l'effet, la bordure et l'épaisseur du cadre des contrôles. La plupart des boutons qu'elle comporte fonctionnent de la même manière que ceux de la barre Mise en forme (Feuille de données) décrite au Chapitre 8, dans la section intitulée "Personnaliser le mode feuille de données".

Contentez-vous, pour l'instant, de savoir comment afficher ou masquer ces aides (ainsi que la feuille des propriétés).

- **Pour afficher ou masquer les barres d'outils de création**, cliquez avec le bouton droit de la souris dans une barre d'outils quelconque, puis sélectionnez la barre à afficher ou à masquer. Si aucune barre d'outils n'est affichée, choisissez Affichage/Barres d'outils, activez ou désactivez les barres que vous voulez afficher ou masquer, puis cliquez sur Fermer.

- **Pour afficher ou masquer la boîte à outils**, choisissez Affichage/Boîte à outils ou activez le bouton Boîte à outils (représenté à gauche).

- **Pour afficher ou masquer la liste des champs**, choisissez Affichage/Liste des champs ou activez le bouton Liste des champs (représenté à gauche).

Vous pouvez aussi redimensionner et déplacer la taille de ces éléments :

- **Pour transformer une barre d'outils ou la boîte à outils en palette flottante**, cliquez deux fois dans une zone vide de la boîte ou de la barre concernée. Ou bien faites glisser cet élément vers une zone *vide* de la surface de travail en évitant les bords de l'écran.
- **Pour déplacer une barre d'outils flottante ou la boîte à outils**, cliquez-glissez sur sa barre de titre.
- **Pour redimensionner une barre d'outils ou la boîte à outils**, faites glisser l'un de ses bords.
- **Pour afficher une barre d'outils ou la boîte à outils sur une seule ligne ou colonne** de boutons, cliquez deux fois dans une zone *vide* de l'élément (en dehors des boutons). Ou faites glisser vers l'un des bords de l'écran et relâchez le bouton de la souris lorsque le cadre pointillé qui suit votre mouvement change de forme. (Vous ne pouvez pas afficher la barre d'outils Mise en forme (Formulaire/État) sur une seule colonne le long du bord gauche ou droit de votre écran.)

Les techniques vous permettant de gérer les barres d'outils ont été décrites au Chapitre 1, à la section "Exploiter les barres d'outils". Pour savoir quelle est l'utilité d'un bouton, placez votre pointeur sur celui-ci et consultez l'info-bulle qui s'affiche. Sinon, le fichier d'aide se tient à votre disposition, aux entrées *barres d'outils, positionnement* et *barres d'outils, affichage et masquage*.

La feuille des propriétés

Vous pouvez utiliser la *feuille des propriétés* (représentée à la page suivante) pour visualiser ou modifier les propriétés d'un ou de plusieurs contrôles sélectionnés, ou du formulaire ou de l'état tout entier. Les propriétés qui apparaissent dans la liste dépendent des éléments qui étaient sélectionnés à l'appel de la commande.

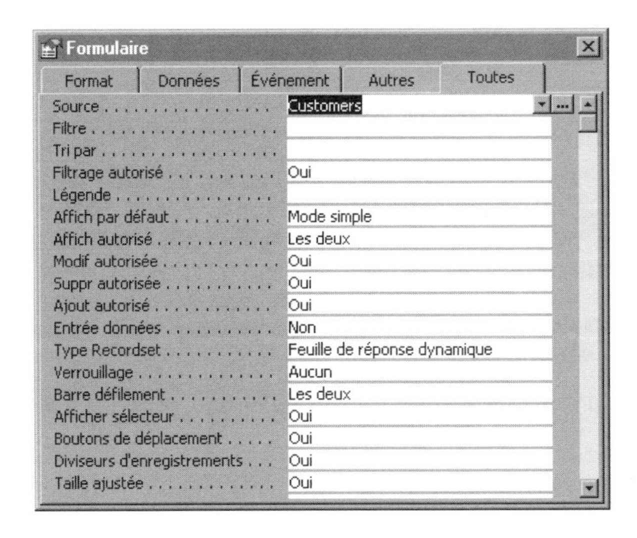

Comme la plupart des outils du mode création, la feuille des propriétés peut être *affichée* ou *masquée* :

- Activez le bouton Propriétés (représenté à gauche) dans la barre d'outils Création de formulaire ou Créer un état.
- Choisissez Affichage/Propriétés.
- Cliquez avec le bouton droit de la souris sur un objet quelconque et choisissez Propriétés.

Si la feuille des propriétés n'est pas visible, vous pouvez l'ouvrir en cliquant deux fois dans une zone vide de la structure ou sur un contrôle quelconque.

Modifier une propriété

Pour modifier une propriété :

1. Sélectionnez le ou les objets que vous voulez modifier. (Voyez "Sélectionner des contrôles, des sections, des formulaires et des états", plus loin dans ce chapitre).
2. Ouvrez la feuille des propriétés comme décrit ci-dessus (Affichage/Propriétés).

3. Activez l'onglet de la propriété que vous voulez modifier. (Les propriétés non pertinentes pour votre sélection ne sont pas affichées dans la feuille.) De gauche à droite, les onglets sont :

- **Format** : Gère les propriétés qui contrôlent l'apparence de la sélection. Celles-ci sont modifiées automatiquement lorsque vous déplacez ou redimensionnez un contrôle, ou lorsque vous utilisez les boutons des barres d'outils de mise en forme.

- **Données** : Vous permet de spécifier la source de donnée ainsi que la façon dont cette donnée s'affiche.

  Dans les formulaires, les propriétés Données contrôlent, par exemple, les valeurs par défaut et les entrées autorisées.

  Dans les états, elles décident si une case texte affiche ou non un cumul.

- **Événement** : Vous permet de préciser ce qui doit se passer quand certains événements se produisent. Ainsi, la propriété événement Sur clic décrit ce qui arrive lorsque vous cliquez sur un bouton de commande en mode formulaire. La quatrième partie de cet ouvrage vous en apprend plus sur les propriétés de ce type.

- **Autres** : Il s'agit là d'une catégorie "fourre-tout" qui gère notamment le nom du contrôle lorsqu'il intervient dans une expression, une macro ou une procédure, le texte qui s'affiche dans la barre d'état lorsque vous sélectionnez le contrôle en mode formulaire, la manière dont la touche Entrée se comporte pendant la saisie des données (Chapitre 8), le menu contextuel personnalisé qui s'affiche lorsque vous cliquez avec le bouton droit de la souris sur un contrôle ou sur un formulaire, l'info-bulle qui apparaît lorsque vous cliquez sur un contrôle en mode formulaire, etc.

- **Toutes** : Affiche la liste complète des propriétés pour le contrôle sélectionné. Vous utiliserez cet onglet lorsque vous ne saurez pas avec précision dans quel onglet particulier figure la propriété que vous recherchez.

4. Cliquez dans la case texte en regard de la propriété que vous voulez modifier. Dans certains cas, un bouton de liste déroulante et/ou un bouton Générer (...) apparaissent.

Lorsque vous sélectionnez plusieurs contrôles et modifiez ensuite leurs propriétés, vos changements affectent l'intégralité des contrôles sélectionnés. Dès lors, vous pouvez modifier la couleur de fond ou la police de tous les contrôles en une seule opération. Vous pouvez aussi copier les propriétés d'un objet sur un autre ; voyez à ce sujet la section "Copier des propriétés", plus loin dans ce chapitre.

5. Exécutez l'une des actions suivantes :

- Tapez la valeur souhaitée. Si vous entrez un texte particulièrement long, rappelez-vous que la touche F2 ouvre une boîte Zoom, dans laquelle vous pouvez travailler plus confortablement.
- Déroulez le menu local et choisissez la propriété souhaitée dans la liste.
- Cliquez sur le bouton Générer (...) s'il est disponible, et construisez votre expression avec l'aide du Générateur d'expression.
- Cliquez deux fois dans la case afin de sélectionner la propriété suivante dans la liste. Cette technique est particulièrement rapide lorsqu'il s'agit de faire un choix entre les deux valeurs Oui et Non.

Prenez le temps d'examiner les propriétés disponibles ; utilisez de préférence les onglets Format, Données, Événement et Autres, qui vous les présentent par catégories, plutôt que l'onglet Toutes, dans lequel vous aurez du mal à vous situer.

Pour savoir quelle est l'utilité d'une propriété, cliquez dans sa case texte et regardez les informations qui s'affichent dans la barre d'état. Pour obtenir de plus amples renseignements, enfoncez la touche F1.

La règle

La règle sert de point de repère lorsque vous déplacez ou redimensionnez des objets. Pendant que vous cliquez-glissez, une zone contrastée y indique la taille de l'objet ou sa position. Pour afficher ou masquer la règle, choisissez Affichage/Règle.

Le quadrillage

Le quadrillage vous aide à aligner vos objets. Pour contrôler son affichage, choisissez Affichage/Quadrillage.

Si le quadrillage est affiché mais que la grille n'apparaît pas, fixez sa densité sur une valeur égale ou inférieure à 24 (voyez ci-dessous).

Utiliser le magnétisme

Lorsque vous redimensionnez ou déplacez des objets sur l'écran, ceux-ci sont normalement attirés par l'intersection du quadrillage la plus proche, à la manière d'un aimant. Ce magnétisme vous aide à aligner correctement vos objets ; il agit même si le quadrillage n'est pas visible.

- **Pour activer ou désactiver le magnétisme**, choisissez Format/Aligner sur la grille.
- **Pour une désactivation temporaire**, enfoncez la touche Ctrl pendant le déplacement ou le redimensionnement.

Changer la densité du quadrillage

Les points du quadrillage ne sont visibles que si sa densité est égale ou inférieure à 24 points par pouce (et lorsque la commande Quadrillage du menu Affichage est cochée). Pour modifier cette densité :

1. Ouvrez la feuille des propriétés (Affichage/Propriétés) et activez l'onglet Format.
2. Sélectionnez le formulaire ou l'état. Pour ce faire, choisissez Édition/Sélectionner le formulaire (si vous agissez sur un formulaire), ou Édition/Sélectionner le rapport (si vous agissez sur un état). La feuille des propriétés affiche les propriétés du formulaire ou de l'état correspondant.
3. Faites défiler jusqu'à voir apparaître les propriétés Grille X et Grille Y ; affectez-leur une valeur égale ou inférieure à 24 (24 étant la valeur par défaut de ces deux propriétés).
4. Fermez éventuellement la feuille des propriétés.

Redimensionner les contrôles et les aligner sur le quadrillage

Vous pouvez changer la taille de tous les contrôles de votre structure et les aligner sur le quadrillage. Voici comment procéder :

1. Pour sélectionner tous les contrôles, choisissez Édition/Sélectionner tout (ou enfoncez les touches Ctrl + A).
2. Exécutez l'une des deux actions suivantes (voire les deux) :

- **Pour redimensionner tous les contrôles** afin qu'ils s'alignent sur les traits du quadrillage les plus proches, choisissez Format/Taille/À la grille.

- **Pour aligner tous les contrôles sur la grille**, choisissez Format/Aligner/ Sur la grille.

Tous les contrôles sont redimensionnés et alignés sur la grille sous-jacente. D'autres réglages sont possibles ; voyez les sections "Déplacer des contrôles" et "Redimensionner des contrôles", plus loin dans ce chapitre.

Changer la taille du formulaire ou de l'état

Si le quadrillage est activé, le fond du formulaire ou de l'état affiche une grille dont les traits sont espacés les uns des autres d'un centimètre. Il affiche aussi des pointillés (si la densité du quadrillage est égale ou inférieure à 24 points par pouce). Enfin, il signale les limites du formulaire ou de l'état (Figures 13.2 et 13.3). Si le formulaire ou l'état est trop grand, vous pouvez modifier sa taille à tout moment :

- **Pour changer la largeur**, faites glisser la limite droite vers la gauche ou vers la droite.
- **Pour changer la hauteur**, faites glisser la limite inférieure vers le haut ou vers le bas.
- **Pour changer les deux paramètres**, faites glisser la limite inférieure droite en diagonale.

Redimensionner le fond afin d'éviter le chevauchement des pages

Si, lorsque vous imprimez un état, vous voulez que toutes vos données tiennent en largeur sur la page, la largeur du fond *plus* les marges de l'état doivent être inférieures (ou égales à) la largeur du papier.

Pour régler les marges, choisissez Fichier/Mise en page depuis la fenêtre de création. Activez l'onglet Marges, fixez les valeurs des pages (Figure 13.5), puis cliquez sur OK.

Si vous attribuez aux marges une valeur particulièrement réduite, il se peut qu'Access augmente cette valeur spontanément. En agissant de la sorte, le programme tente de compenser la zone non imprimable de la page. Cette zone est une bande qui court le long des bords du papier et dans laquelle l'imprimante est incapable d'imprimer.

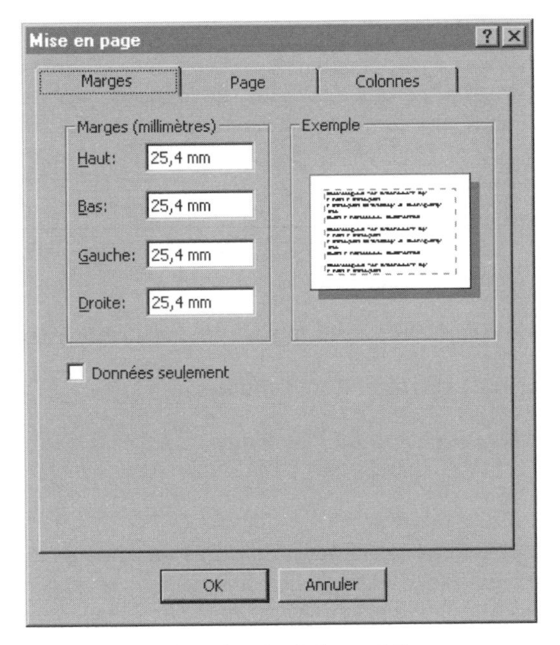

Figure 13.5 : La boîte de dialogue Mise en page.

Techniques avancées

Trois étapes jalonnent l'apprentissage de la conception de formulaires et d'états dans Access. D'abord, vous devez découvrir les outils disponibles en mode création ; ensuite, vous devez apprendre à les utiliser correctement ; enfin, vous devez vous entraîner à les manipuler jusqu'à ce que vous soyez capable de créer tous les formulaires et tous les états imaginables. Les sections suivantes vous aident à réaliser les deux premières étapes ; la dernière vous incombe.

Ajouter des contrôles dépendants (champs)

Si vous voulez afficher, dans votre formulaire ou dans votre état, des données issues de la table ou de la requête sous-jacente, vous devez ajouter un *contrôle dépendant* à votre structure. Les contrôles dépendants les plus courants sont les zones de texte. (Lorsque vous faites appel à l'Assistant Formulaire ou à l'Assistant État, ces contrôles dépendants sont créés automatiquement.)

Les contrôles *indépendants* peuvent contenir des résultats de calculs ainsi que des objets, comme des messages, des graphiques, des traits et des cases qui ne sont pas connectés à des données sous-jacentes. Certains Assistants ajoutent des contrôles indépendants aux formulaires et aux états qu'ils conçoivent.

Pour ajouter un contrôle dépendant :

1. Si le champ n'est pas visible, affichez-le (choisissez Affichage/Liste des champs).
2. Recourez à l'une des techniques suivantes :

- **Pour ajouter un champ au formulaire ou à l'état**, faites glisser le champ depuis la liste des champs vers l'endroit de votre structure où vous voulez qu'il figure.
- **Pour copier en une seule opération tous les champs de la liste dans le formulaire ou dans l'état**, cliquez deux fois sur la barre de titre de la liste des champs, puis faites glisser les champs sélectionnés vers la structure.
- **Pour copier plusieurs champs**, faites appel aux techniques standard de Windows (notamment Majuscule + clic ou Ctrl + clic) pour sélectionner les champs concernés, puis faites glisser la sélection vers la structure.

Access crée un contrôle zone de texte, zone de liste, zone de liste modifiable, case à cocher ou objet OLE dépendant, selon le type de données et la propriété Afficher le contrôle définie pour le champ sélectionné en mode création de la table ou de la requête sous-jacente. (La propriété Afficher le contrôle fait partie de l'onglet Liste de choix de la feuille des propriétés ; voyez le Chapitre 6 à ce sujet.)

Le contrôle ainsi créé comporte le champ et une étiquette qui affiche soit le nom de ce champ, soit le texte que vous avez affecté à la propriété Légende en mode création de table. Si vous souhaitez modifier ce texte, cliquez dans l'étiquette jusqu'à ce que le point d'insertion apparaisse, puis procédez à l'édition (ou faites glisser votre pointeur sur le texte, puis tapez le texte de substitution).

Vous pouvez bien entendu solliciter les autres outils de la boîte à outils pour créer un contrôle dépendant, mais cliquer-glisser depuis la liste des champs vers la structure du formulaire ou de l'état reste la technique la plus simple à mettre en oeuvre.

Propriétés en héritage

Les contrôles dépendants héritent non seulement des propriétés Liste de choix des champs de table sous-jacents, mais aussi des propriétés suivantes de l'onglet Général : Format, Masque de saisie, Légende, Valeur par défaut, Valide si, Message si erreur et Décimales.

Même si le contrôle reçoit en héritage les propriétés Valeur par défaut, Valide Si et Message si erreur, ces paramètres n'apparaissent pas dans l'onglet Données de sa feuille des propriétés. Si vous le souhaitez, vous pouvez lui ajouter ces propriétés sur votre formulaire. Dans ce cas, Access *ajoute* les propriétés Valide Si et Message si erreur à celles définies dans la table. La propriété Valeur par défaut assignée au formulaire écrase celle définie en mode création de table.

Sélectionner des contrôles, des sections, des formulaires et des états

Vous ne pourrez modifier, déplacer ou supprimer des objets de votre structure que si vous les avez préalablement sélectionnés. La première chose à faire est d'activer l'outil Sélection des objets (représenté à gauche). Ensuite, utilisez l'une des techniques suivantes :

- **Pour sélectionner un contrôle**, cliquez dessus. Des poignées de déplacement et de redimensionnement apparaissent, comme le montre la Figure 13.6.
- **Pour sélectionner plusieurs contrôles adjacents**, tracez un rectangle autour des contrôles concernés.

Pour définir la précision de votre cliquer-glisser lorsque vous réalisez ce genre de sélection, choisissez Outils/Options, puis activez l'onglet Formulaires/États. Dans la rubrique Mode de sélection des objets, choisissez Partiellement encadrés (si vous souhaitez qu'un contrôle partiellement inclus dans le rectangle soit sélectionné) ou Totalement encadrés (si vous souhaitez que seuls soient sélectionnés les contrôles intégralement inclus dans le rectangle de sélection). Cliquez sur OK pour valider votre choix.

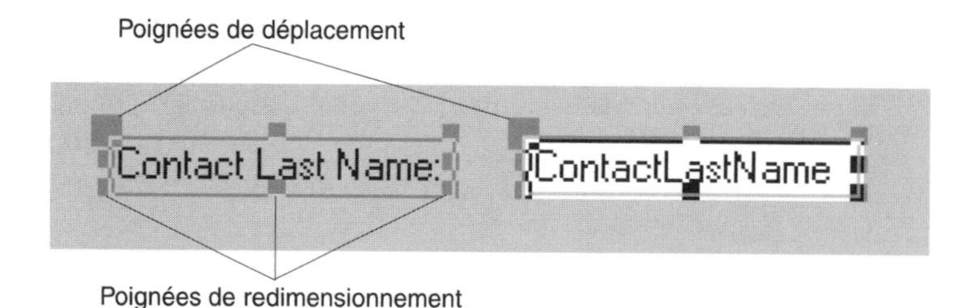

Figure 13.6 : Un contrôle sélectionné. Cet exemple montre les éléments d'un contrôle texte composite : une étiquette et un champ.

- **Pour sélectionner plusieurs contrôles non adjacents**, des contrôles composites (comme un champ et son étiquette) ou encore des contrôles qui se chevauchent partiellement, enfoncez la touche Majuscule, puis cliquez sur les différents contrôles concernés tout en maintenant cette touche enfoncée. Cette technique standard de Windows est appelée *Majuscule + clic.*
- **Pour sélectionner des contrôles à l'aide de la règle**, placez votre pointeur sur la règle verticale ou horizontale. (Il prend la forme d'une flèche orientée vers le bas ou vers la droite, selon la règle choisie.) Cliquez ensuite sur la ligne du quadrillage qui traverse tous les contrôles que vous voulez sélectionner. Ou faites glisser la souris le long de la règle jusqu'à ce que tous les contrôles concernés soient inclus dans sa partie contrastée.
- **Pour sélectionner une section dans un formulaire ou dans un état**, cliquez sur la barre grise qui affiche le nom de la section. (Vous en apprendrez davantage à ce sujet dans peu de temps.)
- **Pour sélectionner tous les contrôles d'un formulaire ou d'un état**, choisissez Édition/Sélectionner tout, ou enfoncez les touches Ctrl + A.

- **Pour sélectionner tout le formulaire ou tout l'état**, choisissez Édition/ Sélectionner le formulaire ou Édition/Sélectionner le rapport. Ou bien, si les règles sont affichées, cliquez dans la case qui se trouve à l'intersection de la règle horizontale et de la règle verticale (sous le menu Fichier). Ou encore déroulez le menu local Objet de la barre d'outils Mise en forme (représenté à gauche) et choisissez Formulaire ou État.

Si la feuille des propriétés "se vide" soudainement alors que vous cliquez sur un contrôle qui est déjà sélectionné, vous pouvez réactiver son affichage de deux manières : enfoncez la touche Entrée si vous voulez sauvegarder les changements que vous avez spécifiés pour le contrôle, ou enfoncez la touche Esc si vous ne tenez pas à les conserver.

Pour désélectionner des contrôles :

- **Pour désélectionner tous les contrôles sélectionnés**, cliquez dans une zone vide de la structure.
- **Pour désélectionner certains contrôles dans un groupe de contrôles sélectionnés**, Majuscule + cliquez sur les contrôles concernés.

Travailler avec des contrôles sélectionnés

Une fois que vous avez sélectionné un ou plusieurs contrôles, vous pouvez réaliser l'une des actions suivantes : déplacer, redimensionner, aligner votre sélection ou modifier l'espace qui sépare les contrôles, horizontalement et verticalement.

Supprimer des contrôles

Pour supprimer des contrôles, sélectionnez les contrôles concernés, puis enfoncez la touche Suppr. Si vous changez d'avis après coup, choisissez immédiatement Édition/Annuler, ou enfoncez les touches Ctrl + Z, ou encore activez le bouton Annuler d'une barre d'outils quelconque.

Pour supprimer uniquement l'étiquette d'un contrôle composite, cliquez sur cette étiquette et activez la touche Suppr.

Pour masquer temporairement l'étiquette sans la supprimer, fixez sa propriété Visible sur Non dans l'onglet Format de la feuille des propriétés.

Déplacer des contrôles

Vous pouvez placer vos contrôles où bon vous semble. Sélectionnez le ou les contrôles à déplacer, puis :

- **Pour déplacer l'intégralité des contrôles sélectionnés**, placez votre pointeur sur le bord de la sélection ; il prend la forme d'une main ouverte. Faites alors glisser cette sélection vers son nouvel emplacement. (Pour déplacer les contrôles vers une autre *section* du formulaire ou de l'état, assurez-vous que tous les contrôles sélectionnés font partie de la même section, puis opérez le cliquer-glisser.)

- **Pour déplacer un élément d'un contrôle composite sélectionné**, placez votre pointeur sur la *poignée de déplacement* située dans l'angle supérieur gauche du contrôle : il prend la forme d'une main dont l'index pointe vers le haut. Faites alors glisser cette sélection vers son nouvel emplacement.

Vous pouvez activer la touche Majuscule pendant le cliquer-glisser afin de contraindre le déplacement à l'axe vertical ou horizontal.

- **Pour déplacer très légèrement un ou plusieurs contrôles sélectionnés,** utilisez les combinaisons de touches Ctrl + →, Ctrl + ←, Ctrl + ↑ et Ctrl + ↓. Le ou les contrôles se déplacent dans la direction indiquée par la flèche.

Redimensionner des contrôles

Si un contrôle est trop large ou trop étroit, vous pouvez modifier sa taille. Comme toujours, vous devez avant tout sélectionner le ou les contrôles sur lesquels vous voulez agir.

- **Pour redimensionner les contrôles sélectionnés**, placez votre pointeur sur une poignée de redimensionnement (il prend la forme d'une flèche à deux têtes), puis faites glisser cette poignée jusqu'à obtention de la taille souhaitée. Si vous avez sélectionné plusieurs contrôles, ils sont tous redimensionnés dans les mêmes proportions.
- **Pour redimensionner les contrôles sélectionnés afin qu'ils s'adaptent aux données qu'ils contiennent**, choisissez Format/Taille/Au contenu.
- **Pour ajuster la taille des contrôles sélectionnés afin qu'ils s'alignent sur le point de la grille le plus proche**, choisissez Format/Taille/À la grille.
- **Pour redimensionner une étiquette afin qu'elle s'adapte au texte qu'elle contient**, cliquez deux fois sur l'une de ses poignées de redimensionnement.
- **Pour attribuer la même taille aux contrôles sélectionnés**, invoquez la commande Format/Ajuster, puis choisissez l'une des options suivantes : Au plus grand, Au plus petit, Au plus large, Au plus étroit. Access attribue la taille désignée aux contrôles sélectionnés. (Ainsi, si vous choisissez Au plus grand, tous les contrôles sélectionnés se verront attribuer une taille identique à celle du plus grand contrôle de la sélection.)
- **Pour modifier très légèrement la taille d'un ou de plusieurs contrôles sélectionnés**, utilisez les combinaisons de touches Majuscule + →, Majuscule + ←, Majuscule + ↑ et Majuscule + ↓.

Aligner des contrôles

Vos formulaires et vos états présenteront beaucoup mieux si les textes et les données sont parfaitement alignés. Voici comment vous y prendre :

1. Sélectionnez les contrôles que vous voulez aligner.
2. Choisissez Format/Aligner ou cliquez avec le bouton droit de la souris sur la sélection et choisissez Aligner.
3. Choisissez Gauche, Droite, Haut, Bas ou Sur la grille. Ainsi, si vous optez pour Format/Aligner/Gauche, tous les contrôles sélectionnés s'alignent sur celui d'entre eux qui est placé le plus à gauche.

Si les contrôles sélectionnés se chevauchent lorsque vous les alignez, Access les dispose en quinconce, une présentation qui ne vous agrée sans doute pas. Assurez-vous donc, avant de demander l'alignement, que les contrôles n'empiètent pas les uns sur les autres.

Ajuster l'espacement horizontal et vertical

Vous pouvez encore améliorer la présentation de votre formulaire ou de votre état en réglant l'espacement horizontal et vertical entre deux ou plusieurs contrôles :

1. Sélectionnez les contrôles que vous voulez ajuster. Si vous désirez les espacer d'une distance égale, incluez un minimum de trois contrôles dans votre sélection.
2. Pour ajuster l'espacement horizontal, choisissez Format/Espacement horizontal. Pour ajuster l'espacement vertical, choisissez Format/Espacement vertical.
3. Choisissez l'une des options d'espacement suivantes :

   Égaliser : Sépare un minimum de trois contrôles d'une distance identique, horizontalement ou verticalement. Access répartit de façon équitable les contrôles sélectionnés sur la distance qui sépare le contrôle le plus à gauche/le plus haut du contrôle le plus à droite/le plus bas.

   Augmenter : Augmente d'un point de grille la distance horizontale ou verticale entre les contrôles sélectionnés.

Diminuer : Diminue d'un point de grille la distance horizontale ou verticale entre les contrôles sélectionnés.

Dupliquer des contrôles

La commande Dupliquer vous permet de créer rapidement et simplement une copie alignée et espacée d'un ou de plusieurs contrôles. Sélectionnez le ou les contrôles que vous voulez dupliquer, puis choisissez Édition/Dupliquer. Vous pouvez alors redimensionner, déplacer ou modifier les propriétés du ou des contrôles ainsi copiés.

Pour dupliquer plusieurs fois une sélection en espaçant et en alignant les copies dans les mêmes proportions, réalisez une première duplication, ajustez l'espacement et l'alignement (sans opérer d'autres changements), puis invoquez la commande Dupliquer autant de fois que nécessaire.

Changer la police, la couleur, la bordure, l'apparence, etc.

La barre d'outils Mise en forme (Formulaire/État) (Figure 13.7) propose une foule d'icônes vous permettant de peaufiner l'apparence de vos contrôles. Vous pouvez choisir une police et un alignement, ajouter des couleurs de premier plan, d'arrière-plan et d'encadrement, sélectionner une apparence particulière comme un effet de relief ou encore choisir le style de la bordure.

Pour travailler avec cette barre d'outils :

1. Réalisez l'une des action suivantes :

   Si la barre n'est pas affichée, cliquez avec le bouton droit de la souris dans une barre d'outils quelconque et choisissez Mise en forme (Formulaire/État).

   ou bien :

   Si aucune barre d'outils n'est affichée, choisissez Affichage/Barres d'outils, activez (cochez) Mise en forme (Formulaire/État), puis cliquez sur Fermer.

2. Sélectionnez le ou les contrôles que vous voulez personnaliser.

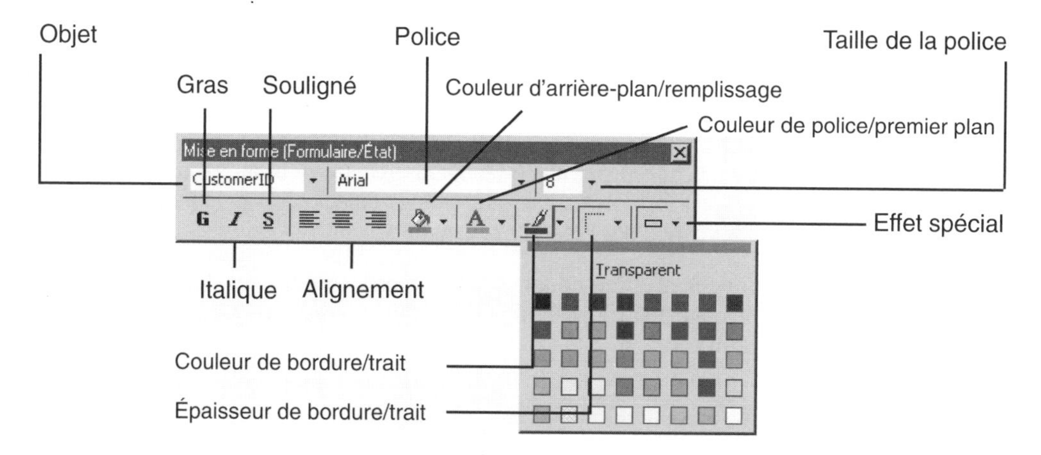

Figure 13.7 : La barre d'outils Mise en forme (Formulaire/État) vous permet d'attribuer à vos contrôles une police, un alignement, des couleurs, des bordures et des effets spéciaux. Dans cet exemple, nous avons déroulé le menu local Couleur de bordure/trait.

3. Dans la barre d'outils Mise en forme (Formulaire/État), activez un bouton ou déroulez un menu local, puis choisissez l'option correspondant au paramètre que vous voulez affecter à la sélection. (Dans les palettes Couleur d'arrière-plan/remplissage et Couleur de bordure/trait, l'option Transparent rend le contrôle sélectionné transparent ; sa couleur est donc identique à celle du contrôle, de la section ou du formulaire placée en arrière-plan.) Comme d'habitude, vous pouvez connaître la fonction d'un bouton en plaçant votre pointeur dessus et en consultant l'info-bulle qui s'affiche alors.

Lorsque vous avez déroulé les menus locaux Couleur d'arrière-plan/remplissage, Couleur de police/premier plan, Couleur de bordure/trait ou Effet spécial, vous pouvez détacher la palette correspondante et la placer dans votre espace de travail. Pour la remettre en place, cliquez sur la flèche du menu déroulant correspondant ou cliquez dans la case de fermeture de la palette.

Au lieu d'utiliser la barre d'outils, vous pouvez vous exprimer dans la feuille des propriétés ; mais c'est tout de même chercher la difficulté (sauf si la feuille des propriétés met à votre disposition des paramètres que la barre d'outils ne vous propose pas). Ainsi, vous pouvez y choisir une couleur dans une palette de seize millions de couleurs, alors que les palettes de la barre d'outils vous limitent aux cinquante-six couleurs de base.

Contrôler l'ordre de tabulation

L'*ordre de tabulation* définit l'ordre selon lequel le curseur se déplace de champ en champ lorsque vous enfoncez la touche Tabulation ou que vous activez la combinaison de touches Majuscule + Tabulation. Quand vous aurez placé tous vos contrôles sur votre formulaire, il se peut que le curseur décrive un parcours bizarre en mode formulaire. Pour redéfinir ce parcours :

1. En mode création de formulaire, choisissez Affichage/Ordre de tabulation. Une boîte de dialogue semblable à celle représentée par la Figure 13.8 s'affiche à l'écran.

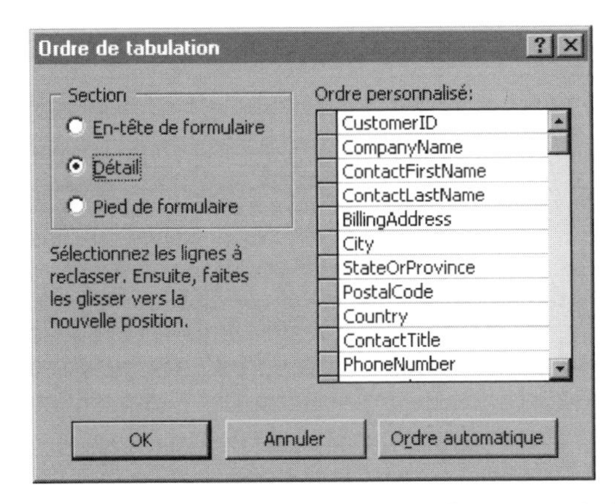

Figure 13.8 : La boîte de dialogue Ordre de tabulation.

2. Dans la rubrique Section, désignez la section que vous voulez modifier (par exemple, Détail).

3. Cliquez sur Ordre automatique pour qu'Access définisse automatiquement l'ordre de tabulation, travaillant de gauche à droite, puis de haut en bas.

4. Pour définir manuellement l'ordre de tabulation, sélectionnez les champs à repositionner (pour sélectionner un champ unique, cliquez sur son sélecteur ; pour sélectionner plusieurs champs, faites glisser votre pointeur sur les sélecteurs des champs concernés). Faites alors glisser la sélection vers son nouvel emplacement dans la liste Ordre personnalisé.

5. Répétez les étapes 3 et 4 autant de fois que nécessaire, puis cliquez sur OK.

En mode formulaire, l'activation de la touche Tabulation déplace le curseur vers le champ suivant tel qu'il est défini dans la fenêtre Ordre de tabulation. La combinaison Majuscule + Tabulation le déplace vers le champ précédent.

Pour soustraire un champ au parcours du curseur, activez le mode création de formulaire, sélectionnez ce champ et fixez sa propriété Arrêt tabulation sur Non. Cette dernière fait partie de l'onglet Autres.

Copier des propriétés

Si vous avez formaté un contrôle et souhaitez reporter sa mise en forme sur d'autres contrôles de votre structure, voici comment y parvenir à moindre effort :

1. Sélectionnez le contrôle formaté.

2. Exécutez l'une des actions suivantes :

- **Pour coller le format sur un autre contrôle**, *cliquez une fois* sur le bouton Reproduire la mise en forme d'une barre d'outils quelconque.

- **Pour copier le format sur plusieurs autres contrôles**, *cliquez deux fois* sur le bouton Reproduire la mise en forme.

3. Cliquez sur le contrôle à formater.

   Si vous avez cliqué deux fois sur le bouton Reproduire la mise en forme lors de l'étape n° 2, cliquez sur les autres contrôles à formater.

4. Lorsque vous les avez tous traités, enfoncez la touche Esc ou activez de nouveau le bouton Reproduire la mise en forme.

Tous les attributs fixés avec l'aide des icônes de la barre d'outils Mise en forme (Formulaire/État) sont copiés ; il en va de même de la quasi-totalité des propriétés de l'onglet Format. Pratique, non ?

Ajouter conseils, menus et messages

À ce stade, vous n'ignorez plus que la barre d'état, les menus contextuels et les info-bulles sont des outils d'assistance intéressants. Vous pouvez les exploiter pour qu'ils fournissent des informations à propos d'un contrôle en agissant dans l'onglet Autres de sa feuille des propriétés.

Lorsque vous faites glisser un nom de champ de la liste des champs vers votre formulaire ou vers votre état, Access attache automatiquement à la propriété Texte barre état le texte qui est affiché dans la colonne Description de ce champ en mode création de table. Si cette case est vide, la barre d'état n'affiche rien.

Pour définir des conseils et des menus contextuels qui s'afficheront en mode formulaire, sélectionnez le contrôle que vous voulez personnaliser (en mode création de formulaire), ouvrez la feuille des propriétés (Affichage/Propriétés), puis activez l'onglet Autres. Assignez ensuite une valeur à l'une et/ou à l'autre des propriétés suivantes. La Figure 13.9 montre un exemple complet.

Mode création de formulaire

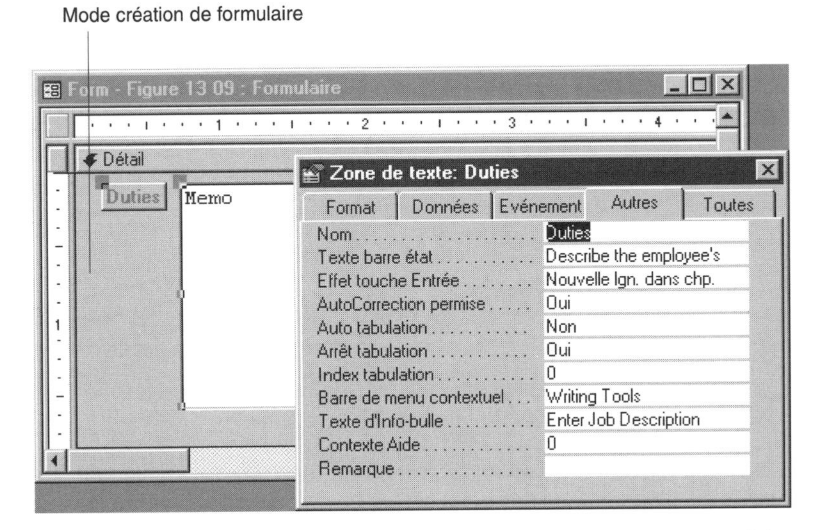

Figure 13.9 : Un champ Mémo pour lequel nous avons défini les propriétés suivantes : Texte barre état, Barre de menu contextuel et Texte d'Info-bulle.

- **Texte barre état** : Affiche un message dans la barre d'état lorsque le curseur atteint le contrôle.
- **Barre de menu contextuel** : Affiche un menu contextuel personnalisé lorsque vous cliquez sur le contrôle avec le bouton droit de votre souris. Le Chapitre 24 vous apprend à créer des menus de ce type.
- **Texte d'Info-bulle** : Affiche un message qui apparaît lorsque vous pointez sur le contrôle avec votre souris. Ces textes sont analogues à ceux qui s'affichent lorsque vous pointez sur un bouton de barre d'outils.

- **Contexte Aide** : Affiche des informations dans le fichier d'aide personnalisé spécifié par la propriété Fichier Aide (elle apparaît sur l'onglet Autres lorsque vous sélectionnez tout le formulaire). Cette aide s'affiche lorsque vous cliquez sur le contrôle en mode formulaire et enfoncez la touche F1. Vous pouvez créer un fichier de ce type en utilisant le Compilateur d'aide Windows et un éditeur de texte au format Rich Text Format (format texte enrichi), comme Microsoft Word pour Windows ou le programme WordPad fourni avec Windows. Différents fichiers d'aide de ce type, consacrés aux outils de développement, sont proposés sur le marché par des sociétés tierces.

Le Compilateur d'aide Windows 95 et son Guide sont fournis avec le Kit de développement Microsoft Access, Microsoft Visual Basic, Microsoft Visual C++ et le Kit de développement Microsoft Software (SDK). Pour obtenir des informations à propos de ces produits, contactez Microsoft.

La Figure 13.10 montre le formulaire de la Figure 13.9, après que nous sommes passés en mode formulaire, avons cliqué dans le champ et y avons laissé le pointeur un certain temps. Un clic avec le bouton droit de la souris dans ce même champ aurait fait apparaître un menu présentant les options d'un menu contextuel personnalisé (non représenté).

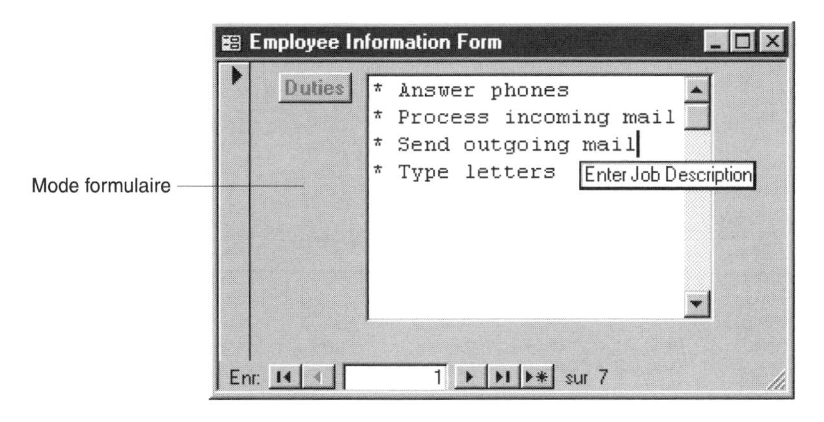

Figure 13.10 : Le champ de la Figure 13.9, en mode formulaire. Remarquez le texte qui s'affiche dans la barre d'état dans la partie inférieure de la fenêtre et l'info-bulle qui apparaît sous le pointeur.

Pour en apprendre plus sur ces fonctions d'aide, ouvrez la feuille des propriétés (Affichage/Propriétés), activez l'onglet Autres, cliquez dans la propriété concernée, puis enfoncez la touche F1.

Personnaliser les styles de format automatique

Access vous offre la possibilité de personnaliser les styles de format automatique, d'ajouter de nouveaux styles ou de supprimer ceux qui ne sont pas utiles. Vous pouvez aussi paramétrer la police, la couleur et les bordures de chaque section. Vous pouvez en outre, par section toujours, fixer les couleurs d'arrière-plan et choisir une image qui s'affichera en toile de fond (pour en savoir plus à ce sujet, voyez la section "Ajouter une image d'arrière-plan", plus loin dans ce chapitre). Tout style ajouté sera disponible dans la boîte de dialogue de la commande Format automatique (Figure 13.4) ainsi que dans les fenêtres des Assistants Formulaire et État.

Pour ouvrir la boîte de dialogue Format automatique, cliquez sur le bouton Format automatique de la barre d'outils Création de formulaire ou Créer un état, ou bien choisissez Format/Format automatique (Figure 13.4).

Lorsque vous cliquez sur Personnaliser, la boîte de dialogue correspondante vous est proposée :

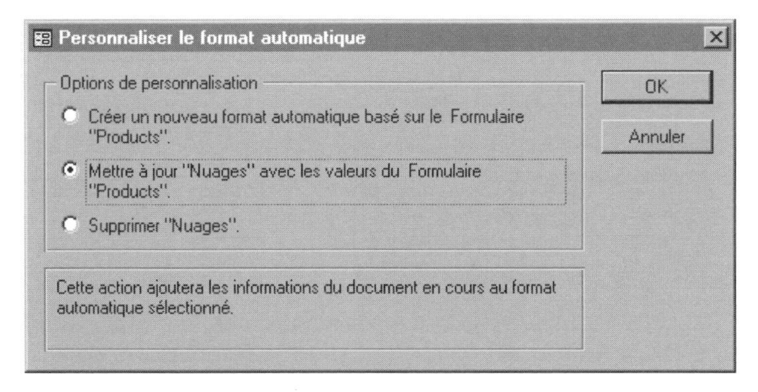

- **Pour créer un nouveau style Format automatique** basé sur les formats du formulaire ou de l'état courant, choisissez la première option.
- **Pour mettre à jour le format automatique sélectionné** qui formate le formulaire ou l'état courant, activez la deuxième option.
- **Pour supprimer le format automatique sélectionné**, validez la troisième option.

Quand vous avez fait votre choix, cliquez sur OK, puis sur Fermer.

Spécifier directement la source des enregistrements

Si vous vous êtes trompé lorsque vous avez désigné la table ou la requête source de votre formulaire ou de votre état, vous pouvez rectifier votre erreur. Voici comme procéder :

1. Ouvrez la feuille des propriétés (Affichage/Propriétés), puis activez l'onglet Données.
2. Sélectionnez le formulaire ou l'état entier (Édition/Sélectionner le formulaire ou Édition/Sélectionner le rapport).
3. Cliquez dans la case Source ; un bouton de liste déroulante apparaît, ainsi qu'un bouton Générer (...).
4. Exécutez l'une des actions suivantes :

- Tapez le nom de la table (ou de la requête) dans la case ou choisissez cette table (ou cette requête) dans le menu déroulant correspondant.
- Si vous voulez créer une requête, activez Générer (...), puis cliquez sur OK lorsqu'un message s'affiche. Définissez la requête qui sélectionnera et affichera les enregistrements souhaités en faisant appel aux techniques décrites dans le Chapitre 10. Testez votre requête et sauvegardez-la si nécessaire. Lorsque vous avez terminé, choisissez Fichier/Fermer (ou enfoncez les touches Ctrl + W ; ou encore, cliquez dans la case de fermeture de la boîte de dialogue Instruction SQL) et répondez Oui si Access vous demande s'il doit sauvegarder vos modifications. Enfoncez la touche Entrée pour déplacer le curseur vers la propriété suivante. Une instruction SQL apparaît dans la case Source ; pas d'inquiétude : ce n'est là qu'une autre façon d'exprimer la requête.

5. Prévisualisez l'état ou basculez en mode formulaire.

Si les mentions **#Nom?** ou **#Erreur?** s'affichent dans un contrôle, cela signifie que ce contrôle n'est plus défini en raison de votre action à l'étape n° 4.

Réactivez le mode création, détruisez le(s) contrôle(s) incorrect(s) ou bizarre(s), puis faites glisser le(s) champ(s) adéquat(s) de la liste des champs vers votre structure ; ou bien ouvrez la feuille des propriétés en mode création (Affichage/Propriétés), sélectionnez le contrôle qui pose problème, cliquez dans la case de la propriété Source contrôle de l'onglet Données, puis tapez ou sélectionnez le champ ou l'expression approprié(e).

Pour en savoir plus sur ces messages d'erreur #Nom? ou #Erreur?, consultez l'entrée d'index *dépannage des formulaires.*

Sections, en-têtes et pieds

Les formulaires et les états sont divisés en sections décrites ci-dessous, dont le but est de définir l'emplacement des divers éléments qui les constituent. Différents exemples vont illustrer notre propos.

Les sections du formulaire

Les formulaires peuvent comprendre jusqu'à cinq sections :

En-tête de formulaire : Toujours visible dans la partie supérieure du formulaire en mode formulaire ; ne s'imprime que sur la première page.

En-tête de page : Jamais visible en mode formulaire ; s'imprime dans le haut de chaque page du formulaire.

Détail : Zone où apparaissent les champs (données) de la table ou de la requête sous-jacente.

Pied de page : Jamais visible en mode formulaire ; s'imprime dans le bas de chaque page du formulaire.

Pied de formulaire : Toujours visible dans la partie inférieure du formulaire en mode formulaire ; ne s'imprime que sur la première page.

La Figure 13.11 montre la structure d'un formulaire complet, comprenant les sections suivantes : En-tête et Pied de formulaire, En-tête et Pied de page et Détail.

La Figure 13.12 montre le même formulaire en mode formulaire.

Rappelez-vous que les en-têtes et les pieds de page n'apparaissent que sur les versions imprimées ou en mode aperçu avant impression. (Pour afficher le pied de page *Confidentiel ! Secret!...*, cliquez sur le formulaire pour qu'il s'adapte à la page ou utilisez la barre de défilement vertical afin de faire apparaître la partie inférieure de ce formulaire.)

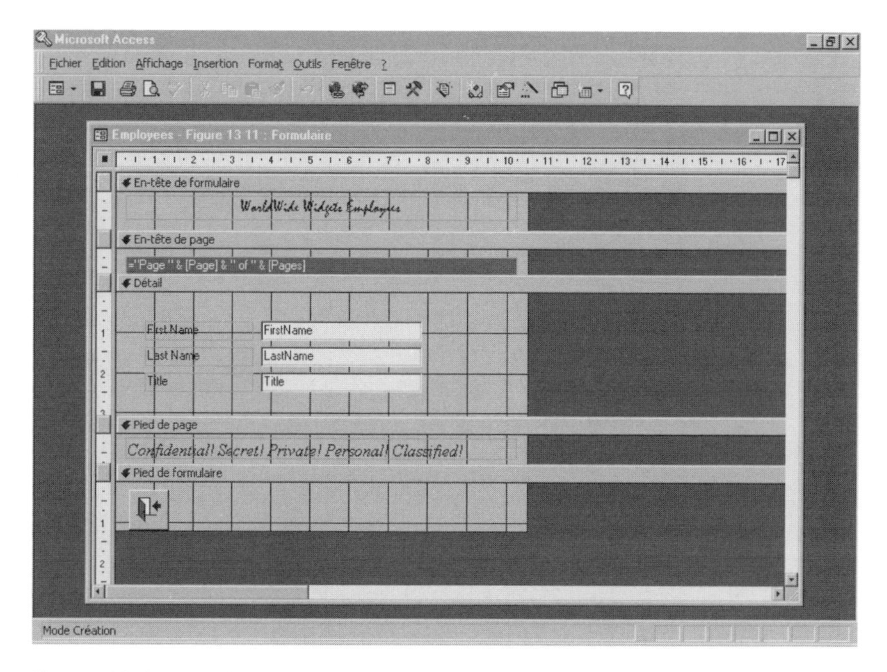

Figure 13.11 : Un formulaire en mode création, avec ses différentes sections.

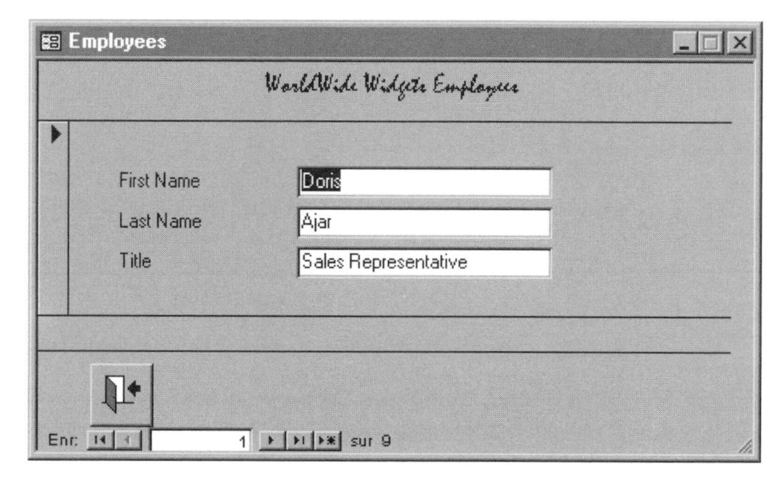

Figure 13.12 : La structure représentée à la Figure 13.11 produit ce formulaire en mode formulaire.

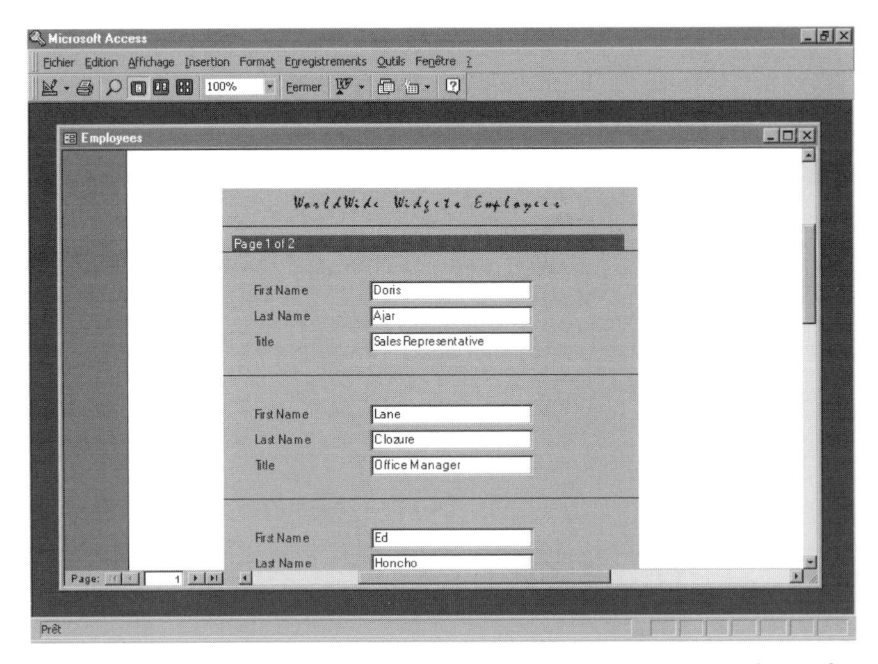

Figure 13.13 : En aperçu avant impression (et sur les versions imprimées du formulaire), la structure représentée à la Figure 13.11 s'affiche ainsi. Bien que cette structure ne soit pas entièrement visible, le pied de page apparaît aussi dans le bas de chaque page, tant en mode aperçu qu'à l'impression.

Les sections de l'état

Les états présentent les mêmes sections que les formulaires ; ils peuvent en outre comporter des sections de regroupement qui vous permettent de répartir les données en différents groupes. Chaque groupe possède alors son propre en-tête et son propre pied. Voici la liste des sections disponibles :

En-tête d'état : Imprimé une seule fois, au début de l'état (*exemple* : une page de couverture).

En-tête de page : Imprimé dans le haut de chaque page.

En-tête de groupe : Imprimé dans le haut de chaque groupe.

Détail : Imprimé une fois pour chaque enregistrement de la table ou de la requête sous-jacente.

Pied de groupe : Imprimé dans le bas de chaque groupe (c'est dans cette section qu'on place généralement les sous-totaux qui apparaissent ainsi à la fin de chaque groupe).

Pied de page : Imprimé dans le bas de chaque page.

Pied d'état : Imprimé une seule fois, à la fin de l'état (c'est dans cette section qu'on place généralement les totaux généraux qui apparaissent ainsi à la fin de l'état).

La Figure 13.14 montre un état en mode création constitué de plusieurs sections ; la Figure 13.15 affiche la version imprimée de cet état.

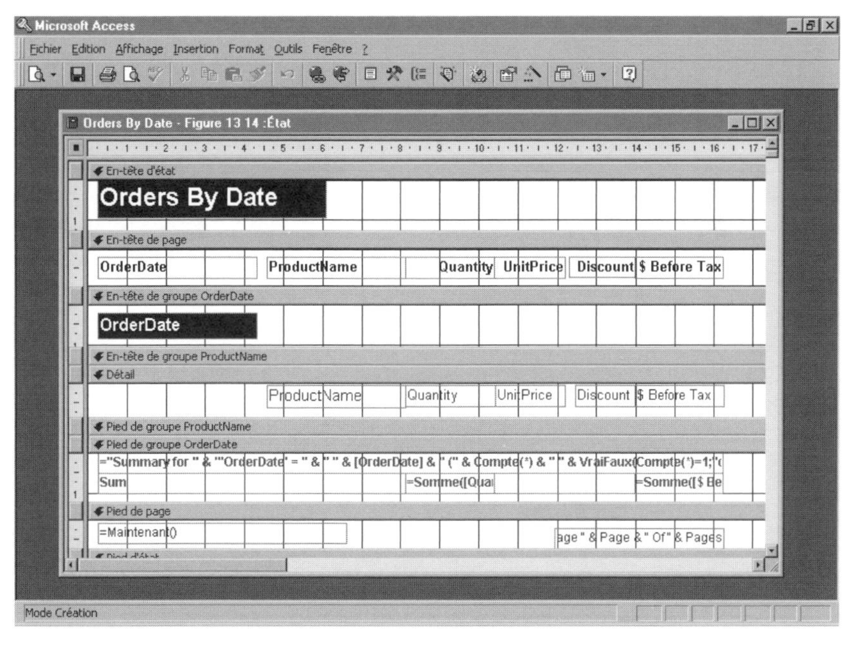

Figure 13.14 : Cet état illustre les sections en mode création d'état.

Ajouter ou supprimer des en-têtes et des pieds

Le menu Affichage vous fournit différentes commandes vous permettant d'ajouter et de supprimer des en-têtes et des pieds d'état ou de page. Il est facile d'ajouter un en-tête ou un pied :

- Déroulez le menu Affichage.

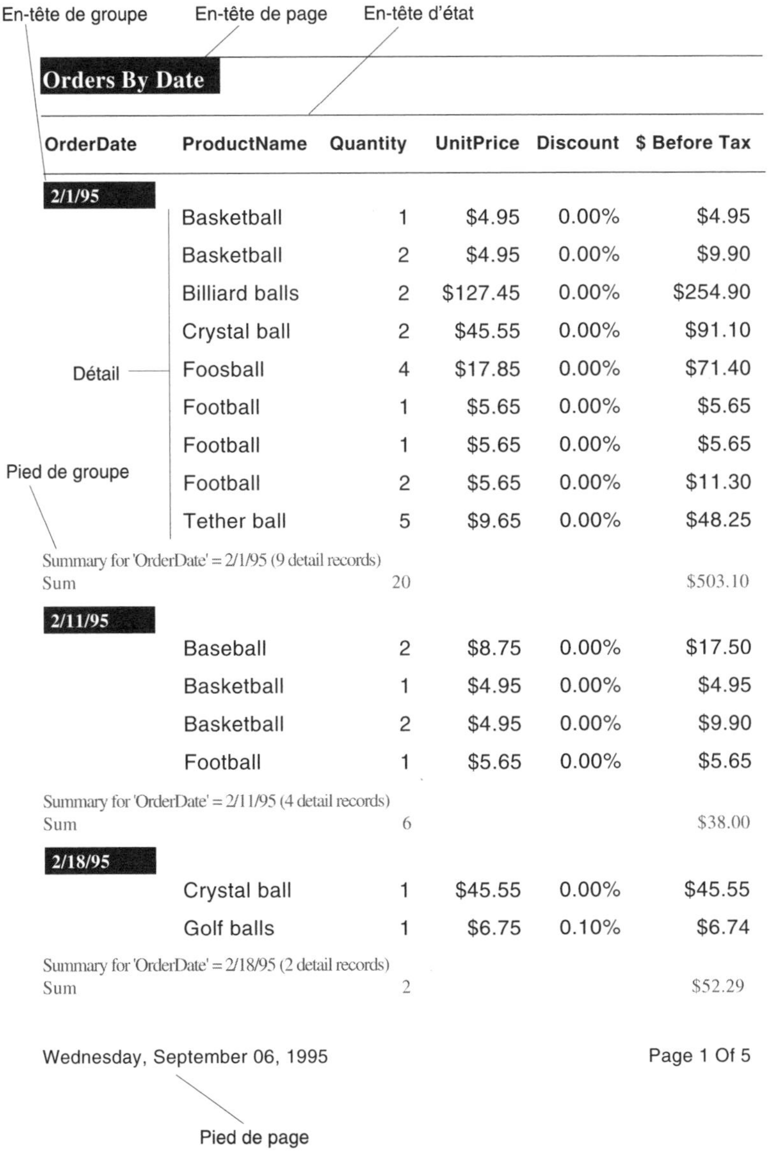

En-tête de groupe En-tête de page En-tête d'état

Orders By Date

OrderDate	ProductName	Quantity	UnitPrice	Discount	$ Before Tax
2/1/95					
	Basketball	1	$4.95	0.00%	$4.95
	Basketball	2	$4.95	0.00%	$9.90
	Billiard balls	2	$127.45	0.00%	$254.90
	Crystal ball	2	$45.55	0.00%	$91.10
	Foosball	4	$17.85	0.00%	$71.40
	Football	1	$5.65	0.00%	$5.65
	Football	1	$5.65	0.00%	$5.65
	Football	2	$5.65	0.00%	$11.30
	Tether ball	5	$9.65	0.00%	$48.25
Summary for 'OrderDate' = 2/1/95 (9 detail records)					
Sum		20			$503.10
2/11/95					
	Baseball	2	$8.75	0.00%	$17.50
	Basketball	1	$4.95	0.00%	$4.95
	Basketball	2	$4.95	0.00%	$9.90
	Football	1	$5.65	0.00%	$5.65
Summary for 'OrderDate' = 2/11/95 (4 detail records)					
Sum		6			$38.00
2/18/95					
	Crystal ball	1	$45.55	0.00%	$45.55
	Golf balls	1	$6.75	0.10%	$6.74
Summary for 'OrderDate' = 2/18/95 (2 detail records)					
Sum		2			$52.29

Détail

Pied de groupe

Wednesday, September 06, 1995 Page 1 Of 5

Pied de page

Figure 13.15 : Voici à quoi ressemble l'état de la Figure 13.14 après impression. Nous avons réalisé un tri et un regroupement selon les champs OrderDate (Date Commande) et ProductName (Nom Produit) (bien que l'en-tête et le pied du groupe ProductName (Nom Produit) soient vides). Nous avons baptisé les sections En-tête d'état, En-tête de page, En-tête de groupe, Détail, Pied de groupe et Pied de page.

- Activez la *commande non cochée* pour la section à laquelle vous voulez ajouter un en-tête ou un pied de page (En-tête/pied de page, En-tête/pied de formulaire ou En-tête/pied d'état).

Supprimer une section est tout aussi simple, mais considérez bien la question avant de vous lancer tête la première dans la suppression, car si vous supprimez une section qui comporte déjà des contrôles, ceux-ci seront perdus. Mais Access a tout prévu : il vous prévient des risques que vous courez et vous donne la possibilité de faire marche arrière. (Cette suppression ne peut être annulée.)

Ayez le réflexe d'enregistrer votre structure avant de supprimer une section (Fichier/Enregistrer ou Ctrl + S). Dans ces conditions, si vous effacez par erreur la mauvaise section, vous pourrez toujours fermer votre structure sans enregistrer (Fichier/Fermer/Non), puis rouvrir la version précédente en mode création.

Pour supprimer une section :

- Déroulez le menu Affichage.
- Activez la *commande cochée* pour la section que vous voulez supprimer. Si Access vous demande confirmation, ne cliquez sur Oui que si vous êtes convaincu de vouloir détruire tous les contrôles que cette section comporte.

Vous pouvez déplacer les contrôles vers une autre section du formulaire ou de l'état avant d'opérer la suppression (retournez à la section "Déplacer des contrôles"). Vous pouvez aussi redimensionner une section ; voyez à ce sujet "Redimensionner une section", plus loin dans ce chapitre.

Grouper les données dans les états

Vous avez la possibilité de regrouper vos données dans des états (pas dans des formulaires) en créant des sections dites “Trier et grouper”. Ces sections viennent à point lorsqu'il s'agit de trier des données et d'imprimer des sous-totaux, comme l'a montré précédemment la Figure 13.15.

Ces sections Trier et grouper diffèrent de celles que nous avons déjà décrites.

En effet :

- Vous ne pouvez les employer que dans des états (et non dans des formulaires).
- Vous ne passez pas par le menu Affichage pour leur ajouter ou supprimer des en-têtes et des pieds.
- Ces éléments (en-têtes et pieds) sont souvent basés sur un champ de la table (ou de la requête sous-jacente), ou sur une expression faisant intervenir un champ.

Créer facilement des groupes et des sous-totaux

La manière la plus simple de créer un état comportant des sections Trier et grouper est d'agir depuis la fenêtre Base de données et d'invoquer les services des Assistants État pour créer l'état (Chapitre 12). Lorsque l'Assistant s'est acquitté de sa mission, la structure de votre état inclut des sections Trier et grouper ainsi que les contrôles indispensables à l'impression des sous-totaux, totaux généraux et pourcentages. Vous pouvez alors passer en mode création et affiner les groupes.

Créer des groupes sans Assistant

Si vous préférez créer des sections Trier et grouper sans l'aide d'un Assistant, voici comment procéder :

1. En mode création, activez le bouton Trier et grouper de la barre d'outils Créer un état (représenté à gauche) ou choisissez Affichage/Trier et grouper. La boîte de dialogue Trier et regrouper s'affiche (Figure 13.16).
2. Déroulez le menu local Champ/expression pour sélectionner le champ sur lequel vous voulez effectuer le regroupement.
3. Pour disposer les groupes en allant du plus grand au plus petit (par exemple de Z à A, ou de Décembre à Janvier), choisissez l'ordre de tri Décroissant.
4. Modifiez si nécessaire les propriétés dans la partie inférieure de la fenêtre :

   En-tête de groupe : Pour créer une section d'en-tête pour le groupe, activez Oui.

   Pied de groupe : Pour créer une section de pied pour le groupe, activez Oui.

   Regrouper sur : Pour choisir comment vous voulez former les groupes, sélectionnez l'option souhaitée dans le menu local correspondant. Les options disponibles dépendent du type du champ sur lequel le regroupement est censé s'opérer (voyez le Tableau 13.1).

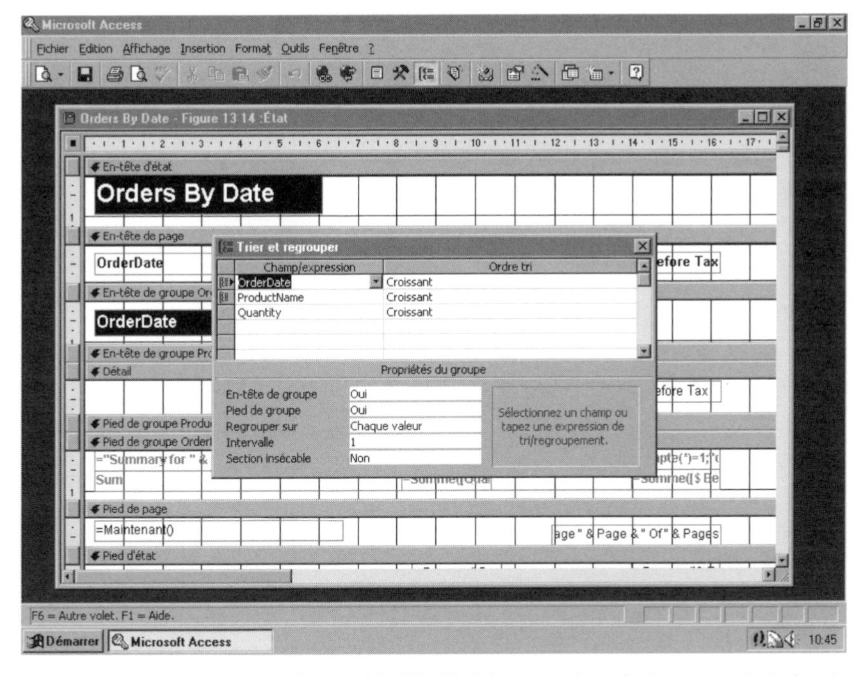

Figure 13.16 : L'état de la Figure 13.15 affiché en mode création, avec la boîte de dialogue Trier et regrouper ouverte.

Intervalle : Pour changer l'intervalle ou le nombre de caractères sur lequel s'effectue le regroupement, tapez un nombre dans la case Intervalle. Ainsi, pour regrouper les enregistrements selon les trois premières lettres du nom du client, choisissez Premiers caractères dans la propriété Regrouper sur, puis fixez l'intervalle sur 3.

Section insécable : Pour éviter qu'un groupe occupant moins d'une page ne soit coupé par un saut de page et atterrisse ainsi sur deux feuilles, fixez la propriété Section insécable sur Non (le groupe ne sera pas scindé) ou sur Avec premier détail (l'en-tête de groupe et le premier enregistrement ne seront pas dissociés).

5. Si vous le souhaitez, ajoutez l'un ou l'autre des éléments suivants aux sections d'en-tête et de pied : des champs issus de la liste des champs, des contrôles contenant des expressions calculées (pour les sous-totaux et les totaux), des traits horizontaux, des rectangles et des sauts de page. Voir “Créer des contrôles calculés” et “Ajouter des sauts de page” plus loin dans ce chapitre.

Choisissez cette propriété Regrouper sur	pour regrouper les enregistrements si
Champs Texte	
Chaque valeur	Le champ (ou l'expression) contient la même valeur.
Premiers caractères	Les *n* premiers caractères du champ ou de l'expression sont identiques (définissez la valeur de *n* dans la propriété Intervalle).
Champs Date/Heure	
Chaque valeur	Le champ (ou l'expression) contient la même valeur.
Année	Les années sont identiques.
Trimestre	Les trimestres sont identiques.
Mois	Les mois sont identiques.
Semaine	Les semaines sont identiques.
Jour	Les jours sont identiques.
Heure	Les heures sont identiques.
Minute	Les minutes sont identiques.
Champs NuméroAuto, Monétaire ou Numérique	
Chaque valeur	Le champ (ou l'expression) contient la même valeur.
Intervalle	Les valeurs se situent dans l'intervalle que vous spécifiez dans la propriété Intervalle.

Tableau 13.1 : Propriétés Regrouper sur selon le type de champ.

Créer plusieurs groupes

Access vous donne la possibilité d'opérer des regroupements sur plusieurs niveaux. Ainsi, vous pouvez grouper vos commandes en fonction de la date de commande d'abord, puis du nom de produit et, enfin, de la quantité commandée ; c'est ce que montre la Figure 13.16.

Pour ajouter un niveau de regroupement, ouvrez la boîte de dialogue Trier et regrouper. Dans la colonne Champ/expression, cliquez à l'endroit où vous voulez que le nouveau groupe figure dans la hiérarchie de regroupement. Si vous souhaitez ouvrir une nouvelle ligne dans cette fenêtre, cliquez sur le sélecteur de ligne là où cette nouvelle ligne doit apparaître, puis enfoncez la touche Insert. Remplissez ensuite les cases Champ/expression, Ordre tri ainsi que les propriétés de regroupement comme nous venons de décrire.

Supprimer, déplacer ou modifier un en-tête ou un pied de groupe

Vous pouvez masquer, supprimer ou déplacer une section de regroupement ; vous pouvez également changer le champ ou l'expression qui sert au regroupement :

- **Pour masquer un en-tête ou un pied de section (tout en conservant le regroupement)**, cliquez dans la ligne concernée dans la boîte de dialogue Trier et regrouper. Fixez ensuite la propriété En-tête de groupe ou Pied de groupe (selon le cas) sur Non. Les enregistrements restent groupés et triés comme ils l'étaient précédemment, mais l'en-tête ou le pied de cette section ne sera plus imprimé.
- **Pour supprimer une section de regroupement**, cliquez dans la ligne concernée de la boîte de dialogue Trier et regrouper. Ensuite, enfoncez la touche Suppr et répondez Oui quand Access vous demande confirmation. Les enregistrements ne sont plus groupés ni triés selon le champ ou l'expression, et tous les en-têtes et les pieds de groupe de cette section disparaissent de l'état.
- **Pour déplacer une section de regroupement**, cliquez dans la ligne concernée de la boîte de dialogue Trier et regrouper. Ensuite, faites glisser cette ligne vers le haut ou vers le bas jusqu'à ce qu'elle atteigne sa nouvelle position dans la hiérarchie de regroupement. Access réactualise immédiatement les sections En-tête et Pied dans la structure de l'état.
- **Pour modifier le champ ou l'expression servant au regroupement**, cliquez dans la ligne concernée de la boîte de dialogue Trier et regrouper. Ensuite, sélectionnez un autre champ dans la liste déroulante Champ/expression ou entrez une autre expression. Pour modifier le champ affiché dans la section En-tête ou Pied, supprimez l'ancienne référence et placez-y la nouvelle en la faisant glisser depuis la liste des champs. Vous pouvez aussi sélectionner le contrôle et modifier la propriété Source contrôle.

Masquer les données en double dans un état

L'état représenté à la Figure 13.15 et la structure correspondante illustrée à la Figure 13.16 montrent comment la commande Trier et grouper permet de masquer les données dupliquées. Dans ces exemples, nous avons placé le contrôle OrderDate (Date Commande) dans la section En-tête OrderDate (*et non* dans la section Détail). De cette façon, ces informations n'apparaissent que lorsque la date change, et non sur chaque ligne de détail.

Il existe un autre moyen de masquer les données en double dans un état, qui ne fait pas appel à la commande Trier et grouper :

1. Basez votre état sur une requête ou sur une table triée selon le champ que vous voulez utiliser pour le regroupement ou créez la requête directement comme vous avez appris à le faire précédemment.
2. Placez le contrôle dépendant pour l'en-tête du groupe dans la section Détail de l'état. Ainsi, dans la Figure 13.17, nous avons placé CompanyName (NomSociété) et l'avons employé comme clé de tri.

Orders by Customer

Company Name	Order Date	Order ID
ABC Corporation	2/1/95	1
	4/9/95	8
Database Search and Rescue	4/1/95	7
Precision Bagpipes	2/1/95	6
Reese Clinic	4/18/95	3
	6/12/95	10
RNAA Associates	3/14/95	2
	5/11/95	9
University of the Elite	6/25/95	5
WorldWide Widgets	5/21/95	4

Monday, January 29, 1996 Page 1 Of 1

Figure 13.17 : Un état trié par nom de société, date de commande et numéro, et dans lequel les valeurs dupliquées sont masquées. Nous avons fait appel à l'Assistant État pour créer un état tabulaire non groupé fondé sur les tables Customers (Clients) et Orders (Commandes), puis nous avons modifié la source afin de trier chaque champ par ordre croissant.

3. Ouvrez la feuille des propriétés (Affichage/Propriétés), cliquez sur le contrôle dont vous voulez masquer les données dupliquées et fixez sa propriété Masquer doublons sur Oui. Si vous le souhaitez, fixez également la propriété

Auto réductible sur Oui (pour éliminer les lignes blanches à l'impression) et la propriété Auto extensible sur Non (pour que le texte - par exemple, le nom de la société - puisse s'afficher en entier).

Redimensionner une section

Les espaces blancs qui sont présents dans la structure de votre formulaire ou de votre état apparaissent *toujours* à l'impression. Supposons que vous laissiez un espace vide de cinq centimètres dans le pied de section en bas de l'état. Plus tard, lorsque vous imprimerez cet état, cet espace inutilisé de cinq centimètres se retrouvera sur toutes les pages !

Pour résoudre ce problème, modifiez la hauteur de la section :

- Placez votre pointeur sur le séparateur qui se trouve dans la partie inférieure de la section. Lorsqu'il prend la forme d'une double flèche, faites glisser le séparateur vers le haut ou vers le bas ; relâchez ensuite le bouton de la souris.

En-tête de page

Vous ne pouvez attribuer à une section une taille inférieure à l'espace dont elle a besoin pour afficher les contrôles que vous y avez placés. Commencez alors par modifier la taille et la position des contrôles concernés afin qu'ils occupent moins de place ; redimensionnez ensuite la section.

Totaliser vos données en masquant une section

Supposons que vous ayez créé un état avec des lignes de détail, des sous-totaux et des totaux et que vous souhaitiez ensuite n'afficher *que* les sous-totaux et les totaux sans les lignes de détail. Ce type d'état est appelé *synthèse*, car il totalise vos données sans entrer dans les détails superflus. Les synthèses vous permettent donc de vous concentrer sur la forêt (votre ligne du bas) tout en conservant les arbres (le papier).

Dans le Chapitre 12, vous avez appris à utiliser les Assistants État qui sont capables de créer des synthèses. Mais vous pouvez y parvenir (ainsi que masquer une section d'un formulaire ou d'un état) sans l'aide de personne. Le secret consiste tout bonnement à masquer ou à supprimer l'information de la section appropriée ; vous disposez pour cela de deux méthodes :

- Cliquez sur le bandeau qui se trouve dans la partie supérieure de la section que vous voulez masquer. (Ainsi, cliquez sur le bandeau Détail pour cacher les lignes de détail d'une synthèse). Ouvrez ensuite la feuille des propriétés (Affichage/Propriétés), activez l'onglet Format, puis fixez la propriété Visible sur Non. Tous les contrôles de la section sont maintenus, mais son contenu n'est plus visible dans le formulaire ou dans l'état. Si vous voulez qu'il le soit de nouveau, recliquez sur le bandeau de la section concernée, ouvrez la feuille des propriétés, activez l'onglet Format et fixez la propriété Visible sur Oui.

- Supprimez tous les contrôles de la section ; ensuite, redimensionnez cette section afin de réduire sa hauteur à zéro. Cette méthode est plus définitive que la précédente : vous ne pourrez plus, par la suite, réafficher la section.

Ajouter vos propres contrôles

Vous savez déjà comment ajouter des contrôles à un formulaire ou à un état en faisant glisser les noms de champs depuis la liste vers la structure. Mais les contrôles dépendants ne sont que la partie émergée de l'iceberg. Les sections suivantes vous apprennent à utiliser la *boîte à outils* pour créer une douzaine de contrôles différents.

Utiliser la boîte à outils

La boîte à outils (représentée à la Figure 13.18 et décrite brièvement au Tableau13.2) met à votre disposition tous les outils dont vous avez besoin pour créer vos propres contrôles.

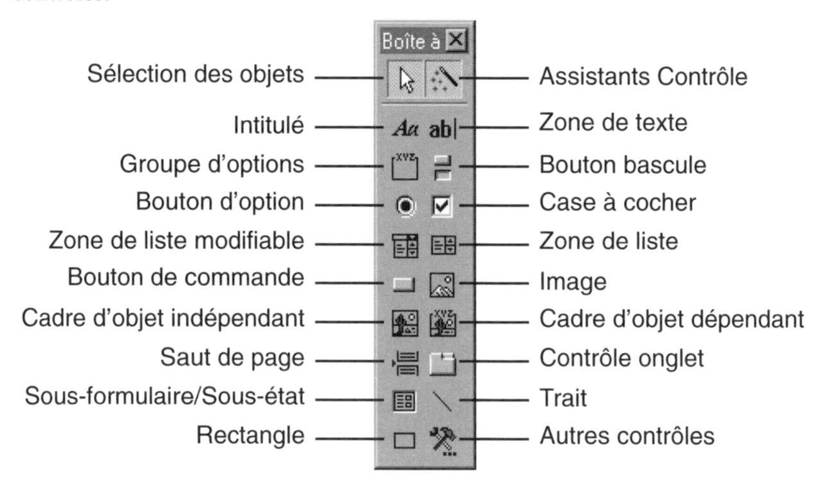

Figure 13.18 : La boîte à outils regroupe une série de boutons vous permettant de créer vos propres contrôles.

Nom du bouton	Fonction du bouton
Sélection des objets	Vous permet de sélectionner les contrôles en mode création.
Intitulé	Crée un contrôle qui affiche un texte descriptif (comme un titre, une légende, une instruction).
Groupe d'options*	Crée un contrôle qui entoure un ensemble de cases à cocher, de boutons d'option ou de boutons bascule. En mode formulaire, vous ne pouvez sélectionner qu'une option du groupe à la fois.
Bouton d'option	Crée un contrôle que vous pouvez activer ou désactiver (ces boutons sont aussi appelés "boutons radio").
Zone de liste modifiable*	Crée un contrôle qui est une combinaison d'une zone de texte et d'une zone de liste. En mode formulaire, vous pouvez soit taper votre texte dans la case, soit sélectionner une option dans la liste déroulante.
Bouton de commande	Crée un contrôle qui ouvre un formulaire attaché, appelle une fonction Visual Basic ou exécute une procédure Visual Basic.
Cadre d'objet indépendant*	Crée un contrôle qui affiche une image, un graphique ou un objet OLE qui n'est pas stocké dans la table ou dans la requête sous-jacente.
Saut de page	Crée un contrôle qui provoque le passage à la page suivante dans un formulaire (ou dans un état) ou un nouvel écran dans le cas d'un formulaire multiécrans.
Sous-formulaire/Sous-état	Insère un formulaire ou un état dans celui que vous êtes en train de concevoir.
Rectangle	Crée un contrôle qui apparaît sous la forme d'un rectangle ou d'un carré. Pour décorer.
Assistants Contrôle	Active ou désactive les Assistants Contrôle. Dans ce chapitre, nous partons du principe que le bouton Assistants Contrôle est enfoncé et que, dès lors, les Assistants sont disponibles, prêts à vous aider à créer des groupes d'options, des zones de liste modifiable, des listes simples, des graphiques et des boutons de commande.

Tableau 13.2 : Les boutons de la boîte à outils représentée à la Figure 13.18.

Zone de texte	Crée un contrôle qui vous permet d'entrer ou de visualiser du texte sur un formulaire ou sur un état. Sert également à afficher des résultats calculés.
Bouton bascule	Crée un contrôle qui fonctionne comme un bouton Ouvert/Fermé. Ces boutons peuvent afficher un texte ou une image.
Case à cocher	Crée un contrôle que vous pouvez activer (cocher) ou désactiver.
Zone de liste*	Crée un contrôle qui vous propose une liste de choix.
Image	Crée un contrôle qui affiche une image. Les contrôles image s'affichent rapidement et vous offrent un plus large éventail de formats graphiques que les contrôles Objet indépendant ; ils sont particulièrement utiles lorsque vous devez éditer un objet directement depuis le formulaire ou depuis l'état.
Cadre d'objet dépendant	Crée un contrôle qui affiche un objet OLE (comme une image) qui est stocké dans la table ou dans la requête sous-jacente. (Pour plus de facilité, créez ces contrôles en faisant glisser les champs depuis la liste des champs.)
Contrôle onglet	Crée un contrôle doté d'onglets (comme ceux que vous pouvez voir dans la fenêtre Propriétés).
Trait	Crée un contrôle qui affiche une ligne droite. Pour décorer.
Autres contrôles	Affiche une liste de contrôles supplémentaires.

* Un Assistant vous aidera à créer votre contrôle si le bouton Assistants Contrôle est enfoncé.

Le bouton Graphique, qui crée un contrôle affichant un graphique, ne figure pas a priori dans la boîte à outils. Le Chapitre 14 vous apprend à ajouter ce bouton et à tracer des graphiques.

Pour créer des contrôles personnalisés (comme un contrôle Calendrier fourni avec Access), choisissez Insertion/Contrôle ActiveX.

Tableau 13.2 : Les boutons de la boîte à outils représentée à la Figure 13.18 (suite).

La Figure 13.19 montre, en mode formulaire, un formulaire particulièrement dense qui affiche tous les contrôles qu'Access permet de créer (graphique excepté).

La Figure 13.20 montre le même formulaire en mode création.

Il est peu probable que vous soyez un jour amené à créer un formulaire aussi confus ; son ambition, en fait, est de montrer l'éventail complet des possibilités.

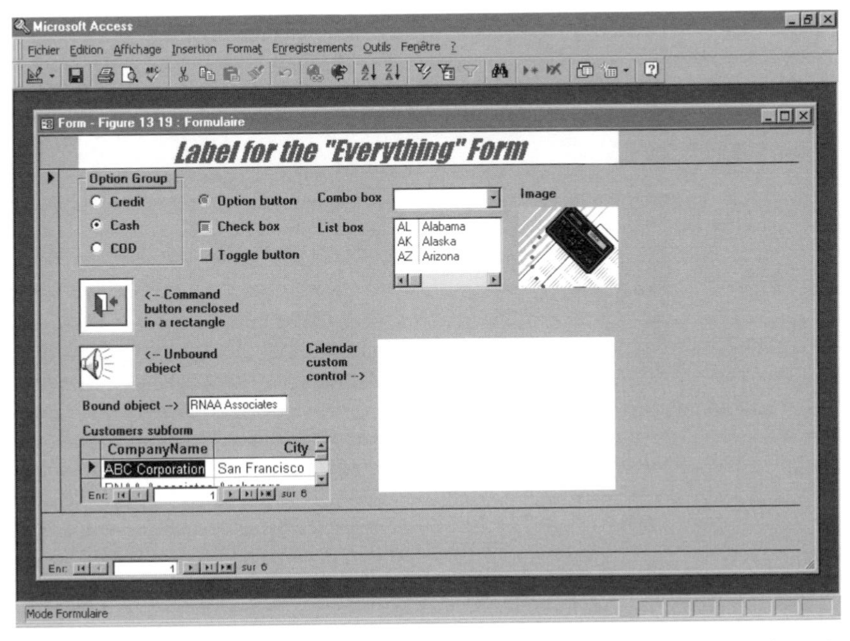

Figure 13.19 : Un formulaire tarabiscoté en mode formulaire. Exception faite du graphique, il comporte tous les contrôles d'Access.

Pour ouvrir la boîte à outils si elle n'est pas visible :

- Activez le bouton Boîte à outils de la barre d'outils Mise en forme (Formulaire/État) (représenté à gauche) ou choisissez Affichage/Boîte à outils.

Une fois que la boîte à outils est ouverte, son usage est simple. Les boutons Sélection des objets et Assistants Contrôle sont des *boutons bascule* : un clic les active, un autre clic les désactive.

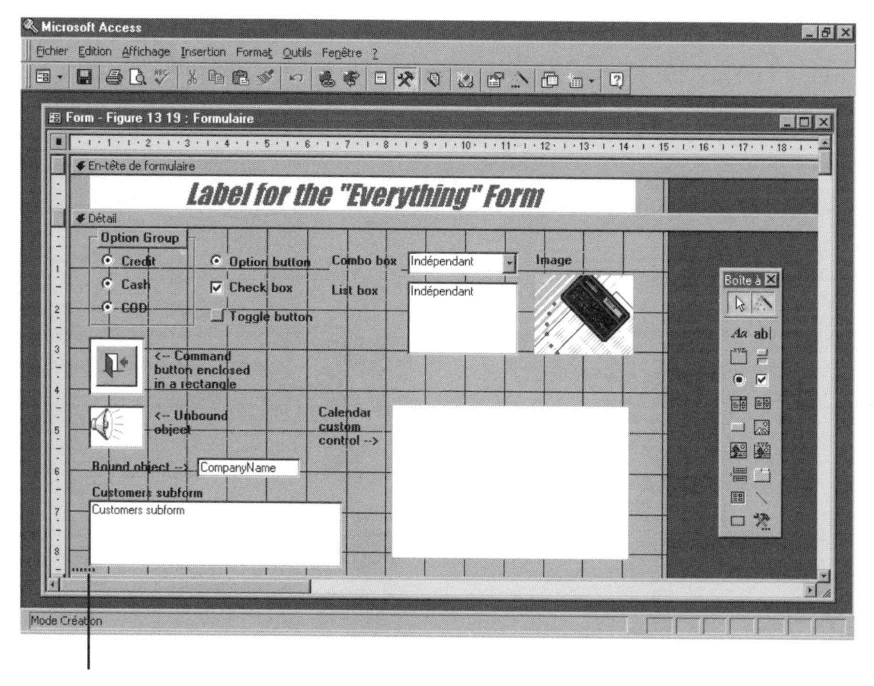

Le saut de page (non visible en mode formulaire)

Figure 13.20 : Le formulaire tarabiscoté de la Figure 13.19, présenté ici en mode création. Nous avons masqué la barre d'outils, la grille et la règle afin que vous puissiez plus facilement voir les contrôles.

Quant aux autres boutons de la boîte :

1. Cliquez sur le bouton que vous voulez utiliser. (Si vous souhaitez que ce bouton reste actif jusqu'à ce que vous en choisissiez un autre, cliquez deux fois dessus.)

2. Cliquez à l'endroit où vous voulez placer l'angle supérieur gauche du contrôle ou tracez un cadre avec votre souris afin de définir la taille et la position de ce contrôle.

3. Répondez aux éventuels messages qui vous sont adressés (comme vous l'expliquent les sections suivantes).

4. Activez le bouton Sélection des objets (s'il ne l'est pas déjà). Sélectionnez ensuite le contrôle que vous venez de créer et définissez, si nécessaire, sa taille, sa position, sa couleur, sa bordure, son trait et ses autres propriétés.

Pour connaître la fonction d'un bouton de la boîte à outils, cliquez sur le bouton concerné, puis enfoncez la touche F1. Vous pouvez aussi activer le bouton Aide d'une barre d'outils quelconque et cliquer sur le bouton de la boîte qui vous intéresse.

Changer les propriétés prédéfinies des outils de la boîte

Si votre travail vous amène à modifier régulièrement les mêmes propriétés d'un contrôle donné, vous avez avantage à modifier les propriétés *par défaut* de ce contrôle.

Pour le formulaire ou l'état courant uniquement

Deux méthodes sont disponibles pour modifier les propriétés prédéfinies des contrôles que vous venez de créer sur le formulaire ou sur l'état courant.

Voici la première :

1. Ouvrez la feuille des propriétés (Affichage/Propriétés), puis activez l'onglet Autres (ou l'onglet correspondant au type des propriétés que vous voulez redéfinir).
2. Dans la boîte à outils, cliquez sur le bouton concerné. (La barre de titre de la feuille des propriétés affiche le nom du contrôle que vous avez sélectionné à l'étape n° 1.)
3. Procédez aux aménagements requis.

Quant à la seconde :

1. Définissez les propriétés des contrôles appelés à servir de modèles. Par exemple, tracez un rectangle, puis assignez-lui les propriétés que vous voudriez affecter à tous les autres rectangles de votre structure.
2. Sélectionnez le ou les contrôles qui possèdent les propriétés que vous voulez copier.
3. Choisissez Format/Définir les paramètres par défaut du contrôle.

Dorénavant, les nouveaux contrôles que vous placerez dans votre structure présenteront les nouvelles propriétés par défaut.

Pour copier les propriétés d'un contrôle et les coller sur plusieurs autres contrôles de votre structure, utilisez l'outil Reproduire la mise en forme. Voyez à ce sujet "Copier des propriétés", plus haut dans ce chapitre.

Pour les futurs formulaires et états

Access met aussi à votre disposition deux techniques vous permettant d'utiliser vos contrôles personnalisés et les autres attributs de la structure courante en tant que paramètres prédéfinis pour les formulaires et états *à venir*.

La première de ces deux techniques consiste à utiliser votre structure personnalisée en tant que modèle pour les structures futures. Access emploie des modèles de formulaire et d'état pour déterminer l'apparence initiale d'une structure :

- Chaque fois que vous créez une nouvelle structure sans l'aide d'un Assistant.
- Chaque fois que, pour créer une nouvelle structure, vous utilisez l'Assistant Formulaire instantané (Insertion/Formulaire instantané ou l'option correspondante du menu Nouvel objet) ou l'Assistant État instantané (Insertion/État instantané ou l'option correspondante du menu Nouvel objet).

Pour transformer votre structure courante de formulaire ou d'état en modèle :

1. Définissez les propriétés par défaut des contrôles du formulaire ou de l'état, comme la précédente section vous y invite, puis sauvegardez votre formulaire ou votre état (Ctrl + S).
2. Choisissez Outils/Options, puis activez l'onglet Formulaires/États.
3. Dans la case Modèle de formulaire ou Modèle d'état, remplacez l'option par défaut Standard par le nom de votre formulaire ou de votre état personnalisé.
4. Cliquez sur OK.

Access utilise comme modèle le formulaire ou l'état spécifié dans cette case lorsque vous créez de nouvelles structures sans recourir aux services des Assistants Formulaire ou État ou en faisant appel aux Assistants Formulaire instantané et État instantané.

Les réglages du modèle de formulaire et du modèle d'état s'appliquent à toute base de données que vous ouvrez ou que vous créez. Si le modèle spécifié ne figure pas dans la base de données courante, Access utilise alors le modèle standard. Pour pouvoir employer vos modèles dans d'autres bases que celle dont ils font partie, importez ou exportez ces modèles (Chapitre 7).

La seconde technique consiste à créer un nouveau style de format automatique ou à mettre à jour un style existant comportant les propriétés de la structure courante. Vous pourrez alors utiliser ce nouveau style ou ce style actualisé pour reformater la structure de formulaire ou d'état courante, ou pour définir l'apparence initiale de toutes les structures que vous créerez à l'avenir. Voyez les sections "Personnaliser les styles de format automatique" et "Choisir un style" plus haut dans ce chapitre.

Ajouter des intitulés

Les étiquettes ou "intitulés" affichent des informations descriptives : titres, légendes, instructions relatives au formulaire ou à l'état. Le texte de l'intitulé est le même pour tous les enregistrements.

Pour créer un intitulé, activez le bouton Intitulé de la boîte à outils (représenté à gauche), cliquez à l'endroit où vous voulez placer son angle supérieur gauche ou tracez un cadre avec votre souris afin de définir sa taille et sa position. Access applique le retour à la ligne automatique à l'intérieur de l'intitulé ; pour forcer le passage à la ligne suivante, enfoncez les touches Ctrl + Entrée. Activez la touche Entrée lorsque vous avez tapé le contenu de l'intitulé.

Pour personnaliser cet intitulé, sélectionnez-le, puis faites appel à la feuille des propriétés ou à la barre d'outils Mise en forme (Formulaire/État) (Figure 13.7) pour modifier l'apparence du texte, sa couleur, sa bordure, etc.

Ajouter des zones de texte

Les zones de texte vous permettent d'entrer et d'afficher du texte. Pour en créer une, activez le bouton Zone de texte (représenté à gauche) ; cliquez ensuite à l'endroit où vous voulez placer son angle supérieur gauche ou tracez un cadre avec votre souris afin de définir sa taille et sa position. Un intitulé et un cadre indépendant apparaissent sur votre structure.

Si vous voulez placer un champ émanant de la table ou de la requête sous-jacente, il est plus commode de le faire glisser ce depuis la liste des champs.

- **Pour changer le contenu de la zone de texte**, ouvrez la feuille des propriétés (Affichage/Propriétés), sélectionnez le contrôle zone de texte (mais pas l'intitulé), puis changez sa propriété Source contrôle et choisissez un autre champ ou une autre expression.
- **Pour changer l'intitulé**, cliquez dans celui-ci et éditez le texte en recourant aux techniques standard. Vous pouvez aussi modifier le contenu de la propriété Légende dans l'onglet Format de la feuille des propriétés.
- **Pour masquer l'intitulé**, sélectionnez-le, puis, dans l'onglet Format de sa feuille des propriétés, fixez sa propriété Visible sur Non.

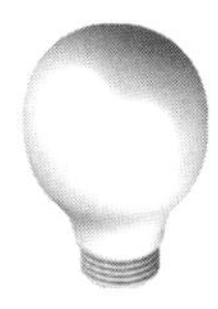

Pour éviter qu'Access ne prévoit automatiquement un intitulé lorsque vous ajoutez une zone de texte à votre structure, activez le bouton Zone de texte de la boîte à outils, puis, dans l'onglet Format de sa feuille des propriétés, fixez sa propriété Étiquette incluse sur Non.

Ajouter des groupes d'options

Un groupe d'options (comme celui représenté ci-dessous) comporte un ensemble de boutons ou de cases à cocher se rapportant au même type d'action ; à vous de faire votre choix en mode formulaire (les groupes d'options sont rarement utilisés dans les états).

Ces contrôles sont spécialement utiles quand il s'agit de sélectionner une option unique dans une liste restreinte de possibilités et quand vous jugez préférable que l'utilisateur de la base ne puisse entrer une valeur.

L'option sélectionnée peut être "mémorisée" de façon que le formulaire puisse, par la suite, décider de ce qu'il convient de faire (par exemple, imprimer des étiquettes). La sélection peut aussi être stockée dans un champ de table (on pourrait ainsi imaginer que les options stockent 1 dans le champ PaymentMethod (MéthodePaiement) si vous validez Visa en mode formulaire).

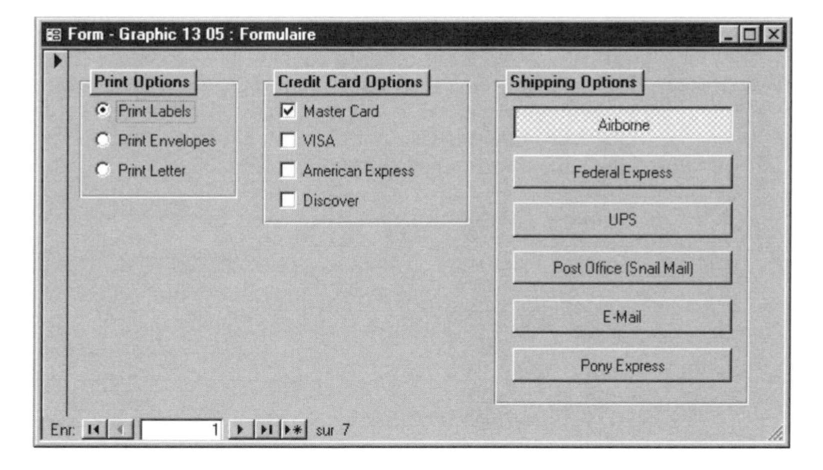

Pour créer un groupe d'options :

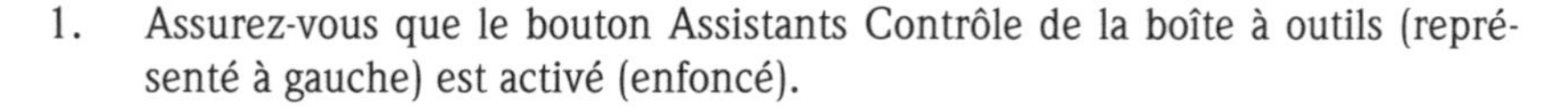

1. Assurez-vous que le bouton Assistants Contrôle de la boîte à outils (représenté à gauche) est activé (enfoncé).

2. Activez le bouton Groupe d'options de cette même boîte (représenté à gauche), puis cliquez dans la structure ou tracez un rectangle à l'endroit où vous voulez placer le contrôle. L'Assistant Groupe d'options prend la main.

3. Lorsque l'Assistant vous y invite, tapez les étiquettes (intitulés) que vous voulez associer à chaque option ; terminez chaque entrée en activant la touche Tabulation ou ↓. Chaque intitulé doit être unique. Lorsque vous avez terminé, cliquez sur Suivant (ou enfoncez la touche Entrée) pour continuer la procédure. Vous avez ensuite la possibilité d'assigner une option comme valeur par défaut pour les futurs enregistrements.

4. Spécifiez la valeur par défaut de chaque étiquette. Ou ne définissez pas de valeurs prédéfinies. Cliquez sur Suivant.

5. Affectez une valeur numérique à chaque option. Le plus simple consiste à accepter les valeurs proposées par défaut et à cliquer sur Suivant. Chaque valeur doit être unique. Ces valeurs peuvent soit être stockées dans un champ de table, soit intervenir dans une macro ou dans un code Visual Basic qui décide de la suite des opérations (par exemple, la valeur 1 pourrait signifie "payer par Visa").

6. Lorsque l'Assistant vous demande ce que doit faire Access lorsque vous sélectionnez une valeur dans votre groupe d'options en mode formulaire, validez l'une des deux options suivantes, puis cliquez sur Suivant.

Conserver la valeur pour usage ultérieur : Utilise la valeur pour prendre une décision dans une macro ou dans une procédure. La valeur n'est mémorisée que tant que le formulaire est ouvert en mode formulaire.

Stocker la valeur dans ce champ : Stocke la valeur dans le champ de table que vous sélectionnez dans la liste déroulante.

7. Cliquez sur Suivant.
8. Lorsque l'Assistant s'inquiète de savoir quel style et quel type de boutons vous souhaitez, spécifiez vos choix. Ceux-ci sont reflétés dans la case Aperçu. Quand vous avez terminé, cliquez sur Suivant.

Dans les applications Windows, il est courant d'employer, dans les groupes d'options, le style par défaut, en l'occurrence les boutons ou cases d'option. Grâce à cette présentation, l'utilisateur comprend immédiatement qu'il ne peut sélectionner à la fois qu'un seul élément du groupe. À ces boutons d'option, vous pouvez toutefois préférer les cases à cocher (une seule pouvant être active à la fois) ou les boutons bascule (un seul pouvant être enfoncé à la fois).

9. Enfin, l'Assistant vous demande de spécifier une légende pour votre groupe d'options. Tapez cette étiquette de groupe, puis cliquez sur Terminer.

Le groupe d'options et son intitulé apparaissent sur la structure. Vous pouvez les sélectionner et modifier leur apparence en suivant la procédure standard. Pour redéfinir le comportement du groupe, ouvrez la feuille des propriétés (Affichage/Propriétés), activez l'onglet Données, puis exécutez l'une des actions suivantes :

- **Pour contrôler le champ à réactualiser** lorsque vous effectuez une sélection en mode formulaire, cliquez sur le cadre qui délimite le groupe et choisissez un autre nom de champ dans la liste déroulante de la propriété Source contrôle. Pour qu'Access se souvienne de la valeur choisie (sans mettre de champ à jour), effacez le contenu de cette propriété.
- **Pour modifier la valeur par défaut du groupe d'options**, cliquez sur le cadre qui délimite le groupe et changez sa propriété Valeur par défaut.
- **Pour modifier la valeur associée à une sélection**, cliquez sur le bouton d'option, case à cocher ou bouton bascule concerné, puis changez la propriété Valeur contrôle. Assurez-vous que toutes les valeurs associées aux boutons du groupe sont uniques.

Le Chapitre 20 vous apprend à créer des macros ; le Chapitre 25 vous initie à la programmation en Visual Basic. Le Chapitre 22 vous dévoile comment des cases à cocher peuvent intervenir dans une prise de décisions.

Ajouter des boutons bascule, des boutons d'options et des cases à cocher

Les boutons bascule, les boutons d'options et les cases à cocher ne sont que des aspects différents d'un même concept de base. En effet, chacun affiche un bouton ou une case que vous pouvez activer ou désactiver en mode formulaire.

Souvenez-vous que les groupes d'options servent à sélectionner un élément dans une liste de choix apparentés. À l'inverse, les contrôles individuels présentés dans cette section sont, en fait, utilisés pour affecter à un nombre quelconque de champs indépendants la valeur Oui ou Non. Prenons un exemple : vous pouvez faire appel à une case à cocher baptisée "Exonération" pour indiquer qu'une commande n'est pas soumise à la taxe, ou une autre case du même type, intitulée "Livré", pour signaler qu'une commande a bien été livrée au client. La plupart des programmes Windows font appel aux cases à cocher pour traduire ce genre d'informations ; Access, pour sa part, élargit le choix aux boutons d'options et aux boutons bascule.

Vous pouvez utiliser Bouton bascule, Bouton d'option et Case à cocher de la boîte à outils pour ajouter des options supplémentaires à un groupe d'options existant. Dans ce cas, Access affectera automatiquement une valeur de contrôle aux nouveaux contrôles que vous ajouterez par la suite ; examinez néanmoins sa proposition afin de voir si elle vous convient.

Pour créer un contrôle de ce type, activez le bouton correspondant de la boîte à outils, puis cliquez dans votre structure ou tracez un rectangle à l'endroit où vous voulez que le contrôle figure. Les boutons bascule, les boutons d'options et les cases à cocher sont représentés ci-dessous :

Vous pouvez modifier les propriétés Données du bouton ou de la case, comme vous l'avez fait pour les groupes d'options.

Ajouter des zones de liste modifiable et des zones de liste simple

Les zones de liste modifiable et zones de liste simple (représentées ci-dessous) vous permettent de sélectionner une valeur dans une liste.

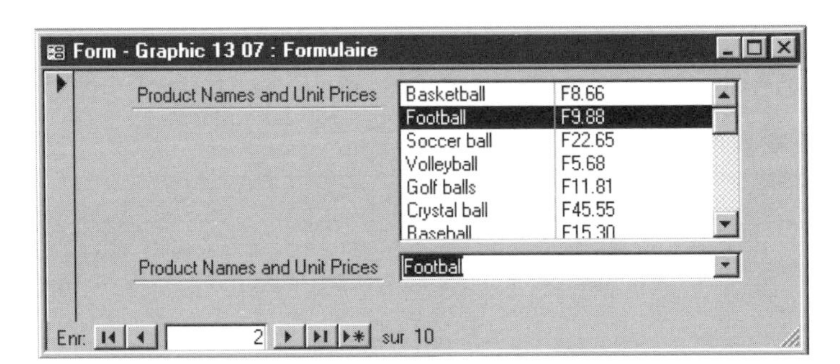

Les listes modifiables (en bas dans l'illustration précédente) combinent une zone de texte et une liste déroulante. Celle-ci reste masquée en mode formulaire jusqu'au moment où vous cliquez sur sa flèche. Vous pouvez soit taper une valeur dans la case texte, soit sélectionner une option dans la liste. Dans les listes simples (en haut), les options sont toujours affichées et l'option sélectionnée est mise en surbrillance.

Pour créer une zone de liste modifiable ou simple :

1. Assurez-vous que le bouton Assistants Contrôle de la boîte à outils (représenté à gauche) est activé (enfoncé).
2. Activez, selon le cas, le bouton Zone de liste modifiable (représenté ci-dessous, à gauche) ou Zone de liste (ci-dessous, à droite), puis cliquez dans votre structure ou tracez un rectangle à l'endroit où vous voulez placer le contrôle. L'Assistant Zone de liste modifiable ou Zone de liste prend la main.

3. Lorsque l'Assistant vous demande comment cette zone va recevoir ses valeurs, choisissez l'une des options suivantes, puis cliquez sur Suivant :

   Je veux que la liste modifiable/la zone de liste recherche les valeurs dans une table ou requête : Access affiche la liste de la table ou de la requête que vous sélectionnez.

Je taperai les valeurs souhaitées : Access affiche la liste des valeurs que vous tapez.

Rechercher un enregistrement dans mon formulaire basé sur la valeur I sélectionné dans liste modifiable/zone de liste : Access affiche les valeurs des champs qui figurent dans la table ou dans la requête sous-jacente.

4. Selon le choix que vous avez fait à l'étape n° 3, exécutez l'une des actions suivantes :

- **Si vous avez choisi de prendre les valeurs dans une table ou dans une requête**, sélectionnez cette dernière, puis cliquez sur Suivant. Sélectionnez ensuite les champs que vous voulez voir figurer dans la zone de liste modifiable ou simple, puis cliquez sur Suivant. Passez alors à l'étape n° 5.

- **Si vous avez choisi de taper les valeurs**, spécifiez le nombre de colonnes à afficher, puis enfoncez la touche Tabulation. Tapez ensuite les valeurs de chaque colonne et de chaque ligne (en enfonçant la touche Tabulation pour gagner la colonne ou la ligne suivante). Lorsque vous avez entré toutes les valeurs requises, cliquez sur Suivant. Dans la boîte de dialogue qui s'affiche alors, désignez la colonne de votre liste modifiable ou simple qui contient la valeur que vous voulez soit mémoriser pour usage ultérieur, soit stocker dans la table, puis cliquez sur Suivant. Passez à l'étape n° 6.

- **Si vous avez choisi d'afficher des valeurs issues des champs sur le formulaire**, sélectionnez les champs de votre formulaire qui contiennent les valeurs que vous voulez voir figurer dans la liste modifiable ou simple, puis cliquez sur Suivant (ces champs deviennent les colonnes de votre liste). Passez à l'étape n° 5.

5. Ajustez chaque colonne de votre liste modifiable ou simple en suivant les instructions qui sont affichées à l'écran. Si vous avez choisi d'afficher des valeurs issues de champs sur votre formulaire, vous pouvez activer (cocher) l'option Colonne clé cachée (recommandé) pour masquer le champ clé primaire dans la liste modifiable ou simple ; sinon, désactivez cette option pour afficher ce champ. Vous pouvez également réorganiser les colonnes, exactement comme vous le feriez en mode feuille de données (Chapitre 8). Cliquez sur Suivant.

6. Si l'Assistant vous demande ce que voulez qu'Access fasse lorsque vous sélectionnez une valeur de votre liste modifiable ou simple en mode formulaire, sélectionnez l'une des deux options suivantes, puis cliquez sur Suivant :

   Mémoriser la valeur pour usage ultérieur : Utilise la valeur pour prendre des décisions dans une macro ou dans une procédure. La valeur n'est mémorisée que tant que le formulaire est ouvert en mode formulaire.

Stocker la valeur dans ce champ : Stocke la valeur dans le champ de table que vous sélectionnez dans la liste déroulante.

7. Cliquez sur Suivant.
8. Enfin, l'Assistant vous demande de spécifier une légende pour votre liste modifiable ou simple. Tapez cette étiquette (si vous le souhaitez).
9. Cliquez sur Terminer.

La liste modifiable ou simple s'affiche (ainsi que son intitulé). Pour modifier ses propriétés, ouvrez la feuille des propriétés (Affichage/Propriétés), cliquez dans la partie liste du contrôle (et non sur l'étiquette). Définissez ensuite les propriétés comme nous vous l'expliquons ci-dessous.

Vous pouvez facilement transformer une liste modifiable en liste simple, et inversement. Voyez à ce sujet la section "Changer le type en un tournemain".

Les propriétés les plus importantes de l'onglet *Données* sont :

Source contrôle : Spécifie le champ qui sera mis à jour lorsque vous sélectionnerez un élément dans la liste. Pour qu'Access mémorise la valeur sélectionnée, supprimez le nom du champ dans la case de la propriété Source contrôle.

Origine source : Indique d'où les données proviennent (table ou requête, liste de valeurs ou liste des noms de champ).

Contenu : Explique à Access comment obtenir les données de chaque ligne. Si vous avez sélectionné Table/requête pour la propriété Origine source et ne savez absolument pas comment entrer une instruction SQL dans la case Contenu, ne vous inquiétez pas. Contentez-vous de cliquer dans cette case, puis sur le bouton Générer (...). Ensuite, constituez (ou modifiez) une requête qui sélectionnera et affichera les données que vous souhaitez. Lorsque vous avez terminé, choisissez Fichier/Fermer/Oui ou enfoncez les touches Ctrl + W cliquez sur Oui.

Colonne liée : Spécifie le numéro de la colonne qui alimente en données la source contrôle.

Limiter à liste : Signale si l'utilisateur aura ou n'aura pas la possibilité d'entrer des valeurs qui ne figurent pas dans la liste modifiable.

Valeur par défaut : Détermine la valeur par défaut affectée à la source contrôle lorsque vous créez un nouvel enregistrement en mode formulaire.

Les principales propriétés de l'onglet *Format* sont :

Nbre colonnes : Spécifie le nombre de colonnes à afficher dans la liste modifiable ou simple.

En-têtes colonnes : Spécifie si les noms des colonnes apparaissent ou non dans la liste modifiable ou simple.

Largeurs colonnes : Spécifie la largeur des colonnes de la liste. Ces valeurs sont présentées dans le même ordre que les colonnes (soit de gauche à droite) et sont séparées par un point-virgule (;). Pour ne pas afficher une colonne, attribuez-lui une largeur égale à 0.

Lignes affichées : Spécifie le nombre de lignes que montre la liste modifiable lorsqu'elle est déroulée.

Largeur liste : Spécifie la largeur de la liste modifiable. Par exemple, tapez **5** pour définir une largeur égale à 5 centimètres ou tapez **Auto** pour que la liste ait une largeur identique à celle du contrôle.

Ajouter la date et l'heure courantes

Pour afficher la date et l'heure courantes sur votre formulaire :

1. Choisissez Insertion/Date et heure.
2. Complétez la boîte de dialogue Date et heure qui s'affiche.

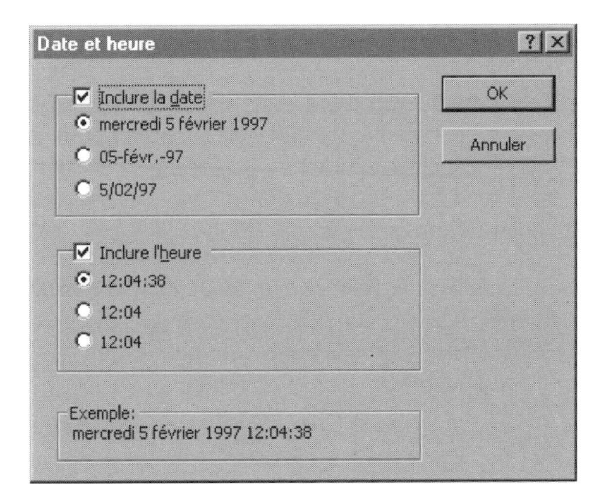

3. Cliquez sur OK. Une nouvelle zone de texte apparaît dans l'en-tête de formulaire ou d'état (s'il est affiché) ou dans la section Détail.

Il ressemble à ceci :

```
=Format(Date(),"Date, complet") & " " &
```

4. Faites glisser cette zone de texte à l'endroit où vous voulez qu'elle figure sur votre structure.
5. Activez le mode formulaire ou passez en aperçu avant impression pour voir le résultat de votre action.

Changer le type en un tournemain

Access a tout prévu, même une technique qui vous permet de convertir instantanément un contrôle d'un type dans un autre, pourvu que les deux types soient compatibles. Ainsi, vous pouvez, en quelques clics de souris, transformer une liste simple en liste modifiable ou une case à cocher en bouton bascule.

1. Sélectionnez le contrôle que vous voulez convertir.
2. Choisissez Format/Remplacer par, ou cliquez avec le bouton droit de la souris sur le contrôle concerné et choisissez Remplacer par.
3. Sélectionnez le nouveau type à attribuer au contrôle.
4. Le cas échéant, modifiez ses propriétés.

Ajouter des traits

Vous avez la possibilité de tracer des traits dans une section de votre structure formulaire ou état. Activez le bouton Trait de la boîte à outils (représenté à gauche) ; cliquez ensuite dans votre structure ou opérez un cliquer-glisser. Pour obtenir des traits verticaux ou horizontaux, enfoncez la touche Majuscule et maintenez-la dans cet état pendant le traçage.

Après avoir tracé un trait, vous pouvez éventuellement le sélectionner, le déplacer ou le redimensionner. La barre d'outils Mise en forme (Formulaire/État) se tient également à votre disposition : ses boutons vous permettent de changer sa couleur, son épaisseur ou son apparence.

Encadrer des contrôles

L'outil Rectangle est tout indiqué lorsqu'il s'agit de tracer un cadre autour d'un ou de plusieurs contrôles. Pour l'utiliser, activez cet outil dans la boîte à outils (représenté à gauche), puis cliquez dans votre structure ou opérez un cliquer-glisser.

Si le cadre présente une couleur de fond, il risque de cacher les contrôles qui sont placés derrière lui. Dans ce cas, sélectionnez le cadre, puis choisissez Format/Arrière-plan. Pour modifier la couleur de fond ou un autre paramètre relatif à ce cadre, sélectionnez le rectangle et choisissez les effets souhaités dans les palettes de la barre d'outils Mise en forme (Formulaire/État). Fonds colorés et effets 3D sont particulièrement esthétiques.

Ajouter des sauts de page

Vous pouvez introduire un saut de page sur votre structure afin de forcer le passage au feuillet suivant lorsque vous imprimerez votre formulaire ou votre état. Pour y parvenir, activez l'outil Saut de page de la boîte à outils (représenté à gauche), puis cliquez à l'endroit de votre structure où vous voulez que le saut de page apparaisse. (Pour supprimer un saut dont vous ne voulez plus, sélectionnez son contrôle et enfoncez la touche Suppr. Vous pouvez également faire glisser le saut de page vers un autre endroit de la structure.)

Voici quelques conseils en matière de sauts de page :

- Pour éviter que les données ne soient coupées, introduisez un saut de page au-dessus et en dessous des autres contrôles (et non au milieu d'un contrôle).
- Dans un formulaire, le saut de page n'apparaît que sur la version imprimée, jamais sur la version écran. (La section suivante vous explique comment créer des formulaires multiécrans.)
- Pour qu'une section d'un formulaire ou d'un état soit précédée et/ou suivie d'un saut de page, cliquez dans la section concernée, ouvrez sa feuille des propriétés (Affichage/Propriétés), activez l'onglet Format, puis fixez la propriété Saut de page sur Avant section, Après section ou Avant & après section.

Créer un formulaire multiécrans

Pour créer un formulaire dans lequel chaque page a la même taille et chaque fenêtre n'affiche qu'une page à la fois, suivez la procédure suivante :

1. Concevez votre formulaire selon les techniques classiques.

2. Introduisez un saut de page aux endroits où vous voulez que les ruptures interviennent, chaque saut devant être situé à égale distance du précédent. Ainsi, si vous désirez que chaque zone de détail ait une hauteur de cinq centimètres, ajoutez le premier saut de page à 5 centimètres, le deuxième à 10, et ainsi de suite. Servez-vous des graduations de la règle verticale pour placer les sauts avec précision ; ou bien, ouvrez la feuille des propriétés (Affichage/Propriétés), activez l'onglet Format et entrez dans la case de la propriété Haut de chaque saut la mesure souhaitée. (Access déplace automatiquement le saut lorsque vous modifiez la propriété Haut.)

3. Redimensionnez le pied de formulaire afin que le haut de cette section occupe une position multiple de la hauteur choisie. Pour reprendre notre exemple des cinq centimètres, si vous avez placé des sauts à 5 centimètres, puis à 10 et que le dernier champ se trouve à 13 centimètres, vous devrez aligner le pied sur la graduation 15 centimètres de la règle.

4. Sélectionnez le formulaire (Édition/Sélectionner le formulaire), ouvrez sa feuille des propriétés (Affichage/Propriétés), puis activez l'onglet Format. Fixez ses propriétés Affich par défaut sur Mode simple, Taille ajustée sur Oui et Auto centrer sur Oui également.

Pour visualiser les effets de votre action, affichez la fenêtre Base de données et ouvrez le formulaire. Si sa fenêtre est agrandie au maximum, activez le bouton Restaurer. Choisissez ensuite Fenêtre/Ajuster à la taille du formulaire.

Pour visualiser chacun des écrans de votre formulaire multiécrans, utilisez les touches PgSuiv et PgPréc ou cliquez au-dessus ou en dessous de l'ascenseur dans la barre de défilement vertical. Si vous activez la touche PgPréc lorsque le haut du formulaire est affiché, c'est l'enregistrement précédent qui apparaît ; si vous activez PgSuiv lorsque le bas du formulaire est affiché, c'est l'enregistrement suivant qui s'affiche.

Vous aurez sans doute un peu de mal à naviguer dans un formulaire multiécrans si vous avez l'habitude d'utiliser les touches PgPréc et PgSuiv pour vous déplacer d'enregistrement en enregistrement (plutôt que de page en page). Recourez alors au contrôle onglet et placez chaque écran sur un onglet particulier. Voyez à ce sujet la section intitulée "Ajouter des onglets", plus loin dans ce chapitre.

Numéroter les pages imprimées d'un formulaire ou d'un état

Pour numéroter les pages lors de l'impression d'un formulaire ou d'un état :

1. Choisissez Insertion/Numéros de page. La boîte de dialogue Numéros de page s'affiche.

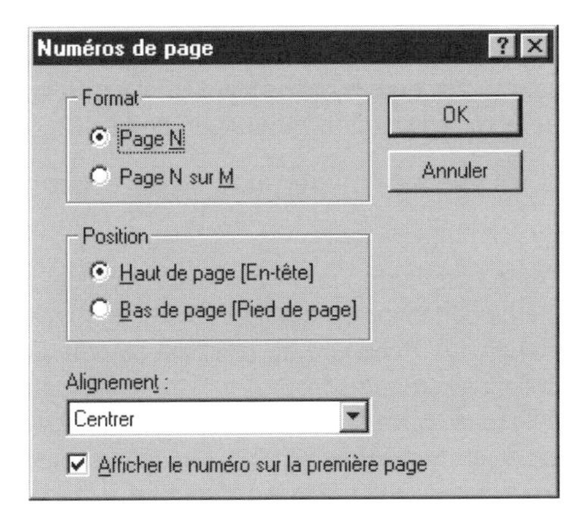

2. Sélectionnez le format, la position et l'alignement ; demandez aussi que le numéro de page apparaisse ou, au contraire, n'apparaisse pas sur la première page imprimée.
3. Cliquez sur OK.

Une zone de texte, semblable à celle représentée ci-dessous, apparaît dans le haut ou dans le bas de la page (selon l'option sélectionnée à l'étape n° 2).

```
="Page " & [Page]
```

Ajouter des liens hypertextes

Dans le Chapitre 8, nous vous avons appris à introduire, dans une table, des champs Lien hypertexte grâce auxquels vous pouviez gagner directement, depuis un formulaire ou une feuille de données, un objet d'une autre base de données ou un autre document. Un champ Lien hypertexte ajouté à une table vous permet de vous rendre à une adresse différente pour chaque enregistrement. Prenons le cas de la table Employees (Employés) de la base de données Ordentry (Gestionnaire de commandes) : vous pourriez stocker l'adresse de chaque membre du personnel dans un champ de ce type.

Si vous ne devez pas gagner une source d'information unique pour chaque enregistrement de la table, vous pouvez utiliser un lien hypertexte qui ne soit pas lié à un champ Lien hypertexte. Pour placer un lien de ce type sur un formulaire ou sur un état, vous devez agir depuis le mode création et mettre en oeuvre les mêmes techniques que celles décrites au Chapitre 8 afin d'entrer une adresse dans le champ Lien hypertexte. Pour y parvenir, vous pouvez :

- **Utiliser le bouton Insérer un lien hypertexte** pour ouvrir la boîte de dialogue du même nom.
- **Copier et coller une adresse hypertexte** d'un document ou d'une fenêtre de navigation sur la structure du formulaire ou de l'état.
- **Glisser-déposer une adresse hypertexte ou un texte** dans un document Microsoft Office.

La Figure 13.21 montre le formulaire Employees (Employés) de la base de données Ordentry (Gestionnaire de commandes) doté d'une adresse hypertexte qui assure le passage vers le formulaire Switchboard de la même base de données. Ce lien a été placé via le bouton de barre d'outils Insérer un lien hypertexte. Pour les détails d'exécution, voyez le Chapitre 8. La seule différence entre les deux techniques est que, dans le cas présent, vous introduisez un objet étiquette sur le formulaire auquel est associée une adresse hypertexte plutôt que d'introduire l'adresse dans un champ. Si vous n'y voyez pas clair, ne vous inquiétez pas. Nous allons, sous peu, vous montrer un exemple d'utilisation du bouton Insérer un lien hypertexte.

Figure 13.21 : Le formulaire Employees (Employés) de la base de données Ordentry (Gestionnaire de commandes) affublé d'un lien hypertexte qui assure le passage vers le formulaire Switchboard de la même base.

Il existe quelques autres techniques grâce auxquelles vous pouvez introduire des liens hypertextes sur vos formulaires et sur vos états. Ainsi, vous pouvez utiliser un objet image ou un bouton de commande et y attacher une adresse hypertexte (les propriétés Adresse lien hypertexte et Sous-adresse lien hypertexte sont disponibles). Lorsque vous cliquez sur l'image ou sur le bouton, Access vous transporte vers l'adresse que ces propriétés spécifient.

Si vous utilisez un bouton de commande pour établir un lien hypertexte, vous êtes dispensé de définir vous-même ces propriétés. L'Assistant Bouton de commande s'en charge. Voyez à ce sujet l'encart grisé intitulé "Créer un bouton de commande lien hypertexte" dans la section suivante, "Ajouter des boutons de commande".

Si vous introduisez un lien hypertexte dans un état, ce lien sera inopérant. Entendez par là que rien ne se produira lorsque vous cliquerez dessus. En fait, le lien ne sera actif que lorsque vous exporterez l'état vers une feuille de calcul ou vers un autre document.

Utiliser le bouton Insérer un lien hypertexte

Pour ajouter un lien hypertexte qui ne soit pas lié à un champ :

1. Ouvrez le formulaire ou l'état concerné en mode création.

2. Activez le bouton Insérer un lien hypertexte (représenté à gauche). La boîte de dialogue correspondante s'ouvre.
3. Dans la case *Fichier ou URL*, entrez une adresse URL ou un nom de fichier. Ou recourez au bouton Parcourir pour ouvrir la fenêtre Lier au fichier et avoir la possibilité de rechercher, puis de sélectionner le fichier souhaité. Si vous désirez établir un lien avec un objet de la base de données active, entrez le nom de cet objet dans la case *Emplacement dans le fichier (facultatif)*. Si plusieurs objets portent le même nom, recourez au bouton Parcourir pour sélectionner l'objet souhaité, ou faites précéder son nom de l'indication de son type (par exemple Table Employees ou Formulaire Employees). Cliquez sur OK pour regagner la fenêtre de création. (Voyez le Chapitre 8 pour des informations complémentaires relatives aux adresses hypertextes.)
4. Le nouveau lien apparaît dans l'angle supérieur gauche de la fenêtre du formulaire ou de l'état. Positionnez-le où vous voulez qu'il figure.

Un objet lien hypertexte placé grâce au bouton Insérer un lien hypertexte est, en fait, un intitulé qui a reçu une promotion : ses propriétés Adresse lien hypertexte et Sous-adresse lien hypertexte ont été définies. Vérifiez par vous-même (si cela vous intéresse !) : cliquez avec le bouton droit de la souris sur le lien hypertexte alors que le mode création est actif et choisissez Propriétés dans le menu contextuel. Activez l'onglet Format et consultez le contenu des propriétés en question. Le lien hypertexte de la figure 13.21 indique, dans la case de sa propriété Sous-adresse lien hypertexte, *Formulaire Switchboard* ; rien n'apparaît dans la case Adresse lien hypertexte. (Si ce lien pointait vers un fichier plutôt que vers un objet de la base courante, le nom de ce fichier figurerait dans la case Adresse hypertexte.)

Utiliser une image comme lien hypertexte

Plutôt que d'utiliser un texte comme http://www/microsoft.com ou F*ormulaire Switchboard* pour afficher la liaison sur un formulaire ou sur un état, utilisez donc une image :

1. Ouvrez le formulaire ou l'état concerné en mode création.
2. Placez l'image grâce à l'outil Image de la boîte à outils. (Voyez "Ajouter une image", plus loin dans ce chapitre.)
3. Cliquez sur l'image avec le bouton droit de la souris et choisissez Propriétés dans le menu contextuel. Activez l'onglet Format.
4. Entrez l'adresse URL ou le nom du fichier dans la case de la propriété Adresse lien hypertexte ou spécifiez le nom de l'objet de la base courante dans la case de la propriété Sous-adresse lien hypertexte. Vous pouvez recourir au bouton ... situé à droite de ces propriétés pour ouvrir la boîte de dialogue Modifier le lien hypertexte (le Chapitre 7 vous explique à quoi sert cette fenêtre).
5. Testez le lien en passant en mode formulaire et en cliquant sur l'image. Si tout se passe bien, elle devrait vous transporter vers l'adresse hypertexte définie dans la case correspondante des propriétés.

Ajouter des boutons de commande

Les boutons de commande exécutent une action lorsque vous les activez en mode formulaire. Ainsi, vous pouvez prévoir des boutons qui permettent de naviguer d'enregistrement en enregistrement, de sauvegarder ou d'imprimer des fiches, d'ouvrir et de fermer des formulaires, de lancer d'autres applications, etc. Pour créer un bouton de commande :

1. Assurez-vous que le bouton Assistants Contrôle de la boîte à outils (représenté à gauche) est activé (enfoncé).

2. Activez le bouton Bouton de commande de la boîte à outils (représenté à gauche), puis cliquez dans la structure ou tracez un rectangle à l'endroit où vous voulez placer le contrôle. L'Assistant Bouton de commande prend la main.
3. Lorsque l'Assistant vous demande ce qui devra se passer lorsque vous appuierez sur le bouton, sélectionnez, dans la liste Catégories, la catégorie à laquelle appartient l'action à définir (par exemple, Déplacements entre enreg.). Sélectionnez ensuite une action dans la liste Actions (par exemple, Enregistrement suivant). Cliquez sur Suivant pour continuer la procédure. Si l'Assistant sollicite un complément d'information, répondez à sa demande, puis cliquez sur Suivant.
4. L'Assistant vous demande ensuite quel doit être l'aspect du bouton. Si vous souhaitez y placer un texte, validez Texte et tapez le texte souhaité dans la case correspondante ; si vous préférez une image, activez Image et choisissez celle que vous souhaitez. (Pour avoir accès à toutes les images disponibles, activez Afficher toutes les images. Pour visualiser une image ou une icône bitmap stockée sur votre disque dur, cliquez sur Parcourir, puis cliquez deux fois sur le fichier graphique concerné.) Cliquez sur Suivant.
5. Quand l'Assistant vous demande enfin de nommer le bouton, tapez un nom évocateur, puis cliquez sur Terminer.

Le bouton de commande fait son apparition dans votre structure. Pour le tester, basculez en mode formulaire et cliquez dessus.

Si votre bouton affiche une image plutôt qu'un texte, pensez à faire afficher des informations complémentaires dans la barre d'état ou dans une info-bulle. Pour ce faire, agissez dans la feuille des propriétés, et plus spécifiquement dans les cases des propriétés Texte barre état et Texte d'info-bulle de l'onglet Autres. Voyez à ce sujet la section "Ajouter conseils, menus et messages" plus haut dans ce chapitre.

Créer un bouton de commande lien hypertexte

Il vous arrivera de préférer utiliser un bouton de commande plutôt qu'un intitulé lien hypertexte standard pour vous rendre à un endroit donné d'une base de données Access, à un autre fichier stocké sur votre ordinateur, voire à une page spécifique du World Wide Web. Pour ce faire, commencez par créer un bouton de commande sans recourir à l'aide de l'Assistant.

Ensuite :

1. Cliquez sur ce nouveau bouton avec le bouton droit de la souris et choisissez Propriétés.
2. Activez l'onglet Format.
3. Spécifiez, dans les cases Adresse lien hypertexte et Sous-adresse lien hypertexte, l'endroit où vous voulez vous rendre.

Ajouter des onglets

Vous pouvez désormais ajouter des onglets à un formulaire. Un contrôle onglet n'est, somme toute, qu'un objet doté de pages onglets, à l'instar de la boîte de dialogue Propriétés que vous connaissez désormais relativement bien. Ce contrôle a pour but de faciliter l'organisation des formulaires comportant un grand nombre d'objets puisqu'il permet de regrouper ces objets par affinités. Ainsi, vous pourriez imaginer un onglet qui afficherait les données relatives au salaire d'un employé, plutôt que de laisser figurer ces informations parmi des données plus générales, relatives, notamment, à ses coordonnées (nom, adresse, téléphone...).

Pour ajouter un contrôle de ce type, comme celui représenté à la Figure 13.22 :

1. Ajoutez, à la table Employees (Employés) de la base de données Ordentry (Gestionnaire de commandes) un champ Salaire.
2. Activez l'onglet Formulaires et cliquez sur Nouveau.
3. Sélectionnez la table Employees pour le nouveau formulaire, puis cliquez sur OK.
4. Affichez la boîte à outils si elle ne l'est pas déjà. Cliquez sur Contrôle Onglet, puis cliquez-glissez dans le formulaire afin de positionner ce contrôle. Il présente l'aspect représenté à la page suivante.
5. Changez l'intitulé de la Page1. Pour ce faire, cliquez avec le bouton droit de la souris sur cette page et choisissez Propriétés dans le menu contextuel. Entrez "Généralités" dans la case Légende.
6. Choisissez Affichage/Liste des champs et placez, sur cette page, les champs souhaités en les faisant glisser depuis la liste vers l'onglet. Nous avons choisi les champs LastName (NomFamille), FirstName (Prénom) et Title (Titre). Nous

avons ensuite aligné ces champs en nous servant de la souris et des commandes d'alignement du menu Format.

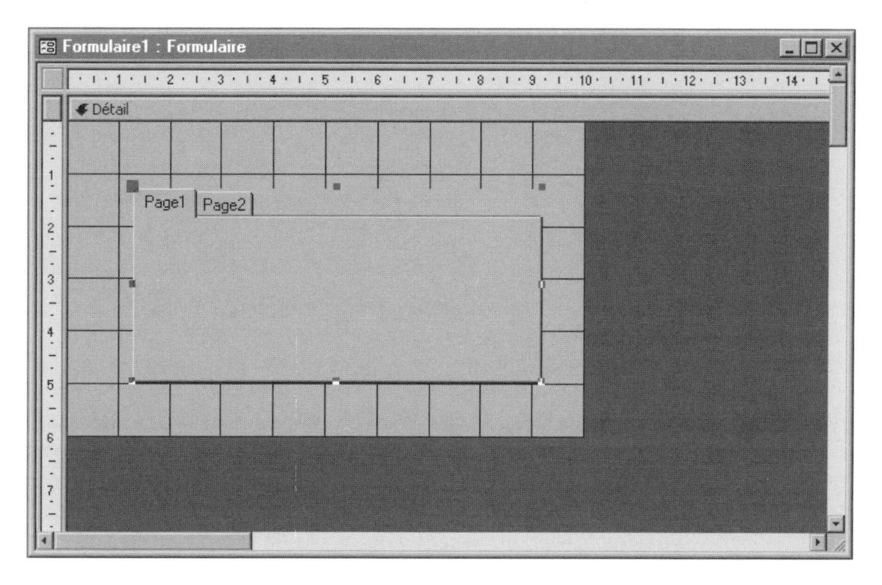

7. Cliquez avec le bouton droit de la souris sur la mention Page2 et choisissez Propriétés dans le menu contextuel. Baptisez cette page "Salaire".
8. Faites-y glissez le champ Salaire ajouté lors de l'état n° 1. Formatez ce champ si nécessaire.

Passez en mode formulaire afin de voir l'effet de votre action. Les deux onglets sont bien là ; il vous suffit de les activer pour passer de l'un à l'autre.

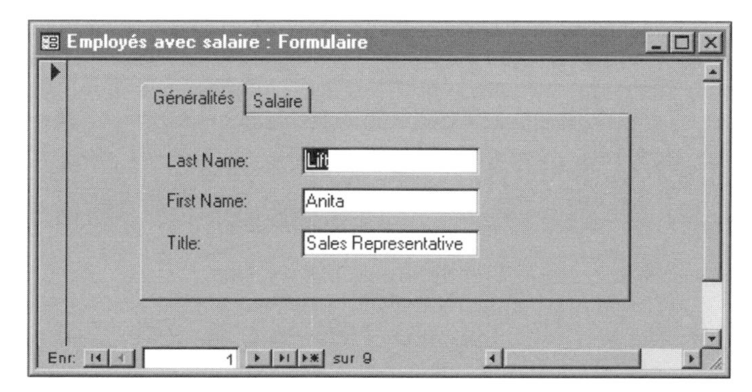

Figure 13.22 : Le formulaire Employés avec salaire affiche, sur un onglet séparé, le salaire de l'employé. Vous avez ici sous les yeux le premier onglet de ce formulaire.

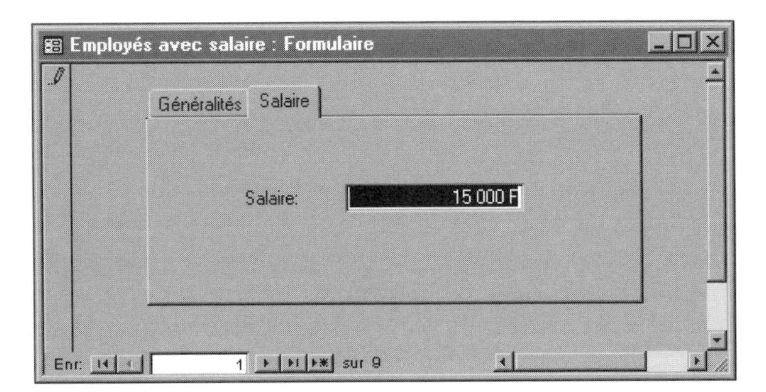

Figure 13.23 : Le second onglet du formulaire Employés avec salaire.

Ajouter des images, des sons et d'autres objets

Vos formulaires et vos états peuvent inclure des images, des sons ainsi que d'autres objets. Ces éléments peuvent être *indépendants*, comme le logo de votre société, ou *dépendants*, provenant dans ce cas de la table ou de la requête sous-jacente.

Ajouter un objet indépendant

Les objets indépendants sont identiques sur tous les enregistrements. Servez-vous-en, par exemple, pour afficher le logotype de votre société dans l'en-tête de votre formulaire ou de votre état, ou pour attacher un fichier son contenant des instructions dans l'en-tête du formulaire. Pour créer un objet indépendant :

1. Activez l'outil Cadre d'objet indépendant de la boîte à outils (représenté à gauche), puis cliquez dans la structure ou tracez un rectangle à l'endroit où vous voulez placer le contrôle. Vous pouvez également cliquer dans la section dans laquelle vous voulez voir figurer l'objet, puis choisir Insertion/Objet. La boîte de dialogue Insérer un objet s'affiche (Figure 13.24).
2. Pour afficher l'objet en tant qu'icône, activez (cochez) Afficher comme icône.
3. Exécutez ensuite l'une des actions suivantes :

- **Pour créer l'objet de toutes pièces**, validez Créer nouveau, sélectionnez le type d'objet souhaité dans la liste Type d'objet, puis cliquez sur OK. Créez l'objet dans le programme source, puis quittez ce programme. (Dans la plupart des cas, vous choisirez Fichier/Quitter et retourner ou vous cliquerez dans la case de fermeture de la fenêtre de ce programme ; ou encore, vous enfoncerez les touches Alt + F4 en répondant Oui à la demande de mise à jour.)

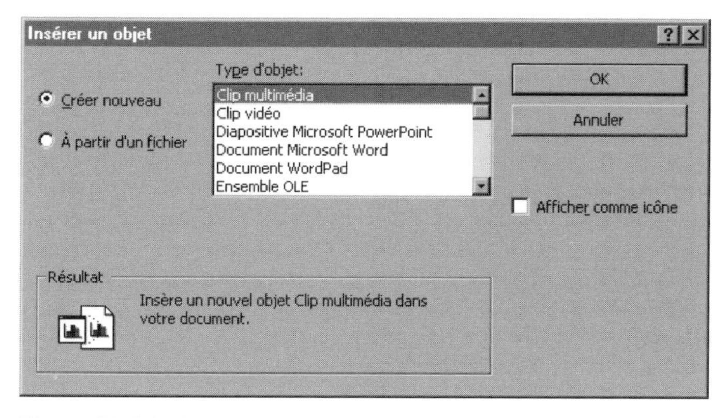

Figure 13.24 : La boîte de dialogue Insérer un objet.

- **Pour créer l'objet à partir d'un fichier existant**, validez À partir d'un fichier. La boîte de dialogue change et propose désormais un bouton Parcourir et une case à cocher Liaison. Tapez le nom du fichier dans la case Fichier ou utilisez le bouton Parcourir pour localiser le fichier souhaité. Pour lier l'objet afin que les changements apportés à l'original soient reportés sur le formulaire ou sur l'état, activez (cochez) Liaison. Pour afficher l'objet sous la forme d'une icône, validez Afficher comme icône. Cliquez ensuite sur OK.

4. L'objet apparaît en mode création. Pour éditer l'image ou le son en mode formulaire, ouvrez la feuille des propriétés (Affichage/Propriétés), activez l'onglet Données et fixez la propriété Activé sur Oui.

Votre formulaire fera défiler les enregistrements plus vite si vous placez un objet indépendant dans sa section En-tête ou Pied (et non dans la section Détail).

Pour éditer l'objet en mode création, cliquez deux fois dessus ; ou cliquez une fois dessus avec le bouton droit de la souris, puis choisissez Objet.../Modifier. Vous pouvez aussi sélectionner l'objet, puis invoquer la commande Édition/Objet.../ Modifier.

Il existe un moyen encore plus rapide de placer un objet OLE indépendant dans votre structure. Ouvrez le programme dans lequel vous avez créé l'objet (ou lancez celui dans lequel vous allez le créer). Sélectionnez cet objet selon les procédures en vigueur dans ce programme et copiez la sélection dans le Presse-papiers de Windows (choisissez Édition/Copier ou enfoncez les touches Ctrl + C). Fermez ensuite ce programme et revenez à votre formulaire ou à votre état en mode création. Cliquez dans la section où vous voulez que l'objet apparaisse, puis collez-le (choisissez Édition/Coller ou enfoncez les touches Ctrl + V).

Si le programme dans lequel vous concevez l'objet supporte OLE 2, essayez le glisser-déposer. Cliquez avec le bouton droit de votre souris dans une zone vide de la barre des tâches de Windows et choisissez Mosaïque verticale afin d'avoir simultanément sous les yeux la fenêtre d'Access et celle qui abrite l'objet que vous voulez copier. Enfoncez la touche Ctrl et maintenez-la dans cet état ; faites alors glisser l'objet depuis sa fenêtre d'origine vers le formulaire ou l'état en mode création. Tous les programmes Microsoft Office et Novell PerfectOffice supportent le protocole OLE 2 ; il en va de même du traitement de texte WordPad (fourni avec Windows 95).

Ajouter une image

Vous pouvez placer des contrôles Image pour afficher des images et des logos indépendants sur vos formulaires et sur vos états. Ces contrôles sont plus rapides que les contrôles objet indépendants et sont conseillés lorsque vous êtes amené à changer l'image après son insertion dans la structure. Pour ajouter une image :

1. Activez le bouton Image de la boîte à outils (représenté à gauche), puis cliquez dans la structure ou tracez un rectangle à l'endroit où vous voulez placer le contrôle. Vous pouvez également cliquer dans la section dans laquelle vous voulez voir figurer l'objet, puis choisir Insertion/Image. La boîte de dialogue Insérer une image s'affiche (Figure 13.25).
2. Cliquez deux fois sur l'image souhaitée. Elle apparaît dans la structure.

Figure 13.25 : La boîte de dialogue Insérer une image après que nous avons cliqué sur le bouton Aperçu placé dans la partie supérieure de la fenêtre.

Pour afficher une autre image dans le contrôle, cliquez sur ce dernier avec le bouton droit de la souris, choisissez Propriétés, activez l'onglet Format et cliquez dans la case Image. Activez ensuite le bouton Générer (...), puis, dans la boîte de dialogue Insérer une image, localisez le fichier graphique concerné et cliquez deux fois sur son nom.

Ajouter une image d'arrière-plan

Si vous souhaitez ajouter un arrière-plan à votre formulaire ou à votre état, comme un ciel plein de nuages ou une image ou une photo scannée, voici comment vous y prendre :

1. Sélectionnez tout le formulaire ou tout l'état (choisissez Édition/Sélectionner le formulaire ou Édition/Sélectionner le rapport).
2. Ouvrez la feuille des propriétés (Affichage/Propriétés) et activez l'onglet Format.
3. Cliquez dans la case de la propriété Image, puis cliquez sur le bouton Générer (...) qui s'affiche alors.
4. Lorsque la boîte de dialogue Insérer une image s'affiche (Figure 13.25), localisez l'image que vous voulez utiliser comme fond et cliquez deux fois sur son nom.
5. Modifiez si nécessaire ses propriétés Mode d'affichage de l'image, Alignement de l'image et Mosaïque d'images.

L'image sélectionnée apparaît en arrière-plan ; passez en mode formulaire ou aperçu avant impression pour voir l'effet qu'elle produit. Plus loin dans ce chapitre, nous vous indiquerons comment redimensionner les images et créer des formulaires Access qui ressemblent comme deux gouttes d'eau aux formulaires préimprimés que vous utilisez sans doute pour l'instant.

Pour supprimer l'image d'arrière-plan, répétez les étapes 1 et 2 décrites ci-dessus, cliquez dans la case de la propriété Image, sélectionnez son contenu et effacez-le ; clôturez la procédure en activant la touche Entrée. Lorsqu'Access vous demande de confirmer votre intention de supprimer l'image, répondez par l'affirmative.

Utiliser des images autres que des images bitmap

Il existe différents formats graphiques, comme bitmap (.bmp), Metafile Windows (.wmf), Tagged Image File Format (.tif), pour n'en citer que quelques-uns. Si vous faites appel à l'outil Image pour placer un dessin sur un formulaire ou sur un état,

Access affiche l'image parfaitement, car l'outil est capable d'identifier son format graphique.

Toutefois, si vous recourez à l'outil Cadre d'objet indépendant pour introduire une image non bitmap (ou si vous stockez l'image dans un champ de table Objet OLE), il se peut qu'Access affiche une icône plutôt que l'image originale lorsque vous tentez de la visualiser.

Utilisez l'outil Image ou la propriété Image pour placer une illustration que vous n'aurez pas à modifier par la suite. Utilisez l'outil Cadre d'objet indépendant pour placer une illustration que vous serez amené à éditer. L'outil Image et la propriété du même nom offrent un éventail plus large de formats de fichiers graphiques.

Ainsi, supposons que vous utilisiez l'outil Cadre d'objet indépendant pour, en mode création de formulaire, placer un objet Metafile Windows dans la section En-tête du formulaire. Au lieu de voir l'image, vous voyez une icône semblable à celle-ci en mode création (elle a le même aspect en mode formulaire) :

En mode création et feuille de données, vous pouvez cliquer deux fois sur l'icône pour visualiser le fichier s'il s'existe un lien entre le type de l'icône et un programme présent sur votre ordinateur.

Si, dans votre formulaire ou dans votre état, vous préférez voir l'image (plutôt qu'une icône qui la représente), vous devez la convertir en fichier bitmap (.bmp) ou dans l'un des formats graphiques qu'Access reconnaît et est capable d'afficher correctement.

Pour réaliser la conversion, vous pouvez faire appel à un programme spécialisé dans les conversions graphiques, comme Hijaak pour Windows (édité par Quarterdeck Office Systems).

Lorsque la conversion est réalisée, vous pouvez introduire le fichier .bmp en utilisant l'outil Cadre d'objet indépendant (ou la propriété Image ou encore l'outil Image) en suivant la procédure décrite plus haut dans ce chapitre.

Après avoir placé l'image, ouvrez la feuille des propriétés (Affichage/Propriétés), activez l'onglet Format, modifiez la propriété Mode affichage en validant tour à tour ses options Découpage, Échelle et Zoom afin de sélectionner celle qui convient le mieux. Voyez "Contrôler la taille des images" plus loin dans ce chapitre pour savoir comment régler la taille d'une image.

Si vous ne disposez pas d'un programme de conversion, appliquez la procédure suivante :

1. Placez l'image dans un programme de traitement de texte (comme WordPerfect pour Windows).
2. Sélectionnez-la (il suffit généralement de cliquer sur un objet pour le sélectionner) et transférez-en une copie dans le Presse-papiers de Windows (enfoncez les touches Ctrl + C).
3. Quittez éventuellement votre programme de traitement de texte.
4. Ouvrez Paint. Collez-y l'image (Ctrl + V) et sauvegardez votre fichier. Voilà ! L'image est convertie !

Après avoir copié l'image dans le Presse-papiers depuis votre programme de texte, vous pouvez, si le coeur vous en dit :

- Basculer vers Access en mode création de formulaire ou d'état. Cliquez dans la section dans laquelle l'image doit figurer, puis procédez au collage (enfoncez les touches Ctrl + V ou choisissez Édition/Coller). Votre image y apparaît sous sa forme réelle (même si elle est incorporée dans un document de traitement de texte et ne constitue donc pas une image Paint indépendante). Un double clic sur cette image en mode création vous emmène dans votre programme de texte.
- Stocker l'image dans une table, en tant qu'objet OLE dépendant. Ouvrez la table en mode feuille de données ou en mode formulaire, cliquez dans l'enregistrement et dans le champ Objet OLE concernés, puis enfoncez les touches Ctrl + V ou choisissez Édition/Coller pour stocker l'image incorporée.

Attribuer une couleur à l'image d'arrière-plan

Il peut arriver que l'image d'arrière-plan soit blanche (ou d'une couleur quelconque). Et vous n'y changerez rien en attribuant au fond la couleur Transparent si cette teinte blanche fait partie de l'image. Pour faire en sorte que la couleur d'arrière-plan soit identique à celle du fond de votre formulaire ou de votre état, vous devez faire appel au programme Paint de Windows ou à un autre programme graphique dans lequel vous pourrez modifier la couleur d'arrière-plan.

Si cet arrière-plan représente la plus grande partie de l'image, vous devrez d'abord rogner. Servez-vous de Paint ou d'un programme graphique quelconque. En Paint, sélectionnez la zone à rogner, puis choisissez Édition/Copier vers pour copier dans un fichier la zone sélectionnée. Pour de plus amples informations à propos de Paint, lancez ce programme (Démarrer/Programmes/Accessoires/Paint) et choisissez ? (Aide)/Rubriques d'aide ou enfoncez la touche F1.

Ajouter un champ Objet OLE

Les objets dépendants servent à afficher une image, un graphique ou un objet OLE quelconque stocké dans la table ou dans la requête sous-jacente. À la différence des objets indépendants, les objets dépendants varient d'un enregistrement à l'autre. En mode formulaire, vous pouvez modifier un objet dépendant en cliquant deux fois dessus. (Le Chapitre 8 vous a appris à introduire des données dans les champs Objet OLE.)

Le moyen le plus simple d'insérer un objet OLE dans votre formulaire ou dans votre état consiste à le faire glisser depuis la liste des champs vers la structure. Le champ doit être défini dans la table comme étant de type Objet OLE. (Vous pouvez également utiliser l'outil Cadre d'objet dépendant pour créer l'objet, mais cette procédure est plus complexe.)

La première fois que vous placez un champ de ce type, Access affiche sa taille réelle, le rognant au besoin afin qu'il s'adapte à son cadre.

Ajouter des contrôles ActiveX

Access est fourni avec une série d'outils spéciaux appelés “contrôles ActiveX”. (Dans les versions précédentes du programme, ces contrôles s'intitulaient “contrôles personnalisés” ou “contrôles OLE”.) Ces contrôles sont principalement destinés aux programmeurs qui les utilisent pour ajouter, aux formulaires, des fonctionnalités supplémentaires qu'Access lui-même ne fournit pas. Citons, à titre d'exemple, un contrôle appelé Contrôles de l'explorateur Microsoft du Web qu'il est possible de programmer afin qu'il ouvre une page Web dans la fenêtre même du contrôle. D'autres contrôles ActiveX sont fournis avec le Kit de développement Microsoft Access ainsi qu'avec d'autres produits Microsoft, comme Visual Basic 4.0 ; d'autres encore sont livrés par des sociétés tierces.

Pour introduire un contrôle ActiveX :

1. Cliquez dans la section dans laquelle vous voulez que le contrôle figure.

2. Choisissez Insertion/Contrôle ActiveX ou activez le bouton Autres contrôles de la boîte à outils (représenté à gauche).
3. Sélectionnez, dans la liste, le contrôle souhaité.
4. Cliquez sur ce contrôle avec le bouton droit de la souris et fixez les propriétés souhaitées.

Pour en savoir plus sur les contrôles ActiveX, voyez l'entrée d'index intitulée *contrôles, contrôles ActiveX*.

Contrôler la taille des images

Si la façon dont Access affiche une image ou un contrôle personnalisé ne vous convient pas, vous pouvez modifier sa propriété Mode affichage :

1. Ouvrez la feuille des propriétés (Affichage/Propriétés), puis activez l'onglet Format.
2. Sélectionnez l'objet que vous voulez modifier ; pour agir sur l'image d'arrière-plan, sélectionnez tout le formulaire ou tout l'état (Édition/Sélectionner le formulaire ou Édition/Sélectionner le rapport).
3. Activez l'une des options de la propriété Mode affichage :

   Découpage : Affiche l'objet à sa taille réelle. Si l'objet est plus grand que le cadre du contrôle, Access tronque l'image. Cette option est la plus rapide en termes d'affichage.

   Échelle : Modifie la taille de l'objet afin qu'il remplisse le contrôle. Il se peut que les proportions originales de l'objet soient modifiées, principalement dans le cas des cercles et des photographies (les graphiques à barres ou en courbe ne devraient normalement pas être déformés).

   Zoom : Modifie la taille de l'objet afin qu'il remplisse le contrôle sans subir de distorsion ; affiche ensuite l'objet entier sans rognage.

Rappelez-vous que si vous travaillez sur une image stockée dans un champ de table, le mode d'affichage affecte la présentation de toutes les images de la table. Ainsi, vous ne pouvez affecter l'option Découpage à un enregistrement, et l'option Zoom à un autre. C'est pour cette raison qu'il importe d'appliquer les mêmes paramètres (taille et rognage) à toutes les photos que vous introduisez dans la table.

L'exemple ci-dessous montre la même image présentée sous les différents modes :

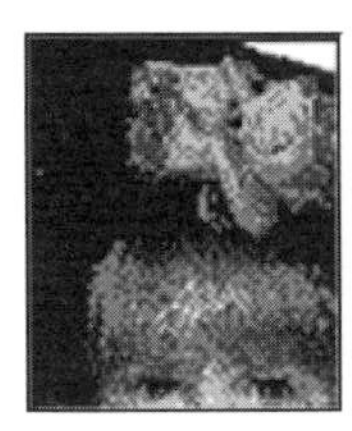  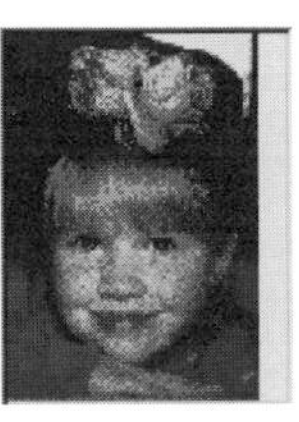

Changer l'ordre de superposition des contrôles

Vous pouvez créer des effets intéressants en modifiant la mise en pile des contrôles de votre structure. Ainsi, dans l'exemple ci-dessous, nous avons ajouté une ombre portée au rectangle ; nous avons aussi placé le rectangle blanc devant, puis derrière :

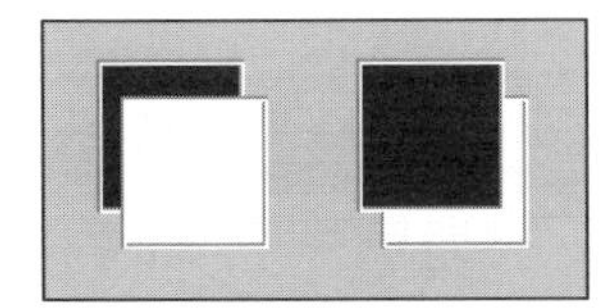

Pour changer l'ordre de superposition :

1. Sélectionnez le(s) contrôle(s) que vous voulez amener au premier plan ou envoyer à l'arrière-plan.
2. Choisissez Format/Premier plan ou Format/Arrière-plan, selon le cas.

La commande Format/Arrière-plan vous permet en outre de découvrir des objets qui étaient cachés par d'autres, puisqu'elle envoie derrière l'objet placé devant et qui masquait les autres.

Créer des contrôles calculés

Un *contrôle calculé* est un contrôle qui utilise une expression comme source. Les contrôles calculés vous permettent d'afficher des valeurs calculées sur des données provenant d'un ou de plusieurs champs, voire d'autres contrôles. Ainsi, vous pourriez calculer le prix total d'un article en multipliant le contenu de son champ Quantité par celui de son champ PrixUnitaire, selon la formule :

```
=[Quantité]*[PrixUnitaire]
```

Access ne stocke pas le résultat obtenu dans une table ; au contraire, il le recalcule chaque fois que l'enregistrement est affiché. (En mode formulaire, les contrôles calculés sont en lecture seule.)

Pour créer un contrôle calculé :

1. Créez un contrôle de n'importe quel type possédant une propriété Source contrôle dans l'onglet Données de sa feuille des propriétés. Vous ferez généralement appel à des zones de texte, bien que les listes simples et modifiables, les cadres d'objet dépendant ou indépendant, les boutons bascule, les boutons radio et les cases à cocher puissent convenir également.

2. Sélectionnez ce contrôle, puis faites appel à l'une des méthodes suivantes pour entrer l'expression :

- Tapez directement dans la case le signe égal (=), suivi de l'expression du calcul. *Exemple* : dans une zone de texte, tapez **=[Quantité]*[PrixUnitaire]** afin de multiplier la valeur du champ Quantité par celle du champ PrixUnitaire.

- Dans la case de la propriété Source contrôle, tapez l'expression (précédée du signe égal).

- Dans la case de la propriété Source contrôle, cliquez sur le bouton Générer (...) afin d'accéder au Générateur d'expression. Il s'occupe à votre place des détails ennuyeux de syntaxe, vous laissant vous concentrer sur l'expression proprement dite. Sélectionnez les éléments souhaités dans les trois listes situées dans la partie inférieure de la fenêtre et désignez les opérateurs dans la partie centrale. Le Générateur insère les parenthèses, crochets, points d'exclamation et autres signes indispensables. Lorsque votre expression est construite, cliquez sur OK.

La partie supérieure de la Figure 13.26 montre une expression terminée affichée dans la fenêtre du Générateur. Voici comment nous avons procédé pour la créer :

1. Dans la liste de gauche de la partie inférieure de la fenêtre, nous avons cliqué deux fois sur le dossier *Fonctions* (qui était marqué du signe +), puis deux fois sur le dossier *Fonctions intégrées.*

2. Dans la liste centrale, nous avons cliqué sur *<Tout>.*

3. Dans la liste de droite, après avoir fait défiler, nous avons cliqué deux fois sur la fonction *Somme* pour copier la fonction Somme(<Expr>) dans la zone d'édition située dans la partie supérieure de la fenêtre.

4. Dans cette zone, nous avons cliqué sur *<expr>* pour sélectionner cet élément.

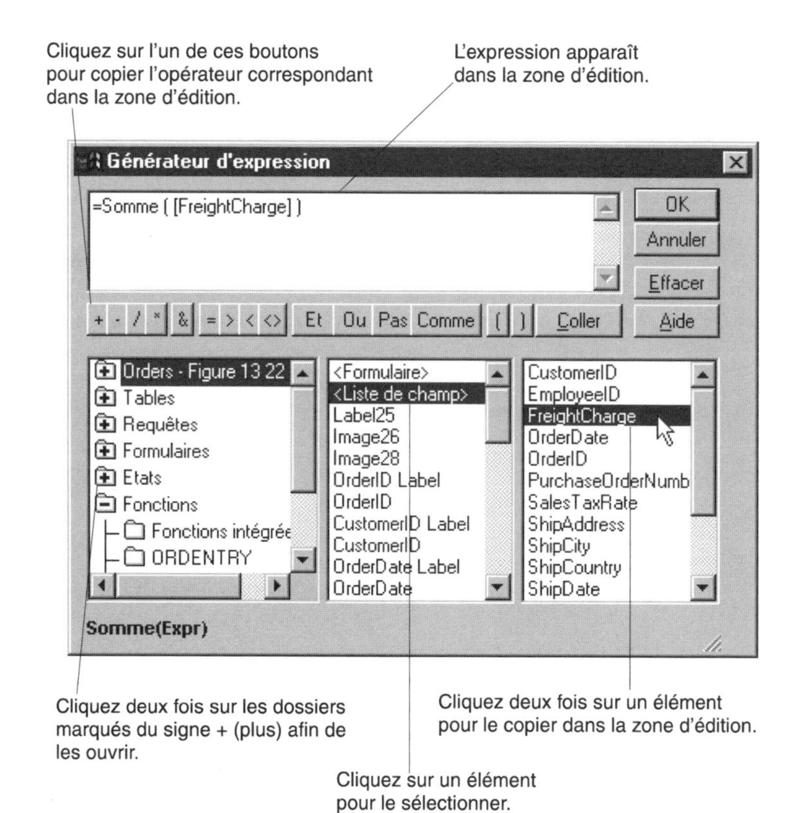

Figure 13.26 : Une expression complète affichée dans la fenêtre du Générateur d'expression.

5. Dans la liste de gauche de la partie inférieure de la fenêtre, nous avons cliqué sur Orders - Figure 13-22 (le nom du formulaire que nous sommes en train de concevoir).

6. Dans la liste centrale, nous avons cliqué sur *<Liste de champ>*.

7. Dans la liste de droite, nous avons cliqué deux fois sur *FreightCharge* (FraisTransport) afin de copier ce champ dans la zone d'édition.

8. Nous avons ensuite cliqué sur OK pour fermer la boîte de dialogue du Générateur d'expression et copié l'expression dans la case de la propriété Source contrôle. (Si vous omettez le signe = en début d'expression, Access l'ajoute automatiquement lorsque vous cliquez dans la case d'une autre propriété.)

9. Enfin, nous avons enfoncé la touche Entrée pour terminer la saisie et déplacer le curseur vers la propriété suivante.

Au lieu de cliquer deux fois sur un élément de la liste de droite, vous pouvez mettre cet élément en surbrillance et cliquer sur Coller. Dans les deux cas, Access colle l'élément dans la zone d'édition.

Tenez compte des remarques suivantes lorsque vous créez des contrôles calculés :

- Dans le cas des cases à cocher, boutons d'option et groupes d'options, vous devez modifier la propriété Source contrôle de l'onglet Données. Il est impossible de taper une expression dans le contrôle.
- Les Chapitres 9 et 10 vous ont montré des exemples d'expressions calculées pour les filtres et les requêtes. Pour employer ces expressions dans un contrôle, il suffit de les faire précéder du signe égal. Le Tableau 13.3 vous propose quelques exemples supplémentaires.

Expression	Exemple de résultat
=[CodeMoyenLivraison]&": "&[MoyenLivraison]	*1:Federal Express* si CodeMoyenLivraison vaut 1 et MoyenLivraison est FederalExpress.
=[Quantité]*[PrixUnitaire]	*350* si Quantité vaut 10 et PrixUnitaire vaut 35.
=[Sous-formulaire Products]. Formulaire![PrixUnitaire]*1.15	*46* si PrixUnitaire sur le sous-formulaire baptisé Sous-formulaire Produits vaut 40.
="Page"&[Page]&" ou"&[Pages]	*Page 3 sur 5* sur la page 3 d'un état ou d'un formulaire imprimé qui en comporte 5.
=Maintenant()	Date et heure système.
=PartDate("aaaa", Maintenant())	1996 (valeur de l'année dans la date système).
=Majuscule([Nom]&", "&[Prénom])	*Dupont, Jean* si le nom est *Dupont* (ou *dupont*, ou *DUPONT*) et si le prénom est *Jean* (ou *jean*, ou *JEAN*).

Tableau 13.3 : Quelques exemples d'expressions de contrôles calculés.

- Le Générateur d'expression représente le moyen le plus simple d'entrer des fonctions et de faire référence à des tables, à des requêtes, à des formulaires et à des états. Vous pouvez également l'utiliser pour afficher des numéros de page et des dates.

- Vous pouvez employer la propriété Format de l'onglet Format de la feuille des propriétés (ou la fonction Format) pour afficher le résultat de l'expression dans le format qui vous convient le mieux.

L'introduction d'expressions dans des contrôles calculés est décrite dans le fichier d'aide, à l'entrée *expressions*. Vous pouvez aussi activer le bouton ? (Aide) du Générateur d'expression.

Ajouter un sous-formulaire ou un sous-état

Un sous-formulaire ou un sous-état est tout simplement un formulaire ou un état placé dans un autre. Les Figures 13.247 et 13.28 montrent un formulaire principal et son sous-formulaire, ainsi qu'un état principal et son sous-état, respectivement.

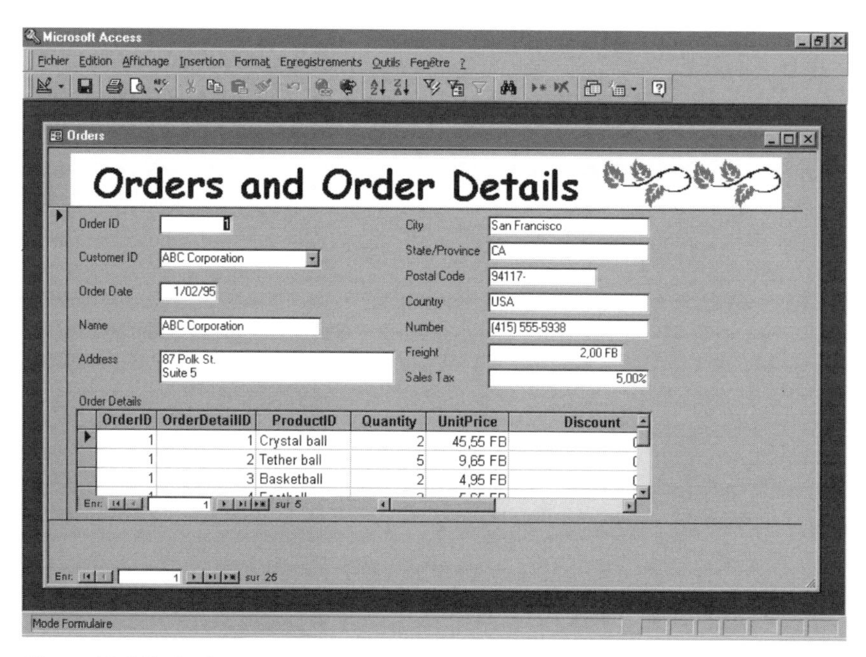

Figure 13.27 : Le formulaire principal Orders (Commandes) avec son sous-formulaire Order Details (Détails Commandes) en mode formulaire.

Dans les Chapitres 11 et 12, vous avez appris que les Assistants Formulaire et État sont capables de créer automatiquement des formulaires/états principaux ainsi que des sous-formulaires/états. Le même principe s'applique lorsque vous créez un formulaire/état principal et un sous-formulaire/état sans l'aide d'un Assistant.

Orders and Order Details

Order Date	Order ID
2/1/95	1

Product Name	Quantity	Unit Price	Extended Price
Basketball	2	F4.95	F9.90
Crystal ball	2	F45.55	F91.10
Foosball	4	F17.85	F71.40
Football	2	F5.65	F11.30
Tetherball	5	F9.65	F48.25
Totals	15		F231.95

Order Date	Order ID
3/14/95	2

Product Name	Quantity	Unit Price	Extended Price
Crystal ball	1	F45.55	F45.55
Football	1	F5.65	F5.65
Golf balls	2	F6.75	F13.50
Soccer ball	1	F12.95	F12.95
Tetherball	1	F9.65	F9.65
Totals	6		F87.30

Page 1 of 8

Figure 13.28 : L'état principal Orders (Commandes) avec son sous-état Order Details (Détails commandes).

Voici les notions essentielles que vous devez absolument connaître :

- Généralement, vous employez un sous-formulaire ou un sous-état lorsqu'il existe une relation "un-à-plusieurs" entre les données du formulaire ou de l'état principal et celles du sous-formulaire ou du sous-état. Le formulaire ou l'état principal est situé du côté "un" de la relation, alors que le sous-formulaire ou le sous-état se trouve du côté "plusieurs". *Exemple* : un formulaire principal basé sur la table Orders (Commandes) et un sous-formulaire basé sur la table Order Details (Détails Commandes) affichent les commandes ainsi que les articles commandés.

- Vous devez créer et enregistrer le sous-formulaire ou le sous-état avant de pouvoir l'utiliser dans le formulaire ou dans l'état principal.
- Chaque formulaire ou état principal peut comporter plusieurs sous-formulaires ou sous-états, avec un maximum de deux niveaux d'imbrication (un formulaire principal pouvant donc contenir un sous-formulaire possédant, lui-même, un sous-formulaire).
- Pour afficher le sous-formulaire comme feuille de données, fixez sa propriété Affichage par défaut de l'onglet Format sur Feuille de données. En règle générale, c'est la meilleure solution.
- Dans le formulaire ou l'état principal, vous pouvez employer des expressions qui font référence aux valeurs contenues dans le sous-formulaire ou dans le sous-état. Voyez "Créer des contrôles calculés" ci-dessus.

Agir sans l'aide de l'Assistant

Pour ajouter un sous-formulaire ou un sous-état à un formulaire ou à un état sans faire appel aux Assistants :

1. Ouvrez le formulaire ou l'état principal en mode création, puis enfoncez la touche F11.
2. Choisissez Fenêtre/Mosaïque verticale afin d'avoir sous les yeux la fenêtre Base de données et la fenêtre de création du formulaire ou de l'état.
3. Activez l'onglet Formulaires ou États de la fenêtre Base de données, selon le cas. (Par exemple, activez l'onglet Formulaires si vous êtes en train de créer un formulaire principal.)
4. Faites glisser l'icône du formulaire ou de l'état que vous voulez insérer depuis la fenêtre Base de données vers votre structure. En règle générale, vous insérez le sous-formulaire ou le sous-état dans la section Détail.

Pour tester ou établir le lien entre le sous-formulaire ou le sous-état et le formulaire ou l'état principal :

1. Ouvrez la feuille des propriétés (Affichage/Propriétés).
2. Activez l'onglet Données.
3. Cliquez sur le cadre du sous-formulaire ou du sous-état (mais pas sur son intitulé).

- La propriété **Objet source** devrait afficher le nom du sous-formulaire ou du sous-état.

- La propriété **Champs fils** devrait afficher le ou les noms des champs liés dans le sous-formulaire ou dans le sous-état.
- La propriété **Champs pères** devrait afficher le ou les noms des champs liés dans le formulaire ou l'état principal.

Agir avec l'aide de l'Assistant

Un Assistant baptisé Sous-formulaire/Sous-état vous permet d'ajouter ces éléments. Cette méthode est sans doute plus simple que la précédente ; voici comment la mettre en oeuvre :

1. Activez la fenêtre de création du formulaire ou de l'état principal, puis assurez-vous que le bouton Assistants Contrôle de la boîte à outils est bien enfoncé.
2. Activez le bouton Sous-formulaire/Sous-état de la boîte à outils (représenté à gauche), puis cliquez dans votre structure ou faites glisser à l'endroit où vous voulez que le sous-formulaire ou le sous-état apparaisse. L'Assistant Sous-formulaire/Sous-état prend la main.
3. Lorsque l'Assistant vous demande comment vous souhaitez créer votre sous-formulaire ou votre sous-état, exécutez l'une des actions suivantes :

- **Pour créer un sous-formulaire ou un sous-état à partir de tables ou de requêtes existantes** et spécifier comment établir les liens, validez Table/Requête, puis cliquez sur Suivant. Dans la boîte de dialogue qui s'affiche ensuite, désignez les champs des tables et requêtes souhaitées, puis cliquez sur Suivant.
- **Pour créer un sous-formulaire ou un sous-état en utilisant un formulaire ou un état existant**, validez Formulaires (ou États), sélectionnez le formulaire ou l'état souhaité dans la liste déroulante, puis cliquez sur Suivant.

Un raccourci intéressant : vous pouvez enfoncer la touche F11 et choisir Fenêtre/Mosaïque verticale pour afficher côte à côte la fenêtre de création du formulaire ou de l'état et la fenêtre Base de données. Ensuite, activez l'onglet Tables ou Requêtes de cette fenêtre Base de données, puis faites glisser la table ou la requête vers l'endroit de la structure où vous voulez voir figurer le sous-formulaire ou le sous-état. Continuez la procédure décrite ci-dessous.

4. Quand l'Assistant s'inquiète de savoir si vous voulez choisir des champs à partir d'une liste ou définir vous-même les champs qui doivent lier le formu-

laire ou l'état principal au sous-formulaire ou au sous-état, exprimez votre souhait en validant l'option correspondante, puis cliquez sur Suivant.

5. Lorsque l'Assistant sollicite un nom pour le sous-formulaire ou pour le sous-état, tapez le nom souhaité (ou utilisez celui proposé par défaut), puis cliquez sur Terminer.

6. Si nécessaire, utilisez l'onglet Données de la feuille des propriétés pour tester ou établir les liens entre le formulaire ou l'état principal et le sous-formulaire ou le sous-état (voyez l'étape n° 5 de la procédure décrite précédemment, qui permet d'ajouter un sous-formulaire ou un sous-état sans l'aide des Assistants).

Rien ne vous empêche de sélectionner le sous-formulaire ou le sous-état dans le formulaire ou l'état principal et de modifier ensuite ses propriétés Format. Fixez alors les propriétés Auto extensible et Auto réductible sur Oui ; attribuez également la valeur Transparent à la propriété Style bordure.

Montrer des champs provenant d'une autre table ou requête

D'une manière générale, il est plus commode de créer un formulaire ou un état lorsque la table ou la requête sous-jacente comporte tous les champs que vous voulez afficher. Il est néanmoins possible d'utiliser des données provenant d'autres tables ou requêtes. Vous disposez de plusieurs moyens d'action :

- Ajoutez un sous-formulaire ou un sous-état en procédant comme décrit précédemment.
- Dans les formulaires, fondez votre formulaire sur une requête qui utilise une recherche dynamique (AutoLookup). Le Chapitre 10 vous fait découvrir une requête de ce type.
- Dans les formulaires et dans les états, créez une zone de liste modifiable ou simple (reportez-vous à une précédente section intitulée “Ajouter des zones de liste modifiable et des zones de liste simple”).
- Faites appel à la fonction RechDom pour afficher la valeur d'un champ qui ne figure pas dans l'enregistrement source de votre formulaire ou de votre état. L'entrée d'index *fonction RechDom* est plus éloquente à ce sujet ; n'hésitez

pas à la consulter. Remarquez que cette fonction est moins efficace que la technique qui consiste à créer une requête contenant les enregistrements que vous voulez utiliser et de baser ensuite sur cette requête votre formulaire ou votre état.

Créer à l'écran un formulaire préimprimé

Si les données que vous envisagez d'entrer dans vos tables proviennent d'un formulaire préimprimé, comme un talon d'abonnement à un magazine quelconque, vous pouvez vous simplifier la vie en scannant le formulaire préimprimé et en l'utilisant comme fond de votre formulaire Access afin de vous assurer que le formulaire informatique correspond bien à la version papier.

La première étape consiste donc à scanner le formulaire préimprimé afin d'en obtenir une image bitmap électronique. Ensuite, placez cette image comme image d'arrière-plan ; enfin, alignez les contrôles de la table ou de la requête sous-jacente qui doivent figurer sur le formulaire. Les sections suivantes détaillent cette procédure.

Voyez le Chapitre 8 et sa section intitulée "Techniques spéciales pour le dimensionnement des photographies" si vous souhaitez des conseils et des astuces concernant le réglage de la taille et le stockage des photos dans des champs Objet OLE.

Étape n° 1 : Scanner le formulaire préimprimé

Commencez par scanner le formulaire afin d'en obtenir une version électronique. Si vous ne disposez pas d'un scanner, contactez un service local d'impression, de publication assistée par ordinateur ou de pré-presse électronique afin qu'il scanne le document à votre place. Prêtez une attention toute particulière au format du formulaire afin qu'il soit parfaitement adapté aux dimensions de l'écran.

Sauvegardez l'image scannée dans un fichier bitmap et attribuez-lui un nom facile à retenir. (N'oubliez pas dans quel dossier vous mettez votre fichier si vous voulez le retrouver facilement.)

Étape n° 2 : Créer la table

Si la table appelée à stocker les données du formulaire n'existe pas encore, c'est le moment de la créer. Lorsque vous vous acquittez de cette tâche, pensez à inclure au moins un champ par "zone" du formulaire préimprimé. Lorsque votre table est prête, fermez-la et enregistrez-la.

Si vous envisagez d'interroger vos données depuis le formulaire ou d'utiliser ces données pour créer des lettres ou d'autres états, assurez-vous que le nom et l'adresse figurent bien dans des champs distincts (Chapitre 6).

Étape n° 3 : Créer un simple formulaire

L'étape suivante consiste à créer un formulaire instantané appelé à servir de base.

1. Dans la fenêtre Base de données, cliquez sur le nom de la table qui doit contenir les données.
2. Déroulez le menu local Nouvel objet d'une barre d'outils quelconque et sélectionnez Formulaire instantané ou choisissez Insertion/Formulaire instantané.
3. Dès qu'Access a créé ce formulaire, choisissez Fichier/Fermer/Oui et enregistrez le formulaire selon la technique traditionnelle.

Étape n° 4 : Afficher le formulaire préimprimé

Vous devez à présent introduire l'image scannée de votre formulaire préimprimé sur le formulaire instantané que vous venez de créer.

1. En mode création, ouvrez ce formulaire instantané.
2. Ouvrez sa feuille des propriétés (Affichage/Propriétés), puis activez l'onglet Format.
3. Pour sélectionner le formulaire tout entier, choisissez Édition/Sélectionner le formulaire.
4. Dans la feuille des propriétés, activez la propriété Image, puis cliquez sur Générer (...).

5. Localisez l'image scannée, puis cliquez deux fois sur son nom.
6. Dans la feuille des propriétés, réglez les propriétés Type image, Mode affichage, Alignement de l'image et Mosaïque d'images.

Les contrôles originaux sont toujours sur votre formulaire, au-dessus de l'image d'arrière-plan. Afin qu'ils soient plus visibles, choisissez Édition/Sélectionner tout pour les sélectionner tous, puis utilisez le bouton Couleur d'arrière-plan/remplissage de la barre d'outils Mise en forme (Formulaire/État) afin de rendre l'arrière-plan des contrôles blanc opaque ou de leur attribuer une autre couleur grâce à laquelle ils se dégageront du fond.

Étape n° 5 : Dimensionner et positionner les contrôles

La dernière étape consiste à faire glisser chaque contrôle vers la position souhaitée et à supprimer les intitulés.

Imprimer un état depuis un formulaire

Si vous désirez imprimer des états identiques aux formulaires dont vous vous servez pour la saisie des données, emboîtez-nous le pas :

1. Ouvrez le formulaire en mode formulaire ou en mode création de formulaire ; ou bien affichez la fenêtre Base de données, activez l'onglet Formulaires, puis cliquez sur le formulaire que vous voulez imprimer.
2. Pour visualiser l'état avant de l'imprimer, choisissez Fichier/Aperçu avant impression.
3. Lorsque vous êtes prêt à lancer l'impression, choisissez Fichier/Imprimer, validez les options souhaitées, puis cliquez sur OK. Access imprime le formulaire avec les données de la table.

Si vous imprimez sur des formulaires vierges préimprimés, il se peut que vous souhaitiez ne pas imprimer l'image d'arrière-plan et restreindre l'impression aux seules données. Pour ce faire, ouvrez la boîte de dialogue Imprimer (étape n° 3 ci-dessus), cliquez sur Configuration, activez (cochez) l'option Données seulement, puis cliquez de nouveau sur OK.

Enregistrer un formulaire en tant qu'état

Access vous offre également la possibilité d'enregistrer le formulaire en tant qu'état. Pour y parvenir, réaffichez la fenêtre Base de données, activez l'onglet Formulaires et cliquez avec le bouton droit de la souris sur le nom du formulaire concerné. Dans le menu contextuel qui se déroule alors sous le pointeur, choisissez Enregistrer comme état, entrez le nom à attribuer à cet état, puis cliquez sur OK. Vous pouvez ensuite imprimer l'état ou modifier sa structure, comme vous le feriez pour un état classique.

Une page par formulaire, s'il vous plaît

Afin de vous assurer que chaque état est imprimé sur une nouvelle page :

1. Ouvrez le formulaire ou l'état en mode création.
2. Cliquez sur le bandeau dans le haut de la section Détail.
3. Ouvrez la feuille des propriétés de cette section (Affichage/Propriétés), puis activez l'onglet Format.
4. Fixez la propriété Saut de page sur Après section.
5. Fermez et enregistrez le formulaire ou l'état (Fichier/Fermer/Oui).

Procédez ensuite à l'impression en suivant la mise en oeuvre traditionnelle.

Lettres types, étiquettes de publipostage, etc.

Même si vous utilisez un formulaire préimprimé pour stocker et gérer vos données, celles-ci sont conservées dans une bonne vieille table Access. N'hésitez donc pas à créer des états pour présenter ces données sous la forme de lettres types, d'enveloppes, d'étiquettes de publipostage, etc. De même, si vous disposez de Microsoft Word pour Windows 95 (soit en tant qu'application indépendante, soit en tant que membre de Microsoft Office), vous pouvez exporter ces données vers Word. Partez de la fenêtre Base de données, puis :

1. Mettez en surbrillance le nom de la table ou de la requête qui abrite les données à exporter.
2. Déroulez le menu local Liaisons Office de la barre d'outils Base de données et choisissez Fusionner avec MS Word (ou choisissez Outils/Liaisons Office/ Fusionner avec MS Word). L'Assistant Fusion et publipostage MS Word de Microsoft Word prend la main.
3. Lorsque cet Assistant vous demande ce que voulez qu'il fasse, choisissez Attacher vos données à un document Microsoft Word existant ou Créer un nouveau document et y attacher vos données.
4. Cliquez sur OK.

5. Si vous avez choisi d'attacher vos données à un document Word existant, sélectionnez celui-ci dans la boîte de dialogue qui s'affiche ensuite et cliquez sur Ouvrir.
6. Microsoft Word démarre automatiquement et affiche soit un document Word existant, soit un nouveau document vierge, selon le choix que vous avez fait à l'étape n° 3.
7. Agissez dans ce document Word : insérez-y des champs de fusion de la table Access (en utilisant le bouton correspondant de la barre d'outils Fusion et publipostage), éditez-le et, d'une manière générale, mettez en oeuvre toutes les fonctionnalités de Microsoft Word, si nécessaire.
8. Lorsque vous êtes prêt à réaliser la fusion avec les données de la table Access, activez le bouton Aide à la fusion de la barre d'outils Fusion et publipostage ou choisissez Outils/Fusion et publipostage et cliquez sur Fusionner. Activez les options souhaitées dans la boîte de dialogue correspondante, puis cliquez de nouveau sur Fusionner.
9. Lorsque votre travail dans Word est terminé, choisissez Fichier/Quitter. Lorsque le programme vous demande s'il doit sauvegarder vos documents, enregistrez (au moins) le document principal de fusion. Vous regagnez alors Access.

Après avoir procédé à la sauvegarde du document principal dans Word, vous pouvez retourner dans ce programme à tout moment, ouvrir ce document et réaliser de nouveau la fusion (en reprenant la procédure à l'étape n° 8 décrite ci-dessus). Toutes les modifications apportées aux données Access sont reportées dans les documents de fusion de Word.

Pour de plus amples informations quant à la fusion, cherchez *fusion et publipostage* dans l'index de l'aide de Word. Les Chapitres 4 et 7 de cet ouvrage vous fournissent aussi des renseignements sur la façon de traiter vos données Access dans les autres programmes Microsoft Office.

Créer des formulaires et des états : premiers secours

Avant de parvenir à créer un formulaire ou un état impeccable, il vous faudra sans doute tâtonner un peu. Cette section a pour ambition d'apporter une solution aux problèmes qui se poseront à vous le plus fréquemment :

Les points de la grille n'apparaissent pas. Activez le quadrillage (Affichage/Quadrillage). Si les points ne s'affichent toujours pas, sélectionnez le formulaire ou l'état (choisissez Édition/Sélectionner le formulaire ou Édition/Sélectionner le rapport ; ou encore, cliquez dans la case située à l'intersection des règles verticale et horizontale), ouvrez sa feuille des propriétés (Affichage/Propriétés), activez l'onglet Format et établissez à 24 maximum les propriétés Grille X et Grille Y.

La feuille des propriétés n'affiche subitement plus aucune information lorsque vous cliquez sur un contrôle qui est déjà sélectionné. Enfoncez la touche Entrée si vous souhaitez conserver les modifications apportées au contrôle ou enfoncez la touche Esc si vous n'y tenez pas.

Vous ne parvenez pas à redimensionner correctement le fond du formulaire ou de l'état. C'est vraisemblablement parce qu'un contrôle ou un trait se trouve dans le chemin. Désactivez le quadrillage, attribuez la couleur blanche au fond du formulaire ou de l'état et agrandissez la fenêtre au maximum afin de mieux voir vos contrôles. Déplacez ou redimensionnez les contrôles gênants (prêtez une attention toute particulière à ceux situés à proximité des limites du formulaire ou de l'état). Redimensionnez de nouveau le fond.

Les marges sont trop grandes. Choisissez Fichier/Mise en page, réduisez les valeurs des marges dans l'onglet Marges, puis cliquez sur OK.

Vous voulez placer davantage de données sur chaque page. Réduisez les marges, augmentez les dimensions du fond, diminuez la taille des contrôles et rapprochez-les les uns des autres de manière à gagner un maximum de place.

L'état imprimé comporte des pages blanches. Cette situation se produit lorsque la largeur de l'état ajoutée aux marges gauche et droite est supérieure à la largeur du papier. Essayez l'une ou l'autre des solutions suivantes : réduisez les marges dans la boîte de dialogue Mise en page (Fichier/Mise en page), diminuez la taille des contrôles et rapprochez-les les uns des autres, ou revoyez à la baisse les dimensions de l'arrière-plan.

Vous ne voulez pas d'enregistrements détaillés dans un état Regroupements/Totaux. Ouvrez la feuille des propriétés, activez l'onglet Format, cliquez dans la section Détail de l'état et fixez sa propriété Visible sur Non.

Des valeurs en double apparaissent dans l'état. Faites appel à la commande Trier et grouper ; sinon, sélectionnez le contrôle qui ne doit pas afficher de valeurs en double, ouvrez sa feuille des propriétés, activez l'onglet Format et fixez sa propriété Masquer doublons sur Oui. Voyez la section "Masquer les données en double dans un état", plus haut dans ce chapitre.

Des enregistrements en double apparaissent dans un formulaire ou dans un état. Basez le formulaire sur une requête dont la propriété Valeurs distinctes est fixée sur Oui (Chapitre 10), ou créez une requête "valeurs distinctes" depuis la propriété Source, comme décrit précédemment, dans la section "Spécifier directement la source des enregistrements".

Vos enregistrements ne sont pas triés comme vous le désiriez. Basez le formulaire ou l'état sur une table ou sur une requête qui assure le tri souhaité. Mais vous pouvez aussi créer une requête depuis la propriété Source comme décrit précédemment dans la section "Spécifier directement la source des enregistrements" ; ou encore, dans le cas d'un état, recourez à la commande Trier et grouper, commentée plus haut, dans la section "Grouper les données dans les états".

Votre formulaire ou votre état fait appel à une table ou à une requête incorrecte. Spécifiez le nom de la table ou de la requête correcte dans la case de la propriété Source du formulaire ou de l'état. Voyez aussi à ce sujet la section "Spécifier directement la source des enregistrements" présentée antérieurement.

#Nom? s'affiche dans un champ en mode formulaire, en mode aperçu ou sur la version imprimée. Vous avez sans doute modifié la propriété Source de votre formulaire ou de votre état et certains contrôles sont désormais incorrects. Vous pouvez supprimer ces contrôles ou rectifier leur propriété Source en lui affectant un nom de champ ou une expression correct. Ce message d'erreur s'affiche aussi quand la propriété Source est mal orthographiée ou quand le champ de la table ou de la requête sous-jacente n'existe plus.

#Num? s'affiche dans un champ en mode formulaire, en mode aperçu ou sur la version imprimée. Ce message d'erreur apparaît dans un contrôle qui comporte une expression calculée dont l'évaluation aboutit à une division par zéro (les ordinateurs détestent ça !). Ainsi, #Num? s'affiche si [TotalQuantité] vaut zéro dans l'expression suivante :

```
=[TotalCommande]/[TotalQuantité]
```

Pour résoudre ce problème, vous devez prévoir le cas d'une division par zéro. Ainsi, vous pourriez remplacer l'expression précédente par cette variante plus solide :

```
=VraiFaux([TotalQuantité]>0;[TotalCommande]/
[TotalQuantité];0)
```

Cette expression pourrait se traduire par : "Si le total des quantités est supérieur à zéro, calculez et affichez le résultat de la division du total de la commande par le total des quantités ; dans le cas contraire, affichez zéro".

#Erreur s'affiche dans un champ en mode formulaire, en mode aperçu ou sur la version imprimée. Vous avez sans doute entré une expression incorrecte dans un champ calculé, ou bien vous avez créé une référence circulaire dans un contrôle (par exemple, dans un contrôle baptisé MonCalcul, vous avez tapé une expression comme *=[Nombre1]*[Nombre2]+[MonCalcul]*). Passez en mode création et rectifiez votre erreur.

Vous voulez créer ou imprimer un état à partir d'un formulaire. C'est facile. Dans la fenêtre Base de données, cliquez avec le bouton droit de la souris sur le formulaire concerné et choisissez Enregistrer comme état. Tapez le nom à attribuer à cet état et cliquez sur OK. Si vous voulez simplement imprimer un formulaire comme un état, ouvrez ce formulaire en mode création ou en mode formulaire, puis choisissez Fichier/Aperçu avant impression.

Vous voulez créer un formulaire à partir d'un état. C'est compliqué. La meilleure technique consiste à créer le formulaire de toutes pièces ou à faire appel à l'Assistant Formulaire qui produit un formulaire ressemblant à l'état original. Vous pouvez aussi sélectionner les contrôles des différentes sections de l'état, les copier dans le Presse-papiers de Windows, puis les coller dans le formulaire.

Pour des conseils supplémentaires, voyez les entrées d'index *dépannage des formulaires* et *dépannage des états*.

Et maintenant, que faisons-nous ?

Dans ce chapitre, vous avez appris tout ce qu'il y a à savoir en matière de création et de personnalisation de formulaires et d'états. Si vous avez envie d'en savoir plus sur les graphiques et les tableaux croisés dynamiques, penchez-vous sur le Chapitre 14. Si ces aspects d'Access ne vous passionnent pas, passez sans plus attendre aux troisième et quatrième parties de cet ouvrage.

Quoi de neuf ?

Quelques nouveautés très intéressantes :

- Le bouton Insérer un lien hypertexte permet de créer des liens hypertextes sur les formulaires et sur les états.

- Les propriétés Adresse lien hypertexte et Sous-adresse lien hypertexte des objets étiquettes, images et boutons de commande vous permettent de faire de ces objets des liaisons hypertextes qui assurent l'accès à toutes sortes d'informations.
- Un outil baptisé Contrôle Onglet permet d'ajouter des onglets aux structures des formulaires (à la manière des onglets de la fenêtre Propriétés).
- De nouveaux contrôles ont fait leur apparition : les contrôles ActiveX. Ils aident les programmeurs à rendre les applications Access plus performantes.
- Des changements ont été apportés au mode de chargement des formulaires. Désormais, les choses se passent plus rapidement lorsque vous chargez un formulaire auquel vous n'avez pas attaché de code.

Chapitre 14

Créer des graphiques et des tableaux croisés dynamiques

Access vous propose de multiples façons de présenter graphiquement vos données : graphiques en courbes, à secteurs, à barres, etc. Les graphiques permettent d'afficher des données numériques sous une forme facile à appréhender ; ils permettent aussi de révéler des tendances et des relations qui, sans eux, pourraient passer inaperçues.

Les tableaux croisés dynamiques constituent un autre moyen de présenter les données. Au lieu de les représenter par une image (ce que font les graphes), ces tableaux les organisent dans une structure tabulaire que vous pouvez modifier (croiser) de manière dynamique.

La première partie de ce chapitre est consacrée aux graphiques, la seconde aux tableaux croisés.

Les graphes et les tableaux croisés sont largement commentés dans l'aide en ligne. Voyez les entrées d'index *graphiques* (ainsi que le menu d'aide de Microsoft Graph) et *tableaux croisés dynamiques* (dans l'index de l'aide d'Access et dans celle d'Excel).

Avant de lire ce chapitre, vous devriez savoir comment créer, enregistrer et utiliser des expressions dans des requêtes (Chapitres 9 et 10) et savoir aussi comment concevoir des formulaires et des états (Chapitres 11 à 13).

Représenter graphiquement vos données

Vous ne réaliserez pas d'emblée des graphiques impeccables. Mais vous serez d'autant plus efficace que vous connaîtrez quelques termes incontournables de la terminologie les concernant.

Les graphiques se répartissent en deux catégories principales : les graphiques 2-D (à deux dimensions) et les graphiques 3-D (à trois dimensions). La Figure 14.1 montre un histogramme 2-D classique, alors que la Figure 14.2 affiche un histogramme 3-D tracé à partir des mêmes données (nous avons simplement supprimé la légende et modifié légèrement les étiquettes). Dans les deux cas, des annotations identifient les principaux éléments du graphique. Comme vous n'allez pas tarder à l'apprendre, vous pouvez faire appel à Microsoft Graph pour personnaliser à volonté tous les éléments du graphe.

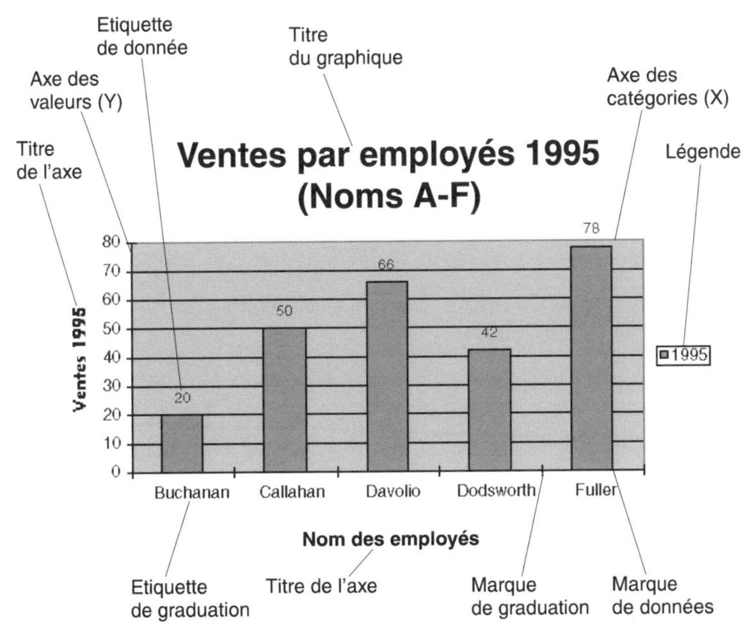

Figure 14.1 : Un graphique à colonnes (histogramme) 2-D typique, avec les noms des éléments que vous pouvez personnaliser.

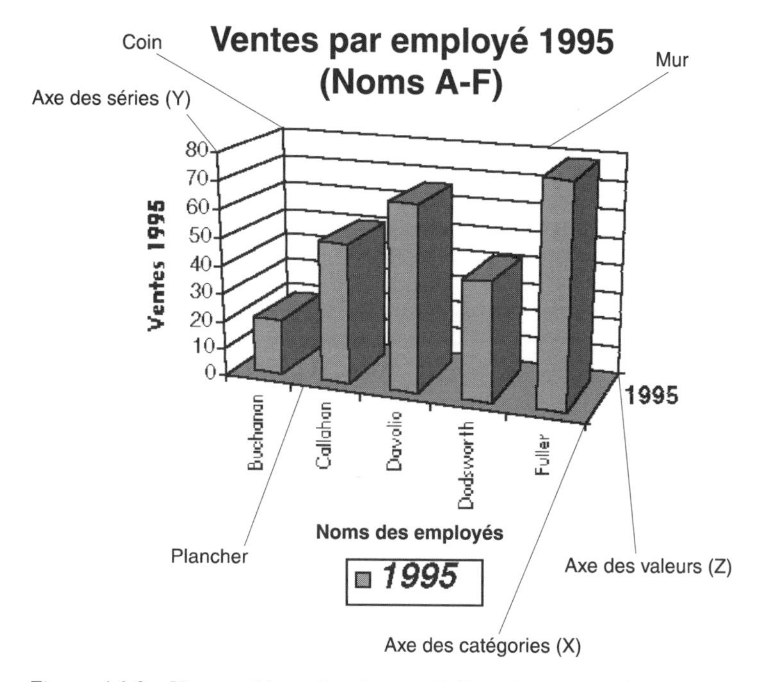

Figure 14.2 : Un graphique à colonnes 3-D typique, avec les noms des éléments supplémentaires qui n'apparaissent que dans les graphiques à trois dimensions.

Tout au long de ce chapitre, nous avons utilisé les données de la base de données Comptoir fournie avec Access. Le Chapitre 1 vous apprend à ouvrir cette base.

Les parties les plus importantes d'un graphique sont :

Axes : Traits horizontal (X) et vertical (Y) qui définissent l'étendue des valeurs représentées par le graphique. Normalement, l'axe X correspond aux catégories de données, alors que l'axe Y mesure les valeurs. Il en va ainsi dans la plupart des graphes, exception faite des graphiques à secteurs et à anneau (qui n'ont pas d'axe) et des graphiques à barres (où les axes X et Y sont inversés). Les graphiques à secteurs 3-D possèdent en outre un axe de projection imaginaire (axe Z).

Séries : Une série est un ensemble de données apparentées issues du même champ, que vous tracez généralement en parallèle avec l'axe vertical. Dans les graphiques, une série de données apparaît sous la forme d'une courbe ou d'un ensemble de barres, de colonnes ou d'autres marques (selon le type du graphique). Vous pouvez représenter plusieurs séries de données dans un même graphe.

Titres : Texte qui s'affiche dans la partie supérieure du graphique ainsi que le long de ses axes.

Quadrillage : Lignes qui partent des marques de graduation et qui balisent toute la zone de traçage du graphe.

Marques de graduation : Petits traits qui divisent les axes en segments d'égale longueur ; ils facilitent l'interprétation du graphique puisqu'ils en représentent l'échelle.

Étiquettes : Mentions apparaissant à la position des marques de graduation et qui ont pour fonction d'identifier les valeurs présentées sur les axes. Vous pouvez également attribuer une étiquette à chaque marque de donnée.

Échelle : Définit la plage des valeurs affichées sur les axes et l'espacement entre les marques de graduation.

Secteur : Dans un graphique à secteurs ou "camembert", chaque secteur représente une valeur unique (Figure 14.4).

Choisir les données à représenter

Avant de procéder au traçage du graphique, vous devez définir *quelles* sont les données que vous voulez représenter. Ensuite, l'Assistant Graphique vous prend en main.

Si tous les champs à représenter figurent dans la même table, il vous suffit de baser le graphique sur celle-ci. Toutefois, si vous désirez représenter des champs issus de deux ou plusieurs tables, ou bien des résultats de calculs réalisés sur des champs, vous devrez créer une requête qui unit ces tables ou réalise ces calculs et fonder ensuite le graphique sur cette requête.

Lorsque vous concevez votre requête, certains champs doivent être impérativement introduits dans la grille :

- **Placez au moins un champ destiné à classer les données par catégorie.** En règle générale, ces champs apparaissent sur l'axe horizontal (X) du graphique. Ainsi, si vous représentez les ventes par type de produit, vous devez inclure un champ Nom de catégorie. Si vous représentez les prestations de vos vendeurs, vous placerez, dans ce cas, le champ N° employé ou Nom. Vous pouvez inclure plus d'un champ de catégorie. Ainsi, pour représenter les ventes par type de produit *et* par mois, vous inclurez dans la grille un champ

Nom de catégorie et un champ Date/Heure (comme le champ Date commande).

- **Placez le champ ou le champ calculé sur lequel vous voulez calculer un total, une moyenne ou un décompte.** Dans la plupart des cas, ce champ apparaît sur l'axe vertical du graphique. Il doit être de type Numérique ou Monétaire (comme le prix total ou la quantité vendue) ou d'un type sur lequel Access soit capable de calculer. Vous pouvez représenter plus d'un champ de ce type.

Les graphiques peuvent être basés sur une table, sur une requête Sélection, sur une requête Analyse croisée ou sur une requête Totaux. Vous pouvez représenter jusqu'à six champs de chaque type, *à l'exception* des champs Mémo et Objet OLE (en fait, l'Assistant Graphique n'affiche même pas ces champs dans les boîtes de dialogue où vous sélectionnez les champs que vous voulez représenter).

Une fois que vous avez créé votre requête, enregistrez-la (Fichier/Enregistrer) et fermez-la éventuellement. Souvenez-vous que seule la structure est sauvegardée. Dès lors, si, par la suite, les données de la table sont modifiées, tous les graphiques que vous aurez basés sur cette requête seront automatiquement mis à jour. (Il est possible d'inhiber cette actualisation. Voyez "Geler les données dans le graphique" plus loin dans ce chapitre.)

La Figure 14.4 montre un graphique à secteurs basé sur la requête de la Figure 14.3. Chaque secteur représente le total des ventes pour une catégorie de produit.

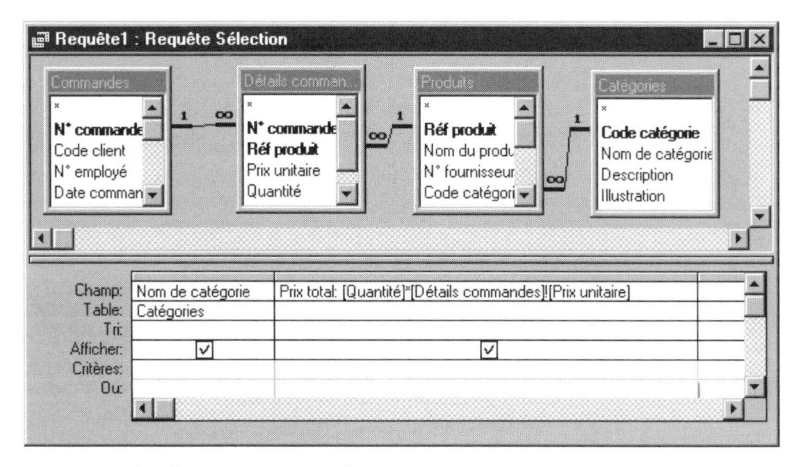

Figure 14.3 : Cette grille de création de la requête inclut deux champs, Nom de catégorie et Prix total qui est un champ calculé.

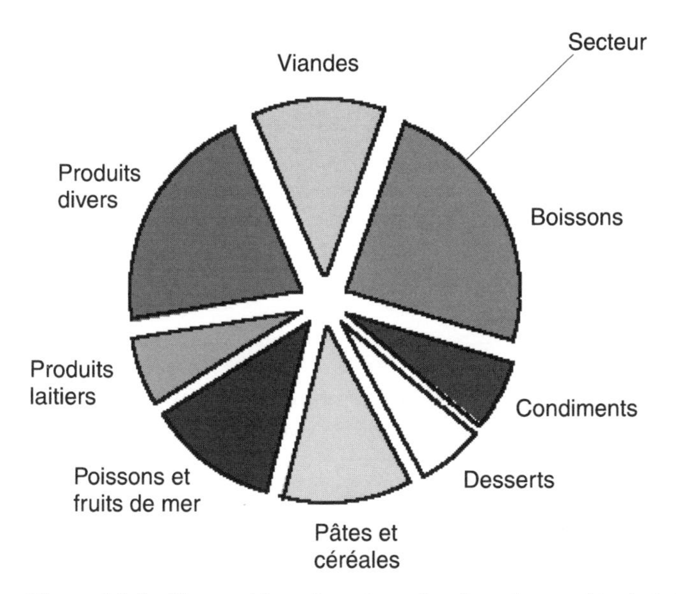

Figure 14.4 : Un graphique à secteurs basé sur la requête de la Figure 14.3. Chaque secteur du camembert représente les ventes totales pour une catégorie de produit. Nous avons fait appel à Microsoft Graph 5.0, décrit dans la suite de ce chapitre, pour personnaliser ce graphe.

Supposons à présent que vous souhaitiez représenter graphiquement le total des ventes par employé et, en outre, fractionner les ventes en fonction de la date de commande. Vous devez avant tout créer une requête semblable à celle affichée à la Figure 14.5.

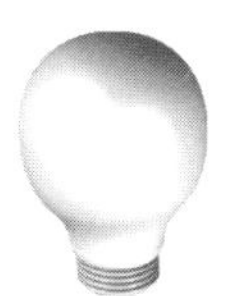

Lorsque la requête ou la table dont les données sont représentées graphiquement comporte un champ Date/Heure comme le champ Date commande, l'Assistant Graphique vous permet de regrouper vos données. C'est pourquoi il n'est généralement pas utile d'opérer un regroupement dans la requête. Cependant, si votre graphique comporte trop de données le long de l'axe X ou trop de secteurs dans un graphique à secteurs et que l'Assistant Graphique ne vous donne pas l'opportunité de regrouper ces données, il est préférable de spécifier un critère dans la requête. Dans la Figure 14.5, par exemple, nous avons spécifié un critère qui limite les employés à ceux dont le patronyme commence par une lettre comprise entre A et F.

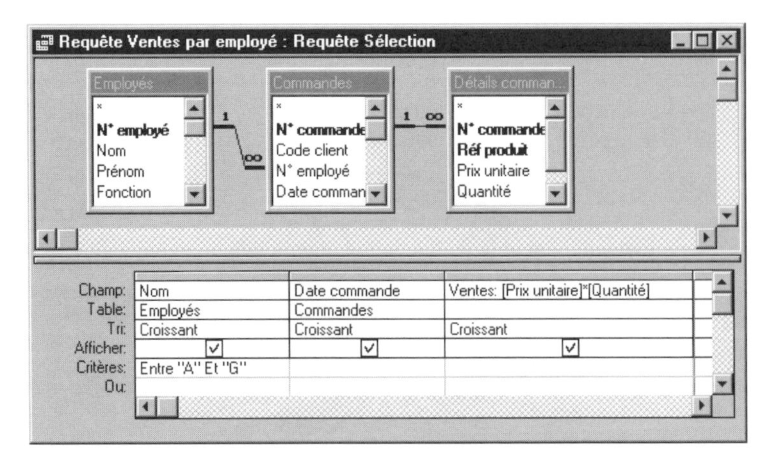

Figure 14.5 : La grille de création comporte les colonnes Nom, Date commande et Ventes (prix total). Elle restreint en outre la sélection aux employés dont le nom commence par une lettre comprise entre A et F.

Le graphique représenté à la Figure 14.1 illustre un type et une mise en forme possibles. Dans cet exemple, l'axe Y affiche les montants des ventes (cet axe étant intitulé Ventes 1995) et l'axe X affiche les noms des employés (cet axe étant par conséquent intitulé Nom des employés). Chaque colonne représente le total des ventes réalisées par un employé donné au cours de l'année 1995. La légende explique quelle est l'année représentée (1995 dans ce cas).

Pour créer l'exemple de la Figure 14.2, nous avons fait appel à la même requête que pour la Figure 14.1, mais nous avons opté pour un graphique en trois dimensions. Remarquez que ce graphe montre les noms des employés sur l'axe Y et l'année (provenant du champ Date commande) sur l'axe Y ; l'axe Z, pour sa part, sert à présenter les valeurs.

Dans les deux cas, nous avons fourni les mêmes réponses aux questions que nous posait l'Assistant Graphique. Ainsi, nous avons représenté les champs Date commande, Nom et Ventes ; nous avons regroupé les valeurs du champ Date commande par année et limité les valeurs aux dates de l'année 1995 ; enfin, nous avons totalisé le champ Ventes. Lorsque l'Assistant nous a demandé quel type de graphique nous voulions, nous avons choisi un graphique 2-D pour la Figure 14.1, et un graphique 3-D pour la Figure 14.2. C'est cet Assistant qui a pris en charge l'organisation des données sur le graphe. Nous avons ensuite fait appel à Microsoft Graph pour en personnaliser la présentation.

Remarquez que, dans les Figures 14.1 et 14.2, nous avons tracé uniquement le prix total ([Quantité]*[Prix unitaire]). Pour tenir compte des remises, des frais de port et/ou des taxes, nous aurions dû créer les expressions appropriées (Chapitre 10).

Graphiques indépendants et graphiques incorporés

Une fois que vous avez déterminé les champs que vous voulez inclure dans votre graphique et que vous avez créé et sauvegardé la requête adéquate, vous devez décider *comment* vous souhaitez afficher votre graphe. Vous avez le choix entre deux possibilités : un graphique *indépendant* ou un graphique *incorporé*.

Les graphiques indépendants

Les graphiques indépendants (Figures 14.1, 14.2 et 14.4) sont des formulaires ou des états qui n'affichent qu'un graphique.

Ainsi, vous pouvez utiliser un graphique indépendant pour totaliser les ventes par catégorie, pour compter les clients que vous avez dans chaque province, pour montrer les ventes moyennes par employé et par mois ou par année. Bien qu'il s'agisse, malgré tout, d'un objet "incorporé", un graphique indépendant ne fait pas partie d'un formulaire ni d'un état.

Pour créer un graphique de ce type, vous devez partir de la fenêtre Base de données plutôt que du mode création du formulaire ou de l'état. Voyez la section "Créer un graphique indépendant" pour plus d'informations.

Les graphiques incorporés

Les graphiques incorporés font partie d'un formulaire ou d'un état. Ils sont liés à la table ou à la requête sous-jacente et sont, à ce titre, mis automatiquement à jour selon le contenu de l'enregistrement courant (Figures 14.7 et 14.8). Ce lien peut toutefois être rompu ; dans ce cas, ces graphiques ne sont plus modifiés lorsque vous passez d'un enregistrement à l'autre (Figure 14.6).

Pour incorporer un graphique dans un formulaire ou dans un état, vous devez partir de la fenêtre de création du formulaire ou de l'état et solliciter le bouton Graphique de la boîte à outils ou la commande Graphique du menu Insertion. Deux techniques d'incorporation vous sont proposées :

- En tant que graphique *non lié*, qui ne change pas d'enregistrement en enregistrement.
- En tant que graphique *lié*, qui change d'enregistrement en enregistrement.

Utilisez un graphique *non lié* lorsque vous voulez afficher plusieurs exemplaires du même graphe. La Figure 14.6 affiche deux formulaires, chacun concernant une catégorie de produit différente et montrant un exemplaire du même graphique qui représente les ventes réalisées en 1995, toutes catégories confondues.

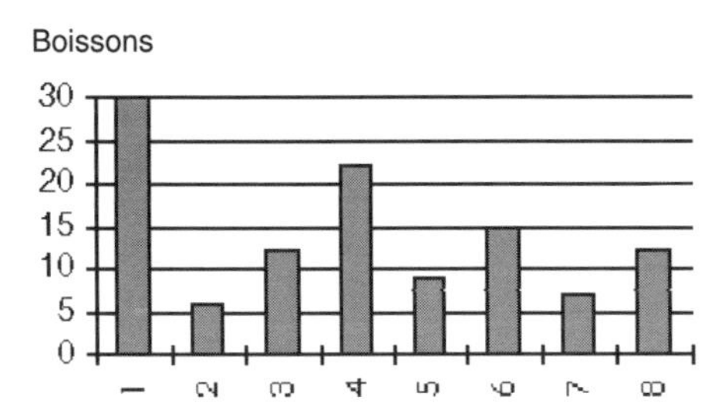

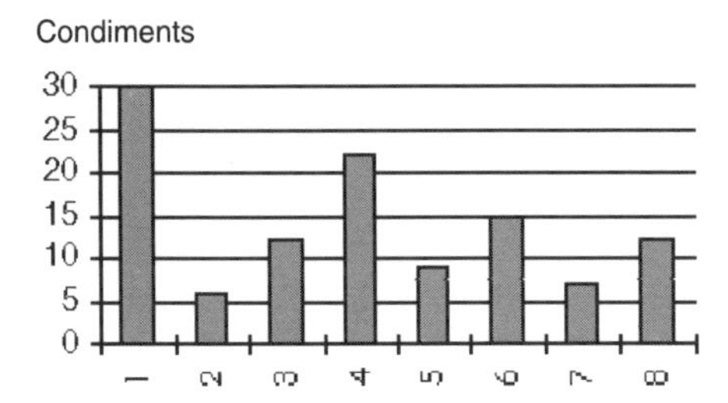

Figure 14.6 : Un graphique incorporé non lié est identique pour chaque enregistrement et pour chaque état imprimé. Ce graphique affiche les ventes de 1995 pour chaque catégorie de produits. Comme d'habitude, nous avons retravaillé l'aspect du graphe afin qu'il soit plus percutant.

Utilisez un graphique *lié* lorsque vous voulez que le graphique change d'enregistrement en enregistrement. Ainsi, en liant un graphique représentant les chiffres de ventes de l'année 1995 à un formulaire qui affiche les données d'une table Catégories, vous pouvez afficher uniquement les résultats des ventes des données que vous avez sous les yeux, comme le montre la Figure 14.7.

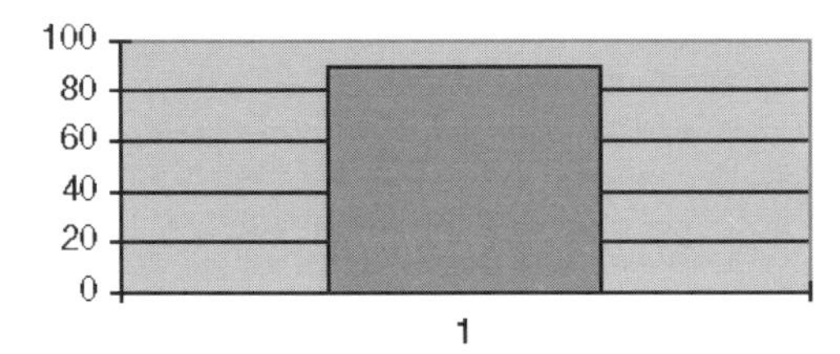

Figure 14.7 : Ce graphique qui est lié au champ Code catégorie de la table Catégories montre les ventes réalisées en 1995 pour une catégorie à la fois (Boissons, dans cet exemple).

Lorsque vous affichez un autre enregistrement, le même graphique montre les ventes pour la nouvelle catégorie exclusivement, comme le montre la Figure 14.8.

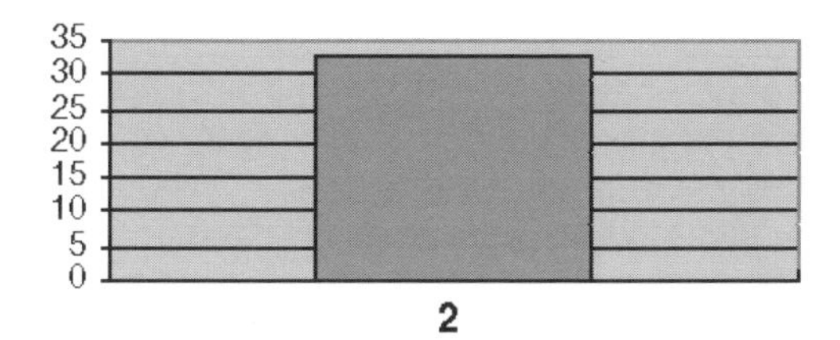

Figure 14.8 : Le fait de faire défiler jusqu'à un autre enregistrement modifie le graphique, qui représente désormais les ventes de Condiments.

Pour tracer les graphiques des Figures 14.6-14.8, nous avons utilisé cette requête :

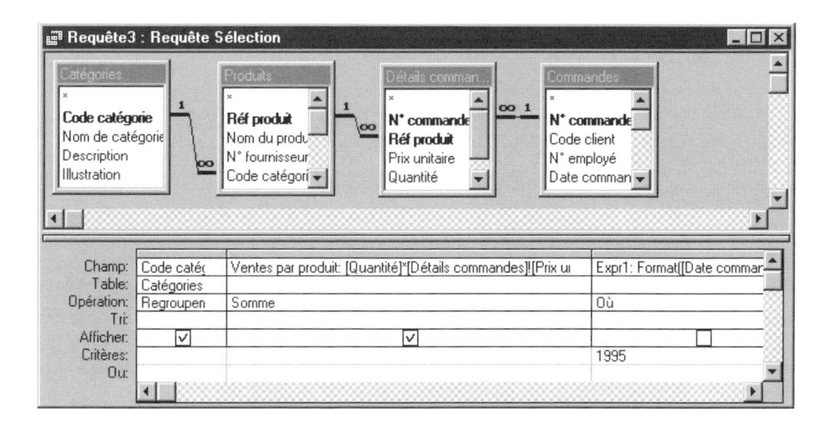

Créer un graphique indépendant

En supposant que vous ayez créé et sauvegardé la requête (ou la table) sur laquelle vous voulez baser votre graphique, suivez cette procédure pour créer un graphe indépendant :

1. Affichez la fenêtre Base de données, déroulez le menu local Nouvel objet de la barre d'outils Base de données, puis choisissez Formulaire ou État ; ou choisissez Insertion/Formulaire ou Insertion/État. Vous pouvez aussi, dans la fenêtre Base de données, activer l'onglet Formulaires ou États et cliquer sur Nouveau.
2. Dans la boîte de dialogue Nouveau formulaire ou Nouvel état, sélectionnez, dans la liste déroulante, la table ou la requête sur laquelle vous voulez baser le graphique.

Vous pouvez aller encore plus vite en partant de la fenêtre Base de données, en activant l'onglet Tables ou Requêtes et en y sélectionnant la table ou la requête concernée. Vous pouvez également partir d'une table ou d'une requête ouverte. Utilisez alors le bouton Nouvel objet ou la commande correspondante du menu Insertion, comme décrit à l'étape n° 1.

3. Dans la liste, sélectionnez Assistant Graphique, puis cliquez sur OK ; ou cliquez deux fois sur Assistant Graphique.
4. Lorsque l'Assistant vous demande de spécifier les champs qui contiennent les données que vous voulez tracer, choisissez six champs maximum et cliquez sur Suivant.
5. Lorsqu'il vous demande de préciser le type de graphe que vous voulez créer, cliquez sur le type souhaité. L'Assistant vous renseigne sur le type sélectionné (Figure 14.9). Cliquez alors sur Suivant.

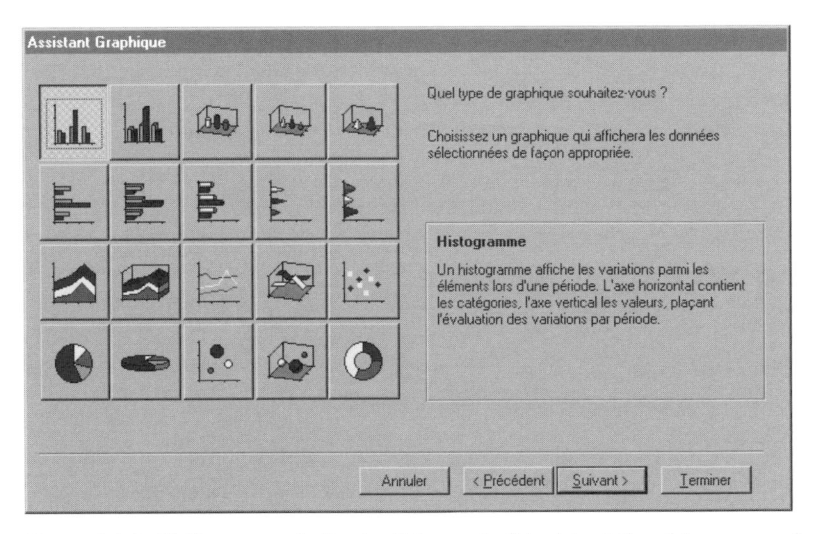

Figure 14.9 : Utilisez cette boîte de dialogue de l'Assistant Graphique pour choisir un type de graphe.

6. Lorsqu'il vous demande de lui indiquer comment vous voulez présenter les données de votre graphique, suivez les étapes décrites ci-dessous pour placer les champs ainsi que pour synthétiser et grouper les champs Numérique et les champs Date/Heure requis. Pendant l'opération, l'aperçu du graphique reflète vos actions (Figure 14.10). Cliquez sur Suivant lorsque vous êtes prêt à continuer la procédure.

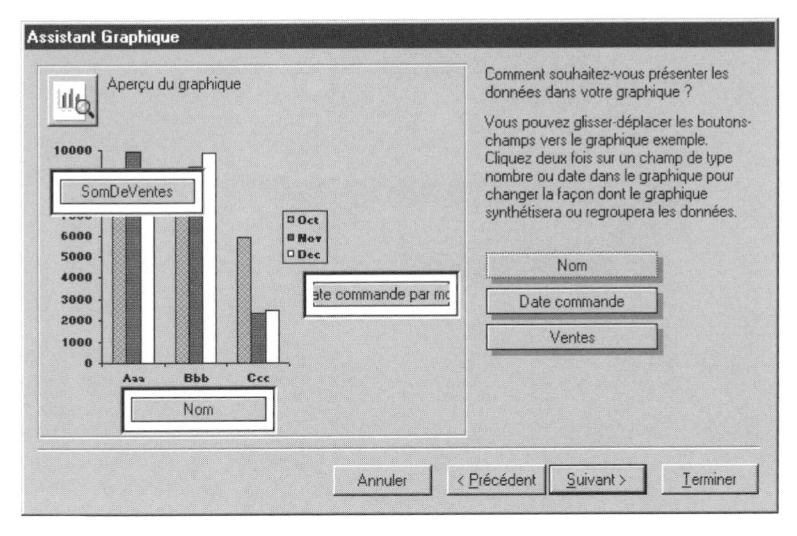

Figure 14.10 : Utilisez cette boîte de dialogue de l'Assistant Graphique pour placer les champs sur les axes du graphique et pour synthétiser ou grouper les champs Numérique et Date/heure.

- **Pour introduire des données dans le graphique**, faites glisser les boutons de champ à l'emplacement souhaité.
- **Pour synthétiser les données numériques du graphique**, cliquez deux fois sur ce champ. Une boîte de dialogue Synthétiser s'affiche (Figure 14.11). Sélectionnez l'option souhaitée, puis cliquez sur OK.

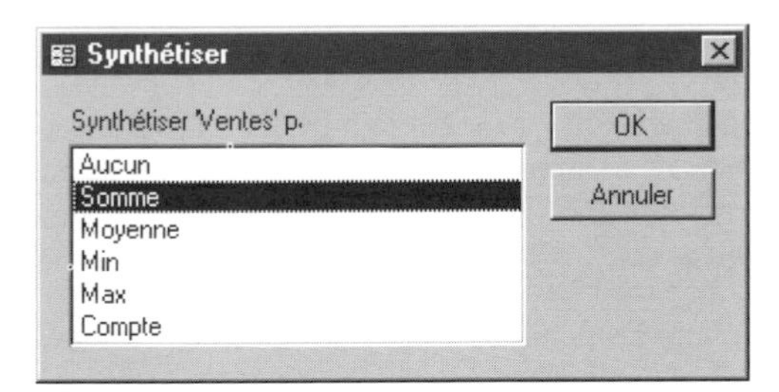

Figure 14.11 : Utilisez la boîte de dialogue Synthétiser pour choisir la manière dont vous voulez totaliser vos données numériques.

- **Pour regrouper les données Date/Heure et les limiter à une fourchette donnée**, cliquez deux fois sur le champ Date/Heure dans la zone du graphique. Une boîte de dialogue s'ouvre (Figure 14.12). Choisissez la manière dont vous voulez opérer le regroupement (par année, par trimestre, par mois, par semaine, par jour, par heure ou par minute). Pour définir une fourchette de valeurs Date/Heure, c'est-à-dire pour limiter la représentation aux enregistrements correspondant à une période donnée, activez (cochez) l'option Utiliser les données entre et spécifiez la valeur de début et la valeur de fin. Cliquez sur OK.

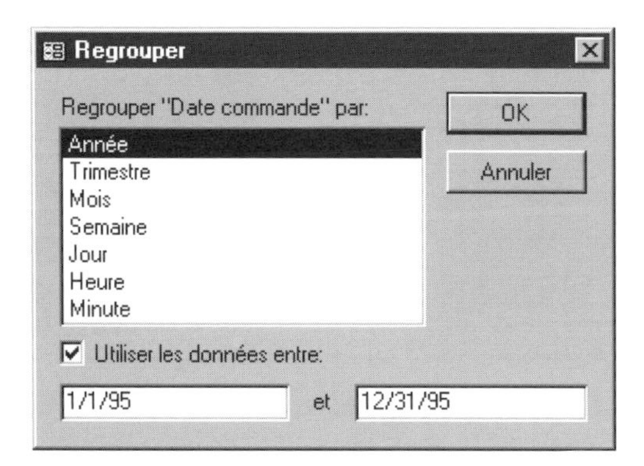

Figure 14.12 : Utilisez la boîte de dialogue Regrouper pour choisir la manière dont vous voulez grouper le champ Date/Heure et spécifier la fourchette de dates à inclure dans le graphe.

- **Pour supprimer un champ du graphique**, faites glisser son bouton hors de la zone d'aperçu. Le mot *Séries, Données* ou *Axes* apparaît en lieu et place du champ.
- **Pour prévisualiser le graphique dans Microsoft Graph**, cliquez sur le bouton Aperçu du graphique dans l'angle supérieur gauche de la fenêtre. Lorsque c'est chose faite, cliquez dans la case de fermeture de la boîte de dialogue Aperçu de l'exemple pour revenir à l'Assistant.

7. Lorsque celui-ci vous propose sa dernière boîte de dialogue, spécifiez le titre qu'il doit attribuer au graphe et indiquez-lui s'il doit ou non prévoir une légende. Sélectionnez si nécessaire l'une ou l'autre option annexe. Cliquez sur Terminer et patientez jusqu'à ce que l'Assistant se soit acquitté de sa mission.

Le graphique constitué s'affiche en mode formulaire, aperçu avant impression ou création, selon le choix établi à l'étape n° 7.

Utiliser un graphique indépendant

Les graphiques indépendants que vous créez sont, rappelez-vous, stockés dans un formulaire ou dans un état. Dès lors, lorsque le graphique est affiché en mode formulaire ou aperçu avant impression, vous pouvez activer le mode création, comme vous le feriez pour un formulaire ou pour un état classique. Quand ce mode est actif, vous pouvez imprimer le graphique grâce à la commande Fichier/Imprimer (ou Ctrl + P). Nous vous apprendrons bientôt à personnaliser un graphique en mode création.

Vous pouvez fermer le graphique et le sauvegarder selon les procédures classiques (Fichier/Fermer/Oui). Pour l'ouvrir de nouveau, activez l'onglet Formulaires ou États de la fenêtre Base de données et cliquez deux fois sur le nom du formulaire ou de l'état concerné. Le graphique affiche les données courantes (sauf si vous l'avez basé sur une table "gelée" ou si vous l'avez converti en image, comme vous l'explique la suite de ce chapitre).

Créer un graphique incorporé

Pour créer un graphique incorporé lié ou non lié :

1. (Facultatif) Ajoutez le bouton Graphique à la boîte à outils du mode création de formulaire ou d'état (voyez ci-dessous). Vous ne devrez réaliser cette opération qu'une seule fois.
2. Créez et enregistrez le formulaire ou l'état dans lequel vous voulez placer le graphique. Arrangez-vous pour qu'il y ait suffisamment de place libre pour que le formulaire ou l'état puisse accueillir le graphe.
3. Si vous souhaitez baser votre graphique sur une requête, créez cette requête.
4. Ouvrez en mode création le formulaire ou l'état que vous avez créé à l'étape n° 2, puis activez le bouton Graphique de la boîte à outils ou choisissez Insertion/Graphique pour créer et incorporer le graphe.

Examinons à présent chacune de ces opérations.

Ajouter l'outil Graphique à la boîte à outils

Il existe deux méthodes pour créer un graphique incorporé :

- En utilisant la commande Insertion/Graphique depuis le mode création de formulaire ou d'état.
- En utilisant le bouton Graphique de la boîte à outils.

Alors que la commande Insertion/Graphique est d'emblée à votre disposition en mode création, il n'en va pas de même de l'outil Graphique qui n'apparaît pas *a priori*. Il est cependant facile de l'ajouter :

1. Ouvrez n'importe quel formulaire ou état en mode création. Activez l'onglet Formulaires de la fenêtre Base de données, cliquez sur le nom d'un formulaire de la liste, puis cliquez sur Modifier.

2. Assurez-vous que la boîte à outils est affichée (Affichage/Boîte à outils).
3. Pour travailler dans le confort, affichez cette boîte comme palette flottante (Figure 14.13). Si elle est ancrée le long d'un des bords de la fenêtre de création, vous pouvez l'en détacher en cliquant deux fois dessus (dans une zone vide).
4. Ensuite, cliquez dans cette boîte avec le bouton droit de la souris et choisissez Personnaliser.
5. Dans la boîte de dialogue Personnaliser qui s'affiche, activez l'onglet Commandes.
6. Dans la liste Catégories, sélectionnez Boîte à outils. Faites ensuite défiler la liste Commandes jusqu'à voir apparaître l'option Graphique. Placez votre pointeur sur cette option (Figure 14.13) et faites glisser sur un bouton quelconque de la boîte à outils ou dans une zone vide de cette boîte.

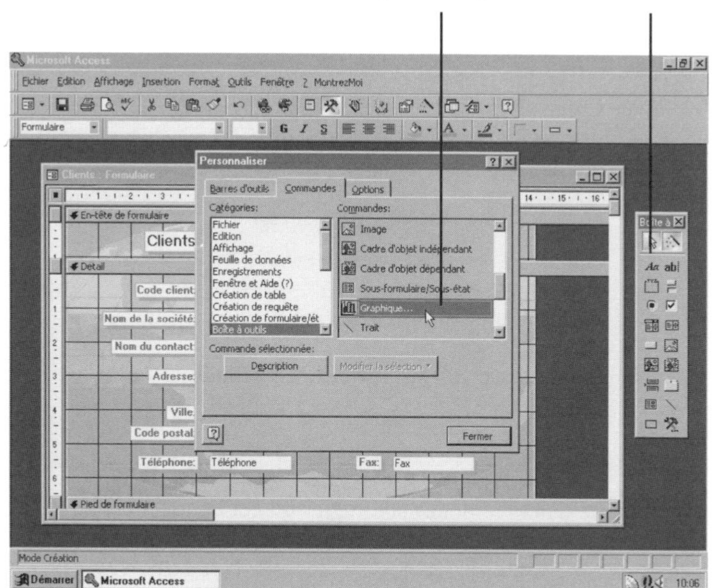

Figure 14.13 : La fenêtre de création de formulaire avec la boîte à outils présentée en palette flottante. Un clic avec le bouton droit de la souris sur cette palette a fait apparaître un menu contextuel dans lequel nous avons sélectionné la commande Personnaliser. La boîte de dialogue présentée au centre de l'écran a alors fait son apparition. Nous y avons sélectionné Boîte à outils dans la liste Catégories.

7. Si le bouton n'apparaît pas au bon endroit, repositionnez-le en le faisant glisser vers l'emplacement souhaité. (Pour le supprimer, faites-le tout simplement glisser hors de la boîte.)

8. Cliquez sur Fermer.

Le bouton Graphique est désormais disponible dans la boîte à outils.

Pour en savoir plus sur la manière de personnaliser les barres d'outils (et la boîte à outils), voyez le Chapitre 23. Voyez aussi l'entrée d'index *boutons de barre d'outils, ajout*.

Créer le formulaire ou l'état

Vous pouvez mettre en oeuvre les techniques standard pour créer le formulaire ou l'état qui contiendra le graphique, basé sur la table (ou sur la requête) de votre choix. Assurez-vous seulement que la place disponible est suffisante.

La Figure 14.14 montre un formulaire affiché en mode formulaire, basé sur la table Employés de la base de données exemple Comptoir. Ce formulaire inclut différents champs de la table sous-jacente (comme N° employé, Prénom, Nom, Photo et Date d'embauche). Nous avons laissé suffisamment de place pour caser le graphique.

Le champ N° employé identifie chaque employé de manière unique.

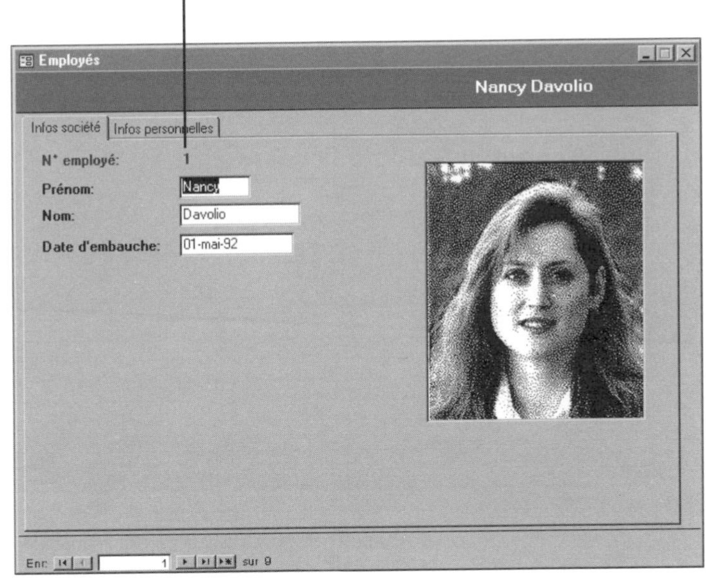

Figure 14.14 : Un formulaire exemple en mode formulaire, basé sur la table Employés de la base de données Comptoir fournie avec Access. Nous envisageons de placer un graphique sur ce formulaire.

Lorsque votre formulaire ou votre état initial est prêt, procédez à sa sauvegarde. Ensuite, fermez-le ou réduisez-le en icône afin qu'il n'encombre pas inutilement l'espace de travail.

Créer la requête pour le graphique incorporé

Lorsque vous créez une requête pour un graphique incorporé, vous pouvez suivre la procédure que nous vous avons enseignée dans la section "Choisir les données à représenter", plus haut dans ce chapitre. Toutefois, si vous souhaitez que le graphique change lorsque vous passez d'un enregistrement à un autre, vous devez y inclure un champ qui assurera la liaison entre le graphe d'une part, et le formulaire ou l'état d'autre part. C'est ce champ, en effet, qui indique au graphique *quelles* données il doit afficher.

Ainsi, lorsque vous créez un graphique représentant les ventes totales et que ce graphique est appelé à être incorporé dans le formulaire représenté à la Figure 14.14, vous devez inclure le champ qui lie les données de la requête à la table Employés. Dans cet exemple, le champ N° employé de la table Commandes permet de savoir quel employé a traité chaque commande. Pour qu'il en soit ainsi, la requête sous-jacente doit inclure le champ N° employé, comme le montre la Figure 14.15.

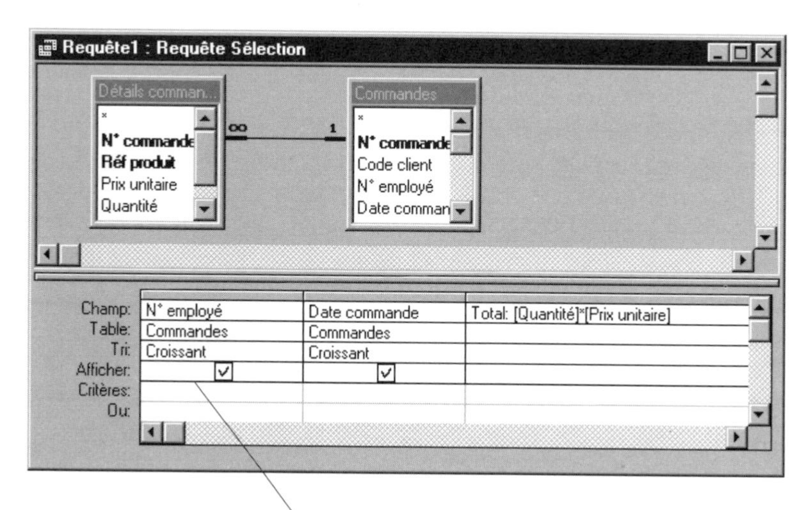

Figure 14.15 : Quand vous créez un graphique lié qui change d'enregistrement en enregistrement, vous devez inclure le champ qui assure la liaison entre le graphique d'un côté, et le formulaire ou l'état de l'autre.

Si vous ne souhaitez pas que le graphique soit mis à jour pour chaque enregistrement, vous n'avez pas besoin de spécifier un champ de liaison. Vous devrez néanmoins définir une requête si le graphique doit représenter les résultats de calculs impliquant des champs de table ou s'il est basé sur des champs issus de deux ou de plusieurs tables.

Lorsque vous avez créé la requête, fermez-la et enregistrez-la (Fichier/Fermer/Oui).

Incorporer le graphique

Maintenant que vous disposez de l'état ou du formulaire qui accueillera le graphique ainsi que de la requête sur laquelle il se fondera, vous pouvez incorporer le graphique dans ce formulaire ou dans cet état. La mise en oeuvre ressemble fort à celle qui vous permet de créer un graphique indépendant. La différence essentielle est que vous amorcez ici la procédure avec le bouton Graphique de la boîte à outils ou avec la commande Insertion/Graphique et que vous pouvez décider de lier ou, au contraire, de ne pas lier le graphe au formulaire ou à l'état. Allons-y :

1. Ouvrez le formulaire ou l'état dans lequel vous voulez incorporer le graphique, en mode création. Si vous envisagez de recourir à l'outil Graphique de la boîte à outils et que celle-ci n'est pas affichée, choisissez Affichage/Boîte à outils.

2. Activez le bouton Graphique de la boîte à outils (représenté à gauche) ; ou choisissez Insertion/Graphique.
3. Dans la structure du formulaire ou de l'état, cliquez à l'endroit où vous voulez placer l'angle supérieur gauche du graphique ou tracez un rectangle dans lequel il s'inscrira. L'Assistant Graphique prend la main.
4. Lorsque cet Assistant vous demande de lui signaler à partir de quelle table ou requête vous désirez créer votre graphique, activez Tables, Requêtes ou Les deux dans la rubrique Afficher de la boîte de dialogue. Mettez ensuite en surbrillance la table ou la requête qui contient les données et cliquez sur Suivant ; ou cliquez tout bonnement deux fois sur la table ou la requête à utiliser.
5. Lorsqu'il vous demande de spécifier les champs qui contiennent les données que vous voulez tracer, cliquez deux fois sur les noms des champs concernés (ou cliquez sur >> pour copier tous les champs disponibles). Vous pouvez choisir un maximum de six champs. Cliquez sur Suivant.
6. Lorsqu'il vous demande de préciser le type de graphe que vous voulez créer, cliquez sur le type souhaité, puis cliquez sur Suivant.

7. Lorsqu'il vous demande de lui indiquer comment vous voulez présenter les données de votre graphique, reportez-vous à l'étape n° 6 de la section "Créer un graphique indépendant" pour apprendre à placer les champs ainsi qu'à synthétiser et regrouper les champs Numérique et les champs Date/Heure requis. Pendant l'opération, l'aperçu du graphique reflète vos actions. Pour produire l'exemple représenté à la Figure 14.10, nous avons choisi de ne pas afficher le champ N° employé, de présenter les dates des commandes en abscisse, de regrouper les commandes par mois et de limiter le graphique aux commandes passées pendant l'année 1995. Cliquez sur Suivant. Dans la boîte de dialogue qui s'affiche alors, l'Assistant vous permet d'opter pour un graphique qui change d'enregistrement en enregistrement ou, au contraire, pour un graphique statique.

8. Exécutez l'une des actions suivantes, puis cliquez sur Suivant.

- **Pour lier le graphique et le formulaire** de sorte que le graphique change d'enregistrement en enregistrement, sélectionnez les champs de liaison requis dans les listes déroulantes Formulaire Champs et Champs du graphique ou acceptez les noms de champs proposés par défaut s'ils vous conviennent. Vous pouvez lier un maximum de trois champs.

- **Pour que le graphique n'évolue pas d'enregistrement en enregistrement**, supprimez les noms de champs ou choisissez l'option <Aucun champ> qui figure en tête des listes déroulantes.

9. Lorsque l'Assistant vous propose sa dernière boîte de dialogue, spécifiez le titre qu'il doit attribuer au graphe et indiquez-lui s'il doit ou non prévoir une légende. Sélectionnez si nécessaire l'une ou l'autre option annexe. Cliquez sur Terminer et patientez jusqu'à ce que l'Assistant se soit acquitté de sa mission.

Un cadre d'objet incorporé comportant un graphique simple apparaît sur le formulaire ou sur l'état. Vous pouvez en modifier la taille et la position, ainsi que les propriétés, en faisant appel aux techniques standard.

Vous pouvez aussi personnaliser le graphique ; nous allons, sous peu, vous apprendre comment.

Pour visualiser le graphique terminé, passez en mode formulaire si vous travaillez sur un formulaire, ou passez en mode aperçu si vous travaillez sur un état.

La Figure 14.17 montre (en mode formulaire) le formulaire Employés après que nous avons placé un graphique lié au champ N° employé.

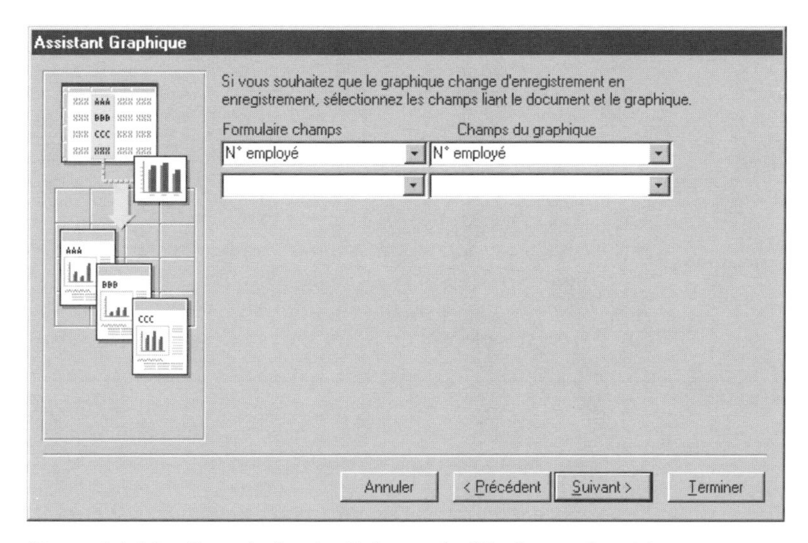

Figure 14.16 : Cette boîte de dialogue de l'Assistant Graphique vous permet de décider si le graphique doit ou ne doit pas changer d'un enregistrement à l'autre. Pour produire l'exemple représenté à la Figure 14.17, nous avons choisi le champ N° employé comme champ de liaison, suivant en cela la suggestion de l'Assistant.

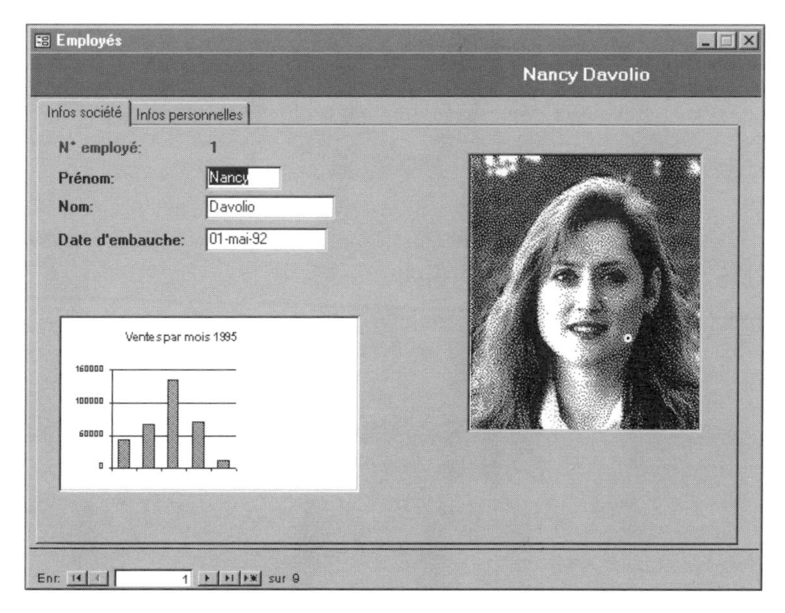

Figure 14.17 : Voici la version finale du formulaire Employés (en mode formulaire) qui affiche désormais un graphique incorporé lié au champ N° employé. Ce graphique est basé sur la requête représentée à la Figure 14.15.

Si vous avez créé un graphique indépendant et décidez, par la suite, de le convertir en un graphique incorporé à un formulaire ou à un état, vous ne devez pas reprendre tout depuis le début. Sélectionnez le formulaire ou l'état tout entier (Édition/Sélectionner le formulaire ou Édition/Sélectionner le rapport), puis, dans la case Source de l'onglet Données de ses propriétés, spécifiez le nom de la table ou de la requête sous-jacente. Utilisez ensuite la liste des champs pour ajouter les contrôles souhaités au formulaire ou à l'état. Si nécessaire, changez les propriétés Champs fils et Champs pères du graphe afin qu'il se modifie lorsque vous passez d'un enregistrement à un autre (voyez la section suivante).

Changer les champs de liaison

Après avoir créé un graphique incorporé, il pourrait s'avérer nécessaire de modifier les champs de liaison, notamment si vous n'avez pas établi la liaison correctement pendant la création du graphe, ou si vous avez converti un graphique non lié en graphique lié. Pour modifier ces champs :

1. Activez le mode création et sélectionnez le contrôle qui affiche le graphique (cliquez dessus une fois afin de faire apparaître ses poignées de dimensionnement).
2. Ouvrez sa feuille des propriétés (choisissez Affichage/Propriétés ou activez le bouton Propriétés d'une barre d'outils quelconque).
3. Activez l'onglet Données.
4. Supprimez le contenu de la propriété Champs fils et entrez-y le nom du ou des nouveaux champs de liaison de la table ou de la requête sous-jacente (par exemple, N° employé).
5. Supprimez le contenu de la propriété Champs pères et entrez-y le nom du ou des nouveaux champs de liaison du formulaire ou de l'état principal (par exemple, N° employé).

Dans l'exemple ci-dessous, les propriétés Champs fils et Champs pères présentent toutes deux le champ N° employé.

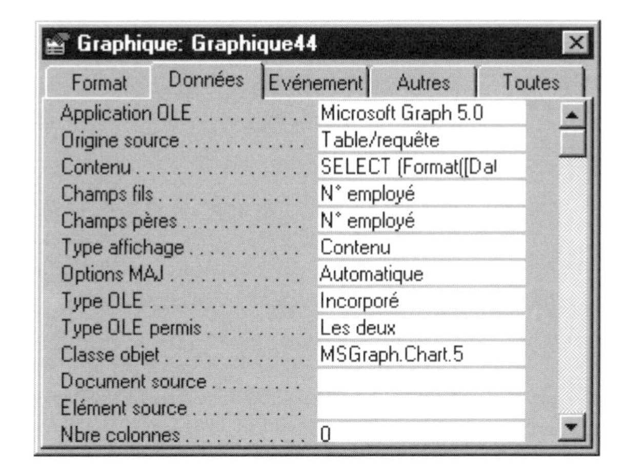

Le contenu des cases Champs fils et Champs pères ne doit pas forcément être identique. Ainsi, le champ qui identifie l'employé peut parfaitement s'appeler N° employé dans une table et Vendeur dans l'autre. Toutefois, les deux champs doivent comporter le même genre de données et présenter un type et une taille identique, ou à tout le moins compatible.

Modifier directement la requête sous-jacente

Supposons qu'après avoir créé un graphique indépendant ou incorporé, vous vous aperceviez qu'il ne représente pas exactement les données souhaitées. Peut-être désirez-vous limiter les données à un autre intervalle de temps, ou préférez-vous calculer des moyennes et représenter le nombre d'enregistrements plutôt que de totaliser les données. Voici comment vous y prendre :

- Depuis la fenêtre Base de données, supprimez le formulaire comportant le graphique indépendant ; ou bien, en mode création de formulaire ou d'état, supprimez le graphique incorporé. Ensuite, modifiez et enregistrez si nécessaire la requête utilisée pour isoler les données. Enfin, recréez le graphique depuis le début. Apparemment radicale, cette approche est rapide si vous n'avez pas encore personnalisé le graphe (comme vous apprendrez bientôt à le faire).
- Basculez en mode création de formulaire ou d'état et personnalisez la source des données du graphique en utilisant les techniques décrites ci-dessous. Grâce à elles, vous avez la possibilité de modifier la requête sous-jacente qui isole

les données, plutôt que de supprimer purement et simplement le graphe. Cette technique est conseillée lorsque vous avez déjà personnalisé votre graphe ou lorsque vous souhaitez apporter quelques aménagements mineurs sans devoir, pour autant, quitter le mode création.

Il est facile de créer un autre formulaire ou un autre état qui présente un graphique identique à un graphique déjà créé. Faites appel à la bonne vieille technique du copier-coller en agissant depuis la fenêtre Base de données pour copier le formulaire ou l'état original (Chapitre 1). Autre solution : ouvrez le formulaire ou l'état en mode création, formulaire ou aperçu ; choisissez ensuite Fichier/Enregistrer sous, tapez le nouveau nom du formulaire ou de l'état, puis cliquez sur OK. Enfin, ouvrez le formulaire ou l'état ainsi copié en mode création et recourez aux techniques décrites dans la suite de ce chapitre pour personnaliser le graphe.

Si vous optez pour cette deuxième solution, voici les étapes à franchir :

1. Passez en mode création de formulaire ou d'état et cliquez sur le contrôle souhaité afin de le sélectionner.
2. Ouvrez sa feuille des propriétés si elle ne l'est pas déjà (Affichage/Propriétés) et activez l'onglet Données.
3. Cliquez dans la case de la propriété Contenu, puis sur le bouton Générer (...). Une fenêtre Instruction SQL : Générateur de requête s'affiche (Figure 14.18).

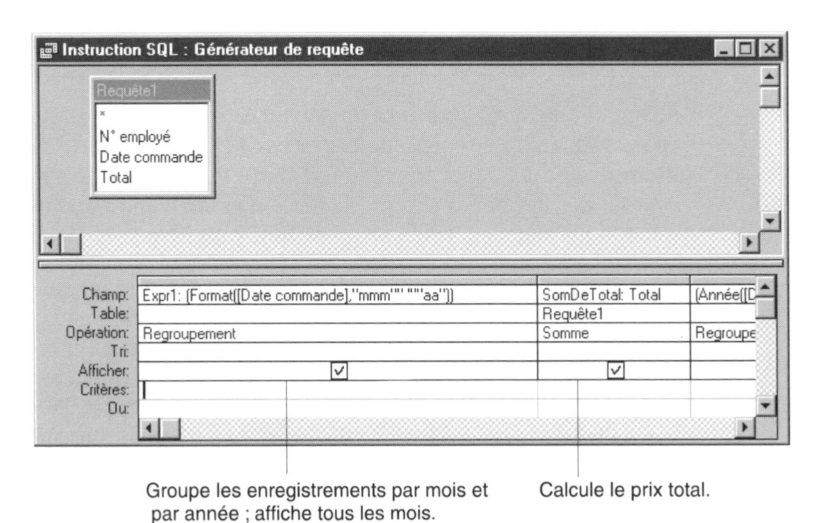

Figure 14.18 : La boîte de dialogue Instruction SQL : Générateur de requête apparaît lorsque vous sélectionnez le contrôle du graphique ; ouvrez sa feuille des propriétés et cliquez sur le bouton Générer (...) de sa propriété Contenu.

4. Modifiez la requête en recourant aux techniques standard présentées au Chapitre 10. Dans la Figure 14.19, par exemple, nous avons modifié la requête proposée afin qu'elle calcule les ventes moyennes plutôt que le total des ventes ; nous avons, par ailleurs, limité les données représentées au premier trimestre 1995.

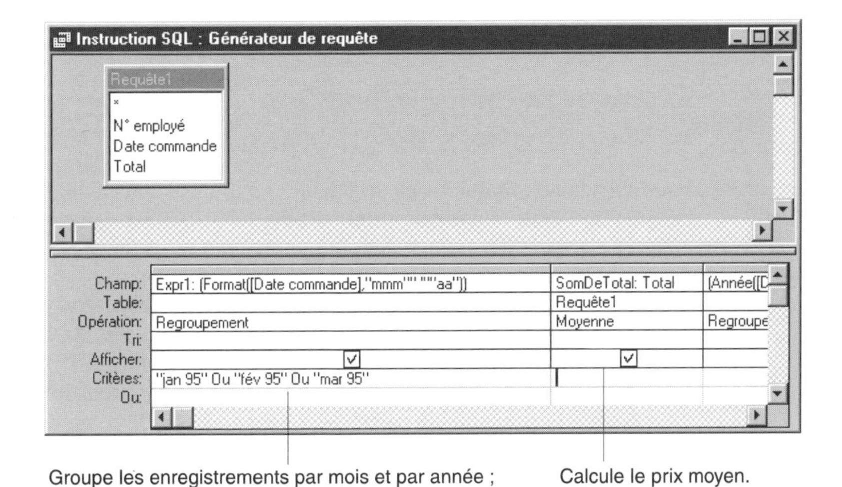

Figure 14.19 : Dans cet exemple, nous avons modifié la requête de la Figure 14.18 afin de montrer les ventes moyennes et de limiter les enregistrements au premier trimestre 1995.

5. Pour obtenir un aperçu des résultats, activez le bouton Exécuter de la barre d'outils Création de requête, ou choisissez Requête/Exécuter. Si nécessaire, réactivez le mode création de requête (en cliquant sur le bouton Affichage de la barre d'outils Création de requête ou en choisissant Affichage/Création) et apportez les modifications qui s'imposent. Répétez la procédure jusqu'à ce que la requête isole les enregistrements souhaités.

6. Lorsque la requête est prête, cliquez dans la case de fermeture de la fenêtre ou choisissez Fichier/Fermer ; ou encore, enfoncez les touches Ctrl + W. Quand Access vous demande si vous désirez sauvegarder les changements apportés à l'instruction SQL, cliquez sur Oui. Vous regagnez ensuite le mode création de formulaire ou d'état.

7. Basculez en mode formulaire ou aperçu afin de visualiser l'effet de votre action.

Personnaliser un graphique

Un graphique a souvent besoin d'être peaufiné. Pour ce faire, vous pouvez modifier ses propriétés en mode création ou faire appel aux techniques décrites au Chapitre 13 ; vous pouvez encore solliciter Microsoft Graph 5.0 que nous vous présentons dans les sections suivantes.

Changer la taille, la position et les propriétés du graphique

Vous avez la possibilité d'agir directement depuis la fenêtre de création du formulaire ou de l'état. Ouvrez le formulaire ou l'état qui contient le graphe (en mode création), puis cliquez sur le graphique ou sur son cadre. Exécutez ensuite l'une des actions suivantes :

- Attribuez-lui une autre couleur de fond, couleur de bordure ou apparence générale en utilisant la barre d'outils Mise en forme (Formulaire/État). Si cette barre n'est pas affichée, cliquez avec le bouton droit de votre souris dans n'importe quelle barre visible et choisissez Mise en forme (Formulaire/État) ; ou bien choisissez Édition/Barres d'outils, activez Mise en forme (Formulaire/État), puis cliquez sur Fermer.
- Déplacez et redimensionnez le graphique en invoquant les techniques classiques applicables aux contrôles. (Pour modifier la taille du graphique proprement dit, sachez cependant que vous aurez besoin des services de Microsoft Graph, comme la section suivante vous l'explique.)
- Modifiez les autres paramètres du cadre en agissant dans sa feuille des propriétés. (Si cette feuille n'est pas affichée, activez le bouton Propriétés d'une barre d'outils quelconque ou choisissez Affichage/Propriétés).

Faire appel à Microsoft Graph pour personnaliser le graphique

Pour agir directement sur le graphique, faites appel à Microsoft Graph. Pour commencer :

- Ouvrez le formulaire ou l'état qui contient le graphique (en mode création).
- Cliquez deux fois sur le graphe.

Microsoft Graph s'ouvre. Voici sa barre de menus et ses barres d'outils.

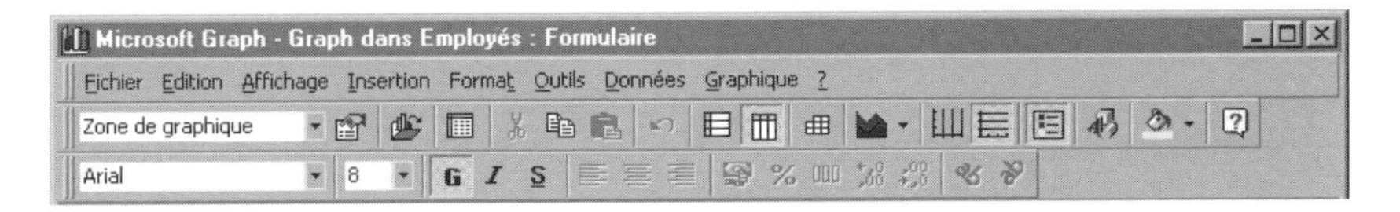

Quant au contenu de la fenêtre, il ressemble désormais à la Figure 14.20.

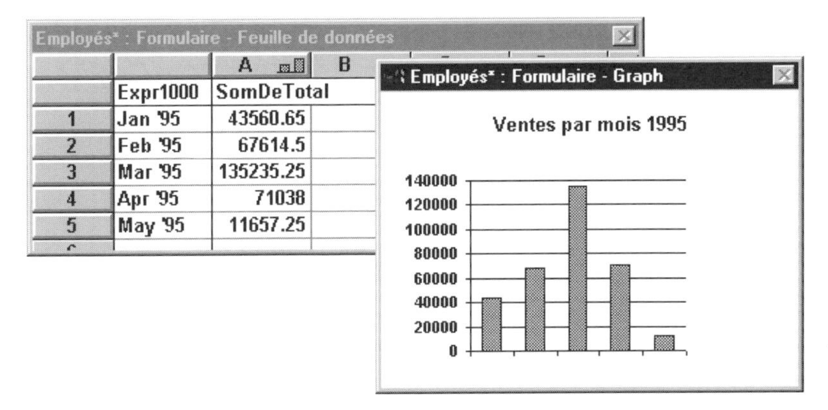

Figure 14.20 : Si vous cliquez deux fois sur un graphique en mode création, Microsoft Graph entre en jeu ; il affiche votre graphique dans sa fenêtre Graphique et vous permet de le personnaliser.

Pour que le graphique affiché dans Microsoft Graph représente les données réelles, passez en mode formulaire ou aperçu au moins une fois après avoir créé le graphique et avant d'entreprendre sa modification.

Microsoft Graph dispose de sa propre barre de menus, est équipé de cinq barres d'outils et propose une fonction d'aide en ligne très complète. Son bureau comporte deux fenêtres : une fenêtre Feuille de données (qui n'est pas utilisée dans le cas des graphiques réalisés à partir de données issues de tables Access) et une fenêtre Graphique.

Pour personnaliser le graphique, assurez-vous pour commencer que la fenêtre Graphique est au premier plan (au besoin, cliquez dedans). Pour agir sur un élément du graphe, vous pouvez invoquer les commandes des menus ou cliquer deux fois sur l'élément ; ou encore cliquer, sur l'élément avec le bouton droit de la souris et sélectionner les articles appropriés dans le menu contextuel qui se déroule alors sous votre souris. Ainsi, un double clic sur l'axe des données d'un graphique à barres ouvre la boîte de dialogue Format de l'axe représentée à la Figure 14.21. Il vous suffit alors d'activer l'onglet souhaité, puis de changer le motif, l'échelle, la police, le format de nombre ou encore l'alignement des données de l'axe. (Pour obtenir un complément d'information, utilisez le bouton Aide.) Lorsque vos modifications sont terminées, cliquez sur OK.

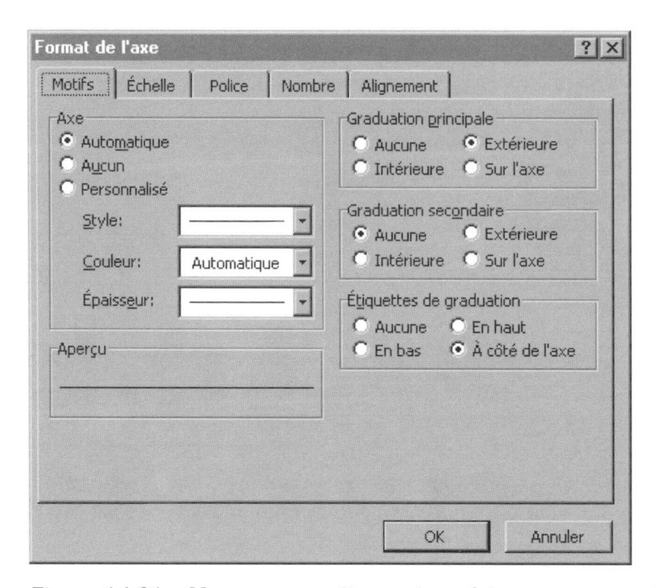

Figure 14.21 : Vous pouvez cliquer deux fois sur un axe et utiliser la boîte de dialogue Format de l'axe qui s'affiche alors pour changer son type de trait, son échelle, sa police, son format de nombre, ou encore son alignement.

Le meilleur moyen pour apprendre à personnaliser un graphique consiste sans doute à expérimenter librement jusqu'à obtention du résultat souhaité. Chaque fois que vous apportez une modification, le graphique est instantanément mis à jour. Si vous faites une erreur et vous en apercevez immédiatement, invoquez la commande Édition/Annuler, ou enfoncez les touches Ctrl + Z (ou encore, activez le bouton Annuler de la barre d'outils Standard) pour rétablir l'apparence précédente du graphe.

Les conseils que nous vous livrons ici vous permettront sans doute de mener efficacement votre tâche dans Microsoft Graph :

- **Pour afficher à la fois la fenêtre de Microsoft Access et celle de Microsoft Graph**, redimensionnez ces deux fenêtres afin qu'elles ne soient pas en mode plein écran (si l'une ou l'autre est agrandie au maximum, cliquez dans sa case Réduction avant de la redimensionner). Réduisez le cas échéant les programmes ouverts *autres* qu'Access et que Graph. Cliquez ensuite avec le bouton de la souris dans une zone vide de la barre des tâches de Windows et choisissez Mosaïque verticale ou Mosaïque horizontale. Dans Access, le graphique apparaît hachuré afin de vous rappeler que Microsoft Graph est actif (Figure 14.20). Le fait d'afficher les deux fenêtres simultanément vous permet de voir immédiatement l'impact des changements apportés en Graph dans la fenêtre Access.

- **Si aucune donnée n'apparaît dans le graphique lié à votre formulaire ou à votre état**, l'enregistrement courant ne satisfait sans doute pas à la requête sous-jacente. Fermez Microsoft Graph (choisissez Fichier/Quitter et retourner à ou cliquez dans la case de fermeture de la fenêtre). Basculez alors en mode formulaire ou aperçu et recherchez un enregistrement qui affiche le graphique. Retournez ensuite en mode création et cliquez de nouveau deux fois sur le graphe.
- **Pour personnaliser un élément donné du graphe**, cliquez sur cet élément avec le bouton droit de la souris et choisissez l'option souhaitée dans le menu contextuel ; ou bien cliquez deux fois sur l'élément à personnaliser.
- **Pour modifier le facteur d'agrandissement de la fenêtre de Microsoft Graph**, choisissez Affichage/Zoom dans Microsoft Graph, sélectionnez le facteur souhaité, puis cliquez sur OK. En général, il est pratique de réduire le facteur d'affichage afin d'avoir sous les yeux l'intégralité du graphique et de travailler ainsi plus confortablement. N'oubliez toutefois pas que le fait de modifier ce facteur n'a aucune incidence sur l'aspect du graphique dans le formulaire ou dans l'état.
- **Pour redimensionner le graphique dans le formulaire ou dans l'état**, faites glisser le cadre du graphique dans la fenêtre Graphique de Microsoft Graph et attribuez-lui la taille que vous voulez qu'il ait en définitive. (Pour afficher le graphe à pleine échelle avant de le redimensionner, choisissez Affichage/Zoom/100 %/OK.)

Pour adapter le cadre à la nouvelle taille du graphique, réactivez le mode création de formulaire ou d'état et choisissez Format/Taille/Au contenu.

- **Pour afficher ou masquer les barres d'outils de Microsoft Graph**, choisissez Affichage/Barres d'outils, activez ou désactivez la ou les barres concernées, puis cliquez sur OK. (Vous pouvez aussi cliquer avec le bouton droit de la souris dans une barre affichée et sélectionner le nom de la barre que vous souhaitez afficher ou masquer.)

- **Pour connaître l'utilité d'un bouton de barre d'outils**, placez votre pointeur sur le bouton concerné et attendez que l'info-bulle de ce bouton s'affiche. (Si aucune info-bulle n'apparaît, choisissez Affichage/Barres d'outils/Personnaliser et validez l'option Afficher les Info-bulles de l'onglet Options ; cliquez ensuite sur Fermer.) Pour obtenir un complément d'information, choisissez Qu'est-ce que c'est dans le menu ? (Aide), puis cliquez sur le bouton concerné.

- **Pour changer le type du graphique**, choisissez Graphique/Type de graphique ou cliquez avec le bouton droit de la souris sur le graphe et choisissez Type de graphique dans le menu contextuel ; sélectionnez ensuite le type souhaité dans la boîte de dialogue Type de graphique. Vous pouvez aussi choisir le type à attribuer au graphe dans le menu déroulant Type de graphique de la barre d'outils Standard.

- **Pour que ce soit les lignes et non les colonnes affichées dans la fenêtre Feuille de données de Microsoft Graph qui constituent les séries de données du graphique**, choisissez Données/Série en ligne ou activez le bouton Par ligne de la barre d'outils Standard.

- **Pour attribuer une autre couleur à une série de données**, cliquez deux fois sur une des marques de la série, sélectionnez la couleur, puis cliquez sur OK. Vous pouvez également désigner la couleur souhaitée dans la palette Couleur de remplissage de la barre d'outils Standard.

- **Pour supprimer les titres du graphique, ses étiquettes de données, sa légende, ses axes, son quadrillage, etc.**, sélectionnez l'élément à supprimer, puis enfoncez la touche Suppr (ou cliquez avec le bouton droit de la souris sur cet élément et choisissez Effacer).

- **Pour ajouter au graphique un titre, des étiquettes de données, une légende, des axes, un quadrillage ou un élément quelconque**, choisissez Graphique/Options du graphique, activez l'onglet souhaité, faites vos choix, puis cliquez sur OK.

- **Pour personnaliser un élément du graphique**, cliquez deux fois sur l'élément concerné ; ou bien cliquez une seule fois avec le bouton droit de la souris sur cet élément et choisissez l'option souhaitée dans le menu Format. Vous pouvez également sélectionner certains objets (comme les titres ou les axes) et activer le bouton correspondant de la barre d'outils Format.

- **Pour définir l'espace entre les étiquettes de graduation**, cliquez deux fois sur l'axe pour ouvrir la boîte de dialogue Format de l'axe (Figure 14.21). Si les étiquettes sont trop proches les unes des autres ou, au contraire, si elles sont trop éloignées, activez l'onglet Échelle. Ensuite, si l'axe affiche des valeurs numériques, augmentez ou réduisez la valeur de la case Maximum. Ainsi, si vous doublez cette valeur, vous divisez par deux le nombre des marques de graduation. Si l'axe affiche du texte, vous pouvez augmenter ou réduire le nombre de catégories entre les étiquettes de graduation ainsi qu'entre les marques de graduation. Vous devrez peut-être définir d'autres options dans cet onglet pour obtenir le résultat souhaité.

- **Pour changer l'alignement et l'orientation des étiquettes de graduation**, cliquez deux fois sur l'axe concerné, puis activez l'onglet Alignement et sélectionnez les options souhaitées.
- **Pour ajouter au graphique des flèches, des formes et des annotations**, activez le bouton approprié de la barre d'outils Dessin, puis tracez l'élément dans la zone du graphique en cliquant-glissant pour en définir la taille. Si vous ne savez comment manipuler l'outil que vous avez sélectionné, consultez le commentaire affiché dans la barre d'état de la fenêtre de Graph.

Lorsque vous avez apporté toutes les modifications souhaitées, choisissez Fichier/Quitter et retourner à, ou cliquez dans la case de fermeture de la fenêtre de Microsoft Graph. Souvenez-vous que, si vous avez modifié la taille du graphique dans Microsoft Graph, vous pouvez regagner Access (en mode création), sélectionner le contrôle du graphique et choisir Format/Taille/Au contenu pour redimensionner le cadre au mieux.

Améliorer le graphique

Même si vous maîtrisez les techniques de création des graphes, il se peut que vous ayez besoin d'en savoir davantage pour produire des graphiques faciles à interpréter. Prenez donc connaissance des recommandations suivantes :

- **Choisissez le type de graphique qui représente vos données le plus clairement possible.** Ainsi, les graphiques en courbe conviennent particulièrement pour traduire des tendances. Les graphiques en aires et à barres empilées illustrent bien la manière dont chaque élément participe au total ; quant aux histogrammes et aux graphiques à barres simples, ils permettent de comparer efficacement des valeurs. Enfin, les graphiques à secteurs montrent la part relative des éléments d'un tout.
- **Expérimentez jusqu'à ce que vous trouviez le type le plus approprié.** C'est simple : dans Microsoft Graph, choisissez Graphique/Type de graphique et cherchez votre bonheur.
- **Évitez d'encombrer votre graphique avec des données et des étiquettes non pertinentes** qui font que le message que vous voulez faire passer ne passe, en définitive, absolument plus ! Ainsi, si votre intention est de mettre l'accent sur les ventes réalisées pendant le premier trimestre (de janvier à mars), n'affichez pas les ventes opérées pendant les mois d'avril à décembre. Si nécessaire, recourez à une requête pour filtrer les données qui ne sont pas indispensables.

- **Mettez les informations primordiales en évidence.** Éclatez les secteurs principaux d'un graphique à secteurs, affectez des couleurs voyantes ou des motifs facilement repérables aux marques de données clés ; ou ajoutez-leur un commentaire en faisant appel aux outils de dessin de Microsoft Graph. Voyez à cet égard le graphique à secteurs de la Figure 14.22.

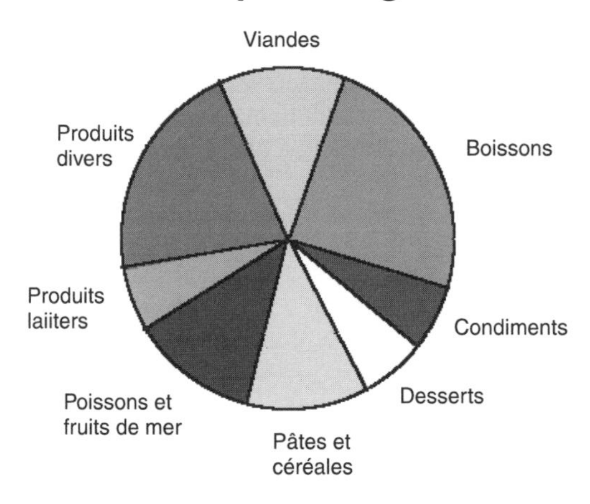

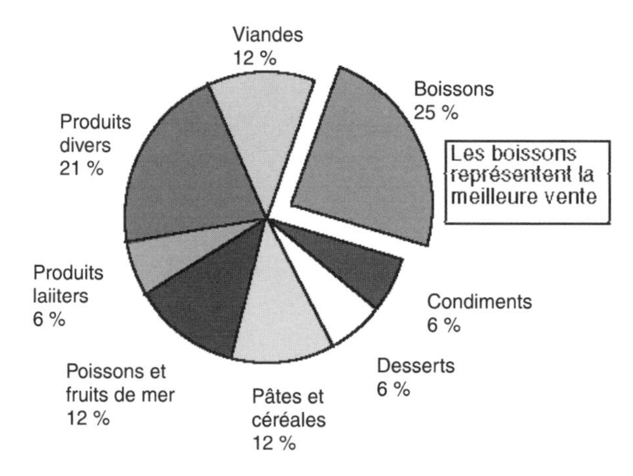

Figure 14.22 : L'annotation, l'indication des pourcentages et le secteur éclaté du graphique du bas attirent davantage l'attention sur l'élément important, nettement moins perceptible dans le graphique du haut.

- **N'abusez pas des graphiques en trois dimensions.** Si leur effet est saisissant, leur interprétation est souvent complexe. Ce sont indéniablement les graphiques 2-D qui représentent les données de la manière la plus claire, comme l'illustre la Figure 14.23. Il se peut néanmoins qu'un graphique 3-D y parvienne également si vous changez l'angle de vue dans Microsoft Graph. Pour y parvenir, choisissez Graphique/Vue 3D ou cliquez avec le bouton droit de la souris sur le graphique et choisissez Vue 3D. Utilisez ensuite les boutons de la boîte de dialogue correspondante pour régler l'altitude, la rotation et la perspective (activez le bouton Aide de la fenêtre pour en apprendre davantage sur ces options) ; ou cliquez sur le bord d'un mur du graphique, puis sur l'une de ses poignées et faites glisser jusqu'à obtenir le changement d'angle et de perspective souhaité.
- **Utilisez une échelle adaptée** pour les graphiques représentant des données apparentées afin d'en faciliter la comparaison.

Pour vous faire aider dans Microsoft Graph, utilisez le bouton Aide mis à votre disposition dans la plupart des fenêtres ; utilisez également la touche F1 ainsi que les commandes du menu ? (Aide).

Geler les données dans le graphique

Rappelez-vous que les graphiques basés sur une requête affichent systématiquement les données mises à jour. Si cette actualisation ne vous convient pas, vous pouvez geler les données afin que le graphe représente une situation figée à un moment donné et, partant, n'évolue plus.

Deux techniques sont à votre disposition : convertir le graphique en image (voyez ci-dessous) ou dissocier le graphique de la table ou de la requête sous-jacente en créant et en exécutant une requête Création de table qui place les données sélectionnées dans une table à part qui ne change jamais. Vous pouvez alors baser votre graphique sur la table gelée plutôt que sur les données vivantes (voyez le Chapitre 10 pour obtenir des informations sur les requêtes Création de table).

Convertir le graphique en image

Pour que les données du graphique ne soient plus jamais mises à jour même si les données de la table ou de la requête sous-jacente évoluent, vous pouvez faire du graphique une image.

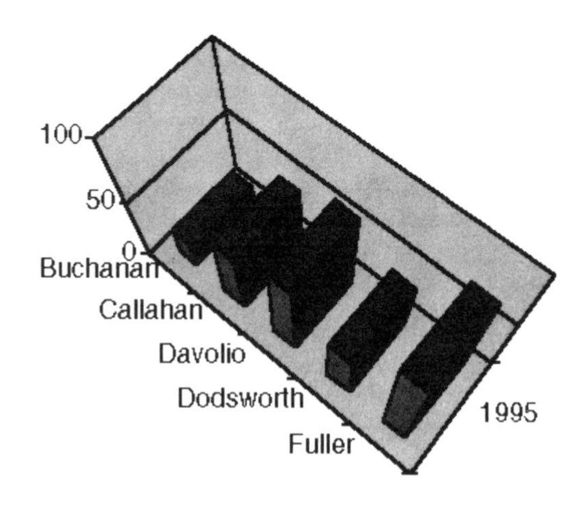

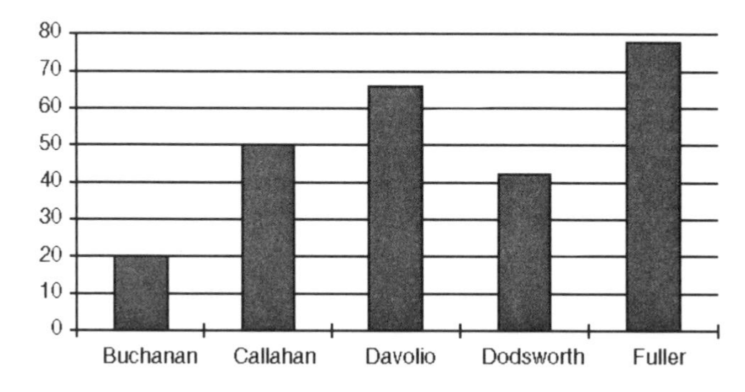

Figure 14.23 : Le graphique 3-D du haut est plus percutant que le graphique 2-D du bas, mais ce dernier offre une vue plus claire des données.

Seuls les graphiques indépendants peuvent subir ce traitement. Lorsque la conversion sera réalisée, vous ne pourrez plus faire marche arrière ; réfléchissez donc avant d'agir !

1. Ouvrez, en mode création, le formulaire ou l'état qui contient le graphique indépendant à convertir.
2. Cliquez sur le graphique pour le sélectionner, puis choisissez Format/Changer en/Image.
3. Lorsqu'Access vous demande confirmation, cliquez sur Oui si vous êtes certain de vouloir geler les données du graphe ; cliquez sur Non dans le cas contraire.

Si vous savez que les données représentées n'évolueront pas, la conversion du graphe en image accélère l'ouverture du formulaire ou de l'état.

Représenter graphiquement des données issues d'autres applications

Jusqu'ici, nous avons concentré notre attention sur les données issues de tables ou de requêtes de Microsoft Access. Mais vos formulaires et vos états sont capables de représenter graphiquement des données provenant d'autres programmes. Ainsi, supposons que les données relatives aux employés de votre société soient stockées dans une table Access, mais que les chiffres des ventes se trouvent dans une feuille de calcul Microsoft Excel, gérée par le service comptable. Vous pourriez faire appel aux techniques d'incorporation décrites ci-dessous pour envoyer un mémo (courrier personnalisé adressé à chaque employé) illustrant les résultats de la société.

Incorporer des graphiques issus d'autres applications

Pour créer un graphique utilisant des données provenant d'un autre programme, comme Microsoft Excel, Lotus 1-2-3 ou des données que vous entendez saisir directement dans la fenêtre Feuille de données de Microsoft Graph, procédez comme suit :

1. Ouvrez votre formulaire ou votre état en mode création.
2. Activez l'outil Cadre d'objet indépendant de la boîte à outils (représenté à gauche).

3. Dans la structure de votre formulaire ou de votre état, cliquez à l'endroit où vous voulez placer l'angle supérieur gauche du graphique ou tracez un rectangle dans lequel il s'inscrira. La boîte de dialogue Insérer un objet s'affiche, dressant la liste de tous les programmes OLE installés sur votre ordinateur.
4. Dans la liste Type d'objet, sélectionnez Graphique Microsoft Graph 97 et cliquez sur OK.

Comme l'illustre la Figure 14.24, Microsoft Graph s'ouvre ; il affiche des données échantillon dans sa fenêtre Feuille de données et les représente graphiquement dans sa fenêtre Graphique. Vous pouvez activer la fenêtre Feuille de données et modifier son contenu si nécessaire. Les changements sont immédiatement reportés sur le graphe.

Si vous préférez effacer les données échantillon et saisir ou importer des données depuis un autre programme, cliquez dans la case de sélection globale (représentée à la Figure 14.24), puis enfoncez la touche Suppr. Cliquez ensuite dans la première cellule appelée à contenir une donnée ; tapez celle-ci ou importez vos données depuis l'autre application. Pour constituer cette feuille, suivez les instructions suivantes :

- **Pour entrer une donnée dans une cellule**, sélectionnez la cellule souhaitée en cliquant dessus ou en y plaçant votre curseur à l'aide de la touche Tabulation ou des touches de direction et saisissez la donnée. Ce que vous tapez remplace le contenu antérieur de la cellule.
- **Pour importer un fichier Texte ou une feuille de calcul**, cliquez dans la première future cellule. Choisissez Édition/Importer un fichier ; dans la boîte de dialogue Importer un fichier, sélectionnez le type du fichier à importer dans la liste Type de fichier. Cliquer ensuite deux fois sur le nom du fichier concerné et réagissez aux éventuels messages qui s'affichent. Ainsi, pour importer un fichier Texte, l'Assistant Importation de texte sollicitera des informations complémentaires concernant le format du fichier.
- **Pour importer des données d'un graphique Microsoft Excel**, choisissez Édition/Importer un fichier, choisissez Fichiers Microsoft Excel dans la liste Type de fichier, puis cliquez deux fois sur le nom du graphique concerné. Réagissez aux éventuels messages qui s'affichent.

Les fichiers Texte présentent généralement les extensions .prn, .csv ou .txt ; les feuilles de calcul, .wk* et .xl* ; quant aux graphiques Microsoft Excel, leurs extensions sont .xls ou .xlc.

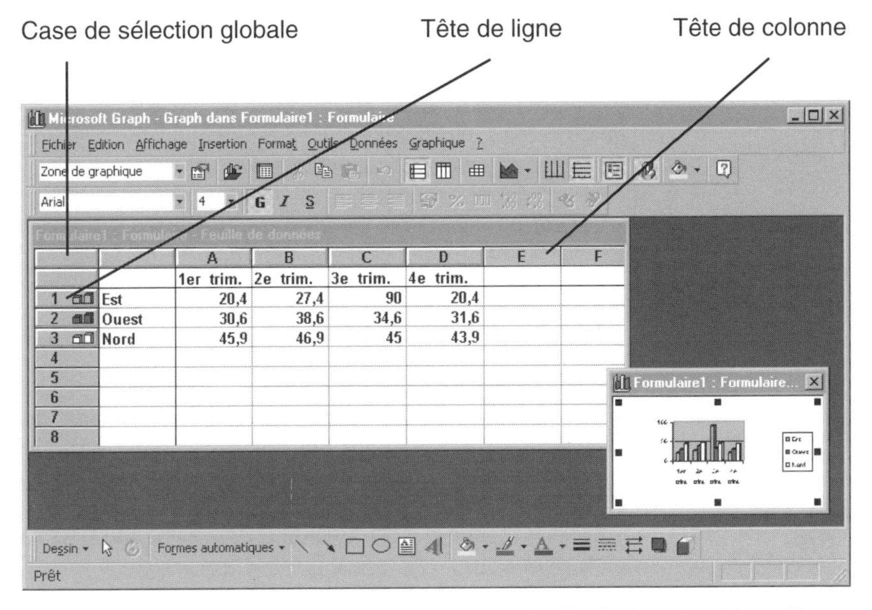

Figure 14.24 : Microsoft Graph vous propose une feuille de données échantillon et le graphique correspondant. Ces données ne sont que des pseudo-données qui ne figurent dans aucune table Access. Dans cet exemple, nous avons cliqué dans la fenêtre Feuille de données pour la faire passer au premier plan.

- **Pour importer des données que vous avez copiées dans le Presse-papiers**, choisissez Édition/Coller ou enfoncez les touches Ctrl + V.

Après avoir saisi ou importé vos données, vous pouvez cliquer dans la fenêtre Graphique pour afficher votre graphique et avoir accès aux commandes de formatage. Lorsque votre travail est terminé, choisissez Fichier/Quitter et retourner à ou cliquez dans la case de fermeture de la fenêtre de Microsoft Graph. Le graphique apparaît dans le formulaire ou dans l'état Access. Si nécessaire, modifiez sa taille dans la fenêtre de création ou retournez dans Microsoft Graph et opérez ce réglage dans la fenêtre Graphique.

Vous pouvez également *lier* les graphiques tracés dans d'autres programmes qui supportent le protocole OLE à des cadres d'objet indépendant dans vos formulaires et dans vos états, ainsi qu'à des champs Objet OLE dans vos tables. Reportez-vous aux Chapitres 8 et 13 pour en savoir plus sur la liaison et l'incorporation d'objets OLE.

Créer des tableaux croisés dynamiques

Les tableaux croisés dynamiques sont des outils puissants grâce auxquels vous pouvez manipuler de grandes quantités d'informations et prendre, en conséquence, des décisions concernant la gestion. Bien qu'ils s'apparentent fortement aux requêtes Analyse croisée (décrites au Chapitre 10), ces tableaux sont beaucoup plus efficaces par le fait qu'ils vous permettent de permuter lignes et colonnes de manière dynamique et de filtrer rapidement vos données, vous autorisant ainsi à vous concentrer exclusivement sur les informations pertinentes.

Les tableaux croisés dynamiques ne sont pas, en réalité, des objets natifs de Microsoft Access. Ce sont des objets Microsoft Excel incorporés, que vous créez et modifiez depuis un formulaire Access. Il faut, bien entendu, que Microsoft Excel soit installé sur votre ordinateur si vous entendez utiliser les tableaux croisés dynamiques et faire appel à l'Assistant qui les conçoit pour vous.

La Figure 14.25 montre un tableau croisé dynamique que nous avons créé dans un formulaire Access (en faisant appel à l'Assistant Tableau croisé dynamique), puis dans lequel nous avons activé le bouton Modifier le tableau croisé dynamique. Ce tableau répond à la question : Quelles ont été les ventes globales de produits secs réalisées pendant 1995 (par mois) par tous les employés auprès de tous nos clients ?

Quelques sélections simples dans les listes déroulantes de l'axe de page suffisent pour que le tableau croisé dynamique soit en mesure de répondre à une foule de questions comme :

- Quel est le montant global des ventes de produits secs réalisées pendant 1995 (par mois) par l'employé dénommé Fuller ?
- Quel est le montant des ventes de produits secs réalisées pendant 1995 (par mois) par l'employé dénommé Fuller à la firme *La Corne d'abondance ?*
- Quel est le montant global des ventes réalisées pendant 1995 (par mois) par tout le personnel, tous produits confondus, à la firme *La Corne d'abondance ?*
- Quel est le montant global des ventes réalisées pendant 1995 (par mois) par tous les employés, tous produits et tous clients confondus ?

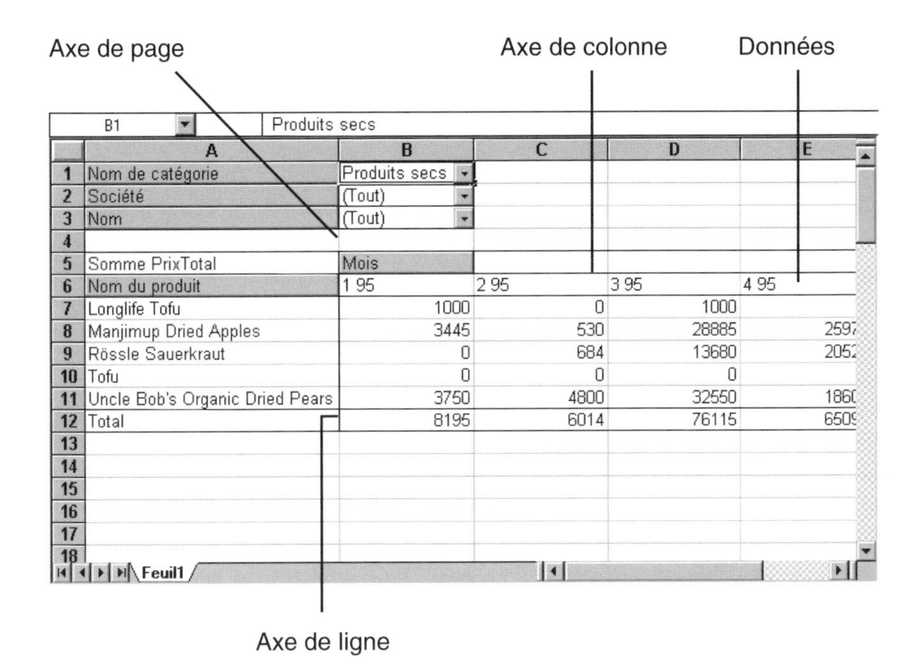

	A	B	C	D	E
1	Nom de catégorie	Produits secs			
2	Société	(Tout)			
3	Nom	(Tout)			
4					
5	Somme PrixTotal	Mois			
6	Nom du produit	1 95	2 95	3 95	4 95
7	Longlife Tofu	1000	0	1000	
8	Manjimup Dried Apples	3445	530	28885	2597
9	Rössle Sauerkraut	0	684	13680	2052
10	Tofu	0	0	0	
11	Uncle Bob's Organic Dried Pears	3750	4800	32550	1860
12	Total	8195	6014	76115	6509

Figure 14.25 : Un tableau croisé dynamique basé sur une requête de la base de données Comptoir fournie avec Access.

Puissant, non ?

Supposons à présent que vous souhaitiez vous concentrer sur les prestations des vendeurs plutôt que sur les produits proprement dits. C'est l'enfance de l'art ! Contentez-vous de faire glisser les contrôles Nom et Nom du produit vers un autre emplacement du tableau croisé dynamique (Figure 14.26), et vous obtenez immédiatement la réponse à votre question !

Pour synthétiser les ventes par employé et par produit, déplacez le contrôle Nom du produit vers l'axe de ligne (juste sous le contrôle Nom), et le tableau répond de nouveau à votre question (Figure 14.27). Comme vous le voyez, les possibilités de réagencement sont pratiquement infinies et faciles à mettre en oeuvre.

Comprendre la terminologie et les procédures relatives aux tableaux croisés dynamiques

Avant d'entreprendre la création de votre premier tableau croisé dynamique, penchez-vous sur la terminologie correspondante. Les étiquettes des Figures 14.25 à 14.27 recensent ces termes.

B6 | Mois

	A	B	C	D	E	F
1						
2	Nom de catégorie	Produits secs				
3	Société	(Tout)				
4	Nom du produit	(Tout)				
5						
6	Somme PrixTotal	Mois				
7	Nom	1 95	2 95	3 95	4 95	5 95
8	Buchanan	0	530	0	0	
9	Callahan	0	0	23300	6000	
10	Davolio	1590	1800	10316	5160	251
11	Fuller	1750	0	3000	12000	
12	King	0	0	2724	21260	
13	Leverling	795	0	26440	11660	
14	Peacock	1060	3684	0	2650	
15	Suyama	3000	0	10335	6360	
16	Total	8195	6014	76115	65090	666
17						
18						

Feuil1

Figure 14.26 : Le tableau croisé dynamique de la Figure 14.25 après que nous avons fait glisser le contrôle Nom du produit à l'axe de page et le contrôle Nom à l'axe de ligne.

A4 | Société

	A	B	C	D	E	F	G
1							
2							
3	Nom de catégorie	Produits secs					
4	Société	(Tout)					
5							
6	Somme PrixTotal		Mois				
7	Nom	Nom du produit	1 95	2 95	3 95	4 95	5 95
8	Buchanan	Manjimup Dried Apples	0	530	0	0	0
9	Somme Buchanan		0	530	0	0	0
10	Callahan	Longlife Tofu	0	0	1000	0	0
11		Manjimup Dried Apples	0	0	2650	0	0
12		Rössle Sauerkraut	0	0	0	0	1824
13		Uncle Bob's Organic Dried Pears	0	0	19650	6000	0
14	Somme Callahan		0	0	23300	6000	1824
15	Davolio	Manjimup Dried Apples	1590	0	5300	0	0
16		Rössle Sauerkraut	0	0	5016	4560	0
17		Tofu	0	0	0	0	116.25
18		Uncle Bob's Organic Dried Pears	0	1800	0	600	2400

Feuil1

Figure 14.27 : Le tableau croisé dynamique de la Figure 14.26, après déplacement du contrôle Nom du produit depuis l'axe de page vers l'axe de ligne.

Ligne : Le ou les champs qui contiennent les valeurs utilisées pour les étiquettes de ligne dans l'axe de ligne du tableau croisé dynamique. Dans la Figure 14.25, le champ ligne est Nom du produit ; dans la Figure 14.26, le champ ligne est Nom ; enfin, dans la Figure 14.27, les champs ligne sont Nom et Nom du produit.

Colonne : Le ou les champs qui contiennent les valeurs utilisées pour les étiquettes de colonne dans l'axe de colonne du tableau croisé dynamique. Dans les Figures 14.25 à 14.27, le champ colonne est Mois.

Données : Le ou les champs qui contiennent les valeurs à synthétiser dans le corps de la table. Dans les Figures 14.25 à 14.27, le champ de données est PrixTotal, et nous avons fait appel à la fonction Somme pour totaliser ce champ.

Page : Le ou les champs qui contiennent les valeurs à utiliser pour les étiquettes de l'axe de page du tableau croisé dynamique. Vous pouvez utiliser ces champs pour filtrer les données du tableau. Dans la Figure 14.25, les champs de page permettent de filtrer sur Nom de catégorie, Société et Nom. Ce filtre vous permet de limiter les valeurs synthétisées aux ventes d'une catégorie donnée (par exemple, les produits secs), d'un client donné (comme *La Corne d'abondance*), ou encore, d'un employé donné (Fuller, par exemple). Dans la Figure 14.26, les champs de page sont Nom de catégorie, Société et Nom du produit ; enfin, dans la Figure 14.27, les champs de page sont Nom de catégorie et Société.

La création d'un tableau croisé dynamique s'exécute en quelques étapes :

1. Si nécessaire, créez et sauvez une requête pour les données sous-jacentes (Chapitre 10). La Figure 14.28 affiche la requête que nous avons utilisée pour produire les tableaux croisés dynamiques des Figures 14.25 à 14.27. Nous avons appliqué les calculs suivants pour les champs PrixTotal, Mois et Date commande, partiellement masqués dans la grille de création de la Figure 14.28 :

- **PrixTotal :** [Quantité]*[Détails commandes]![Prix unitaire]
- **Mois :** Format ([Date commande],"m aa")
- **Date commande :** Entre #1/1/97# Et #12/31/95#

2. Faites appel à l'Assistant Tableau croisé dynamique pour créer le formulaire qui contiendra le tableau croisé dynamique incorporé. À cet égard, voyez ci-dessous "Créer un tableau croisé dynamique avec l'aide de l'Assistant".

3. Ouvrez votre formulaire en mode formulaire, éditez si nécessaire votre tableau croisé dynamique dans Microsoft Excel, puis imprimez ce tableau le cas échéant. Ensuite, regagnez Access. Ces manipulations sont décrites dans la section "Éditer un tableau croisé dynamique", plus loin dans ce chapitre.

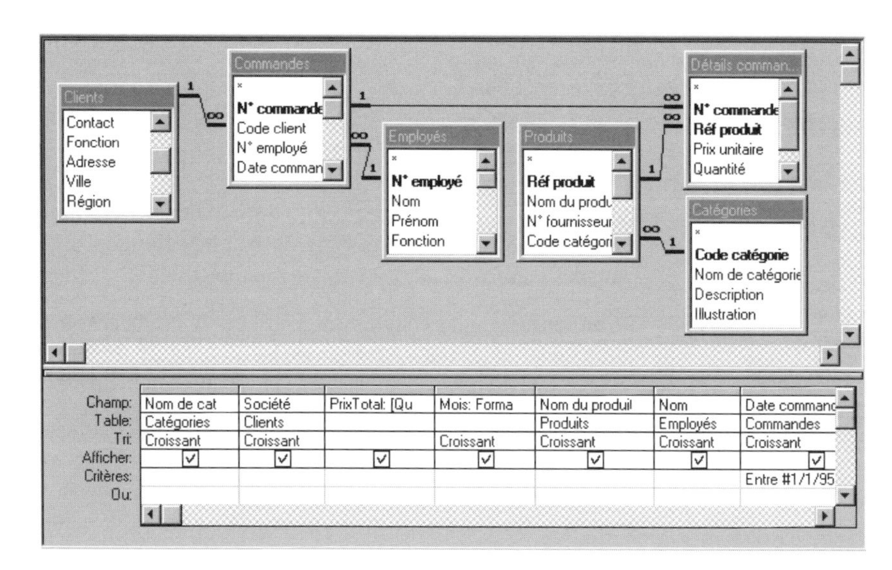

Figure 14.28 : La requête utilisée pour produire les données du tableau croisé dynamique représenté aux Figures 14.25 à 14.27.

Étant donné que l'Assistant Tableau croisé dynamique vous laisse choisir des champs issus de différentes tables, la création d'une requête n'est pas indispensable. Toutefois, il vous faudra *absolument* en créer une si vous voulez afficher les résultats des calculs (comme le prix total, qui multiplie la quantité par le prix unitaire) ou si vous entendez limiter les résultats à certains enregistrements (comme les commandes passées en 1995).

Créer un tableau croisé dynamique avec l'aide de l'Assistant

L'Assistant Tableau croisé dynamique vous simplifie la vie.

1. Affichez la fenêtre Base de données et activez l'onglet Tables (pour créer un tableau croisé dynamique à partir d'une table) ou l'onglet Requête (pour le créer à partir d'une requête).
2. Sélectionnez le nom de la table ou de la requête concernée.

3. Choisissez Insertion/Formulaire ; ou déroulez le menu local Nouvel objet d'une barre d'outils quelconque et choisissez Formulaire.
4. Dans la boîte de dialogue Nouveau formulaire, cliquez deux fois sur Assistant Tableau croisé dynamique.
5. Lisez le message qui s'affiche dans la première boîte de dialogue de l'Assistant, puis cliquez sur Suivant.
6. Lorsque l'Assistant vous demande quels champs vous souhaitez inclure dans votre tableau croisé dynamique, sélectionnez la table ou la requête qui contient les champs souhaités et sélectionnez ces derniers. Vous pouvez choisir plusieurs champs et plusieurs tables (Figure 14.29). Cliquez sur Suivant.
7. La boîte de dialogue suivante de l'Assistant (Figure 14.30) vous permet de placer vos champs de ligne, de colonne, de données et de page, de personnaliser l'aspect de vos boutons champ et de synthétiser vos valeurs. Suivez les instructions qui vous sont données par la boîte de dialogue ainsi que les conseils que nous vous dispensons ci-dessous. Cliquez ensuite sur Suivant.

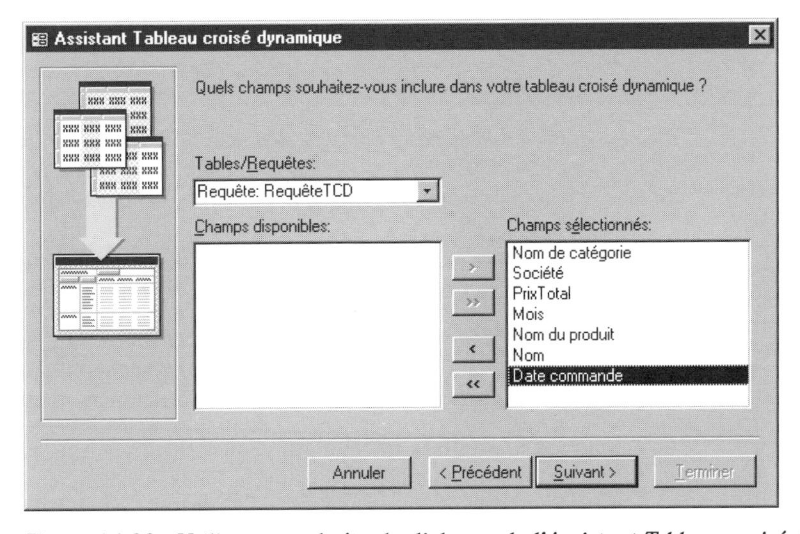

Figure 14.29 : Utilisez cette boîte de dialogue de l'Assistant Tableau croisé dynamique pour sélectionner les champs et les tables à inclure dans le tableau.

- **Pour afficher les éléments dans le champ comme étiquettes de ligne**, faites glisser le ou les noms de champ concernés vers la zone LIGNE.
- **Pour afficher les éléments dans le champ comme étiquettes de colonne**, faites glisser le ou les noms de champ concernés vers la zone COLONNE.

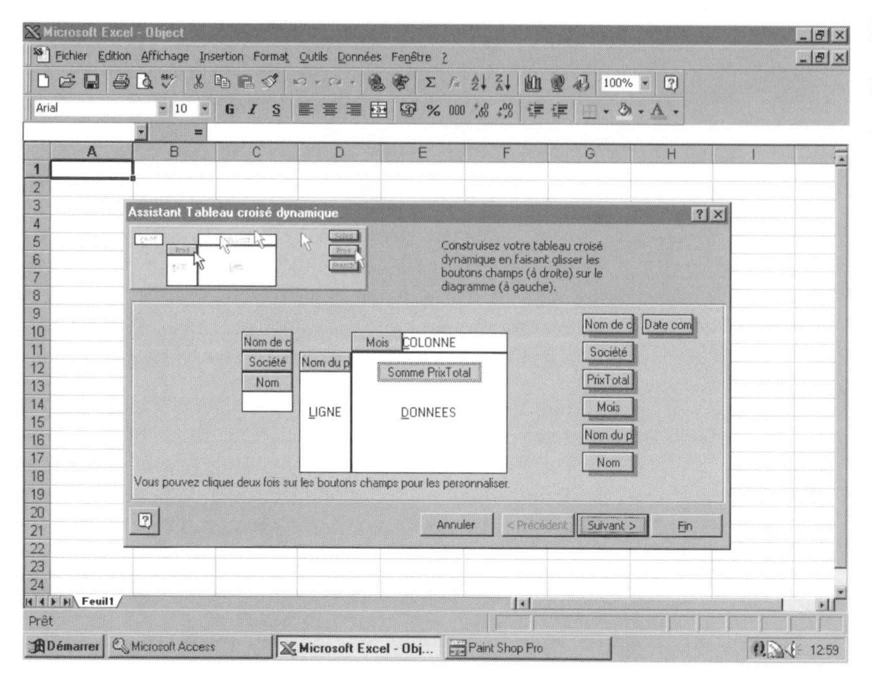

Figure 14.30 : Utilisez cette boîte de dialogue de l'Assistant Tableau croisé dynamique pour placer les champs de ligne, de colonne, de donnée et de page sur le tableau et pour personnaliser l'aspect des étiquettes et des données de ces champs.

- **Pour résumer les valeurs dans le corps de la table**, faites glisser le ou les noms de champ concernés vers la zone DONNEES.
- **Pour supprimer un champ que vous avez placé dans le tableau croisé dynamique**, faites-le glisser vers une zone blanche du tableau ; ou cliquez deux fois sur le bouton du champ dans le tableau, puis cliquez sur Supprimer.
- **Pour personnaliser un champ**, cliquez deux fois sur son bouton dans le tableau croisé dynamique. La boîte de dialogue Champ de tableau croisé dynamique s'affiche (voyez ci-dessous) ; elle vous permet d'attribuer un nouveau nom (étiquette) au champ, de faire votre choix parmi différents sous-totaux, de masquer certaines valeurs du champ, de spécifier le format des nombres du corps du tableau ou encore de supprimer le champ (les options disponibles dépendant du bouton de champ sur lequel vous avez cliqué deux fois). Pour obtenir de l'aide, cliquez sur le bouton ? de la zone de dialogue, puis sélectionnez l'option ou le bouton à propos duquel vous souhaitez obtenir des informations. Lorsque vous avez activé les options souhaitées, cliquez sur OK pour retourner à l'Assistant Tableau croisé dynamique.

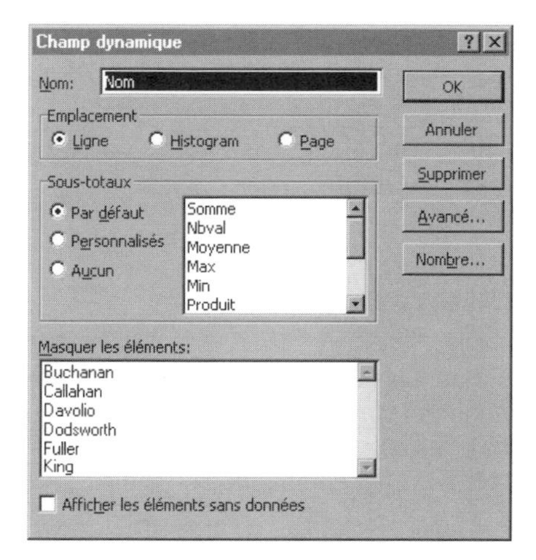

Ne vous inquiétez pas si, dans la boîte de dialogue de l'Assistant Tableau croisé dynamique représentée à la Figure 14.30, vous n'attribuez pas aux champs la position idéale ni les options de formatage requises. Vous pourrez vous en occuper plus tard, lorsque vous éditerez votre tableau dans Excel.

8. Dans la dernière boîte de dialogue de l'Assistant Tableau croisé dynamique, cliquez éventuellement sur Options et tapez, si vous le souhaitez, le nom que vous souhaitez attribuer au tableau. Pour un résultat optimal, ne modifiez pas les autres options. Cliquez sur Fin.

9. Lorsque le tableau croisé dynamique apparaît à l'écran, enregistrez le formulaire. Pour ce faire, activez le bouton Enregistrer d'une barre d'outils quelconque ou choisissez Fichier/Enregistrer ou encore ; enfoncez les touches Ctrl + S. Tapez un nom (maximum 64 caractères, espaces compris), puis cliquez sur OK.

Figure 14.31 : La dernière boîte de dialogue de l'Assistant Tableau croisé dynamique.

La Figure 14.32 montre un tableau croisé dynamique incorporé dans un formulaire Access, en mode formulaire. Remarquez que le formulaire n'affiche pas toutes les données dans le tableau et n'est pas équipé de barres de défilement. Si vous voulez vraiment voir le contenu du tableau, vous devez l'éditer, comme la section suivante vous y invite.

Éditer un tableau croisé dynamique

Pour visualiser les détails d'un tableau croisé dynamique et pouvoir y apporter des modifications, vous devez éditer le tableau dans Microsoft Excel. Aussi curieux que cela puisse paraître, vous devez *lancer* la procédure depuis Access, et non depuis Excel. N'ayez pas peur ! Ce n'est pas compliqué :

1. Ouvrez, en mode formulaire, le formulaire qui contient le tableau croisé dynamique que vous voulez éditer. Pour ce faire, affichez la fenêtre Base de données, activez l'onglet Formulaires, puis cliquez deux fois sur le nom de votre formulaire tableau croisé dynamique.
2. Ouvrez ce tableau dans Excel en recourant à l'une des techniques suivantes :

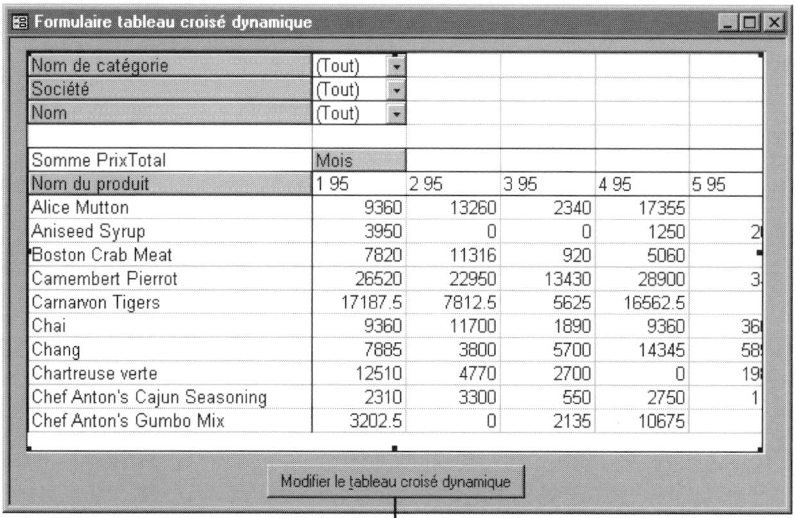

Formulaire tableau croisé dynamique

Nom de catégorie	(Tout)				
Société	(Tout)				
Nom	(Tout)				
Somme PrixTotal	Mois				
Nom du produit	1 95	2 95	3 95	4 95	5 95
Alice Mutton	9360	13260	2340	17355	
Aniseed Syrup	3950	0	0	1250	2
Boston Crab Meat	7820	11316	920	5060	
Camembert Pierrot	26520	22950	13430	28900	3
Carnarvon Tigers	17187.5	7812.5	5625	16562.5	
Chai	9360	11700	1890	9360	36
Chang	7885	3800	5700	14345	58
Chartreuse verte	12510	4770	2700	0	19
Chef Anton's Cajun Seasoning	2310	3300	550	2750	1
Chef Anton's Gumbo Mix	3202.5	0	2135	10675	

Modifier le tableau croisé dynamique

Cliquez sur ce bouton pour éditer le tableau dynamique dans Excel.

Figure 14.32 : Un formulaire Tableau croisé dynamique dans la fenêtre du formulaire d'Access, après que nous avons créé le tableau avec l'aide de l'Assistant et procédé à l'enregistrement du formulaire.

- **Pour ouvrir la table dans une fenêtre Excel séparée**, cliquez sur le bouton Modifier le tableau croisé dynamique situé sous le tableau ou cliquez deux fois sur le tableau incorporé.
- **Pour éditer le tableau sur place (dans la fenêtre d'Access)**, cliquez avec le bouton droit de la souris sur le tableau, puis choisissez Objet Feuille Microsoft Excel/Modifier. Vous n'emploierez guère cette technique, car elle est nettement moins souple que la précédente.

Vous ne pouvez apporter de modifications au tableau que si les données sous-jacentes sont actualisées (ou sont déjà sauvegardées dans la table). Pour rafraîchir les données et les actualiser, activez le bouton Actualiser les données de la barre d'outils Tableau croisé dynamique ou choisissez Données/Actualiser les données.

3. Éditez le tableau si nécessaire. La section suivante vous dispense quelques conseils d'exécution.
4. Pour imprimer le tableau dans Excel, essayez le raccourci suivant (partons du principe que vous travaillez dans une fenêtre séparée). Choisissez Fichier/Mise en page dans la barre des menus d'Excel. Dans l'onglet Page de la boîte de dialogue Mise en page, choisissez si nécessaire l'orientation souhaitée (Portrait ou Paysage), l'échelle et les options annexes. Vous pouvez aussi définir vos choix dans les onglets Marges, En-tête/Pied de page et Feuille. Pour prévisualiser l'état, activez le bouton Aperçu avant impression. Pour lancer l'impression, activez le bouton Imprimer de la fenêtre d'aperçu ou de la boîte de dialogue Mise en page, définissez les paramètres requis, puis cliquez sur OK.
5. Lorsque vous avez affiché, modifié et imprimé votre tableau croisé dynamique, exécutez l'une des actions suivantes :

- **Si vous travaillez dans une fenêtre Excel séparée**, choisissez Fichier/Quitter dans la barre des menus d'Excel ou enfoncez les touches Alt + F4 ; ou encore, cliquez dans la case de fermeture de la fenêtre d'Excel.
- **Si vous éditez le tableau sur place (dans la fenêtre d'Access)**, cliquez en dehors du tableau (par exemple, dans une zone vide du formulaire, sous les traits hachurés qui apparaissent dans la partie inférieure du tableau).

6. Lorsque vous en avez fini avec ce formulaire, fermez-le (Ctrl + W). Toutes les modifications apportées au tableau croisé dynamique dans Microsoft Excel sont enregistrées automatiquement.

Personnaliser votre tableau croisé dynamique dans Microsoft Excel

Lorsque vous avez ouvert votre tableau dans Microsoft Excel, plusieurs méthodes vous permettent de le personnaliser. N'hésitez pas à expérimenter, sachant que :

- **Pour croiser ou réorganiser un champ**, faites glisser son bouton de contrôle grisé vers le nouvel axe de page, de ligne, de colonne ou vers une position donnée dans le corps de la feuille de calcul. Nous avons opéré un cliquer-glisser de ce type pour réorganiser les données des Figures 14.25 à 14.27. Pensez à consulter la barre d'état : elle vous fournit des renseignements sur la manière de déplacer et de positionner le contrôle lorsque vous avez entamé le cliquer-glisser.

- **Pour retourner à la boîte de dialogue Champ de tableau croisé dynamique** (représentée précédemment), cliquez deux fois sur un contrôle champ dans l'axe de page, de colonne ou de ligne ou bien cliquez sur le contrôle ou sur une valeur dans la zone que vous voulez personnaliser ; activez ensuite le bouton Champ dynamique de la barre d'outils Tableau croisé dynamique (représenté à gauche) ou choisissez Données/Champ dynamique. Vous avez alors la possibilité de changer l'étiquette du champ, la méthode utilisée pour le calcul des sous-totaux, le format des nombres, etc.

- **Pour retourner à la boîte de dialogue de l'Assistant Tableau croisé dynamique**, activez le bouton Assistant Tableau croisé dynamique de la barre d'outils Tableau croisé dynamique (représenté à gauche) ou choisissez Données/Tableau croisé dynamique. Voyez l'étape n° 7 de la section intitulée "Créer un tableau croisé dynamique avec l'aide de l'Assistant" et la Figure 14.30 pour des détails supplémentaires.

- **Pour découvrir d'autres moyens de personnaliser votre tableau**, cliquez avec le bouton droit de la souris sur l'élément que vous voulez personnaliser et choisissez l'une des options du menu contextuel qui vous est alors proposé.

Pensez à consulter l'aide en ligne, entrée d'index *tableaux croisés dynamiques*.

Créer un graphique sur la base d'un tableau croisé dynamique

Vous pouvez, en quelques clics de souris, tracer un graphique basé sur un tableau croisé dynamique.

Les données de mon tableau ne sont pas actualisées !

Si vous avez conservé les options prédéfinies dans la dernière boîte de dialogue de l'Assistant Tableau croisé dynamique, les données sous-jacentes auxquelles votre tableau fait appel *ne sont pas* enregistrées dans le tableau ni dans le formulaire. C'est à dessein que cette sauvegarde ne s'effectue pas : vous êtes ainsi certain que les données qui sont affichées chaque fois que vous consultez le tableau sont les dernières données en date. Pour les actualiser, vous devez, lorsque vous souhaitez travailler sur votre tableau, l'ouvrir dans Microsoft Excel et demander la mise à jour (Données/Actualiser les données).

Si vous n'avez pas accès aux données de la table Access sous-jacente et désirez néanmoins éditer votre tableau croisé dynamique, vous devez commencer par réaliser une copie des données avec le tableau. Pour ce faire, activez (cochez) Enregistrement des données avec la mise en page actuelle dans la dernière boîte de dialogue de l'Assistant soit lorsque vous créez le tableau dans Access, soit lorsque vous l'ouvrez dans Excel et invoquez de nouveau l'Assistant Tableau croisé dynamique (Données/Tableau croisé dynamique). Sachez que votre tableau ne reflétera plus les données originales sous-jacentes, sauf si vous demandez expressément que les données soient actualisées.

1. Ouvrez le tableau croisé dynamique dans Microsoft Excel comme nous vous l'avons expliqué plus haut dans ce chapitre. Personnalisez-le si nécessaire.
2. Sélectionnez les cellules du tableau, *en incluant* dans votre sélection les champs de colonne et les champs de ligne que vous voulez représenter, mais *en excluant* les totaux généraux et les champs de page. Pour réaliser cette sélection, faites glisser votre souris sur les cellules concernées.
3. Choisissez Insertion/Graphique pour lancer l'Assistant Graphique.
4. Suivez les instructions que vous donne cet Assistant dans ses différentes boîtes de dialogue.
5. Affichez le graphique (et imprimez-le si nécessaire). Il reflète systématiquement les sélections courantes dans l'axe de page du tableau croisé dynamique. Ainsi, si vous sélectionnez une catégorie dans la page Nom de catégorie, le graphique affiche les données de cette catégorie exclusivement.
6. Quittez Microsoft Excel (Alt + F4).

Pour en savoir plus sur les graphiques réalisés à partir de tableaux croisés dynamiques, voyez l'entrée d'index *tableaux croisés dynamiques, tracer des données de tableaux croisés dynamiques* dans le fichier d'aide de Microsoft Excel.

Si tout ne se passe pas comme prévu

Les tableaux croisés dynamiques sont relativement faciles à utiliser, mais il se peut qu'un problème se pose et il n'en est plus rien. Apprenez donc à réagir efficacement :

Le champ de données fait appel à la fonction Compte plutôt qu'à la fonction Somme pour résumer un champ numérique. Il se peut que vos données numériques contiennent des valeurs vides. Pour résoudre le problème, ouvrez votre tableau croisé dynamique dans Microsoft Excel, cliquez sur les cellules qui affichent "Compte de" suivi du nom du champ. Cliquez ensuite sur le bouton Champ dynamique dans la barre d'outils Tableau croisé dynamique (ou choisissez Données/Champ dynamique), puis cliquez deux fois sur l'option Somme dans la boîte de dialogue Champ de tableau croisé dynamique.

Certaines données du tableau sont tronquées, et il n'y a pas de barres de défilement. Vous avez sans doute sous les yeux votre formulaire Access en mode formulaire. Depuis ce mode, cliquez une fois sur le bouton Modifier le tableau croisé dynamique ou deux fois sur le tableau. Il s'ouvre dans Microsoft Excel : vous pouvez en voir l'intégralité et faire défiler les données.

Excel ne vous permet pas de modifier votre tableau. Vous avez sans doute omis de les réactualiser. Activez le bouton Actualiser les données de la barre d'outils Tableau croisé dynamique ou choisissez Données/Actualiser les données.

Les nombres du tableau ne sont pas formatés correctement (ou ne sont pas formatés du tout). Par défaut, les nombres ne sont pas mis en forme. Pour les formater, cliquez dans la cellule d'une donnée non formatée, puis activez le bouton Champ dynamique de la barre d'outils Tableau croisé dynamique ou choisissez Données/Champ dynamique. Dans la boîte de dialogue Champ de tableau croisé dynamique, cliquez sur Nombre, exprimez-vous dans la boîte de dialogue Format de cellule qui s'affiche ensuite, puis cliquez sur OK à deux reprises.

La barre d'outils Tableau croisé dynamique ne s'affiche pas dans Excel. Choisissez Affichage/Barres d'outils, activez (cochez) Tableau croisé dynamique, puis cliquez sur OK.

Votre tableau est introuvable dans Excel. Vous ne pouvez accéder à votre tableau croisé dynamique Access depuis Excel. Partez du mode formulaire d'Access, puis cliquez sur Modifier le tableau croisé dynamique ou cliquez deux fois sur le tableau. Il s'ouvre dans Excel ; vous pouvez le visualiser et, au besoin, le personnaliser.

Si vous voulez vous documenter sur les éventuels problèmes que peuvent vous poser les tableaux croisés dynamiques, voyez l'aide Excel ou d'Access, et plus particulièrement l'entrée d'index intitulée *tableaux croisés dynamiques, dépannage.*

Et maintenant, que faisons-nous ?

Dans ce chapitre, vous avez appris à constituer graphiques et tableaux croisés dynamiques. Si vous avez suivi cet ouvrage depuis le début, vous connaissez à présent tous les fondements du travail dans Microsoft Access. Ne vous arrêtez pas en si bon chemin ! Le chapitre suivant vous montre comment personnaliser Access afin qu'il soit plus conforme à votre mode de travail.

Quoi de neuf ?

Access possède quelques fonctionnalités nouvelles qui facilitent la réalisation de graphes et de tableaux croisés.

- Microsoft Graph a élargi son éventail de types de graphiques.
- Certaines de ses boîtes de dialogue ont été remodelées afin d'en simplifier l'utilisation.
- La fenêtre de tableau croisé dynamique d'Excel dispose de barres d'outils et de menus améliorés.

Partie III

Administrer et optimiser votre base de données

Chapitre 15

Personnaliser Access

Dans Access, vous pouvez adapter votre environnement à vos exigences et à votre mode de travail. Si la façon dont Access fonctionne actuellement vous donne entière satisfaction, ne modifiez pas les paramètres par défaut du programme et passez sans plus attendre au Chapitre 16. Dans le cas contraire, lisez ce Chapitre 15 : il vous apprend comment agir.

D'autres chapitres de cet ouvrage vous expliquent comment personnaliser les paramètres décrits dans le Tableau 15.1 ; consultez-les au besoin.

Pour personnaliser...	utilisez ces commandes	et consultez ce chapitre ou l'aide en ligne
Contrôles ActiveX	Un caractère	Sous-entrée d'index intitulée *contrôles ActiveX*
Menus	Affichage/Barres d'outils/Personnaliser	24
Sécurité	Outils/Sécurité	18
Barres d'outils	Affichage/Barres d'outils	23
Menus généraux	Outils/Compléments/ Gestionnaire de menu principal	21

Tableau 15.1 : Pour en savoir plus sur la personnalisation d'Access.

Personnaliser votre environnement de travail

Vous avez la possibilité de personnaliser de nombreux aspects de votre environnement de travail. Suivez la procédure générale que nous décrivons ci-dessous :

1. Ouvrez votre base de données (si elle ne l'est pas déjà) et choisissez Outils/Options. La boîte de dialogue Options apparaît (Figure 15.1).

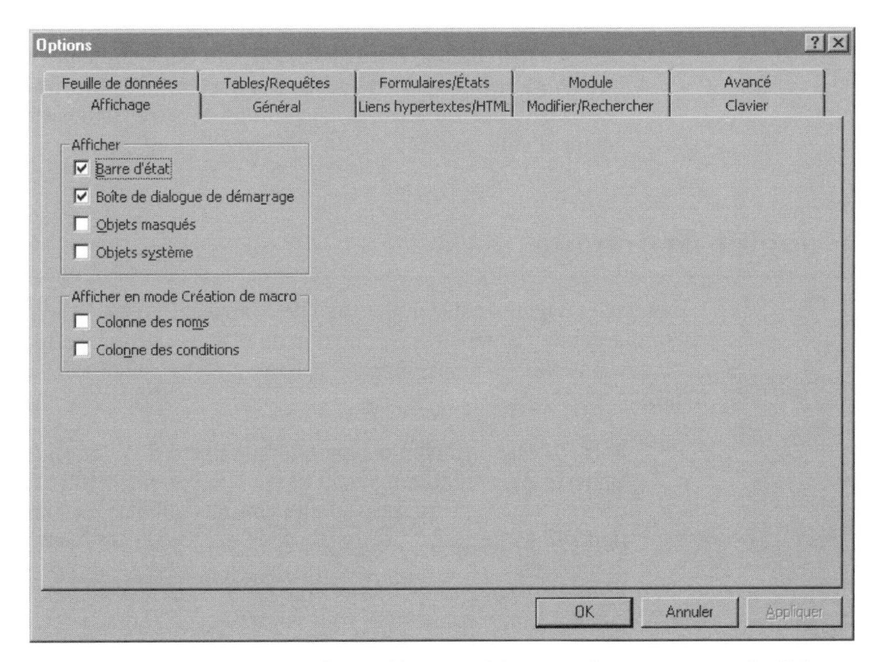

Figure 15.1 : La commande Outils/Options fait apparaître cette zone de dialogue où vous pouvez paramétrer de nombreuses options prédéfinies d'Access. Ici, c'est l'onglet Affichage qui est présenté. ; il s'affiche d'ailleurs par défaut lorsque vous invoquez la commande.

2. Activez un des onglets. (Pour vous simplifier la vie, nous avons organisé les sections suivantes de manière à présenter les différents onglets de la fenêtre par ordre alphabétique croissant.)

3. Modifiez les options de l'onglet (commentées dans les sections suivantes). Selon les options, vous pouvez taper une valeur, en sélectionner une dans une liste déroulante, ou encore activer un bouton radio ou une case à cocher.

Un clic sur une case à cocher active l'option (et équivaut à "Oui, je veux brancher cette option") ; un second clic la désactive (et équivaut à "Non, je veux débrancher cette option").

4. Lorsque vous avez fait vos choix, cliquez sur OK.

Pour en savoir plus sur les options présentées dans les sections suivantes, choisissez Outils/Options, puis activez l'onglet souhaité. Ensuite, cliquez sur le bouton ? situé dans l'angle supérieur droit de la fenêtre, puis sélectionnez l'option à propos de laquelle vous souhaitez des renseignements, ou cliquez avec le bouton droit de la souris sur cette option et sélectionnez Qu'est-ce que c'est ? ; ou encore cliquez dans une case texte ou dans une zone de liste modifiable et enfoncez les touches Majuscule + F1. L'entrée d'index *paramètres par défaut* est également à votre disposition dans le fichier d'aide en ligne.

L'onglet Affichage

Cet onglet (Figure 15.1) vous permet de contrôler l'aspect de votre fenêtre Base de données et de vos fenêtres de création de macros ; il vous permet aussi d'afficher ou, au contraire, de ne pas afficher, la barre d'état et la boîte de dialogue de démarrage.

Barre d'état : Affiche ou masque la barre d'état. (Normalement, vous travaillerez plus confortablement si vous maintenez l'affichage de cette barre puisque vous pourrez alors lire les conseils qu'Access y affiche à votre intention.)

Boîte de dialogue de démarrage : Affiche ou n'affiche pas la boîte de dialogue de démarrage lorsque vous lancez Access. Lorsque cette option est validée, le programme affiche une boîte de dialogue de démarrage dans laquelle vous pouvez sélectionner la base de données que vous voulez ouvrir ; lorsque cette option n'est pas validée, vous atterrissez directement dans l'espace de travail d'Access, les seuls menus alors disponibles dans la barre des menus étant Fichier, Outils et ? (Aide).

Si vous désactivez l'affichage de cette boîte, vous devrez ouvrir une base de données existante (Fichier/Ouvrir une base de données) ou en créer une nouvelle (Fichier/Nouvelle base de données) avant de pouvoir accéder de nouveau à la commande Outils/Options.

Objets masqués : Affiche ou masque les objets de la fenêtre Base de données qui ont la propriété Masqué. Si vous choisissez d'afficher les objets masqués, leurs icônes apparaissent estompées dans la fenêtre Base de données. Pour masquer un objet, activez la fenêtre Base de données, localisez l'objet concerné, cliquez dessus avec le bouton droit de la souris, choisissez Propriétés, activez (cochez) Masqué dans la partie inférieure de la boîte de dialogue, puis cliquez sur OK.

Objets système : Affiche ou masque les noms de tous les objets système qu'Access génère ou que vous générez vous-même. Ces objets commencent par les lettres Msys ou Usys. Si vous choisissez d'afficher ces objets système, leurs noms s'affichent dans la fenêtre Base de données avec les noms des autres tables ; leurs icônes, cependant, apparaissent estompées. (Il est préférable de ne pas afficher ces objets pour éviter toute confusion.)

Ne vous occupez pas des objets système créés par Access sauf si vous savez pertinemment ce que vous faites. Votre action pourrait bien se révéler catastrophique.

Colonne des noms : Affiche ou masque la colonne Nom de la macro dans la fenêtre de création de macro. Pour passer outre cette option, choisissez Affichage/Noms de macro depuis le mode création de macro.

Colonne des conditions : Affiche ou masque la colonne Condition. Pour passer outre cette option, choisissez Affichage/Conditions depuis le mode création de macro.

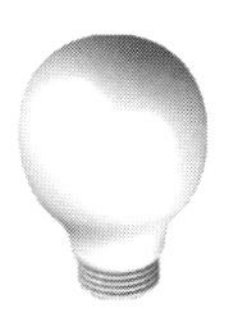

Pour modifier la résolution de votre écran (s'il supporte la manoeuvre et si vous fonctionnez sous Windows 95), réduisez Microsoft Access et les éventuels autres programmes ouverts. Cliquez ensuite avec le bouton droit de la souris dans une zone vide du bureau de Windows, puis choisissez Propriétés. Activez l'onglet Configuration de la boîte de dialogue Propriétés pour Affichage, utilisez le taquet de la rubrique Espace du bureau pour spécifier la résolution souhaitée, puis cliquez sur OK. Réagissez aux éventuels messages qui vous sont adressés, puis cliquez sur le bouton Microsoft Access de la barre des tâches pour réactiver Access.

L'onglet Avancé

Cet onglet (Figure 15.2) contrôle la manière dont Access gère les données dans un environnement multiutilisateurs et dont il mène les opérations OLE et DDE.

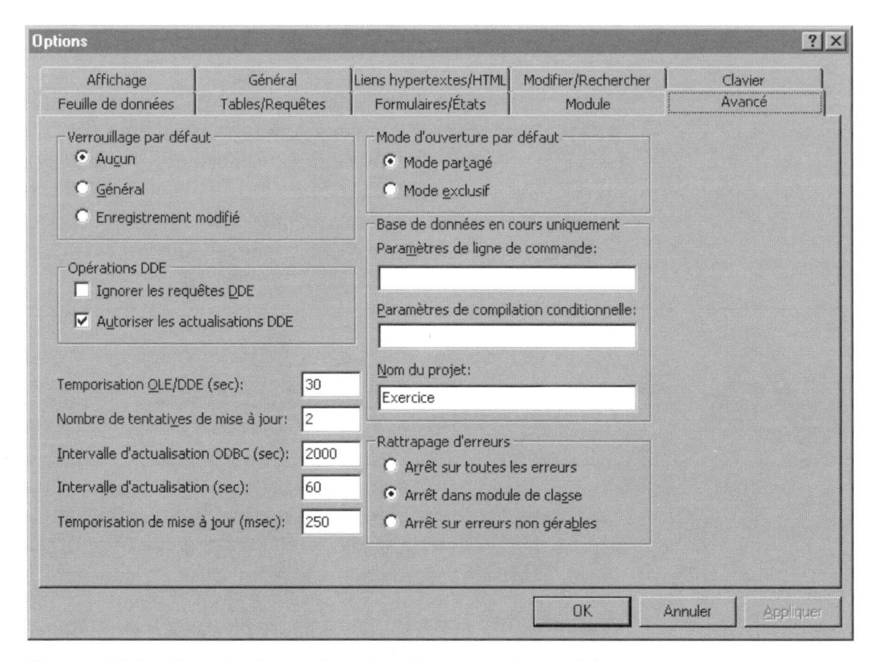

Figure 15.2 : L'onglet Avancé de la boîte de dialogue Options.

Les options OLE/DDE sont les suivantes :

Opérations DDE : Contrôle l'option qui permet d'ignorer ou au contraire d'accepter les requêtes DDE provenant d'autres applications (Ignorer les requêtes DDE) ; contrôle également l'option qui active ou désactive la mise à jour des liaisons DDE (Autoriser les actualisations DDE) selon l'intervalle spécifié dans la case Temporisation OLE/DDE (sec).

Temporisation OLE/DDE (sec) : Définit l'intervalle de temps exprimé en secondes (de 0 à 300) au bout duquel Access tentera d'effectuer de nouveau une opération OLE ou DDE qui a échoué.

Le Chapitre 18 et l'aide en ligne vous fournissent de plus amples informations quant aux options multiutilisateurs de l'onglet Avancé : Mode partagé, Mode exclusif, Nombre de tentatives de mise à jour, Intervalle d'actualisation ODBC (sec), Intervalle d'actualisation (sec) et Temporisation de mise à jour (msec).

L'onglet Clavier

Les options de l'onglet Clavier (Figure 15.3) vous permettent de contrôler le comportement des touches Entrée, Tabulation et de curseur (touches fléchées) ainsi que celui du point d'insertion lorsque vous faites appel à votre clavier pour évoluer parmi les champs de votre formulaire ou de votre feuille de données.

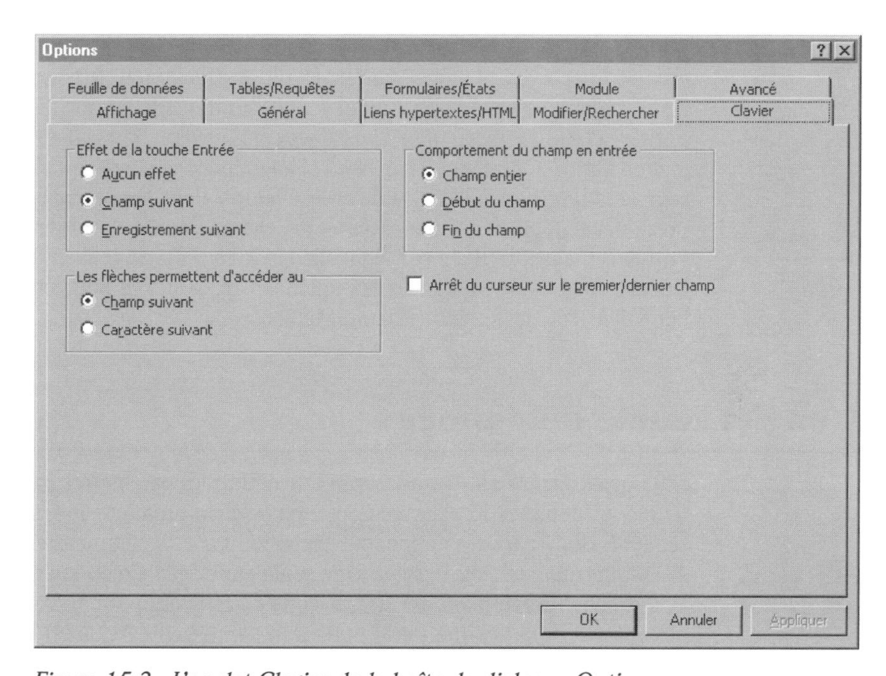

Figure 15.3 : L'onglet Clavier de la boîte de dialogue Options.

Effet de la touche Entrée : Détermine ce qui se produit lorsque vous enfoncez la touche Entrée dans un champ. Les options disponibles sont : Aucun effet (la touche Entrée n'a pas d'effet), Champ suivant (la touche Entrée déplace le curseur vers le champ suivant) et Enregistrement suivant (la touche Entrée déplace le curseur vers l'enregistrement suivant).

Les flèches permettent d'accéder au : Choisissez Champ suivant pour que le curseur change de champ quand vous enfoncez les touches ← ou → ; choisissez Caractère suivant pour qu'il se déplace dans la donnée à l'intérieur du même champ.

Comportement du champ en entrée : Détermine ce qui se produit lorsque le curseur atteint un champ. Les options disponibles sont : Champ entier, Début du champ et Fin du champ.

Arrêt du curseur sur le premier/dernier champ : Détermine ce qui se produit dans une feuille de données lorsque vous enfoncez la touche ← dans le premier champ d'une ligne, ou la touche → dans le dernier. Activez (cochez) cette option pour que le curseur demeure dans le champ courant ; désactivez-la pour qu'il gagne l'enregistrement précédent ou suivant.

Lorsque vous concevez un formulaire, vous pouvez contrôler le comportement de la touche Entrée dans les zones de texte (c'est-à-dire dans les champs Texte et Mémo). Pour ce faire, ouvrez le formulaire en mode création, ouvrez sa feuille des propriétés et activez l'onglet Autres. Ensuite, sélectionnez le contrôle de la zone de texte, puis fixez sa propriété Effet touche Entrée sur Défaut (afin que la touche Entrée se comporte comme vous l'avez défini dans l'onglet Clavier de la commande Outils/Options) ou sur Nouvelle lgn. dans chp (afin qu'elle déplace le curseur vers une nouvelle ligne dans le champ). Pour simplifier la saisie de textes présentés sur plusieurs lignes dans un champ Mémo, la propriété Effet touche Entrée est, *a priori*, fixée sur Nouvelle lgn. dans chp. Si vous lui préférez la valeur Défaut, vous devrez enfoncer les touches Ctrl + Entrée pour créer une nouvelle ligne dans la case Texte du champ Mémo.

L'onglet Feuille de données

Cet onglet (Figure 15.4) vous permet de définir les paramètres par défaut du mode feuille de données lorsque vous ouvrez pour la première fois une table ou une requête. La plupart des options ne nécessitent aucun commentaire ; nous ne nous étendrons donc pas sur le sujet. Une seule option fait exception à cette règle, l'option Afficher les animations. En fait, cette option vous permet d'autoriser ou de ne pas autoriser l'insertion et la suppression animées d'enregistrements et de colonnes dans les feuilles de données.

Vous pouvez passer outre les réglages suivants : Couleurs par défaut, Affichage par défaut du quadrillage, Largeur de colonne par défaut et Police par défaut. Pour ce faire, choisissez les commandes Police, Cellules et Largeur de colonne du menu Format, ou recourez aux boutons de la barre d'outils Mise en forme (Feuille de données), comme vous l'explique le Chapitre 8.

L'onglet Formulaires/États

Recourez aux options de cet onglet (Figure 15.5) pour contrôler les modèles de formulaire ou d'état par défaut et pour définir le mode de sélection des objets en mode de création de formulaire ou d'état.

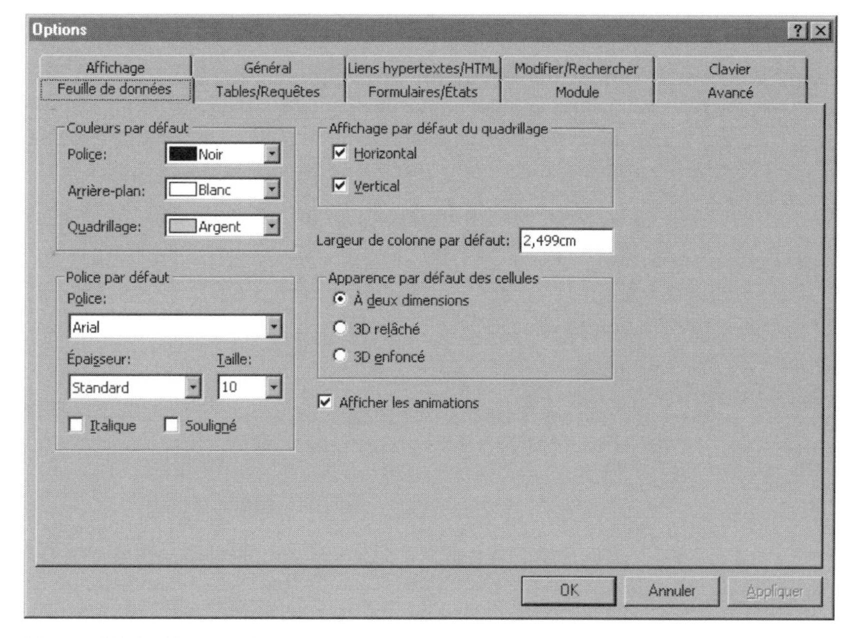

Figure 15.4 : L'onglet Feuille de données de la boîte de dialogue Options.

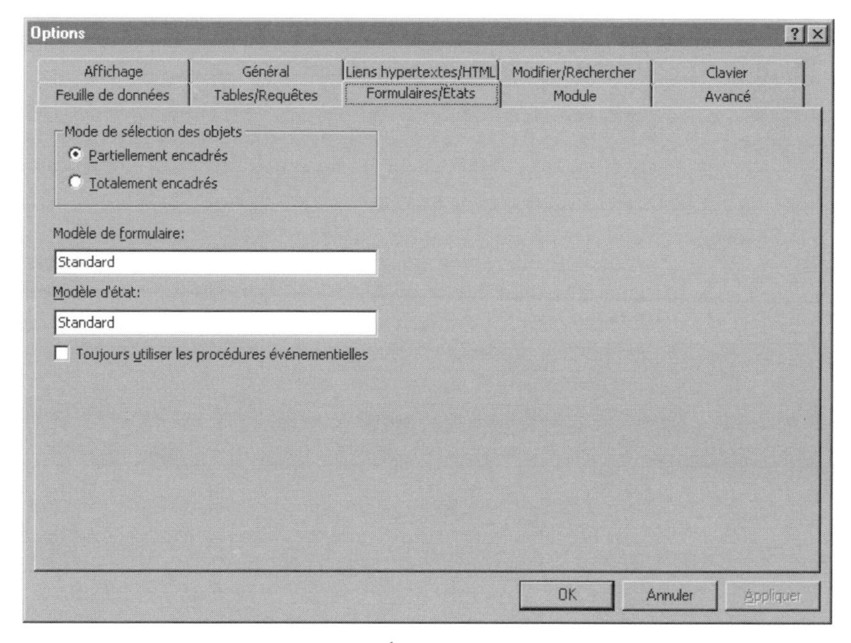

Figure 15.5 : L'onglet Formulaires/États de la boîte de dialogue Options.

Les options relatives aux formulaires et aux états sont :

Mode de sélection des objets : Choisissez Partiellement encadrés pour qu'Access sélectionne les contrôles même s'ils ne sont qu'en partie inclus dans le cadre de sélection ; choisissez Totalement encadrés pour qu'Access ne les sélectionne que s'ils sont intégralement inclus dans le cadre.

Modèle de formulaire : Le modèle par défaut est Standard, un modèle prédéfini multiusages qu'Access utilise pour créer les formulaires instantanés ou les formulaires vierges. Vous pouvez spécifier un formulaire existant de votre base de données comme formulaire par défaut. Si le formulaire que vous désignez n'existe pas dans votre base, Access utilisera le formulaire Standard.

Modèle d'état : Comme dans le cas des formulaires, le modèle par défaut est Standard, mais vous pouvez spécifier un état qu'Access utilisera pour la création d'états instantanés ou vierges. Si l'état que vous désignez n'existe pas dans votre base, Access utilisera l'état Standard.

Toujours utiliser les procédures événementielles : Utilisez cette option pour faire en sorte qu'Access ignore la boîte de dialogue Choisir Générateur et se rende directement à la fenêtre Module lorsque vous cliquez, dans une feuille des propriétés, sur le bouton du générateur.

Ces modèles de formulaire et d'état définissent les paramètres suivants : présence ou absence d'un en-tête et d'un pied de formulaire/d'état ; présence ou absence d'un en-tête et d'un pied de page ; dimensions des différentes sections ; propriétés par défaut des contrôles. Un modèle ne crée pas de contrôles sur un nouveau formulaire ni sur un nouvel état.

Lorsque vous concevez un formulaire ou un état, vous pouvez passer outre les paramètres prédéfinis de différents façons. Ainsi, vous pouvez changer les propriétés par défaut des futurs contrôles que vous ajouterez à votre formulaire ou à votre état en mode création ; vous pouvez également faire appel aux styles de format automatique pour mettre en forme tout ou partie de votre structure. Le Chapitre 13 en dit plus long sur la conception des formulaires et des états.

Pour définir de nouveaux paramètres par défaut pour les contrôles que vous placerez sur vos futurs formulaires et états, personnalisez, dans une structure, les propriétés de tous les contrôles concernés. Enregistrez ensuite cette structure et définissez-la comme modèle dans l'onglet décrit ci-dessus.

L'onglet Général

Cet onglet (Figure 15.6) vous permet de gérer les paramètres suivants :

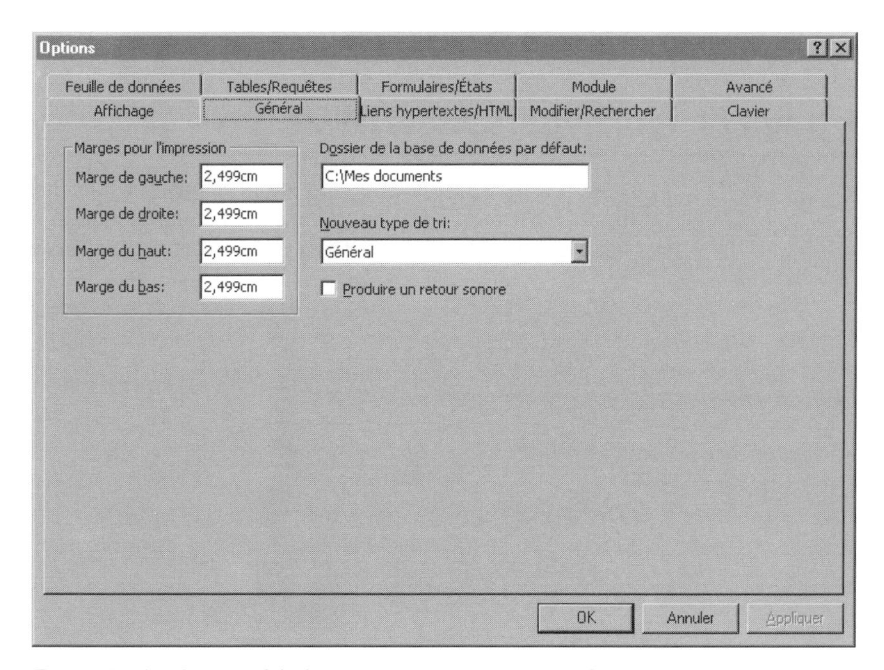

Figure 15.6 : L'onglet Général de la boîte de dialogue Options.

Marges pour l'impression : Les options de cette rubrique vous permettent de fixer les valeurs par défaut des marges (gauche, droite, haut et bas) pour vos futurs formulaires et états (ces options n'ont aucun effet sur les formulaires et états existants). Au départ, les quatre marges affichent la valeur 2,499 cm.

Pour modifier les marges d'un formulaire ou d'un état déjà constitué, ouvrez-le en mode création, choisissez Fichier/Mise en page, activez l'onglet Marges, changez les valeurs des cases Haut, Bas, Gauche et/ou Droite, puis cliquez sur OK (Chapitre 9).

Dossier de la base de données par défaut : Spécifie le dossier dans lequel Access stocke et recherche ses bases de données. L'option par défaut est le point (.), ce qui signifie qu'aucun chemin n'est spécifié et qu'Access, en conséquence, choisit le dossier intitulé Mes documents. (Si vous rebaptisez ce dossier par la suite, Windows 95 mettra automatiquement à jour le contenu de cette case.)

Nouveau type de tri : Stipule la langue qui sera utilisée lors des tris dans les bases de données à venir. Parmi les options disponibles, vous trouverez Général, Espagnol, Néerlandais, etc. Pour modifier l'ordre de tri d'une base de données existante, choisissez la langue ici, puis compactez la base comme vous l'explique le Chapitre 17.

L'onglet Liens hypertextes/HTML

Cet onglet (Figure 15.7) vous permet de personnaliser la manière dont les liens hypertextes s'affichent à l'écran. Il vous permet également de fixer les spécifications relatives aux informations HTML et Microsoft Active Server.

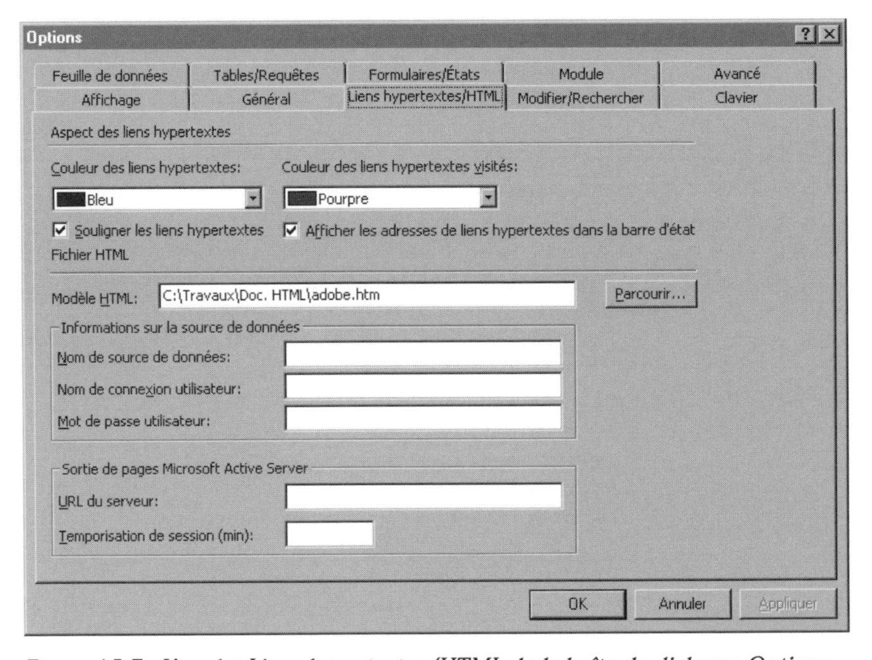

Figure 15.7 : L'onglet Liens hypertextes/HTML de la boîte de dialogue Options.

Couleur des liens hypertextes : Indique à Access quelle couleur attribuer aux liens hypertextes qui n'ont pas encore été utilisés.

Couleur des liens hypertextes visités : Indique à Access quelle couleur attribuer aux liens hypertextes qui ont déjà été utilisés.

Souligner les liens hypertextes : Demande à Access de souligner les liens hypertextes.

Afficher les adresses des liens hypertextes dans la barre d'état : Demande à Access d'afficher l'adresse hypertexte quand le lien est sélectionné (les liens peuvent, en effet, apparaître sous un autre nom que l'adresse à laquelle ils mènent).

Modèle HTML : Désigne un modèle pour les fichiers HTML que vous créez en exportant des données au format HTML ou en utilisant l'Assistant de publication Web. Un modèle HTML comporte des spécifications relatives aux en-têtes et aux pieds de fichiers, ainsi qu'à d'autres éléments visuels.

Nom de source de données : Spécifie le nom de la connexion ODBC (Open Database Connectivity) utilisée pour sélectionner des données Access destinées à des pages Web dynamiques.

Nom de connexion utilisateur : Spécifie le nom d'utilisateur pour la connexion à la source de données ODBC mentionnée dans l'option précédente.`

Mot de passe utilisateur : Spécifie le mot de passe de l'utilisateur mentionné dans l'option précédente.

URL du serveur : Désigne l'endroit du fichier ASP (ActiveX Server Page) sur le serveur Web. Les fichiers ASP sont utilisés par la version 3.0 ou ultérieure du programme Microsoft Internet Information Server.

Temporisation de session (min) : Établit une limite en minutes à la durée pendant laquelle une séance Web peut rester inactive.

Demandez au Compagnon Office des informations complémentaires relatives aux connexions ODBC, aux fichiers ASP et aux modèles HTML.

L'onglet Modifier/Rechercher

Utilisez les options de cet onglet (Figure 15.8) pour choisir la méthode par défaut qu'appliquera la fonction de recherche/remplacement. Utilisez-les également afin de demander confirmation pour différents types de changements et de contrôler la taille des listes de valeurs lorsque vous employez un filtre par formulaire.

Les paramètres prédéfinis de recherche/remplacement sont répertoriés ci-dessous. Vous pouvez passer outre dans les boîtes de dialogue Rechercher dans le champ (Édition/Rechercher) et Remplacer dans le champ (Édition/Remplacer), comme vous l'explique le Chapitre 9.

Recherche rapide : Recherche dans le champ courant et correspond au champ entier.

Recherche générale : Recherche dans tous les champs et correspond à n'importe quelle partie du champ.

Début de champ : Recherche dans le champ courant et correspond au(x) premier(s) caractère(s) du champ.

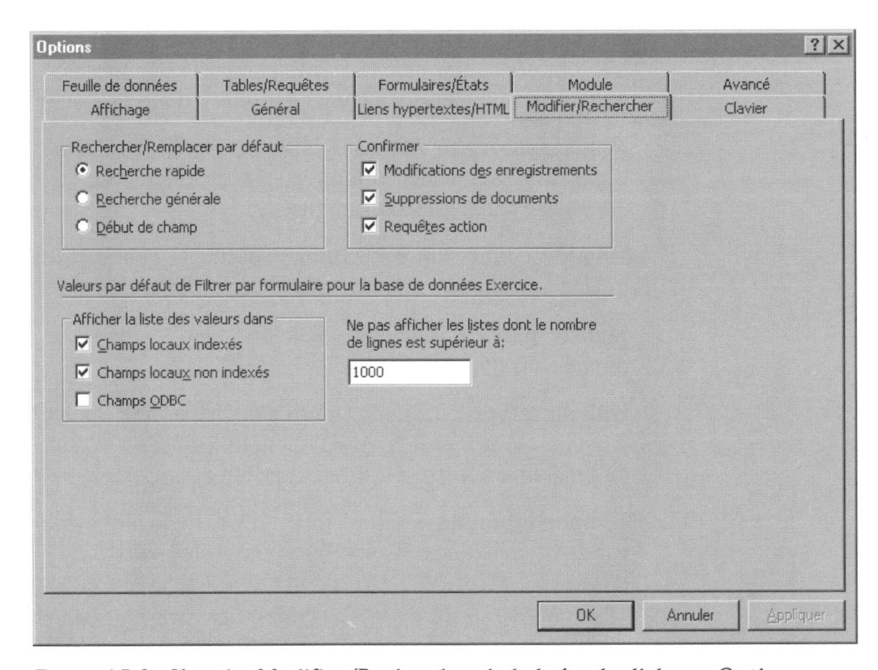

Figure 15.8 : L'onglet Modifier/Rechercher de la boîte de dialogue Options.

Les cases à cocher de la rubrique *Confirmer* vous permettent de contrôler si oui ou non Access doit afficher un message de confirmation lorsque vous modifiez un enregistrement (Modifications des enregistrements), supprimez un objet base de données (Suppressions de documents), ou exécutez une requête Action (Requêtes action). Il est préférable de laisser ces options actives.

Quant aux cases à cocher disponibles dans la partie inférieure de la fenêtre, sous la mention *Valeurs par défaut de Filtrer par formulaire pour la base de données x*, elles contrôlent les champs qui fournissent des valeurs lorsque vous faites appel à la commande Filtrer par formulaire (Chapitre 9) ; elles déterminent également le nombre de lignes qui s'affichent dans la liste de ce filtre. Ces options n'affectent que la base de données courante ; vous pouvez donc faire d'autres choix dans d'autres bases. Vous avez la possibilité de passer outre ces options pour un filtre par formulaire donné (Chapitre 9). Pour accélérer le filtrage, limitez l'action aux champs locaux indexés et réduisez le nombre des enregistrements lus.

L'onglet Module

Les options de l'onglet Module (Figure 15.9) fixent les attributs par défaut de la fenêtre du mode création de module qui sert à créer des procédures et des fonctions Visual Basic (Chapitre 25).

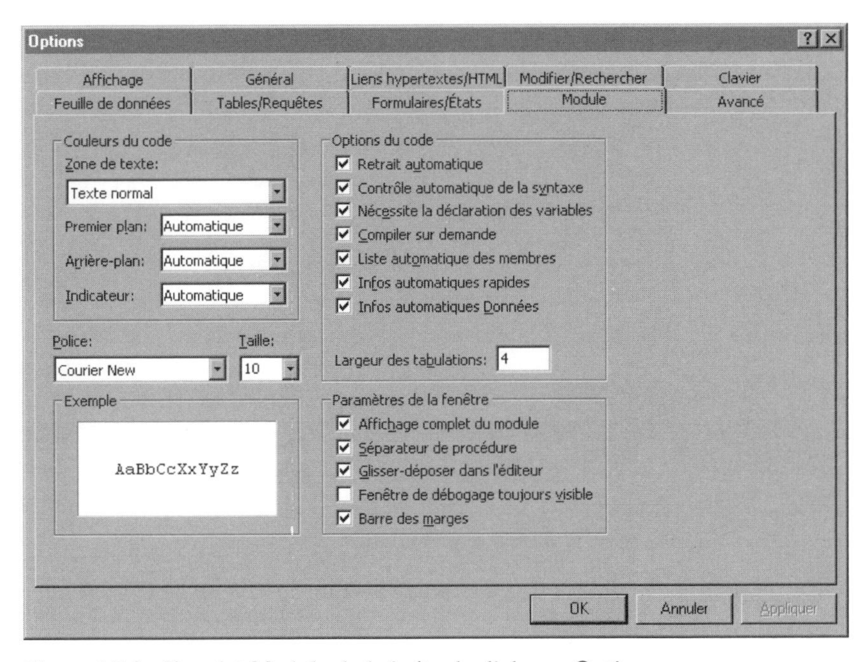

Figure 15.9 : L'onglet Module de la boîte de dialogue Options.

Vous pouvez agir sur les couleurs et la police affectées à votre code, décider de la manière dont ce code est affiché dans la fenêtre Module, et spécifier différents paramètres relatifs à la base de données courante. Le Chapitre 25 décrit plus en détail l'utilisation et la personnalisation de la fenêtre Module ; l'aide en ligne en fait autant. Vous pouvez aussi solliciter le Compagnon Office (en tapant **Modules** dans sa case Rechercher).

L'onglet Tables/Requêtes

Dans cet onglet (Figure 15.10), vous avez accès aux options prédéfinies qui contrôlent les procédures de création de tables et de requêtes (notamment, dans le cas des tables, les types de champs par défaut et l'indexation).

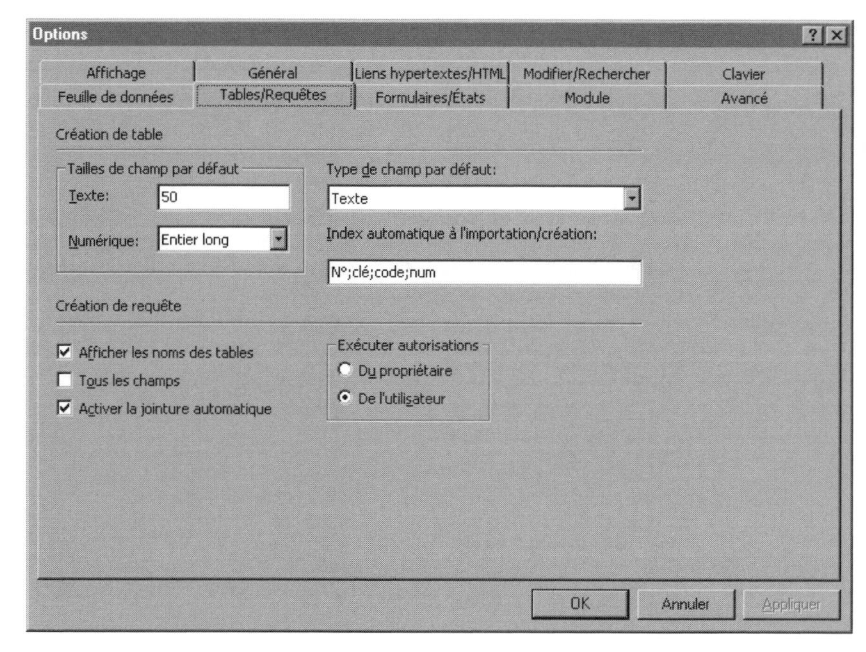

Figure 15.10 : L'onglet Tables/Requêtes de la boîte de dialogue Options.

Les options de cet onglet relatives aux tables sont :

Tailles de champ par défaut : Spécifie la taille par défaut des futurs champs Texte et Numérique en mode création de table. Les champs Texte peuvent recevoir une valeur comprise en 0 et 255 ; choisissez la taille des champs Numérique dans la liste déroulante correspondante.

Type de champ par défaut : Définit le type par défaut des futurs champs en mode création de table.

Index automatique à l'importation/création : Spécifie les noms de champ qui sont indexés automatiquement lorsque vous créez les champs en mode création, ou lorsque vous les importez depuis un fichier externe. La propriété Indexé de l'onglet Général de la fenêtre de création de table affichera Oui - Avec doublons pour les champs indexés automatiquement.

Dans la case correspondante, entrez les premiers/derniers caractères des noms des champs à indexer automatiquement en séparant les différents noms (ou parties de noms) par des points-virgules (;). *Exemple* : la case Index automatique à l'importation/création de la Figure 15.9 enjoindra à Access d'indexer de manière automatique les noms des champs comme N°, MonN°, ChampClé, Code1 et NuméroAuto.

Chaque table peut comporter un maximum de 32 index. Vous aurez vite tendance à outrepasser cette valeur si vous spécifiez un grand nombre de champs dans la case de l'option Index automatique à l'importation/ création, ou si vous créez ou importez beaucoup de champs dont les noms sont répertoriés dans cette case.

Les options de cet onglet relatives aux requêtes sont :

Afficher les noms des tables : Affiche ou masque les noms des tables dans la grille de création des requêtes. Pour passer outre ce paramètre, choisissez Affichage/Noms des tables depuis le mode création de requête.

Tous les champs : Si l'option est activée, tous les champs des tables ou des requêtes sous-jacentes d'une requête s'affichent lorsque la requête est exécutée ; si l'option est désactivée, seuls sont affichés les champs placés dans la grille de création. Pour passer outre ce paramètre, modifiez la propriété Tous les champs de la requête.

Activer la jointure automatique : Cette option vous permet de créer des jointures internes automatiques entre deux tables que vous ajoutez dans la fenêtre de création de requête. Access est capable de créer une jointure interne entre des tables si celles-ci sont déjà liées dans la fenêtre Relations, ou si elles contiennent des champs qui portent le même nom ou présentent un type de données identique ou compatible dans les deux tables impliquées. Même si vous supprimez les jointures automatiques, vous pourrez, malgré tout, créer ces jointures manuellement depuis la fenêtre de création de requête.

Exécuter autorisations : Choisissez Du propriétaire pour que les nouvelles requêtes soient exécutées après autorisation du propriétaire ; choisissez De l'utilisateur pour qu'elles soient exécutées après autorisation de l'utilisateur courant. Ces permissions sont importantes dans le cas de bases de données protégées. Pour afficher et modifier le nom du propriétaire d'une requête, choisissez Outils/Sécurité/Autorisations d'accès, puis activez l'onglet Changer le propriétaire. Pour outrepasser les permissions d'exécution de requête par défaut , ouvrez la requête concernée en mode création et changez sa propriété Exécuter autorisations.

Le Chapitre 6 décrit la création de tables ; le Chapitre 7 détaille plus particulièrement leur importation ; le Chapitre 10 est consacré aux requêtes ; enfin, le Chapitre 18 traite de l'utilisation en réseau et de la protection.

Personnaliser une base de données

Plusieurs techniques sont à votre disposition :

- Définissez des *options de démarrage* qui prennent effet lorsque vous ouvrez la base de données. Voyez à ce sujet la section suivante.
- Définissez des *propriétés de base de données* qui documentent votre base et la rendent facilement localisable. Voyez la section “Modifier les propriétés de la base” dans le Chapitre 5.
- Définissez des *propriétés d'objet* pour les objets qui apparaissent dans la fenêtre Base de données. Voyez la section “Changer les propriétés d'un objet ou d'une table entière” dans le Chapitre 6.

Définir des options de démarrage

Ces options vous permettent de contrôler les paramètres qui entrent en vigueur lorsque vous ouvrez une table donnée. Vous pouvez utiliser la boîte de dialogue de démarrage à la place ou en plus d'une macro AutoExec. Cette macro s'exécutera après les options de la boîte de démarrage. (Les Chapitres 20 et 28 vous en apprennent davantage sur les macros.)

Pour définir ces options :

1. Ouvrez la base de données pour laquelle vous voulez définir des options de démarrage.
2. Choisissez Outils/Démarrage ; ou cliquez avec le bouton de la souris dans une zone grisée da la fenêtre Base de données et choisissez Démarrage. La boîte de dialogue Démarrage s'affiche à l'écran (Figure 15.11).
3. Définissez les options comme décrit ci-dessous.
4. Cliquez sur OK pour valider vos choix et fermer la boîte de dialogue.
5. Si nécessaire, fermez la base de données, puis ouvrez-la de nouveau.

Pour outrepasser les paramètres de démarrage et utiliser les options par défaut représentées à la Figure 15.11, enfoncez la touche Majuscule pendant que vous ouvrez la base.

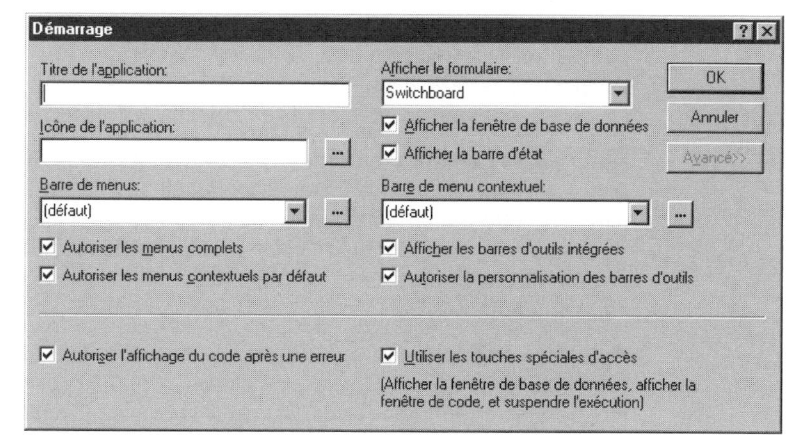

Figure 15.11 : La boîte de dialogue Démarrage après que nous avons cliqué sur Avancé.

Les options de la boîte de dialogue de démarrage sont décrites ci-dessous. Remarquez que certaines d'entre elles produisent leur effet dès que vous fermez la fenêtre, tandis que d'autres n'agiront que lors de la prochaine ouverture de la base (ces options "à retardement" sont signalées par un astérisque).

Titre de l'application : Vous permet de définir un titre pour l'application et affiche ce titre dans la barre de titre d'Access. Pour utiliser le titre par défaut *Microsoft Access*, n'entrez rien dans cette case.

Icône de l'application : Vous permet de remplacer l'icône générique d'Access par une icône personnalisée pour l'application et affiche cette icône dans la barre de titre d'Access et dans le bouton qui s'affiche dans la barre des tâches de Windows. Pour choisir cette icône, tapez le nom du fichier qui la contient dans la case correspondante ; ou cliquez sur le bouton Générer (...) placé à droite de la case d'édition, localisez le fichier icône (*.ico) ou le fichier bitmap (*.bmp) que vous voulez afficher, puis cliquez deux fois sur son nom. (Sous Windows NT, vous êtes limité aux fichiers icône ; les fichiers bitmap ne peuvent être utilisés.) Si vous avez l'intention de distribuer votre application, nous vous conseillons de placer le fichier icône ou bitmap dans le même dossier que celui où se trouve l'application. Pour utiliser l'icône par défaut d'Access, n'entrez rien dans cette case.

Barre de menus* : Vous permet d'afficher une barre de menus globale lorsque vous ouvrez la base courante. Choisissez une barre existante dans la liste déroulante, ou sélectionnez (défaut) pour utiliser la barre prédéfinie d'Access. Si vous voulez créer une nouvelle barre de menus, cliquez sur Générer (...), puis construisez votre barre comme vous l'explique le Chapitre 24.

Autoriser les menus complets* : Vous permet d'autoriser ou de limiter l'utilisation des menus par défaut d'Access. Activez (cochez) cette option pour afficher une barre de menus complète ; désactivez-la pour ne proposer qu'une barre restreinte qui ne permet pas de modifier les objets base de données.

Autoriser les menus contextuels par défaut* : Vous permet d'autoriser ou de limiter l'utilisation des menus contextuels par défaut d'Access. Activez (cochez) cette option pour que le menu contextuel s'affiche lorsque vous cliquez avec le bouton droit de votre souris sur une barre d'outils ou sur un objet quelconque ; désactivez-la pour que ce menu ne se déroule pas sous votre pointeur.

Autoriser l'affichage du code après une erreur* : Vous permet d'activer la combinaison de touches Ctrl + Pause et d'autoriser l'affichage du code dans la fenêtre Module après une erreur. (Lorsque vous avez développé votre application, désactivez éventuellement cette option pour empêcher d'autres utilisateurs de voir votre code.)

Afficher le formulaire* : Vous permet de spécifier quel formulaire afficher à l'ouverture de la base. Pour n'afficher aucun formulaire, choisissez (aucune) dans la partie supérieure de la liste déroulante. Les applications que vous créez avec l'Assistant Base de données affichent toujours *Menu général* dans cette case.

Afficher la fenêtre de base de données* : Vous permet d'afficher ou de masquer la fenêtre Base de données à l'ouverture de la base. Il est souvent pratique de masquer cette fenêtre si vous affichez un formulaire à l'ouverture. (Même si la fenêtre Base de données n'apparaît pas au démarrage, vous pouvez l'afficher à tout moment grâce à la touche F11.)

Afficher la barre d'état* : Vous permet d'afficher ou de masquer la barre d'état (il est conseillé de maintenir son affichage). Pour que cette barre n'apparaisse dans aucune base de données Access, choisissez Outils/Options, activez l'onglet Affichage et désactivez Barre d'état. Elle ne s'affiche pas dans la base courante si vous avez désactivé l'option pour cette base, pour toutes les bases ou pour les deux.

Barre de menu contextuel* : Vous permet de dérouler le menu contextuel de votre choix lorsque vous cliquez avec le bouton droit de votre souris dans un formulaire ou dans un état en mode formulaire ou aperçu avant impression. Sélectionnez, dans la liste, un menu contextuel existant, ou choisissez (défaut) pour utiliser le menu contextuel prédéfini d'Access. Si vous voulez créer un nouveau menu contextuel, cliquez sur Générer (...), puis construisez votre menu comme vous l'explique le Chapitre 24.

Afficher les barres d'outils intégrées* : Vous permet d'autoriser ou non les utilisateurs à afficher les barres d'outils intégrées d'Access. Le réglage est sans effet sur les barres d'outils personnalisées. Dans la plupart des cas, vous laisserez aux utilisateurs l'accès à ces barres, sauf si vous développez une application qui comporte ses propres barres d'outils et que celles d'Access ne vous sont alors d'aucune utilité.

Autoriser la personnalisation des barres d'outils* : Vous permet d'autoriser ou non les utilisateurs à modifier les barres intégrées et à créer des barres personnelles. Activez (cochez) cette option pour qu'ils puissent accéder aux barres ; désactivez-la pour que la commande Affichage/Barres d'outils ne soit plus accessible, pas plus que le clic droit dans une barre affichée.

Utiliser les touches spéciales d'accès* : Vous permet d'activer ou de désactiver certaines touches : F11 ou Alt + F1 (affiche la fenêtre Base de données) ; Ctrl + G (affiche la fenêtre de code) ; Ctrl + F11 (bascule entre la barre des menus personnalisée et la barre des menus par défaut) ; Ctrl + Pause (interrompt l'exécution du code et affiche le module en cours dans la fenêtre Module).

Pour en savoir plus sur n'importe quelle option de la boîte de dialogue Démarrage, cliquez avec le bouton droit de la souris sur l'option concernée et choisissez Qu'est-ce que c'est ?, ou cliquez dans la case de l'option et enfoncez les touches Majuscule + F1. L'index de l'aide et son entrée *boîte de dialogue de démarrage, Considérations sur la définition d'options dans la boîte de dialogue Démarrage* sont également disponibles.

Installer des Assistants, des Générateurs et des compléments

Les Assistants, les Générateurs et les compléments de menu sont stockés dans des bases de données bibliothèques. Vous pouvez faire appel au Gestionnaire de compléments pour installer ou désinstaller des bibliothèques existantes, ainsi que pour en créer de nouvelles.

Les bases de données bibliothèques présentent l'extension .mda ; hormis cette particularité, elles sont identiques aux bases de données standard (extension .mdb). Plusieurs bibliothèques sont fournies avec Access et sont installées automatiquement en même temps que le programme (voyez l'Annexe) ; elles n'apparaissent toutefois pas dans la boîte de dialogue du Gestionnaire de compléments. Vous pouvez créer vos propres bibliothèques ou en acquérir auprès de sociétés tierces.

Pour appeler le Gestionnaire de compléments :

1. Choisissez Outils/Compléments/Gestionnaire des compléments. La boîte de dialogue Gestionnaire de compléments s'affiche (Figure 15.12). Les éventuelles bibliothèques installées sont signalées par une croix.

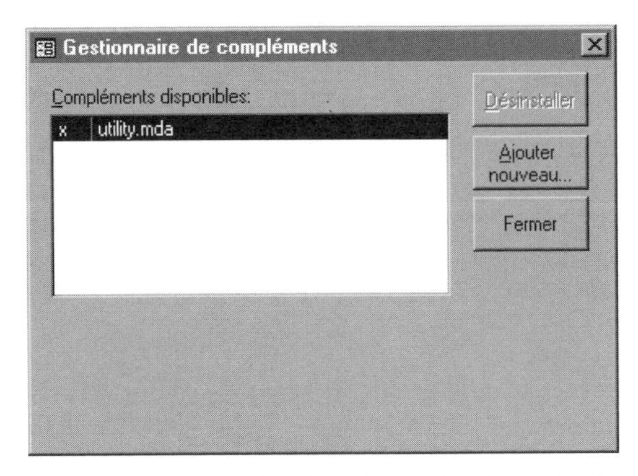

Figure 15.12 : La boîte de dialogue Gestionnaire de compléments avec un complément installé.

2. Exécutez l'une des actions suivantes :

- **Pour ajouter un complément à la liste**, cliquez sur Ajouter nouveau, localisez, puis sélectionnez le nom du complément dans la fenêtre Ouvrir, puis cliquez sur OK (ou cliquez deux fois sur le nom du fichier). Ce faisant, vous copiez la bibliothèque dans le dossier d'installation d'Access (il s'agit normalement du dossier \Microsoft Office\Access) et l'installez dans la liste Compléments disponibles.
- **Pour installer un complément disponible**, sélectionnez le complément concerné dans la liste Compléments disponibles, puis cliquez sur Installer.
- **Pour désinstaller un complément disponible**, sélectionnez le complément concerné dans la liste Compléments disponibles, puis cliquez sur Désinstaller. Lorsque la bibliothèque est désinstallée, elle reste disponible sur le disque, mais n'est plus chargée en mémoire et ne peut donc plus être utilisée. Vous pouvez libérer de la mémoire et réduire le temps qu'Access met à démarrer en désinstallant les bibliothèques que vous n'employez pas.
- **Pour installer ou désinstaller rapidement un complément**, cliquez deux fois sur le nom du complément concerné dans la liste Compléments disponibles (ou sur le x placé en regard).

3. Cliquez sur Fermer. Vous regagnez ainsi la fenêtre Base de données.

Ne vous amusez pas à installer et à désinstaller des compléments, car, en agissant de la sorte, vous risquez fort de perdre des Assistants et de faire disparaître certaines options de la commande Outils/Compléments. Pour retrouver ces éléments, réinstallez Access ainsi que tous les compléments annexes.

N'oubliez pas que l'aide en ligne se tient à votre disposition pour des informations complémentaires (entrée *gestionnaire de Compléments*). Quant à la création et à l'installation de bases de données bibliothèques, voyez le Chapitre 16 "Création d'Assistants, de Générateurs et de compléments" du manuel Access "Comment créer des applications avec Microsoft Access pour Windows 95".

Personnaliser les compléments

Dans les précédentes versions d'Access, vous aviez la possibilité de personnaliser les Assistants en faisant appel au Gestionnaire de compléments. Ce n'est plus le cas dans la nouvelle version ; ce n'est d'ailleurs généralement pas nécessaire étant donné que la plupart des Assistants vous permettent de réaliser des personnalisations.

Pour personnaliser l'Assistant Table, penchez-vous sur le Kit de développement Microsoft Access. Voyez à ce sujet l'entrée d'index intitulée, précisément, *Kit de développement Microsoft Access.*

Autres possibilités de personnalisation

Ce chapitre vous a déjà présenté différentes personnalisations possibles. Mais il en existe d'autres ! Ainsi, vous pouvez personnaliser l'aspect et le comportement d'Access en modifiant les options du Panneau de configuration de Windows, en définissant des options de démarrage dans la ligne de commande qui lance Access, ou en agissant sur le Registre Windows.

Utiliser le Panneau de configuration

À l'instar de la plupart des programmes Windows, Access hérite de nombreux réglages définis dans le Panneau de configuration de Windows. Pour accéder à ce panneau, cliquez sur Démarrer dans la barre des tâches de Windows et choisissez Paramètres/Panneau de configuration (ou cliquez deux fois sur l'icône Poste de travail de votre bureau, puis cliquez deux fois sur le dossier Panneau de configuration). Lorsque la fenêtre du Panneau s'affiche à l'écran, cliquez deux fois sur l'icône du paramètre à modifier (Tableau 15.2). Souvenez-vous que les changements que vous apportez ici sont répercutés dans tous les programmes Windows.

Icône	Nom	Effet
ODBC 32 bits	32bit ODBC	Vous permet d'ajouter, de supprimer ou de configurer des sources de données ; vous permet également d'installer sur votre ordinateur de nouveaux gestionnaires ODBC 32 bits. Une source de données comprend le nom de la source, sa description, le serveur, l'adresse réseau, la bibliothèque de réseau ainsi que d'autres informations servant à identifier et à localiser les données sur le réseau (Chapitre 18).
Affichage	Affichage	Vous permet de choisir les couleurs attribuées aux différentes zones de l'écran et de changer l'aspect du bureau de Windows.
Polices	Polices	Vous permet d'ajouter et de supprimer des polices ainsi que de définir les options TrueType.
Réseau	Réseau	Vous permet de gérer votre configuration réseau, de sélectionner un logon (code de connexion), d'autoriser ou d'interdire le partage des fichiers et des imprimantes, d'identifier votre ordinateur sur le réseau et de définir comment doit s'opérer l'accès aux ressources communes sur votre ordinateur (Chapitre 18).

Tableau 15.2 : Les principaux réglages du Panneau de configuration de Windows qui vous permettent de personnaliser Access ainsi que les autres programmes évoluant sous le même système d'exploitation.

Icône	Nom	Effet
Mots de passe	Mots de passe	Vous permet, sur des ordinateurs en réseau, de modifier le mot de passe de Windows ainsi que celui des autres éléments protégés, de gérer votre poste à distance et de contrôler les préférences personnelles des utilisateurs de votre unité (Chapitre 18).
 Imprimantes	Imprimantes	Vous permet d'installer et de désinstaller des imprimantes, de modifier les paramètres d'impression et de sélectionner l'unité de sortie que vous voulez utiliser comme imprimante par défaut.
 Paramètres régionaux	Paramètres régionaux	Vous permet de spécifier les paramètres internationaux, comme l'unité de mesure, le séparateur de liste, les formats de date, d'heure et de nombre et le symbole monétaire.
 Système	Système	Vous permet de gérer vos périphériques, de déterminer des profils matériels et de configurer Windows pour des performances optimales (Windows est automatiquement optimalisé).

Tableau 15.2 : Les principaux réglages du Panneau de configuration de Windows qui vous permettent de personnaliser Access ainsi que les autres programmes évoluant sous le même système d'exploitation (suite).

Pour un commentaire plus explicite des options répertoriées dans le Tableau 15.2, consultez la documentation de Windows ou utilisez la commande ?/Rubriques d'aide du Panneau de configuration. Vous pouvez aussi cliquer sur une de ses icônes et voir ce qu'en dit la barre d'état.

Utiliser la ligne de commande qui lance Access

Vous pouvez utiliser les *options de démarrage* pour ouvrir automatiquement une base de données, exécuter une macro, fournir un nom de compte utilisateur ou un mot de passe, etc., le tout en spécifiant simplement des options dans la ligne de commande qui lance Microsoft Access. Deux approches sont possibles (nous les détaillerons sous peu) :

- **Menu Démarrer/Programmes** : Access démarre toujours avec les options que vous avez spécifiées dans le menu Démarrer/Programmes. Normalement, une seule entrée Microsoft Access y apparaît.
- **Raccourcis** : Access démarre avec les options que vous avez spécifiées dans le raccourci. Vous pouvez créer autant de raccourcis que vous le souhaitez (Chapitre 1) ; vous pouvez les regrouper dans un dossier, ou les déposer directement sur le bureau de Windows.

La commande de démarrage standard d'Access, dépourvue d'options, ressemble à ceci :

```
c:\msoffice\access\msaccess.exe
```

Pour introduire des options, partez de la commande précédente, tapez un espace, puis ajoutez les options requises (en les séparant les unes des autres par un espace). L'exemple ci-dessous lance Access et ouvre la base de données Ordentry (Gestionnaire de commandes) stockée dans le dossier intitulé “Mes documents” placé sur le disque C (vous devez entrer l'instruction sur une seule ligne) :

```
c:\msoffice\access\msaccess.exe "c:\Mes
documents\Ordentry"
```

Si le chemin d'accès de votre base de données comporte des espaces, placez ce chemin entre guillemets, comme le montre l'exemple ci-dessus. Dans le cas contraire, les guillemets ne sont pas indispensables.

Cet exemple lance Access et ouvre la base de données Ordentry (Gestionnaire de commandes) en mode exécution :

```
c:\msoffice\access\msaccess.exe "c:\Mes
documents\Ordentry" /runtime
```

Le Tableau 15.3 présente les options les plus couramment utilisées. Pour obtenir une liste complète des possibilités d'Access en ce domaine, voyez l'entrée d'index *options de démarrage, options de la ligne de commande - Démarrer Microsoft Access avec des options de ligne de commande.*

Option*	Effet
base-de-données	**Ouvre la *base de données* spécifiée.
base-de-données-source/ Compact *base-de-données-cible*	**Compacte la *base de données source* sous le nom de la *base de données cible* et ferme Access. Ne précisez pas la *base de données cible* si vous voulez compacter la base sous le nom de la *base source*.
base-de-données/Excl	Ouvre la base de données spécifiée en mode exclusif. N'activez pas cette option si vous voulez ouvrir la base en mode partagé dans un environnement multiutilisateur.
/Nostartup	Lance Access sans afficher la boîte de dialogue de démarrage. Vous parvenez au même résultat en choisissant Outils/ Options et en désélectionnant l'option Boîte de dialogue de démarrage dans la rubrique Afficher de l'onglet Affichage.
/Profile *profil-utilisateur*	Lance Access en utilisant les options du *profil d'utilisateur* spécifiées en lieu et place des paramètres standard du Registre Windows et créés lors de l'installation d'Access. L'option /Profile remplace l'option /ini utilisée dans les versions précédentes d'Access, qui spécifiaient un fichier d'initialisation. Le Kit de développement Microsoft Access comporte des outils et des informations pour la création de profils d'utilisateurs.
/Pwd *mot-de-passe*	Lance Access en utilisant le *mot de passe* spécifié (Chapitre 18).
/Repair *base-de-données*	Répare la *base de données* spécifiée, puis ferme Access (Chapitre 17).

Tableau 15.3 : Les principales options de la ligne de commande d'Access.

Option*	Effet
base-de-données/RO	Ouvre la base de données spécifiée en mode lecture seule.
base-de-données/Runtime	Lance Access en mode exécution et ouvre la *base de données* spécifiée. En mode exécution, les utilisateurs n'ont pas accès à la fenêtre Base de données et ne peuvent ouvrir des objets base de données en mode création. Cette option est utile dans le cas d'applications clé en main, comme celles que crée l'Assistant Création d'applications.
/User *nom-utilisateur*	Lance Access en utilisant le nom d'utilisateur spécifié (Chapitre 18).
/Wrkgrp *fichier-d'informations-de-groupe*	**Lance Access en utilisant le *fichier d'informations de groupe* spécifié (Chapitre 18).
/X *macro*	Lance Access et exécute la *macro* spécifiée. Vous pouvez aussi exécuter une macro lorsque vous ouvrez une base de données en utilisant une macro AutoExec (Chapitres 20 et 28).

*Pour entrer une barre oblique normale (/) ou un point-virgule (;) dans la ligne de commande, tapez ce caractère deux fois. Ainsi, pour définir le mot de passe ;eao/rnaa47, tapez ;;eap//rnaa47 après l'option /Pwd.

**Spécifiez si nécessaire le chemin d'accès. Si ce chemin comporte des espaces, placez-le entre guillemets doubles. Voyez l'exemple donné précédemment.

Tableau 15.3 : Les principales options de la ligne de commande d'Access.

Spécifier des options de la ligne de commande sur le menu Démarrer

Si vous souhaitez qu'Access démarre systématiquement avec les mêmes options, modifiez l'entrée Microsoft Access du menu Démarrer/Programmes :

1. Cliquez avec le bouton droit de la souris sur le bouton Démarrer dans la barre des tâches de Windows et choisissez Explorer. La fenêtre Explorateur - Menu Démarrer s'affiche.

2. Dans la partie droite de cette fenêtre, cliquez deux fois sur le dossier Programmes, puis cliquez deux fois sur les autres dossiers jusqu'à localiser l'icône de raccourci de Microsoft Access.

3. Cliquez avec le bouton droit de la souris sur cette icône et choisissez Propriétés. Ou cliquez sur l'icône et enfoncez les touches Alt + Entrée.

4. Dans la boîte de dialogue Propriétés de Microsoft Access, activez l'onglet Raccourci.

5. Enfoncez la touche Fin pour déplacer le point d'insertion à droite de la commande de démarrage d'Access dans la case d'édition Cible.

6. Tapez un espace et spécifiez les paramètres souhaités.

7. Le cas échéant, définissez les options Démarrer en, Touche de raccourci et Exécuter. (Pour en savoir plus sur ces options, cliquez sur leur nom avec le bouton droit de la souris et choisissez Qu'est-ce c'est ?)

8. Cliquez sur OK pour regagner la fenêtre de l'Explorateur.

9. Fermez cette fenêtre.

La prochaine fois que vous ferez appel au menu Démarrer/Programme pour lancer Access, les options de ligne de commande que vous venez de définir prendront effet.

Spécifier des options de la ligne de commande pour un raccourci

Le Chapitre 1 vous a appris à créer des raccourcis. Partant du principe que vous avez déjà créé un raccourci pour Microsoft Access, voici comment le modifier pour y inclure des options de démarrage :

1. Localisez le raccourci dans son dossier ou sur le bureau de Windows.

2. Cliquez avec le bouton droit de la souris sur l'icône de raccourci Microsoft Access et choisissez Propriétés, ou cliquez sur l'icône et enfoncez les touches Alt + Entrée.

3. Exprimez-vous dans la boîte de dialogue Propriétés comme vous l'expliquent les étapes 4-7 de la section précédente.

4. Cliquez sur OK pour valider vos choix.

La prochaine fois que vous ferez un double clic sur l'icône de raccourci Access, le programme démarrera avec les options de ligne de commande que vous venez de définir.

À propos du Registre Windows

Lorsqu'Access démarre, il lit les différents paramètres du Registre Windows. (Dans Access 2.0, ces paramètres étaient stockés dans un fichier d'initialisation baptisé \windows\msacc20.ini.) La plupart de ces paramètres sont définis lorsque vous installez Access ; quelques-uns sont mis à jour lorsque vous faites appel à certaines options du programme, comme l'Administrateur de groupe de travail présenté au Chapitre 18. Vous n'aurez sans doute jamais à mettre ce fichier à jour manuellement ; cependant, si cela vous arrivait, *soyez très prudent* et commencez par en faire une copie de sauvegarde, car toute fausse manoeuvre risque d'empêcher Access ou d'autres programmes Windows de fonctionner correctement.

Pour modifier ce fichier, vous devez faire appel à l'Éditeur de registre. Commencez par cliquer sur le bouton Démarrer de la barre des tâches de Windows, puis choisissez Exécuter, tapez **regedit** et, enfin, enfoncez la touche Entrée. Vos modifications entreront en vigueur lors du prochain démarrage d'Access.

Voyez l'entrée *Registre Windows* dans l'index de l'aide en ligne.

Et maintenant, que faisons-nous ?

Ce chapitre vous a présenté différentes manières de personnaliser Access. Le chapitre suivant vous explique comment analyser vos bases de données et accroître leurs performances.

Quoi de neuf ?

Les options de personnalisation ont été très légèrement modifiées :

- **La boîte de dialogue Options dispose d'un nouvel onglet, baptisé "Liens hypertextes/HTML".** Pour l'atteindre, choisissez Outils/Options.
- **La boîte de dialogue Personnaliser vous permet de modifier menus et barres d'outils.** Pour l'atteindre, choisissez Affichage/Barres d'outils/Personnaliser.

Chapitre 16

Optimiser votre base de données

Si vous rêvez d'une base de données qui trace autant qu'une voiture de Formule 1 alors que la vôtre se traîne à la vitesse d'un escargot, ce chapitre vous concerne. Il vous explique en effet comment doper votre base afin qu'elle file à toute allure sur l'autoroute de l'information.

Ne perdez toutefois pas de vue que vous ne ferez jamais une Ferrari d'une 2 CV, ni un Pentium d'un processeur 386. Rien, en revanche, ne vous interdit d'exploiter votre matériel au maximum de ses possibilités. Si les suggestions que nous vous faisons dans ce chapitre se révèlent insuffisantes, vous devrez alors envisager d'investir dans du matériel plus performant.

Pour l'optimisation d'Access en configuration réseau, veuillez vous reporter au Chapitre 18.

Par quel bout commencer ?

Afin que vous naviguiez plus facilement dans ce chapitre, nous l'avons scindé en cinq parties, correspondant aux cinq domaines de performance qui sont :

- Performances générales.
- Analyseur de performances.
- Tables.
- Requêtes.
- Formulaires, états et impression.

Commencez par les suggestions des Performances générales, puis passez aux catégories suivantes si vous déplorez une lenteur d'exécution dans ces domaines. Dans chacune des sections suivantes, nous présentons les conseils dans l'ordre dans lequel vous êtes supposé les essayer. Commencez donc en haut de la liste et procédez vers le bas.

Les réglages optimaux des catégories suivantes peuvent varier en fonction du matériel sur lequel vous faites tourner Access. Pour un meilleur résultat, modifiez un réglage à la fois et voyez si les performances s'améliorent.

Consultez l'entrée d'index *performances, optimisation* dans le fichier d'aide.

Performances générales

Il existe deux manières d'accélérer les performances générales. La première consiste à intervenir au niveau des paramètres généraux de Windows 95, une solution qui traite non seulement Access mais également tous les programmes évoluant dans cet environnement. La seconde s'effectue au niveau d'Access même ; elle affecte uniquement ce programme et n'a aucune incidence sur les autres applications Windows.

Modifier les paramètres matériel et Windows 95

Pour optimiser Access et Windows, attribuez un maximum de mémoire et d'espace disque :

- **Augmentez la mémoire (RAM) de votre ordinateur.** Access exige un minimum de 16 Mo de mémoire RAM ; toutefois, plus cette mémoire sera élevée, meilleures seront les performances. Ne consacrez pas une partie de votre RAM à un disque virtuel.
- **Optimisez Windows 95.** Windows 95 est capable de vous faire part de tout problème lié à l'optimisation. Consultez donc son rapport dans la boîte de dialogue Propriétés Système et prenez les mesures qui s'imposent. Profitez-en pour vérifier différents paramètres disponibles dans cette fenêtre. Allez-y :

1. Ouvrez le Panneau de configuration en choisissant Démarrer/Paramètres/Panneau de configuration.
2. Cliquez deux fois sur l'icône Système.
3. Dans la boîte de dialogue Propriétés Système, activez l'onglet Performances et prenez connaissance de l'état actuel des performances.
4. Cliquez sur Système de fichiers et sélectionnez les paramètres correspondant à votre ordinateur dans la liste déroulante Utilisation typique de cet ordinateur de l'onglet Disque dur. Placez le taquet Optimisation cache en lecture sur Complète. Cliquez sur OK.
5. De retour dans la boîte de dialogue Propriétés Système, cliquez sur Graphique. Assurez-vous que le taquet Accélération matérielle est bien positionné sur Totale, sauf si vous avez des problèmes d'affichage. Dans ce cas, reculez le taquet d'une ou de deux positions. L'aide qui s'affiche à l'écran devrait vous permettre d'effectuer un réglage correct. Cliquez sur OK.
6. Revenu de nouveau dans la boîte de dialogue Propriétés Système, cliquez sur OK pour valider vos choix. Si un message vous enjoint de redémarrer Windows 95, exécutez-vous.

- **Optimisez l'utilisation de la mémoire.** Laissez Windows 95 gérer la mémoire à votre place. N'intervenez pour fixer des paramètres de mémoire virtuelle que dans deux circonstances : vous ne disposez que d'un espace réduit sur le disque Windows 95 par défaut, ou vous possédez une autre disque dur avec des temps d'accès plus rapides. Dans ces conditions, indiquez à Windows 95 qu'il convient d'utiliser un autre disque pour la mémoire virtuelle. Voici comment vous faire comprendre :

1. Ouvrez le Panneau de configuration en choisissant Démarrer/Paramètres/Panneau de configuration.

2. Cliquez deux fois sur l'icône Système.

3. Dans la boîte de dialogue Propriétés Système, activez l'onglet Performances, puis cliquez sur Mémoire virtuelle. La boîte de dialogue Mémoire virtuelle s'affiche (Figure 16.1).

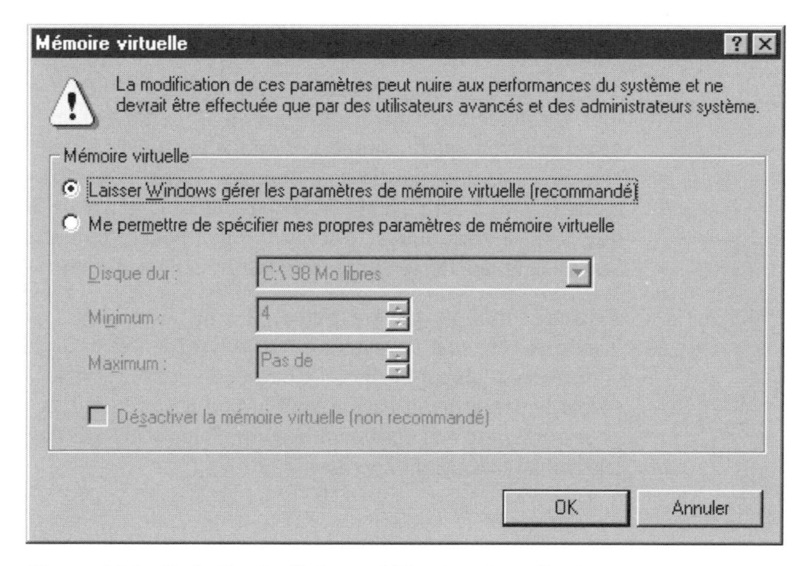

Figure 16.1 : La boîte de dialogue Mémoire virtuelle.

4. Activez l'option Me permettre de spécifier mes propres paramètres de mémoire virtuelle. Choisissez ensuite, dans la liste déroulante Disque dur, le disque dur plus rapide ou moins encombré. Si vous avez le choix, sélectionnez le disque le plus rapide disposant d'un espace libre de 15 Mo minimum. Attribuez au fichier d'échange une taille minimale de manière à obtenir un total de 25 Mo si vous ajoutez la taille de ce fichier à celle de la RAM.

5. Cliquez sur le bouton OK, puis fermez la boîte de dialogue Propriétés Système en cliquant également sur OK.

6. Lorsqu'un message vous enjoint de redémarrer Windows 95, exécutez-vous. Le fait de relancer Windows active les nouveaux réglages.

- **Fermez les applications et les programmes résidents inutiles.** Vous pouvez libérer de la mémoire en fermant toutes les applications et tous les programmes résidents dont vous ne vous servez pas. L'utilisation de programmes résidents tournant sous DOS est susceptible de ralentir les performances du système en raison du fait que ce dernier passe constamment du mode protégé au mode réel afin de permettre à ces programmes résidents de s'exécuter. Pour les empêcher de s'exécuter automatiquement au démarrage de l'ordinateur, supprimez les lignes correspondantes dans l'autoexec.bat ou convertissez-les en commentaires en commençant la ligne par une instruction REM, comme :

```
Rem DOSKEY
```

- **Défragmentez votre disque dur et compactez vos bases de données.** Pour améliorer les performances de votre disque dur et libérer un maximum d'espace disque, faites le ménage : supprimez régulièrement de votre disque tous les fichiers qui ne servent à rien et défragmentez le disque avec un programme adéquat, comme le Défragmenteur de disque de Windows 95 ; compactez ensuite vos base de données Access (Chapitre 17). Exécutez ces actions avant d'optimiser la taille du fichier d'échange de Windows (voyez ci-dessous). Si vous utilisez Microsoft Plus ! pour Windows 95, faites appel à ScanDisk et au Défragmenteur de disque pour entretenir votre disque.
- **Arrachez-moi ce papier peint.** Si vous avez choisi, pour le bureau de Windows, un fond en papier peint, ouvrez le Panneau de configuration et cliquez deux fois sur l'icône Affichage, puis activez l'onglet Arrière-plan. Remplacez le papier peint par un fond uni ou par un motif, ou optez résolument pour la sobriété en choisissant (aucun). Selon votre affichage vidéo, vous soulagez ainsi la RAM de 256 Ko à 750 Ko.

Modifier les paramètres généraux d'Access

Pour améliorer les performances, suivez les conseils suivants lorsque vous travaillez dans Access :

- **N'ouvrez que des bases de données monoutilisateurs.** Lorsque vous ouvrez des bases de données que vous ne partagerez pas avec d'autres utilisateurs, activez l'option Mode exclusif dans la boîte de dialogue Ouvrir. En agissant de la sorte, vous dispensez Access de consacrer du temps au suivi de l'état des enregistrements.
- **Enregistrez les bases de données monoutilisateurs et Access sur le disque dur local.** Les réactions du système seront plus rapides si vous installez Access ainsi que toutes les bases de données que vous ne comptez pas partager sur votre disque dur local, plutôt que sur un serveur de réseau.
- **Utilisez les index avec modération.** Les index accélèrent l'accès aux données, mais ralentissent souvent la mise à jour des enregistrements (Chapitre 6). Pour employer les index à bon escient :
- Ne créez que les index indispensables.
- Indexez les champs qui servent régulièrement de clé de tri.

- Indexez les champs qui servent régulièrement de critère de sélection.
- Dans un index multichamps, n'incluez que les champs qui sont réellement nécessaires. N'envisagez un index multichamps que si vous triez ou recherchez sur une combinaison de champs. Ainsi, si vous isolez fréquemment les clients sur leur nom et sur leur code postal, un index multichamps basé sur les deux champs Nom et CodePostal augmentera les performances.
- **Ne stockez sur le serveur que les bases de données multiutilisateurs.** Conservez sur votre poste local tous les autres objets. Vous pouvez faire appel à l'Assistant Fractionnement Base de données pour séparer des tables appelées à être stockées sur le serveur.
- **Choisissez une stratégie de verrouillage des enregistrements.** Cherchez à limiter les conflits d'édition tout en ne paralysant pas l'accès à la base. Trouvez donc la bonne mesure entre la perte de performance qu'implique l'accès multiutilisateurs, et la perte de confort de travail due au verrouillage des enregistrements.
- **Évitez les conflits de verrouillage.** Définissez, pour ce faire, les paramètres Intervalle d'actualisation, Temporisation de mise à jour, Nombre de tentatives de mise à jour et Intervalle d'actualisation ODBC. Ces options vous attendent dans l'onglet Avancé de la boîte de dialogue Options (Outils/Options).

Le Chapitre 18 vous en dit plus long sur les stratégies de verrouillage des enregistrements.

Utiliser l'Analyseur de performance

Access est équipé d'un Analyseur de performance. Celui-ci analyse les objets de votre base de données et vous propose des moyens d'améliorer leurs performances en vous livrant ses Suggestions, ses Recommandations et ses Idées. Il peut même se charger à votre place de mettre ses suggestions et recommandations en pratique ; les idées, en revanche, c'est à vous d'y réfléchir et de prendre, le cas échéant, les mesures qui s'imposent.

L'Analyseur de performance ne peut examiner que des objets base de données. Il est incapable de se prononcer sur la manière d'accélérer Access lui-même, ou le système opératoire sous-jacent.

Pour vous montrer ce dont cet Analyseur est capable, nous avons fait appel à lui pour analyser une base de données constituant le fichier d'adresses d'une société sans but lucratif. La Figure 16.2 affiche le résultat du traitement. Comme vous le voyez, l'Analyseur de performance nous livre quelques astuces capables d'accroître la vitesse même d'une base aussi simple.

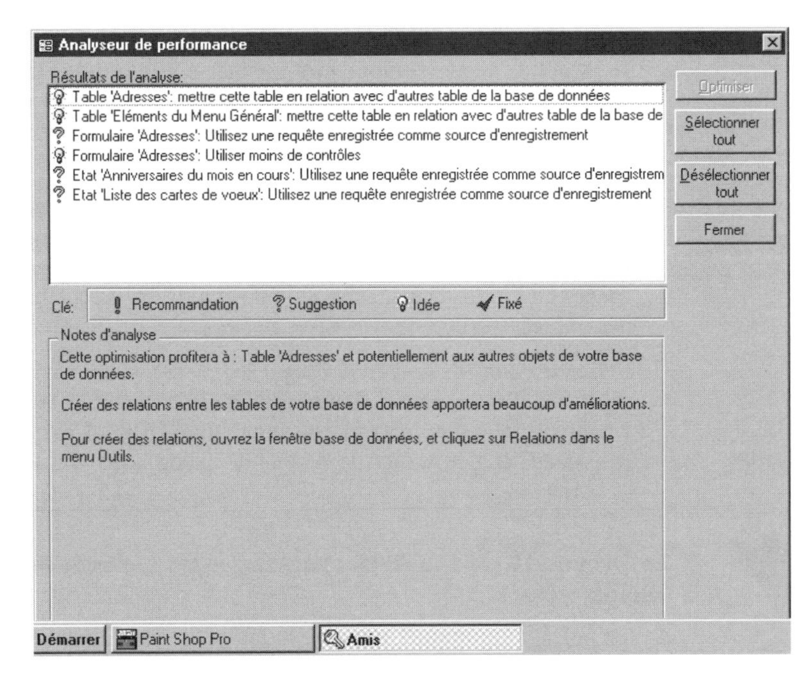

Figure 16.2 : Nous avons utilisé l'Analyseur de performance pour traiter une base de données élémentaire.

Pour employer cet Analyseur :

1. Ouvrez la base de données que vous voulez analyser.

Il faut que votre base contienne des données ; l'analyse de requête, en particulier, prend en considération la quantité de données contenue dans chaque table.

2. Choisissez Outils/Analyse/Performance.

3. Dans la boîte de dialogue de l'Analyseur, activez l'onglet correspondant au type d'objet à optimiser. Cochez ensuite les objets concernés. Enfin, cliquez sur Sélectionner. Utilisez les boutons Sélectionner tout et Désélectionner pour sélectionner ou désélectionner rapidement tous les objets d'un même onglet.
4. Répétez l'étape n° 3 jusqu'à ce que vous ayez sélectionné tous les objets que vous désirez optimiser.
5. Cliquez sur OK. L'Analyseur de performance affiche des boîtes de dialogue qui vous signalent quel objet il est en train de traiter. Il affiche ensuite une liste de Suggestions, Recommandations et Idées.
6. Pour mettre une Suggestion ou une Recommandation en pratique, sélectionnez-la dans la liste et cliquez sur Optimiser. Pour appliquer une Idée, ouvrez la table, la requête, le formulaire, l'état, le module ou la macro concerné et opérez les modifications souhaitées.

Vous pouvez sélectionner tous les types d'objet en choisissant l'onglet Tout. Utilisez ensuite les boutons Sélectionner tout et Désélectionner pour accélérer la procédure de sélection ou de désélection des éléments de la liste.

Accélérer les tables

Si vous respectez les points suivants, vous créerez des tables qui fonctionneront de manière optimale. Access est même en mesure de vous venir en aide grâce à son Assistant Analyseur de table.

- **Éviter les données redondantes.** La présence de doublons réduit l'efficacité de la table. Faites appel à l'Assistant Analyseur de table pour éviter les problèmes qui se posent régulièrement dans ce type d'objet. Choisissez Outils/Analyse/Table et suivez les instructions de l'Assistant.
- **Attribuez à vos champs un type de données approprié.** N'affectez pas à un champ le type Texte alors qu'il serait préférable d'en faire un champ Numérique ; un mauvais choix au niveau du type de champ augmente inutilement la taille de vos tables et réduit l'efficacité des opérations de jointure.
- **Indexez les champs appelés à être liés, ou à servir de clé de tri ou de critère de sélection.** L'index accélère l'action des requêtes sur la table.

Accélérer les requêtes

Microsoft Access utilise une technique particulière d'accès aux données, connue sous le nom de "Rushmore", qui optimise automatiquement les requêtes chaque fois que la chose est possible. Vous pouvez seconder Access dans cette tâche en suivant les règles que nous énonçons ci-dessous (voyez le Chapitre 10 pour en apprendre davantage sur les requêtes).

- **N'utilisez et n'affichez que les champs indispensables.** N'incluez que les champs auxquels vous faites appel dans une requête et désactivez l'affichage de ceux qui sont utilisés dans une requête si ces champs ne doivent pas apparaître dans le résultat de la requête.
- **Utilisez le tri à bon escient.** Trier ralentit l'exécution, particulièrement lorsque vous triez sur des champs non indexés.
- **Recourez à des requêtes Création de table pour les données statiques.** Si vous avez régulièrement besoin de baser des états sur des données qui ne changent pas souvent ou d'analyser ces données, nous vous conseillons d'exécuter des requêtes Création de table afin de créer des tables avec des données sélectionnées (ou calculées). Vous pouvez ensuite visualiser ou créer un état à partir des nouvelles tables sans devoir exécuter chaque fois une nouvelle requête. Si vos données changent, vous pouvez exécuter de nouveau les requêtes Création de table afin de récréer des tables statiques. Remarquez que cette technique présente deux inconvénients : tout d'abord, les tables statiques consomment de l'espace disque ; ensuite, si vous omettez d'exécuter la requête Création de table après que les données ont été modifiées, vos informations ne seront pas à jour.
- **N'utilisez des requêtes qu'en cas d'absolue nécessité.** Access répond plus rapidement si vous basez vos formulaires, vos états et autres requêtes sur des tables (comme celles créées avec les requêtes Création de table), plutôt que sur une requête. Vous ferez évidemment appel aux requêtes pour extraire des informations de tables différentes dont le contenu change souvent, ou pour trier les données d'un formulaire ou d'un état.
- **Créez des requêtes susceptibles d'être optimisées.** Pour accélérer le déroulement des requêtes, évitez de recourir à des critères restrictifs (ET, OU et NOT) sur des colonnes calculées et non indexées. Dans le même but, appliquez les opérateurs Entre...Et, Dans et = (égal) sur des colonnes indexées.
- **N'utilisez pas de fonction de regroupement domaine.** Ces fonctions, comme RechDom, risquent de ralentir le traitement en raison du fait qu'elle doivent consulter des données qui sont stockées dans des tables non incluses dans la requête. Si vous devez inclure des données d'une autre table, ajoutez

plutôt la table à la requête, ou créez une sous-requête. (Les sous-requêtes sont expliquées dans l'index de l'aide en ligne, à l'entrée *sous-requêtes*).

- **Employez des en-têtes de colonne fixes dans les requêtes Analyse croisée.** Le système répondra plus vite si vous employez des en-têtes de colonne fixes dans les requêtes Analyse croisée chaque fois que la chose est réalisable. Pour spécifier des en-têtes fixes, activez le mode création de requête, choisissez Affichage/Propriétés, cliquez dans une zone vide de la zone des tables, puis tapez les en-têtes souhaités dans la case En-têtes colonnes (en séparant les en-têtes les uns des autres par des virgules), comme :

```
"Trim1","Trim2","Trim3","Trim4"
```

Voyez l'entrée d'index *requêtes, optimisation des requêtes* et *Rushmore* dans la fonction de recherche du fichier d'aide.

Accélérer les formulaires, les états et l'impression

Pour accélérer vos formulaires, vos états et vos procédures d'impression (voyez les Chapitres 11 à 14 pour en savoir plus sur la conception de formulaires et d'états ainsi que sur la réalisation de graphiques) :

- **Utilisez le mode Entrée des données pour ajouter des enregistrements aux grandes tables.** Lorsque vous ajoutez de nouveaux enregistrements aux formulaires et aux feuilles de données qui en comportent déjà un grand nombre, sélectionnez Enregistrements/Saisie de données pour masquer les anciens enregistrements pendant que vous saisissez les nouveaux. Cette technique est plus rapide que celle qui consiste à vous positionner dans l'enregistrement vide qui suit le dernier enregistrement courant. Pour afficher de nouveau tous les enregistrements, choisissez Enregistrements/Afficher tous les enregistrements.

- **Utilisez des liens hypertextes en lieu et place de boutons de commande** pour réaliser certaines tâches, comme l'ouverture de formulaires. Dans Access 97, les formulaires et les états sont créés sans module VBA. (Les objets créés avec les versions précédentes du programme comportaient systématiquement un module VBA.) Il faut savoir que les formulaires et les états se chargent beaucoup plus rapidement si aucun code VBA ne leur est attaché. Or, les boutons de commande incluent du code VBA, ce qui constitue un facteur de ralentissement. En conséquence, préférez-leur les liens hypertextes chaque fois que la chose est possible.

- **Utilisez des images plutôt que des objets OLE.** Si vos objets OLE Paintbrush, graphiques et autres objets incorporés n'ont pas besoin d'être mis à jour, convertissez-les en images. Pour ce faire, activez le mode création de formulaire ou d'état, cliquez sur l'objet avec le bouton droit de votre souris, puis choisissez Objet *x*/Convertir. Dans la boîte de dialogue correspondante, sélectionnez Image dans la liste, puis cliquez sur OK.

- **N'abusez pas des images bitmap et autres dans vos formulaires.** Les objets en mode point ainsi que les autres objets graphiques (tels que filets, ou champs encadrés ou pleins) risquent de ralentir l'ouverture et l'impression. Les images couleurs sont plus lentes que les images noir et blanc. Il apparaît, malheureusement, que les éléments qui agrémentent les formulaires sont aussi ceux qui les rendent considérablement plus lourds à manipuler. À vous de trouver un compromis entre esthétique et célérité.

- **Fermez les formulaires que vous n'employez pas.** Ils libéreront de la mémoire.

- **Évitez de trier et de regrouper des expressions.** Vos états seront plus rapides si vous évitez les tris et les regroupements non indispensables d'expressions calculées.

- **Ne superposez pas les contrôles dans les formulaires ni dans les états.** Cette superposition freine l'affichage.

- **Utilisez des tables importées plutôt que des tables attachées.** Si vos formulaires affichent des listes simples et des listes modifiables basées sur des tables fixes d'une autre base de données, importez ces tables plutôt que de les lier à la base courante (Chapitre 7). Les tables importées sont plus gourmandes en espace disque que les tables attachées, mais leur traitement est plus rapide.

- **Utilisez les techniques d'impression rapide.** Pour accélérer l'impression de vos états et de vos formulaires :

  Si vous envisagez d'imprimer un formulaire ou un état sur une imprimante laser, ouvrez le formulaire ou l'état en mode création et choisissez Édition/Sélectionner le formulaire ou Édition/Sélectionner le rapport. Ouvrez sa feuille des propriétés (Affichage/Propriétés), activez l'onglet Autres, puis fixez sur Oui la propriété Impression laser rapide.

Si votre imprimante est un modèle ancien, ou si vous désirez imprimer correctement des éléments graphiques qui se chevauchent, laissez cette propriété sur Non.

Imprimez en mode Portrait aussi souvent que possible. L'impression en mode paysage est plus lente, particulièrement lorsque vous imprimez un grand nombre de lignes horizontales sur une imprimante non laser.

- **Convertissez votre application base de données en fichier MDE.** Dans Access, vous pouvez désormais enregistrer une base de données sans son code source dans un format compacté qui améliore les performances de la base. Le revers de la médaille : les utilisateurs ne peuvent plus ni afficher, ni éditer ce code. Le Chapitre 28 vous en apprend davantage à ce sujet ; n'hésitez pas non plus à interroger le Compagnon Office si vous désirez en savoir plus.

Et maintenant, que faisons-nous ?

Sans doute êtes-vous heureux de savoir comment accroître les performances de votre base de données. Vous allez à présent découvrir comment la mettre à la disposition d'autres utilisateurs. Pour ce faire, vous devez apprendre à administrer votre base ; c'est le thème du chapitre suivant.

Quoi de neuf ?

Nous n'avons fait qu'ébaucher les fonctionnalités qui permettent d'améliorer les performances d'Access pour Windows 95. Parmi les nouveautés :

- Les formulaires et les états sont désormais des "poids plume" dépourvus de module Visual Basic et se chargent donc plus rapidement. Rien, toutefois, ne vous empêche de leur ajouter du code, si le coeur vous en dit.
- Dans toute la mesure du possible, l'Assistant Base de données crée des formulaires allégés en sollicitant les liens hypertexte plutôt que VBA pour réaliser certaines opérations, notamment l'ouverture des formulaires.

Chapitre 17

Administrer votre base de données

Ce chapitre est consacré aux tâches terre à terre - mais ô combien indispensables - d'entretien des lieux, qui tombent dans une catégorie que nous avons intitulée administration de la base de données et qui traite des sujets suivants : archivage, compactage, conversion, codage, décodage, réparation, réplication et documentation de la structure de vos bases de données.

Plusieurs de ces tâches sont facultatives ; choisissez donc celles qui vous intéressent et délaissez les autres. Toutefois, la section suivante, "Sauvegarder une base de données", est un "must" auquel doit sacrifier tout utilisateur d'Access, qu'il opère sur un poste isolé ou qu'il soit administrateur de bases de données.

L'administrateur de la base de données est la personne qui est responsable de l'intégrité et de la sécurité de cette base en environnement réseau multiutilisateur (c'est lui, notamment, qui sauvegarde, compacte et répare la base, et qui protège les données des regards indiscrets). Ses tâches sont décrites dans ce chapitre ainsi qu'au Chapitre 18.

Sauvegarder une base de données

Sauvegarder votre base de données est la manière la plus économique et la plus efficace de mettre vos données à l'abri. Ainsi, si sa structure est endommagée en raison d'une coupure de courant, ou si votre disque dur meurt de sa belle mort, est inondé, brûlé, etc., vous ne pourrez plus lire vos données, perdues à jamais. Cette perte est particulièrement désastreuse dans Access puisque que tous les objets que vous créez dans une base de données sont stockés dans un seul et même fichier ! Une copie de sauvegarde est un moyen simple d'éviter la catastrophe : perte de votre temps, de votre argent, voire de votre emploi ! Pour une sécurité maximale, stockez votre copie de sécurité dans un coffre placé en lieu sûr, de préférence dans un autre endroit que celui où se trouve la base originale.

Parfois, il est possible de réparer les dégâts (voyez la section "Réparer une base de données" plus loin dans ce chapitre), mais la technique la plus infaillible reste la copie de sauvegarde.

À vous de choisir l'endroit où vous stockez cette copie ainsi que la fréquence à laquelle vous procédez à l'archivage. Si la base de données n'est pas trop importante, vous pouvez la sauvegarder sur une disquette. Vous pouvez également utiliser les services d'un programme de compression de fichiers afin de faire tenir sur une disquette une base d'une taille supérieure. Si la taille de votre base est telle qu'il n'est pas envisageable, même après compression, de réaliser la copie sur disquette, vous devrez recourir à un autre système de stockage, comme un disque dur amovible.

Vous pouvez en outre conserver un double de votre base sur votre disque dur local. Dans ces conditions, si vous endommagez la base originale, vous aurez toujours cette copie sous la main, vous épargnant ainsi de plonger dans vos archives à la recherche du disque dur amovible sur lequel vous avez stocké l'autre copie de sécurité.

Sauvegarder une base de données revient, en fait, à copier deux fichiers fondamentaux sur l'unité utilisée pour l'archivage :

- **Le fichier base de données** : Ce fichier stocke toutes les données et tous les objets de la base ; il porte généralement l'extension .mdb.
- **Le fichier système .mdw de base de données de groupe de travail** : Le programme d'installation crée automatiquement system.mdw dans le dossier \access. Ce fichier comporte des informations importantes relatives à la barre

d'outils de chaque utilisateur et aux options annexes. Il contient également les informations sur les protections établies au sein du groupe de travail. (Un *groupe de travail* est un groupe d'utilisateurs qui partagent les mêmes données et le même fichier système de base de données.)

Si le fichier system.mdw est détruit ou endommagé, vous serez dans l'incapacité de lancer Access. Si vous ne pouvez restaurer ce fichier à partir d'une copie de sauvegarde, vous devrez réinstaller Access (voyez l'Annexe) et définir de nouveau barres d'outils, options annexes et protections réseau.

Pour sauvegarder une base de données :

1. Fermez la base de données ouverte en choisissant Fichier/Fermer.
2. Si d'autres utilisateurs du réseau exploitent les données de la base, assurez-vous qu'ils la ferment également afin qu'il n'y ait, sur le réseau, aucun exemplaire actif de cette base. (Administrateurs : réalisez vos sauvegardes de grand matin afin que les autres utilisateurs n'aient pas à se tourner les pouces pendant que vous agissez.)

Vous pouvez aussi sauvegarder individuellement des objets d'une base et les importer ensuite de la base originale vers la copie (Chapitre 7). Cette technique présente l'avantage de ne pas obliger les autres utilisateurs à fermer la base.

3. Lancez le programme avec lequel vous réalisez vos sauvegardes. Il peut s'agir de l'Explorateur Windows, de la commande Copier disponible dans les fenêtres MS-DOS, du programme Backup de Windows 95, d'un système d'archivage sur bande ou d'un utilitaire d'archivage quelconque.
4. Copiez le fichier .mdb vers la destination de votre choix.
5. Copiez également le fichier groupe de travail. Si vous n'avez pas défini un groupe de travail personnalisé, il s'agira du fichier system.mdw du répertoire Access. Le Chapitre 18 vous apprend à créer des fichiers groupe de travail personnalisés.

Restaurer une base depuis la sauvegarde

Pour restaurer une base de données à partir de sa copie de sauvegarde, utilisez votre programme de backup afin de copier le fichier .mdb du dispositif de sauvegarde vers le fichier base de données dans le répertoire concerné. Si le fichier system.mdw est perdu ou endommagé, copiez-le également du dispositif de sauvegarde dans le dossier \access.

Si la base de données de sauvegarde et la base originale portent le même nom, vous remplacerez le fichier original. Si, pour une raison ou pour une autre, vous désirez conserver ce fichier, attribuez-lui un autre nom avant de transférer sur votre disque la copie sauvegardée de la base.

Vous souhaitez en savoir davantage sur les copies de sauvegarde ? Demandez l'assistance du Compagnon Office en entrant les termes *copie de sauvegarde des bases de données* et *system.mdw* dans sa case de recherche. Consultez aussi la documentation de votre programme d'archivage.

Compacter une base de données

À mesure que vous ajoutez et supprimez de votre base des enregistrements, macros, tables et autres objets, l'espace disque qui était occupé par ces objets détruits risque de se fragmenter en unités que le système ne peut utiliser efficacement. Cette fragmentation risque, à son tour, de ralentir le traitement de la base, sans compter le gaspillage d'espace disque qu'elle suppose. Pour résoudre le problème, il suffit de *compacter* régulièrement vos bases de données. Cette opération réorganise l'espace qu'occupe la base et permet à votre système de fonctionner de manière plus efficace.

Avant de compacter votre base, prenez en considération les points suivants :

- Étant donné qu'Access doit, pendant le compactage, copier l'intégralité de la base, il convient de vous assurer avant de commencer qu'il reste, sur votre disque, un espace suffisant. Vous pouvez vérifier la taille de la base et celle de l'espace disponible en faisant appel au Gestionnaire de fichiers de Windows.

- Pour compacter une base de données, vous devez avoir l'autorisation de modifier la structure de toutes ses tables. Les autorisations sont traitées au Chapitre 15.
- Vous ne pouvez compacter qu'une base fermée. Assurez-vous qu'aucun utilisateur du réseau n'est en train d'exploiter cette base lorsque vous lancez la procédure, faute de quoi elle échouera immanquablement.
- Lorsque vous compactez une base de données, si vous avez détruit des enregistrements qui se trouvaient en fin de base et qui comportaient un champ NuméroAuto, Access attribuera au compteur la valeur du dernier numéro supprimé + 1.

Pour compacter la base :

1. Si la base que vous voulez compacter est ouverte, choisissez Fichier/Fermer. (Tous les utilisateurs du réseau doivent en faire autant.)
2. Choisissez Outils/Utilitaires de base de données/Compacter une base de données.
3. Dans la boîte de dialogue Compacter une base de données, sélectionnez la base concernée dans la liste, ou tapez son nom dans la case Nom de fichier ; ensuite, cliquez sur Compacter. Pour réaliser le compactage dans la même base de données, cliquez deux fois sur le nom de la base dans la liste. Si vous employez le même nom dans les étapes n° 3 et n° 4, Access vous demandera s'il doit remplacer la base originale par sa copie compactée (choisissez Oui pour autoriser le remplacement ; choisissez Non pour avoir l'occasion de spécifier un autre nom).

Access compacte la base de données, vous tenant informé de l'avancement de l'opération par un message qu'il vous adresse dans la barre d'état.

Pour que votre base reste opérationnelle au plus haut point, vous devez soit la compacter en utilisant le nom original, soit lui attribuer le nom original après compactage.

Compacter d'autres zones de votre disque dur

Nous vous avons déjà signalé qu'une base de données fragmentée ralentit le fonctionnement d'Access. De manière analogue, un disque dur fragmenté ou ne disposant que de peu d'espace libre risque, lui aussi, de ralentir le comportement de toutes vos applications, notamment Windows 95 et Access. Dès lors, en plus de compacter vos bases de données, vous devriez également défragmenter régulièrement votre disque dur et vous assurer qu'il dispose d'un espace libre suffisant.

Pour ce faire, vous pouvez faire appel au Défragmenteur de disque fourni avec Windows 95 (choisissez Démarrer/Programmes/Accessoires/Outils système/ Défragmenteur de disque) ou un utilitaire de défragmentation quelconque. La plupart de ces programmes fonctionnent de manière identique. Sélectionnez le disque que vous voulez défragmenter, cliquez sur OK, puis allez prendre un café pendant que le défragmenteur fait son travail.

Si vous disposez de Microsoft Plus pour Windows 95, vous pouvez charger l'Agent système d'activer systématiquement le Défragmenteur au bout d'un laps de temps déterminé. Une solution intéressante qui maintiendra, en toutes saisons, votre disque dur au top de sa forme.

Vous ne pouvez utiliser le Défragmenteur pour défragmenter un disque réseau, un CD, ni un disque compacté au moyen d'un programme de compression non supporté par Windows 95.

Recherchez *compactage de bases de données* dans la case correspondante du Compagnon Office ; pour une documentation plus fournie sur le défragmenteur, voyez *défragmenteur* dans l'aide de Windows.

Convertir des formats Access antérieurs

Access 97 est capable d'ouvrir des bases de données créées sous Access 1.x, 2.0 et 95, sans conversion particulière. Toutefois, avant que vous ne soyez habilité à modifier la *structure* d'une table ou d'un objet quelconque, ou à ajouter ou supprimer des objets, vous devrez convertir l'ancienne base en format Access 97.

Il se pourrait que vous ne souhaitiez pas convertir cette ancienne base en format Access 97. C'est le cas, notamment, si vous devez partager cette base avec des utilisateurs qui n'emploient pas ou qui ne peuvent pas employer la dernière version du programme. Dans ces conditions, toute conversion ferait en sorte qu'ils n'auraient plus accès à la base. De plus,

nous vous conseillons de ne pas convertir les bases de données utilisées par des applications créées avec Visual Basic 3.0 ou 2.0, à moins qu'elles ne soient recompilées. En effet, ces applications doivent subir une recompilation avec Visual Basic 4.0 avant de pouvoir être converties, la structure des objets base de données ayant été légèrement modifiée dans Access 97 et Visual Basic 4.0.

Pour convertir une base de données :

1. Si la base que vous voulez convertir est ouverte, choisissez Fichier/Fermer. (Tous les utilisateurs du réseau doivent en faire autant.)
2. Recourez à l'Explorateur pour réaliser une copie de sauvegarde de cette base. Assurez-vous que toutes les tables liées figurent bien dans le dossier auquel la base de données fait référence.
3. Choisissez Outils/Utilitaires de base de données/Convertir une base de données. Si la base en question est verrouillée, vous devez bénéficier des autorisations d'accès suivantes : Ouvrir/Exécuter, Ouvrir en mode exclusif, Lire la structure, Modifier la structure et Administrer.
4. Dans la boîte de dialogue Convertir une base de données, sélectionnez l'unité, le dossier et le nom de la base de données concernée, puis cliquez sur Convertir.
5. Dans la boîte de dialogue Convertir une base de données, sélectionnez la base concernée dans la liste, ou tapez son nom dans la case Nom de fichier. Ensuite, cliquez sur Convertir. Si vous employez le même nom dans les étapes n° 4 et n° 5, Access vous demandera s'il doit remplacer la base originale par sa copie convertie (choisissez Oui pour autoriser le remplacement et Non pour avoir l'occasion de spécifier un autre nom).

Les objets Access 1.x dont le nom comporte le caractère guillemet simple (') ne sont pas convertis. En conséquence, vous devez, avant de réaliser la conversion, modifier ces noms dans la version d'Access qui a servi à les attribuer.

Lorsque Access convertit une base de données, il construit une table particulière appelée table ErreursConversion dans laquelle il consigne toutes ses remarques relatives aux règles de validation qui ne sont pas converties en Access 97. Cette table contient des champs qui décrivent l'erreur, signalant le champ, la table et la propriété de table dans lesquels l'erreur se produit, et mentionnant la valeur impossible à convertir. Servez-vous de ces informations pour réécrire les règles de validation de manière que la table puisse de nouveau fonctionner comme elle avait coutume de le faire avant la conversion. D'une manière générale, vous serez contraint de mettre à jour les fonctions définies par l'utilisateur, les fonctions de regroupement domaine, les fonctions de somme, ainsi que les références aux champs, aux formulaires, aux requêtes et aux tables.

Coder et décoder une base de données

Vous avec la possibilité de *crypter* votre base afin qu'elle ne puisse être ouverte et visualisée que dans Access. Certes, cette opération n'empêche pas un autre utilisateur de venir mettre son nez dans votre base et d'y faire des dégâts, mais elle empêche toute personne utilisant un autre programme (comme un traitement de texte ou un programme utilitaire) d'inspecter vos données. Codez donc votre base si vous envisagez d'en fournir une copie à un autre utilisateur Access, ou d'en envoyer un exemplaire vers un site de stockage externe.

Vous pouvez coupler le codage/décodage aux fonctions de verrouillage d'Access (traitées au Chapitre 18) ainsi qu'à toute fonction de protection mise en oeuvre par votre logiciel réseau.

Le décodage est le processus inverse du codage. S'il est *possible* d'ouvrir une base codée sans la décoder au préalable, sachez toutefois que cette opération s'effectue au détriment de la vitesse de traitement, qui subit une perte de 10 à 15 %. Dans ces conditions, lorsque vous recevez une base codée, décodez-la avant de l'utiliser.

En matière de codage/décodage, sachez que :

- Access détermine automatiquement si une base est codée ou non. Si elle n'est pas codée, il la code. Si elle l'est, il la décode.
- Le disque dur doit disposer d'un espace suffisant pour stocker à la fois la base originale et la copie temporaire qu'Access crée pendant l'opération.
- La base de données doit être fermée pendant que vous la codez ou la décodez. Si une personne du réseau procède à son ouverture, l'opération échoue.

Pour coder ou décoder une base de données :

1. Si la base de données que vous souhaitez coder ou décoder est ouverte, choisissez Fichier/Fermer. (Tous les membres du réseau doivent en faire autant.) Vous devez bénéficier de l'autorisation d'accès Modifier la structure pour pouvoir coder ou décoder une base verrouillée si des sécurités ont été placées au niveau utilisateur.
2. Choisissez Outils/Sécurité/Coder/Décoder une base de données.
3. Dans la boîte de dialogue Coder/Décoder une base de données, sélectionnez le nom de la base concernée, puis cliquez sur OK.
4. Dans la boîte de dialogue Coder la base de données sous (ou Décoder la base de données sous), tapez le nom souhaité dans la case Nom de fichier, puis cliquez sur Enregistrer. Pour réaliser le codage/décodage dans la même base de données, cliquez deux fois sur le nom de la base dans la liste. Si vous employez le même nom dans les étapes n° 3 et n° 4, Access vous demandera s'il doit remplacer la base originale par sa copie codée/décodée (choisissez Oui pour autoriser le remplacement et Non pour avoir l'occasion de spécifier un autre nom.)

Pour en apprendre davantage à ce sujet, pensez à consulter le Compagnon Office (*codage* et *décodage*).

Les objets Access 1.x dont le nom comporte un guillemet simple (') ne sont pas plus codés qu'ils ne sont convertis. Avant le codage, vous devez donc rebaptiser ces objets dans la version d'Access qui a servi à les créer.

Réparer une base de données

Avant d'éteindre votre ordinateur, vous devez toujours quitter proprement Access en choisissant Fichier/Quitter. Tous vos objets base de données sont alors sauvegardés sur le disque, et votre base reste en excellent état.

En cas de coupure de courant ou d'incident quelconque, il se peut que l'intégralité des données ne puisse être enregistrée et que la base de données qui était ouverte lorsque l'incident s'est produit soit endommagée. Dans la plupart des cas, Access est à même de détecter le problème lorsque vous tentez d'ouvrir, de compacter, de coder ou de décoder la base en question ; il vous propose alors de la réparer. Donnez-lui l'autorisation d'agir en cliquant sur OK.

Il peut cependant arriver qu'Access soit incapable de localiser l'erreur et que la base de données se mette à se comporter bizarrement. Dans ce cas, invoquez la commande Réparer une base de données pour résoudre le problème. Voici comment vous y prendre :

1. Fermez l'éventuelle base de données ouverte en choisissant Fichier/Fermer. (Comme dans les cas précédents, tous les utilisateurs du réseau doivent en faire autant.)
2. Recourez à l'Explorateur pour réaliser une copie de sauvegarde de cette base.
3. Choisissez Outils/Utilitaires de base de données/Réparer une base de données.
4. Dans la boîte de dialogue Réparer une base de données, sélectionnez l'unité, le dossier et le nom de la base de données concernée, puis cliquez sur Réparer.

Lorsque la réparation est effectuée, cliquez sur OK pour vous débarrasser du message qui s'affiche alors. Normalement, vous devriez alors pouvoir ouvrir la base en recourant, comme d'habitude, à la commande Fichier/Ouvrir une base de données.

Si vous étiez en train d'éditer des données lorsque Access s'est fermé de manière imprévue, il se peut que vos dernières modifications soient perdues. Réactivez le formulaire ou la feuille de données sur laquelle vous travailliez et entrez de nouveau vos modifications.

Pensez aussi à vérifier l'état des objets que vous manipuliez lorsque le système a flanché et modifiez-les de nouveau si votre édition n'a pas été enregistrée.

Lorsque le problème n'est pas résolu

Parfois, des erreurs de disque dur empêchent Access de réparer correctement la base de données, voire de démarrer. Si vous vous trouvez dans cette fâcheuse situation, commencez par lancer un programme capable de réparer votre disque dur (comme ScanDisk, fourni avec Windows 95). Essayez ensuite de lancer Access et de lui faire traiter la base endommagée. Si le programme ne démarre pas, réinstallez-le (voyez l'Annexe pour savoir comment procéder). Si la réparation de la base ne vous donne pas satisfaction, restaurez-la à partir de votre copie de sauvegarde.

L'aide en ligne vous fournit des informations sur la réparation des bases de données (entrée *réparation de bases de données corrompues*).

Afficher des informations relatives à une base de données

Après avoir créé une base de données d'objets, il se peut que vous souhaitiez, de temps à autre, réafficher les attributs de ces objets. Access met à votre disposition deux procédures vous permettant de visualiser les propriétés des objets d'une base. La première méthode consiste à cliquer sur l'objet concerné dans la fenêtre Base de données et à choisir ensuite Propriétés dans le menu Affichage. La boîte de dialogue Propriétés s'ouvre (Figure 17.1) et vous renseigne sur la nature de l'objet, sa date de création, sa date de dernière modification, son propriétaire et ses attributs Masqué et Répliqué. Vous pouvez entrer un commentaire dans la case Description et stocker ainsi le descriptif de chaque objet.

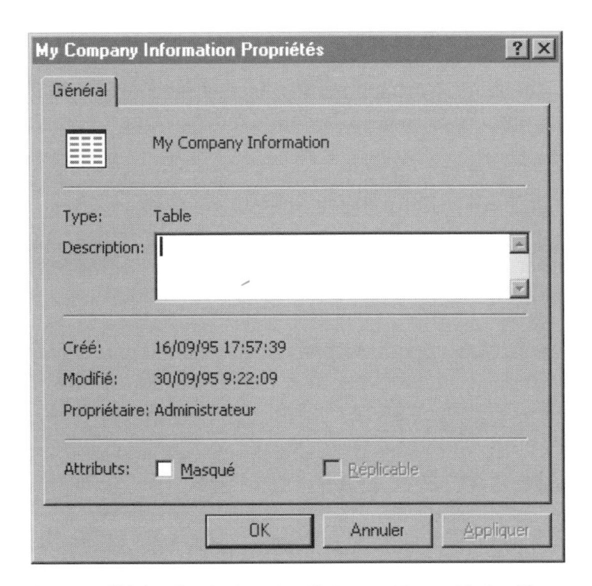

Figure 17.1 : La boîte de dialogue Propriétés d'une table s'affiche lorsque vous sélectionnez la table dans la fenêtre Base de données, puis choisissez Affichage/ Propriétés.

Vous pouvez également afficher des informations générales relatives à la base de données elle-même et ajouter des renseignements supplémentaires qui la documentent et vous aident, le cas échéant, à la localiser. Pour afficher ces renseignements, choisissez Fichier/Propriétés de la base ; la boîte de dialogue représentée à la Figure 17.2 apparaît à l'écran. L'onglet Général affiche les attributs du fichier base de données ; l'onglet Contenu dresse la liste des objets de la base ; l'onglet Statistiques fournit des renseignements sur la manière dont la base a été utilisée.

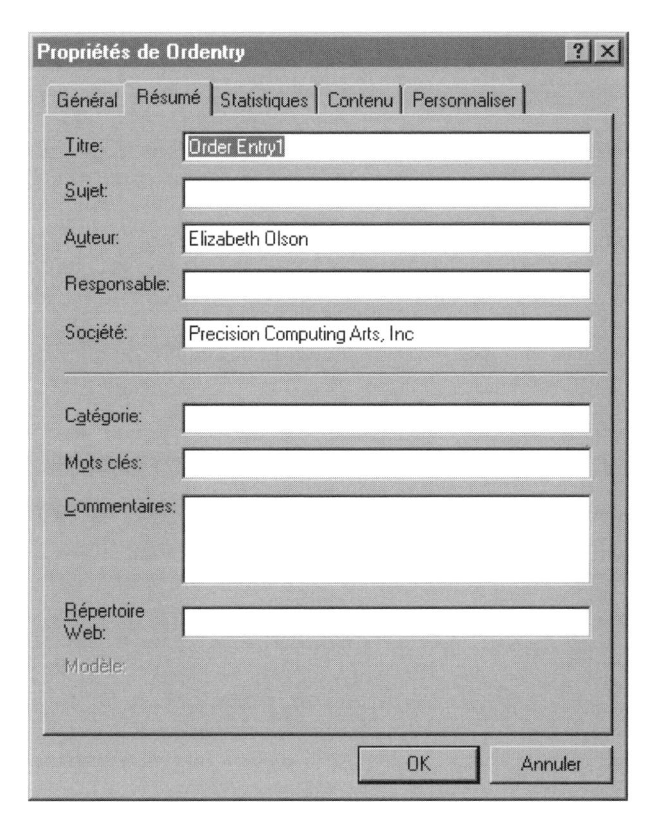

Figure 17.2 : La boîte de dialogue Propriétés d'une base entière.

Les onglets les plus utiles sont Résumé et Personnaliser. Le premier vous permet de spécifier le nom de la personne qui a créé la base et le nom de celle qui en est propriétaire. Vous pouvez aussi saisir un commentaire ainsi que des mots clés que vous pourrez, ultérieurement, employer dans une recherche visant à localiser cette base. Quant au second onglet, il vous autorise à définir des propriétés particulières pour la base, qui vous aident également à la localiser lorsque vous ne savez plus où vous l'avez stockée. Dans la case Nom, entrez le nom de la propriété ; sélectionnez un type dans la liste Type ; entrez ensuite une valeur pour la propriété dans la case Valeur ; enfin, cliquez sur Ajouter. D'une manière générale, les onglets Résumé et Personnaliser vous permettent de stocker des informations qui documentent votre base de données. Celles-ci pourront être employées ultérieurement pour localiser la base si vous cliquez sur le bouton Approfondir que vous proposent la plupart des boîtes de dialogue.

Documenter une base de données

Lorsque vous développez des applications ou partagez votre base de données avec d'autres utilisateurs, il est souvent commode de documenter les différents éléments de la base.

Vous pourrez alors, par exemple, afficher ou imprimer la définition des propriétés, du code et des autorisations d'accès des contrôles d'un formulaire ou d'un état.

Access vous permet de documenter ainsi soit un objet unique, soit plusieurs objets.

Pour documenter un ou plusieurs objets :

1. Choisissez Outils/Analyse/Documentation. Une boîte de dialogue intitulée Documentation se présente à vous (Figure 17.3).

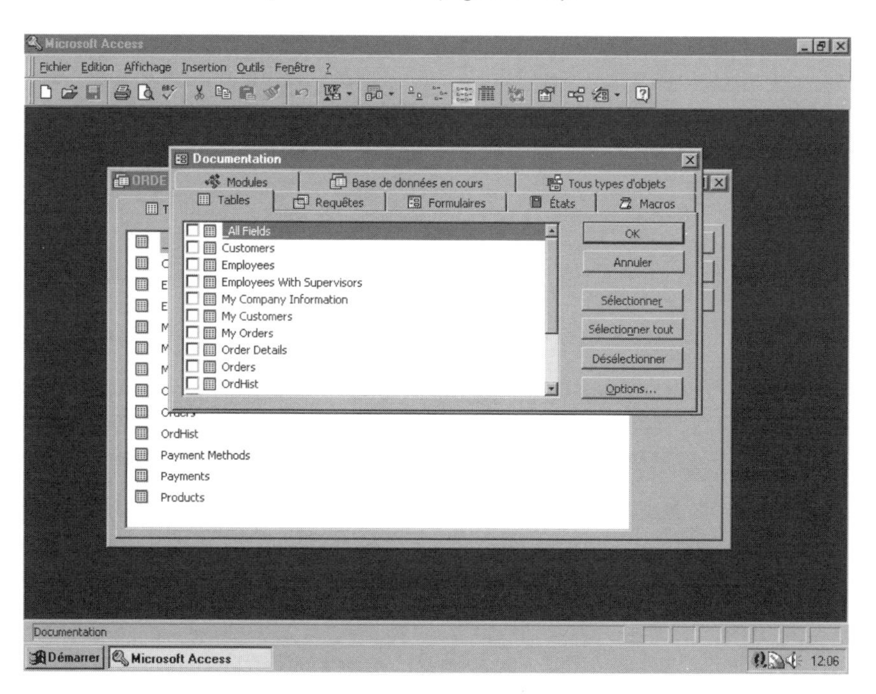

Figure 17.3 : La boîte de dialogue Documentation vous permet de choisir les informations que vous voulez inclure dans la définition de l'objet.

L'outil qui vous permet de documenter ainsi vos objets ne s'installe normalement pas lorsque vous installez Access. Vous devez procéder à son installation en utilisant l'icône Ajout/Suppression de programmes dans le Panneau de configuration.

2. Activez l'onglet correspondant au type d'objet à documenter. (Choisissez Tous types d'objets pour documenter la base entière.) Cochez ensuite les objets concernés. Utilisez les boutons Sélectionner tout et Désélectionner pour sélectionner ou désélectionner rapidement tous les objets d'un même onglet.
3. Si vous souhaitez désigner les propriétés à documenter pour un formulaire ou pour un état, cliquez sur Options ; sélectionnez les propriétés souhaitées dans la boîte de dialogue Imprimer définition de table, puis cliquez sur OK.
4. Cliquez sur OK pour générer la définition de l'objet. Après quelques instants, l'état de la définition de l'objet apparaît à l'écran, en mode aperçu.
5. Réalisez alors l'une des actions suivantes :

- Pour visualiser l'état, faites défiler ou réduisez le taux d'affichage, comme vous le feriez dans une fenêtre d'aperçu classique.
- Pour imprimer l'état, activez le bouton Imprimer de la barre d'outils Aperçu avant impression, ou choisissez Fichier/Imprimer.
- Pour enregistrer l'état en tant que table ou fichier externe, choisissez Fichier/Enregistrer comme table ou Fichier/Exporter. Dans le premier cas, Access crée une table intitulée Définition d'objet. Dans le second, sélectionnez un format de fichier (HTML, Microsoft Excel, Texte MS-DOS, Rich Text Format), puis cliquez sur OK ; entrez un nom, puis cliquez de nouveau sur OK.

6. Activez le bouton Fermer ou choisissez Fichier/Fermer.

La Figure 17.4 montre la première page de l'état d'une définition d'objet de la table Customers (Clients) de la base de données Ordentry (Gestionnaire de commandes).

Les définitions d'objet prennent parfois du temps ; soyez donc patient. Pour passer le temps, servez-vous un café ou regardez un épisode de votre série télévisée préférée.

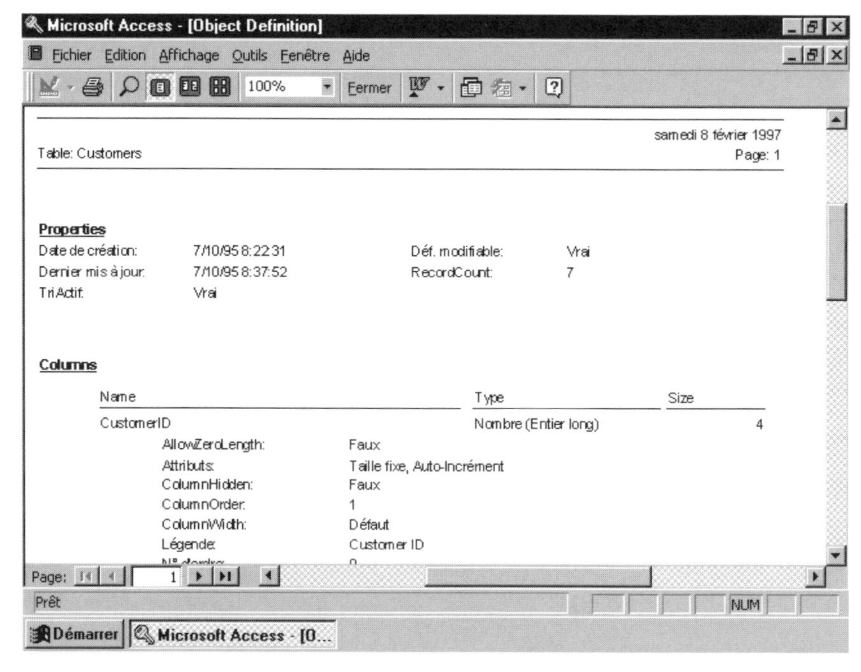

Figure 17.4 : La première page de l'état d'une définition d'objet, en l'occurrence la table Customers (Clients) de la base Ordentry (Gestionnaire de commandes).

Répliquer une base de données

Comment emporter à la maison ou dans un autre site une copie de votre base de données ?

Comment répercuter sur l'original les changements que vous effectuez à distance ?

Une solution : la réplication.

Access vous permet, en effet, de répliquer votre base de données. Lorsque cette opération est réalisée, la base comporte des tables et des propriétés spéciales qui permettent au programme de distinguer le réplica maître, celui qui détermine la structure générale de la base, des autres exemplaires ou réplicas. Le réplica maître est le seul endroit où vous pouvez apporter des modifications à la structure de la base et où vous disposez des outils nécessaires à la procédure de synchronisation.

Créer un réplica

Vous pouvez gérer les réplicas, c'est-à-dire les créer et les synchroniser, via Access ou via le Porte-documents de Windows 95. Avant de créer un réplica, vous devez réaliser trois opérations :

1. Supprimez l'éventuel mot de passe attribué à la base avec la commande Outils/ Sécurité/Annuler le mot de passe de la base de données.
2. Assurez-vous que le Porte-documents est installé. (Si ce n'est pas le cas, installez-le avec l'icône Ajout/Suppression de programmes du Panneau de configuration.)
3. Vérifiez que vous avez installé la Réplication par le Porte-documents en même temps qu'Access. (Dans le cas contraire, recourez de nouveau au Panneau de configuration.)

Si la Réplication par le Porte-documents n'est pas installée, Access vous envoie un message vous informant du problème lorsque vous essayez, pour la première fois, de créer un réplica.

Ensuite, ouvrez l'Explorateur et faites glisser la base dans le Porte-documents. Lorsque vous déposez le fichier base de données sur le Porte-documents, Access crée automatiquement un réplica.

Pour créer un réplica avec Access 97, suivez cette procédure :

1\. Ouvrez la base de données que vous voulez traiter et assurez-vous que tous les utilisateurs du réseau l'ont fermée.

3\. Sélectionnez Outils/Réplication/Créer un réplica.

4\. Lorsque le message s'affiche, choisissez Oui pour fermer la base de données.

5\. Dans la fenêtre suivante, choisissez Oui pour réaliser une copie de sauvegarde de la base, ou Non pour ne pas créer cette copie.

6\. Dans la dernière boîte de dialogue, intitulée "Emplacement du nouveau réplica", sélectionnez l'endroit où vous souhaitez stocker le réplica, puis cliquez sur OK.

Convertir une base en réplica est une voie sans issue. La seule façon de faire marche arrière est de créer une nouvelle base de données et d'y importer les données de l'un des réplicas.

Vous pouvez créer autant de réplicas que vous le souhaitez. Vous pouvez même créer un réplica de réplica ! L'ensemble des réplicas d'une base de données est appelé *jeu de réplicas*. Vous y ajoutez un réplica en procédant comme décrit ci-dessus ; vous en retranchez un en supprimant le fichier base de données correspondant. Seuls les membres du jeu de réplicas et le réplica maître peuvent synchroniser leurs données.

Créer un réplica partiel

Un réplica partiel est un réplica qui ne comporte qu'un sous-jeu des enregistrements d'une base de données. Vous pourriez ainsi imaginer de donner à un responsable des ventes un réplica d'une base de données n'incluant que les clients de sa zone de prospection. Ni les menus d'Access ni ses boutons de barres d'outils ne vous permettent de créer facilement des réplicas partiels ; en revanche, vous y parviendrez si vous créer un programme VBA.

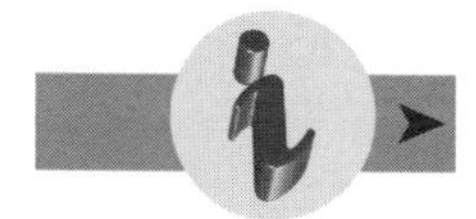

Consultez l'entrée d'index *réplicas partiels, création.*

Mettre à jour un réplica

Comment synchroniser les modifications apportées au jeu de réplicas et au réplica maître ? La procédure est simple :

1. Ouvrez le Porte-documents et sélectionnez-y le fichier base de données.
2. Dans le menu Porte-documents, choisissez Mettre à jour la sélection (Vous pouvez aussi invoquer la commande Tout mettre à jour).

Le Porte-documents synchronise les changements dans tous les réplicas et dans le réplica maître avec ceux apportés aux réplicas et au réplica maître sur le bureau. Si vous préférez agir depuis Access :

1. Ouvrez la base de données que vous voulez synchroniser.
2. Choisissez Outils/Réplication/Synchroniser maintenant.

3. Dans la boîte de dialogue Synchroniser la base de données *x*, sélectionnez soit le réplica maître, soit un réplica quelconque, puis cliquez sur OK.
4. Lorsque Access vous demande de fermer la base, cliquez sur Oui.

Si un membre du jeu de réplicas ne parvient pas à synchroniser correctement, Access sollicite votre concours pour résoudre le problème lorsque vous ouvrez le réplica incriminé. Cliquez sur Résoudre les conflits dans cette boîte de dialogue pour qu'Access vous guide pas à pas dans la résolution du problème. Le programme vous donne la possibilité de copier des champs ou de supprimer l'enregistrement qui est en cause.

Il peut arriver que l'un des réplicas ait subi tellement de modifications qu'il serait préférable de le transformer en réplica maître. Cette conversion est possible :

1. Ouvrez le réplica que vous voulez convertir.
2. Choisissez Outils/Réplication/Synchroniser maintenant.
3. Dans la boîte de dialogue Synchroniser la base de données, sélectionnez l'actuel réplica maître dans la liste Synchroniser avec ou utilisez à cette fin le bouton Parcourir. Activez l'option Faire de... le réplica maître. (Access indique ici le nom du fichier ouvert à l'étape n° 1.)
4. Cliquez sur OK.

Il se pourrait aussi qu'un utilisateur bien intentionné ait détruit le réplica maître. Dans ce cas, choisissez le réplica que vous destinez à lui succéder. Sélectionnez de préférence le réplica qui a été synchronisé le plus récemment. Synchronisez ensuite ce réplica avec tous les autres réplicas que vous jugez indispensables afin de reconstituer la meilleure copie maître possible. Clôturez la procédure en ouvrant le réplica appelé à devenir le nouveau réplica maître et en choisissant Outils/Réplication/Récupérer un réplica-maître. Cliquez sur Oui quand Access vous demande si vous avez bien synchronisé ce réplica avec les autres réplicas du jeu.

Et maintenant, que faisons-nous ?

Parvenu au terme de ce chapitre, l'administration des bases de données en environnement monoutilisateur et multiutilisateur n'a plus guère de secrets pour vous. En matière d'administration précisément, nous sommes partis du principe que votre base de données était stockée sur un réseau. Le chapitre suivant traite en profondeur de cet aspect des choses et envisage également la sécurité, développant ainsi des points à peine ébauchés ici.

Quoi de neuf ?

Vous avez découvert dans ce chapitre quelques-unes des fonctionnalités qui, dans Access, simplifient la vie des administrateurs de base de données. Parmi celles-ci, notez la possibilité de :

- Répliquer une base de données afin que différents utilisateurs puissent travailler sur leur copie individuelle.
- Convertir des bases de données Access 1.x, 2.0 et 95 au nouveau format Access 97 pour Windows 95.
- Bénéficier de nouvelles fonctions d'aide pour la documentation des bases.

Chapitre 18

Travailler en réseau et assurer la protection

Si vous êtes responsable de l'installation d'Access sur un réseau, ce chapitre vous concerne. Il envisage en effet la manière d'optimiser le fonctionnement du programme en configuration réseau et détaille les procédures de sécurité visant à empêcher les utilisateurs non autorisés d'endommager, délibérément ou non, des objets faisant partie de vos applications Access.

Deux manières de permettre aux utilisateurs de partager des données

Dans la plupart des sociétés, il est indispensable de permettre à plusieurs utilisateurs d'avoir simultanément accès aux mêmes données. Access accepte *a priori* le principe des bases multiutilisateurs, mais vous devez néanmoins prendre certains éléments en compte, le premier étant l'endroit où vous stockez l'application proprement dite. Access vous propose deux manières d'installer votre base de données de façon à permettre à plusieurs utilisateurs de partager données et autres objets. Les sections suivantes détaillent ces procédures.

Option n° 1 : Installer la base entière sur le serveur

La première solution est simple : elle consiste tout bonnement à stocker l'intégralité de la base (c'est-à-dire le fichier .mdb Access complet) sur le serveur (Figure 18.1). Il n'existe alors plus aucune différence entre une base de données monoutilisateur et multiutilisateur ; votre action se borne à transférer la base sur un disque partagé et à signaler aux autres utilisateurs à quel endroit elle est stockée.

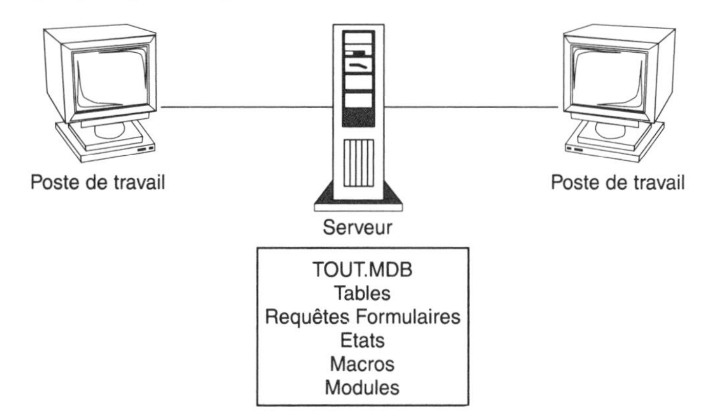

Figure 18.1 : Si vous placez le fichier .mdb Access intégral sur le serveur, tous les utilisateurs peuvent partager ses objets.

L'avantage de cette technique est que tous les utilisateurs partagent les mêmes objets. Par conséquent, tout changement apporté par l'un d'entre eux à un objet quelconque, y compris les formulaires, les états et les macros, est instantanément répercuté sur tous les autres membres du réseau.

Soyez extrêmement prudent lorsque vous éditez la structure d'un objet dans une base partagée. Si deux utilisateurs modifient simultanément la structure d'une base, celle-ci risque de ne plus fonctionner correctement si l'un d'eux enregistre des changements apportés à un objet que l'autre a déjà modifié. Pour éviter ce genre de problèmes, faites en sorte que la structure de la base ne puisse être modifiée que par un utilisateur à la fois et conservez toujours une copie de sauvegarde de la base partagée. Assurez-vous que tous les autres utilisateurs se sont déconnectés avant de réaliser cette copie, de manière à être certain que la base est stabilisée.

Option n° 2 : N'installer sur le serveur que les données partagées

Lorsque l'intégralité de la base est installée sur le serveur, son exploitation suppose un trafic particulièrement important sur le réseau. En fait, tout objet ouvert par n'importe quel utilisateur transite par le réseau. Par objet, entendez notamment les formulaires et les états (qui sont normalement statiques dans une application en exploitation), ainsi que les tables non statiques. Pour pallier cet inconvénient, vous pouvez n'installer sur le réseau que les tables partagées, dans une base de données "données". Créez ensuite une base de données et placez-y tous les objets, *à l'exception des tables partagées* et stockez une copie de cette base de données "application" sur chaque poste de travail, comme le montre l'exemple de la Figure 18.2. Vous pouvez alors faire appel à la commande Fichier/Données externes/Lier les tables pour lier les tables de la base "données" à celles de la base "application" afin que les utilisateurs du réseau puissent visualiser les données partagées.

Les tables liées sont traitées au Chapitre 7.

Cette méthode présente à la fois un avantage et un inconvénient :

- Elle réduit le trafic sur le réseau étant donné que seules sont transmises les données des tables partagées. Les formulaires, états et autres objets sont lus depuis le disque dur local de chaque utilisateur.
- L'administrateur du réseau peut plus facilement restreindre l'enregistrement aux tables de la base puisqu'elles sont stockées à part.
- Si un utilisateur modifie un objet quelconque (formulaire, état ou macro), cette modification n'affecte que son poste de travail. Les autres utilisateurs n'en ont pas connaissance.

(Ce dernier point peut être positif ou négatif : tout dépend de la modification apportée. L'utilisateur peut en effet améliorer l'objet ; il peut aussi l'endommager irrémédiablement !)

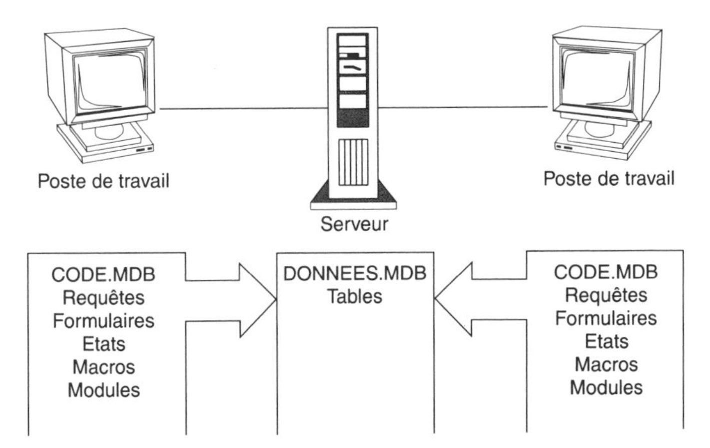

Figure 18.2 : Scission d'une base de données en une base "donnée" et une base "application".

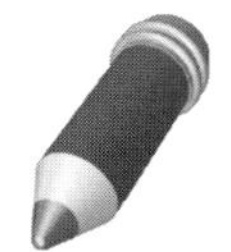

Pour empêcher les utilisateurs d'éditer les objets, vous devez faire appel aux fonctions de protection qu'Access met à votre disposition (voyez "Protéger une base de données", plus loin dans ce chapitre).

Séparer les tables

Limiter l'installation sur le réseau aux tables partagées est une opération simple dans Access 97 grâce au nouvel Assistant Fractionnement Base de données. Nous allons vous montrer de quoi il retourne en partant de notre base de données exemple Ordentry (Gestionnaire de commandes).

Pour créer la base regroupant les tables partagées, exécutez les actions suivantes (vous savez déjà comment utiliser l'Explorateur Windows ou le DOS pour copier des fichiers et créer des répertoires) :

1. Réalisez une copie de sauvegarde complète de la base de données Ordentry (Gestionnaire de commandes) et attribuez-lui un nom. (Dans notre exemple, nous l'appellerons OrdentryBackup.mdb. Il est parfois intéressant de pouvoir créer des noms de fichiers longs !) Vous disposerez ainsi d'une copie de sécu-

rité pour faire marche arrière si, après avoir séparé les tables, vous estimez qu'il aurait été préférable de vous abstenir.

2. Ouvrez la base de données que vous voulez fractionner. Enfoncez la touche Majuscule pendant que vous procédez à l'ouverture afin que le Switchboard (Menu Général principal) ne s'affiche pas.

3. Choisissez Outils/Compléments/Fractionnement de bases de données. Cette sélection déclenche l'Assistant Fractionnement Base de données, représenté ci-dessous.

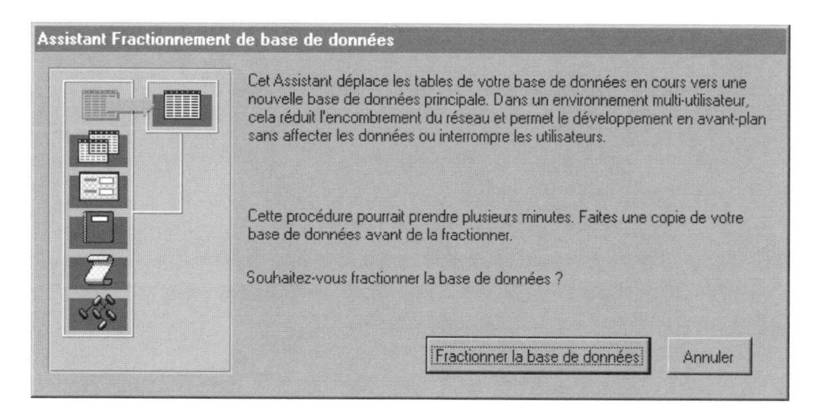

4. Prenez connaissance du texte présenté dans la fenêtre, puis cliquez sur Fractionner la base de données.

5. Dans la boîte de dialogue Créer une base de données principale, entrez le nom que vous souhaitez attribuer à la base principale dans la case Nom de fichier. Assurez-vous que c'est le bon répertoire du disque partagé qui est sélectionné dans la partie supérieure de la fenêtre. Cliquez ensuite sur Fractionner.

Prenez soin de fermer tous les objets (tables, requêtes, formulaires et états) avant de fractionner la base, faute de quoi l'Assistant sera incapable d'exporter les tables ou de les rattacher correctement.

6. Lorsqu'un message s'affiche vous informant que l'opération a été réalisée avec succès, cliquez sur OK. Vous disposez à présent de deux versions de votre base de données : la base principale qui comporte uniquement les tables, et la version originale qui inclut tous les autres objets ainsi que les liaisons aux tables de la base principale.

7. Fermez la version ouverte de la base de données.

À ce stade, le serveur comporte donc une copie de la base des tables (dans leur propre fichier .mdb) que vous désirez faire partager aux utilisateurs. Dans l'onglet Contenu de la boîte de dialogue Fichier/Propriétés de la base de cette base principale, vous pouvez vérifier qu'elle ne comporte que les tables de la base originale (Figure 18.3).

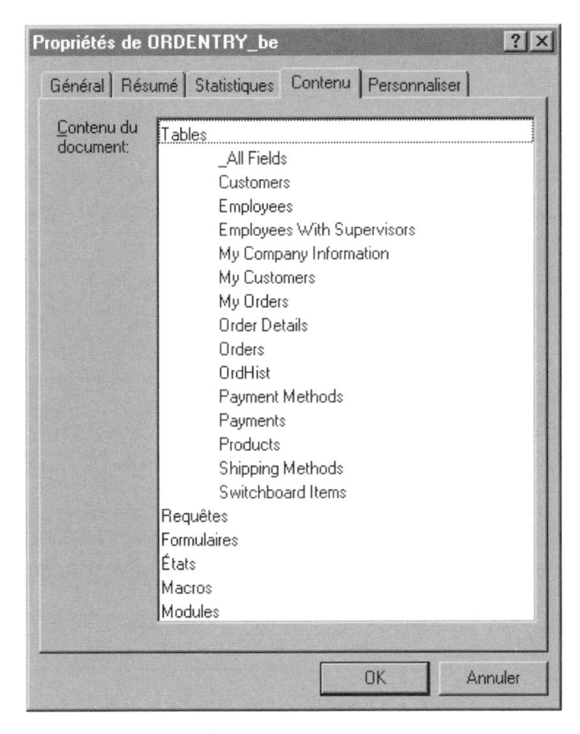

Figure 18.3 : Le fichier Ordentry_be.mdb ne contient que les tables de la base originale.

Le fichier original Ordentry.mdb inclut, pour sa part, tous les autres objets de la base, plus les liaisons établies avec les tables de la base principale. Les noms des tables liées sont signalés par une icône dans la fenêtre Base de données de la base de données locale, comme le montre la Figure 18.4.

Vous pouvez à présent placer une copie de cette base locale sur chaque poste de travail connecté au réseau. Lorsqu'un utilisateur du réseau ouvrira ce fichier, Access établira automatiquement une liaison avec les tables partagées du serveur et gérera les conflits qui risquent de se produire lorsque deux ou plusieurs utilisateurs tenteront d'éditer les mêmes données. (Voyez "Éditer des données en réseau", plus loin dans ce chapitre).

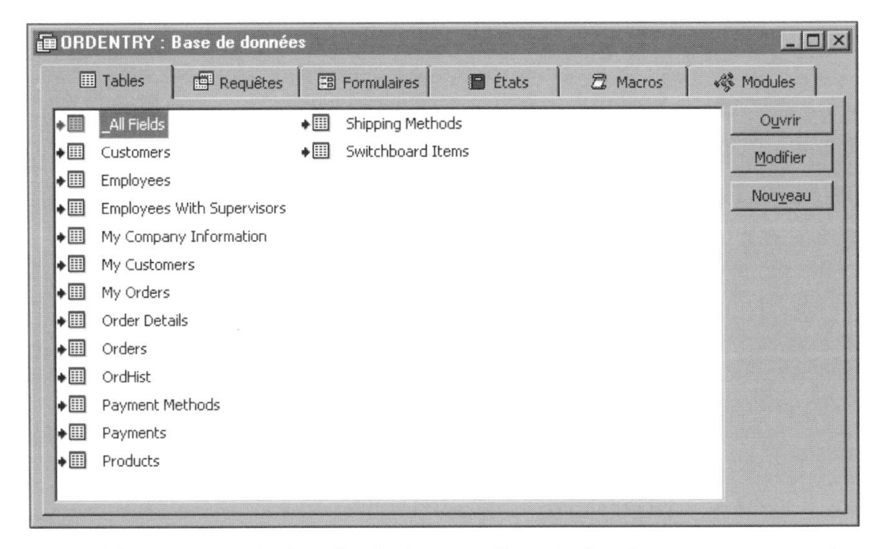

Figure 18.4 : La base de données Ordentry.mdb après fractionnement ; cet onglet montre quelles sont les tables liées à la base Ordentry_be.mdb.

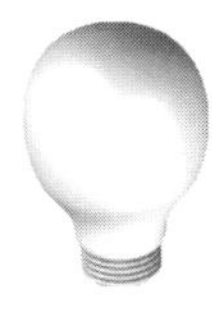

Si, pour une raison ou pour une autre, vous êtes amené à modifier les liaisons établies, choisissez Outils/Compléments/Gestionnaire de table attachée. Dans la boîte de dialogue Gestionnaire d'attaches, activez l'option Toujours demander un nouvel emplacement. Vous aurez alors l'occasion d'éditer les informations relatives à la liaison.

Empêcher l'accès exclusif

Lorsque les utilisateurs d'un réseau se partagent les données d'une base Access, vous devez faire en sorte qu'aucun d'entre eux n'ouvre la base en mode exclusif sous peine de mettre les autres membres du réseau dans l'incapacité de procéder à son ouverture. Access 97 est plus tolérant en la matière que les versions précédentes du programme. Pour faire en sorte que le mode exclusif soit déconseillé, voire interdit :

- Signalez à tous les utilisateurs qu'ils ne doivent pas cocher la case Mode exclusif de la boîte de dialogue Ouvrir (qui s'affiche après sélection de la commande Fichier/Ouvrir une base de données) ; cette case est d'ailleurs désactivée par défaut. (Cette manière d'agir suppose que vous fassiez confiance aux utilisateurs.)

- Choisissez Outils/Options, activez l'onglet Avancé et assurez-vous que le mode d'ouverture prédéfini sélectionné est bien le Mode partagé. Ce choix fait en sorte que l'option Mode exclusif de la fenêtre d'ouverture soit désactivé par défaut.
- Prévoyez un système de protection (détaillé plus loin dans ce chapitre) qui refuse l'autorisation Ouvrir en exclusif à certains utilisateurs. C'est le contrôle le plus strict étant donné qu'il ne donne même pas la possibilité aux utilisateurs désignés d'ouvrir la base en mode exclusif.

N'oubliez pas de vous réserver, ainsi qu'aux autres administrateurs, le droit d'utiliser le mode exclusif afin de pouvoir réaliser les opérations qui ne peuvent s'opérer que sous ce mode, comme archiver, compresser ou réparer la base.

Le Chapitre 17 traite de la compression et de la réparation.

Créer des applications évolutives

Séparer les tables des autres objets d'une base de données est aussi une bonne idée lorsque vous envisagez de commercialiser une application que vous avez créée, ou lorsque vous souhaitez conserver une base que vous avez déjà distribuée à de nombreux utilisateurs sur le réseau.

Vous pouvez stocker toutes les tables d'une application dans une base, et tous les autres objets dans une autre. Utilisez ensuite l'Assistant Fractionnement Base de données (comme dans l'exemple précédent) pour isoler les tables.

N'oubliez pas de fournir les deux bases aux premiers acheteurs ou utilisateurs. Lorsque vous concevrez une mise à jour de votre produit, ne fournissez que le fichier base de données (.mdb) qui contient les objets ; ne joignez pas la base qui abrite les tables. En agissant ainsi, vous n'aurez pas à craindre que des utilisateurs peu avertis écrasent leurs propres données en effectuant la mise à jour.

Il est préférable d'éviter de modifier la structure des tables une fois distribuée la première version de votre application. Sinon, vous serez contraint de fournir les tables révisées et une technique qui permettra aux utilisateurs de transférer facilement leurs données dans les nouvelles tables remaniées. N'imposez cela ni aux utilisateurs, ni à vous-même !

Éditer des données en réseau

Access applique une stratégie pleine de bon sens lorsqu'il doit résoudre des conflits dus au fait que deux ou plusieurs utilisateurs tentent d'éditer les mêmes données. Son comportement, en fait, est déterminé par la propriété Verrouillage du formulaire que les utilisateurs emploient pour éditer leurs enregistrements (Figure 18.5).

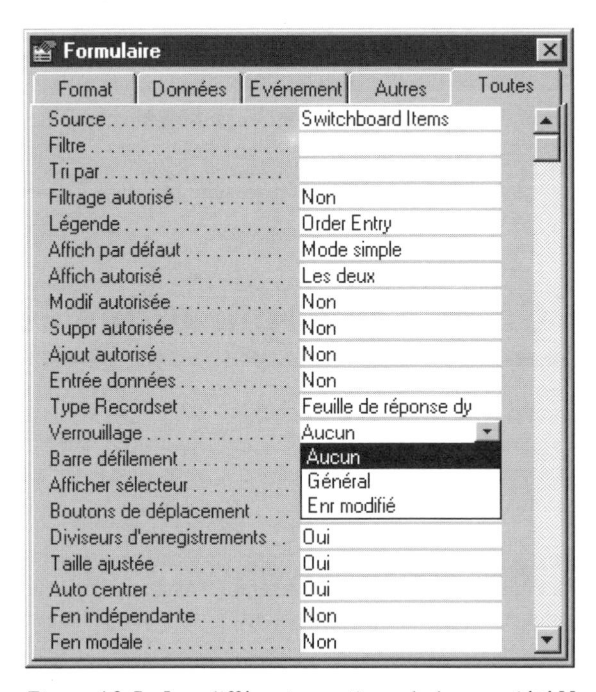

Figure 18.5 : Les différentes options de la propriété Verrouillage.

Nous traiterons sous peu des manipulations sources de conflit, étant donné que, la plupart du temps, les utilisateurs du réseau agissent via les formulaires.

Si cette propriété est fixée sur Enr modifié, lorsqu'un utilisateur modifie un enregistrement (c'est-à-dire lorsque le crayon apparaît dans le sélecteur correspondant) et qu'un autre utilisateur tente de modifier le même enregistrement, le second voit s'afficher le symbole international "No", indiquant par là que l'enregistrement est verrouillé par un autre utilisateur.

Access peut prendre jusqu'à 60 secondes pour afficher le symbole "No" signalant qu'un autre utilisateur est occupé à modifier l'enregistrement. L'onglet Avancé de la boîte de dialogue Options (Outils/Options) vous permet de modifier ce paramètre : dans la case Intervalle d'actualisation (sec), entrez le nombre maximal de secondes qu'Access doit patienter avant de mettre à jour le statut de verrouillage de l'enregistrement.

Lorsque le premier utilisateur a enregistré ses modifications, le symbole "No" disparaît, Access met l'enregistrement à jour sur les deux postes de travail, et le second utilisateur peut alors afficher et éditer l'enregistrement. La Figure 18.6 montre quelle est la situation lorsqu'un utilisateur en a "évincé" un autre en éditant une fiche.

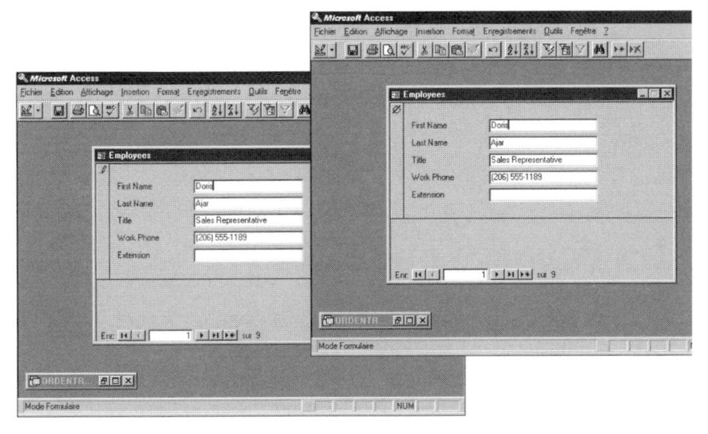

Figure 18.6 : Lorsque la propriété Verrouillage est fixée sur Enr modifié, un enregistrement ne peut être modifié que par un seul utilisateur à la fois. Les autres utilisateurs n'ont pas accès à cet enregistrement.

Access sauvegarde les changements apportés à un enregistrement lorsque vous déplacez le curseur vers un autre enregistrement, ou lorsque vous choisissez Enregistrements/Sauvegarder l'enregistrement, ou encore lorsque vous enfoncez les touches Majuscule + Entrée.

Si la propriété est fixée sur Aucun, les deux utilisateurs seront habilités à éditer l'enregistrement. Toutefois, lorsque le second tentera d'enregistrer ses modifications après que le premier en aura fait autant, Access lui permettra d'enregistrer ses changements en écrasant ceux de l'utilisateur précédent, de copier l'enregistrement dans le Presse-papiers pour le coller plus tard dans la table, ou encore de ne pas tenir compte de ses modifications et de conserver ainsi l'enregistrement dans l'état dans lequel l'a laissé le premier utilisateur.

Partant du principe que vous êtes le second utilisateur, les trois possibilités énoncées ci-dessus vous sont proposées dans une boîte de dialogue ; détaillons-les :

- **Vous pouvez enregistrer vos modifications** et écraser, ce faisant, celles apportées par le premier utilisateur, sans consulter les enregistrements.
- **Vous pouvez renoncer à vos modifications** et adopter celles du premier utilisateur.
- **Vous pouvez copier l'enregistrement dans le Presse-papiers** pour laisser tel quel l'enregistrement après édition par le premier utilisateur, tout en plaçant dans le Presse-papiers l'enregistrement édité par vous. Votre formulaire est mis à jour de manière à refléter les modifications apportées par le précédent utilisateur. Si vous décidez de conserver votre version, cliquez simplement sur le sélecteur de l'enregistrement concerné pour en sélectionner l'intégralité, puis choisissez Édition/Coller ou enfoncez les touches Ctrl + V. Enregistrez de nouveau l'enregistrement.

Rafraîchir les données du réseau

Access rafraîchit automatiquement, à intervalle régulier, l'écran de tous les utilisateurs afin qu'ils aient sous les yeux les données les plus à jour possible. Ce rafraîchissement peut néanmoins s'exécuter à la demande ; il suffit, pour ce faire, d'invoquer la commande Enregistrements/Actualiser.

Lorsque Access rafraîchit l'affichage du formulaire ou de la feuille de données courante, il prend en compte les modifications et signale les enregistrements supprimés. En revanche, il ne remet pas les enregistrements dans l'ordre, n'affiche pas les nouvelles fiches, ne met pas à jour la feuille de réponses dynamique et ne masque pas les enregistrements qui ne répondent plus aux critères de sélection de la requête sous-jacente. Pour contraindre Access à rafraîchir intégralement la feuille de réponses dynamique, utilisez la méthode Requery : enfoncez les touches Majuscule + F9.

Fixer les paramètres multiutilisateurs

Il est impossible de mettre au point une stratégie de fonctionnement en réseau adaptée à toutes les situations. Essayez donc différents réglages des paramètres par défaut de manière à obtenir des performances maximales avec un minimum de conflits.

1. Choisissez Outils/Options.
2. Activez l'onglet Avancé (représenté ci-dessous).

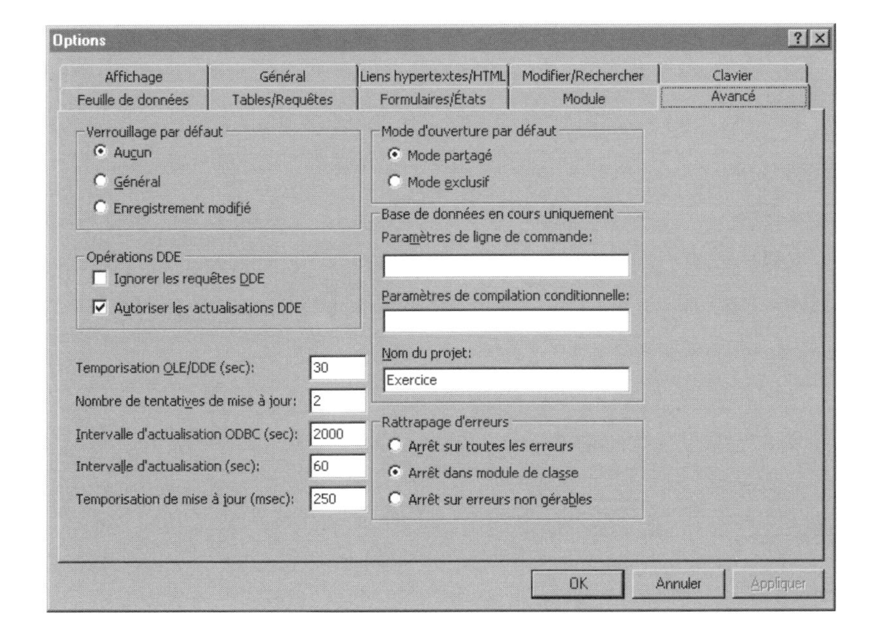

3. Référez-vous au Tableau 18.1 (et à l'aide en ligne) pour faire vos choix.
4. Cliquez sur OK.

Option	Paramètre	Effet
Verrouillage par défaut	Aucun (défaut)	Les enregistrements ne sont pas verrouillés pendant l'édition.
	Général	Tous les enregistrements sous un objet particulier (comme un formulaire) sont verrouillés lorsque cet objet est ouvert.

Tableau 18.1 : Options et paramètres multiutilisateurs.

Option	Paramètre	Effet
	Enreg. modifiés	Seul l'enregistrement en cours d'édition est verrouillé.
Mode d'ouverture par défaut	Mode partagé	La base de données est ouverte par défaut en mode partagé.
	Mode exclusif (défaut)	La base de données est ouverte par défaut en mode exclusif.
Intervalle d'actualisation	de 1 à 32,766 secondes (défaut = 60)	Rafraîchit votre écran au terme de l'intervalle spécifié.
Temporisation de mise à jour (voyez "Minimiser les conflits de verrouillage", plus loin dans ce chapitre)	de 0 à 1 000 millisecondes (défaut = 250)	Attend la durée indiquée avant de tenter une nouvelle sauvegarde d'un enregistrement verrouillé.
Nombre de tentatives de mise à jour	de 0 à 10 (défaut = 2)	Nombre de tentatives que réalisera Access pour sauvegarder les modifications apportées à un enregistrement qu'un autre utilisateur a verrouillé.
Intervalle d'actualisation ODBC	de 1 à 3 600 secondes	Rafraîchit votre écran au terme de l'intervalle spécifié lorsque vous accédez à une base de données via ODBC.
Ignorer les requêtes DDE	La valeur par défaut est Non (non validé)	Définit si Access répond ou non aux requêtes DDE émanant d'autres applications.
Autoriser les actualisations DDE	La valeur par défaut est Oui (validé)	Détermine si les liaisons DDE sont mises à jour lorsque l'écran est rafraîchi.
Temporisation OLE/DDE	de 0 à 300 secondes (défaut = 30)	Détermine le temps qu'attend Access pour qu'une opération OLE ou DDE s'exécute.

Tableau 18.1 : Options et paramètres multiutilisateurs (suite).

Stratégies de verrouillage des enregistrements

La propriété Verrouillage ne s'applique qu'aux formulaires. Le paramètre Verrouillage par défaut de l'onglet Avancé de la commande Outils/Options définit, quant à lui, les modes feuille de données des tables, des requêtes et des feuilles de réponse dynamique ouvertes en Basic. Ce sont systématiquement les mêmes règles qui permettent de résoudre les conflits d'écriture. Si vous vous heurtez à un conflit de verrouillage des enregistrements dans une procédure Visual Basic, Access génère une erreur à laquelle vous pouvez réagir.

Le Chapitre 25 détaille les erreurs de code Visual Basic ; le Compagnon Office en fait autant si vous entrez *erreurs* dans sa case Rechercher.

À présent que vous connaissez les différentes possibilités de verrouillage des enregistrements, sur quelle base faites-vous votre choix ? En fait, tout dépend de la manière dont vos utilisateurs emploient les données et des compétences qu'ils sont susceptibles de développer. Examinons les avantages et les inconvénients des différentes techniques disponibles.

Verrouillage : Aucun

Cette stratégie (parfois appelée *verrouillage optimiste*) consiste à ne pas verrouiller les enregistrements lorsqu'ils sont édités. Cela signifie donc que deux utilisateurs peuvent modifier l'enregistrement en même temps. Lorsque vous tenterez d'enregistrer vos changements alors qu'un autre utilisateur aura déjà enregistré les siens, vous aurez le choix entre écraser les modifications apportées par ce premier utilisateur, copier votre version de l'enregistrement dans le Presse-papiers, ou renoncer à votre mise à jour.

Si cette stratégie garantit une certaine souplesse, elle crée néanmoins deux situations difficiles à gérer :

- Lorsque vous avez modifié un enregistrement, un autre utilisateur peut, en toute facilité, annuler vos changements.
- Un autre utilisateur peut verrouiller l'enregistrement que vous êtes en train d'éditer. Vous ne pourrez donc pas enregistrer vos modifications tant que cet utilisateur n'aura pas déverrouillé l'enregistrement.

Pour éviter ce problème, optez pour la stratégie Enr. modifié, qui verrouille automatiquement tout enregistrement en cours d'édition.

Verrouillage : Enr. modifié

Cette stratégie (parfois appelée *verrouillage pessimiste*) fait en sorte que l'enregistrement qui est en cours d'édition est verrouillé et inaccessible à tous les autres utilisateurs. Il est donc impossible que deux utilisateurs éditent simultanément le même enregistrement.

Cette méthode a du pour et du contre :

- Côté pour, Access fait spontanément en sorte que deux utilisateurs ne puissent éditer le même enregistrement en même temps. Vous êtes en outre assuré de pouvoir enregistrer vos modifications au terme de votre édition.
- Côté contre, d'autres utilisateurs risquent de s'énerver si vous monopolisez un enregistrement. Pire encore, le verrouillage d'un enregistrement dans Access affecte quasiment toujours plusieurs enregistrements étant donné que le programme verrouille les fiches en pages de 2 048 octets. Cela signifie que les utilisateurs risquent de ne pas pouvoir accéder à des enregistrements que personne n'est en train de modifier, comme le montre la Figure 18.7.

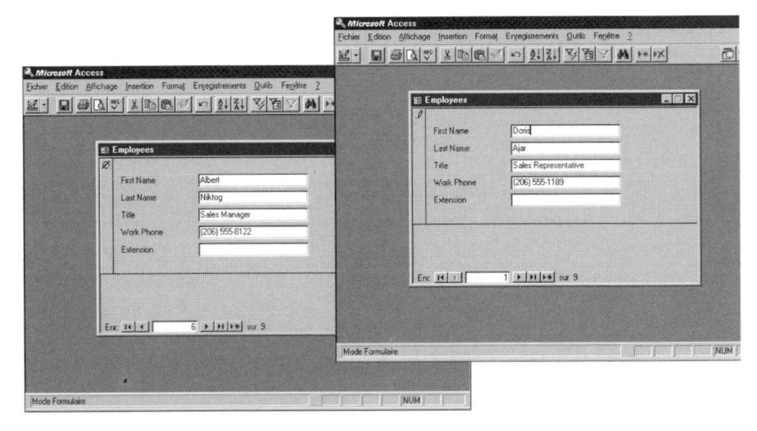

Figure 18.7 : Un enregistrement est verrouillé alors que c'est un autre enregistrement qui est en cours d'édition.

Lorsque vous êtes attaché à une base SQL via ODBC, ce sont les règles de la base SQL qui définissent le verrouillage. Access se comporte toujours comme si vous aviez retenu la stratégie Aucun (verrouillage optimiste).

Pour résoudre ce problème, il convient de se conduire en utilisateur de réseau responsable et de sauvegarder un enregistrement dès que sa modification est terminée. En agissant de la sorte, vous garantissez aux autres utilisateurs la possibilité d'accéder directement à l'enregistrement modifié.

Verrouillage : Général

La stratégie la plus radicale est le verrouillage Général, dans lequel l'utilisateur qui ouvre un formulaire ou une feuille de données en verrouille *ipso facto* tous les enregistrements. Aucun autre utilisateur ne peut modifier un enregistrement quelconque de cette table tant qu'elle est employée par le premier utilisateur. Choisissez cette stratégie si vous êtes convaincu de vouloir qu'une seule personne à la fois puisse modifier une table. Ce n'est d'habitude le cas que lorsqu'il s'agit de modifications administratives qui devant réalisées sans que les autres utilisateurs ne puissent interférer.

Choisir une stratégie de verrouillage

Quelle stratégie choisir ? Tout dépend, en fait, de vos données et de votre application. Dans la quasi-totalité des applications Access tournant sur réseau, vous verrez que la stratégie Aucun a plus d'avantages que d'inconvénients. Même si vous devez expliquer aux différents utilisateurs comment réagir en cas de conflit d'écriture, le jeu en vaut indéniablement la chandelle.

De plus, vous pouvez sans doute tirer profit de la répartition naturelle des tâches dans l'entreprise pour réduire, voire éradiquer, les conflits de verrouillage d'enregistrements. Si Albert est responsable des clients dont le nom commence par une lettre comprise en A et M, et que Sylvie gère, pour sa part, ceux dont le nom commence par une lettre entre N et Z, ces deux utilisateurs ne risquent pas d'éditer le même enregistrement !

Minimiser les conflits de verrouillage

Lorsque Access se heurte à un conflit de verrouillage, il tente à plusieurs reprises de sauvegarder l'enregistrement avant de renoncer et de vous envoyer un message d'erreur. En fait, il patiente pendant la durée fixée dans la case Temporisation de mise à jour, puis fait une deuxième tentative. Il répète ce processus autant de fois que vous l'avez spécifié dans la case Nombre de tentatives de mise à jour, puis affiche un message de conflit de verrouillage.

Vous pouvez minimiser le nombre de conflits de mise à jour et de messages d'erreur en intervenant au niveau de ces deux réglages. Ainsi, si les utilisateurs reçoivent régulièrement des messages de ce type et si vous estimez que cela est dû au fait que trop d'utilisateurs tentent, en même temps, d'enregistrer leurs modifications, *augmentez* la valeur des deux réglages. Access attendra plus longtemps avant de réessayer et fera davantage de tentatives avant de vous adresser son message d'erreur. Bien entendu, si les conflits de verrouillage sont nombreux, votre application fonctionnera plus lentement en raison des essais répétés de sauvegarde des données.

D'autre part, si vous désirez qu'Access affiche un message d'erreur dès que le conflit se produit, entrez 0 dans la case Nombre de tentatives de mise à jour.

Protéger une base de données

Access vous permet de protéger vos objets de base de données lorsque le besoin s'en fait sentir. Par défaut, la sécurité n'est perceptible ni par les concepteurs de la base, ni par ses utilisateurs. Mais s'il le faut, vous pouvez protéger des objets individuels afin, par exemple, que la plupart des utilisateurs ne puissent modifier tel formulaire particulier. En configuration réseau, un système de sécurité bien construit vous permet de maintenir votre base de données en bon état en éliminant les sources potentielles de catastrophes.

Terminologie

Faites avant tout connaissance avec quatre termes incontournables en matière de sécurité, réunis dans la phrase suivante : "Des *utilisateurs* et des *groupes* bénéficient d'*autorisations d'accès* à des *objets*".

- Un *utilisateur* Access est une personne isolée qui utilise une application Access. Les différents utilisateurs sont identifiés par leur nom, leur mot de passe et un numéro d'identification personnel unique et secret. Pour utiliser une application Access protégée, un utilisateur doit taper son nom et son mot de passe avant de pouvoir accéder aux objets.
- Un *groupe* Access est un ensemble d'utilisateurs. Vous pouvez faire appel à la notion de groupe pour représenter les différents secteurs de votre société (comme la section Marketing et la section Comptabilité), ou tout simplement pour assigner des niveaux de sécurité (comme Haut et Bas). Vous vous apercevrez vite qu'un système de sécurité est plus facile à gérer si vous formez des groupes et octroyez des autorisations d'accès directement aux groupes plutôt qu'aux individus.
- Une *autorisation d'accès* Access est la permission d'exécuter une action sur un objet. Ainsi, vous pouvez autoriser un utilisateur à consulter les données

d'une table et en autoriser un autre à isoler des données dans cette table. Vous pouvez accorder des autorisations aux utilisateurs et aux groupes.

- Un *objet* de sécurité Access est tout objet Container de la base principale (table, requête, formulaire, état, macro ou module), ou la base elle-même.

Puisque vous pouvez accorder des autorisations d'accès tant aux utilisateurs qu'aux groupes, il se peut qu'il ne soit pas commode de savoir quelles autorisations vous avez accordées à telle personne. Les autorisations réelles d'un utilisateur sont la combinaison la moins restrictive de ses autorisations personnelles (appelées autorisations *explicites*) et des autorisations consenties à tous les groupes dont il fait partie (appelées autorisations *implicites*). Ainsi, si Sylvie n'a pas le droit d'ouvrir le formulaire Compatibilité, mais fait partie du groupe Superviseurs qui, lui, est habilité à ouvrir ce formulaire, Sylvie pourra l'ouvrir aussi.

Permission accordée

Access met à votre disposition une kyrielle d'autorisations d'accès que vous pouvez accorder aux utilisateurs et aux groupes objet par objet. Toutes les autorisations énumérées au Tableau 18.2 sont susceptibles d'être ainsi attribuées.

Connexion Access

Chaque fois que vous lancez Access, vous devez entrer votre nom d'utilisateur et votre mot de passe. Chez vous, ça ne se passe pas comme ça et vous vous en inquiétez ? Vous pensez que votre copie d'Access est spéciale puisqu'elle n'exige pas ces informations ? C'est tout simplement parce que Access y met du sien. Lorsque vous lancez le programme, il tente spontanément de vous identifier comme étant l'utilisateur dénommé Administrateur avec un mot de passe blanc. Si cela fonctionne - et à condition bien sûr que vous n'ayez pas branché votre système de sécurité en affectant un mot de passe à l'utilisateur Administrateur -, Access vous dispense de la boîte de dialogue Connexion.

Pour pouvoir vous connecter en tant qu'utilisateur quelconque, vous devez assigner un mot de passe à l'utilisateur Administrateur, comme nous le décrivons ci-dessous. La prochaine fois que vous lancerez Access, la boîte de dialogue Connexion vous sera proposée.

Cette autorisation	Permet à l'utilisateur de	Peut s'appliquer à
Ouvrir/Exécuter	Ouvrir une base de données, un formulaire ou un état, ou exécuter une macro	Bases de données, formulaires, états, macros
Ouvrir en exclusif	Ouvrir une base de données en mode exclusif	Bases de données
Lire la structure	Examiner un objet en mode création	Tout type d'objet
Modifier la structure	Visualiser, modifier et supprimer des objets	Tout type d'objet
Administrer	Avoir plein accès, y compris le droit d'accorder des autorisations d'accès aux utilisateurs	Tout objet et le système de sécurité
Lire les données	Visualiser les données sans pouvoir les modifier	Tables et requêtes
Modifier les données	Visualiser et modifier les données, mais ni en ajouter, ni en supprimer	Tables et requêtes
Ajouter des données	Visualiser et ajouter des données, mais ni en modifier, ni en supprimer	Tables et requêtes
Supprimer des données	Visualiser et supprimer des données, mais ni en modifier, ni en ajouter	Tables et requêtes

Tableau 18.2 : Liste des autorisations d'accès que vous pouvez consentir à des utilisateurs isolés ou à des groupes.

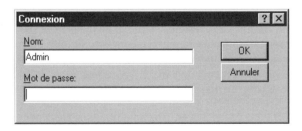

Si, pour une raison ou pour une autre, vous décidez de désactiver votre système de sécurité, vous pouvez faire en sorte que la boîte de dialogue Connexion ne s'affiche plus, en effaçant le mot de passe attribué à l'utilisateur Administrateur.

Le fichier d'informations de groupe de travail

Les paramètres de sécurité d'Access sont stockés dans un fichier d'informations de groupe de travail, baptisé par défaut system.mdw. Le programme est équipé d'une commande vous permettant de créer un nouveau fichier de ce type, l'Administrateur de groupes de travail. Emboîtez-nous le pas :

1. Localisez l'Administrateur de groupes de travail, wrkgadm.exe (généralement placé dans le dossier Access du dossier Office) (représenté à gauche), et ouvrez-le (voyez ci-dessous).

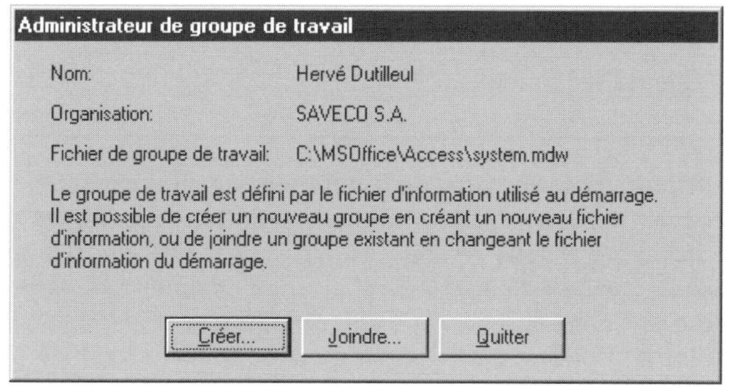

2. Cliquez sur Créer.

3. Entrez le nom, la société et un code groupe de travail unique. Access utilise ce code afin de s'assurer que votre groupe de travail est unique. N'oubliez pas les informations que vous entrez ici : vous en aurez besoin si vous devez, un jour, recréer votre groupe de travail original. Cliquez sur OK.

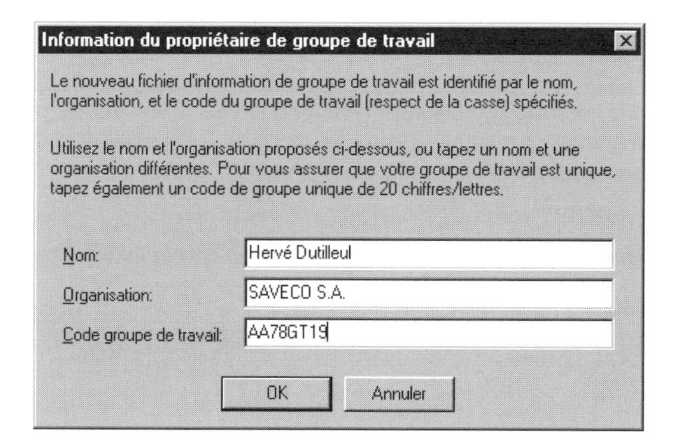

4. Indiquez le chemin et le nom de ce fichier. Vous pouvez utiliser l'extension .mdw.

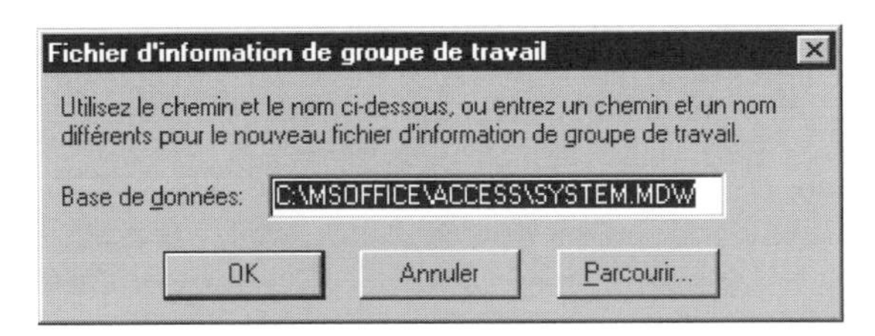

5. Cliquez sur OK trois fois pour créer le nouveau fichier de groupe de travail et regagner la fenêtre principale de l'Administrateur de groupes de travail.
6. Cliquez sur Quitter.

Le fichier d'informations de groupe de travail original qui se crée lors de l'installation d'Access n'est pas *protégé*. La raison en est qu'Access crée ce fichier pour vous en utilisant le nom d'utilisateur et le nom de société spécifiés pendant l'installation, ainsi qu'un code groupe de travail blanc. Toute personne ayant accès à votre ordinateur et invoquant la commande ? (Aide)/À propos de n'importe quelle application Office peut retrouver cette information et recréer ainsi le fichier d'informations de groupe de travail original. Une fois en possession de ce fichier, elle peut franchir toutes les protections que vous avez édifiées.

Pour en apprendre plus à propos des groupes de travail et du fichier d'informations de groupe de travail, recherchez *création d'un nouveau fichier d'informations de groupe de travail Microsoft Access* dans l'aide en ligne.

Vous pouvez aussi faire appel à l'Administrateur de groupes de travail pour passer d'un fichier d'informations de groupe de travail à un autre. Vous devrez agir ainsi si vous avez protégé des bases de données issues de deux sources différentes. Pour passer d'un fichier à l'autre :

1. Localisez l'Administrateur de groupes de travail (wrkgadm.exe) et ouvrez-le.
2. Cliquez sur Joindre.
3. Tapez le nom du fichier d'informations de groupe de travail que vous voulez joindre.

   ou :

   Utilisez le bouton Parcourir pour localiser ce fichier sur votre disque dur.

4. Cliquez sur OK deux fois de suite pour joindre le nouveau fichier.

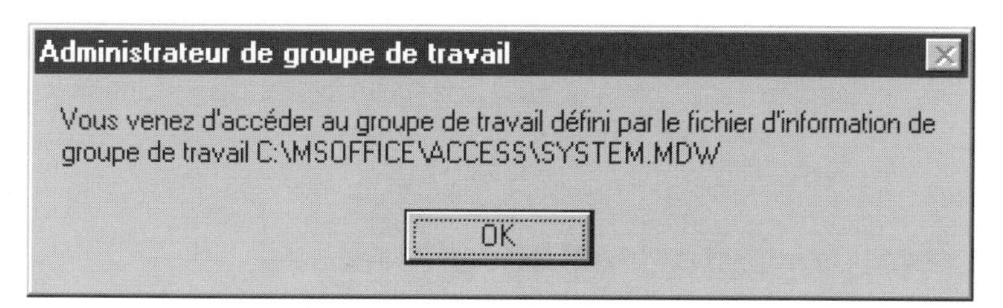

5. Cliquez sur Quitter pour fermer l'Administrateur de groupes de travail.

Utilisateur et groupes prédéfinis

Chaque groupe de travail Access possède un utilisateur et des groupes prédéfinis, répertoriés dans les Tableaux 18.3 et 18.4. Le programme crée cet utilisateur et ces groupes afin de vous constituer un système de sécurité minimal.

La chose la plus importante à savoir à cet égard est que la plupart d'entre eux ne sont pas protégés et ne peuvent pas l'être.

L'utilisateur Administrateur et le groupe Utilisateurs sont identiques dans tous les fichiers d'informations de groupe de travail jamais créés.

Si vous attribuez des autorisations d'accès à l'Administrateur ou aux Utilisateurs, vous accordez en fait ces autorisations à tous les utilisateurs d'Access.

Utilisateur	Membre de	Commentaires
Administrateur	Administrateurs, Utilisateurs	Utilisateur par défaut.

Tableau 18.3 : Utilisateur Access par défaut.

Groupe	Comporte	Commentaires
Administrateurs	Administrateur	Tout membre bénéficiant de toutes les autorisations d'accès à tous les objets, quelle que soit la protection.
Utilisateurs	Administrateur	Les membres par défaut ont des autorisations d'accès à tous les objets.

Tableau 18.4 : Groupes Access par défaut.

Étant donné que l'Administrateur bénéficie de toutes les autorisations d'accès à tous les objets et que toute personne est identifiée comme étant l'utilisateur Administrateur (sauf s'ils ont branché leur propre système de sécurité), le système fait ainsi en sorte que nous puissions échanger des bases de données sans avoir à nous préoccuper des notions de sécurité.

Propriétaire : autorisations illimitées

En matière de protection, il est une notion qu'il faut prendre en compte : la notion de propriété. La personne qui crée un objet ou l'importe depuis une autre base en est le propriétaire initial. Il peut céder son titre à un autre utilisateur ou à un autre groupe ; n'importe quel membre du groupe Administrateurs peut en faire autant.

Attribuer le titre de propriété d'un objet à un groupe comme le groupe Développeurs permet à plusieurs développeurs de travailler sur des objets dans une base de données protégée.

Le propriétaire d'un objet bénéficie toujours de l'autorisation d'accès Administrer sur cet objet, même si quelqu'un d'autre tente de la lui ôter - bien que, dans certains cas, l'interface signale à tort qu'il n'en a pas le droit. Cela signifie que le propriétaire d'un objet peut faire de cet objet ce que bon lui semble, même si d'autres utilisateurs tentent de le priver de ce droit.

Travailler avec des utilisateurs et des groupes

Avant d'installer un système de sécurité, vous devez commencer par définir vos utilisateurs et vos groupes. Le groupe Administrateurs doit comporter un utilisateur minimum - vous-même généralement -, étant donné que seuls les membres de ce groupe peuvent créer de nouveaux utilisateurs et gérer le dispositif de protection. Idéalement, vous grouperez les autres utilisateurs selon les tâches qu'ils ont à mener, puis attribuerez les autorisations d'accès correspondantes. Un système de sécurité pour une base de données de petite taille pourrait ressembler à celui que nous avons schématisé sur la Figure 18.8.

Pour travailler avec des utilisateurs et des groupes, choisissez Outils/Sécurité/ Gestion des utilisateurs et des groupes. Une boîte de dialogue s'ouvre, intitulée précisément Gestion des utilisateurs et des groupes. Dans cette boîte, vous pouvez créer et supprimer des utilisateurs et des groupes, affecter des utilisateurs à des groupes, et modifier votre propre mot de passe.

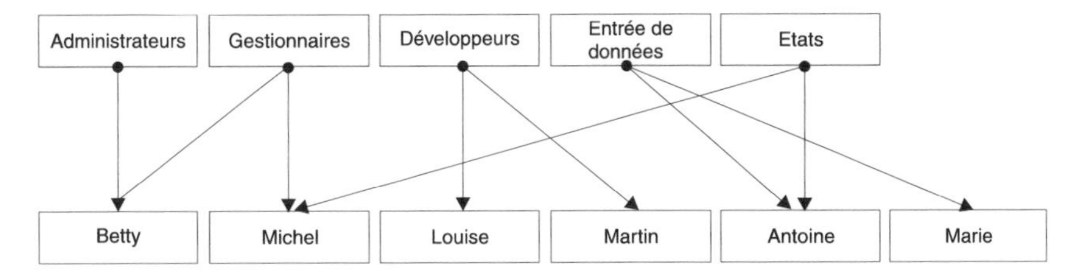

Figure 18.8 : Plan du système de protection d'une base de données Access.

L'onglet Utilisateurs

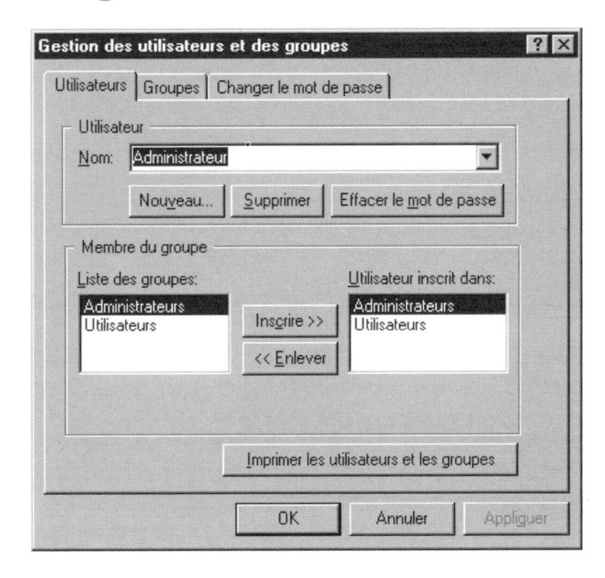

Cet onglet dispose d'une zone de liste modifiable dans laquelle vous pouvez sélectionner n'importe quel utilisateur du réseau. La rubrique Membre du groupe indique de quels groupes fait partie cet utilisateur.

- **Pour créer un nouvel utilisateur,** cliquez sur Nouveau. Dans la boîte de dialogue qui s'affiche alors, entrez le nom de cet utilisateur ainsi que son numéro d'identification personnel. Cliquez sur OK. Access utilise ce numéro pour identifier de manière unique l'utilisateur que vous venez de créer.

Le numéro personnel *n'est pas* un mot de passe. De nouveaux utilisateurs ont déjà été créés sans mot de passe. Pour assigner un mot de passe à un utilisateur, fermez Access, rouvrez-le, identifiez-vous comme étant le nouvel utilisateur, puis faites appel à la boîte de dialogue Gestion des utilisateurs et des groupes pour fixer le mot de passe de cet utilisateur.

- **Pour supprimer un utilisateur,** sélectionnez son nom dans le menu local et cliquez sur Supprimer ; confirmez la suppression en cliquant sur Oui. Vous ne pouvez supprimer aucun utilisateur prédéfini.
- **Pour effacer le mot de passe d'un utilisateur qui a oublié son mot de passe,** cliquez sur Effacer le mot de passe.
- **Pour ajouter un utilisateur à un groupe,** sélectionnez le groupe concerné dans la liste de gauche et cliquez sur Inscrire >>.
- **Pour supprimer un utilisateur d'un groupe,** sélectionnez l'utilisateur concerné dans la liste de droite et cliquez sur Enlever <<.

Vous ne pouvez supprimer aucun utilisateur du groupe Utilisateurs, pas plus que vous ne pouvez vous débarrasser du dernier membre du groupe Administrateurs.

L'onglet Groupes

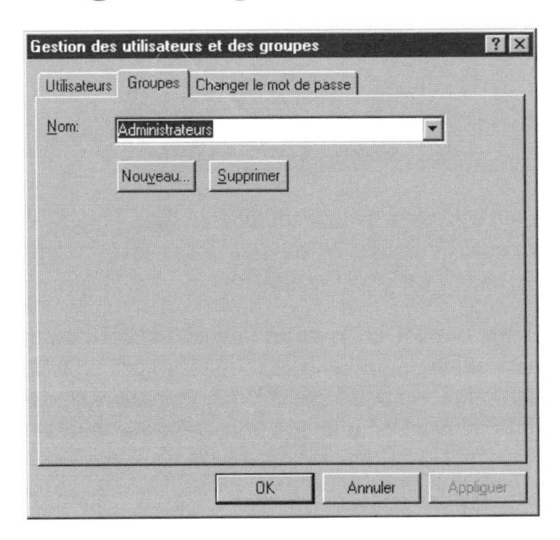

Cet onglet ne dispose que d'une zone de liste modifiable qui recense tous les groupes de votre base de données.

- **Pour créer un nouveau groupe,** cliquez sur Nouveau. Dans la boîte de dialogue qui s'affiche alors, entrez le nom de ce groupe ainsi que son numéro d'identification personnel. Cliquez sur OK. Access utilise ce numéro pour identifier de manière unique le groupe que vous venez de créer.

Vous auriez intérêt à noter tous les numéros d'identification que vous attribuez tant aux utilisateurs qu'aux groupes, ainsi que le code groupe de travail de votre fichier d'informations de groupe de travail. Si ce fichier est égaré ou endommagé, il vous suffira de consulter vos notes et de recréer les informations que vous y aviez consignées.

- **Pour supprimer un groupe,** sélectionnez son nom dans le menu local et cliquez sur Supprimer ; confirmez la suppression en cliquant sur Oui.

L'onglet Changer le mot de passe

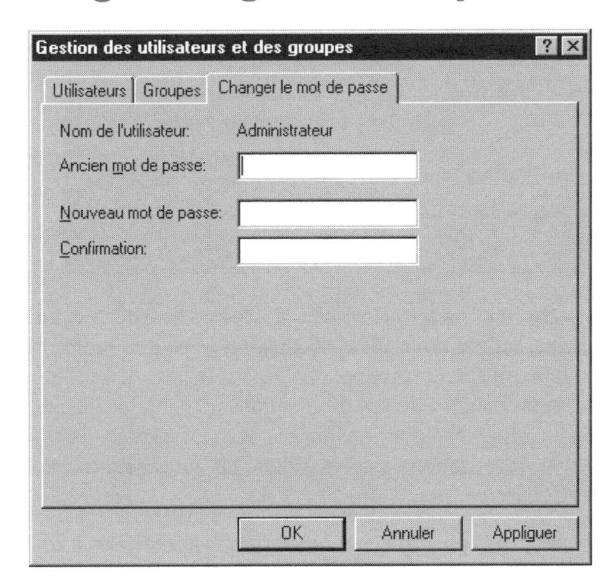

Pour modifier votre mot de passe, entrez le mot de passe actuel dans la première case et le nouveau dans la deuxième, puis confirmez-le dans la troisième. Access compare les deux versions et s'assure ainsi que vous n'avez pas, par hasard, mal orthographié votre clé d'accès.

Afficher le nom du propriétaire et les autorisations d'accès

Si vous souhaitez changer le nom du propriétaire d'un objet ou des autorisations d'accès, choisissez Outils/Sécurité/Autorisations d'accès.

L'onglet Autorisations d'accès

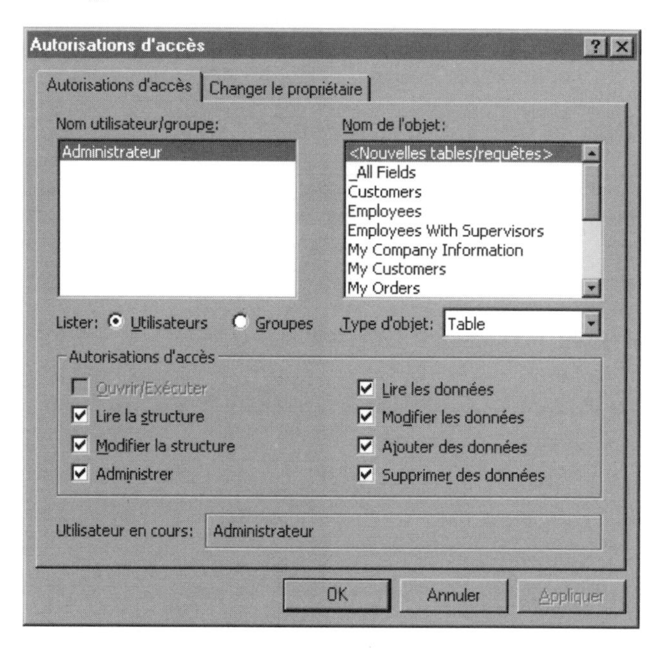

- **Pour afficher les autorisations d'accès accordées à un utilisateur pour un objet,** activez d'abord, si nécessaire, le bouton radio Utilisateurs. Dans la liste Nom utilisateur/groupe, cliquez sur le nom de l'utilisateur qui vous intéresse, puis désignez le type d'objet dans le menu local de droite, intitulé Type d'objet. Enfin, sélectionnez l'objet concerné dans la liste Nom de l'objet. La rubrique Autorisations d'accès affiche les autorisations explicites de l'utilisateur sélectionné.

- **Pour afficher les autorisations d'accès accordées à un groupe pour un objet,** activez d'abord le bouton radio Groupes. Dans la liste Nom utilisateur/groupe, cliquez sur le nom du groupe qui vous intéresse, puis désignez le type d'objet dans le menu local de droite, intitulé Type d'objet. Enfin, sélectionnez l'objet concerné dans la liste Nom de l'objet. La rubrique Autorisations d'accès affiche les autorisations explicites du groupe sélectionné.

- **Pour modifier les autorisations d'accès d'un objet,** commencez par désigner l'utilisateur ou le groupe concerné (voyez ci-dessus). Spécifiez le type d'objet dans le menu local. Sélectionnez un ou plusieurs objets dans la liste d'objets, puis activez ou désactivez les autorisations souhaitées. Lorsque vos changements vous satisfont, cliquez sur Appliquer.

L'onglet Changer le propriétaire

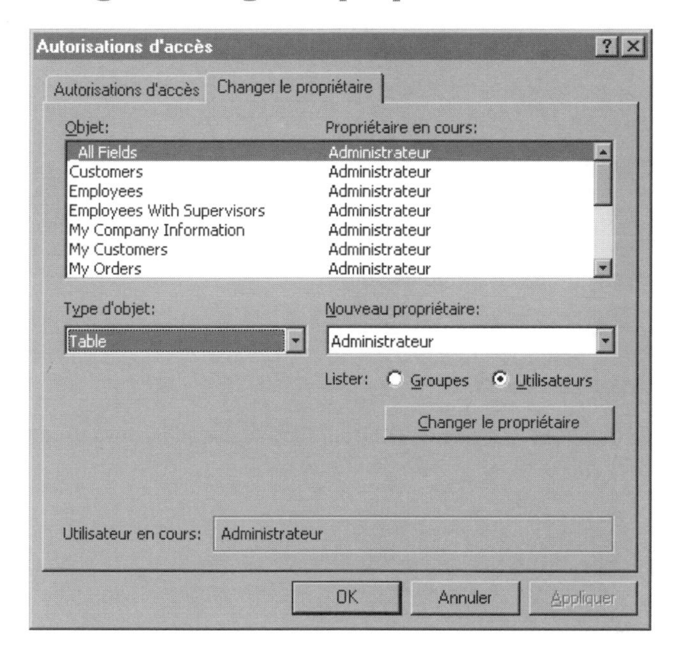

- **Pour afficher le propriétaire actuel d'un objet,** spécifiez le type de l'objet dans le menu local Type d'objet. Sélectionnez ensuite un ou plusieurs objets. La zone de liste modifiable intitulée Nouveau propriétaire affiche le nom du propriétaire actuel. (Si vous avez sélectionné plusieurs objets et que tous n'appartiennent pas au même propriétaire, la case reste blanche.)

- **Pour changer le nom du propriétaire,** spécifiez le type de l'objet. Sélectionnez ensuite un ou plusieurs objets. Choisissez le nom du nouveau propriétaire dans le menu local Nouveau propriétaire, puis cliquez sur Changer le propriétaire.

Protéger votre base de données

Vous vous êtes sans doute rendu compte, à ce stade, qu'Access bénéficie d'un système de protection élaboré. Attention : les interactions entre utilisateurs, groupes, objets et autorisations d'accès ne doivent pas être gérées à l'emporte-pièce. Nous décrivons ci-dessous quelques mesures fondamentales que vous devez impérativement prendre si vous désirez assurer l'intégrité de votre système de protection.

1. Si ce n'est pas encore chose faite, recourez éventuellement à l'Administrateur de groupes de travail pour créer un nouveau groupe unique. Stockez le code groupe de travail en lieu sûr.
2. Lancez Access, puis créez un nouvel utilisateur à votre intention. Ajoutez-le au groupe Administrateurs.
3. Modifiez le mot de passe de l'utilisateur Administrateur (ne laissez pas cette case vide). Stockez également ce mot de passe en lieu sûr au cas où vous souhaiteriez, ultérieurement, déprotéger la base.
4. Quittez Access, puis redémarrez le programme. Identifiez-vous comme étant le nouvel utilisateur. Changez le mot de passe de cet utilisateur (choisissez un mot de passe connu de vous seul).
5. Créez tous les autres utilisateurs et groupes souhaités. Stockez les numéros d'identification en lieu sûr au cas où vous devriez recréer l'une ou l'autre de ces entités.
6. Invoquez l'Assistant Sécurité (décrit ci-dessous) pour supprimer des autorisations d'accès à la base de données.
7. Attribuez les autorisations souhaitées aux autres utilisateurs et groupes qui sont autorisés à manipuler les objets.

L'Assistant Sécurité

Access est équipé d'un Assistant Sécurité qui prend en charge une grande part de la protection des bases de données. Cet Assistant réalise une copie de votre base qui est la propriété de la personne qui fait appel à l'Assistant, s'assure que tous les objets de la base appartiennent bien à cette personne, et supprime les autorisations d'accès accordées pour ces objets à l'utilisateur Administrateur et au groupe Utilisateurs. En outre, il procède au codage de la base de données afin de préserver son intégrité.

Pour recourir à cet Assistant, choisissez Outils/Sécurité/Assistant Sécurité au niveau utilisateur. L'Assistant vous demande d'abord quels objets vous désirez protéger (Figure 18.9). Généralement, vous opterez pour une protection générale, étendue à tous les objets.

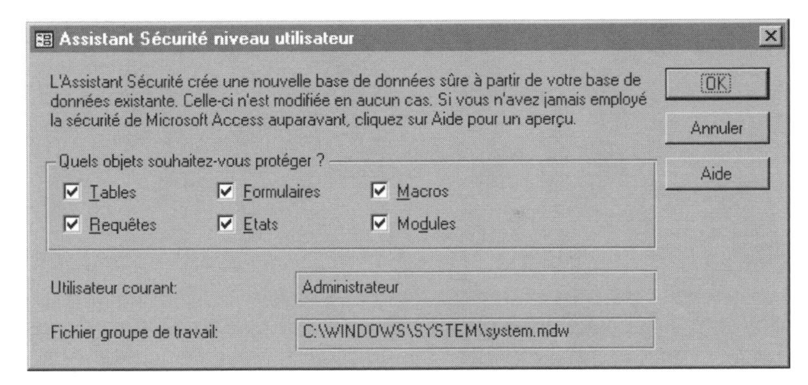

Figure 18.9 : Lorsque vous faites appel à l'Assistant Sécurité, vous pouvez définir avec précision les objets que vous souhaitez protéger.

Dans la phase suivante qui est la boîte de dialogue Base destination, l'Assistant vous invite à spécifier le nom que vous voulez attribuer à la nouvelle base protégée. Il crée ensuite cette nouvelle base et y réalise des copies protégées de vos objets. La procédure prend fin lorsque l'Assistant vous en avise.

Quelques autres sources d'information à propos de la sécurité :

- Choisissez ? (Aide)/Rubriques d'aide Microsoft Access. Dans le sommaire, cliquez deux fois sur *Sécurité d'une base de données*, puis sélectionnez la rubrique qui vous intéresse. Choisissez Options/Imprimer la rubrique pour imprimer la rubrique active.
- Avec l'aide du Compagnon Office, recherchez *protection et protéger une base de données.*
- Consultez le Chapitre 14 du manuel Access "Comment créer des applications avec Microsoft Access pour Windows 95".
- Le bouton d'aide mis à votre disposition dans les fenêtres de l'Assistant Sécurité vous dresse les grandes lignes de la gestion des protections dans Access.

Court-circuiter la boîte de dialogue Connexion

Une fois activée la procédure de connexion à Access (ce que vous faites en établissant un mot de passe pour l'utilisateur Administrateur), la boîte de dialogue représentée à la page suivante s'impose à vous lorsque vous lancez le programme.

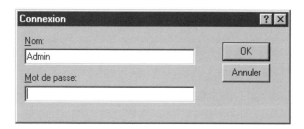

Si vous trouvez trop astreignant de répondre chaque fois aux questions qui vous y sont posées, vous pouvez indiquer votre nom d'utilisateur et éventuellement votre mot de passe dans la ligne de commande de démarrage. Ainsi, Access remplira automatiquement les cases d'édition de cette fenêtre, ne vous l'imposant désormais plus.

Pour définir cette ligne de commande, vous pouvez employer n'importe quelle combinaison des commutateurs de démarrage suivants :

> ***<base-de-données>*** : Si vous voulez créer un raccourci qui ouvre une base de données particulière chaque fois que vous démarrez Access, faites suivre la commande de démarrage d'un espace, puis du chemin et du nom de la base de données concernée.
>
> **/User *nom-utilisateur*** : Pour fournir au démarrage le nom de l'utilisateur, faites suivre la commande de démarrage d'un espace, puis du commutateur/ User, suivi lui-même d'un espace et de votre nom d'utilisateur.
>
> **/Pwd *mot-de-passe*** : Pour fournir au démarrage votre mot de passe, faites suivre la commande de démarrage d'un espace, puis du commutateur/Pwd, suivi lui-même d'un espace et de votre mot de passe.

Vous pouvez spécifier des options de la ligne de commande en agissant via l'Explorateur Windows. La procédure que nous vous présentons ici n'affecte pas la manière dont fonctionne votre copie originale d'Access. En fait, elle crée une nouvelle icône sur le bureau de Windows, à laquelle elle associe les paramètres que vous spécifiez. Voici exactement comment vous y prendre :

1. Lancez l'Explorateur ; faites en sorte que sa fenêtre ne couvre pas tout l'écran ; isolez le dossier qui contient le programme msaccess.exe (il s'agit généralement du dossier c:\office\access).
2. Cliquez avec le bouton droit de la souris sur l'icône d'Access, puis faites glisser l'icône du programme en dehors de la fenêtre de l'Explorateur, vers une zone vide du bureau de Windows. Dans le menu contextuel qui s'affiche lorsque vous relâchez le bouton de votre souris, choisissez Créer un ou des raccourcis ici.

3. Cliquez avec le bouton droit de la souris sur l'icône de raccourci que vous venez de créer. Sélectionnez Propriétés, puis activez l'onglet Raccourci.

4. Entrez les options de ligne de démarrage souhaitées dans la case Cible, puis cliquez sur OK.

Supposons que vous ayez reçu le nom d'utilisateur *Gondola* et le mot de passe *omnipotent*. Si vous voulez que l'icône de raccourci ouvre automatiquement la base de données intitulée Contacts1 du dossier c:\contact, vous devez modifier la ligne de commande de démarrage dans la case Démarrer en :

```
C:\MSOFFICE\ACCESS\MSACCESS.EXE
c:\contact\Contacts1.mdb /User Gondola /Pwd omnipotent
```

Le danger, dans ce cas, est que toute personne ayant accès à votre ordinateur et connaissant les rudiments de gestion des raccourcis peut rapidement découvrir votre mot de passe. Si vous ne pouvez pas vous permettre de prendre un tel risque, n'incluez pas votre mot de passe dans la ligne de commande (dans notre exemple, retranchez donc */Pwd omnipotent).* Dans ces conditions, vous serez malheureusement contraint de spécifier votre clé d'accès chaque fois que vous lancerez Access.

Pour plus de renseignements sur la ligne de commande, cherchez démarrage de Microsoft *Access,* puis *options de la ligne de commande* grâce au Compagnon Office.

Sécurité du mot de passe

Vous savez déjà qu'une stratégie de sécurité complète peut s'avérer relativement complexe à établir et à gérer. Si vous désirez tout simplement mettre votre base à l'abri des regards indiscrets, une autre fonctionnalité vous autorise à définir un mot de passe et à protéger ainsi l'accès à vos données. Cette commande ne convient pas pour les applications multiutilisateurs fonctionnant en réseau, car elle ne permet pas de distinguer un utilisateur d'un autre. Elle s'avère néanmoins très intéressante dans le cas de bases de données monoutilisateurs.

Pour attribuer un mot de passe à votre base :

1. Ouvrez la base après avoir coché la case Mode exclusif de la boîte de dialogue Ouvrir ; choisissez ensuite Outils/Sécurité/Définir le mot de passe de la base de données.

2. Tapez le mot de passe souhaité dans les cases Mot de passe et Confirmation (le fait de le saisir deux fois permet à Access de savoir si, par malheur, vous n'avez pas mal orthographié ce mot).

3. Cliquez sur OK.

La prochaine fois que vous tenterez d'ouvrir cette base, la boîte de dialogue représentée ci-dessous vous sera proposée. Vous devrez y spécifier le mot de passe que vous avez défini à l'étape n° 2 ci-dessus pour pouvoir accéder à votre données.

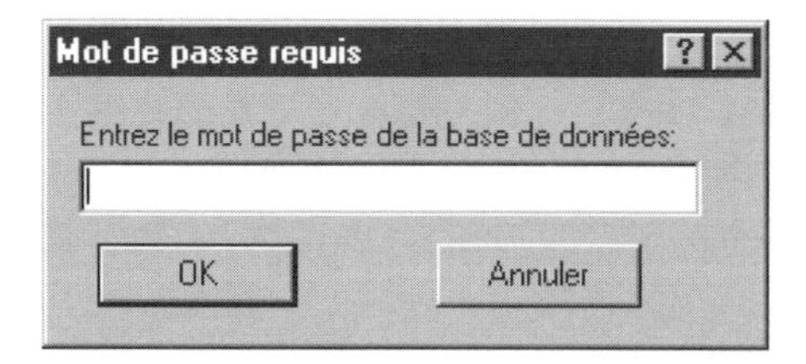

Si vous oubliez votre mot de passe, toutes vos données seront perdues à jamais. Personne au monde, même pas Microsoft, ne peut passer outre à un mot de passe. Choisissez donc un mot dont vous vous souviendrez immanquablement et conservez-en une copie dans un endroit sûr.

Et maintenant, que faisons-nous ?

Ce chapitre vous a initié aux deux aspects les plus complexes d'Access : le verrouillage des enregistrements en environnement multiutilisateur et les dispositifs de protection. Vous en savez désormais suffisamment pour créer des applications Access personnelles. Nous allons donc vous faire découvrir la différence entre une application terminée et une simple base de données. La quatrième partie vous montre, en fait, comment peaufiner votre travail (macros, barres d'outils, menus, etc.) afin de simplifier la vie de vos utilisateurs.

Quoi de neuf ?

Access 97 pour Windows 95 propose des fonctionnalités de gestion réseau et de protection très similaires à celles des versions précédentes. L'Assistant Sécurité a été rebaptisé (il s'appelle désormais "Assistant Sécurité au niveau utilisateur"), mais il fonctionne de la même manière que par le passé.

Partie IV

Concevoir une application personnalisée

Chapitre 19

Créer une application personnelle

Ce chapitre entame la quatrième partie de cet ouvrage, qui vous apprend à convertir une base de données en une application. Il représente également une transition pour le lecteur que vous êtes puisqu'il fait de l'utilisateur que vous étiez un futur développeur d'applications.

Qu'est-ce qu'une application ?

Une application est une base de données dont l'utilisation est automatisée grâce à l'utilisation de menus, boîtes de dialogue et autres composants classiques d'interface. Le but est de créer un produit que tout le monde - même les personnes ne connaissant rien à Access - pourra utiliser.

Lorsque vous faites appel à l'Assistant Création d'applications pour concevoir une base de données, cet Assistant crée une application élémentaire comportant des formulaires, des états et peut-être l'un ou l'autre Menu Général. Vous pouvez concevoir des applications nettement plus élaborées que celles qu'élabore cet Assistant Création d'applications en créant tous les objets de la base depuis zéro (tables, requêtes, formulaires et états), ou en recourant à l'Assistant Base de données. Vous pouvez aussi concevoir vos propres Menus Généraux ainsi que les boîtes de dialogue qui lient harmonieusement ces objets les uns aux autres dans une application simple et conviviale.

À chacun son rôle

Avant d'aller plus loin, il importe que vous distinguiez clairement le *développeur* de l'*utilisateur :*

Développeur : Personne qui crée l'application - généralement vous-même, puisque c'est vous qui lisez ce livre.

Utilisateur(s) : La ou les personnes qui utiliseront l'application lorsqu'elle sera terminée. Il peut s'agir d'un véritable débutant.

Faut-il savoir programmer ?

Jusqu'à il y a peu, seules les personnes versées en programmation étaient à même de bâtir des applications personnalisées. Mais les choses ont changé. Access vous permet, en effet, de construire des applications personnelles très évoluées en recourant peu ou prou à la programmation, tout simplement parce que les tables, requêtes, formulaires et états que vous avez appris à créer dans les chapitres précédents représentent pour ainsi dire 90 % de votre application.

Les 10 pour 100 restants sont en fait des *macros* ou des *procédures Visual Basic* qui déterminent la manière dont l'application se comporte lorsqu'elle est confrontée à un utilisateur. Les chapitres suivants détaillent ces macros et procédures.

Avant d'en entamer l'étude, vous devez assimiler une notion importante, celle d'*événement* ; ce sont les événements, en effet, qui lancent vos macros et exécutent vos procédures.

Qu'est-ce qu'un événement ?

Les applications personnalisées que vous élaborez dans Microsoft Access sont *événementielles.* Cela signifie que l'application est là, sur votre écran, attendant que vous agissiez. Lorsque c'est le cas, vous créez un *événement* auquel le programme répond.

En fait, on peut considérer comme événement toute action se déroulant à l'écran, comme :

- Déplacer la souris ou cliquer.
- Enfoncer et relâcher une touche.
- Placer le curseur dans un contrôle.
- Modifier le contenu d'un contrôle.
- Ouvrir ou fermer un formulaire.
- Imprimer un état.

Ainsi, lorsque vous utilisez un formulaire ou un Menu Général et cliquez sur un bouton de commande, votre action déclenche un événement "Sur clic". L'application *répond* à l'événement en exécutant l'*action* que le bouton lui enjoint d'exécuter. C'est vous qui définissez cette action, dans un formulaire de macro ou dans un code Visual Basic.

Microsoft Access est capable de détecter de nombreux types d'événements. Et vous pouvez assigner une action à chacun d'eux. Avant de vous enseigner à créer des actions, nous allons vous apprendre à identifier les événements auxquels vous pouvez assigner ces actions.

Afficher les propriétés Événement

Vous assignez une action à un événement en attribuant un nom de macro ou de procédure à une propriété événement. Chaque formulaire, chaque état et chaque contrôle dispose de son propre jeu d'événements. Pour les afficher, ouvrez le formulaire ou l'état en mode création, puis ouvrez la feuille des propriétés.

Voici exactement comment vous y prendre :

1. Lancez Access ; ouvrez la base de données concernée ; affichez la fenêtre Base de données ; cliquez sur le nom du formulaire ou de l'état dont vous voulez examiner les événements.
2. Passez en mode création, puis...

- Pour afficher les événements du formulaire proprement dit, choisissez Édition/Sélectionner le formulaire, ou cliquez dans la case de sélection du formulaire, située à l'intersection des règles verticale et horizontale.
- Pour afficher les événements de l'état proprement dit, choisissez Édition/Sélectionner le rapport, ou cliquez dans la case de sélection de l'état, située à l'intersection des règles verticale et horizontale.
- Pour afficher les événements d'un contrôle donné, cliquez sur ce contrôle.

3. Ouvrez la feuille des propriétés (activez le bouton Propriétés d'une barre d'outils quelconque ou choisissez Affichage/Propriétés).
4. Activez l'onglet Événement.

Pour visualiser les événements d'un contrôle particulier, cliquez avec le bouton droit de la souris sur le contrôle concerné et choisissez Propriétés dans le menu contextuel. Activez ensuite l'onglet Événement.

La feuille des propriétés vous montre tous les événements auxquels vous pouvez assigner des actions. Les événements disponibles dépendent de l'objet sélectionné. Ainsi, si vous choisissez Édition/Sélectionner le formulaire à l'étape n° 2, la feuille des propriétés affiche les propriétés événement du formulaire proprement dit (Figure 19.1).

Si vous cliquez sur un contrôle donné avant (ou après) l'ouverture de la feuille des propriétés, ce sont les événements de ce contrôle qui s'affichent, exclusivement. Ainsi, la Figure 19.2 affiche les propriétés événement d'une zone de liste modifiable sélectionnée, dénommée PaymentMethodID (N° MéthodePaiement).

Dans les Figures 19.1 et 19.2, vous pouvez voir que certains événements affichent la mention [Procédure événementielle]. Derrière cette procédure événementielle se trouve le code Visual Basic qui détermine ce qui se produit lorsque l'événement intervient. Nous verrons un peu plus loin comment créer un contrôle et lui assigner une action avec l'aide des Assistants Contrôle. Mais penchons-nous d'abord sur les nombreux types d'événements auxquels vous pouvez assigner des actions.

Figure 19.1 : Les propriétés événement du formulaire tout entier.

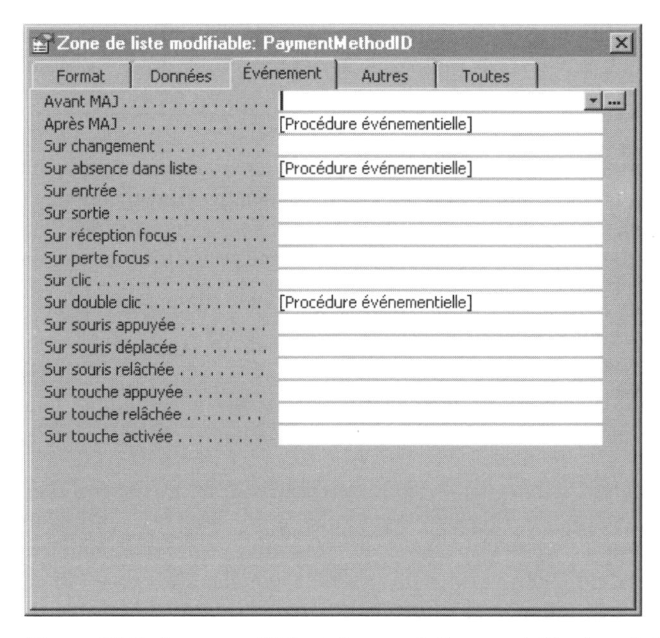

Figure 19.2 : Les propriétés événement d'un contrôle donné du formulaire.

Les événements de formulaire

Pour afficher les propriétés événement d'un formulaire tout entier, ouvrez ce formulaire en mode création, choisissez Édition/Sélectionner le formulaire, puis ouvrez sa feuille des propriétés et activez l'onglet Événement (Figure 19.1). De nombreux événements sont disponibles ; commençons néanmoins par envisager ceux qui se produisent lorsque l'utilisateur ouvre un formulaire pour la première fois. Voici les événements concernés, dans l'ordre dans lequel ils apparaissent :

Ouverture/Chargement/Redimensionnement/Activé/Activation

Vous pouvez assigner une action à n'importe lequel de ces événements en utilisant les propriétés Sur ouverture, Sur chargement, Sur redimensionnement, Sur activé et Sur activation. Mais à quoi peuvent bien servir tous ces événements lorsqu'il s'agit, tout simplement, d'ouvrir un formulaire ? Ils vous permettent de définir avec une extrême souplesse la manière dont votre application personnelle devra réagir lorsqu'un utilisateur ouvrira le formulaire. Ainsi, vous pouvez assigner une action à la propriété Sur ouverture ; cette action s'exécutera dès l'ouverture du formulaire. Vous pouvez assigner une action différente à la propriété Sur chargement ; elle s'exécutera directement après la première. Vous pouvez assigner des actions à autant de propriétés événement que vous le souhaitez.

Comme toujours, si vous désirez en savoir plus sur un événement particulier, cliquez sur son nom dans la feuille des propriétés, puis enfoncez la touche d'aide F1.

Lorsque l'utilisateur ferme un formulaire, trois événements se produisent :

Libération/Désactivé/Fermeture

Pour assigner des actions à ces événements, utilisez les propriétés de formulaire suivantes : Sur libération, Sur désactivé et Sur fermeture.

Pour vous montrer à quel point vous pouvez être précis lorsque vous assignez des actions à des événements, supposons que vous souhaitiez qu'une action particulière se déroule lorsque l'utilisateur passe d'un formulaire à un autre. Les événements Sur ouverture et Sur fermeture ne vous sont d'aucune utilité dans ce cas. En revanche, vous pouvez faire appel aux événements Sur activé et Sur désactivé qui se produisent lorsque vous passez d'un formulaire à un autre, comme :

Désactivé (premier formulaire)/Activé (second formulaire)

Les événements de contrôle

Chaque contrôle d'un formulaire possède son propre jeu de propriétés auxquelles vous pouvez assigner des actions. Les propriétés événement disponibles sont, bien entendu, fonction du type du contrôle sélectionné. Ainsi, les propriétés événement d'une zone de texte ne sont pas les mêmes que celles d'une zone de liste modifiable.

Malgré tout, certains événements simples se produisent dans tous les contrôles lorsque l'utilisateur entre dans le contrôle (en utilisant sa souris ou la touche Tabulation). Ces propriétés événement sont :

Entrée/Réception focus

Pour assigner des actions à ces événements, vous devez d'abord sélectionner le contrôle souhaité (en mode création), ouvrir sa feuille des propriétés et activer l'onglet Événement (Figure 19.2).

Lorsque l'utilisateur quitte le contrôle, deux événements se produisent :

Sortie/Perte focus

Les événements que nous citons ici ne sont que quelques exemples parmi des dizaines d'autres. Vous découvrirez de multiples autres événements à mesure que vous progresserez dans ce chapitre et dans les suivants. Pour apprendre à créer vos propres contrôles et à assigner des actions aux événements que ces contrôles génèrent, penchez-vous donc sur les Assistants Contrôle grâce auxquels la création de contrôles personnalisés et l'assignation d'actions à ces contrôles deviennent un jeu d'enfant.

Créer un contrôle et une action en une seule opération

Le moyen le plus simple de créer un contrôle et de lui assigner une action consiste à faire appel aux Assistants Contrôle, disponibles dans le mode création de formulaire.

1. En mode création, ouvrez le formulaire auquel vous souhaitez ajouter un contrôle.
2. Assurez-vous que la boîte à outils est ouverte (sinon, activez le bouton Boîte à outils de la barre d'outils Création de formulaire ou choisissez Affichage/ Boîte à outils).

3. Assurez-vous que le bouton Assistants Contrôle est enfoncé (voyez ci-dessous).

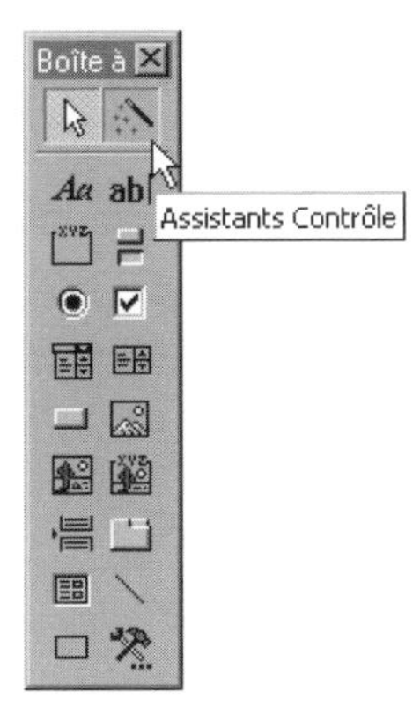

4. Cliquez sur le type de contrôle souhaité. (L'outil Bouton de commande est un bon choix pour commencer, car il est facile à créer et l'Assistant y associe de multiples options.)

Si vous ne savez plus quels contrôles créent les outils de la boîte à outils, placez votre pointeur sur l'icône correspondante et attendez l'affichage de l'info-bulle.

5. Dans le formulaire, cliquez à l'endroit où vous voulez placer le contrôle.
6. Si le contrôle concerné est supporté par les Assistants Contrôle, la première boîte de dialogue de ces Assistants s'affiche. Suivez les instructions qui apparaissent à l'écran, comme vous le feriez avec n'importe quel Assistant.

Lorsque la procédure est terminée, le contrôle apparaît dans le formulaire, ses poignées de redimensionnement étant déjà sélectionnées au cas où vous souhaiteriez d'emblée changer sa taille ou sa position.

Pour tester ce nouveau contrôle, passez en mode formulaire et utilisez-le comme vous le feriez normalement. Ainsi, si vous avez créé un bouton de commande, cliquez simplement dessus. L'action que vous avez choisie pendant la création s'exécute.

Remarquez que, lorsque vous ajoutez un contrôle à un formulaire, vous modifiez le formulaire. Quand vous procéderez à sa fermeture, Access vous demandera si vous souhaitez enregistrer vos modifications. Choisissez Oui si vous êtes satisfait du nouveau contrôle et désirez le sauvegarder.

Exemple d'utilisation des Assistants Contrôle

Procédons à la création d'un contrôle simple via les Assistants Contrôle. Dans la base de données Ordentry (Gestionnaire de commandes), ouvrez le formulaire My Company Information (Informations sur ma société) (Figure 19.3) ; supposons que vous désiriez ajouter à ce formulaire un bouton de commande qui permettrait à l'utilisateur de fermer le formulaire sans cliquer dans sa case de fermeture.

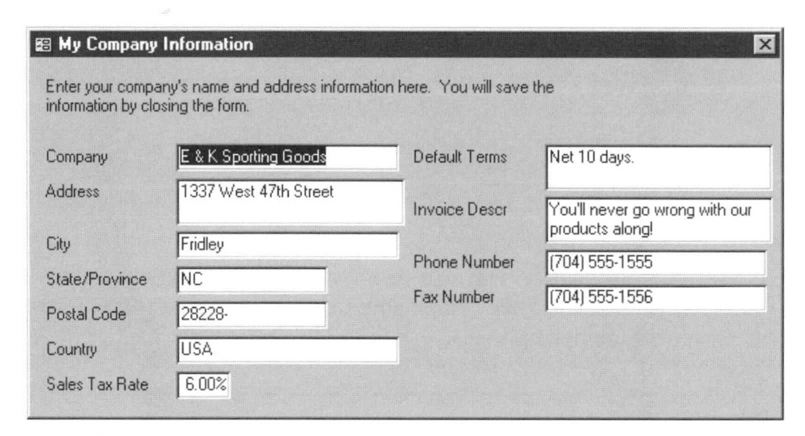

Figure 19.3 : Nous allons recourir aux Assistants Contrôle pour ajouter un bouton Fermer à ce formulaire.

Commencez par fermer ce formulaire (cliquez dans sa case de fermeture), et activez la fenêtre Base de données. Depuis cette fenêtre, ouvrez de nouveau le formulaire mais, cette fois, en mode création. Activez l'onglet Formulaires, sélectionnez dans la liste My Company Information (Informations sur ma société), puis cliquez sur Modifier. Le mode création s'active.

Vous allez avoir besoin de la boîte à outils. Si elle n'est pas affichée, activez le bouton Boîte à outils de la barre d'outils Création de formulaire ou choisissez Affichage/Boîte à outils. Assurez-vous ensuite que le bouton Assistants Contrôle est bien enfoncé (Figure 19.4).

La future position du bouton s'affiche un instant, désignée par les six poignées classiques, puis l'Assistant Contrôle Bouton de commande entre en jeu. Dans la première boîte de dialogue qu'il vous adresse, il vous demande de préciser ce qui devra se produire lorsque vous appuierez sur le bouton. Nous avons choisi Opérations sur formulaire dans la liste Catégories, et Fermer un formulaire dans la liste Actions (puisque nous voulons que le bouton ferme le formulaire) (Figure 19.5).

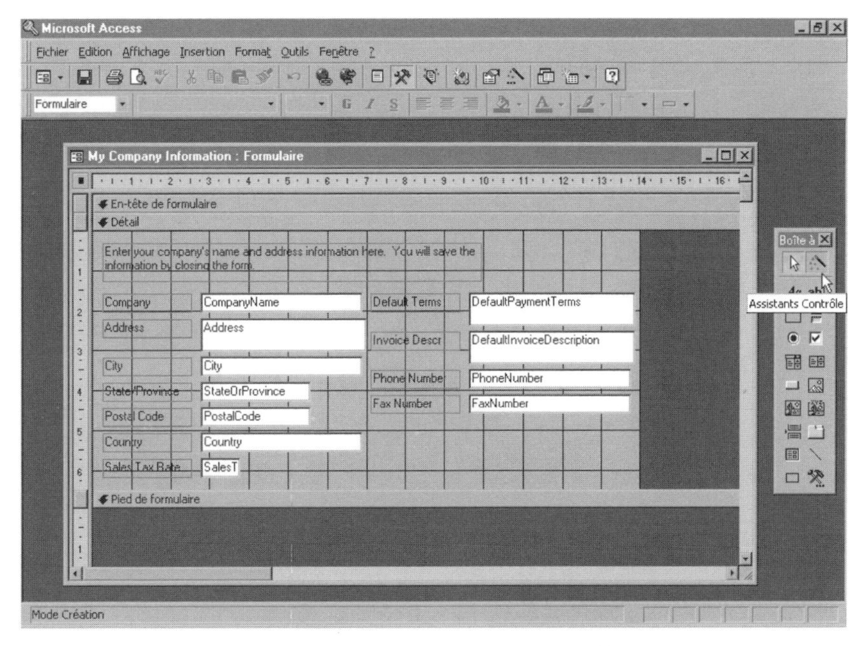

Figure 19.4 : Le formulaire My Company Information (Informations sur ma société) en mode création, la boîte à outils étant affichée et le bouton Assistants Contrôle enfoncé.

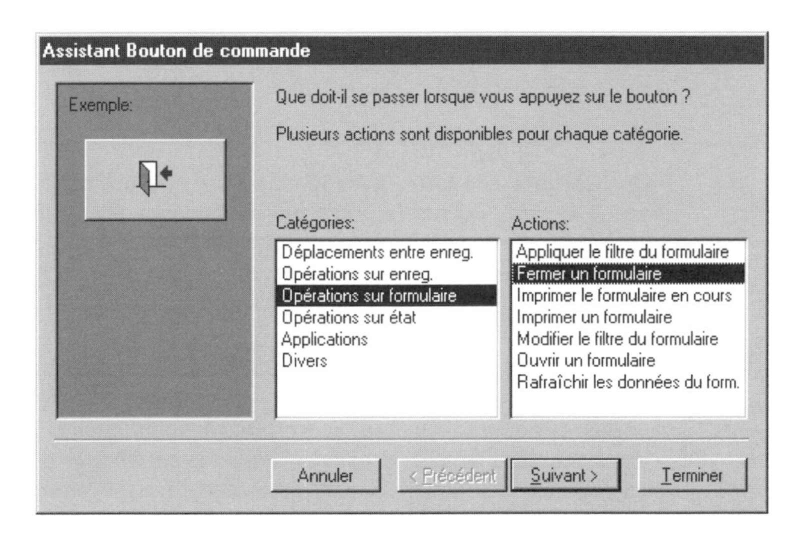

Figure 19.5 : Dans sa première boîte de dialogue, l'Assistant Bouton de commande vous demande de préciser quelle est la mission du bouton ; il vous permet de choisir parmi différentes catégories et différentes actions.

Notre sélection étant faite, nous avons cliqué sur Suivant ; dans sa deuxième fenêtre, l'Assistant nous demande de choisir l'aspect qu'aura le bouton. Par défaut, il propose l'image Sortie, qui représente une porte avec une flèche indiquant la sortie. Nous préférerions que le bouton indique simplement Fermer (avec le "F" souligné). Activons l'option Texte et tapons **&Fermer** dans la case d'édition correspondante (Figure 19.6).

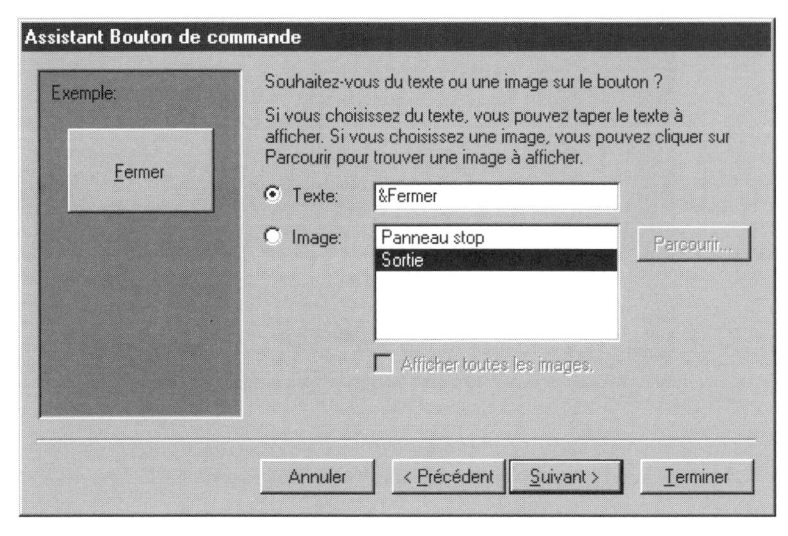

Figure 19.6 : Nous souhaitons que le bouton affiche le mot Fermer plutôt qu'une image. L'utilisation du signe & devant une lettre signifie "souligner la lettre suivante".

Pour souligner une lettre dans le nom d'un bouton, placez tout simplement le signe & devant la lettre que vous souhaitez souligner. Comme vous le constaterez plus loin dans cet ouvrage, la même technique s'applique à de nombreux contrôles, comme les touches de raccourci soulignées dans vos menus personnels. Pour utiliser le signe & dans le texte d'un bouton, tapez-le deux fois : &&.

Nous avons de nouveau cliqué sur Suivant et avons ainsi atteint la dernière fenêtre de l'Assistant, dans laquelle il nous demande de spécifier le nom du bouton. Il propose un nom générique, comme Commande 25, mais nous pouvons parfaitement préférer un nom plus évocateur. Dans la Figure 19.7, nous avons opté pour baptiser ce bouton "FermerInfosSociété".

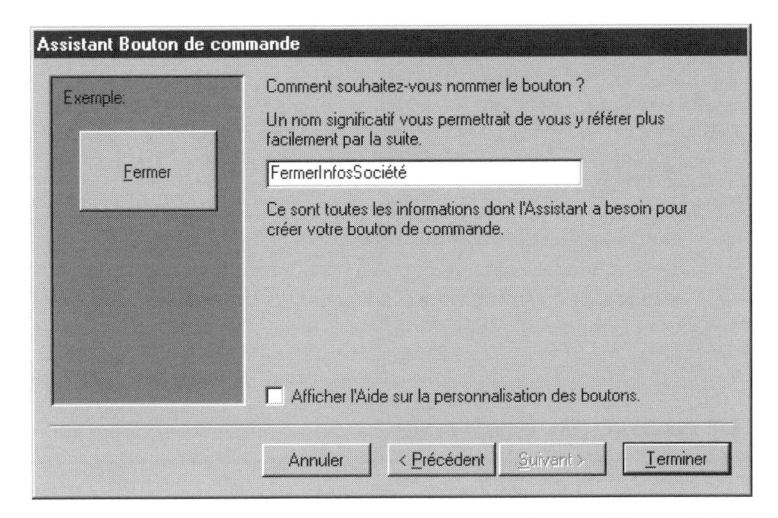

Figure 19.7 : Nous avons choisi d'appeler notre bouton "FermerInfosSociété".

Nous avons enfin activé le bouton Terminer et l'Assistant s'est effacé. Le nouveau bouton figure désormais sur notre formulaire. Vous pouvez changer sa taille et/ou sa position en recourant aux techniques standard. Dans la Figure 19.8, vous pouvez voir que nous avons déplacé ce nouveau bouton vers l'angle inférieur droit du formulaire.

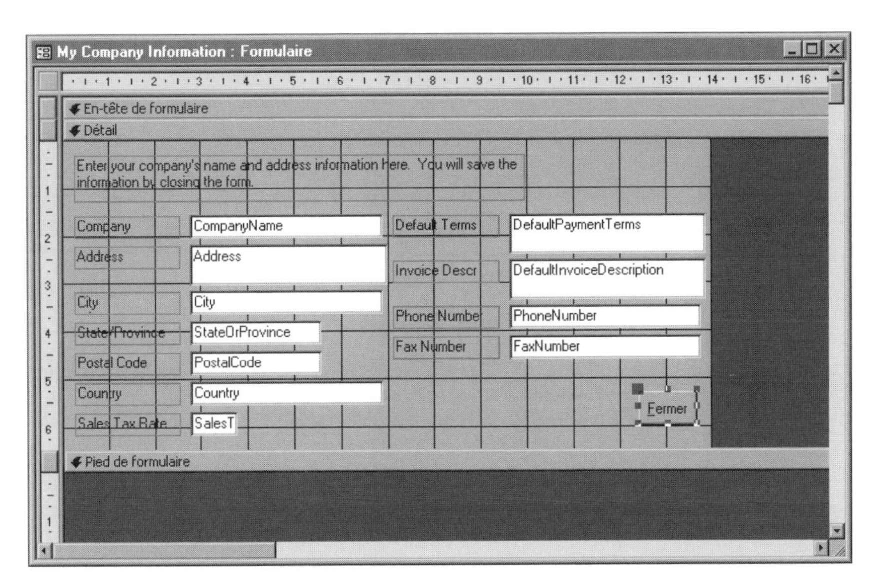

Figure 19.8 : Nous avons placé notre nouveau bouton Fermer dans l'angle inférieur droit du formulaire.

Nous pouvons à présent enregistrer les modifications que nous avons apportées à ce formulaire et le fermer.

Nous ne pouvons pas, pour cette dernière opération, faire appel à notre nouveau bouton, car les contrôles que vous créez n'agissent qu'en mode formulaire, et non en mode création.

Pour enregistrer le formulaire et procéder à sa fermeture, choisissez Fichier/Fermer, ou cliquez dans la case de fermeture de la fenêtre. Quand Access vous demande s'il doit conserver les changements apportés, cliquez sur Oui. Vous regagnez alors la fenêtre Base de données.

Tester le nouveau contrôle

Pour tester le nouveau contrôle, vous devez d'abord ouvrir le formulaire en mode formulaire (et non en mode création). Cliquez deux fois sur My Company Information (Informations sur ma société) dans la fenêtre Base de données. Le formulaire s'affiche, pas très différent, somme toute, de celui présenté à la Figure 19.3, à l'exception du nouveau bouton que nous venons de créer (Figure 19.9).

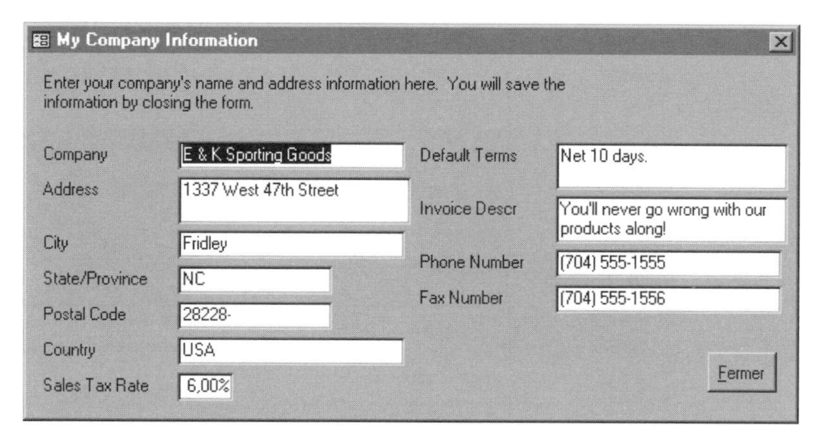

Figure 19.9 : Le formulaire My Company Information (Informations sur ma société) en mode formulaire, avec le nouveau bouton Fermer, bien visible en bas à droite.

Pour tester ce bouton, cliquez tout simplement dessus. Normalement, le formulaire se ferme. C'est ce que nous voulions !

Autres contrôles créés avec l'aide des Assistants Contrôle

Le bouton de commande que nous venons de créer n'est qu'un exemple parmi d'autres des contrôles que vous permettent de créer les Assistants Contrôle d'Access. Les outils Groupe d'options, Zone de liste modifiable, Zone de liste, Bouton de commande et Sous-formulaire/Sous-état de la boîte à outils déclenchent également l'intervention des Assistants Contrôle grâce auxquels vous agissez plus confortablement. Entraînez-vous : créez différents contrôles et voyez comment ils réagissent. Prenez toutefois les points suivants en considération :

- Vous ne pouvez créer des contrôles qu'en mode création.
- Les Assistants Contrôle n'agissent que si le bouton Assistants Contrôle de la boîte à outils est enfoncé au moment où vous entamez la création du contrôle.
- Si vous changez d'avis au milieu du gué, le bouton Annuler est à votre disposition.
- Si vous créez un contrôle et voulez ensuite vous en débarrasser, sélectionnez-le (en mode création) et enfoncez la touche Suppr.
- Les Assistants Contrôle créent le contrôle et lui attribuent différentes propriétés. Pour modifier ces propriétés, cliquez sur le contrôle concerné avec le bouton droit de la souris et choisissez Propriétés dans le menu contextuel.
- L'action que crée l'Assistant Contrôle est écrite en Visual Basic (Chapitre 25). Pour voir à quoi elle ressemble, cliquez avec le bouton droit de la souris sur le contrôle concerné et choisissez Créer code événement.
- Pour tester un nouveau contrôle, vous devez basculer en mode formulaire.

Pour ajouter à un formulaire un bouton de commande, une zone de liste modifiable ou un groupe d'options, faites appel à l'Assistant Contrôle. Si cet Assistant ne crée pas l'action que vous voulez que le contrôle exécute, élaborez une macro. Les macros sont le thème de notre prochain chapitre.

Et maintenant, que faisons-nous ?

Il faut en savoir beaucoup pour créer des applications personnelles :

- Le Chapitre 13 vous montre comment des liens hypertextes peuvent engager un formulaire à exécuter telle ou telle action.

- Le Chapitre 20 vous apprend à utiliser des macros pour définir des actions.
- Les Chapitres 21 et 22 vous enseignent à concevoir des menus généraux et des boîtes de dialogue.
- Les Chapitres 22 et 23 vous montrent comment créer des menus et des barres d'outils personnalisés.

Quoi de neuf ?

Voici les nouveautés en matière de développement d'applications :

- **Des liens hypertextes** peuvent servir à réaliser des actions, comme ouvrir un formulaire ou un état. Dans les versions précédentes d'Access, vous étiez contraint d'utiliser des macros.
- **La nouvelle commande Macro du menu Outils** vous permet de convertir des macros en Visual Basic ainsi que de créer des barres d'outils, des menus classiques et des menus contextuels en partant de macros.
- **La commande Exécuter une macro** remplace désormais l'action DoMenuItem (ExécuterÉlémentMenu).
- **Des améliorations ont été apportées** à la fenêtre Module et à la fenêtre de débogage. L'Explorateur d'objets facilite la création de modules VBA.

Chapitre 20

Utiliser des macros pour créer des actions personnelles

Si vous souhaitez créer un contrôle et lui assigner une action sans vous compliquer la vie, faites appel aux Assistants Contrôle décrits au Chapitre 19. Vous pouvez aussi ajouter des liens hypertextes aux formulaires et aux états afin de créer un contrôle qui s'acquitte d'une action simple, comme ouvrir un formulaire ou un état. Cependant, si vous développez des applications plus sophistiquées et désirez définir des actions personnelles plus complexes, il se peut que ces Assistants ou que ces liens hypertextes ne soient plus à la hauteur.

Vous devrez alors :

- *créer une macro,*
- *ou écrire une procédure Visual Basic.*

En Visual Basic, les commandes sont particulièrement longues et extrêmement susceptibles du point de vue syntaxique. Les macros sont moins contraignantes ; nous nous proposons de vous les présenter dans ce chapitre.

Créer une macro

La procédure est simple :

1. Dans la fenêtre Base de données, activez l'onglet Macros.
2. Cliquez sur Nouveau. Une feuille de définition de macro s'ouvre, baptisée *a priori* Macro1 (Figure 20.1).

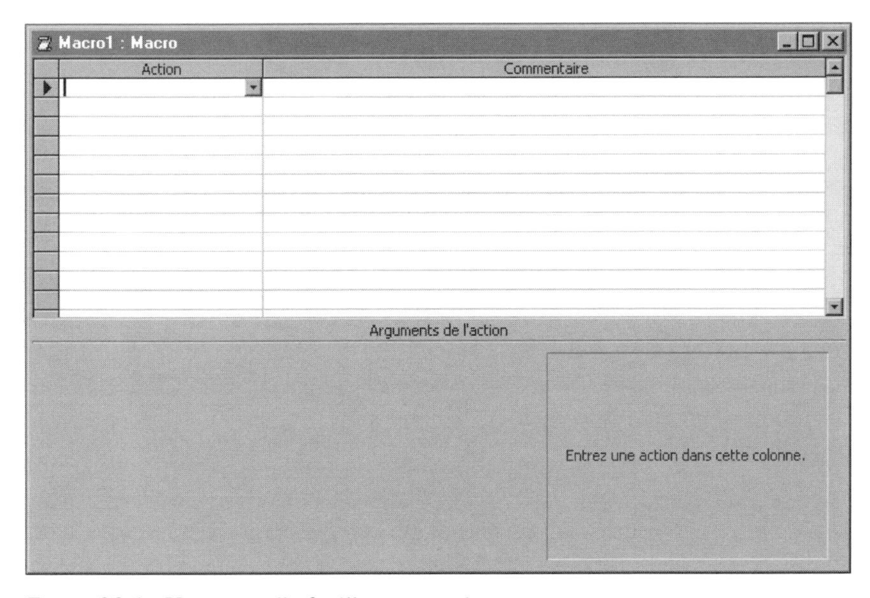

Figure 20.1 : Une nouvelle feuille macro, vierge.

3. Déroulez le menu local de la colonne Action. Une liste des actions disponibles s'offre à vous (voyez ci-dessous). (Pour dérouler la liste, vous pouvez utiliser la barre de défilement ou la touche ↓, ou encore taper une lettre.)

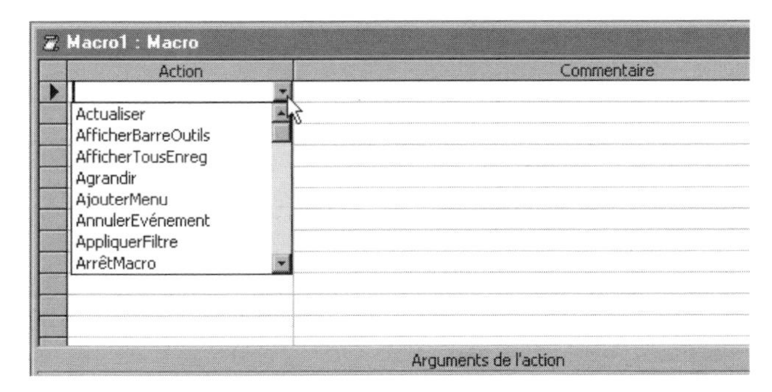

4. Choisissez l'action qui représente le mieux ce que vous voulez que votre macro fasse. Dans l'exemple ci-dessous, nous avons sélectionné OuvrirEtat (une action qui fera en sorte que la macro ouvre un état de la base). Remarquez que la partie inférieure de la fenêtre affiche une rubrique intitulée *Arguments de l'action* dans laquelle vous devez spécifier les arguments. Une case Conseil vous aide dans cette tâche.

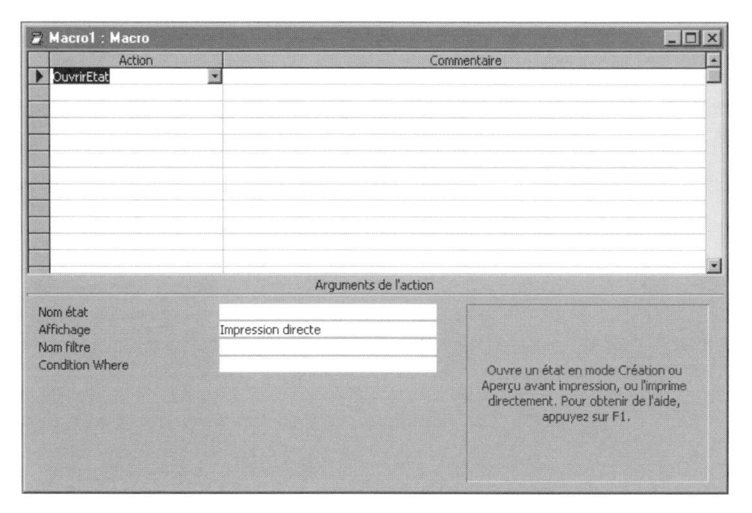

5. Vous devez à présent spécifier ces arguments. Dans l'exemple ci-dessous, nous avons cliqué dans la case Nom état ; dans le menu déroulant alors disponible, nous avons sélectionné l'*état* que nous voulons que la macro ouvre. Remarquez que la case Conseil fournit désormais des informations relatives à ce premier argument.

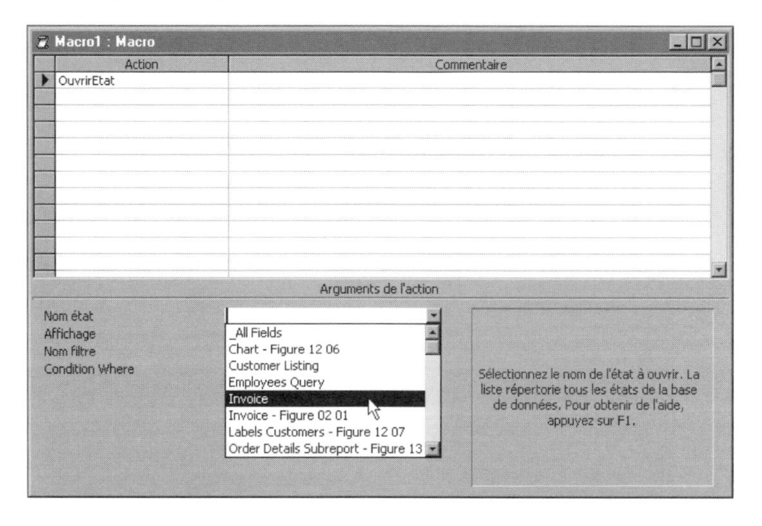

Vous devez définir tous les *arguments obligatoires* de votre action. En revanche, vous n'êtes pas obligé de spécifier les *arguments facultatifs*. Pour savoir si un argument est obligatoire ou facultatif, cliquez dans la case de l'argument concerné et consultez la case Conseil.

6. Si vous le souhaitez, vous pouvez tout simplement cliquer dans la case d'une action et taper un commentaire dans la case Commentaire voisine. Vous y expliquerez en quoi consiste l'action ; ce texte fera office d'aide-mémoire lorsque, plus tard, vous vous repencherez sur vos macros et souhaiterez savoir à quoi elles sont destinées. Nous avons entré un commentaire :

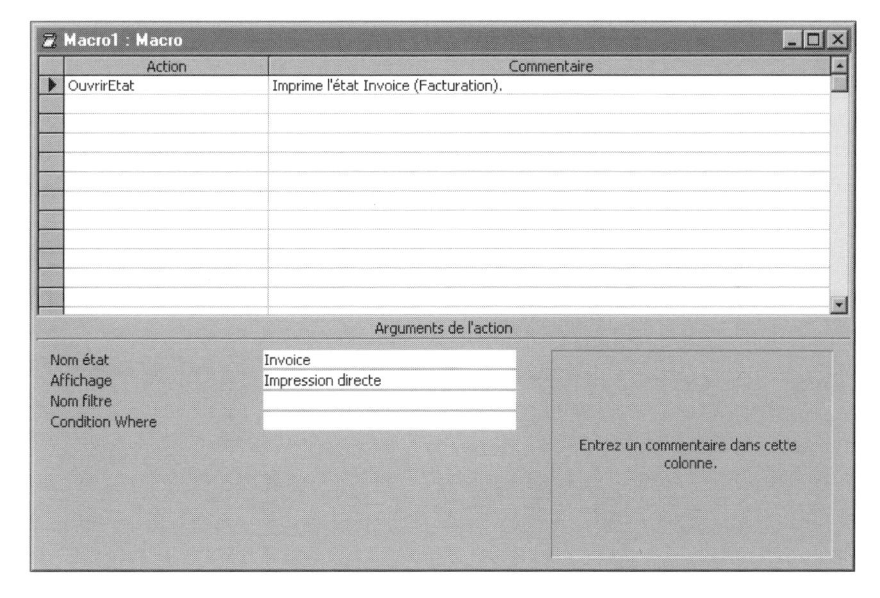

7. Cliquez à présent dans la deuxième cellule de la colonne Action et répéter les étapes 3 à 6 pour ajouter d'autres actions à la macro. Lorsque vous exécuterez cette macro, elle réalisera toutes les actions que vous aurez définies, en partant de la première et en procédant vers le bas. Dans la Figure 20.2, nous avons ajouté quelques actions et commentaires à notre macro exemple.

8. Lorsque votre macro est terminée, fermez-la et donnez-lui un nom (choisissez Fichier/Fermer ou cliquez dans la case de fermeture de la feuille macro). Choisissez Oui pour accepter vos modifications et entrez le nom à attribuer à la macro, aussi explicite que possible.

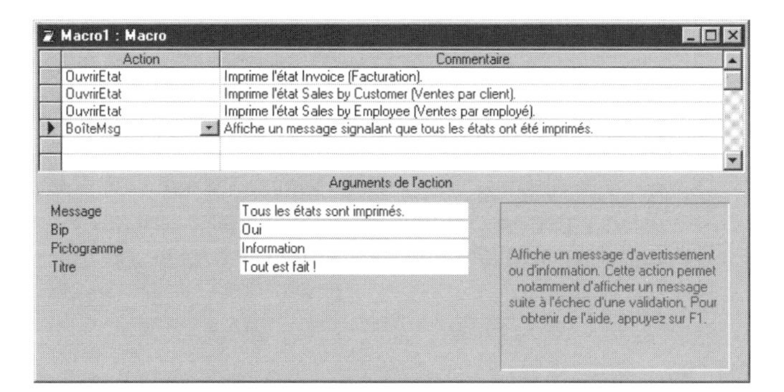

Figure 20.2 : Une macro constituée de différentes actions.

Le nom que vous attribuez à votre macro s'affiche dans la fenêtre Base de données lorsque l'onglet Macros est activé. Ainsi, nous avons baptisé notre macro ImprimerTroisEtats ; ce nom apparaît donc dans la fenêtre ci-dessous :

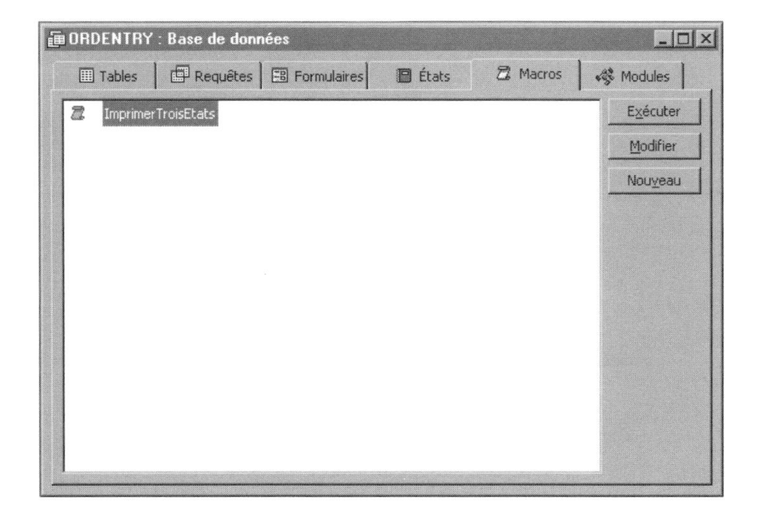

Spécifier quand une macro doit s'exécuter

Après avoir créé une macro, vous devez spécifier *quand* elle doit exécuter les actions qui la constituent. Ainsi, vous pouvez faire en sorte qu'elle s'exécute :

- dès que l'utilisateur clique, dans un formulaire, sur un bouton de commande particulier ;

- quand il vient de modifier la donnée d'un contrôle ;
- quand il ouvre un formulaire ou un état donné.

Comme nous allons le voir bientôt, vous pouvez aussi faire en sorte que la macro s'exécute lorsque l'utilisateur ouvre la base (voyez "Créer une macro qui s'exécute au démarrage", plus loin dans ce chapitre). Vous pouvez encore coupler la macro à un bouton personnel de barre d'outils (Chapitre 23), ou à une commande personnelle de menu (Chapitre 24). Les choix sont donc multiples. Limitons-nous pour l'instant à apprendre comment assigner la macro à un état, à un formulaire ou à un contrôle de formulaire :

1. En mode création, ouvrez le formulaire ou l'état qui doit déclencher la macro.

- Si vous désirez que ce soit le formulaire ou l'état tout entier qui déclenche la macro (par exemple, ouvrir/fermer le formulaire, ouvrir/fermer l'état), choisissez Édition/Sélectionner le formulaire ou Édition/Sélectionner le rapport.
- Si vous voulez confier ce rôle à un contrôle donné, sélectionnez le contrôle concerné en cliquant une fois dessus. (Si vous n'avez pas encore créé ce contrôle, créez-le.)
- Si vous le souhaitez, vous pouvez même charger de cette mission une section donnée du formulaire ou de l'état. Dans ce cas, cliquez dans le bandeau de la section concernée (par exemple, la section Détail).

2. Ouvrez la feuille des propriétés et activez l'onglet Événement. Une liste s'affiche de tous les événements disponibles pour le formulaire, pour l'état, pour le contrôle ou pour la section (voyez ci-dessous).

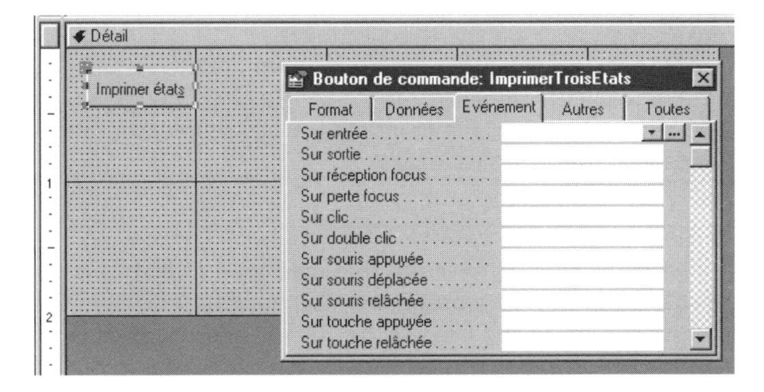

3. Cliquez sur la propriété qui doit déclencher la macro. Ainsi, si vous assignez une macro à un bouton de commande et que vous souhaitez que la macro s'exécute lorsque l'utilisateur clique sur ce bouton, cliquez dans la case de la propriété Sur clic.

4. Choisissez le nom de la macro que vous voulez exécuter dans la liste déroulante correspondante. Nous avons choisi la macro ImprimerTroisEtats.

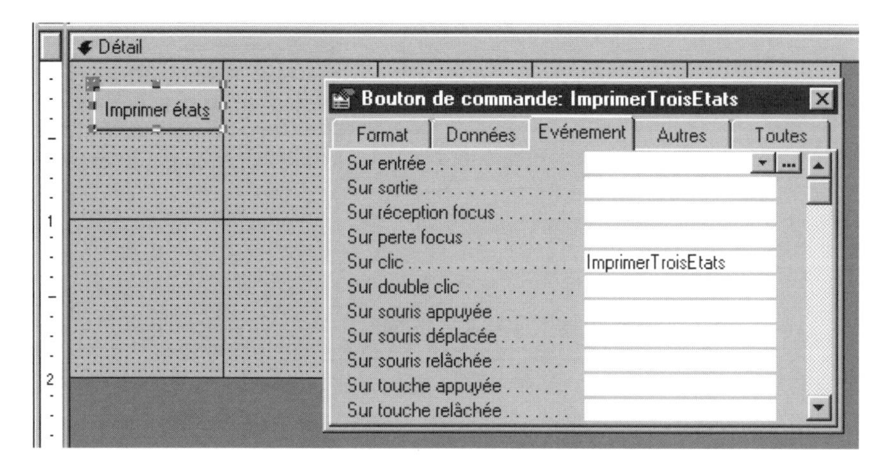

Et voilà le travail ! Enregistrez et fermez votre formulaire avant de tester la macro. Choisissez donc Fichier/Fermer/Oui.

Exécuter une macro

Pour exécuter une macro, vous devez vous mettre à la place de l'utilisateur et produire l'événement qui déclenche la macro.

Ainsi, si vous avez assigné une macro à la propriété Sur clic d'un bouton de commande, vous devrez ouvrir le formulaire qui abrite ce bouton (en mode formulaire), puis cliquer sur ce bouton, comme le ferait un utilisateur classique. Si vous avez assigné la macro à la propriété Sur ouverture d'un formulaire, ouvrez tout simplement le formulaire concerné.

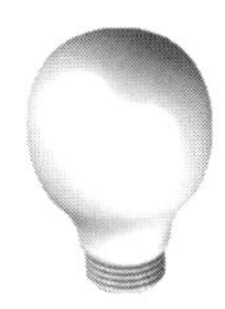

Vous pouvez aussi exécuter une macro en cliquant sur son nom dans la fenêtre Base de données, puis en cliquant sur Exécuter. C'est la meilleure façon d'agir lorsque vous désirez tester une macro. Mais quand vous concevez une application personnalisée, vous voulez être certain que l'utilisateur accédera facilement à la macro ; c'est la raison pour laquelle il est courant d'assigner des macros à des boutons de commande placés sur des formulaires.

En deux temps trois mouvements

Que vous soyez un développeur en herbe ou un pro des macros dans un programme autre qu'Access, il vous faudra sans doute un peu de temps pour maîtriser cet aspect des choses. Répétons la procédure de base :

- Dans la fenêtre Base de données, activez l'onglet Macros, puis cliquez sur Nouveau.
- Dans la première case de la colonne Action, sélectionnez l'action souhaitée.
- Définissez ses arguments dans la partie inférieure de la fenêtre. Une même macro peut comporter plusieurs actions.

À la différence de Word ou d'Excel, Access n'est pas doté d'un enregistreur automatique de macro qui facilite la définition des actions qui la constituent.

- Fermez votre macro et enregistrez-la ; donnez-lui un nom facile à retenir.
- En mode création, ouvrez le formulaire ou l'état qui doit déclencher la macro.
- Sélectionnez le contrôle concerné (ou choisissez Édition/Sélectionner le formulaire ou Édition/Sélectionner le rapport si vous désirez que ce soit le formulaire ou l'état entier qui fasse office de détonateur).
- Ouvrez la feuille des propriétés et activez l'onglet Événement.
- Cliquez sur l'événement qui doit déclencher la macro, puis choisissez le nom de la macro dans la liste déroulante correspondante.
- Fermez et enregistrez le formulaire.

La macro s'exécutera chaque fois que vous déclencherez l'événement auquel vous l'avez associée. Rappelez-vous que les macros ne s'exécutent pas en mode création : vous devez ouvrir le formulaire en mode formulaire, ou l'état en mode aperçu.

Récapitulatif des actions des macros

Vous êtes capable, désormais, de créer une macro et de l'assigner à un événement. Mais vous ne savez pas pour autant quelles sont les actions autorisées. Il n'est pas facile de répondre à cette question, tant les possibilités sont multiples et variées.

Toutefois, dans le souci de vous donner un aperçu de la question, nous répertorions ci-dessous les principales actions des macros. Elles vous sont proposées lorsque vous déroulez le menu local de la colonne Action de la feuille de macro.

Actualiser : Contraint la requête sous-jacente d'un contrôle donné à être réexécutée. Si le contrôle spécifié n'a pas de requête sous-jacente, cette action recalcule le contrôle.

AfficherBarreOutils : Affiche ou masque une barre d'outils par défaut ou personnalisée.

AfficherTousEnreg : Supprime tout filtre appliqué à la table, à la requête ou au formulaire afin d'afficher tous les enregistrements.

Agrandir : Attribue à la fenêtre courante la taille maximale.

AjouterMenu : Ajoute un menu à une barre de menus personnalisée (Chapitre 24).

AnnulerEvénement : Annule l'événement qui lance la macro. Ainsi, si l'événement Avant MAJ déclenche une macro, cette macro peut tester la donnée, puis exécuter une action AnnulerEvénement pour empêcher le formulaire d'accepter la nouvelle donnée.

AppliquerFiltre : Applique un filtre, une requête ou une clause SQL WHERE à une table, à un formulaire ou à un état. Cette action sert principalement à filtrer les enregistrements d'une table sous-jacente du formulaire qui lance la macro. Vous pouvez employer l'action AfficherTousEnreg pour supprimer le filtre.

ArrêtMacro : Suspend l'exécution de la macro en cours.

ArrêtToutesMacros : Suspend l'exécution de toutes les macros en cours et réactive automatiquement l'écho (s'il était désactivé) ; fait aussi en sorte que les avertissements soient de nouveau présentés.

AtteindreContrôle : Déplace le focus (curseur) vers le champ ou vers le contrôle spécifié du formulaire.

AtteindreEnregistrement : Déplace le focus vers un nouvel enregistrement, en relation avec l'enregistrement courant (par exemple, Suivant, Précédent, Premier, Nouveau).

AtteindrePage : Déplace le focus vers la page spécifiée dans un formulaire multipage.

Avertissements : Masque ou affiche les messages système, comme ceux qui apparaissent lorsque vous exécutez une requête action.

Bip : Émet un signal sonore.

BoîteMsg : Affiche un message à l'écran.

CopierObjet : Copie l'objet spécifié dans une autre base de données Access, ou dans la même base mais sous un autre nom.

CopierVers : Exporte les données de l'objet spécifié en format Microsoft Excel (.xls), Rich Text Format ou format texte enrichi (.rtf), ou Texte (.txt).

DéfinirElémentMenu : Définit l'apparence d'une commande d'un menu. (Par exemple "cochée" ou "grisée". Voyez le Chapitre 24.)

DéfinirValeur : Définit la valeur d'un contrôle, d'un champ ou d'une propriété. Cette action sert surtout à remplir automatiquement un champ dans un formulaire basé sur des données existantes.

DéplacerDimensionner : Déplace et/ou redimensionne la fenêtre active vers l'endroit ou à la taille que vous spécifiez dans l'unité de mesure définie dans le Panneau de configuration de Windows.

Echo : Masque ou affiche à l'écran les résultats de chaque action d'une macro pendant que celle-ci s'exécute.

Enregistrer : Enregistre l'objet spécifié, ou, si vous ne spécifiez pas d'objet, enregistre l'objet actuellement sélectionné.

EnvoiTouches : Envoie une série de touches à Microsoft Access ou à d'autres applications actives.

EnvoyerObjet : Introduit l'objet base de données spécifié dans un message électronique e-mail.

ExécuterApplication : Lance un autre programme Windows ou DOS. Le programme spécifié s'exécute au premier plan, tandis que la macro continue de s'exécuter en arrière-plan.

ExécuterCode : Exécute la procédure Fonction Visual Basic spécifiée. (Pour exécuter une sous-procédure Sub, créez une fonction qui appelle la sous-procédure Sub et faites exécuter cette fonction par la macro.)

ExécuterCommande : Enjoint à la macro de sélectionner et d'exécuter une commande d'un menu de la barre des menus d'Access.

ExécuterMacro : Exécute une autre macro. Lorsque cette macro sera exécutée, la macro originale dans laquelle elle est imbriquée reprendra son cours, à l'action signalée dans la case située sous l'action ExécuterMacro.

ExécuterSQL : Exécute l'instruction SQL spécifiée.

Fermer : Ferme la fenêtre spécifiée. Cette action sert principalement à fermer des formulaires.

Imprimer : Imprime la feuille de données, le formulaire, l'état ou le module spécifié.

OuvrirEtat : Imprime l'état spécifié, ou l'ouvre en mode création ou aperçu avant impression. Vous pouvez associer une condition filtre à cette action.

OuvrirFormulaire : Ouvre le formulaire spécifié et déplace le focus vers ce formulaire.

OuvrirModule : Ouvre, en mode création, le module Visual Basic spécifié.

OuvrirRequête : Ouvre la requête Sélection, Analyse croisée ou Action spécifiée. Si vous utilisez cette action pour exécuter une requête Action, l'écran affichera la mise en garde traditionnelle, sauf si vous faites précéder l'action OuvrirRequête d'une action Avertissements.

OuvrirTable : Ouvre la table spécifiée en mode feuille de données, création ou aperçu avant impression.

Quitter : Quitte Microsoft Access.

RedessinerObjet : Met à jour l'affichage écran et les calculs.

Réduire : Réduit la fenêtre active en icône.

Renommer : Renomme l'objet spécifié ou sélectionné.

Restaurer : Rétablit la taille initiale d'une fenêtre agrandie ou réduite.

Sablier : Transforme le pointeur de la souris en sablier (afin que l'utilisateur sache qu'il doit patienter jusqu'à la fin de l'exécution de la macro).

SélectionnerObjet : Sélectionne l'objet spécifié. Cette action revient à cliquer sur un objet pour le sélectionner.

SupprimerObjet : Supprime l'objet spécifié, ou, si vous ne spécifiez pas d'objet, supprime l'objet actuellement sélectionné dans la fenêtre Base de données.

TransférerBase : Importe, exporte ou lie les données d'une autre base.

TransférerFeuilleCalcul : Importe, exporte ou lie les données de la feuille de calcul spécifiée.

TransférerTexte : Importe, exporte ou lie les données d'un fichier Texte. Cette action peut également servir à exporter des données vers Microsoft Word pour Windows en format Fusion Microsoft Word.

TrouverEnregistrement : Localise l'enregistrement qui répond au critère spécifié dans la table courante (la table sous-jacente du formulaire qui déclenche la macro).

TrouverSuivant : Reproduit la dernière action de recherche d'enregistrement pour localiser l'enregistrement suivant qui répond au critère.

La case Conseil de la feuille macro vous fournit aussi des informations relatives à l'action sélectionnée. La touche F1 en fait autant.

Exécuter une action "Si..."

Vous pouvez faire en sorte qu'une action ou une série d'actions comprises dans une macro ne s'exécutent que si une condition donnée est remplie. Ainsi, supposons que vous désiriez créer une macro qui ajoute une taxe supplémentaire de 5 % au total des ventes, si et seulement si la vente est réalisée en Belgique. En d'autres termes, si le champ Pays du formulaire courant contient Belgique, la macro doit entrer, dans un autre champ appelé TauxTaxe, la valeur .05 et utiliser cette valeur pour calculer le montant global. Pour illustrer notre propos, nous vous proposons la Figure 20.3, qui montre un formulaire comprenant les champs appropriés nommés Pays, Sous-total, TauxTaxe, Taxe et Total.

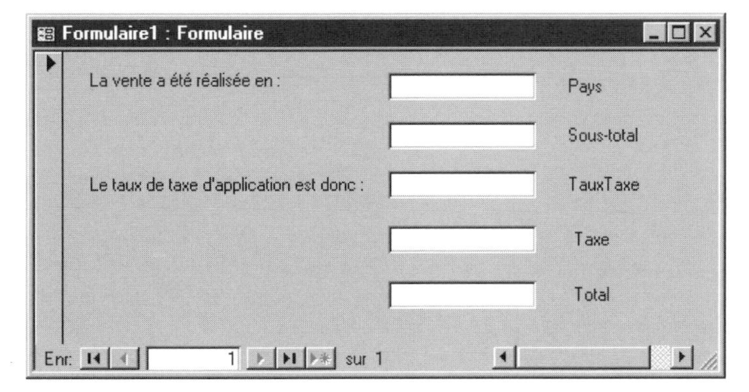

Figure 20.3 : Un formulaire exemple contenant les champs Pays, Sous-total, TauxTaxe, Taxe et Total.

Souvenez-vous que, pour nommer un champ sur un formulaire, vous devez ouvrir le formulaire en mode création. Cliquez ensuite sur le champ que vous désirez baptiser, ouvrez sa feuille des propriétés, puis activez l'onglet Autres. Remplissez alors la case de la propriété Nom : tapez-y le nom que vous voulez attribuer au champ. Profitez-en éventuellement pour assigner un format aux champs numériques, comme Monétaire ou Pourcentage.

Les deux derniers champs du formulaire sont des champs calculés. La propriété Source contrôle du champ Taxe contient l'expression :

```
=[TauxTaxe]*[Sous-total]
```

La propriété Source contrôle du champ Total comporte pour sa part :

```
=[Sous-total]+[Taxe]
```

Lorsque vous avez créé et enregistré le formulaire, vous pouvez créer la macro selon la procédure classique. Mais si vous voulez qu'elle soit conditionnelle, vous devez ouvrir la colonne Condition de la feuille macro. Activez l'onglet Macros de la fenêtre Base de données ; choisissez Nouveau pour créer une nouvelle macro, ou choisissez Modifier pour ouvrir une macro existante. Activez ensuite le bouton Conditions de la barre d'outils Macro, ou choisissez Affichage/Conditions. Une nouvelle colonne baptisée Condition apparaît dans la grille, à gauche des colonnes existantes (Figure 20.4).

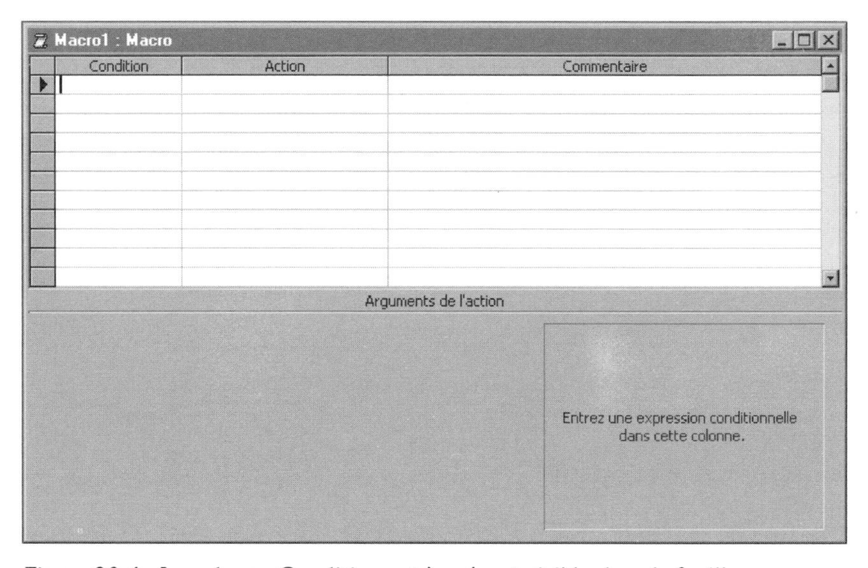

Figure 20.4 : La colonne Condition est à présent visible dans la feuille macro.

La condition que vous exprimez ici doit être une expression qui produit Vrai ou Faux, généralement présentée sous la forme *quelque chose = quelque chose.* Prenons par exemple l'expression suivante :

```
[Pays]="Belgique"
```

Cette expression retourne la valeur Vrai si le contenu du champ Pays est effectivement Belgique. Dans le cas contraire (s'il contient une autre valeur ou s'il est vide), l'expression retourne la valeur Faux.

Comme c'est le cas d'autres comparaisons de chaînes de caractères dans Access, la macro n'établit pas de distinction entre majuscules et minuscules. Dès lors, "Belgique" et "belgique" ou même "bELgique" localiseront Belgique.

Sachez - c'est important - que les conditions que vous spécifiez n'affectent que l'action située immédiatement à droite des conditions. Si l'expression retourne Vrai, l'action est exécutée. Si elle retourne Faux, l'action est ignorée. Dans les deux cas, l'exécution de la macro reprend à l'action suivante.

Vous pouvez, dans une ligne, répéter la condition de la ligne du dessus en tapant trois points (...). Ce caractère ... signifie "appliquer la même condition que dans la cellule supérieure".

Créons à présent notre macro conditionnelle. Nous commencerons par demander à la macro d'entrer 0 dans le champ TauxTaxe. Nous ferons en sorte qu'elle vérifie ensuite si le champ Pays contient Belgique. Si c'est le cas, nous lui demanderons d'inscrire 0.5 dans le champ TauxTaxe. Les actions suivantes feront appel à la commande RedessinerObjet pour recalculer les contrôles calculés Taxe et Total. La Figure 20.5 montre la macro terminée.

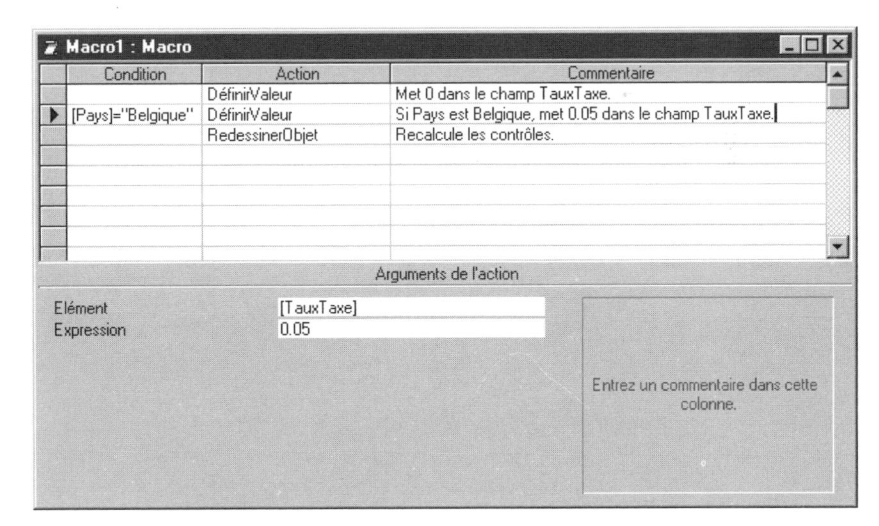

Figure 20.5 : La macro TaxeBelgique.

Étant donné que vous ne pouvez voir les arguments des trois actions, nous les avons recensés pour vous dans le Tableau 20.1, dans l'ordre dans lequel ils apparaissent dans la macro. (Le fait de ne préciser aucun argument pour l'action RedessinerObjet fait en sorte que l'objet entier, en l'occurrence le formulaire, est recalculé.)

Condition	Action	Arguments de l'action
	DéfinirValeur	Élément : [TauxTaxe]
		Expression : 0
[Pays]="Belgique"	DéfinirValeur	Élément : [TauxTaxe]
		Expression : 0.05
	RedessinerObjet	

Tableau 20.1 : Les arguments Condition, Action et Arguments de l'action de chaque ligne de notre macro conditionnelle.

Après avoir créé la macro, vous pouvez la fermer et l'enregistrer sous un nom quelconque. Nous avons baptisé la nôtre TaxeBelgique.

Enfin, il vous reste à décider *quand* cette macro doit entrer en action. Dans notre exemple, il existe deux situations dans lesquelles la macro doit recalculer le taux de taxe : lorsque l'utilisateur modifie la valeur du champ Pays, ou lorsqu'il modifie celle du champ Sous-total.

Ouvrez donc le formulaire en mode création, cliquez sur le champ Pays, ouvrez la feuille des propriétés, activez l'onglet Événement, puis assignez la macro TaxeBelgique à la propriété Après MAJ de ce champ :

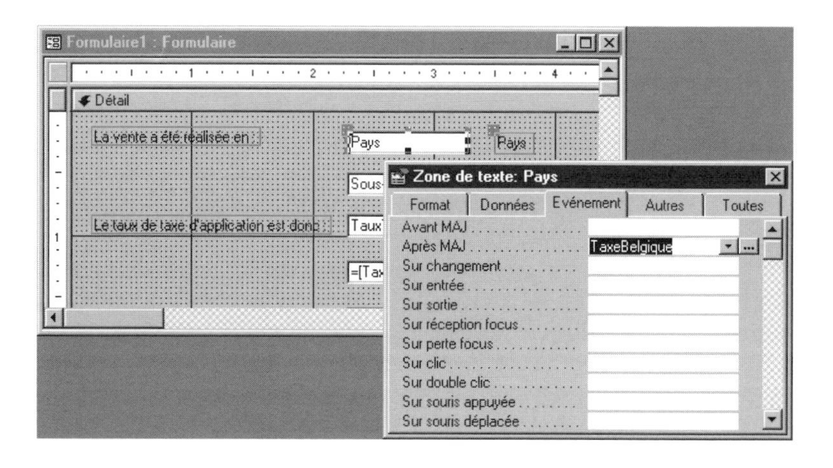

Nous avons ensuite cliqué dans le champ Sous-total et également assigné la macro à la propriété Après MAJ :

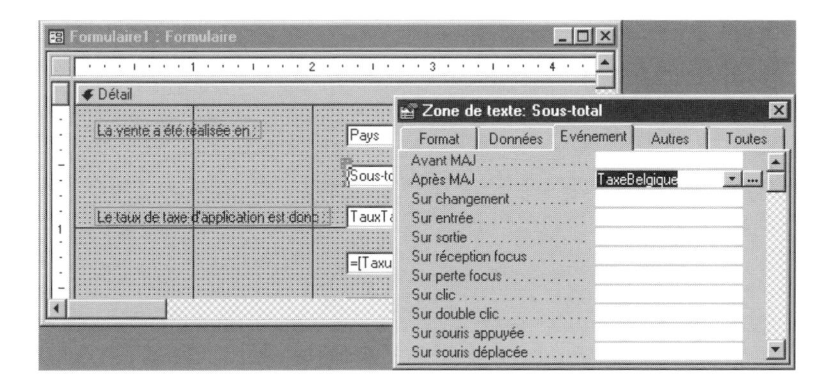

Vous pouvez faire Ctrl + clic sur plusieurs contrôles pour réaliser une sélection multiple et pouvoir ainsi, en une seule opération, assigner la macro au même événement de tous les contrôles sélectionnés.

Enregistrez votre formulaire, puis ouvrez-le en mode formulaire. Assurez-vous que chaque fois que vous saisissez (ou modifiez) une valeur dans le champ Pays ou dans le champ Sous-total (et enfoncez la touche Tabulation ou Entrée pour clôturer l'entrée), les champs TauxTaxe, Taxe et Total sont automatiquement recalculés.

Dans l'exemple de la Figure 20.6, nous avons entré Belgique dans le champ Pays et 100 dans le champ Sous-total. Comme vous le voyez, les trois champs inférieurs affichent les valeurs correctes (taux de la taxe, montant de la taxe et montant total).

Vous ne déclenchez l'événement Après MAJ que lorsque vous modifiez le contenu d'un champ et vous déplacez vers un autre champ.

Dans la Figure 20.6, sachez que nous n'avons indiqué les noms des champs à droite que pour vous aider à vous repérer.

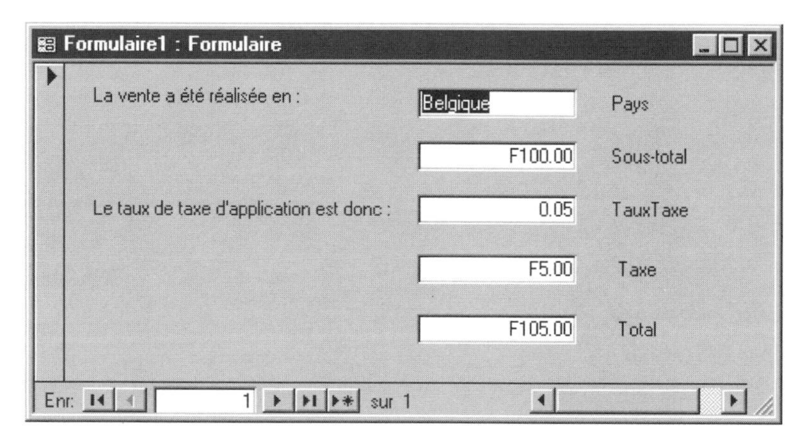

Figure 20.6 : Après avoir tapé Belgique dans le champ Pays et 100 dans le champ Sous-total, la macro et les champs calculés affichent automatiquement des valeurs correctes dans les trois champs suivants qui sont le taux de taxe, le montant de la taxe et le montant global.

Créer des groupes de macros

Une feuille macro peut abriter plusieurs macros, portant chacune un nom. Le fait de grouper ainsi plusieurs macros dans une même feuille permet de ne pas encombrer inutilement l'onglet Macros de la fenêtre Base de données. Une façon d'agir intelligente consiste à grouper dans la même feuille toutes les macros qui fonctionnent avec un formulaire (ou un état) donné.

Nous avons coutume d'attribuer à la feuille macro un nom inspiré du formulaire apparenté. Ainsi, si notre formulaire s'appelle Clients, nous appellerons, par exemple, la feuille macro correspondante MacrosFormulaireClients.

Créer un groupe de macros est une opération simple. Créez ou ouvrez la feuille selon la procédure classique. Activez ensuite le bouton Noms de macro de la barre d'outils Macro, ou choisissez Affichage/Noms de macro. Un nouvelle colonne apparaît, intitulée Nom de macro ; elle s'installe à gauche des colonnes existantes.

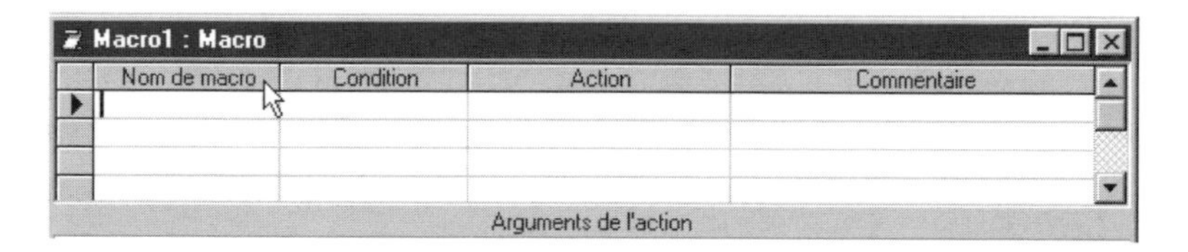

Lorsque vous ajoutez une macro à la feuille, vous devez taper le nom de la macro dans la colonne de gauche. Tapez ensuite la condition éventuelle, la première action et le commentaire. Vous pouvez prévoir, dans une macro, autant d'actions que vous le souhaitez.

La Figure 20.7 montre un exemple de feuille macro contenant plusieurs macros, intitulées FermerTout, FermerFormulaire et ImprimerFormulaire. Access interrompt l'exécution d'une macro lorsqu'il n'y a plus d'actions dans le groupe, ou lorsqu'il rencontre le nom d'une autre macro. Nous avons laissé une ligne blanche entre les différentes macros afin que la feuille soit plus lisible.

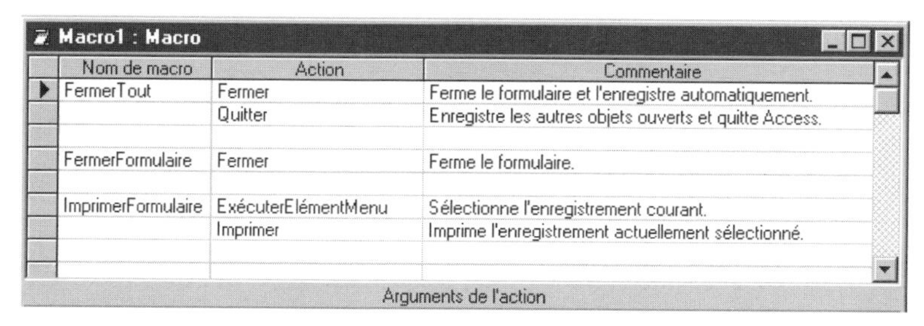
Macro1 : Macro

Nom de macro	Action	Commentaire
FermerTout	Fermer	Ferme le formulaire et l'enregistre automatiquement.
	Quitter	Enregistre les autres objets ouverts et quitte Access.
FermerFormulaire	Fermer	Ferme le formulaire.
ImprimerFormulaire	ExécuterElémentMenu	Sélectionne l'enregistrement courant.
	Imprimer	Imprime l'enregistrement actuellement sélectionné.

Arguments de l'action

Figure 20.7 : Cette feuille macro comporte trois macros, baptisées FermerTout, FermerFormulaire et ImprimerFormulaire.

Fermez et enregistrez la macro selon la technique classique. Dans cet exemple, nous avons choisi d'intituler la feuille macro complète Mon groupe. Vous pouvez ensuite, comme d'habitude, assigner des macros à des événements. Ouvrez le formulaire ou l'état en mode création ; cliquez sur le contrôle qui doit déclencher la macro (ou choisissez Édition/Sélectionner le formulaire ou Édition/Sélectionner le rapport. Ouvrez la feuille des propriétés et cliquez sur le bouton de liste déroulante de l'événement qui doit déclencher la macro. Cette liste affiche le nom de toutes les macros de tous les groupes de macros dans le format suivant :

nomdugroupe.nomdelamacro

Ainsi, dans l'exemple représenté à la page suivante, nous sommes en train d'assigner une macro à la propriété Sur clic d'un contrôle de formulaire. Remarquez que la liste déroulante affiche les noms de toutes les macros de notre groupe intitulé "Mon groupe". Pour désigner celle que vous voulez attribuer à l'événement, sélectionnez-la dans la liste. La propriété affiche désormais le nom du groupe, suivi de celui de la macro dans le format *nomdugroupe.nomdelamacro* (par exemple, Mon groupe.Fermer formulaire).

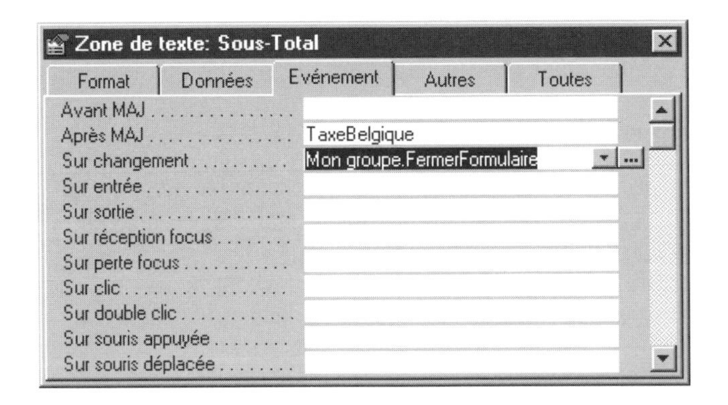

Éditer des macros

Pour éditer une macro existante, il suffit d'ouvrir de nouveau la feuille macro. Vous disposez pour ce faire de deux moyens d'action :

- **Si vous agissez depuis la fenêtre Base de données,** activez l'onglet Macros, cliquez sur le nom de la macro que vous voulez éditer (ou sur le groupe de macros), puis cliquez sur Modifier.
- **Si vous agissez depuis le mode création (d'un formulaire ou d'un état)** et souhaitez éditer une macro que vous avez déjà assignée à un événement, ouvrez simplement la feuille des propriétés, activez l'onglet Événement, puis cliquez sur le bouton ... placé près du nom de la macro que vous voulez éditer.

Lorsque vous faites appel à cette seconde technique pour ouvrir un groupe de macros, c'est le groupe entier qui vous est proposé, et non la macro particulière que vous avez assignée à l'événement. Lorsque vous serez dans la feuille macro, vous pourrez faire défiler le contenu de la fenêtre afin de visualiser la macro particulière qui vous intéresse.

Modifier, supprimer et réorganiser des macros

Lorsque vous êtes dans la feuille macro, vous pouvez déplacer, supprimer et insérer des lignes en invoquant des techniques proches de celles en vigueur dans les feuilles de données :

1. Sélectionnez une ligne en cliquant sur son sélecteur, placé dans la première case de la ligne, à l'extrême gauche.

2. Lorsque vous avez sélectionné une ou plusieurs lignes ; exécutez l'une des actions suivantes :

- **Pour supprimer la ou les lignes sélectionnées,** enfoncez la touche Suppr, ou cliquez avec le bouton droit de la souris sur la sélection et choisissez Supprimer les lignes ; ou encore choisissez Édition/Supprimer les lignes.
- **Pour insérer une ligne,** enfoncez la touche Insert, ou cliquez dans la sélection avec le bouton droit de la souris et choisissez Insérer des lignes, ou encore choisissez Insertion/Lignes.
- **Pour déplacer la ou les lignes sélectionnées,** cliquez de nouveau sur le sélecteur, enfoncez le bouton de la souris et maintenez-le dans cette position, puis faites glisser la sélection vers l'emplacement souhaité.

Organisez les macros d'un groupe par ordre alphabétique sur le nom. Dans ces conditions, lorsque vous ouvrirez le groupe, vous pourrez localiser aisément la macro que vous recherchez.

- **Pour copier la sélection,** enfoncez les touches Ctrl + C, ou activez le bouton Copier ; ou cliquez avec le bouton droit de la souris sur la sélection et choisissez Copier ; ou encore choisissez Édition/Copier. La sélection est copiée dans le Presse-papiers de Windows. Utilisez la commande Édition/Coller (Ctrl + V) pour coller la copie dans la même feuille ou dans une autre feuille.
- **Pour annuler une des modifications énumérées ci-dessus,** enfoncez les touches Ctrl + Z, ou activez le bouton Annuler ; ou encore choisissez Édition/Annuler.

Les modifications que vous apportez dans la feuille macro ne sont enregistrées que lorsque vous sauvez la macro entière. Si vous fermez sans procéder à la sauvegarde, répondez Oui lorsque Access vous rappelle que vos changements ne sont pas encore enregistrés et vous demande s'il doit s'en charger.

Faire référence à des contrôles dans des macros

L'action macro la plus couramment utilisée est DéfinirValeur, qui entre une donnée dans un champ de formulaire. Rappelez-vous : nous avons employé cette action dans notre exemple précédent afin de remplir le champ intitulé TauxTaxe.

Si vous avez l'intention de recourir à cette action dans plusieurs formulaires, sachez que :

- Lorsque vous faites référence à un contrôle placé sur un formulaire *autre que celui qui déclenche la macro*, vous devez désigner le contrôle par un identificateur complet (comme [Formulaires]![*nomduformulaire*]![*nomducontrôle*]).
- Les deux formulaires impliqués doivent être ouverts.

Cet aspect de l'utilisation des macros n'est pas facile à comprendre, car, si votre macro ouvre un nouveau formulaire, vous avez tendance à considérer ce formulaire comme étant le "formulaire courant". Or, du point de vue d'Access, c'est le formulaire qui *a lancé* la macro qui est le "formulaire courant", même si ce n'est pas ce formulaire qui, pour l'instant, contient le focus. Prenons un exemple simple.

Supposons que nous disposions d'un formulaire baptisé FormulaireA. Il contient une zone de texte intitulée "TexteOriginal", comme le montre l'illustration ci-dessous :

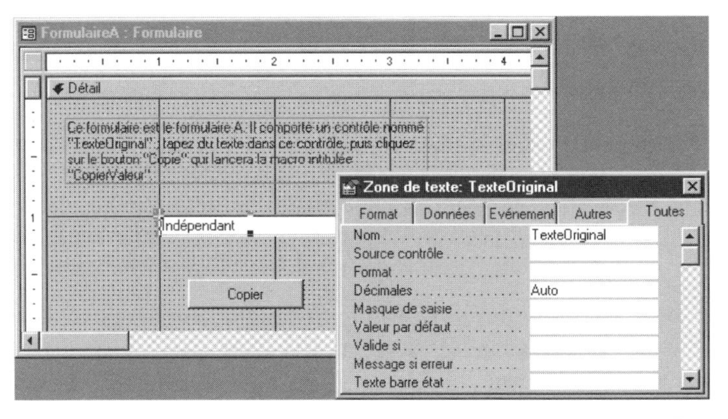

Nous disposons aussi d'un second formulaire, appelé FormulaireB, qui contient un contrôle nommé "TexteCopié" :

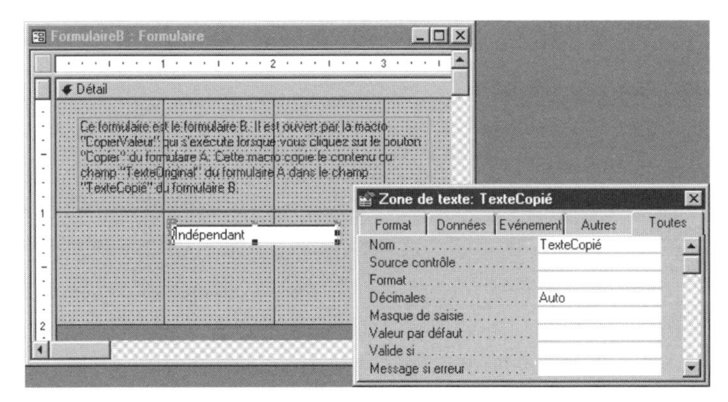

Supposons que vous souhaitiez créer une macro que vous déclencherez depuis le FormulaireA. Une fois lancée, vous voulez que cette macro : 1) ouvre le formulaire B et 2) copie le contenu du champ [TexteOriginal] du formulaire A et le colle dans le champ [TexteCopié] du formulaire B.

La Figure 20.8 montre la macro capable de mener cette tâche à bien (nous l'avons baptisée CopierValeur). Pour l'instant, le curseur se trouve dans la case DéfinirAction afin que vous puissiez voir ses arguments. Le Tableau 20.2 montre les arguments des deux actions (lorsque nous n'avons pas spécifié d'argument, nous avons laissé la case vide).

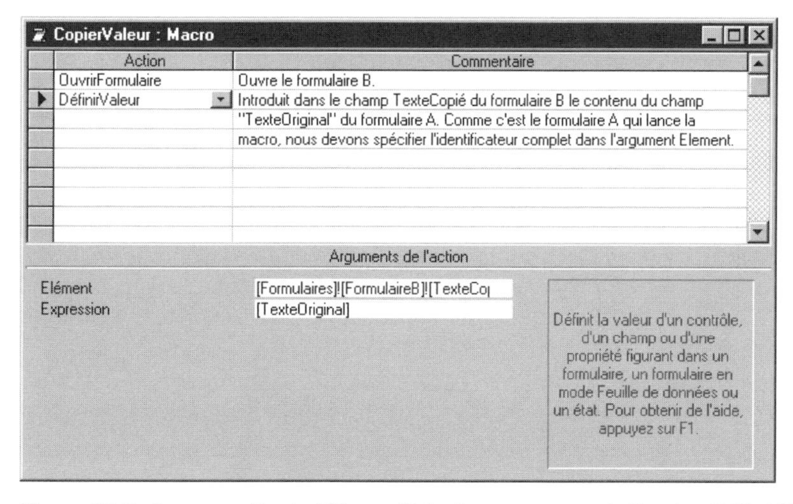

Figure 20.8 : La macro CopierValeur affiche les arguments de l'action DéfinirValeur.

Action	Argument
OuvrirFormulaire	Nom formulaire : FormulaireB
	Mode d'affichage : Formulaire
	Mode données : Modification
	Mode fenêtre : Standard
DéfinirValeur	Élément : [Formulaires]![FormulaireB]![TexteCopié]
	Expression : [TexteOriginal]

Tableau 20.2 : Les arguments des actions de la macro CopierValeur illustrée à la Figure 20.8.

Notez que nous devons nous référer au contrôle [TexteCopié] en indiquant son format complet, soit [Formulaires]![FormulaireB]![TexteCopié], même si l'action OuvrirFormulaire a déjà ouvert le formulaire B et que ce formulaire B contient bel et bien le focus. La raison en est que c'est le formulaire A qui *lance* la macro. C'est d'ailleurs à ce titre que nous nous référons simplement à son contrôle [TexteOriginal] puisque ce contrôle fait partie du formulaire qui déclenche la macro.

Si le coeur vous en dit, vous pouvez bien entendu utiliser la syntaxe complète dans tous les cas. Ainsi, dans notre exemple, nous aurions pu définir de la manière suivante les arguments de l'action DéfinirValeur :

Élément :	[Formulaires]![FormulaireB]![TexteCopié]
Expression :	[Formulaires]![FormulaireA]![TexteOriginal]

Saisir des identificateurs longs

La saisie de longs identificateurs peut rapidement devenir laborieuse, sans compter qu'elle est particulièrement exposée aux erreurs de frappe. Rassurez-vous : vous n'êtes pas obligé de faire tout ce travail ; vous pouvez en effet compter sur le secours du Générateur d'expression. Contentez-vous de cliquer dans la case de l'argument, puis sur le bouton (...) qui apparaît alors à la droite du contrôle. Dans la Figure 20.9, par exemple, nous avons cliqué sur l'argument Élément de l'action DéfinirValeur, puis sur le bouton (...). Le Générateur d'expression arrive à la rescousse.

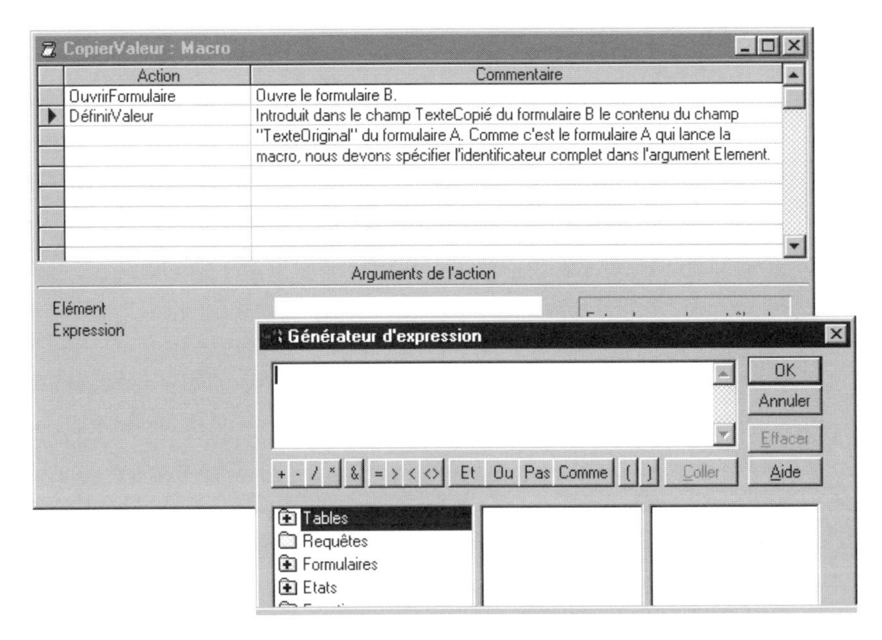

Figure 20.9 : Le Générateur d'expression couvre partiellement la feuille macro.

Nous pouvons à présent spécifier un critère simplement en le localisant. Dans notre exemple, nous avons cliqué deux fois sur Formulaires (puisque le contrôle se trouve sur un formulaire), puis deux fois encore sur Tous les formulaires. Nous avons ensuite cliqué deux fois sur FormulaireB (puisque c'est ce formulaire qui contient le contrôle que nous voulons remplir), puis de nouveau deux fois sur TexteCopié, le nom du contrôle en question. La case de la partie supérieure de la fenêtre affiche désormais l'expression complète du contrôle (Figure 20.10). Lorsque nous cliquerons sur OK, le contrôle sera copié dans la case Élément de l'argument de l'action.

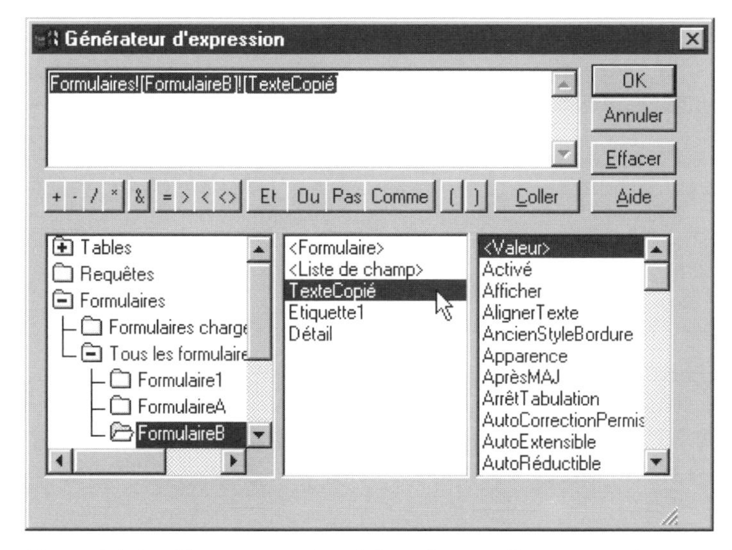

Figure 20.10 : Nous avons cliqué deux fois sur Formulaires/Tous les formulaires/FormulaireB/TexteCopié pour construire l'expression [Formulaires]![FormulaireB]![TexteCopié].

Assigner la macro CopierValeur à un événement

Nous voici de retour à la macro représentée à la Figure 20.9 ; sauvons-la sous le nom CopierValeur, puis fermons-la. Faisons à présent en sorte qu'elle se déclenche lorsque l'utilisateur cliquera sur le bouton "Copier" du formulaire A.

Ouvrons donc ce formulaire en mode création, cliquons sur le bouton de commande, ouvrons la feuille des propriétés, puis activons l'onglet Événement. Sélectionnons la propriété Sur clic du contrôle et assignons-lui la macro CopierValeur.

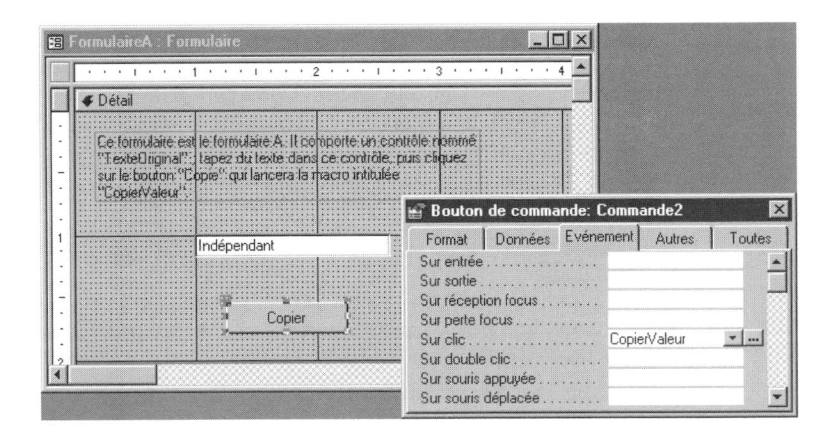

Pour tester la macro, enregistrons le formulaire A et fermons-le (de même que le formulaire B et la feuille macro s'ils sont ouverts). Ouvrons ensuite le formulaire A, tapons un texte quelconque dans la case d'édition prévue à cet effet, puis cliquons sur le bouton "Copier". La macro ouvre le formulaire B et y inscrit, dans le champ TexteCopié, le contenu du champ TexteOriginal du formulaire A, comme le montre la Figure 20.11.

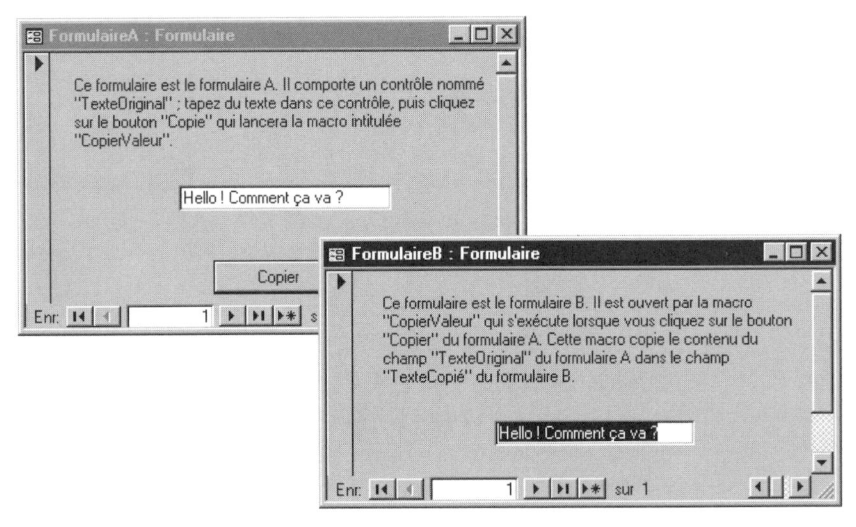

Figure 20.11 : Nous avons entré une valeur dans le formulaire A et avons ensuite cliqué sur le bouton "Copier". Ce bouton a lancé la macro intitulée CopierValeur qui a ouvert le formulaire B et a reporté dans son champ TexteCopié le contenu du champ TexteOriginal du formulaire A.

Créer davantage de macros "génériques"

Nous vous proposons ici une autre façon de faire référence, dans une macro, à des formulaires et à des contrôles. Plutôt que de vous référer à un objet donné, vous pouvez vous référer à tout objet actuellement sélectionné. Vous utiliserez pour cela les expressions suivantes :

[Ecran].[FormActif]

[Ecran].[EtatActif]

[Ecran].[ContrActif]

[Ecran].[FeuilleActif]

Prenons un exemple simple qui fait appel à l'expression [Ecran].[ContrActif]. Partons du principe que nous disposons d'un formulaire comportant trois contrôles, TaxeNationale, TaxeRégionale et TaxeLocale, présentés tous trois en format Pourcentage grâce à leur propriété Format. (Ci-dessous, la propriété Format du contrôle TaxeNationale.)

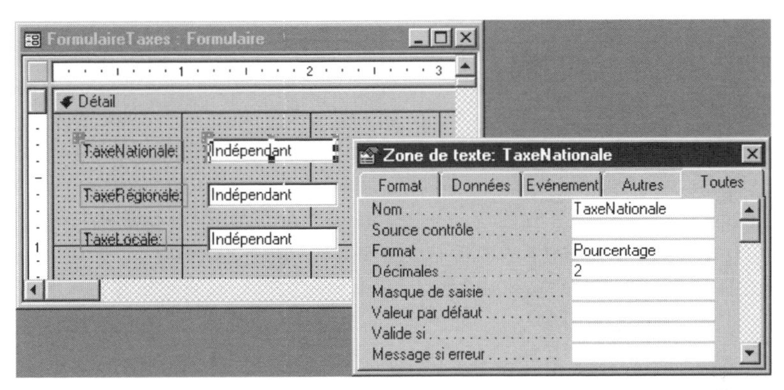

L'un des problèmes que pose l'utilisation du format Pourcentage est que, si l'utilisateur tape un nombre entier, comme 30, le format Pourcentage comprend 300 %, plutôt que 30 %. Ainsi, dans l'exemple ci-dessous, vous pouvez voir comment sont interprétées les valeurs 30, 15 et 5 entrées dans les trois champs en mode formulaire :

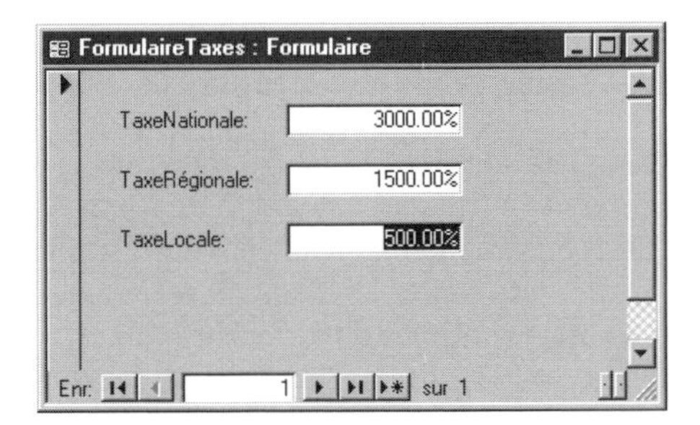

Pourquoi ne pas créer une macro qui obéira à l'injonction suivante : "Si l'utilisateur tape un nombre supérieur ou égal à 1, divisez cette valeur par 100 afin de la présenter en format Pourcentage" ? Et pourquoi ne pas aller jusqu'à créer une macro générique qui agirait sur les trois contrôles ? Reprenons : plutôt que de créer une première macro pour le contrôle [TaxeNationale], une deuxième pour le contrôle [TaxeRégionale], puis une troisième pour le contrôle [TaxeLocale], nous nous proposons de bâtir une seule macro qui fera référence à [Ecran].[ContrActif] et qui fonctionnera pour les trois contrôles. La Figure 20.12 vous montre cette macro ; nous l'avons baptisée ConversionPourcentage. Remarquez qu'elle ne comporte qu'une seule condition et qu'une seule action.

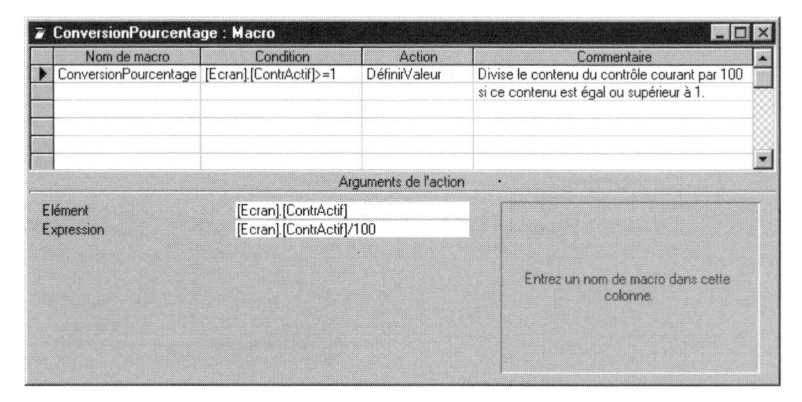

Figure 20.12 : La macro ConversionPourcentage utilise [Ecran].[ContrActif] pour se référer au contrôle qui l'a lancée, quel qu'il soit.

La condition :

[Ecran].[ContrActif]>=1

fait en sorte que l'action ne soit exécutée que si le contenu du contrôle est supérieur ou égal à 1. Les arguments de l'action DéfinirValeur :

Élément :	[Ecran].[ContrActif]
Expression :	[Ecran].[ContrActif]/100

suppriment le nombre du champ et lui substituent sa valeur divisée par 100.

Nous avons ensuite enregistré et fermé la macro. Ouvrons à présent, en mode création, le formulaire Taxes et attribuons à la propriété Après MAJ de chacun des ses contrôles le nom de la macro, soit ConversionPourcentage. L'illustration ci-dessous nous montre en train de traiter le champ TaxeNationale. Nous en avons fait autant pour les deux autres contrôles du formulaire.

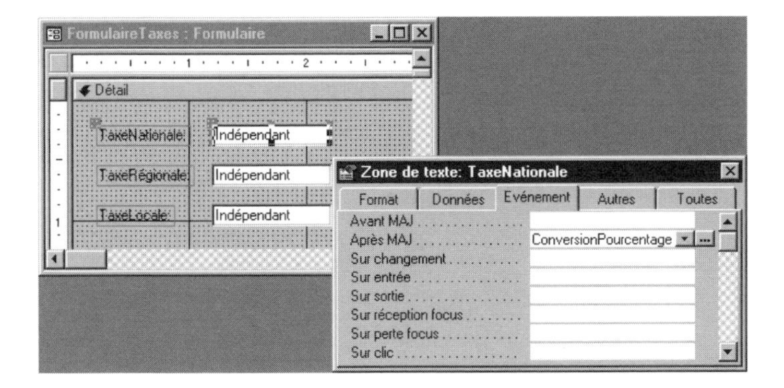

Pour tester la macro, nous devons activer le mode formulaire. Rien ne se passe a priori, puisque l'événement Après MAJ ne se produit qu'après la saisie d'une nouvelle valeur dans le contrôle et le déplacement du curseur vers un autre contrôle du formulaire. Tapons 30 dans le contrôle TaxeNationale, 15 dans le contrôle TaxeRégionale et 5 dans le contrôle TaxeLocale. La macro s'exécute après chaque entrée ; le résultat est nettement meilleur qu'auparavant :

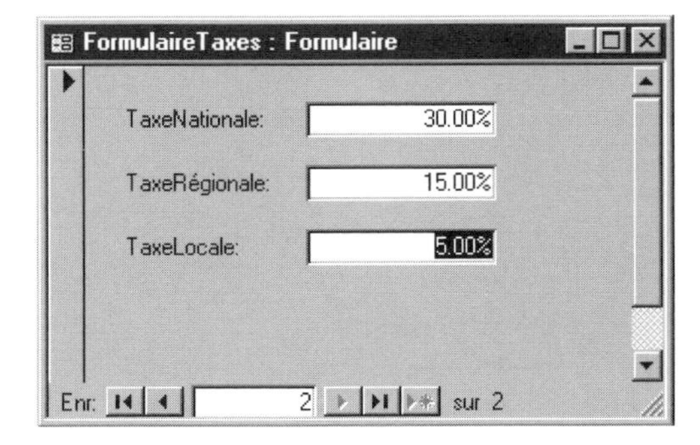

Corriger les erreurs dans les macros

Tout le monde fait des erreurs. Et plus particulièrement en concevant des macros. Vous savez déjà que, lorsque vous exécutez une macro, Access réalise la première action de cette macro. Il s'acquitte ensuite de la deuxième (s'il y en a une), puis de la troisième, et ainsi de suite jusqu'à la dernière action de la liste. Cependant, le programme interrompt la macro s'il ne parvient pas à exécuter une action donnée et affiche alors un *message d'erreur* qui vous indique, dans les grandes lignes, où le bât blesse.

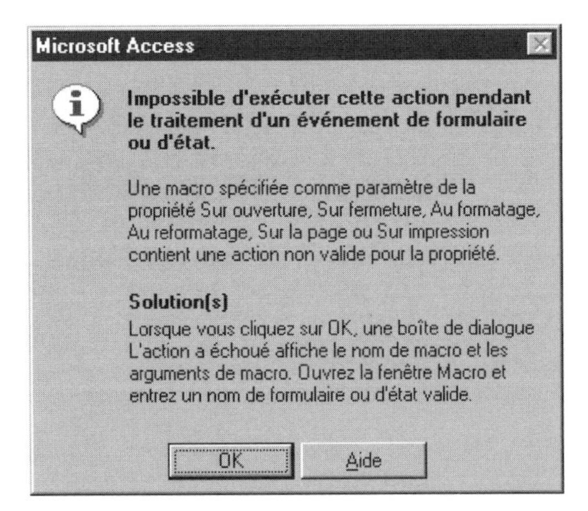

Après avoir pris connaissance du message, cliquez sur OK. La boîte de dialogue L'action a échoué vous est alors proposée, vous signalant quelle est l'action responsable de cet échec :

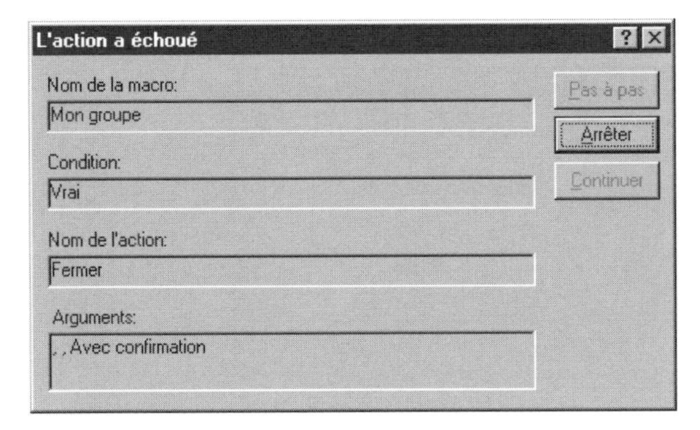

Cette fenêtre vous fournit différents renseignements :

- **Le nom de la macro** : Le nom de la macro qui contient l'action posant problème.
- **La condition** : L'expression de la colonne Condition (toujours Vrai si l'action ne comporte pas de condition).
- **Le nom de l'action** : Le nom de l'action de la macro qui provoque l'erreur.
- **Les arguments** : Les arguments que vous avez attribués à cette action.

Pour vous débarrasser de ce message, cliquez sur le bouton Arrêter. Si vous désirez modifier cette macro, ouvrez sa feuille macro de manière classique (c'est-à-dire en activant l'onglet Macros de la fenêtre Base de données, en cliquant sur le nom de la macro à éditer, puis en cliquant sur Modifier). Lorsque vous avez sous les yeux la macro et l'action qui provoque l'erreur, vous êtes, en quelque sorte, livré à vous-même. Seules la case Conseil et la touche F1 sont susceptibles de vous fournir quelques informations ; c'est à vous seul qu'incombe la tâche d'identifier le problème et de lui apporter une solution.

Les erreurs dans les macros sont souvent dues à des identificateurs incorrects. Ainsi, votre macro se réfère à un champ nommé [CodePostal] qui ne figure pas sur le formulaire qui lance la macro ; vous avez donc omis d'introduire le préfixe [Formulaires]![*nomduformulaire*]. Il se peut aussi que votre macro fasse référence à un contrôle d'un formulaire qui n'est pas ouvert lorsque la macro s'exécute.

Exécuter une macro pas à pas

Lorsque vous exécutez une macro, Access enchaîne les actions à la vitesse de l'éclair. Si une macro particulière vous donne du fil à retordre, sans doute avez-vous intérêt à en ralentir l'exécution de manière à pouvoir examiner l'effet de chacune de ses actions. Pour ce faire, vous devez exécuter la macro *pas à pas* :

1. Ouvrez la feuille macro (affichez la fenêtre Base de données, activez l'onglet Macros, cliquez sur le nom de la macro que vous voulez exécuter pas à pas, puis cliquez sur Modifier).
2. Cliquez sur le bouton Pas à pas ou choisissez Exécuter/Pas à pas.
3. Fermez et enregistrez la macro comme vous le faites d'habitude.
4. Exécutez la macro normalement en réalisant l'événement qui la déclenche.

Access affiche la fenêtre Pas à pas (représentée ci-dessous) avant d'exécuter chaque action de la macro.

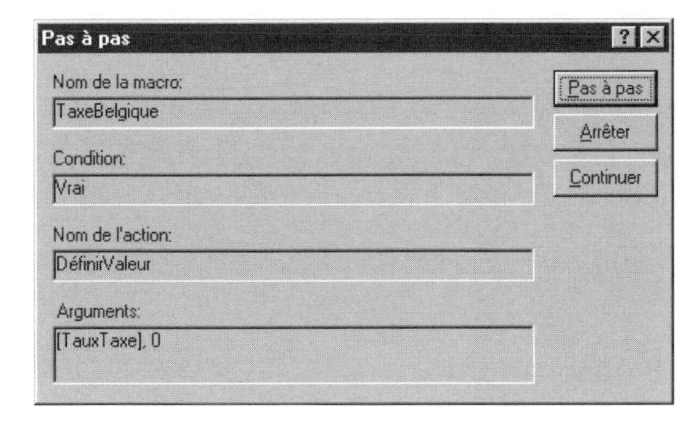

Vous avez ainsi tout loisir d'examiner les détails de l'action qui va être réalisée ; utilisez les boutons disponibles pour exprimer vos intentions :

Pas à pas : Exécute l'action actuellement affichée dans la boîte de dialogue Pas à pas.

Arrêter : Interrompt la macro et ferme la boîte de dialogue.

Continuer : Désactive le mode Pas à pas et exécute le reste de la macro normalement.

Créer une macro qui s'exécute au démarrage

Peut-être savez-vous que les commandes de la boîte de dialogue Démarrage (Outils/Démarrage) vous permettent de paramétrer l'aspect de votre application lorsqu'un utilisateur ouvre la base de données. (Ces commandes sont disponibles lorsque la fenêtre Base de données est affichée.) Si vous le souhaitez, vous pouvez faire en sorte qu'une macro réalise automatiquement certaines tâches lors de cette ouverture. La procédure est simple : créer une macro normale et la baptiser AutoExec.

La macro AutoExec s'exécute après les options que vous définissez dans la boîte de dialogue Démarrage. Tenez compte de cette priorité lorsque vous concevez votre macro. Ainsi, si vous avez désactivé l'option Afficher la fenêtre de base de données dans cette fenêtre, il est inutile de faire masquer la fenêtre Base de données par la macro AutoExec puisque cette fenêtre sera déjà masquée quand la macro s'exécutera.

Vous pouvez suspendre l'exécution des options de démarrage et de la macro AutoExec en enfonçant la touche Majuscule pendant que vous ouvrez la base. N'oubliez pas cette possibilité ; elle pourrait vous servir à vous, développeur d'applications, si, d'aventure, vous souhaitez ouvrir votre base de données comme si vous étiez un simple utilisateur.

Vous pouvez également invoquer la touche F11 pour faire apparaître la fenêtre Base de données à l'écran, sauf si vous avez désactivé l'option Utiliser les touches spéciales d'accès de la fenêtre Démarrage ou utilisé le commutateur /runtime lors du lancement du programme.

En d'autres circonstances, vous souhaiterez peut-être afficher directement la fenêtre Base de données et les barres d'outils standard afin de pouvoir apporter des changements à votre application. Enfoncez donc la touche Majuscule pendant que vous choisissez Fichier/Ouvrir une base de données et maintenez-la dans cette position jusqu'à ce que la fenêtre Base de données apparaisse à l'écran.

Apprendre par l'exemple

Dans ce chapitre, nous avons exposé la théorie générale qui régit la création de macros et leur assignation à des événements. Les chapitres suivants vous mettront en présence d'exemples vécus ; sachez aussi qu'il est souvent profitable d'examiner les macros créées par d'autres développeurs. (Si cela vous tente, penchez-vous sur les quelques macros de la base de données exemple Comptoir fournie avec Access.)

Pour visualiser les macros d'une application, il suffit d'ouvrir normalement la base de données et d'afficher la fenêtre Base de données. Dans cette fenêtre, activez l'onglet Macros, puis sélectionnez la macro qui vous intéresse et cliquez sur Modifier.

Vous serez surpris de voir que certaines applications font, somme toute, appel à très peu de macros, quand elles n'en sont pas complètement démunies. Trois raisons peuvent expliquer qu'une application Access particulièrement élaborée ne contienne que quelques macros :

- Les Assistants Contrôle créent du code Visual Basic, et non des macros, pour automatiser les contrôles que vous créez.
- La plupart des développeurs Access préfèrent s'exprimer en langage Visual Basic plutôt qu'en langage Macro, car ils le manipulent avec plus d'aisance.
- La plupart des développeurs d'applications font appel au convertisseur interne de macro pour convertir leurs macros en code Visual Basic et détruisent ensuite les macros originales.

Convertir les macros en Visual Basic

Lorsque vous avez créé et testé une série de macros, vous pouvez facilement les convertir en code Visual Basic. Pour convertir ainsi toutes les macros d'un formulaire ou d'un état, ouvrez d'abord le formulaire ou l'état en mode création. Choisissez ensuite Outils/Macro/Convertir les macros en Visual Basic.

Si un jeu donné de macros n'est associé à aucun formulaire spécifique (comme c'est le cas d'une macro AutoExec), vous devez faire appel à une autre technique de conversion. En mode création, ouvrez la macro à convertir. Choisissez ensuite Fichier/Enregistrer sous/Exporter, puis validez l'option Enregistrer comme un module Visual Basic et cliquez sur OK. Lorsque la conversion est terminée, la version Visual Basic de votre macro apparaît dans l'onglet Modules de la fenêtre Base de données.

Et maintenant, que faisons-nous ?

Parvenu à ce stade, vous pouvez faire votre choix parmi les différents chapitres qui traitent de la personnalisation des applications.

- Les Chapitres 21 et 22 vous enseignent à concevoir des menus généraux et des boîtes de dialogue.
- Les Chapitres 23 et 24 vous montrent comment créer des menus et des barres d'outils personnalisés.
- Le Chapitre 25 vous fait découvrir Visual Basic, cette "autre manière" de créer des applications personnalisées.

Quoi de neuf ?

Voici les nouveautés du secteur "macros" :

- **La macro ExécuterElémentMenu** s'appelle désormais ExécuterCommande.
- **Les nouvelles options de la commande Outils/Macro** vous permettent de créer, pour vos macros, des barres d'outils, des menus classiques et des

Chapitre 21

Créer des menus généraux personnels

"Menu général" est une expression curieuse qui désigne le formulaire qui permet à l'utilisateur de naviguer confortablement d'un endroit à l'autre de la base de données. Lorsque vous faites appel à l'Assistant Création d'applications pour créer une application base de données, cet Assistant crée automatiquement un menu de ce type. Ce chapitre vous apprend à personnaliser ces menus ; il vous montre également comment les créer en partant de zéro et comment leur donner l'aspect qui vous convient le mieux.

Changer un menu général créé par l'Assistant

Nous venons de dire que l'Assistant Création d'applications dote systématiquement les bases qu'il conçoit d'un menu général.

C'est notamment le cas du menu général représenté à la Figure 21.1. (Il s'agit de la base de données Amis que nous avons créée ensemble au début de cet ouvrage ; utilisez-la aussi, bien que n'importe quelle autre base puisse convenir également.)

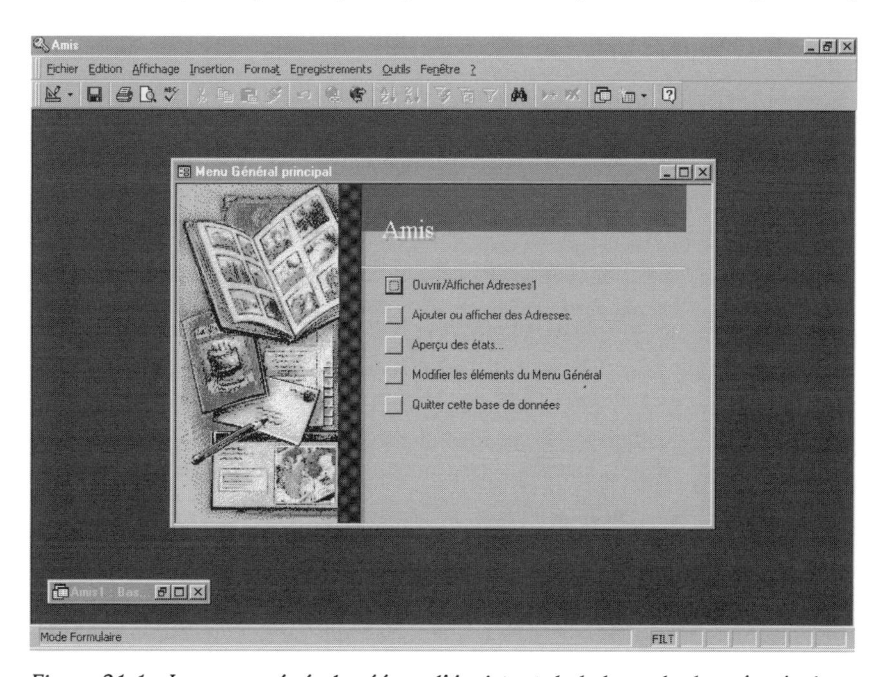

Figure 21.1 : Le menu général créé par l'Assistant de la base de données Amis.

Ce menu général s'affiche automatiquement lorsque vous ouvrez la base. Si, par hasard, c'est la fenêtre Base de données qui s'affiche au lieu du menu général, activez l'onglet Formulaires, puis cliquez sur le formulaire Menu Général, et enfin cliquez sur Ouvrir.

Modifier les options du menu général

L'une des options du menu général vous permet d'en modifier le contenu (la quatrième option dans notre exemple). Lorsque vous activez cette option, la boîte de dialogue Gestionnaire de Menu Général s'affiche ; elle ressemble à ce que représente la Figure 21.2 (le contenu peut en varier selon la base ouverte).

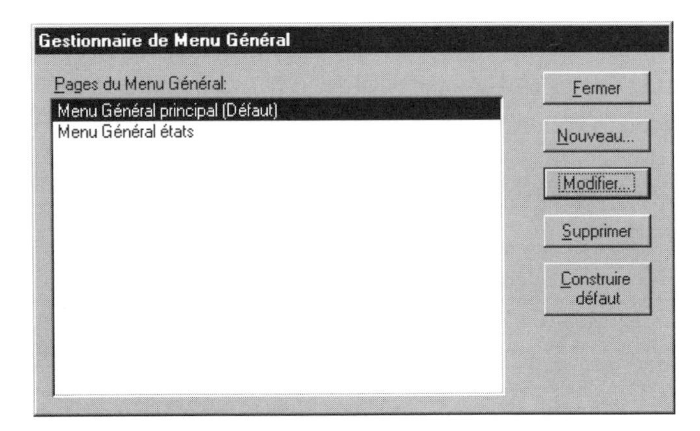

Figure 21.2 : La boîte de dialogue Gestionnaire de Menu Général vous permet d'apporter des modifications à l'un des menus généraux de votre base de données. La base que nous avons choisie comme exemple comporte deux menus de ce type.

Les boutons de commande de cette fenêtre portent des noms qui parlent d'eux-mêmes. Précisons malgré tout leur fonction :

- **Fermer** : Cliquez sur Fermer lorsque vous avez fini d'explorer/de modifier le menu général.
- **Nouveau** : Crée un nouveau menu vierge et lui attribue le nom que vous spécifiez. Pour ajouter des options à ce nouveau menu, cliquez sur son nom, puis sur Modifier. La boîte de dialogue Modifier la page du Menu Général vous est alors proposée (voyez la section suivante).
- **Modifier** : Pour modifier un menu général existant, cliquez sur son nom, puis sur Modifier. La boîte de dialogue Modifier la page du Menu Général vous est alors proposée (voyez la section suivante).
- **Supprimer** : Pour supprimer un menu général, cliquez sur son nom, puis sur Supprimer.
- **Construire défaut** : Transforme le menu général actuellement sélectionné en menu général *par défaut* (c'est-à-dire celui qui s'affiche automatiquement lorsque l'utilisateur ouvre la base de données).

Définir et modifier des éléments du menu

Lorsque vous activez le bouton Modifier du Gestionnaire de Menu Général, Access substitue à la fenêtre du Gestionnaire une fenêtre intitulée Modifier la page du Menu Général. Si vous travaillez sur un nouveau menu, la liste Éléments de ce Menu Général ne comporte aucune entrée. Le bouton Nouveau vous permet de créer de nouveaux éléments. Si vous avez activé le bouton Modifier alors qu'un menu général était ouvert, elle dresse la liste des éléments qui le constituent (Figure 21.3).

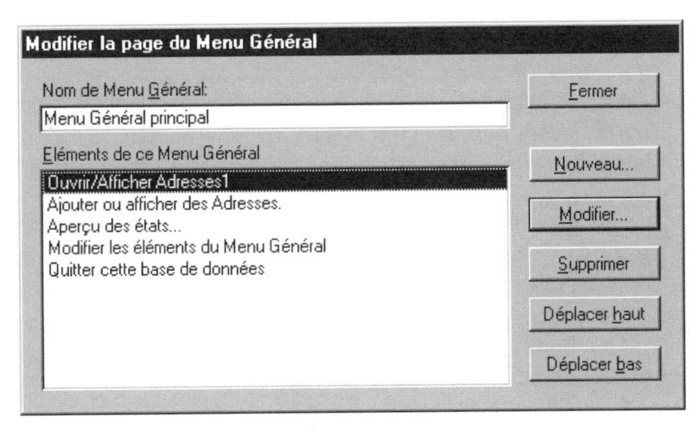

Figure 21.3 : La boîte de dialogue Modifier la page du Menu Général vous permet d'ajouter, de modifier, de supprimer des options du menu général actuellement sélectionné.

Les boutons de commande de cette fenêtre sont aussi faciles à comprendre que ceux de la fenêtre précédente. Une fois de plus, nous préférons préciser les choses :

- **Fermer** : Cliquez sur ce bouton lorsque vous avez apporté au menu général toutes les modifications souhaitées et désirez regagner la fenêtre précédente.
- **Nouveau** : Ajoute un élément au menu général.
- **Modifier** : Change l'élément sélectionné du menu général.
- **Supprimer** : Supprime l'élément sélectionné du menu général.
- **Déplacer haut** : Déplace, dans la liste, l'élément sélectionné d'une position vers le haut.
- **Déplacer bas** : Déplace, dans la liste, l'élément sélectionné d'une position vers le bas.

Lorsque vous modifiez un élément de menu général, une petite boîte de dialogue baptisée Modifier un élément du Menu Général s'affiche (représentée ci-dessous).

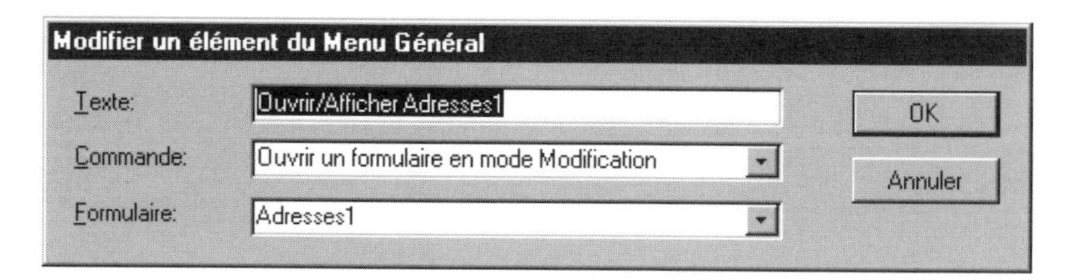

C'est dans cette fenêtre que vous indiquez comment vous voulez que les éléments du menu soient organisés ainsi que ce qui doit se produire lorsque l'utilisateur les sélectionne. Dans l'exemple que nous avons choisi, la case Texte indique *Ouvrir/ Afficher Adresses1*. Pour modifier ce texte, cliquez dans la case d'édition et opérez les changements souhaités en faisant appel aux techniques standard.

La case Commande décrit ce qui se produira lorsque l'utilisateur sélectionnera cet élément. Dans notre exemple, lorsque l'utilisateur validera l'option intitulée *Ouvrir/ Afficher Adresses1*, Access réalisera l'action suivante : *Ouvrir un formulaire en mode Modification.* Vous pouvez spécifier une autre action en la sélectionnant dans le menu déroulant local. Plusieurs options sont disponibles, comme vous le montre l'illustration suivante :

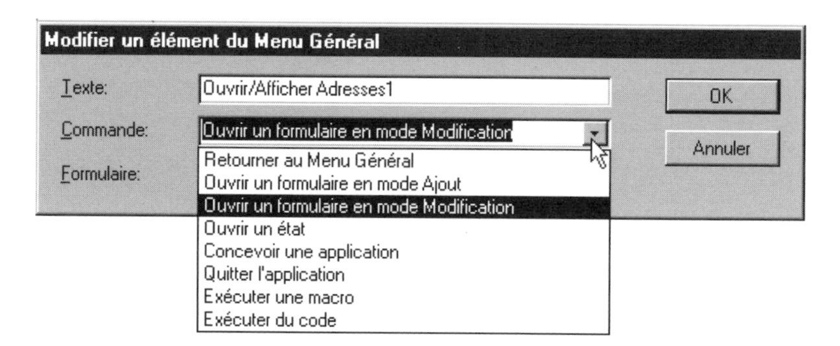

La dernière option de cette fenêtre vous permet de définir sur quel objet la commande doit agir. Ainsi, lorsque la commande est Ouvrir un formulaire en mode Modification, l'objet est Adresses1 ; vous pouvez sélectionner un autre formulaire (voyez page suivante).

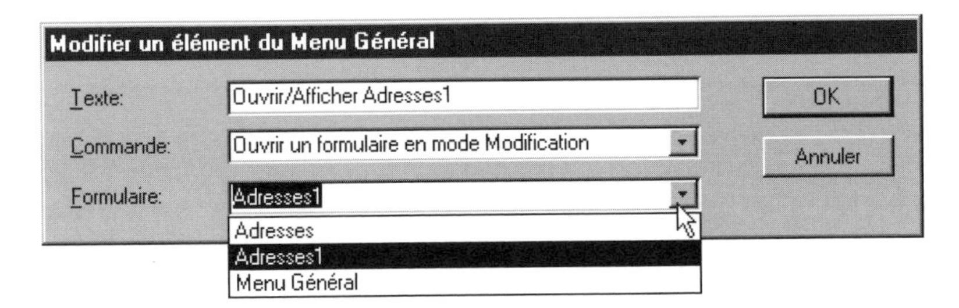

Si la commande était Ouvrir un état, la dernière option s'intitulerait État et vous pourriez alors sélectionner un des états de la base dans le menu local correspondant.

Lorsque vous avez apporté tous les changements souhaités, il vous faut activer le mode formulaire afin de voir l'effet de vos actions. Cliquez sur OK ou Fermer selon le cas, et rejoignez la fenêtre Base de données. Si vous voulez savoir quelle impression fait votre formulaire sur un utilisateur qui ouvre la base, fermez-la, puis rouvrez-la.

Remplacer l'image choisie par l'Assistant

Lorsque l'Assistant Création d'applications conçoit votre base de données, il vous donne l'occasion de choisir une image qui apparaîtra sur les menus généraux. Vous pouvez changer l'image après coup en sélectionnant une image bitmap stockée sur votre disque dur. Vous pouvez employer une image provenant de la collection ClipArt, une image que vous avez créée vous-même, ou encore une image digitalisée par un scanner.

Pour remplacer l'image placée par l'Assistant :

1. Si la base de données n'est pas ouverte, ouvrez-la (Fichier/Ouvrir une base de données).
2. Si le menu général est ouvert, cliquez dans sa case de fermeture. Affichez la fenêtre Base de données (si elle est masquée ou réduite, enfoncez simplement la touche F11).
3. Dans cette fenêtre, activez l'onglet Formulaires.
4. Cliquez sur le nom du formulaire Menu Général, puis sur Modifier.
5. Cliquez sur l'image que vous voulez remplacer.
6. Si la feuille des propriétés n'est pas ouverte, ouvrez-la (activez le bouton Propriétés d'une barre d'outils quelconque ou choisissez Affichage/Propriétés).

7. Dans cette feuille, activez l'onglet Toutes et faites défiler jusqu'à avoir sous les yeux la propriété Image (Figure 21.4).

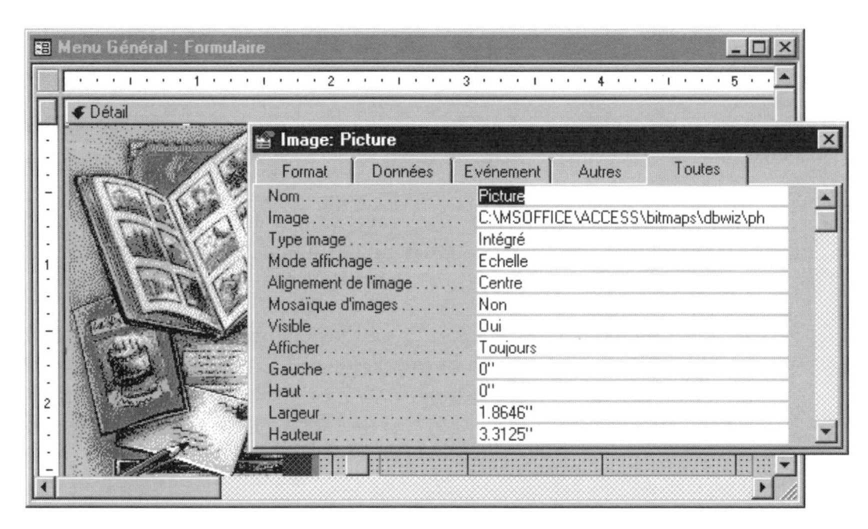

Figure 21.4 : La feuille des propriétés du contrôle nommé Picture est affichée.

8. Cliquez sur Image, puis sur le bouton Générer (…). Access vous propose la boîte de dialogue Insérer une image (Figure 21.5). (Il se peut qu'à l'ouverture, cette fenêtre affiche le contenu du dossier dans lequel se trouve l'image que vous voulez remplacer.)

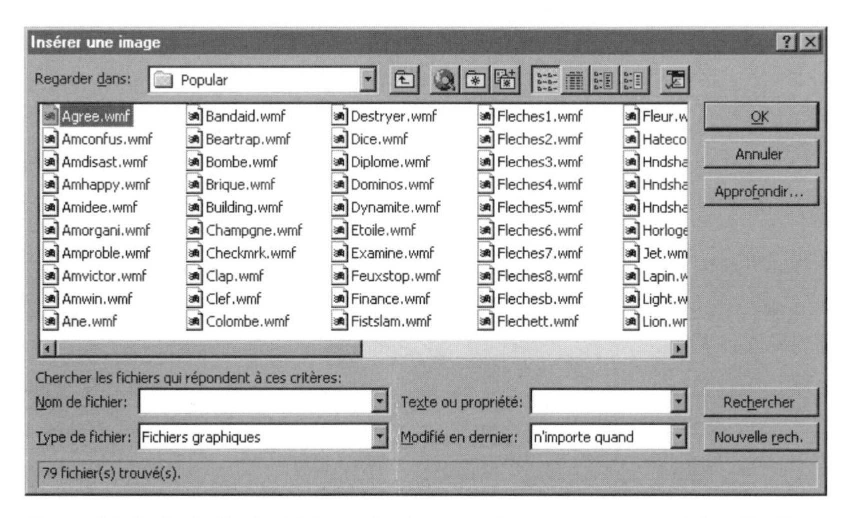

Figure 21.5 : La boîte de dialogue Insérer une image vous permet de sélectionner une image qui s'affichera sur votre menu général créé par l'Assistant.

9. Localisez et sélectionnez le fichier graphique qui vous intéresse, puis cliquez sur OK. L'image que vous avez désignée remplace l'ancienne ; sa taille s'adapte automatiquement à celle de son cadre. La propriété Mode d'affichage vous permet d'opter pour Découpage ou Zoom ; sélectionnez l'option qui convient le mieux.

10. Pour enregistrer le menu général et sa nouvelle image, choisissez Fichier/ Fermer et cliquez sur Oui quand Access vous demande s'il doit mémoriser vos modifications.

Pour voir le résultat du changement, ouvrez de nouveau le formulaire en mode formulaire. Ou bien, si vous voulez être certain de voir le formulaire avec l'oeil de l'utilisateur, fermez votre base de données (Fichier/Fermer), puis rouvrez-la en sélectionnant son nom dans la partie inférieure du menu Fichier.

L'image que vous avez sélectionnée apparaît sur tous les menus généraux. Les Assistants ne créent qu'un formulaire de ce type par base. Lorsque vous utilisez votre base, il se peut que vous ayez l'impression de passer de temps en temps d'un menu général à un autre. Il n'en est rien : votre base de données change simplement le titre et les éléments de son unique menu général.

Créer un menu général de toutes pièces

Comme vous le savez, les Assistants ne représentent pas la seule manière de créer une application base de données. Vous pouvez créer toutes vos tables, requêtes, formulaires, états et macros en partant de zéro. Il en va de même des menus généraux.

Ainsi, pour créer un menu général, commencez par créer un formulaire vierge qui ne soit lié à aucune table. Pour qu'il ressemble à un menu général plutôt qu'à un formulaire lié, vous pouvez masquer les boutons de navigation, les sélecteurs d'enregistrement et autres éléments d'interface qui s'affichent normalement. Ajoutez ensuite des contrôles (comme des boutons de commande) et des macros qui font que ces boutons s'acquittent de la tâche que vous leur assignez. La section suivante décrit cette procédure pas à pas.

Créer un formulaire menu général vierge

Le principe du menu général est de permettre à l'utilisateur de la base de réaliser toute une série d'actions, comme naviguer facilement de formulaire en formulaire ou imprimer confortablement des états. En toute logique, vous commencerez donc par constituer votre base avec ses tables, ses requêtes, ses formulaires, ses états avant de vous attaquer aux menus généraux. Quand tout cela sera fait, vous pourrez enfin créer un formulaire Menu Général vierge :

1. Dans la fenêtre Base de données, activez l'onglet Formulaires.
2. Cliquez sur Nouveau, puis choisissez Mode Création dans la fenêtre Nouveau formulaire qui vous est proposée. Laissez vide la case Choisissez la table ou requête d'où proviennent les données de l'objet. Un nouveau formulaire vide s'affiche en mode création.
3. Ouvrez la feuille des propriétés si elle ne l'est pas (activez le bouton Propriétés d'une barre d'outils quelconque, ou choisissez Affichage/Propriétés).
4. Assurez-vous que le formulaire tout entier est bien sélectionné (puisque vous êtes sur le point de lui attribuer des propriétés) ; choisissez donc Édition/Sélectionner le formulaire, ou cliquez dans sa case de sélection située à l'intersection des règles.
5. Dans la feuille des propriétés, activez l'onglet Format, puis fixez les propriétés de cet onglet comme vous le montre la Figure 21.6. (Les propriétés ci-dessous qui sont marquées d'un astérisque ne sont que des suggestions. Vous pourriez avoir envie d'en apprécier l'effet lorsque vous créerez vos propres menus généraux.)

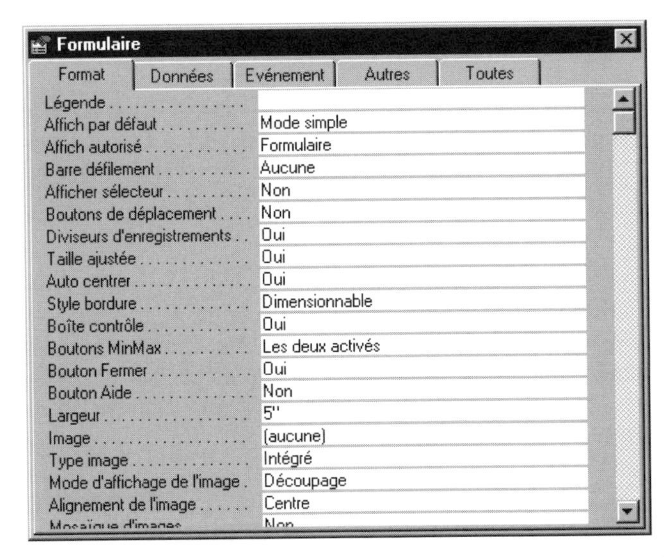

Figure 21.6 : Les propriétés de formulaire que nous vous suggérons d'appliquer à votre menu général.

Affich par défaut	: Mode simple
Affich autorisé	: Formulaire
Barre défilement	: Aucune*
Boutons de déplacement	: Non
Taille ajustée	: Oui*
Auto centrer	: Oui

Rappelez-vous que, si vous enfoncez la touche F1 alors qu'une propriété est sélectionnée, vous obtenez des informations sur cette propriété.

6. Remplissez éventuellement la propriété Légende si vous souhaitez qu'un texte particulier s'affiche dans la barre de titre du formulaire.
7. Pour colorer le formulaire, cliquez sur le bandeau de la section Détail dans le formulaire. Choisissez ensuite une couleur dans la palette Couleur d'arrière-plan/remplissage de la barre d'outils Mise en forme (Formulaire/État). Si cette barre d'outils n'est pas visible, choisissez Affichage/Barres d'outils, activez Mise en forme (Formulaire/État), puis cliquez sur Fermer.
8. À ce stade, vous pouvez envisager d'attribuer à votre formulaire la taille et la forme souhaitées. Faites glisser l'angle inférieur droit de la zone grisée dans la fenêtre de création pour changer les dimensions du formulaire.

Pour modifier la taille de la zone grisée, positionnez votre pointeur sur son angle inférieur droit ; il prend normalement la forme d'une flèche à quatre têtes. Opérez ensuite un cliquer-glisser.

9. Vous pouvez à présent enregistrer et nommer votre formulaire. Choisissez Fichier/Fermer/Oui ; entrez le nom du formulaire (par exemple, Mon menu général), puis cliquez sur OK.

Ce nouveau formulaire apparaît dans la liste présentée dans l'onglet Formulaires de la fenêtre Base de données, comme s'il s'agissait d'un formulaire standard. Vous pouvez aussi le traiter comme s'il en était un.

- **Pour afficher et utiliser le formulaire comme le ferait un utilisateur standard,** cliquez sur son nom, puis sur Ouvrir. (Au stade où nous en sommes, notre formulaire est créé, mais vide.)
- **Pour éditer ce formulaire,** ouvrez-le en mode création (cliquez sur le nom du formulaire dans la fenêtre Base de données, puis cliquez sur Modifier).

Lorsque le formulaire est ouvert, vous pouvez facilement basculer du mode formulaire en mode création en utilisant le bouton correspondant de la barre d'outils, ou en choisissant, selon le cas, Mode Formulaire ou Création dans le menu Affichage.

Ajouter des contrôles à votre menu général

Pour l'instant, notre menu général est vide. Nous devons donc lui ajouter quelques *contrôles* afin que l'utilisateur puisse y mener des actions. Comme c'est le cas dans tous les formulaires, vous créez des contrôles en utilisant la boîte à outils en mode création de formulaire. Vous pouvez créer tous les types de contrôles que vous souhaitez, bien qu'il s'agira, le plus souvent, de boutons de commande.

Nous vous avons appris, dans les chapitres précédents, que les Assistants Contrôle facilitent considérablement la création de contrôles. Toutefois, en matière de formulaires menus généraux, vous considérerez les points suivants avant de décider de faire ou non appel à eux :

- Si le contrôle doit exécuter une seule action comme ouvrir un formulaire qui existe déjà, vous pouvez utiliser l'Assistant Contrôle. (Peut-être préférerez-vous utiliser un lien hypertexte pour ouvrir un formulaire ou un état pour les raisons de rentabilité décrites au Chapitre 16.)
- Si le contrôle doit ouvrir un formulaire (ou un état) que vous n'avez pas encore élaboré, vous pouvez créer le contrôle sans utiliser l'Assistant Contrôle. Par la suite, lorsque vous aurez conçu le formulaire ou l'état sur lequel ce contrôle doit agir, vous reviendrez à votre formulaire menu général et assignerez une action au contrôle.
- Si le contrôle doit s'acquitter de deux ou de plusieurs actions, vous devrez créer une macro (ou du code Visual Basic) pour définir son action. Vous pouvez créer le contrôle sans l'aide de l'Assistant Contrôle. Créez ensuite la macro et assignez-la au contrôle du formulaire.

Le plus souvent, vous aurez envie que votre contrôle réalise deux actions : ouvrir un formulaire ou un état quelconque et fermer le formulaire Menu Général. Partons donc de cette hypothèse.

Pour créer rapidement un bouton de commande et lui assigner une macro, commencez par créer la macro. Ensuite, faites tout simplement glisser le nom de la macro et déposez-le sur le formulaire (en mode création). Vous obtenez ainsi un bouton de commande dont la propriété "Sur clic" lance la macro que vous avez déposée !

Supposons que vous souhaitiez créer un bouton de commande qui ouvrirait le formulaire Adresses1 et fermerait le formulaire menu général principal que nous avons baptisé “Mon menu général”. Partons du principe que le formulaire Adresses1 existe déjà dans votre base de données. Voici comment procéder :

1. Ouvrez le menu général en mode création.
2. Si la boîte à outils n’est pas affichée, affichez-la (activez le bouton Boîte à outils de la barres d’outils Création de formulaire, ou choisissez Affichage/Boîte à outils).
3. Dans cet exemple, nous ne tenons pas à utiliser l’Assistant Contrôle. Assurez-vous donc que ce bouton n’est *pas* enfoncé ; si c’est le cas, relâchez-le.

4. Activez ensuite l’outil Bouton de commande de la boîte à outils, puis cliquez à l’endroit du menu général où vous voulez que ce bouton apparaisse. Dans la Figure 21.7, vous voyez que nous avons créé un bouton intitulé Commande0.

Bien que cette manipulation ne s’impose pas, nous allons fermer ce menu général afin qu’il ne soit plus dans nos pieds. Choisissons donc Fichier/Fermer/Oui.

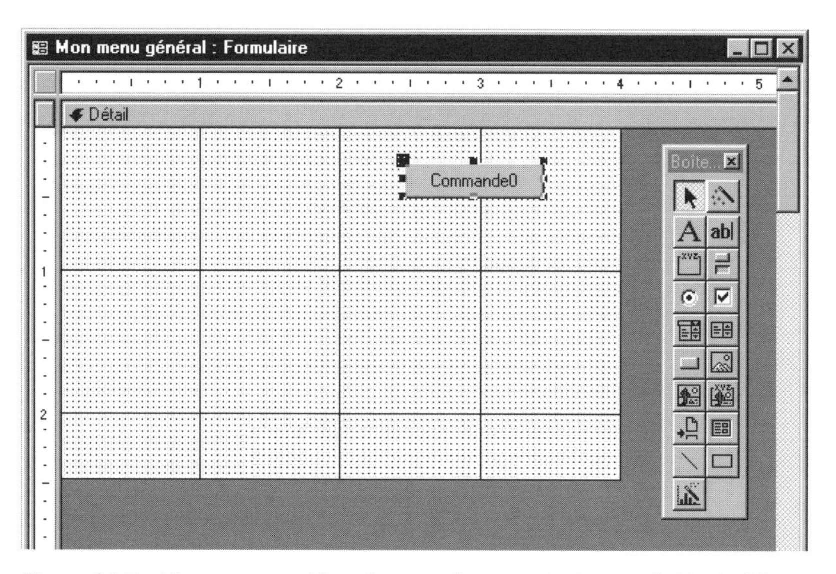

Figure 21.7 : Nous avons créé un bouton de commande sans l'aide de l'Assistant Contrôle. Ce bouton porte le nom générique Commande0.

Créer une macro pour le nouveau contrôle

Nous devons à présent créer une macro qui ouvrira le formulaire Adresses1 et fermera le menu général principal. La marche à suivre :

1. Dans la fenêtre Base de données, activez l'onglet Macros.
2. Cliquez sur Nouveau. Une nouvelle feuille macro vide s'affiche. Sans doute préférez-vous placer toutes les macros relatives à ce menu général principal sur la même feuille.
3. Ouvrez donc la colonne Nom de macro (activez le bouton Noms de macro de la barre d'outils Macro, ou choisissez Affichage/Noms de macro).
4. Dans la colonne Nom de macro, tapez le nom de cette première macro, comme OuvrirAdresses1.
5. Dans la colonne Action située immédiatement à droite, choisissez l'action OuvrirFormulaire.
6. Dans les arguments de l'action, spécifiez le nom du formulaire que vous voulez ouvrir (Adresses1 dans notre exemple). La Figure 21.8 vous montre comment se présente la macro à ce stade.

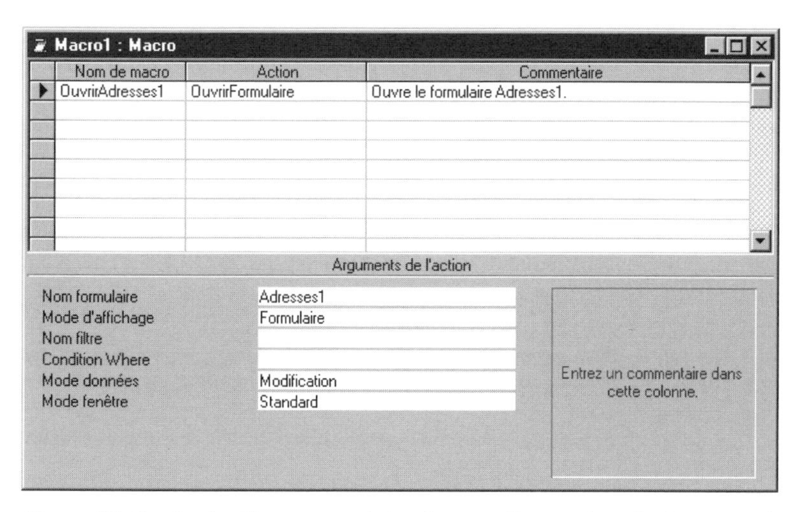

Figure 21.8 : La feuille macro abrite la première action de la macro baptisée OuvrirAdresses1.

7. Prévoyez à présent une seconde action qui fermera le formulaire menu général principal. Pour ce faire, choisissez l'action Fermer dans la case suivante de la colonne Action et spécifiez les arguments de cette action comme le montre la Figure 21.9.

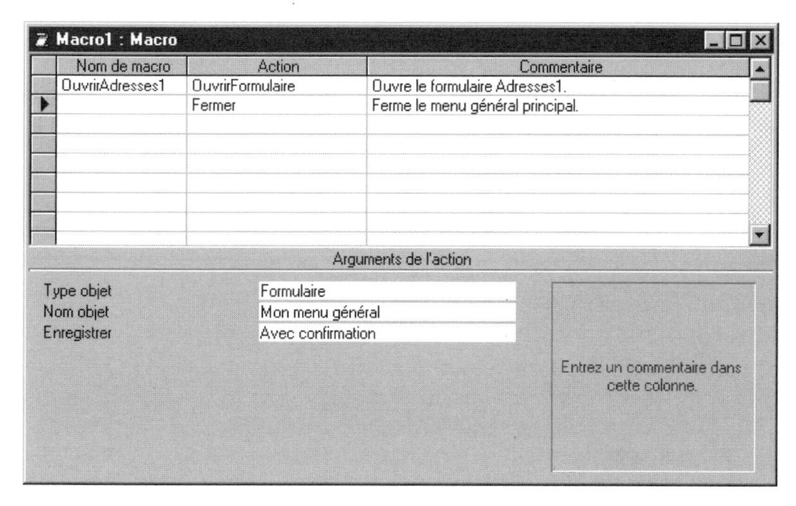

Figure 21.9 : La seconde action de la macro OuvrirAdresses1 ferme le menu général principal.

8. Fermez à présent la feuille macro et attribuez-lui un nom. Choisissez donc Fichier/Fermer/Oui et baptisez votre feuille MacrosMenuGénéral, puis cliquez sur OK.

Il ne vous reste plus qu'à assigner la nouvelle macro à la propriété Sur clic du bouton que vous avez placé sur le menu général. Vous en profiterez pour changer sa légende.

1. Dans la fenêtre Base de données, activez l'onglet Formulaires.
2. Sélectionnez votre menu général, puis cliquez sur Modifier.
3. Cliquez sur le bouton auquel vous souhaitez assigner la macro (celui intitulé Commande0 dans notre exemple).
4. Ouvrez la feuille des propriétés et activez-y l'onglet Événement.
5. Dans la case de la propriété Sur clic, sélectionnez le nom de la macro que vous voulez lui assigner. Dans notre cas, il s'agit de la macro OuvrirAdresses1 (Figure 21.10).

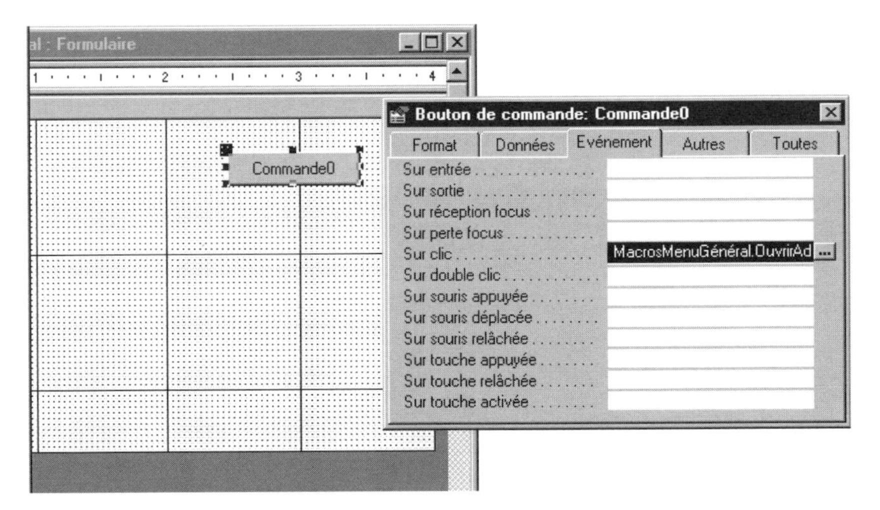

Figure 21.10 : Nous attribuons ici une macro de la feuille MacrosMenuGénéral. Il s'agit en fait de la macro OuvrirAdresses1 que nous assignons à la propriété Sur clic de notre formulaire Mon menu général.

6. Tapez ensuite une légende comme &Adresses1 (qui fera apparaître Adresses1 sur le bouton), comme le montre l'exemple de la page suivante.

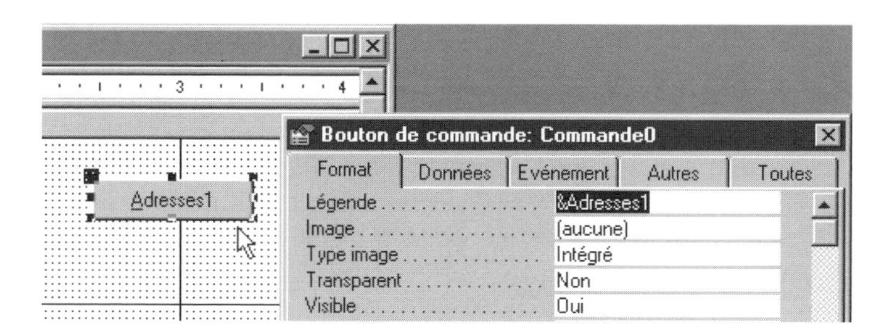

7. Fermez à présent votre formulaire et enregistrez-le.

Pour tester votre nouveau contrôle, ouvrez ce formulaire en mode formulaire, puis cliquez sur le bouton Adresses1. Si tout se passe bien, la macro ouvre le formulaire Adresses1 et ferme le formulaire menu général, comme le montre la Figure 21.11.

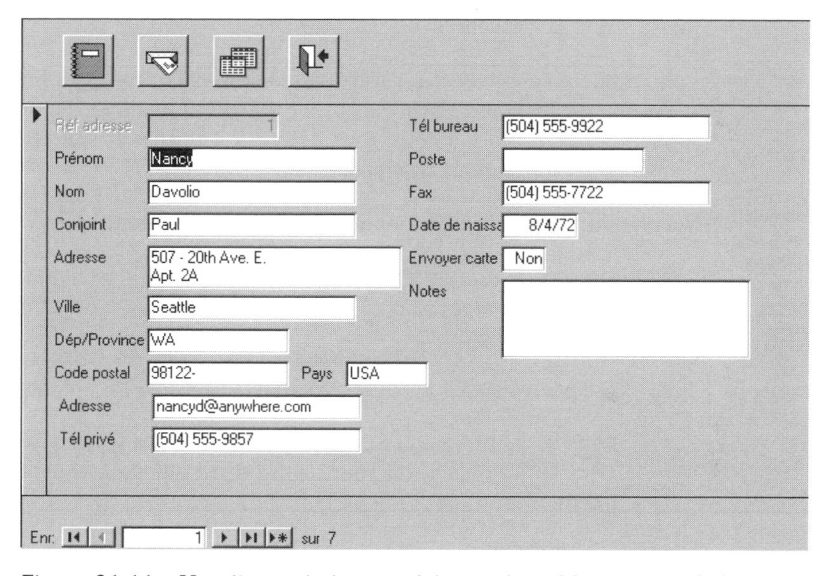

Figure 21.11 : Un clic sur le bouton Adresses1 de Mon menu général ferme le menu général et ouvre ce formulaire.

Repasser de Adresses1 au menu général

Dans la situation que nous avons créée, un clic sur le bouton Adresses1 du formulaire Mon menu général expédie l'utilisateur vers le formulaire nommé Adresses1. Celui-ci s'attend logiquement à revenir au formulaire Mon menu général lorsqu'il ferme Adresses1.

Nous pourrions prévoir un bouton sur le formulaire Adresses1 qui fermerait ce formulaire et ouvrirait de nouveau Mon menu général. Mais cette façon d'agir pose un problème.

Ainsi, supposons que l'utilisateur ferme Adresses1 en cliquant dans la case de fermeture de la fenêtre ou en choisissant Fichier/Fermer. Aucune de ces deux actions ne déclenchera l'ouverture de Mon menu général. Agissez plutôt de la manière suivante :

- Créez un bouton Fermer qui, lorsqu'il est activé, ferme le formulaire Adresses1.
- Ouvrez ensuite la feuille des propriétés du formulaire Adresses1 et créez une action qui ouvre le formulaire Mon menu général. Si vous assignez cette action à la propriété Sur fermeture du formulaire Adresses1, l'utilisateur pourra fermer le formulaire comme bon lui semblera : il reviendra de toute façon à Mon menu général.

Nous allons commencer par placer un bouton Fermer sur le formulaire Adresses1. Puisque ce bouton ne doit s'acquitter que d'une seule tâche, nous pouvons faire appel à l'Assistant Contrôle pour définir le contrôle et son action en une seule opération. Voici comment procéder :

1. Ouvrez le formulaire Adresses1 en mode création.
2. Si la boîte à outils n'est pas affichée, affichez-la (activez le bouton Boîte à outils de la barres d'outils Création de formulaire ou choisissez Affichage/Boîte à outils).
3. Assurez-vous que le bouton Assistants Contrôle est enfoncé.
4. Activez l'outil Bouton de commande de la boîte à outils, puis cliquez à l'endroit du formulaire où vous voulez que ce bouton apparaisse (dans l'angle inférieur droit, par exemple).
5. Lorsque l'Assistant Bouton de commande se met en route, choisissez Opérations sur formulaire dans la liste Catégories et Fermer un formulaire dans la liste Actions (Figure 21.12).
6. Cliquez sur Suivant pour passer à la deuxième boîte de dialogue de l'Assistant, dans laquelle il vous permet de choisir l'aspect du bouton. Dans cet exemple, nous avons spécifié un texte, &Fermer (Figure 21.13). (Comme d'habitude, le symbole & permet de souligner la lettre grâce à laquelle vous pourrez, depuis le clavier, invoquer la commande.)

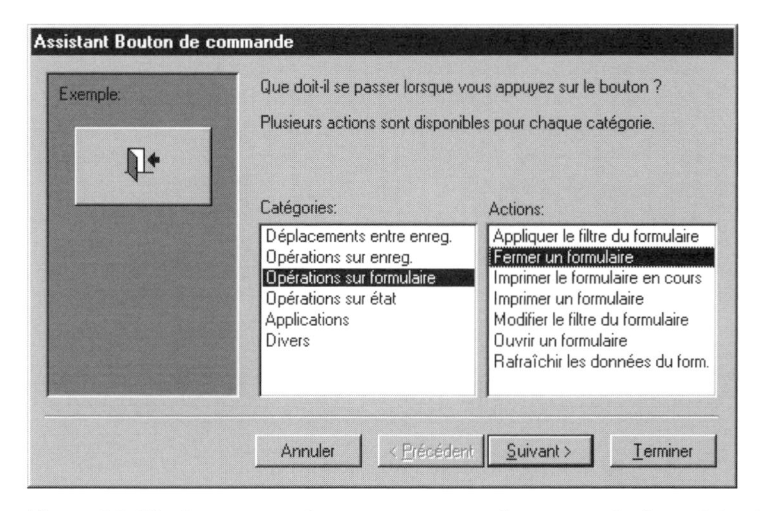

Figure 21.12 : Le nouveau bouton que nous plaçons sur le formulaire Adresses1 fermera ce formulaire.

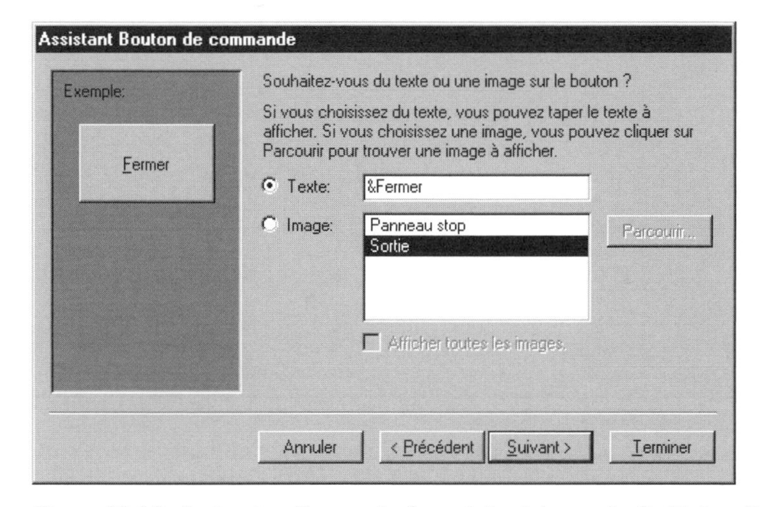

Figure 21.13 : Le bouton Fermer du formulaire Adresses1 s'intitulera Fermer.

Un clic sur Suivant, et nous voilà parvenus à la fenêtre qui réclame un nom pour le bouton. Ce nom est celui utilisé par Access ; il ne s'agit pas de la légende qui s'affiche dans le bouton. Attribuez un nom quelconque ; dans notre exemple, nous avons choisi de l'intituler FermerFormulaireAdresses1. Nous avons ensuite mis fin à la procédure en cliquant sur Terminer.

L'Assistant s'acquitte de sa tâche, puis nous propose notre formulaire et son nouveau bouton. Nous pouvons mettre en oeuvre les techniques classiques pour déplacer ce bouton et le redimensionner. Dans l'illustration ci-dessous, vous voyez que nous avons choisi de le positionner dans l'angle inférieur droit du formulaire :

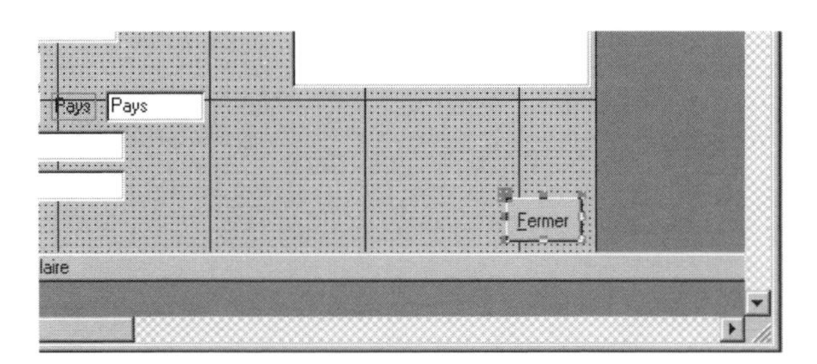

Nous devons encore faire en sorte que la fermeture de Adresses1 ouvre automatiquement Mon menu général. Gardez à l'esprit le fait que l'utilisateur ne cliquera pas forcément sur le bouton Fermer, mais utilisera sans doute d'autres techniques de fermeture. Notre tâche consiste donc à faire en sorte que le formulaire Mon menu général soit réactivé, quelle que soit la manière dont l'utilisateur fermera le formulaire Adresses1.

Nous pourrions parvenir à nos fins en créant une macro qui ouvrirait Mon menu général. Mais tentons ici une autre approche qui nous permet une incursion dans le monde Visual Basic. Comment rédiger une procédure Visual Basic susceptible d'ouvrir un formulaire ? Posons la question à la fonction d'aide :

1. Choisissez ? (Aide)/Sommaire et index.
2. Activez l'onglet Index, puis tapez **openform** dans la case d'édition.
3. Dans la liste qui s'affiche dans la partie inférieure, cliquez deux fois sur OpenForm, méthode.

Une *action* se réfère généralement à des macros, tandis qu'une *méthode* se réfère généralement à du code Visual Basic. Nous avons sélectionné OpenForm, méthode dans l'étape n° 3 ci-dessus parce que nous souhaitons emprunter ici la voie Visual Basic.

La fenêtre qui s'affiche après le double clic déborde d'informations ; pour l'instant, c'est la syntaxe de la méthode qui nous intéresse. La voici :

```
DoCmd.OpenForm nomduformulaire
```

suivie d'une série d'arguments facultatifs présentés entre crochets. Si nous cliquons sur Exemple dans la partie supérieure de la fenêtre, nous voyons que le nom du formulaire à ouvrir doit être présenté entre guillemets. Pour nous simplifier la vie, nous pouvons copier l'exemple de cette fenêtre d'aide dans notre feuille des propriétés. Pour ce faire, mettez en surbrillance l'élément à copier (Figure 21.14), puis enfoncez les touches Ctrl + C afin de transférer une copie de la sélection dans le Presse-papiers de Windows.

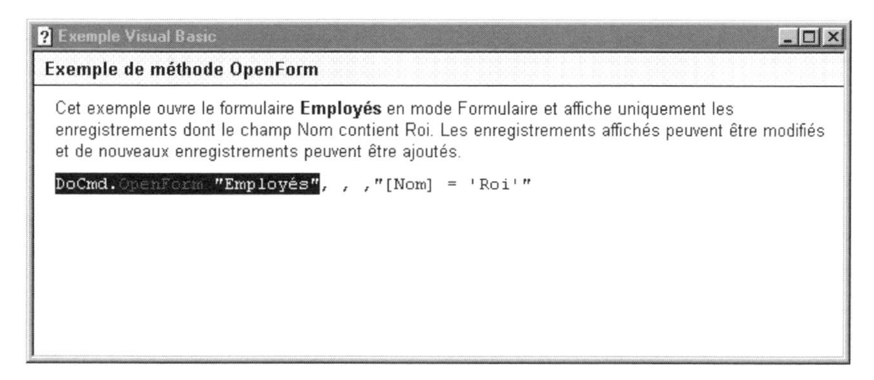

Figure 21.14 : Un exemple d'utilisation de Visual Basic pour ouvrir un formulaire. Nous avons sélectionné les éléments que nous voulons copier sur notre formulaire.

Fermons à présent le fichier d'aide et retournons à notre formulaire Adresses1, en mode création. Voici comment nous allons nous y prendre pour faire en sorte que ce formulaire ouvre automatiquement le menu général :

1. Ayant sous les yeux le formulaire Adresses1 en mode création, choisissez Édition/Sélectionner le formulaire parce que vous désirez agir sur les propriétés du formulaire proprement dit (et non sur celles d'un de ses contrôles).

2. Ouvrez la feuille des propriétés et activez l'onglet Événement.

3. Cliquez dans la case de la propriété Sur fermeture : un bouton Générer (...) fait automatiquement son apparition. Cliquez sur ce bouton ; il vous propose les options représentées à la page suivante.

Nous tenons à vous rappeler que vous pouvez utiliser soit Visual Basic, soit des macros pour définir des actions. Ici, nous faisons appel à Visual Basic parce que cet exemple s'y prête. Pour en savoir davantage, consultez le Chapitre 25.

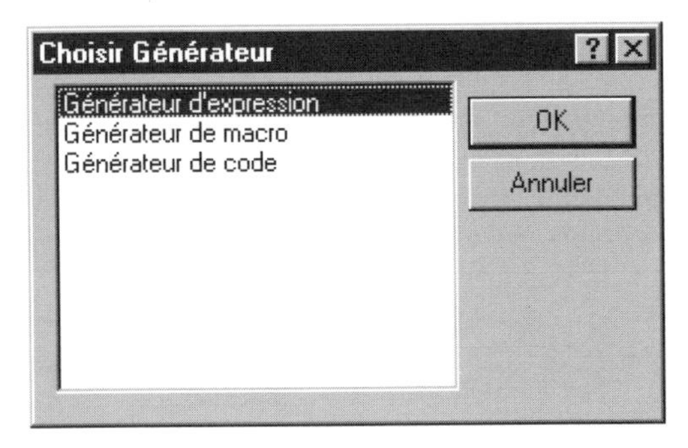

4. Nous allons nous essayer au code Visual Basic. Cliquez donc sur Générateur de code, puis sur OK. La fenêtre que vous avez sous les yeux comporte déjà deux lignes de code Visual Basic, Private Sub Form_Close et End Sub. Tout code ajouté doit être inséré entre ces deux lignes.

5. Pour ajouter la ligne de code que vous avez copiée dans le fichier d'aide, cliquez entre les deux lignes existantes, puis enfoncez les touches Ctrl + V. Le texte collé se présente *a priori* comme suit :

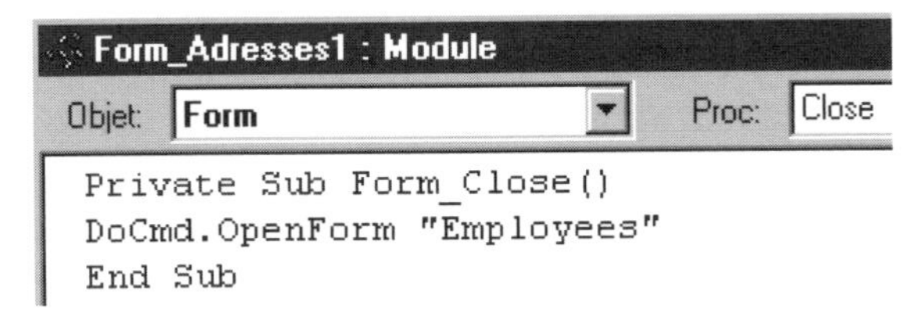

6. Comme nous désirons que notre code ouvre Mon menu général et pas le formulaire “Employees” (Employés), nous devons modifier le nom du formulaire qui apparaît dans le code (voyez ci-dessous). (Vous pouvez invoquer la touche Origine pour déplacer le curseur en début de ligne, puis la touche Tabulation pour décaler la ligne vers la droite. L'indentation se pratique couramment pour les lignes de code situées entre la ligne Private Sub et la ligne End Sub.)

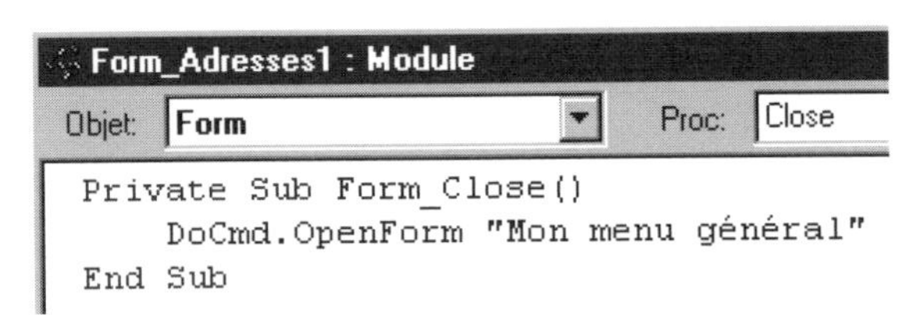

7. Pour voir si nous n'avons commis aucune erreur grossière de syntaxe, nous pouvons rapidement *compiler* le code. Pour ce faire, cliquez sur le bouton Compiler les modules chargés dans la barre d'outils Visual Basic. Si vous n'avez pas commis d'erreur, aucun message ne s'affiche.

8. Fermez à présent la fenêtre Module (celle qui abrite le code Visual Basic) en cliquant dans sa case de fermeture située dans l'angle supérieur droit de la fenêtre, ou en choisissant Fichier/Fermer.

   La feuille des propriétés affiche [Procédure événementielle] en regard de Sur fermeture, indiquant ainsi que nous avons assigné une procédure Visual Basic à cet événement.

9. Fermez et enregistrez le formulaire "Adresses1".

Pour tester l'effet de nos changements, nous pouvons ouvrir Mon menu général en mode formulaire. Lorsque nous cliquons sur le bouton Adresses1, le formulaire Adresses1 s'ouvre et Mon menu général disparaît. Lorsque nous fermons le formulaire Adresses1, ce formulaire disparaît et cède sa place à Mon menu général.

Compléter le menu général

Nous pouvons compléter notre menu général en y plaçant tous les contrôles que nous jugeons utiles. Nous pouvons également utiliser les outils Intitulé et Rectangle de la boîte à outils pour ajouter des intitulés et des encadrements. Les boutons Couleur d'arrière-plan/remplissage, Couleur de bordure/trait, Épaisseur de bordure/trait et Effet spécial de la barre d'outils Mise en forme (Formulaire/État) nous permettent d'ajouter la touche finale à notre menu.

Si vous encadrez un groupe de boutons et que le rectangle cache ces boutons, ne vous inquiétez pas : il suffit de sélectionner le rectangle (en cliquant dessus), puis de choisir Format/Arrière-plan.

Ainsi, dans Mon menu général, nous avons attribué une couleur de fond crème, prévu un cadre dans lequel nous placerons ultérieurement le logo de notre société, ajouté deux autres contrôles et placé les trois contrôles du menu sur un fond vert (Figure 21.15). Vous pouvez, bien entendu, aller beaucoup plus loin et concevoir des menus généraux hyperprofessionnels.

Le Chapitre 28 vous fait découvrir des applications Access personnalisées afin que vous puissiez apprendre "par l'exemple" comment toutes les pièces du puzzle se combinent pour constituer, en définitive, une application Access complète.

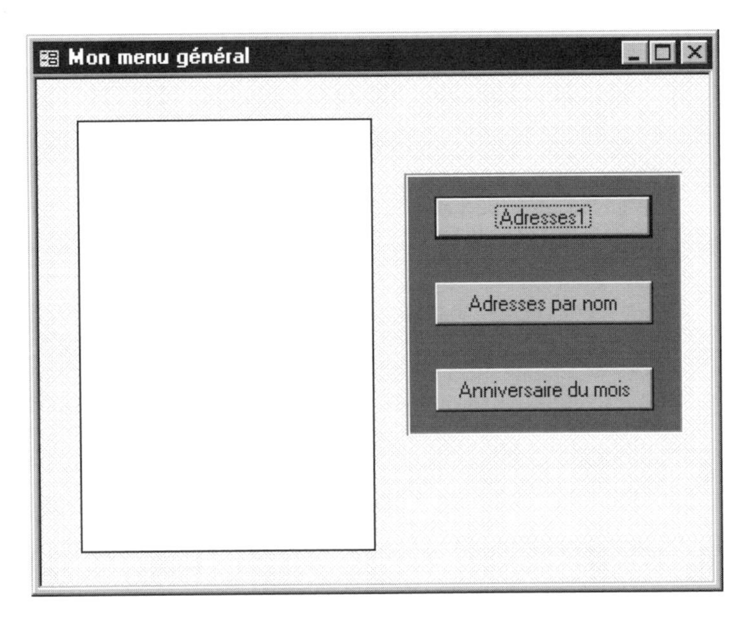

Figure 21.15 : Notre menu général en cours d'élaboration, présenté ici en mode formulaire.

Afficher un menu général au démarrage

Si vous créez un menu général personnalisé pour votre application et désirez que ce menu soit proposé automatiquement à l'utilisateur lorsqu'il ouvre la base, fixez l'option de démarrage Afficher le formulaire sur le nom de votre menu général. Voici exactement ce qu'il convient de faire :

1. Fermez tous les formulaires ouverts et regagnez la fenêtre Base de données.
2. Choisissez Outils/Démarrage.
3. Dans la liste déroulante Afficher le formulaire, sélectionnez votre menu général (Figure 21.16).
4. Cliquez sur OK.

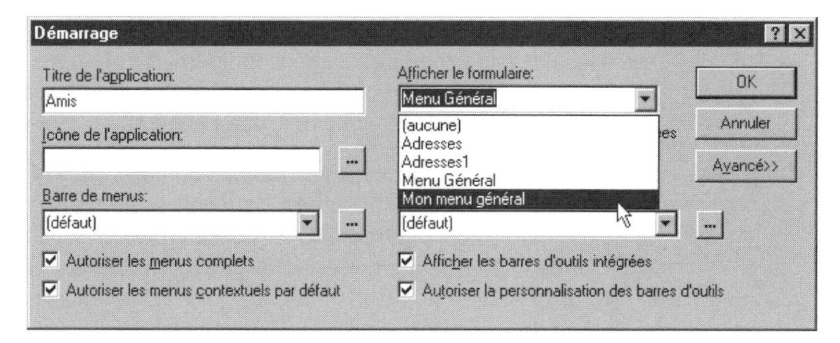

Figure 21.16 : Nous avons décidé d'afficher au démarrage de la base le formulaire intitulé Mon menu général.

Pour l'instant, vous pouvez laisser intacts les autres paramètres de cette boîte de dialogue. (Nous y reviendrons au Chapitre 28.) La prochaine fois que vous ouvrirez votre base de données, votre formulaire menu général personnalisé s'affichera automatiquement.

Avec l'Assistant ou sans l'Assistant, telle est la question

Si vous avez lu ce chapitre depuis le début, vous êtes sans doute perplexe, car vous savez qu'il est difficile de comparer les menus généraux que vous créez avec l'Assistant avec ceux que vous élaborez de toutes pièces. Mettons une dernière fois les choses au point afin que vous sachiez résolument à quoi vous en tenir.

Les menus généraux créés par l'Assistant

Lorsque vous faites appel à l'Assistant Création d'applications pour créer une base de données, n'ignorez pas les considérations suivantes relatives aux menus généraux :

- Pour changer des éléments d'un menu général créé par l'Assistant, ouvrez le menu général en *mode formulaire* et faites appel à l'option Modifier un élément du Menu Général.
- Vous pouvez apporter des modifications de structure à un menu général créé par l'Assistant en ouvrant ce menu en mode création. Sachez toutefois que les changements que vous réaliserez affecteront tous les menus généraux de votre application.

- La raison en est que l'Assistant Création d'applications ne crée en réalité qu'un seul menu général par base de données. Il se borne à en modifier automatiquement le contenu lorsque vous choisissez un élément qui vous transporte (apparemment) vers un autre menu général.
- Vous pouvez faire en sorte qu'une base de données créée avec l'aide de l'Assistant s'ouvre sur un menu général personnalisé, créé par vos soins. Créez donc ce menu, puis choisissez Outils/Démarrage et sélectionnez le formulaire souhaité dans le menu déroulant de l'option Afficher le formulaire.

Les menus généraux personnels

Lorsque vous ne recourez pas à l'Assistant Création d'applications pour constituer votre base de données, gardez les points suivants à l'esprit :

- Votre base ne comporte *a priori* aucun menu général.
- Vous en créez un en créant d'abord un formulaire qui n'est lié à aucune table ni à aucune requête.
- Pour faire en sorte que ce formulaire menu général se distingue des formulaires classiques destinés à la saisie de données, supprimez ses sélecteurs d'enregistrement, ses boutons de navigation, ses barres de défilement, son mode feuille de données, etc., en sélectionnant l'intégralité du formulaire en mode création de formulaire et en fixant comme il se doit les propriétés de sa feuille.
- Vous devez ajouter vos propres contrôles (par exemple, des boutons de commande) en recourant à la boîte à outils, en mode création toujours.
- Si vous souhaitez que votre formulaire menu général s'affiche automatiquement au démarrage de la base, choisissez Outils/Démarrage et sélectionnez le formulaire souhaité dans le menu déroulant de l'option Afficher le formulaire.

Et maintenant, que faisons-nous ?

Nous allons à présent vous apprendre à créer des boîtes de dialogue en partant de zéro. Vous réaliserez vite que la technique de base est la même que celle qui régit la création de menus généraux personnalisés : vous créez un formulaire indépendant de toute table ou requête, puis vous y placez les contrôles et les actions souhaités en recourant à la boîte à outils depuis le mode création de formulaire.

Rien ne vous empêche d'explorer d'autres aspects de la création d'applications personnalisées.

- Voyez le Chapitre 28 si vous désirez découvrir des menus généraux personnalisés.
- Si ce sont plutôt les barres d'outils et les menus qui vous intéressent, penchez-vous sur les Chapitres 23 et 24.
- Enfin, pour découvrir le langage Visual Basic, consultez le Chapitre 25.

Quoi de neuf ?

Access 95 vous avait offert la possibilité de créer des formulaires menu général. Access 97 vous autorise, quant à lui, à utiliser des liens hypertextes sur ces types de formulaires afin de vous permettre de gagner immédiatement un formulaire ou un état. La technique qui fait appel aux liens hypertextes est moins complexe et plus performante que celle qui met en oeuvre des boutons de commande assortis à des macros.

Chapitre 22

Créer des boîtes de dialogue personnelles

En tant qu'utilisateur de Windows, vous êtes sans doute régulièrement bombardé de boîtes de dialogue. Une boîte de dialogue est une fenêtre qui s'affiche soudainement à l'écran et qui fournit ou requiert des informations. Vous vous exprimez dans cette boîte, puis validez vos choix en cliquant sur OK. Dans certains cas, vous préférez le bouton Annuler qui ferme gentiment la boîte sans prendre vos sélections en considération.

Vous pouvez, dans vos applications Access, créer vos propres boîtes de dialogue. La procédure s'apparente à la création de menus généraux : vous partez d'un formulaire vierge, non lié. Vous y ajoutez des contrôles et y prévoyez des macros ou du code Visual Basic afin de spécifier ce qui doit se produire lorsque l'utilisateur sélectionne un contrôle. Vous pouvez aussi ajouter une touche finale, comme des boutons OK ou Annuler, ou encore une bordure particulière. Dans ce chapitre, nous traitons en détail de la création de ces entités.

Notre but

Avant d'entamer notre étude de la personnalisation des boîtes de dialogue, définissons notre objectif. Supposons que nous disposions d'une base de données qui ne comporterait qu'une seule table recensant des noms et des adresses, et d'un seul formulaire qui servirait à la saisie et à l'édition des données de cette table (Figure 22.1).

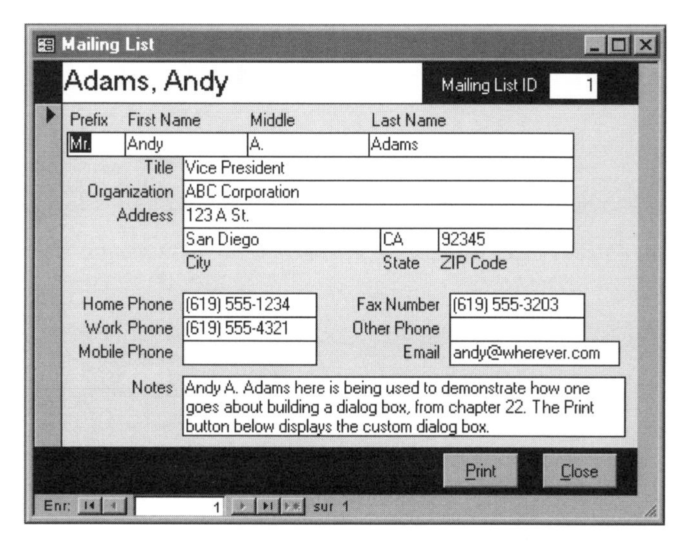

Figure 22.1 : Un formulaire élémentaire dans une base de données qui l'est tout autant.

Signalons encore que nous avons créé quatre états pour cette base. Leurs noms sont affichés dans la fenêtre Base de données représentée à la Figure 22.2.

Disons enfin que notre but est de faire en sorte que l'utilisateur de notre base ne puisse afficher la fenêtre Base de données. Pour imprimer un état, nous voulons qu'il se contente de cliquer sur le bouton Imprimer placé dans la partie inférieure du formulaire. Lorsqu'il cliquera sur ce bouton, une boîte de dialogue apparaîtra, lui permettant de sélectionner le ou les états qu'il souhaite imprimer. La Figure 22.3 montre à quoi nous voulons que cette boîte de dialogue ressemble.

Figure 22.2 : Liste des états définis dans cette base de données rudimentaire.

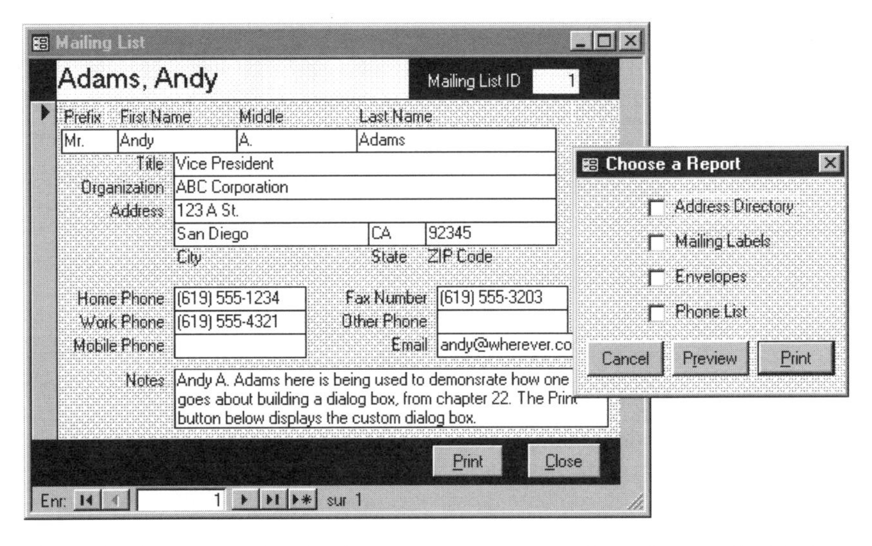

Figure 22.3 : Cette boîte de dialogue personnelle s'affiche lorsque l'utilisateur clique sur le bouton Imprimer placé dans la partie inférieure du formulaire.

Les sections suivantes de ce chapitre vous expliquent comment parvenir à un tel résultat. Rappelez-vous que nous partons de la base de données exemple intitulée Chap22 stockée sur le CD-ROM, qui comporte d'ores et déjà une table, un formulaire et quatre états. Nous n'avons donc plus qu'à créer la boîte de dialogue.

Étape n° 1 : Créer la boîte de dialogue

Créer une boîte de dialogue vide revient quasiment à créer un menu général vide :

1. Dans la fenêtre Base de données, activez l'onglet Formulaires, puis cliquez sur Nouveau.
2. Sélectionnez Mode Création et laissez vide la case Choisissez la table ou requête d'où proviennent les données de l'objet.
3. Cliquez sur OK.
4. Ouvrez la feuille des propriétés (activez le bouton Propriétés d'une barre d'outils quelconque, ou choisissez Affichage/Propriétés) et activez l'onglet Format.
5. Fixez les premières propriétés sur les valeurs représentées dans la Figure 22.4.

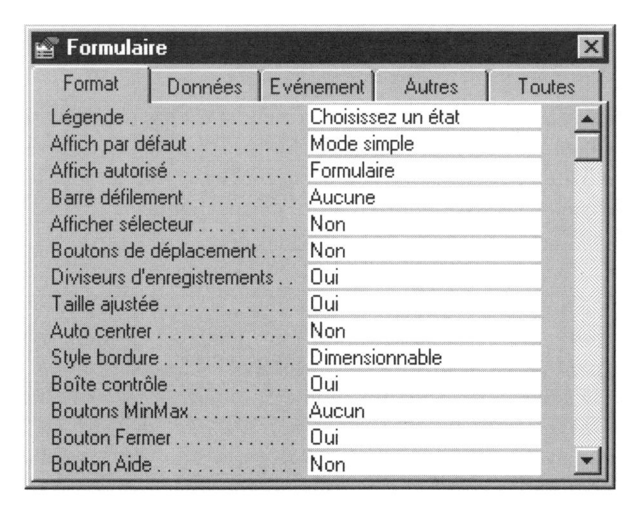

Figure 22.4 : Un formulaire non lié et sa feuille des propriétés qui le fera ressembler à une boîte de dialogue.

Rappelez-vous que la propriété Légende définit le titre de la boîte de dialogue. Entrez donc un intitulé explicite.

Ajouter les contrôles case à cocher

Nous disposons à présent d'un formulaire vierge dans lequel nous allons pouvoir nous exprimer.

Ajoutons-y donc les contrôles parmi lesquels l'utilisateur pourra faire son choix. Nous pouvons utiliser tous les types de contrôles. Dans notre exemple, nous avons opté pour des cases à cocher et des boutons de commande. Pour ajouter une case à cocher :

1. Si la boîte à outils n'est pas affichée, affichez-la (activez le bouton Boîte à outils de la barre d'outils Création de formulaire, ou choisissez Affichage/ Boîte à outils).
2. Activez l'outil Case à cocher, puis cliquez dans le formulaire à l'endroit où vous voulez que cette case apparaisse.
3. Access crée la case à cocher et lui affecte un nom et une légende génériques (vraisemblablement Cocher0). Remplacez cette légende par un texte plus parlant, comme *Address Directory* (Liste des adresses). (Cliquez simplement dans la légende et tapez le nouveau texte.)
4. Ouvrez la feuille des propriétés si elle n'est pas déjà ouverte, et cliquez avec le bouton droit de votre souris sur la case à cocher (afin de la sélectionner). Activez l'onglet Toutes et attribuez à cette case un nom plus évocateur (par exemple, *DirectoryChosen* (Adresse sélectionnée)) ; fixez éventuellement sur Non sa valeur par défaut.

Lorsque vous assignez un nom à un contrôle, prenez garde de ne pas assigner le nom à l'intitulé de ce contrôle. Cliquez toujours sur le contrôle avec le bouton droit de votre souris avant de taper le nom du contrôle dans la feuille des propriétés. La barre de titre de la feuille des propriétés indique systématiquement le type et le nom du contrôle actuellement sélectionné.

La Figure 22.5 vous montre où nous en sommes à ce stade. La case à cocher est placée sur le formulaire et le nom du contrôle affiché dans la feuille des propriétés est AdresseSélectionnée. L'intitulé (la légende) de ce contrôle (sur le formulaire proprement dit) est Liste des adresses.

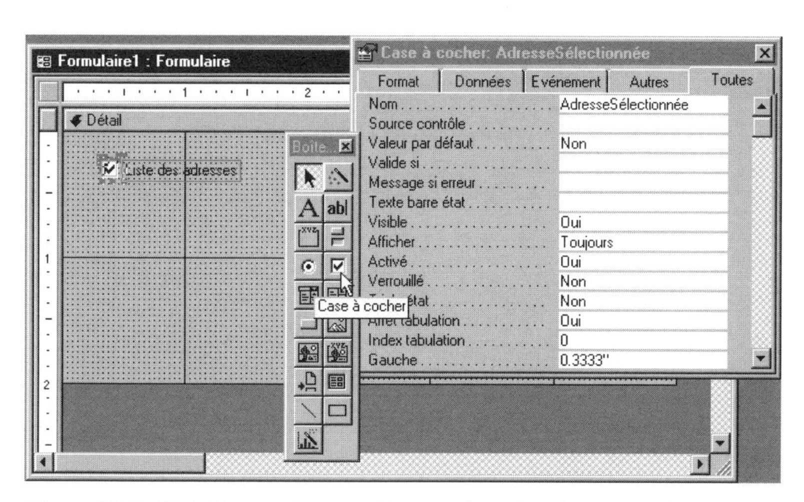

Figure 22.5 : Voici le premier contrôle case à cocher de notre boîte de dialogue. Sa légende est Address Directory (Liste des adresses) ; son nom est DirectoryChosen (AdresseSélectionnée).

À présent, nous nous proposons de réaliser la même démarche pour ajouter trois autres cases à cocher, correspondant aux trois états restants (Figure 22.6). Le Tableau 22.1 dresse la liste des légendes et des noms assignés à chaque case. (Vous ne pouvez voir les noms de ces cases parce que la feuille des propriétés n'affiche qu'un contrôle à la fois.)

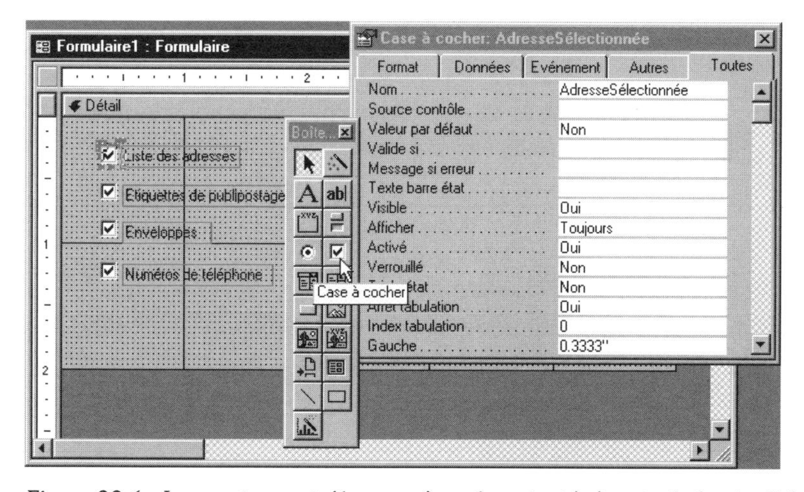

Figure 22.6 : Les quatre contrôles case à cocher ajoutés à notre boîte de dialogue.

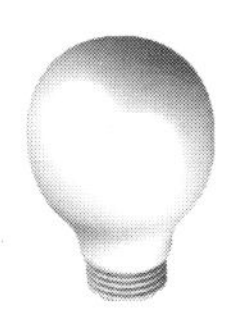

Il n'est pas toujours facile d'aligner et d'espacer de manière régulière les cases à cocher. Sélectionnez-les toutes via la commande Édition/Sélectionner tout, puis choisissez Format/Aligner sur la grille et Format/Espacement vertical. Vous pouvez ensuite faire appel à la commande Format/Aligner et à ses différentes options pour obtenir un réglage plus fin.

Légende	Nom
Address Directory (Liste des adresses)	DirectoryChosen (AdresseSélectionnée)
Mailing Labels (Etiquettes de publipostage)	LabelsChosen (EtiquetteSélectionnée)
Envelopes (Enveloppes)	EnvelopesChosen (EnveloppeSélectionnée)
Phone List (Numéros de téléphone)	PhoneListChosen (NuméroSélectionné)

Tableau 22.1 : Les intitulés (légendes) et les noms des quatre cases à cocher de la Figure 22.6.

Ajouter les boutons de commande

Une fois que les cases à cocher sont placées, nous devons ajouter les boutons de commande. Vous connaissez sans doute la procédure, mais détaillons-la malgré tout ; ainsi, pour créer un bouton de commande. (Les Assistants Contrôle ne nous seront ici d'aucune utilité car nous n'avons pas encore créé les macros qui se déclencheront lorsque l'utilisateur fera sa sélection dans la boîte de dialogue.)

1. Commençons donc par désactiver ces Assistants :

2. Activez l'outil Bouton de commande, puis cliquez à l'endroit du formulaire où vous voulez que ce bouton apparaisse. Le bouton est créé ; il porte le nom générique Commande0.

3. Assurez-vous que ce bouton est sélectionné, puis utilisez l'onglet Toutes de la feuille des propriétés pour lui attribuer un nom et une légende.

Dans la Figure 22.7, nous avons créé un bouton de commande, l'avons baptisé CancelButton (Bouton Annuler) et lui avons attribué la légende Cancel (Annuler).

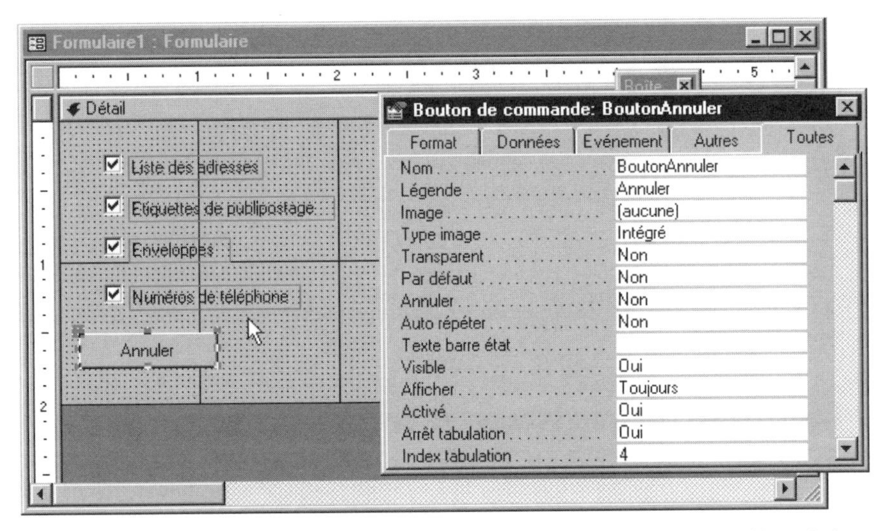

Figure 22.7 : Un bouton de commande dont la légende est Cancel (Annuler), ajouté à notre boîte de dialogue personnelle.

Nous devons ensuite reproduire la procédure pour créer deux autres boutons, P&review (A&perçu) (qui affiche le mot Preview (Aperçu)) et &Print (&Imprimer) (qui affiche le mot Print (Imprimer)). Lorsque ces boutons sont créés, faites appel au cliquer-glisser et aux articles du menu Format pour positionner, dimensionner et aligner ces éléments. La Figure 22.8 montre à quoi ressemble notre boîte de dialogue après la création et la mise en forme de ces trois boutons, ainsi qu'après un réglage général de l'alignement. Le Tableau 22.2 dresse la liste des noms et des légendes de ces trois éléments.

Nom	Légende
CancelButton (BoutonAnnuler)	Cancel (Annuler)
PreviewButton (BoutonAperçu)	P&review (A&perçu)
PrintButton (BoutonImprimer)	&Print (&Imprimer)

Tableau 22.2 : Les noms et les légendes des trois boutons de commande représentés à la Figure 22.8.

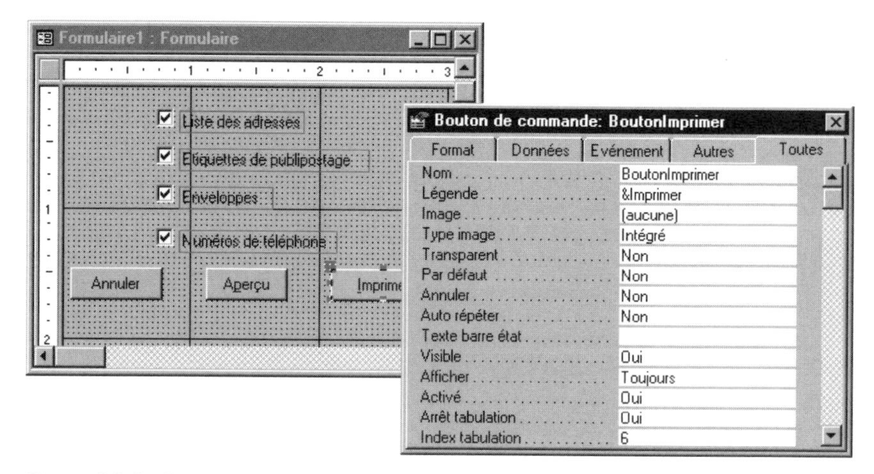

Figure 22.8 : Les trois boutons de commande ajoutés à notre boîte de dialogue.

Imprimer, enregistrer et fermer le formulaire

À présent que tous nos contrôles sont placés, nous pouvons attribuer un nom au formulaire, puis procéder à sa fermeture ; nous pouvons aussi imprimer une "documentation technique" qui nous aidera à développer nos macros. Voici comment agir :

1. Choisissez Fichier/Fermer/Oui et entrez le nom que vous voulez attribuer au formulaire, comme PrintDialogBox (BoîteDialogueImprimer). Ce nom s'affiche dans la fenêtre Base de données, avec les autres formulaires de la base (Figure 22.9)

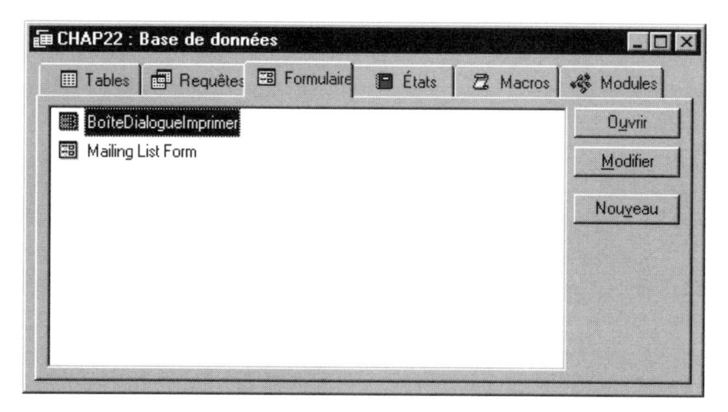

Figure 22.9 : Après avoir fermé et enregistré notre formulaire, nous constatons que son nom apparaît dans l'onglet Formulaires de la fenêtre Base de données.

2. Si vous souhaitez imprimer une documentation technique, choisissez Outils/Analyse/Documentation.

3. Activez l'onglet Formulaires, puis, dans la liste, sélectionnez le nom du formulaire que vous voulez documenter (PrintDialogBox (BoîteDialogueImprimer), dans notre exemple).

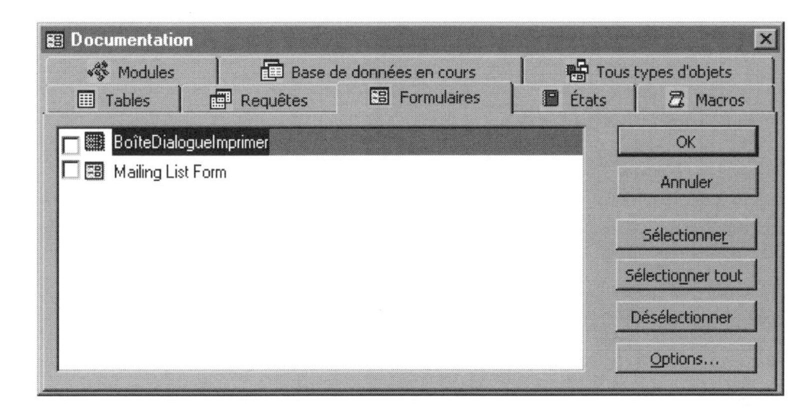

4. Dans le cas qui nous occupe, nous n'avons pas besoin d'énormément de détails. Cliquez donc sur Options et limitez l'affichage aux options sélectionnées ci-dessous.

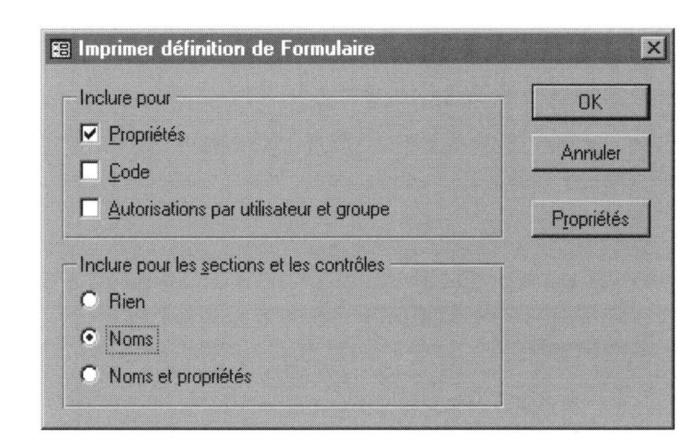

5. Cliquez sur OK à deux reprises et attendez qu'apparaisse la fenêtre Définition de l'objet.

Vous pouvez alors activer le bouton Imprimer de la barre d'outils pour imprimer la documentation. Ensuite, activez le bouton Fermer pour fermer la fenêtre Définition de l'objet. Vous regagnez ainsi la fenêtre Base de données.

Nous utiliserons cette documentation imprimée pour nous aider à nous souvenir des noms exacts des contrôles de la boîte de dialogue. Ces noms s'affichent à la fin de la documentation et ressemble à :

```
Case à cocher: AdresseSélectionnée
Bouton de commande: BoutonAnnuler
Bouton de commande: BoutonAperçu
Bouton de commande: BoutonImprimer
Case à cocher: EnveloppeSélectionnée
Case à cocher: EtiquetteSélectionnée
Case à cocher: NuméroSélectionné
Etiquette: Etiquette1
Etiquette: Etiquette2
Etiquette: Etiquette3
```

Étape n° 2 : Créer les actions macro

Il nous incombe à présent de créer des macros qui définiront ce qui se produira lorsque l'utilisateur réalisera une sélection dans notre boîte de dialogue. Partons d'une feuille macro vide :

1. Activez l'onglet Macros de la fenêtre Base de données.
2. Cliquez sur Nouveau pour obtenir une nouvelle feuille macro, entièrement vide.
3. Ouvrez les colonnes Nom de macro et Condition en utilisant les boutons correspondants de barre d'outils ou en recourant au menu Affichage. Normalement, votre feuille macro comporte à présent quatre colonnes (voyez ci-dessous).

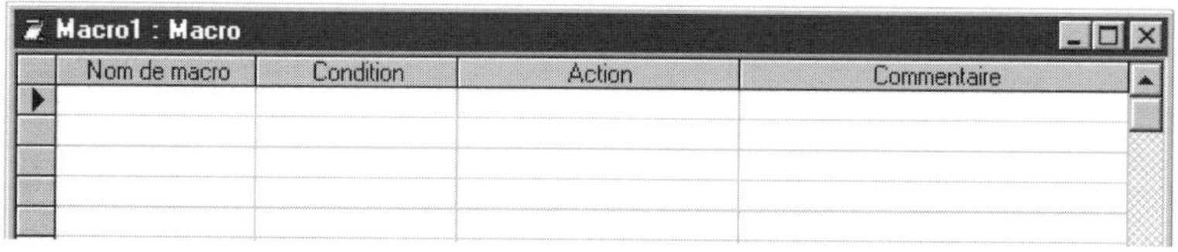

Macro1 : Macro

Nom de macro	Condition	Action	Commentaire

Nous voilà prêts à créer nos macros. Commencez par taper un commentaire dans la ou les premières lignes de la feuille, comme dans l'illustration de la page suivante.

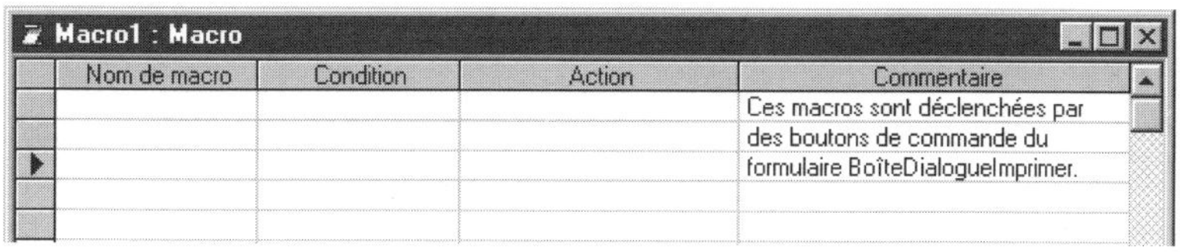

Macro1 : Macro

Nom de macro	Condition	Action	Commentaire
			Ces macros sont déclenchées par
			des boutons de commande du
			formulaire BoîteDialogueImprimer.

La macro qui annule l'impression

L'un des boutons de notre boîte de dialogue permet à l'utilisateur de cliquer sur Annuler et de fermer ainsi la fenêtre sans prendre aucune initiative. Il faut donc que la macro que nous entendons assigner à ce bouton ferme le formulaire, tout simplement. Pour créer cette macro :

1. Dans une ligne blanche sous les commentaires déjà saisis, entrez un nom, comme CancelPrint (AnnulerImprimer) dans la colonne Nom de macro.
2. N'entrez aucune condition.
3. Dans la colonne Action, sélectionnez Fermer.
4. Spécifiez les arguments de la manière suivante :

   Type objet : Formulaire

   Nom objet : PrintDialogBox (BoîteDialogueImprimer)

   Enregistrer : Oui
5. Le cas échéant, indiquez, dans la colonne Commentaire, à quoi sert cette macro.

La Figure 22.10 vous montre à quoi elle ressemble.

La macro qui prévisualise les états

La deuxième macro de notre groupe est un peu plus complexe que la première, car elle doit, en fait, traduire l'expression suivante : "Si la case à cocher DirectoryChosen (AdresseSélectionnée) est cochée, alors proposez l'état Address Directory (Liste des adresses) en mode aperçu", puis "Si la case à cocher LabelsChosen (Etiquette-Sélectionnée) est cochée, alors proposez l'état Avery 2163 mini-sheet labels (Etiquettes mini Avery 2163) en mode aperçu", etc. Avant de nous lancer dans l'aventure, quelques précisions s'imposent à propos des cases à cocher.

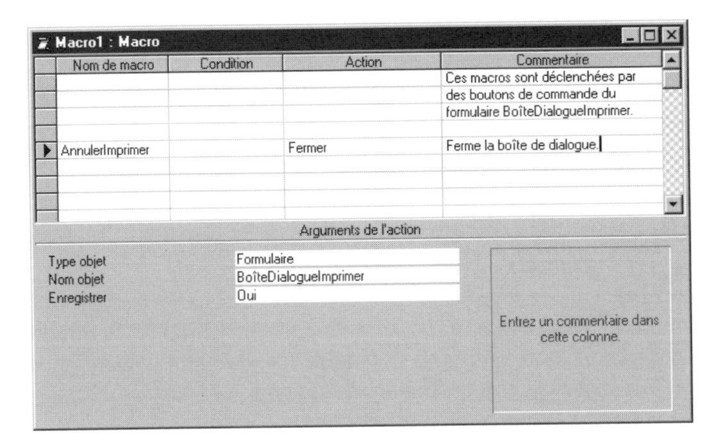

Figure 22.10 : La première macro saisie dans notre nouvelle feuille macro.

Une case à cocher est un contrôle qui ne peut contenir qu'une des deux valeurs suivantes : Vrai (cochée) ou Faux (non cochée). En réalité, nous n'utilisons pas les cases à cocher pour lancer une action ; nous les employons plutôt lorsque nous devons décider de mener ou non une action selon que la case est cochée ou ne l'est pas. Et nous prenons cette "décision" dans la colonne Condition de la macro. Comme nous vous l'avons enseigné au Chapitre 20, cette colonne doit comprendre une expression qui retourne Vrai ou Faux. Étant donné qu'une case à cocher ne peut précisément prendre que l'une de ces deux valeurs, nous pouvons nous contenter d'utiliser le nom de la case à cocher dans la colonne Condition de la macro. Ainsi, si nous entrons *DirectoryChosen* (AdresseSélectionnée) dans la case Condition, alors *DirectoryChosen* (AdresseSélectionnée) est Vrai si la case est cochée ; il est Faux dans le cas contraire.

Créons cette deuxième macro. Nous l'appellerons PreviewReports (PrévisualiserEtats).

1. Ménagez une ligne vide sous la macro AnnulerImprimer et tapez le nom PreviewReports (PrévisualiserEtats) dans la case de la colonne Nom de macro de la rangée suivante.
2. Dans la colonne Condition, tapez [*DirectoryChosen*] ([AdresseSélectionnée]).

La documentation imprimée du formulaire vous permet de vérifier rapidement comment vous avez orthographié le nom de tel ou tel contrôle. Vous pouvez aussi faire appel au Générateur d'expression (...) pour identifier les noms des contrôles placés sur les formulaires.

3. Dans la colonne Action, choisissez OuvrirEtat et définissez les arguments de cette action de la manière indiquée à la page suivante.

Type objet : Address Directory (Liste des adresses)

Affichage : Aperçu avant impression

5. Le cas échéant, indiquez, dans la colonne Commentaire, à quoi sert cette macro. La Figure 22.11 représente notre progression.

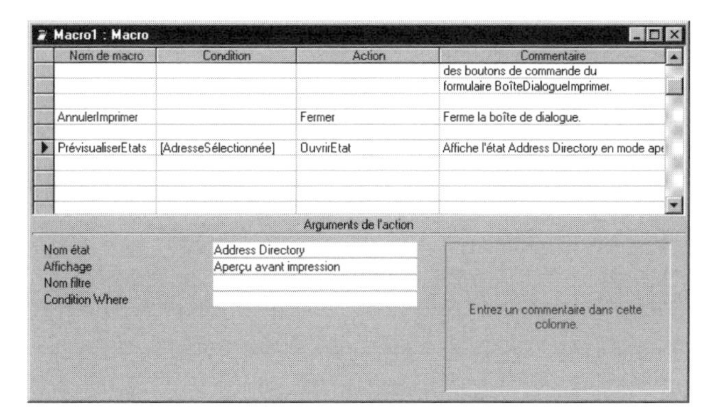

Figure 22.11 : Nous avons baptisé notre deuxième macro PreviewReports (PrévisualiserEtats) et avons défini sa première action.

Nous devons ensuite répéter les étapes 3 à 4 pour ajouter trois lignes supplémentaires à la macro. Mais nous devons y faire référence à d'autres contrôles et à d'autres noms d'états. Les colonnes Condition et Action ainsi que les arguments de ces trois lignes supplémentaires sont résumés ci-dessous. La Figure 22.12 montre à quoi ressemble la macro terminée.

Le Tableau 22.3 affiche la condition, l'action et l'argument de chaque ligne de la macro PreviewReports (PrévisualiserEtats).

Condition	Action	Arguments de l'action
[LabelsChosen] (EtiquetteSélectionnée])	OuvrirEtat	**Nom état :** Avery 2163 mini-sheet labels **Affichage :** Aperçu avant impression
[EnvelopesChosen] (EnveloppeSélectionnée])	OuvrirEtat	**Nom état :** Envelopes **Affichage :** Aperçu avant impression
[PhoneListChosen] (NuméroSélectionné])	OuvrirEtat	**Nom état :** Phone List **Affichage :** Aperçu avant impression

Tableau 22.3 : Les conditions, actions et arguments de la macro représentée à la Figure 22.12.

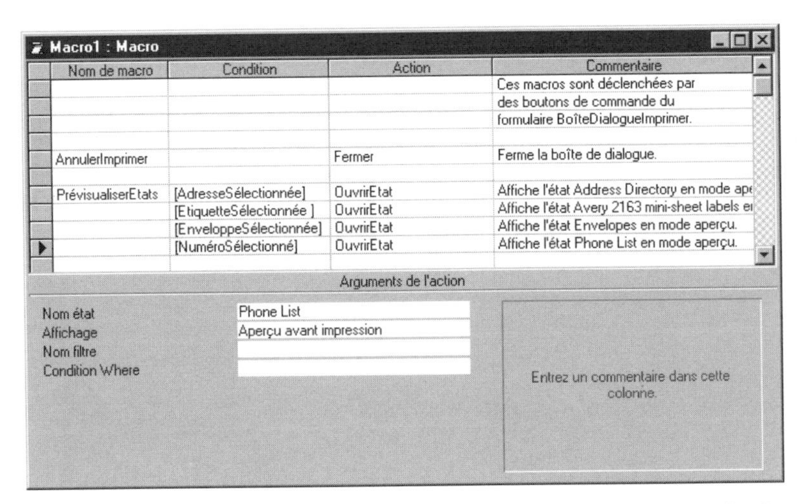

Figure 22.12 : La macro PreviewReports (PrévisualiserEtats) dans notre feuille macro.

La macro qui imprime les états

Pour terminer, nous devons concevoir une macro capable d'imprimer nos états. Cette macro ressemble très fort à la macro PreviewReports (PrévisualiserEtats), à l'exception de l'argument Affichage des actions OuvrirEtat qui doit passer de Aperçu avant impression à Impression directe. Pour créer cette macro rapidement et facilement :

1. Sélectionnez les quatre lignes de la macro PreviewReports (PrévisualiserEtats) en faisant glisser votre pointeur sur les sélecteurs correspondants.
2. Choisissez Édition/Copier ou enfoncez les touches Ctrl + C pour copier ces lignes dans le Presse-papiers de Windows. (Rien ne se passe à l'écran.)
3. Ménagez une ligne blanche sous la macro PreviewReports (PrévisualiserEtats), cliquez dans la case Nom de macro suivante, puis choisissez Édition/Coller (ou enfoncez les touches Ctrl + V).
4. Changez le nom de la macro afin qu'elle s'intitule PrintReports (ImprimerEtats).
5. Modifiez l'argument Affichage de la première ligne de la nouvelle macro afin qu'il affiche désormais Impression directe.
6. Adaptez le commentaire.
7. Répétez les étapes 5 à 6 pour les trois lignes restantes de cette macro PrintReports (ImprimerEtats).

La Figure 22.13 montre la macro telle qu'elle se présente pour l'instant (seuls sont visibles les arguments de la dernière action).

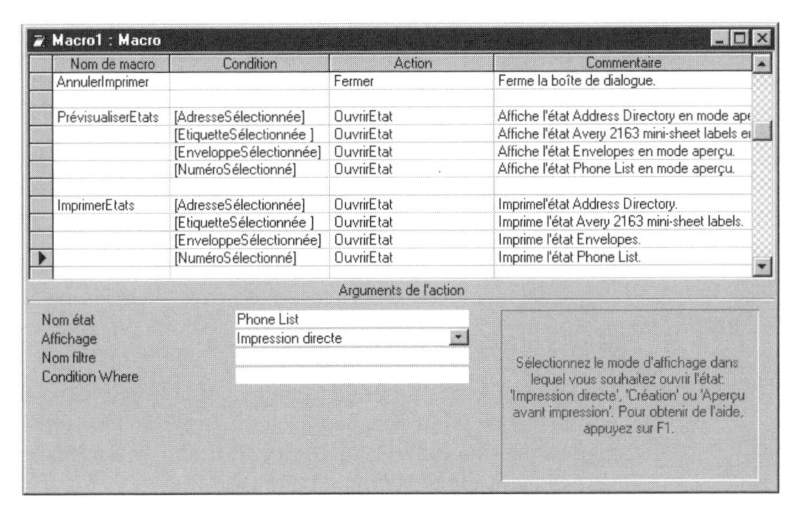

Figure 22.13 : La macro PrintReports (ImprimerEtats) a été ajoutée à la feuille macro.

Vous pouvez à présent enregistrer et fermer cette macro en recourant aux techniques standard. Concrètement : choisissez Fichier/Fermer/Oui, tapez le nom souhaité, comme PrintDialogBoxMacros (MacrosBoîteDialogueImprimer), puis cliquez sur OK. Le nom de la macro s'affiche dans l'onglet Macros de la fenêtre Base de données, comme représenté ci-dessous.

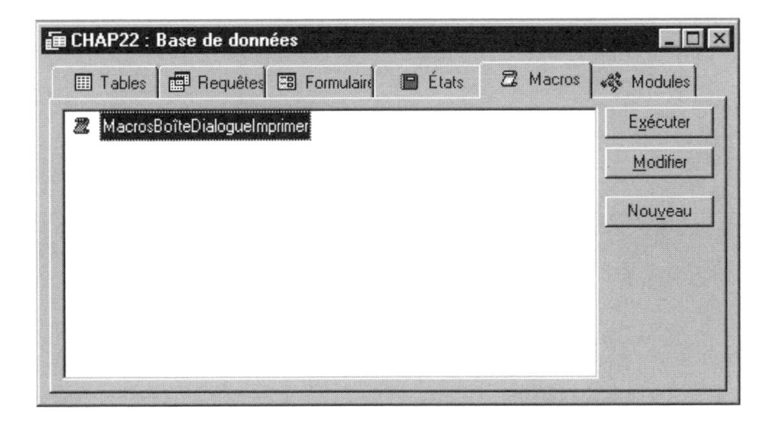

Étape n° 3 : Assigner les macros aux boutons de la boîte de dialogue

La tâche dont nous devons à présent nous acquitter consiste à assigner nos macros aux boutons de commande du formulaire BoîteDialogueImprimer.

1. Dans la fenêtre Base de données, activez l'onglet Formulaires, sélectionnez PrintDialogBox (BoîteDialogueImprimer), puis cliquez sur Modifier afin d'ouvrir ce formulaire en mode création.
2. Ouvrez la feuille des propriétés, puis activez l'onglet Événement.
3. Sélectionnez le bouton Cancel (Annuler).
4. Dans la feuille des propriétés, cliquez dans la case de la propriété Sur clic, puis choisissez PrintDialogBoxMacros.CancelPrint (MacrosBoîteDialogueImprimer.AnnulerImprimer) afin que cette macro se déclenche lorsque l'utilisateur cliquera sur ce bouton (Figure 22.14).

Figure 22.14 : La macro PrintDialogBoxMacros.CancelPrint (MacrosBoîteDialogueImprimer.AnnulerImprimer) est assignée à la propriété Sur clic du bouton Annuler.

5. Cliquez sur le bouton Preview (Aperçu) et assignez-lui la macro PrintDialogBoxMacros.PreviewReports (MacrosBoîteDialogueImprimer.PrévisualiserEtats).

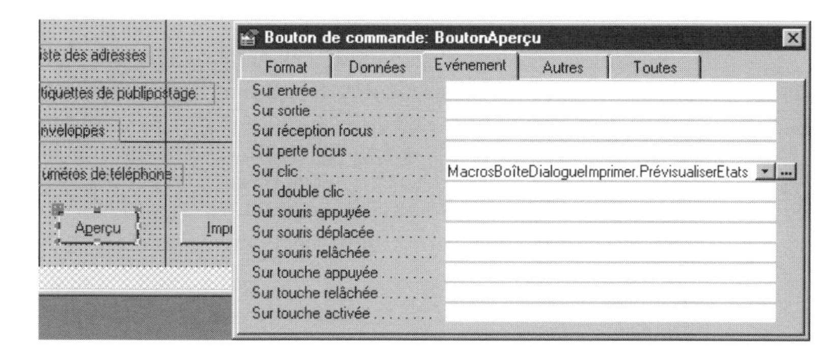

6. Cliquez sur le bouton Print (Imprimer) et assignez-lui la macro PrintDialogBoxMacros.PrintReports (MacrosBoîteDialogueImprimer.ImprimerEtats) :

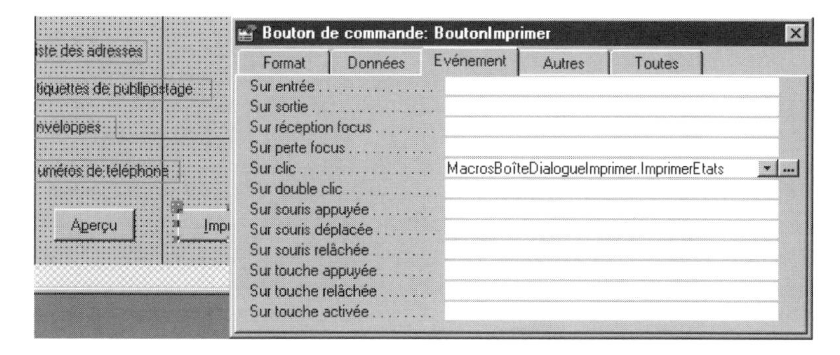

7. Fermez et enregistrez ce formulaire (choisissez Fichier/Fermer/Oui).

Vous regagnez la fenêtre Base de données. La boîte de dialogue et ses macros sont terminées. Vous pouvez tester l'ensemble en ouvrant la boîte en mode formulaire et en y réalisant des sélections.

Peut-être vous souvenez-vous que nous avons assigné cette boîte de dialogue au bouton Print (Imprimer) d'un formulaire que nous avions créé précédemment (Figure 22.3). Pour y parvenir facilement, ouvrez ce formulaire en mode création ; affichez ensuite la boîte à outils, puis activez le bouton Assistants Contrôle. Créez un bouton de commande baptisé Print (Imprimer) et dans la première fenêtre de l'Assistant, choisissez Opérations sur formulaire dans la liste Catégories, et Ouvrir un formulaire dans la liste Actions ; dans la fenêtre suivante, sélectionnez le formulaire PrintDialogBox (BoîteDialogueImprimer). Affectez-lui la légende &Print (&Imprimer).

Vous pourriez aussi utiliser un lien hypertexte pour ouvrir le formulaire PrintDialogBox (BoîteDialogueImprimer). Activez le bouton Insérer un lien hypertexte ; dans la case Emplacement dans le fichier (facultatif), entrez PrintDialogBox (BoîteDialogueImprimer) ; déplacez ensuite le lien placé par défaut dans l'angle supérieur gauche du formulaire vers l'emplacement de votre choix ; modifiez son intitulé pour qu'il affiche désormais Print (Imprimer) plutôt que le nom complet du formulaire. La Figure 22.15 montre le formulaire et son lien hypertexte. Notez que le bouton de commande Print (Imprimer) a été supprimé.

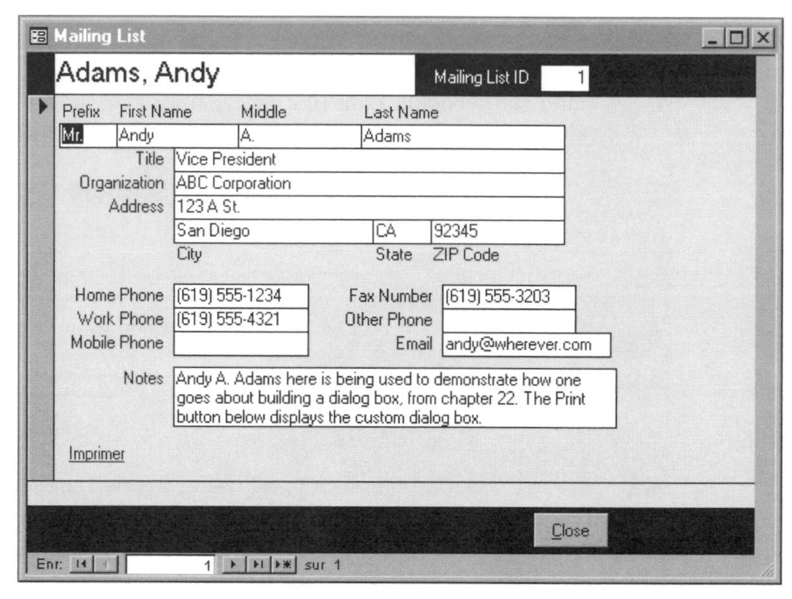

Figure 22.15 : Le lien hypertexte Imprimer a remplacé le bouton de commande du même nom.

Mettre la dernière main à la boîte de dialogue

Quelques manipulations supplémentaires vont vous permettre d'apporter la touche finale à votre boîte de dialogue personnelle. Comme c'est toujours le cas, il s'agit de propriétés ou de contrôles que vous assignez au formulaire via la feuille des propriétés, accessible en mode création.

Les propriétés Fen modale et Fen indépendante

Sans doute avez-vous remarqué, à l'occasion de votre utilisation quotidienne de Windows, que la plupart des boîtes de dialogue sont "persistantes". Nous entendons par là qu'il est impossible de vous en débarrasser en cliquant dans une autre fenêtre. Vous devez absolument compléter la boîte ou la fermer, ou encore cliquez sur Annuler pour lui faire quitter l'écran.

En langage technique, "persistant" se traduit par *modal*. La majorité des boîtes de dialogue sont donc modales. Cette caractéristique les différencie des fenêtres "classiques" (comme celle d'une application ou d'un document) qui sont *non modales* : vous pouvez travailler en dehors de ces fenêtres alors qu'elles sont ouvertes.

Une autre caractéristique distingue les boîtes de dialogue : le fait qu'il s'agit de formulaires *indépendants*. Expliquons-nous : à partir du moment où une boîte de dialogue est affichée à l'écran, aucune autre fenêtre ne peut la couvrir. Peut-être êtes-vous déjà familiarisé avec la propriété Toujours visible des fenêtres d'aide de Windows ; en fait, lorsque vous activez cette caractéristique, vous faites de la fenêtre d'aide Windows une fenêtre "indépendante".

Si vous souhaitez attribuer les caractéristiques "fenêtre modale" et "fenêtre indépendante" à vos boîtes de dialogue personnelles :

1. Ouvrez la boîte concernée en mode création.
2. Choisissez Édition/Sélectionner le formulaire pour sélectionner le formulaire tout entier.
3. Ouvrez la feuille des propriétés et activez l'onglet Autres.
4. Fixez sur Oui les propriétés Fen modale et Fen indépendante (voyez page suivante).

Pour en savoir plus sur les propriétés Fen modale et Fen indépendante et sur la manière de les combiner, enfoncez la touche F1 lorsque le curseur est dans la case d'une de ces deux propriétés, dans la feuille des propriétés.

5. Fermez et enregistrez le formulaire normalement (Fichier/Fermer/Oui).

Testez le résultat : ouvrez la boîte de dialogue en mode formulaire. Lorsque vous cliquez en dehors de la boîte, rien ne se passe (sauf, peut-être, un signal sonore). Pour vous débarrasser de cette boîte, vous devez désormais la fermer en utilisant l'un de ses boutons de commande ou en cliquant dans sa case de fermeture.

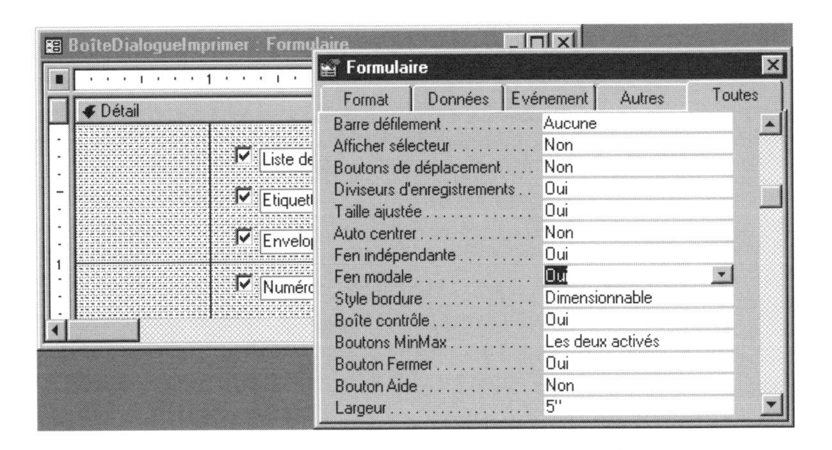

Le style de bordure de la boîte de dialogue

La bordure est l'un des éléments qui distinguent la plupart des boîtes de dialogue des autres fenêtres.

En effet, les boîtes de dialogue sont souvent dotées d'une bordure épaisse et sombre non dimensionnable.

Pour attribuer ce genre de bordure à votre boîte personnelle :

1. Ouvrez la boîte en mode création.
2. Choisissez Édition/Sélectionner le formulaire pour sélectionner le formulaire tout entier.
3. Ouvrez la feuille des propriétés ; activez l'onglet Format.
4. Fixez la propriété Style bordure sur Trait double fixe (voyez ci-dessous).

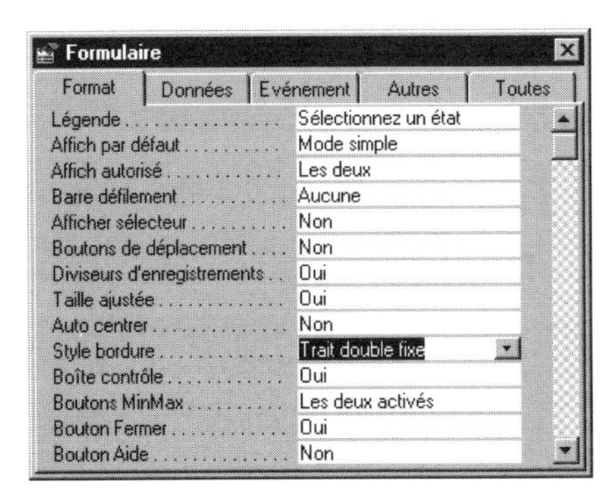

Si vous souhaitez un complément d'information sur les types de bordure disponibles, enfoncez la touche d'aide lorsque le curseur est positionné dans la case de la propriété Style bordure.

5. Fermez et enregistrez le formulaire normalement (Fichier/Fermer/Oui).

Testez le résultat : ouvrez la boîte de dialogue en mode formulaire. Essayez ensuite de redimensionner la boîte en faisant glisser l'un des ses bords ou l'un de ses angles. Impossible ! Les commandes du menu système (dans l'angle supérieur gauche de la fenêtre) ne sont pas accessibles non plus : ce menu ne vous propose en effet que Déplacement et Fermeture, comme le montre l'illustration ci-dessous.

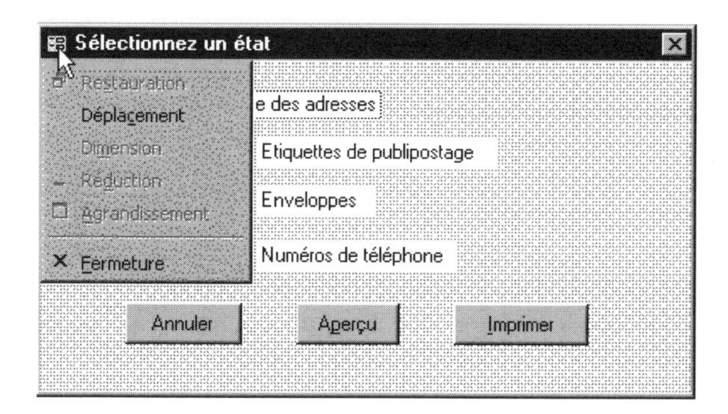

Les boutons défaut et annulation

La majorité des boîtes de dialogue proposent un bouton défaut et un bouton annulation :

- **Bouton annulation** : Ce bouton est automatiquement activé lorsque l'utilisateur enfonce la touche Esc.
- **Bouton Défaut** : Ce bouton est automatiquement activé lorsque l'utilisateur enfonce la touche Entrée.

Dans une boîte de dialogue, vous pouvez ériger un (et un seul) bouton en bouton défaut, et un (et un seul) autre bouton en bouton annulation.

1. Ouvrez votre boîte de dialogue en mode création.
2. Ouvrez la feuille des propriétés.
3. Activez l'onglet Autres.

4. Pour faire d'un bouton un bouton annulation, cliquez sur le bouton concerné afin de le sélectionner, puis fixez sa propriété Annuler sur Oui (voyez ci-dessous).

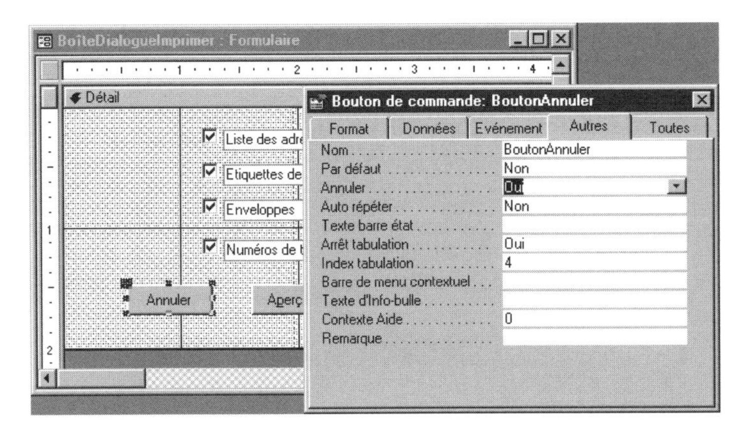

5. Si vous souhaitez désigner un autre bouton comme bouton défaut, sélectionnez ce bouton, puis fixez sa propriété Par défaut sur Oui (voyez ci-dessous).

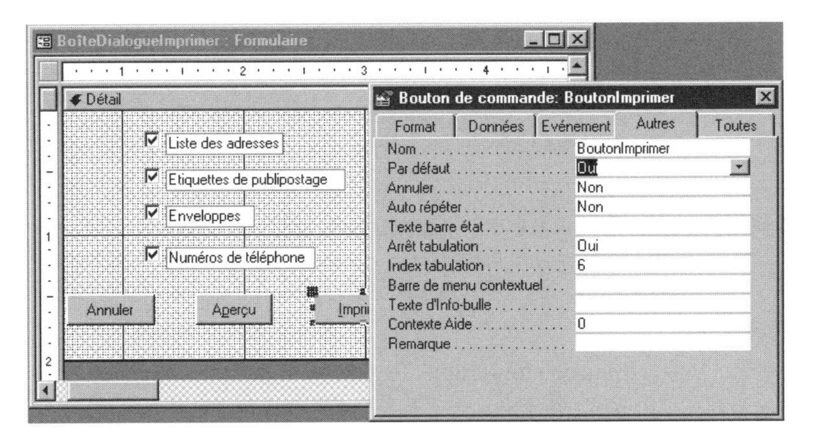

6. Fermez et enregistrez le formulaire normalement (Fichier/Fermer/Oui).

Lorsque vous ouvrez ensuite votre boîte de dialogue en mode formulaire, la seule différence notable est le fait que le bouton défaut est entouré d'un trait plus sombre (le bouton Print (Imprimer) dans l'exemple représenté à la page suivante).

Vous pouvez tester vos nouvelles propriétés en enfonçant la touche Esc ou la touche Entrée lorsque le formulaire est affiché à l'écran.

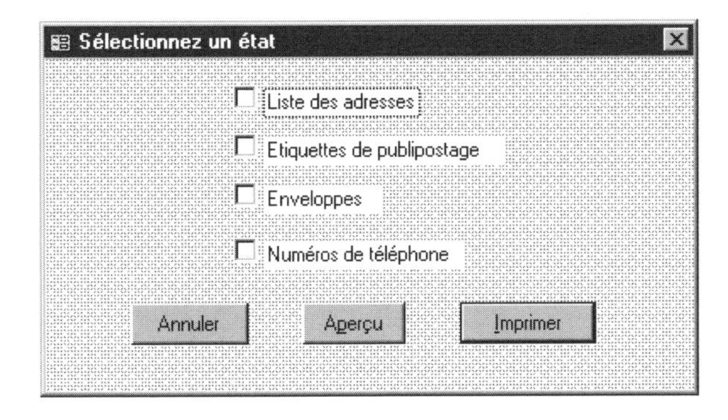

Dans ce chapitre, les boîtes de dialogue vous ont livré leur grand secret : elles ne sont, somme toute, que des formulaires qui ne sont liés à aucune table ni requête. Vous employez les outils de la boîte à outils pour leur ajouter des contrôles, puis vous créez des macros (ou du code Visual Basic) pour définir les actions qu'elles doivent exécuter. Vous pouvez même faire en sorte que vos boîtes personnelles se comportent comme les boîtes des principales applications Windows en agissant sur les propriétés Fen modale, Fen indépendante et Style bordure du formulaire proprement dit. Vous avez enfin la possibilité de définir un bouton défaut et un bouton annulation.

Et maintenant, que faisons-nous ?

Les deux prochains chapitres envisagent, respectivement, la création de barres d'outils et de menus et vous permettent ainsi d'ajouter une touche professionnelle supplémentaire à votre application personnalisée. Pour le reste :

- Si vous ne savez plus trop comment bâtir des macros, consultez le Chapitre 20 pour vous rafraîchir la mémoire.
- Pour découvrir ce qui se passe en arrière-plan, voyez le Chapitre 28.

Quoi de neuf ?

La technique de création de boîtes de dialogue n'a pas été revue dans cette version du programme, à une exception près : vous pouvez désormais utiliser des liens hypertextes ainsi que différents contrôles (cases à cocher et boutons de commande, notamment) pour assurer l'interface utilisateur.

Chapitre 23

Créer des barres d'outils personnelles

On a raison de dire que nous sommes une génération de presse-boutons. Les barres d'outils Microsoft en témoignent : elles vous permettent d'exécuter n'importe quelle action en poussant sur un bouton.

Les barres d'outils d'Access

Microsoft Access est équipé d'un nombre incroyable de barres d'outils intégrées. La plupart d'entre elles sont liées à des modes d'affichage particuliers et sont baptisées en conséquence :

Base de données

Relation

Création de table

Feuille de données de table

Création de requête

Requête feuille de données

Création de formulaire

Mode Formulaire

Filtrer/trier

Créer un état

Aperçu avant impression

Mise en forme (Formulaire/État)

Mise en forme (Feuille de données)

Création de macros

Visual Basic

D'autres barres ne sont liées à aucun mode spécifique ; il s'agit notamment des barres suivantes :

- **Utilitaire 1** et **Utilitaire 2** : Ces barres vous permettent de créer vos barres personnelles.
- **Web** : Cette barre vous permet de naviguer sur le World Wide Web.
- **Boîte à outils** : Cette barre propose des boutons vous permettant de créer des contrôles en mode création de formulaire ou d'état. Il s'agit, le plus souvent, d'une palette flottante que vous pouvez malgré tout ancrer le long d'un des bords de l'écran, comme s'il s'agissait d'une barre d'outils classique (voyez la section suivante).

Afficher/masquer les barres d'outils intégrées

Vous pouvez afficher ou masquer n'importe quel barre d'outils à n'importe quel moment.

- **Pour afficher *toutes* les barres d'outils intégrées**, choisissez Affichage/ Barres d'outils/Personnaliser. Cochez ensuite toutes les barres répertoriées dans la liste Barres d'outils de l'onglet Barres d'outils de la boîte de dialogue Personnaliser, puis cliquez sur Fermer.
- **Pour masquer ou afficher une barre donnée**, cliquez avec le bouton droit de la souris dans une barre affichée et choisissez Barres d'outils. Ou choisissez Affichage/Barres d'outils. Activez ou désactivez la case de la barre concernée, puis cliquez sur Fermer.
- **Pour déplacer une barre**, positionnez votre pointeur sur une zone vide de cette barre et faites-la glisser vers l'emplacement souhaité.
- **Pour ancrer une barre**, faites-la glisser vers le bord de l'écran concerné et relâchez le bouton de la souris lorsque la barre épouse le bord.
- **Pour désancrer une barre** afin d'en faire une barre flottante, éloignez-la tout simplement du bord de l'écran.

Vous pouvez rapidement ancrer ou désancrer une barre d'outils en cliquant deux fois dans une zone vide de cette barre. Pour masquer une barre flottante, cliquez dans sa case de fermeture.

Contrôler la taille et l'aspect des barres d'outils

Vous pouvez contrôler la taille des boutons et l'aspect général d'une barre d'outils en agissant comme suit :

1. Cliquez avec le bouton droit de la souris dans une barre quelconque et choisissez Personnaliser, ou choisissez Affichage/Barres d'outils/Personnaliser, puis activez l'onglet Options.

2. Activez les options souhaitées dans la partie inférieure de la boîte de dialogue :

- **Grandes icônes** : Activez cette option pour que les boutons soient plus grands (une option intéressante pour les écrans de petites dimensions ainsi que pour ceux présentant une résolution supérieure au VGA).
- **Afficher les Info-bulles** : Désactivez cette option si vous ne souhaitez pas que le nom du bouton s'affiche lorsque vous y positionnez votre pointeur.
- **Afficher les touches de raccourci dans les Info-bulles** : Activez cette option pour que les raccourcis clavier soient affichés dans les info-bulles.

3. Cliquez sur Fermer.

Barres d'outils adaptées et barres d'outils personnelles

En tant que développeur d'applications, vous devez connaître la différence entre une barre d'outils intégrée adaptée et une barre d'outils personnelle :

- **Barre d'outils intégrée adaptée** : Si vous modifiez une barre d'outils existante, les modifications apparaissent dans *toutes* les bases de données.
- **Barre d'outils personnelle** : Lorsque vous créez une barre d'outils personnelle, cette barre ne s'affiche que dans la base de données dans laquelle vous l'avez créée.

Les barres intégrées Utilitaire 1 et Utilitaire 2 sont vides *a priori*. Lorsque vous leur ajoutez des boutons, vous modifiez, en fait, une barre existante et vous ne créez pas une barre originale. En d'autres mots, les barres d'outils Utilitaire 1 et Utilitaire 2 sont accessibles dans toutes vos bases de données.

Droits et restrictions

En tant que développeur d'applications toujours, vous pouvez utiliser des barres personnalisées afin de déterminer ce que l'utilisateur de votre application peut ou ne peut pas faire. Ainsi, si vous souhaitez qu'il puisse créer et modifier des objets, incluez donc les outils indispensables dans vos barres. Par contre, si vous ne souhaitez pas lui offrir cette possibilité, bannissez de vos barres tout instrument de conception.

Vous aurez également besoin de créer des menus personnalisés pour définir avec exactitude le cadre dans lequel l'utilisateur de votre application pourra évoluer (voyez à cet égard le chapitre suivant).

Créer une barre d'outils personnelle

La procédure est élémentaire :

1. Ouvrez la base de données pour laquelle vous souhaitez créer une barre d'outils.
2. Cliquez avec le bouton droit de votre souris dans une barre existante et sélectionnez Personnaliser. Ou choisissez Affichage/Barres d'outils/Personnaliser. Dans l'onglet Barres d'outils, cliquez ensuite sur Nouvelle.
3. Entrez le nom que vous voulez attribuer à votre nouvelle barre (maximum 64 caractères), puis cliquez sur OK.

Une minuscule barre d'outils vide (qu'il faut même parfois chercher tant elle est petite !) apparaît à l'écran, ainsi que la boîte de dialogue Personnaliser les barres d'outils (Figure 23.1).

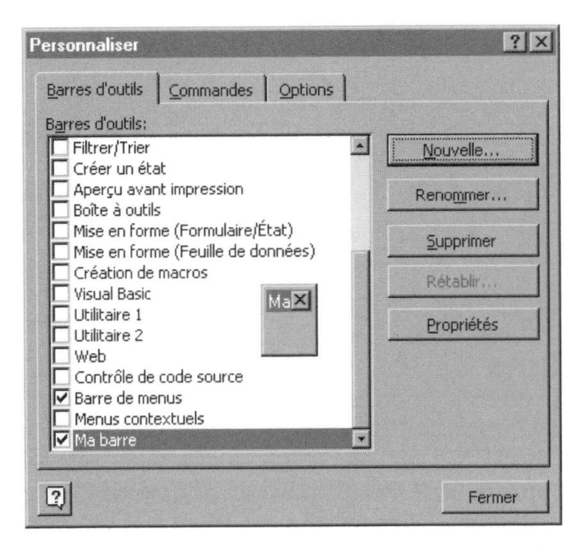

Figure 23.1 : Une nouvelle barre d'outils vide et la boîte de dialogue Personnaliser avec son onglet Barres d'outils.

Ajouter et supprimer des boutons

Pour ajouter des boutons à une nouvelle barre, vous pouvez soit agir depuis l'onglet Commandes de la boîte de dialogue Personnaliser, soit copier des boutons d'une barre à l'autre.

Utiliser l'onglet Commandes

Si la boîte de dialogue Personnaliser, suivez cette procédure :

1. Activez l'onglet Commandes. Sélectionnez une catégorie de boutons dans la liste Catégories (il suffit de cliquer sur la catégorie qui vous intéresse).
2. Dans la liste Commandes, cliquez sur le bouton que vous envisagez d'ajouter à votre barre. Cliquez sur Description dans la rubrique Commande sélectionnée afin de connaître la fonction de ce bouton.
3. Pour ajouter ce bouton à votre barre, faites-le tout simplement glisser jusqu'à sa destination.

Dans la Figure 23.2, nous avons déjà fait glissé quelques boutons vers notre barre personnelle et sommes occupés à examiner les boutons de la catégorie Fichier. Nous avons aussi déplacé notre nouvelle barre d'outils.

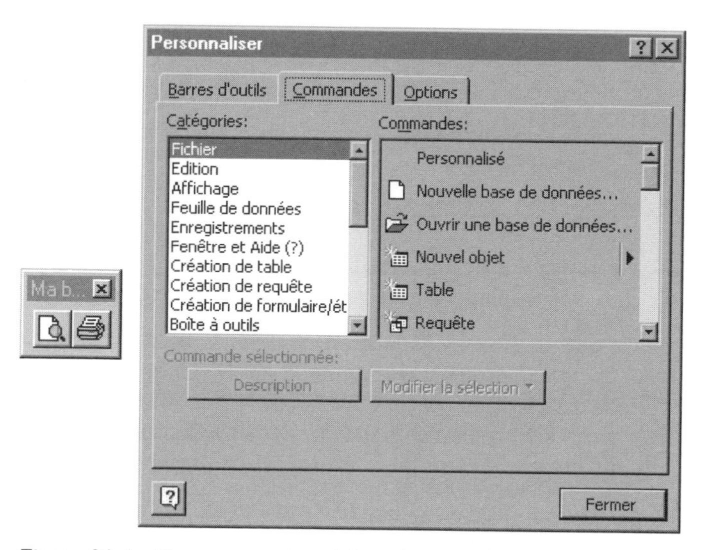

Figure 23.2 : Nous avons ajouté deux boutons à notre barre d'outils personnelle et examinons pour l'instant les différents catégories disponibles afin de voir quels autres boutons nous pourrions envoyer rejoindre les deux premiers.

Copier et déplacer des boutons d'une barre à une autre

Vous pouvez aussi copier et déplacer des outils d'une barre d'outils à une autre.

Commencez par vous assurer que les deux barres impliquées sont affichées. La suite de marche à suivre varie selon que la fenêtre de personnalisation est ouverte ou ne l'est pas. Si elle l'est, contentez-vous de faire glisser le bouton de la barre source vers la barre cible.

Pour copier un bouton plutôt que de le déplacer, associez la touche Ctrl au cliquer-glisser. Si la boîte de dialogue Personnaliser n'est pas affichée, enfoncez la touche Alt pendant que vous effectuez le déplacement.

Supprimer des boutons

La suppression de boutons de barres d'outils s'exécute très simplement : ouvrez la boîte de dialogue Personnaliser, affichez la barre d'outils concernée si elle ne l'est pas déjà (si nécessaire, déplacez la boîte de dialogue afin de bien voir cette barre) ; ensuite, faites tout simplement glisser le bouton à supprimer en dehors de sa barre. Ou encore cliquez sur ce bouton avec le bouton droit de votre souris et choisissez Supprimer dans le menu contextuel correspondant.

Peaufiner une barre d'outils

Alors que la boîte de dialogue Personnaliser les barres d'outils est sous vos yeux, vous pouvez invoquer l'une des techniques suivantes pour améliorer l'apparence de votre barre :

- **Pour supprimer un bouton**, faites-le glisser en dehors de la barre.
- **Pour déplacer un bouton vers un autre emplacement de la barre**, faites-le tout simplement glisser vers sa nouvelle destination.
- **Pour ajouter un espace entre deux boutons**, faites glisser légèrement le bouton de droite vers la droite (d'une distance à peine inférieure à la moitié de la largeur du bouton). (Le fait de fermer la boîte de dialogue et d'ancrer la barre le long d'un des bords de l'écran vous permet de ménager sur la barre un espace suffisant pour réaliser cette opération dans le confort.)
- **Pour supprimer un espace entre deux boutons**, faites glisser légèrement le bouton de droite vers la gauche.

Enregistrer/modifier une barre personnelle

Lorsque vous avez ajouté tous les boutons souhaités à votre barre d'outils personnelle, choisissez simplement Fermer dans la boîte de dialogue Personnaliser. Pour afficher, masquer ou modifier votre barre (sans oublier qu'elle n'est disponible que dans la base courante), utilisez les techniques suivantes :

- **Pour afficher ou masquer une barre personnelle**, cliquez avec le bouton droit de la souris dans une barre d'outils quelconque, puis sélectionnez le nom de la barre personnelle concernée. Les barres affichées sont cochées.

Si aucune barre d'outils n'est affichée, choisissez Affichage/Barres d'outils et sélectionnez le nom de la barre concernée.

- **Pour modifier une barre personnelle**, commencez par l'afficher, cliquez dans une zone de cette barre avec le bouton droit de la souris, et choisissez Personnaliser pour réactiver la fenêtre correspondante. Opérez les changements souhaités en recourant aux mêmes procédures que celles qui vous ont permis de constituer cette barre.
- **Pour supprimer une barre personnelle**, choisissez Affichage/Barres d'outils/Personnaliser. Dans l'onglet Barres d'outils, faites défiler la liste jusqu'à visualiser la barre concernée, sélectionnez-la, puis cliquez sur Supprimer. Confirmez votre intention en cliquant sur Oui.
- **Pour renommer une barre personnelle**, choisissez Affichage/Barres d'outils/Personnaliser. Dans l'onglet Barres d'outils, faites défiler la liste jusqu'à visualiser la barre concernée, sélectionnez-la, puis cliquez sur Renommer. Entrez le nouveau nom de la barre, puis cliquez sur OK.

Les boutons Supprimer et Renommer ne sont disponibles que lorsque vous sélectionnez, dans la liste Barres d'outils, une barre personnelle. Vous ne pouvez, en effet, ni détruire ni rebaptiser les barres intégrées d'Access.

- **Pour déplacer/ancrer/désancrer une barre personnelle**, agissez de la même manière que s'il s'agissait d'une barre intégrée (procédures décrites précédemment).

Créer vos propres boutons

Access ne vous limite pas à des boutons s'acquittant de tâches qui lui sont propres. Vous avez en effet toute latitude pour créer vos propres boutons qui déclencheront des macros, ouvriront des tables, présenteront les états en mode aperçu, etc. La procédure s'apparente fortement à celle qui est d'application pour les boutons standard. La seule précaution à prendre est de choisir vos boutons dans les catégories dont les noms commencent par *Tous* ou par *Toutes*.

1. Affichez la barre d'outils à laquelle vous voulez ajouter un bouton personnel.
2. Cliquez avec le bouton droit de la souris dans une zone vide de cette barre et choisissez Personnaliser, puis activez l'onglet Commandes.
3. Faites défiler la liste Catégories jusqu'en bas (afin d'avoir sous les yeux les quelques catégories dont le nom commence par *Tous* ou par *Toutes*). La liste Commandes recense les noms de tous les objets de la base courante qui appartiennent à la catégorie sélectionnée (voyez ci-dessous).

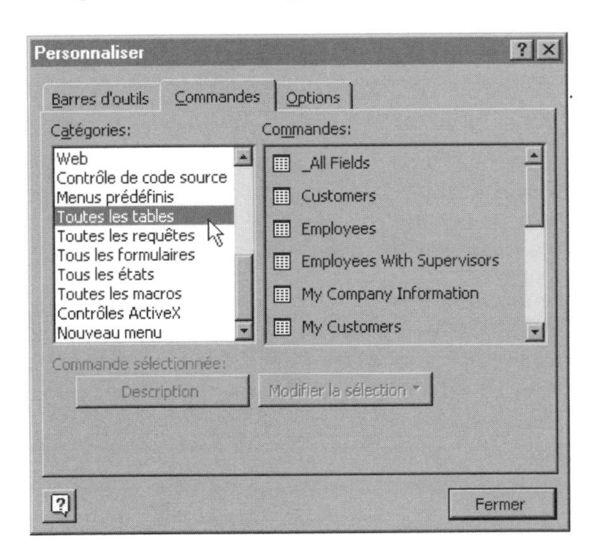

4. Faites glisser l'objet souhaité vers votre barre d'outils.
5. Répétez les étapes 3 à 4 autant de fois que nécessaire, puis cliquez sur Fermer.

Un bouton par défaut correspondant au type d'objet désigné fait son apparition dans votre barre d'outils. (Vous pouvez modifier ce bouton, comme vous l'explique la section suivante.)

Lorsque vous positionnez votre pointeur sur ce bouton personnel, la barre d'état et (après quelques secondes) l'info-bulle du bouton décrivent sa fonction, comme le montre l'illustration ci-dessous.

Vous pouvez aussi faire glisser le nom d'un objet quelconque de la fenêtre Base de données dans la barre d'outils afin de créer rapidement un bouton qui représenté cet objet.

Changer l'image ou le texte d'un bouton

Vous pouvez changer l'image de n'importe quel bouton appartenant à n'importe quelle barre, ainsi que le contenu de son info-bulle.

1. Cliquez avec le bouton droit de la souris dans la barre d'outils à laquelle appartient le bouton que vous voulez modifier, puis choisissez Personnaliser.
2. Dans la barre d'outils, cliquez avec le bouton droit de la souris sur le bouton concerné afin d'en afficher le menu contextuel. Exécutez ensuite l'une des actions suivantes :

- **Pour désigner une nouvelle image**, choisissez Modifier l'image du bouton et sélectionnez, dans le sous-menu correspondant, l'image souhaitée.
- **Pour changer le nom du bouton,** entrez le nouveau nom dans la case Nom.
- **Pour modifier l'info-bulle**, choisissez Propriétés et entrez le texte souhaité dans la case Info-bulle.
- **Pour afficher un texte sur le bouton plutôt qu'une image,** choisissez Texte seul pour ce bouton. Le texte est celui qui figure dans la propriété Nom.
- **Pour afficher un texte quand le bouton est placé dans un menu,** choisissez Masquer les images sur les menus. Comme vous l'apprendrez dans la suite de ce chapitre, Access vous permet désormais d'ajouter des boutons à des menus et des commandes de menus à des barres d'outils. (Vous pouvez aussi copier, coller et rétablir les images d'un bouton grâce aux autres commandes du menu contextuel.)

Souvenez-vous : vous ne pouvez modifier la description des boutons intégrés ; seule celle de vos boutons personnels est accessible.

3. Répétez l'étape n° 2 autant de fois que nécessaire, puis cliquez sur Fermer.

Rétablir l'image d'un bouton

Si vous attribuez à un bouton intégré une image différente, vous pouvez, par la suite, rétablir son image originale :

1. Cliquez avec le bouton droit de la souris sur le bouton concerné et choisissez Personnaliser dans le menu contextuel.
2. Cliquez de nouveau sur le bouton avec le bouton droit de la souris et choisissez Rétablir l'image du bouton.
3. Dans la boîte de dialogue Personnaliser, cliquez sur Fermer.

Créer vos propres images

Si vous avez ajouté un bouton à une barre d'outils et que la fenêtre de personnalisation est encore ouverte, cliquez sur ce bouton avec le bouton droit de votre souris et choisissez Éditeur de boutons. L'Éditeur de boutons apparaît (Figure 23.3).

Pour créer votre propre image, suivez la procédure suivante :

1. Pour changer la couleur d'un pixel, sélectionnez d'abord la couleur dans la palette Couleurs, puis cliquez dans la case souhaitée de la grille Image. (Pour effacer un pixel, vous devez sélectionner la gomme en cliquant dans la case Effacement.)
2. Pour faire défiler la grille Image (qui n'est pas entièrement visible), utilisez les flèches de la rubrique Déplacement.
3. Pour apprécier le résultat de votre travail, consultez le contenu de la case Aperçu.
4. Pour effacer l'image, cliquez sur Supprimer.
5. Pour enregistrer l'image, cliquez sur OK.

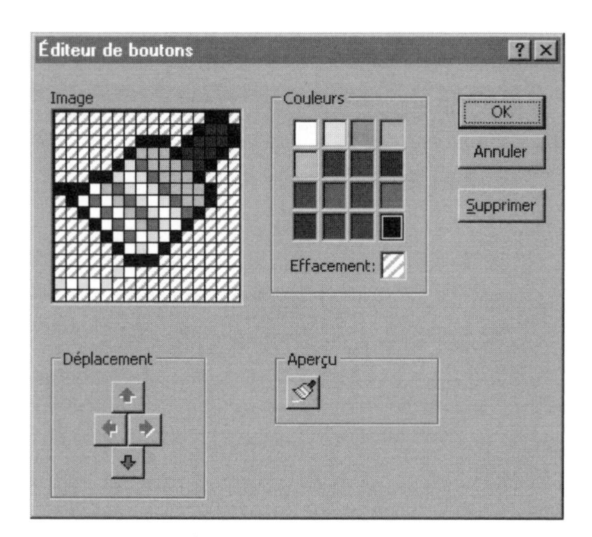

Figure 23.3 : L'Éditeur de boutons d'Access.

Ajouter des barres d'outils à vos applications personnelles

En tant que développeur d'applications, vous devez pouvoir contrôler avec exactitude *quelle* barre d'outils s'affiche *quand.* Commencez par créer une base de données avec l'Assistant Création d'applications ou bien ouvrez une base existante. (Nous utiliserons la base Comptoir fournie avec Access.) Créez une barre d'outils personnelle et ajoutez-y les boutons correspondant aux actions que vous exécutez le plus souvent.

Dans la barre que nous avons créée, nous avons prévu des boutons qui nous permettent de basculer vers d'autres applications. En effet, nous sommes régulièrement amenés à travailler dans Access et à passer ensuite dans d'autres programmes. La Figure 23.4 montre notre barre personnelle, que nous avons baptisée Mes applications.

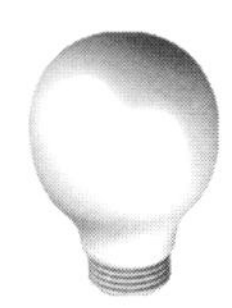

Étant donné que nous utilisons principalement des applications Microsoft, nous aurions pu nous simplifier la vie en utilisant la barre intégrée Microsoft. Toutefois, la plupart des utilisateurs font appel à d'autres programmes. Si Access ne vous fournit pas de bouton pour votre application, utilisez Visual Basic pour la lancer et attachez ce code à un bouton de barre d'outils.

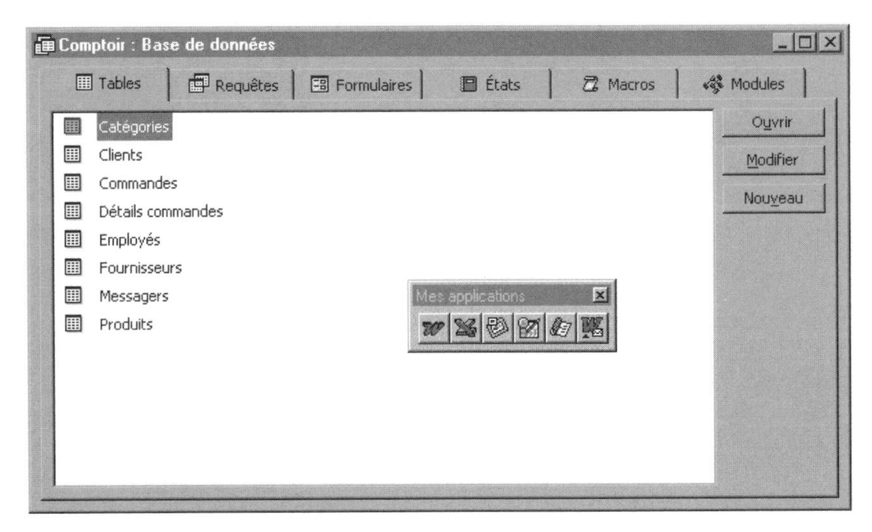

Figure 23.4 : Notre barre personnelle Mes applications affichée dans la base de données Comptoir.

Nous avons ensuite créé une deuxième barre d'outils, intitulée Mon aperçu. Cette barre est représentée à la Figure 23.5 et regroupe des icônes de prévisualisation, de mise en page et d'impression.

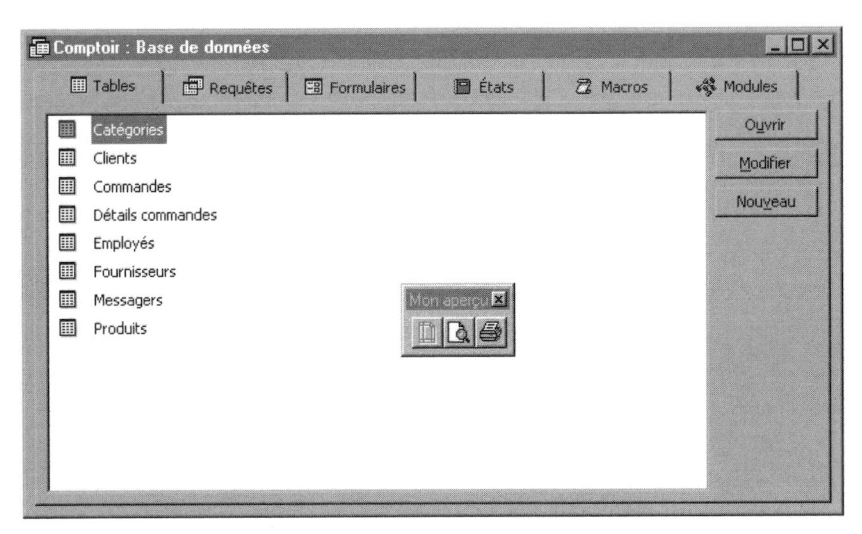

Figure 23.5 : Notre barre personnelle Mon aperçu avant impression.

Créer des macros pour afficher/masquer des barres personnelles

Lorsque vos barres d'outils sont créées, il vous faut encore bâtir des macros qui les affichent ou qui les masquent. Dans l'application Comptoir, nous avons réuni toutes ces macros dans un même groupe intitulé Macros Globales (Figure 23.6).

Le Tableau 23.1 affiche le nom, l'action et les arguments de chacune de ces macros. (Remarquez que notre groupe de macros ne comporte pas de colonne Condition.)

Toutes ces macros font appel à une action AfficherBarreOutils. L'argument de chaque action désigne la barre à afficher ou à masquer, puis utilise Oui pour afficher la barre, ou Non pour la masquer.

Nom de la macro	Action	Arguments de l'action
Afficher la barre d'outils Mes applications	AfficherBarreOutils	Nom de la barre : Mes applications Afficher : Oui
Masquer la barre d'outils Mes applications	AfficherBarreOutils	Nom de la barre : Mes applications Afficher : Non
Afficher la barre d'outils Mon aperçu	AfficherBarreOutils	Nom de la barre : Mon aperçu Afficher : Oui
Masquer la barre d'outils Mon aperçu	AfficherBarreOutils	Nom de la barre : Mon aperçu Afficher : Non

Tableau 23.1 : Les macros qui masquent ou affichent les barres personnelles.

Attacher une barre d'outils à un formulaire

Pour attacher une barre d'outils à un formulaire spécifique, vous devez exécuter, depuis un événement du formulaire, la macro qui affiche (ou masque) la barre.

1. En mode création, ouvrez le formulaire qui doit afficher une barre d'outils personnelle.

2. Ouvrez la feuille des propriétés, activez l'onglet Événement, puis choisissez Édition/Sélectionner le formulaire.

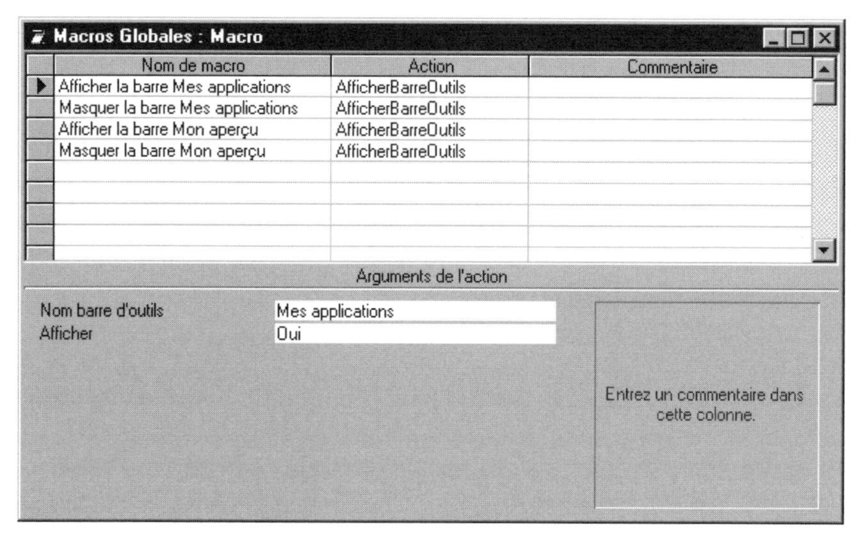

Figure 23.6 : Notre groupe de macros baptisé Macros Globales abrite les macros qui affichent ou masquent les barres d'outils personnelles.

3. Assignez la macro qui *affiche* la barre d'outils à la propriété Sur activé.

4. Assignez la macro qui *masque* la barre d'outils à la propriété Sur désactivé.

La Figure 23.7 montre un exemple issu de la base de données Comptoir dans laquelle notre barre d'outils Mon aperçu s'affiche lorsque le formulaire apparaît ; nous voulons aussi que cette barre soit masquée lorsque l'utilisateur a fini d'utiliser le formulaire.

En recourant aux propriétés Sur activé et Sur désactivé, nous sommes certains que la barre sera visible aussi longtemps que l'utilisateur emploiera le formulaire, et qu'elle sera masquée dès qu'il déplacera le focus vers un autre formulaire de la base.

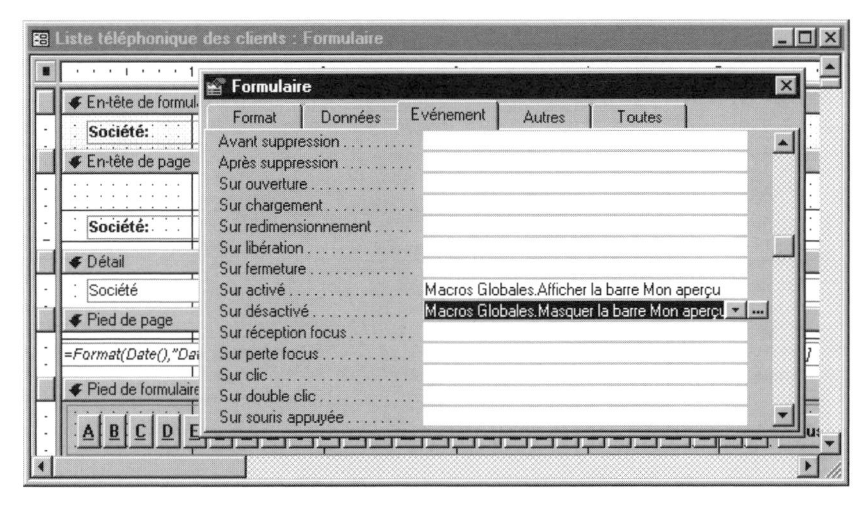

Figure 23.7 : La feuille des propriétés du formulaire Liste téléphonique des clients de la base Comptoir. La macro qui affiche la barre d'outils personnelle est assignée à la propriété Sur activé ; celle qui la masque est assignée à la propriété Sur désactivé.

Attacher une barre d'outils à un aperçu avant impression

Pour que votre application affiche une barre d'outils personnelle en mode aperçu avant impression, vous devez ouvrir l'état concerné en mode création, ouvrir la feuille des propriétés et choisir Édition/Sélectionner le rapport.

Assignez ensuite la macro qui affiche la barre à la propriété Sur activé de l'onglet Événement ; assignez la macro qui la masque à la propriété Sur désactivé.

La Figure 23.8 montre un exemple issu de l'application Comptoir.

Nous savons que les propriétés des formulaires et des états ne sont pas toujours faciles à manipuler ; n'hésitez pas à faire appel à la touche F1 pour un complément d'information, ou consultez l'aide en ligne et son entrée d'index *ordre des événements*.

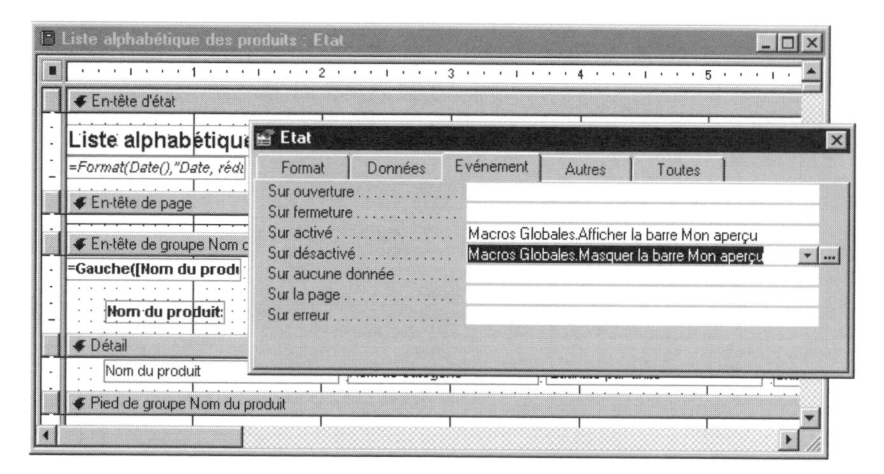

Figure 23.8 : Les macros qui affichent ou masquent une barre d'outils personnelle lorsque l'utilisateur affiche l'état intitulé Liste alphabétique des produits en mode aperçu avant impression.

Une macro pour masquer les barres d'outils intégrées

Lorsque vous élaborez une application, il se peut fort bien que vous souhaitiez masquer toutes les barres d'outils intégrées d'Access. Vous pouvez y parvenir en agissant manuellement dans la boîte de dialogue Démarrage. Mais si vous désirez que votre application s'en charge, faites en sorte que la macro AutoExec envoie le message *ad hoc* au lancement du programme. Vous pouvez faire appel à l'action EnvoiTouches pour que la macro enfonce les touches adéquates, comme dans l'exemple ci-dessous.

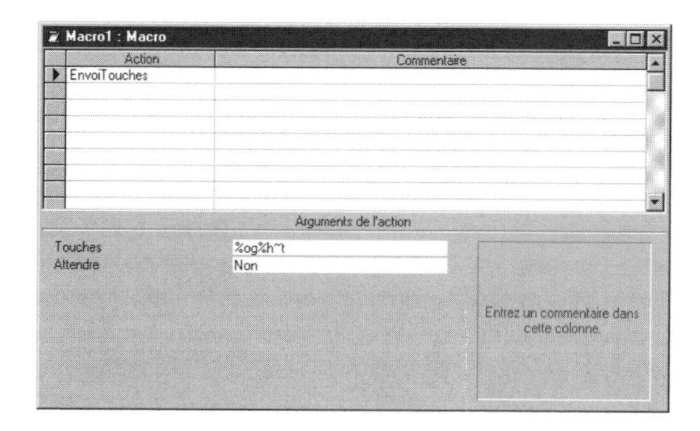

Détaillons l'argument de l'action EnvoiTouches :

%o	Enfonce Alt + O afin d'ouvrir le menu Outils.
g	Tape **g** pour choisir Démarrage.
%h	Désactive la case à cocher Afficher les barres d'outils intégrées.
~	Enfonce Entrée pour choisir OK.

Lorsque vous définissez les arguments d'une action EnvoiTouches dans une macro, enfoncez la touche F1 pour obtenir de l'aide. Cliquez ensuite sur le mot *SendKeys* (EnvoiTouches) écrit et souligné en vert afin de découvrir un autre écran qui dresse la liste des codes dont vous avez besoin pour représenter les touches.

Réafficher les barres d'outils intégrées

Si vous désirez que votre application réaffiche les barres d'outils intégrées lorsque l'utilisateur quitte cette application, faites en sorte que votre macro "Quitter" exécute une action EnvoiTouches afin de rétablir cet affichage.

Par la même occasion, vous pouvez faire en sorte que la macro réaffiche la fenêtre Base de données.

Vous pouvez utiliser la même macro pour suspendre l'affichage des barres et pour le rétablir.

Si vous devez, à l'occasion, rétablir manuellement l'affichage des barres standard, affichez la fenêtre Base de données et choisissez Outils/Démarrage. Activez l'option Afficher les barres d'outils intégrées, puis cliquez sur OK.

Si aucune barre d'outils n'apparaît, choisissez Affichage/Barres d'outils, activez Base de données, puis cliquez sur Fermer.

Modifier une barre d'outils intégrée

Jusqu'à présent, ce chapitre n'a envisagé que la création de barres d'outils personnelles destinées à vos propres applications. Mais vous pouvez parfaitement modifier les barres standard du programme afin de les adapter à vos besoins. Comme nous l'avons expliqué précédemment, les barres intégrées sont accessibles dans toutes vos bases de données.

Access stocke les barres personnelles dans la base de données à partir de laquelle elles ont été créées ; elles ne sont donc accessibles que dans cette base. À l'inverse, les barres intégrées (modifiées ou non) sont stockées dans le fichier d'informations de groupe et sont ainsi disponibles dans n'importe quelle base ouverte.

Pour modifier une barre intégrée :

1. Affichez la barre intégrée que vous voulez modifier.
2. Cliquez dans cette barre avec le bouton droit de la souris et choisissez Personnaliser.
3. Apportez les modifications souhaitées (voyez "Ajouter et supprimer des boutons" plus haut dans ce chapitre).
4. Cliquez sur Fermer.

La version modifiée de la barre intégrée vous est désormais proposée dans toutes vos bases de données.

Combiner menus et barres d'outils

Access 97 vous permet de créer des *barres de commandes* par l'ajout de commandes de menus à des barres d'outils, ou de boutons de barres d'outils à des menus. Toutes les fantaisies sont permises !

Sans doute avez-vous déjà perçu cette nouvelle fonctionnalité lorsque vous avez ouvert la boîte de dialogue Personnaliser. Ainsi, si vous sélectionnez la catégorie Fichier dans l'onglet Commandes, vous trouvez des commandes, comme Enregistrer sous/Exporter, qui ne sont pas dotées d'un bouton. Vous pouvez faire glisser ces commandes vers une barre d'outils, où elles afficheront leur texte. La barre représentée ci-dessous comporte deux boutons ainsi que la commande Enregistrer sous/Exporter. Lorsque vous cliquez sur ce texte, la boîte de dialogue Enregistrer sous s'affiche, exactement comme si vous choisissiez la commande correspondante du menu Fichier.

Lorsque vous avez ajouté une commande à une barre d'outils, vous pouvez remplacer son texte par une image :

1. Cliquez sur la barre d'outils concernée avec le bouton droit de la souris et choisissez Personnaliser. (Si la barre n'est pas visible, choisissez Affichage/ Barres d'outils/Personnaliser, puis sélectionnez-la dans la liste des barres de l'onglet Barres d'outils.)
2. Cliquez sur le bouton de commande concerné avec le bouton droit de la souris et choisissez Modifier l'image du bouton, puis sélectionnez l'image souhaitée.
3. Cliquez de nouveau sur le bouton avec le bouton droit de la souris et choisissez Par défaut si vous désirez que l'image apparaisse seule, sans le texte. Sinon, laissez l'option Image et texte cochée. C'est ce que nous avons fait dans l'exemple suivant :

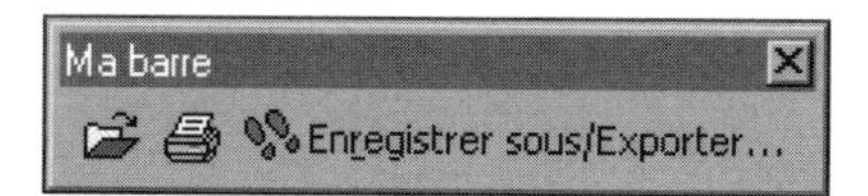

Rétablir une barre intégrée

Pour restituer l'état original d'une barre intégrée, cliquez dans cette barre avec le bouton droit de votre souris et choisissez Personnaliser. Activez l'onglet Barres d'outils, sélectionnez la barre concernée, puis cliquez sur Rétablir. Confirmez votre intention, puis cliquez sur Fermer pour quitter la boîte de dialogue.

Et maintenant, que faisons-nous ?

L'ajout de barres d'outils personnelles rend vos applications nettement plus fonctionnelles. Mais les barres doivent être secondées par les menus. Le chapitre suivant se propose donc, en bonne logique, de vous apprendre à créer des menus personnels.

Quoi de neuf ?

Les barres d'outils ont subi un sérieux lifting dans cette nouvelle version d'Access. Quelques exemples :

- La boîte de dialogue Personnaliser a été entièrement remodelée et facilite la personnalisation.
- Vous pouvez désormais ajouter des commandes de menus à des barres d'outils et des boutons de barres d'outils à des menus (voyez le Chapitre 24 pour cette seconde possibilité). Vous pouvez ainsi créer des barres de commandes hyperfonctionnelles.
- Les boutons de barres d'outils sont dotés d'un nouveau menu contextuel qui vous permet, notamment, de décider s'ils doivent afficher une image, un texte ou les deux à la fois.

Chapitre 24

Créer des menus personnels

Lorsque vous élaborerez une application, vous souhaiterez sans doute la doter de menus personnels. Comme dans le cas des barres d'outils, vous pouvez façonner les menus du programme afin qu'ils s'adaptent de manière optimale aux missions dont ils ont à s'acquitter.

Les deux façons d'afficher des menus personnels

Il existe deux façons d'afficher des menus personnalisés :

Vous pouvez attacher un menu personnel à un formulaire spécifique de façon que le menu n'apparaisse que lorsque le formulaire est ouvert.

Un menu global est un menu qui est constamment présent, bien qu'il puisse être temporairement remplacé par des menus associés à des formulaires spécifiques.

Vous pouvez faire appel à la boîte de dialogue Personnaliser que vous avez découverte dans le chapitre précédent pour créer des menus personnels de l'un et l'autre types. Nous envisagerons plus loin dans ce chapitre-ci la manière d'attacher ces menus personnalités à votre application ; concentrons-nous pour l'instant sur l'utilisation de cette boîte de dialogue.

Créer un menu personnel

C'est la boîte de dialogue Personnaliser qui rend la chose possible :

1. Ouvrez la base de données à laquelle vous souhaitez ajouter un menu personnel.
2. Choisissez Affichage/Barres d'outils/Personnaliser.
3. Activez l'onglet Barres d'outils (s'il ne l'est pas déjà) et choisissez Nouvelle.
4. Entrez un nom dans la case Nom de la barre d'outils et cliquez sur OK ou enfoncez la touche Entrée. (Bien qu'il soit, pour l'instant, question de barre d'outils, ne vous inquiétez pas : barres et menus sont quasiment interchangeables dans Access 97.) Une nouvelle barre s'affiche, flottant par-dessus la fenêtre de personnalisation (Figure 24.1).
5. Cliquez sur Propriétés ; dans la liste Type de la rubrique Propriétés de barre d'outils, sélectionnez Barre menu, puis cliquez sur Fermer. Si votre nouveau menu (qui ressemble encore à une barre d'outils) n'est plus visible, déplacez la fenêtre de personnalisation. Arrangez-vous pour tenir ces deux éléments simultanément sous le regard.

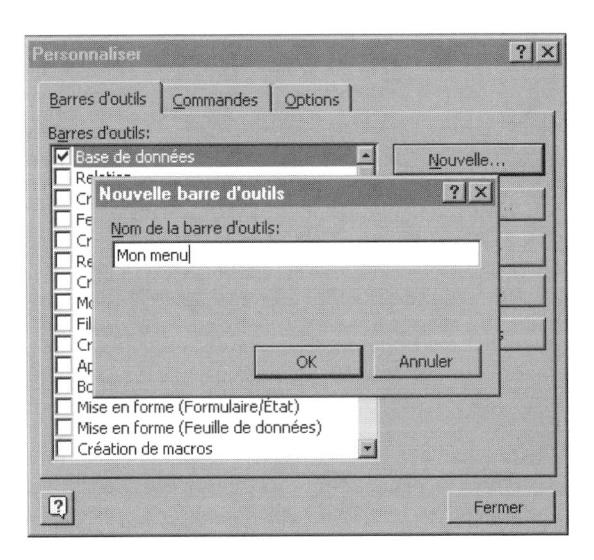

Vous pouvez, à présent, ajouter un menu intégré ou un menu personnel à votre nouvelle barre de menus. Laissez ouverte la boîte de personnalisation : vous allez encore en avoir besoin.

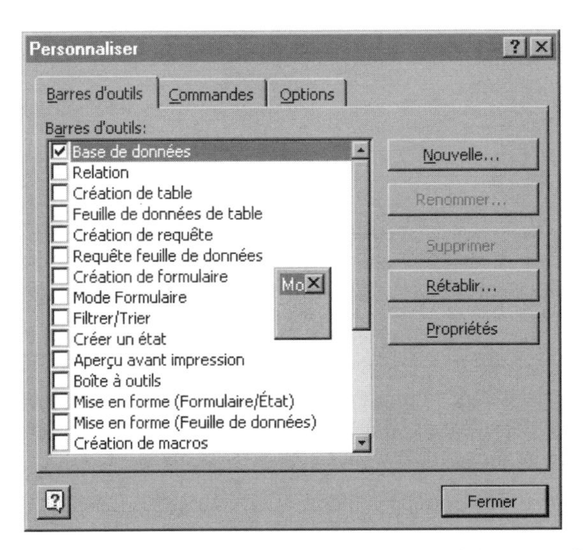

Figure 24.1 : Un nouveau menu baptisé "Mon menu" s'affiche ; il ne comporte encore aucun bouton de commande.

Ajouter un menu intégré

Pour ajouter à votre barre de menus un menu intégré comme Fichier ou Édition, activez l'onglet Commandes de la boîte de dialogue Personnaliser et sélectionnez Menus prédéfinis dans la liste Catégories. Faites ensuite glisser le menu de votre choix de la liste Commandes vers votre barre de menus. La Figure 24.2 montre la barre Mon menu après que nous y avons ajouté les menus Fichier et Édition.

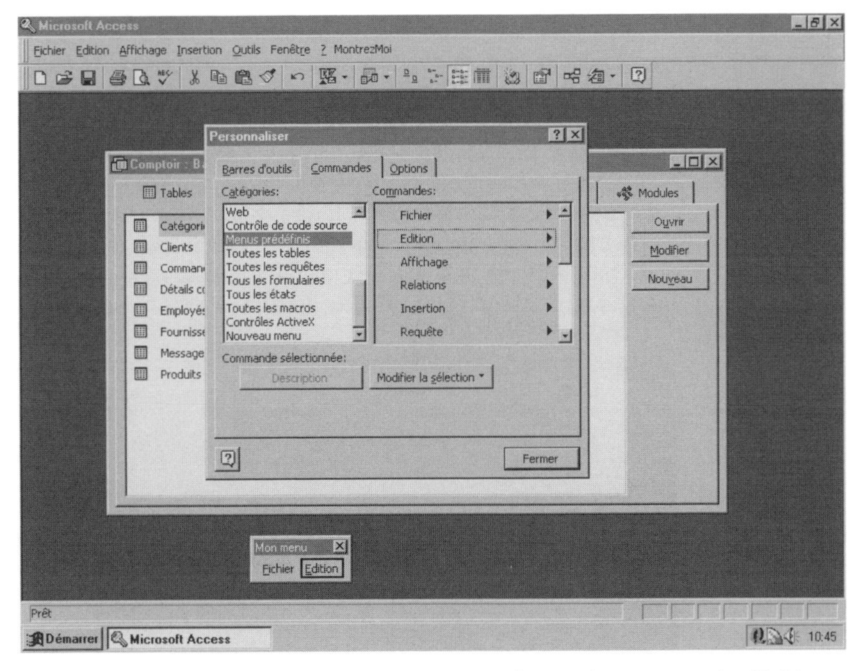

Figure 24.2 : La barre de menus Mon menu après que les commandes Fichier et Édition y ont été ajoutées.

Ajouter un menu personnel

Pour ajouter un menu personnel à une barre de menus, activez l'onglet Commandes de la boîte de dialogue Personnaliser et sélectionnez Nouveau menu dans la liste Catégories, puis faites glisser cette option de la liste Commandes vers la barre à personnaliser. Pour changer le nom générique, cliquez sur la barre avec le bouton droit de la souris et entrez l'intitulé souhaité. Dans l'exemple de la page suivante, nous avons ajouté à la barre Mon menu un menu que nous avons baptisé Menu Etat.

L'étape suivante consiste à ajouter des commandes à ce menu personnel. Pour ce faire, vous pouvez utiliser la fenêtre de personnalisation ou faire glisser des commandes depuis des menus existants. Dans le premier cas, activez l'onglet Commandes et sélectionnez la catégorie souhaitée. Ainsi, choisissez Tous les états si vous souhaitez ajouter le nom d'un état de la base de données comme commande de menu. (Rappelez-vous : nous sommes en train d'ajouter des commandes à une commande de menu, et non à une barre.) Faites ensuite glisser la sélection de la liste Commandes vers la commande concernée de la barre de menus. Une case vide apparaît sous le nom du menu personnel si aucune autre commande n'a encore été ajoutée. La Figure 24.3 montre où nous en sommes à ce stade. Si d'autres commandes ont déjà été ajoutées, leurs noms apparaissent, en lieu et place d'une case vide et l'emplacement de la future commande est symbolisé par un trait d'insertion. Relâchez le bouton de la souris lorsque le trait est positionné à l'endroit où vous voulez que la nouvelle commande s'insère. La Figure 24.4 représente Mon menu dont le Menu Etat comporte désormais trois commandes.

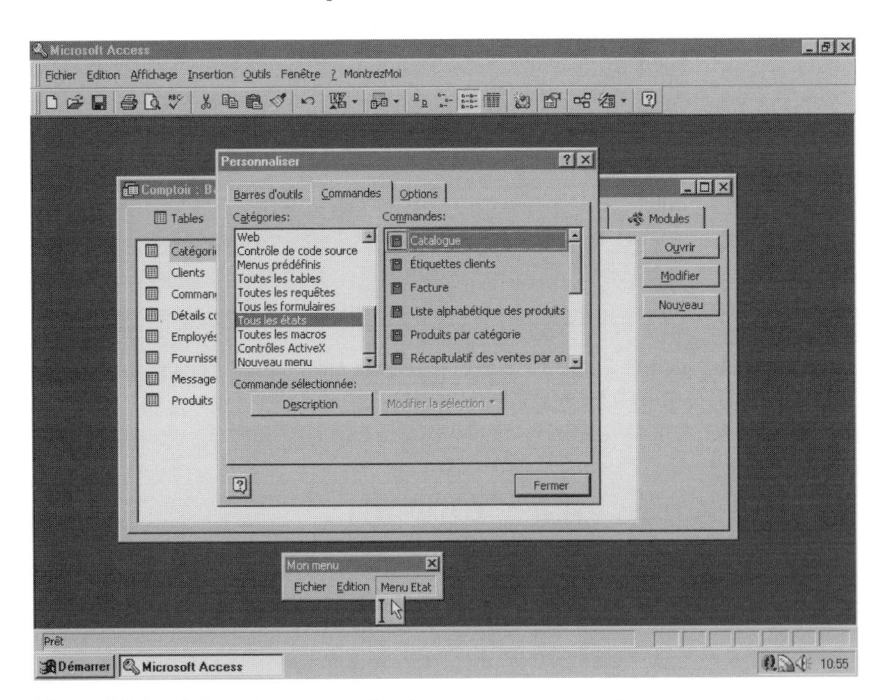

Figure 24.3 : L'ajout de commandes à un menu personnel.

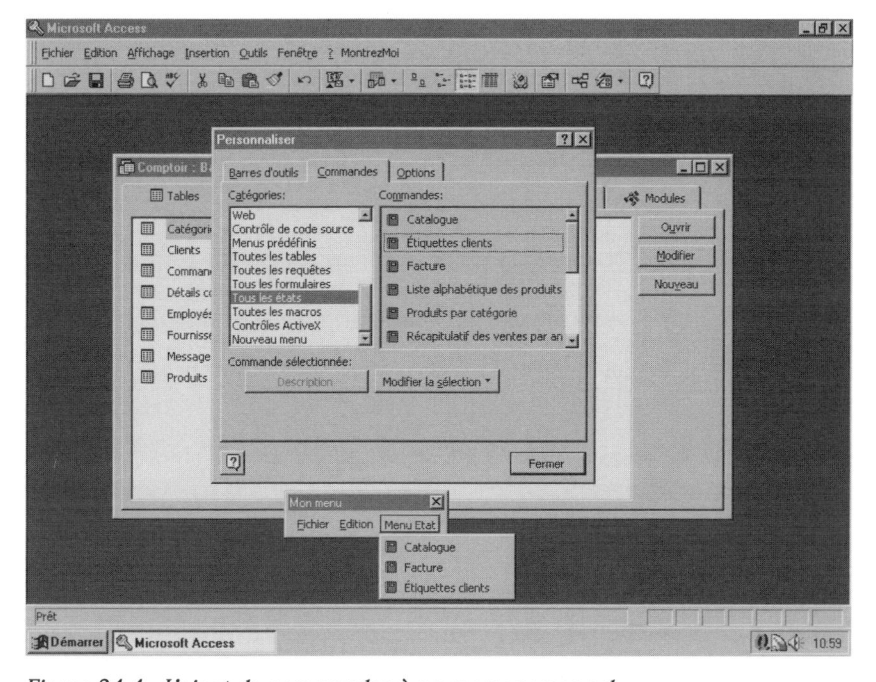

Figure 24.4 : L'ajout de commandes à un menu personnel.

Copier des commandes d'un menu à un autre

Pour copier une commande, commencez par ouvrir la fenêtre de personnalisation, puis assurez-vous que les deux barres impliquées, la barre cible et la barre source, sont bien affichées. Sélectionnez ensuite la commande concernée. (Pour sélectionner une commande de sous-menu, cliquez pour atteindre ce sous-menu, mais ne faites pas glisser. En effet, si vous glissiez, Access penserait que vous souhaitez déplacer l'intégralité de la commande.) Enfoncez alors la touche Ctrl pendant que vous faites glisser la commande vers sa nouvelle barre. Si vous ajoutez un sous-menu à une commande comme le Menu Etat représenté à la Figure 24.4, vous devez prolonger le cliquer-glisser jusqu'à ce qu'une case vide ou qu'un trait d'insertion apparaisse dans la liste sous-menu avant de relâcher le bouton de la souris.

Personnaliser un menu intégré

Les techniques de personnalisation décrites dans le chapitre précédent sont d'application. Donnez-vous à coeur joie !

Pour modifier les propriétés d'un menu intégré :

1. Choisissez Affichage/Barres d'outils/Personnaliser.
2. Activez l'onglet Barres d'outils.
3. Cliquez sur Propriétés.
4. Sélectionnez une barre d'outils dans la liste Barre d'outils sélectionnée.
5. Modifiez ses propriétés, puis cliquez sur Fermer pour regagner la boîte de dialogue Personnaliser. Cliquez de nouveau sur Fermer lorsque vous avez terminé votre personnalisation de barres d'outils et/ou de menus.

Lorsque cette fenêtre est ouverte, vous pouvez cliquer sur n'importe quel bouton ou n'importe quelle commande avec le bouton droit de votre souris afin d'accéder au menu contextuel correspondant. La plupart des commandes concernent uniquement les barres d'outils et ont été, en conséquence, décrites dans le chapitre précédent. Quelques articles, cependant, ont trait aux commandes de menu :

Réinitialiser	Rétablit la forme originale du menu intégré ou restitue un menu personnel dans l'état où il se trouvait lors de la dernière sauvegarde.
Supprimer	Supprime une commande d'une barre de menus.
Nom	Propose une case d'édition dans laquelle vous pouvez entrez l'intitulé de votre choix pour des commandes de menus.
Nouveau groupe	Place la commande sélectionnée en tête d'un nouveau groupe dans la barre des menus.
Propriétés	Ouvre la fenêtre des propriétés dans laquelle vous pouvez changer l'intitulé, l'info-bulle et l'aide des articles de menus.

Enregistrer une barre de menus personnelle

Lorsque vous avez configuré votre barre personnelle, cliquez tout simplement sur Fermer dans la boîte de dialogue Personnaliser. Si vous changez d'avis, n'oubliez pas qu'un bouton intitulé Réinitialiser vous permet de faire marche arrière. S'il s'agit d'une barre intégrée, elle retrouve sa forme originale. S'il s'agit d'une barre personnelle, elle récupère l'état dans lequel elle se trouvait lors de la dernière sauvegarde.

Afficher une barre de menus globale

Si vous désirez que votre barre personnelle prenne la place de la barre intégrée dès que l'utilisateur ouvre votre base de données, vous devez fixer la propriété Barre de menu de votre application sur le nom de votre barre personnelle. Pour ce faire :

1. Ouvrez votre base de données et choisissez Outils/Démarrage.
2. Déroulez le menu local Barre de menus et sélectionnez votre barre personnelle. (En l'absence de menus personnalisés, ce menu déroulant ne propose que l'option (défaut).)
3. Cliquez sur OK.

Pour tester votre nouvelle barre, fermez la base, puis rouvrez-la. Votre barre personnelle s'affiche normalement en lieu et place de la barre classique.

Si vous éprouvez des difficultés à rétablir cette barre standard, fermez la base de données. Enfoncez la touche Majuscule et maintenez-la dans cette position pendant que vous ouvrez de nouveau la base. Le fait d'activer cette touche pendant l'ouverture enjoint à Access d'ignorer les propriétés de démarrage ; votre menu personnel n'apparaît donc pas. Choisissez alors Outils/Démarrage et sélectionnez (défaut) dans le menu local Barre de menus.

Attacher une barre de menus personnelle à un formulaire ou à un état

Si vous souhaitez que votre barre de menus apparaisse chaque fois que l'utilisateur ouvre un formulaire donné ou affiche, en mode aperçu, un état spécifique, réalisez les actions suivantes :

1. En mode création, ouvre le formulaire ou l'état auquel vous souhaitez attacher votre barre de menus.
2. Ouvrez la feuille des propriétés (Affichage/Propriétés), et sélectionnez le formulaire (Édition/Sélectionner le formulaire) ou l'état (Édition/Sélectionner le rapport). Activez ensuite l'onglet Autres de la feuille des propriétés.
3. Choisissez la propriété Barre de menu, puis sélectionnez votre barre personnelle dans le menu déroulant.

4. Choisissez Fichier/Fermer/Oui pour fermer et enregistrer le formulaire ou l'état.

Si vous assignez une barre de menus à un formulaire, la barre désignée n'apparaîtra que lorsque le formulaire sera ouvert en mode formulaire. Si vous assignez une barre de menus à un état, la barre désignée n'apparaîtra que lorsque l'état sera ouvert en mode aperçu avant impression. Si vous avez défini une barre globale pour votre application, la barre attachée au formulaire ou à l'état ne se substituera à cette barre globale que lorsque le formulaire ou l'état sera ouvert. Lorsque l'utilisateur fermera le formulaire ou l'état, le menu global de l'application fera de nouveau son apparition.

Éditer une barre de menus personnelle

Pour modifier une barre de menus que vous avez créée :

1. Choisissez Affichage/Barres d'outils/Personnaliser.
2. Activez l'onglet Barres d'outils (s'il ne l'est pas déjà). Assurez-vous ensuite que le nom de votre barre de menus personnelle est coché (afin que cette barre soit affichée).
3. Opérez vos modifications en recourant aux mêmes techniques que celles que vous avez mises en oeuvre lors de la conception du menu.
4. Cliquez sur OK lorsque vous avez terminé.

Créer des menus contextuels

Un *menu contextuel* est un menu qui s'affiche lorsque vous cliquez sur un objet avec le bouton droit de votre souris. L'objet peut être un contrôle sur un formulaire ou sur un état. Il peut s'agir aussi du formulaire ou de l'état tout entier. En fait, tout objet qui comporte une propriété Menu contextuel ou Barre de menu contextuel est susceptible de se voir attribuer un menu contextuel.

Vous pouvez créer des menus contextuels globaux ou liés au contexte. Les deux sections suivantes vous expliquent comment procéder. Dans les deux cas, une étape préliminaire s'impose : créer le menu qui fera office de menu contextuel.

Créer un menu contextuel

Pour créer un menu contextuel :

1. Choisissez Affichage/Barres d'outils/Personnaliser.
2. Activez l'onglet Barres d'outils et cliquez sur Nouvelle.
3. Dans la case d'édition, entrez le nom souhaité, puis cliquez sur OK.
4. Cliquez ensuite sur Propriétés ; dans la rubrique Propriétés de la barre d'outils, déroulez le menu local Type et sélectionnez FenIndépendante. Cliquez ensuite sur Fermer.
5. Activez Menu contextuel dans la liste Barre d'outils pour afficher le menu contextuel sous cette forme :

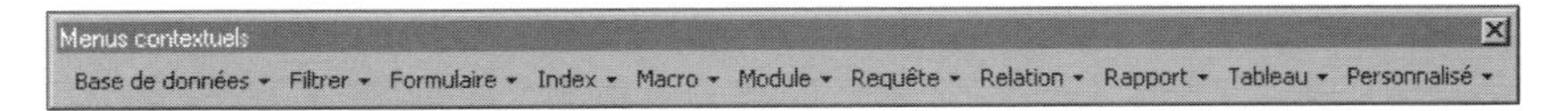

6. Dans cette barre, cliquez sur Personnalisé. et choisissez le nom de votre menu contextuel. Une case vide apparaît, juste à gauche ou à droite de ce nom. Faites glisser la commande souhaitée depuis la fenêtre de personnalisation ou depuis une barre d'outils existante vers cette case vide (reportez-vous éventuellement au chapitre précédent). Pour ajouter des commandes supplémentaires, répétez la procédure.
7. Clique sur Fermer quand votre menu contextuel est constitué.

Définir un menu contextuel global

Pour créer un menu contextuel global, c'est-à-dire qui s'affiche lorsqu'un formulaire ou un objet n'affiche pas son menu contextuel personnel, activez la propriété Barre de menu contextuel de la boîte de dialogue Démarrage (Figure 24.5). Pour fixer cette propriété :

1. Sélectionnez Outils/Démarrage.
2. Dans la liste déroulante Barre de menu contextuel, sélectionnez le menu contextuel que vous désirez globaliser.
3. Cliquez sur OK.

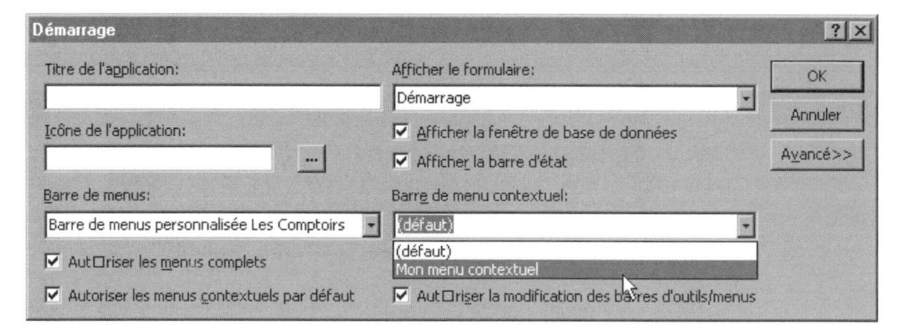

Figure 24.5 : Création d'un menu contextuel global grâce à la propriété Barre de menu contextuel de la boîte de dialogue Démarrage.

Définir un menu contextuel lié

Pour annexer un menu contextuel à un contrôle de formulaire, ou à un formulaire proprement dit :

1. En mode création, ouvrez le formulaire auquel vous souhaitez attacher un menu contextuel.
2. Sélectionnez l'objet qui doit afficher le menu, ou sélectionnez l'intégralité du formulaire.
3. Ouvrez la feuille des propriétés (Affichage/Propriétés). Activez l'onglet Autres.
4. Dans la liste déroulante de la propriété Barre de menu contextuel, sélectionnez le nom de la macro de votre menu personnel.
5. Choisissez Fichier/Fermer/Oui pour fermer et enregistrer le formulaire.

Contrôler l'affichage d'un menu contextuel

Vous déterminez si un menu contextuel attaché à un formulaire s'affiche ou ne s'affiche pas en fixant sa propriété Menu contextuel.

1. En mode création, ouvrez le formulaire qui doit afficher ou ne pas afficher le menu contextuel.
2. Ouvrez la feuille des propriétés (Affichage/Propriétés) et sélectionnez le formulaire (Édition/Sélectionner le formulaire). Activez l'onglet Autres.

3. Fixez la propriété Menu contextuel sur Oui ou sur Non, selon que vous souhaitez que le menu contextuel s'affiche ou ne s'affiche pas.

4. Choisissez Fichier/Fermer/Oui pour fermer et enregistrer le formulaire.

Convertir des menus macro en menus Access 97

Si vous disposez de menus créés à partir de macros ou constitués avec l'aide de l'ancien Générateur de menu, vous pouvez les convertir en menus Access 97 :

1. Ouvrez la fenêtre Base de données de votre base.
2. Activez l'onglet Macros.
3. Sélectionnez la macro qui définit le menu le plus élevé.
4. Choisissez Outils/Macro/Créer un menu d'après macro. (S'il s'agit d'un menu contextuel, choisissez la commande Créer un menu contextuel d'après macro.)

Access crée le menu et lui attribue le même nom que celui de la macro dont il est inspiré. Vous pouvez personnaliser ce menu grâce à la fenêtre de personnalisation.

Combiner menus et barres d'outils

Access 97 vous permet de combiner librement commandes de menus et boutons de barres d'outils afin de constituer des barres de commandes hybrides. Ouvrez la boîte de dialogue Personnaliser, puis faites glisser les commandes de menus vers des barres d'outils, et les boutons de barres d'outils vers des menus. Pour davantage de détails, reportez-vous à la section "Combiner menus et barres d'outils" du chapitre précédent.

Et maintenant, que faisons-nous ?

La création de menus personnels vous permet de faire fonctionner vos bases de données comme des applications à part entière. C'est également le cas des barres d'outils personnelles que nous avons traitées dans le chapitre précédent. Pour entamer l'élaboration d'applications plus complexes, nous vous invitons à découvrir les fonctions de programmation d'Access 97. Les trois prochains chapitres sont donc consacrés à Visual Basic, le langage de programmation d'Access.

Quoi de neuf ?

Grâce à vos menus personnels, vos applications base de données sont nettement plus fonctionnelles. La version 97 d'Access a considérablement simplifié la procédure :

- L'ancien Générateur de menu a disparu au profit d'une fenêtre de personnalisation qui gère, à la fois, les barres d'outils et les menus. Commandes et boutons peuvent désormais cohabiter dans une même barre.
- Les menus personnels créés selon les anciennes techniques (à partir de macros ou avec l'assistance du Générateur) peuvent être convertis en menus Access 97.

Partie V

Peaufiner une appication personnalisée

Chapitre 25

Présentation de Visual Basic

Si vous avez découvert ce que liens hypertextes et macros veulent vraiment dire, vous savez que vous pouvez faire appel à ces éléments pour automatiser un grand nombre de tâches typiques de base de données. Mais Visual Basic, le langage de programmation d'Access 97 pour Windows 95 peut, malgré tout, vous être utile dans bien des cas. Sachez en outre qu'il est commun à toutes les applications Microsoft Office.

Pourquoi utiliser VBA ?

Access vous offre la possibilité de concevoir des macros faciles à utiliser et des propriétés qui vous permettent d'exécuter ces macros. À quoi peut donc bien servir Visual Basic ? En effet, dans les Chapitres 20-24, nous vous avons montré à l'envi que les macros vous permettaient de mener à bien une foule de tâches. Ne pouvons-nous pas nous en tenir là ?

La réponse est à la fois oui et non. Certes, les macros suffisent à la plupart des utilisateurs d'Access. Mais leur pouvoir n'est pas illimité et elles sont affectées de quelques défauts qui en découragent parfois l'utilisation. Ainsi, vous les utiliserez dans les circonstances suivantes :

- Lorsque vous ne souhaitez pas vous compliquer la vie. Les macros représentent un style de programmation hautement visuel et vous dispensent d'étudier et de respecter des règles de syntaxe particulièrement strictes. Votre action se borne à sélectionner l'une des options disponibles et à indiquer l'action que vous voulez programmer.
- Lorsque vous désirez créer une barre d'outils ou un menu. Visual Basic ne propose aucun procédé vous permettant de créer ces objets.
- Lorsque vous voulez entreprendre une action au moment où la base de données s'ouvre avec une macro AutoExec. Dans ce cas, vous devez impérativement utiliser une macro.
- Lorsque les messages d'erreur intégrés d'Access sont insuffisants en cas de problème.

En revanche, vous devez utiliser Visual Basic :

- Lorsque vous aspirez à une gestion simple. À la différence des macros, les procédures Visual Basic peuvent faire partie des formulaires et des états qui les contiennent. Lorsque vous copiez un formulaire ou un état d'une base de données dans une autre, toutes les procédures Visual Basic stockées avec cet objet sont également transférées.
- Lorsqu'Access ne possède pas la fonction que vous cherchez. En l'absence d'une fonction intégrée capable de se charger du calcul que vous voulez réaliser, vous pouvez écrire votre propre fonction en Visual Basic.
- Lorsque vous souhaitez répondre aux messages d'erreur de façon originale. Si vous employez Visual Basic, vous pouvez concevoir vos propres messages d'erreur ou exécuter une action qui corrige l'erreur sans que l'utilisateur de la base n'ait à intervenir.

- Lorsque vous devez vérifier l'état du système. Les macros vous permettent d'exécuter une autre application, mais ne vous autorisent pas à accéder aux informations au niveau du système. Ainsi, il vous est impossible, avec une macro, de vérifier si un fichier existe. Visual Basic autorise cet accès et ces actions.
- Lorsque vous devez travailler sur vos enregistrements en en traitant un à la fois. Les macros exécutent des actions qui portent sur des groupes d'enregistrements. Visual Basic, pour sa part, vous permet de passer d'enregistrement en enregistrement, et de réaliser des actions sur un enregistrement donné lorsque celui-ci contient le focus.
- Lorsque vous devez transférer des arguments entre procédures. Vous pouvez définir les arguments initiaux des macros, mais vous ne pouvez pas les modifier pendant que la macro s'exécute. Ces changements sont autorisés en Visual Basic, ainsi que le recours à des variables dans les arguments.

À quoi ressemble Visual Basic ?

Où Visual Basic se cache-t-il dans la structure générale d'Access ? Comment devez-vous vous y prendre pour utiliser toutes ses fonctionnalités mirobolantes ? Pour découvrir Visual Basic, il vous suffit d'aller voir ce qui se cache derrière le bouton Code de la barre d'outils Création de formulaire ou Créer un état. Un clic sur ce bouton ouvre en effet la fenêtre du code du formulaire ou de l'état sélectionné (Figure 25.1). C'est dans cette fenêtre que vous écrirez vos procédures et vos fonctions.

Le code que vous introduisez dans un formulaire ou dans un état ne s'applique qu'à ce formulaire ou qu'à cet état, ainsi qu'aux objets qu'il contient. Même si vous pouvez appeler ces procédures depuis une autre procédure quelconque de votre base de données, le code ne s'applique malgré tout qu'au formulaire ou qu'à l'état ainsi qu'à ses objets. Si votre code doit être accessible à un autre objet de la base, vous devez créer un module en utilisant le bouton Nouveau de l'onglet Modules de la fenêtre Base de données. Placez donc vos procédures et fonctions globales dans cette fenêtre et dans aucune autre.

Visual Basic et les objets

Visual Basic est un environnement de programmation orienté objet. À tout *objet* est associé un ensemble de procédures et de données. Certains objets possèdent en outre une représentation visuelle, tandis que d'autres ne sont accessibles qu'en code Visual Basic. Le formulaire est un exemple typique d'objet. Vous pouvez dessiner le formulaire à l'écran. Différentes procédures lui sont associées et il affiche des données.

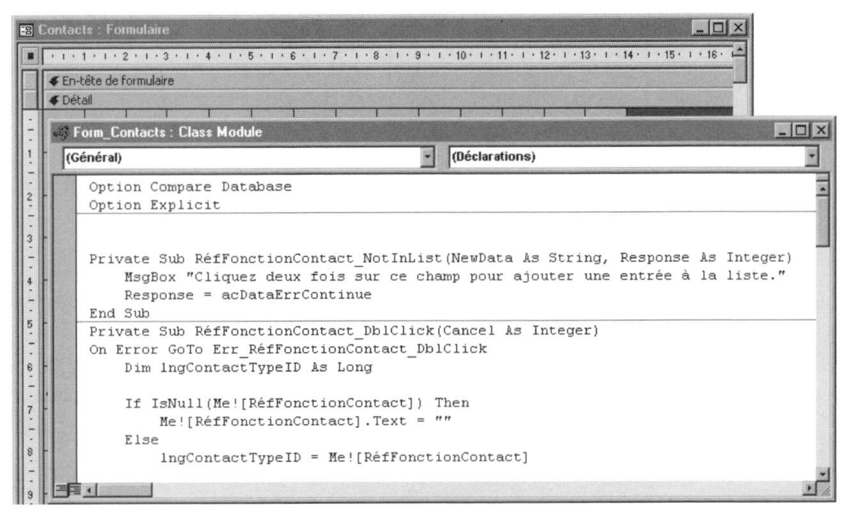

Figure 25.1 : La fenêtre de code du formulaire Contacts de la base de données Contacts1 créée précédemment avec l'aide de l'Assistant Création d'applications ; c'est dans cette fenêtre que vous écrivez les procédures Visual Basic destinées au formulaire.

Selon cette définition, les états sont également des objets, de même que tous les contrôles que vous employez pour construire à la fois les formulaires et les états. (Techniquement, les tables et les requêtes sont également considérées comme des objets.) Chaque objet possède des *propriétés* qui en déterminent l'aspect et le comportement. Chaque objet possède aussi un ensemble de *méthodes* qui ont été définies à son intention, les méthodes étant des actions que l'objet peut exécuter. Certains objets, dont les formulaires, les états et les contrôles, répondent en outre à un ensemble d'*événements.*

Vous connaissez déjà les propriétés des objets. Ce sont les mêmes que celles que vous avez fixées pour les formulaires, les états et les contrôles tout au long de cet ouvrage. Les méthodes ne devraient pas vous être étrangères non plus puisque vous en avez employé dans vos formulaires (rappelez-vous les méthodes Recalc, GoToPage et SetFocus). Les événements s'apparentent nettement aux propriétés événement dans lesquelles vous pouvez introduire une macro, à cette différence près que vous pouvez écrire du code qui réagit à chaque événement plutôt que de vous en remettre à des actions macro prédéfinies.

Visual Basic et les événements

Visual Basic fait appel à des procédures événementielles pour réagir à des événements. Par défaut, VBA ne réagit jamais quand un événement se produit. Si vous souhaitez que l'objet réagisse à l'événement, comme un clic sur un bouton ou l'activation d'un formulaire, vous devez écrire le code de cette procédure. Ce code remplace le comportement par défaut et l'action que vous y définissez s'exécute lorsque l'événement se produit.

Chaque objet définit les événements auxquels il réagit. Si vous examinez la fenêtre de code du formulaire Appels de la base de données Contacts1, vous pouvez vous rendre compte de la manière dont les événements sont mis à votre disposition en tant que développeur d'applications (Figure 25.2). Le formulaire comporte différents objets. La liste déroulante Objet située dans la partie supérieure gauche de la fenêtre répertorie tous les objets associés au formulaire. L'objet (Général) représente le code qui affecte tous les objets de la liste. Chaque objet, y compris le formulaire proprement dit, est désigné par un nom, ce nom étant l'une des propriétés de l'objet.

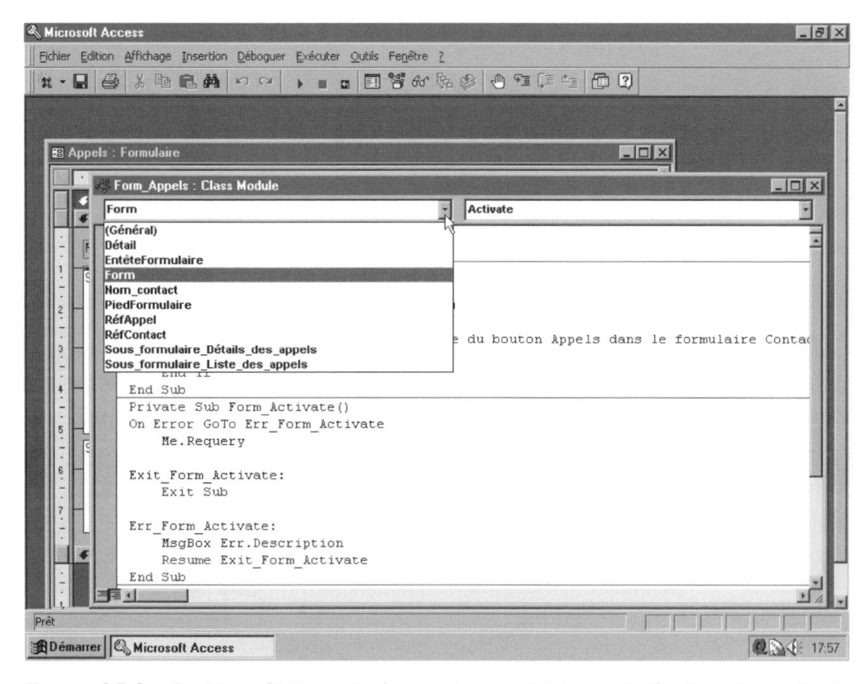

Figure 25.2 : La liste Objet qui répertorie les objets de la fenêtre de code du formulaire Appels de la base de données Contacts1.

La liste déroulante située pour sa part dans la partie supérieure droite de la fenêtre recense les événements auxquels les objets réagissent (Figure 25.3). Chaque événement possède un nom aussi explicite que possible, comme Click. Lorsque vous sélectionnez un événement dans la liste, la fenêtre de code affiche le cadre de la procédure événementielle qui comporte une instruction Private Sub Calls_Event (Arguments) et une instruction End Sub. Ces deux instructions sont indispensables pour délimiter le code qui réagit à l'événement. Ils délimitent donc le bloc de code qui constitue la *procédure événementielle,* l'ensemble des instructions qui font qu'une action se déclenche à la suite d'un événement donné.

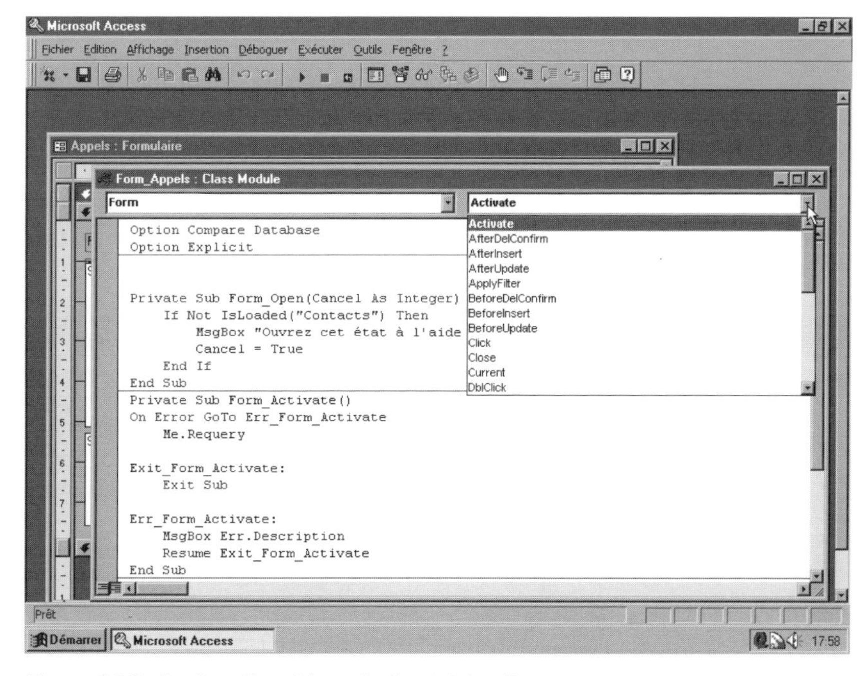

Figure 25.3 : La liste Procédure du formulaire Contacts.

Visual Basic et les instructions

Pour construire une procédure événementielle, vous devez utiliser des instructions et des fonctions Visual Basic. Si vous n'y connaissez rien en programmation, ne vous laissez pas décourager par le nombre d'instructions disponibles. Visual Basic propose des instructions de contrôle de déroulement, comme Si... Alors... Sinon..., qui contrôlent l'ordre dans lequel les autres instructions s'exécutent. (Les deux instructions qui délimitent une procédure événementielle sont, en fait, des instructions de contrôle de déroulement.) VBA propose également des instructions qui font qu'une action se réalise, comme Beep (qui fait que le système émet un signal sonore), ou ChDir (qui modifie le répertoire ou dossier courant). Au total, 81 instructions sont utilisées dans VBA. (L'aide en ligne les détaille toutes.)

Le chapitre suivant décrit plus en détail les instructions de contrôle de déroulement.

Par ailleurs, vous pouvez écrire des instructions qui définissent une propriété d'un objet, assignent une valeur à une variable, utilisent une fonction ou une méthode. Pour assigner une valeur à une propriété d'un objet, vous rédigerez une instruction comme :

```
Set Object.Property = Value
```

Pour assigner une valeur à une variable :

```
Set Variable = Value
```

Pour employer une fonction, commencez par sélectionner une fonction qui se charge du calcul que vous voulez réaliser ou qui entreprend l'action que vous voulez mener. D'une manière générale, les fonctions retournent la valeur qu'elles calculent ou un code que votre programme peut utiliser. Vous pouvez ensuite assigner la valeur d'une fonction à une variable qui l'utilisera ultérieurement, comme dans l'instruction suivante :

```
Today = Date ()
```

Cette instruction emploie la fonction Date pour connaître la date du système et la stocke dans une variable intitulée Today.

Pour utiliser une méthode, vous employez une syntaxe semblable à celle qui vous permet de définir une propriété, sauf que vous n'utilisez pas le signe = (égal). Vous associez le nom de l'objet à la méthode en recourant à la notation point pour constituer l'instruction. L'un des noms d'objet les plus utiles est Me, qui désigne l'objet actuellement sélectionné. L'instruction suivante fait en sorte que l'objet courant se redessine lui-même en utilisant la méthode Refresh qui lui est associée :

```
Me.Refresh
```

Visual Basic et les variables

Nous avons mentionné les variables en passant. Une *variable* est un nom que vous donnez à Access. Access définit une zone de mémoire pour le stockage des éléments et lui attribue ce nom. Une variable possède un *type* qui décrit la nature de l'élément qu'elle est susceptible de stocker. Par défaut, Visual Basic crée des variables de type *variant*, ce qui signifie qu'elles peuvent stocker n'importe quoi. Pour créer un nom de variable, il vous suffit de l'utiliser. Vous pouvez aussi nommer explicitement la variable dans une instruction appelée déclaration au début de votre procédure, comme :

```
Dim strDialStr As String
```

Cette instruction demande de créer, ou de "dimensionner" (d'où l'instruction Dim) une variable nommée strDialStr de type String. StrDialStr ne peut donc contenir que des chaînes de caractères. Toute tentative visant à assigner des données d'un autre type produira invariablement une erreur. Visual Basic supporte les types de variables suivants :

- **Integer** : Nombres entiers compris entre -32 768 et 32 768.
- **Long** : Nombres entiers compris entre -2 147 483 648 et 2 147 483 648.
- **String** : Chaîne de caractères quelconque comprenant jusqu'à 65 500 caractères environ.
- **Currency** : Nombres comportant jusqu'à 4 décimales et étant compris entre -955 337 203 685,5808 et 955 337 203 685,5808.
- **Single** : Nombres réels compris entre $\pm$ 1.40 x 10^{-45} et $\pm$ 3.40 x 10^{38}.
- **Double** : Nombres réels compris entre $\pm$ 4.94 x 10^{-324} et $\pm$ 1.79 x 10^{308}.
- **Variant** : Peut contenir n'importe quel type de données parmi ceux que nous venons d'énumérer.

Lorsque vous nommez une variable, vous devez inclure les trois premières lettres de son type dans son nom (voyez ci-dessus). Il vous suffira ainsi de consulter le nom d'une variable pour savoir instantanément le type de données qu'elle peut stocker. Vous apprécierez cette convention une nuit où vous serez particulièrement fatigué, ou à votre retour de vacances, quand vous aurez les idées ailleurs.

Pour mettre une variable à la disposition de toutes les procédures et de toutes les fonctions de votre application, placez-la dans un module global et faites-la précéder du mot clé Public.

Visual Basic et les procédures

Dans Visual Basic, vous pouvez rédiger d'autres procédures que les procédures événementielles. Ainsi, vous pourriez écrire une procédure qui ferait partie d'un module global ou qui se situerait au niveau Général d'un formulaire ou d'un état et à laquelle vous pourriez faire appel chaque fois que vous souhaiteriez exécuter l'action menée par cette procédure. La base de données Contacts1 fait appel à une procédure de ce type pour gérer les clics sur les boutons de son menu général. Au niveau Général du formulaire Menu Général, vous trouvez la procédure HandleButtonClick. Cette procédure présente comme argument le numéro du bouton et exécute une action en fonction du numéro de bouton reçu. Une même fonction peut ainsi servir différents boutons. La propriété Sur clic de chacun d'eux est fixée sur le nom de la procédure. Lorsqu'un clic intervient, la procédure se déclenche et exécute l'action.

En matière de procédures événementielles, deux points importants sont à prendre en considération. Ainsi, il faut savoir d'abord que ces procédures ne peuvent retourner des valeurs que le reste du programme pourrait utiliser. Vous ne pouvez définir une variable égale à la valeur d'une procédure événementielle. Ensuite, lorsqu'une procédure fait partie d'un formulaire ou d'un état, elle ne fait référence qu'à ce formulaire ou qu'à cet état. Placez vos procédures dans un module global si vous voulez pouvoir les utiliser n'importe où dans votre application base de données et faites-les précédez du mot clé Public plutôt que Private.

Visual Basic et les fonctions

Les fonctions sont des procédures qui retournent une valeur destinée à être exploitée par d'autres instructions dans le programme. La valeur retournée se définit en utilisant le nom de la fonction comme variable, comme le montre la fonction suivante générée par l'Assistant Création d'applications pour la base de données Contacts1 :

```
Function IsLoaded(ByVal strFormName As String) AS
Integer
    '  Renvoie True si le formulaire spécifié est ouvert
    '  en mode formulaire ou feuille de données.

Const conObjStateClosed = 0
Const conDesignView = 0
```

```
If SysCmd(acSysCmdGetObjectState, acForm,
      strFormName)<> conObjStateClosed Then
      If Forms(strFormName).CurrentView <>
      conDesignView_
      Then
      IsLoaded = ' Définit la valeur retournée
       ' en utilisant le nom de la fonction comme
       ' variable.
      End If
End If
End Function
```

Ne vous laissez pas affoler par ces instructions ! Attendez d'en connaître davantage sur Visual Basic avant de vous lancer dans une interprétation hasardeuse ! Souvenez-vous simplement qu'une fonction est destinée à définir une valeur retournée et utilise les instructions Function et End Function pour la délimiter.

Les fonctions et les procédures Sub peuvent recevoir des *arguments*, des variables dont les valeurs sont mises à la disposition de la fonction. Ces variables sont citées entre parenthèses, suivies du nom de la fonction ou de la sous-routine. Lorsque vous les nommez, vous utilisez le mot clé As pour indiquer leur type, comme vous le faites quand vous déclarez une variable. Si vous ne souhaitez pas que la fonction ou que la procédure modifie la valeur stockée dans la variable, faites précéder le nom de la variable par ByVal.

Construire une procédure

Si vous désirez mettre la pain à la pâte, c'est le moment ! Dans cette section, nous allons construire une véritable procédure VBA ! Même si cette procédure est relativement élémentaire, elle vous permettra néanmoins d'acquérir quelques notions fondamentales. Les deux chapitres suivants vous initieront aux actions plus complexes. (Souvenez-nous que nous avons consacré trois chapitres à la programmation dans un langage qui pourrait faire l'objet de livres entiers. Soyez patient ; prenez le temps de consulter l'aide en ligne et d'examiner du code Visual Basic existant. Vous deviendrez rapidement un as en la matière !)

Ayant lu les sections précédentes, vous savez comment une procédure se construit. Mais nous avons une surprise pour vous sur la manière dont Access construit les procédures : dans la plupart des cas, le code que vous devez entrer est relativement limité, car un Assistant se charge, à votre place, d'une grande partie du travail. (Pratique, non ?) L'exercice que nous vous proposons consiste à ajouter un bouton de commande qui imprimera une copie d'un formulaire prévu pour la saisie de données. Vous pouvez utiliser la base de votre choix : Visual Basic fonctionne la manière identique, quel que soit le formulaire que vous utilisiez.

Pour ajouter le bouton :

1. Ouvrez le formulaire en mode création.
2. Assurez-vous que le bouton Assistants Contrôle est enfoncé.
3. Dans la boîte à outils, sélectionnez l'outil Bouton de commande.
4. Tracez le bouton sur le formulaire. L'Assistant Bouton de commande ne tarde pas à faire son apparition (Figure 25.4).
5. Sélectionnez le type d'actions souhaité dans la liste Catégories. Étant donné que nous voulons imprimer le formulaire, sélectionnez Opérations sur formulaire. Spécifiez ensuite l'action dans la liste voisine ; dans notre cas, sélectionnez Imprimer le formulaire en cours. Cliquez sur Suivant.

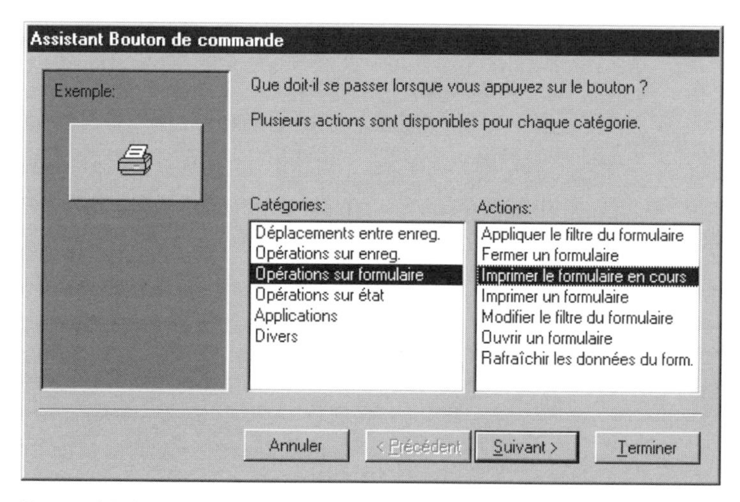

Figure 25.4 : La première boîte de dialogue de l'Assistant Bouton de commande vous permet de définir le type d'action dont la procédure événementielle doit s'acquitter.

6. Dans la boîte de dialogue suivante, spécifiez si vous voulez que le bouton affiche un texte ou une image. Dans le premier cas, entrez le texte dans la case Texte ; dans le second, vous pouvez faire appel au bouton Parcourir pour sélectionner un fichier graphique. Cliquez sur Suivant.
7. Dans la troisième et dernière boîte de l'Assistant, entrez un nom significatif pour le bouton dans la case d'édition. Ensuite, cliquez sur Terminer.

L'Assistant crée le bouton et construit pour vous la procédure événementielle Click. Vous pouvez afficher cette procédure en cliquant sur le bouton avec le bouton droit de la souris et en sélectionnant Créer code événement dans le menu contextuel qui s'affiche alors. La procédure créée est la suivante :

```
Sub BoutonImprimerFormulaire_Click()
On Error GoTo Err_BoutonImprimerFormulaire_Click


    DoCmd.PrintOut

Exit_BoutonImprimerFormulaire_Click:
    Exit Sub

Err_BoutonImprimerFormulaire_Click:
    MsgBox Err.Description
    Resume Exit_BoutonImprimerFormulaire_Click

End Sub
```

Félicitations ! Vous venez de programmer votre première procédure ! Elle est relativement claire. La première instruction concerne la gestion des erreurs (nous en reparlerons dans le chapitre suivant). La deuxième utilise la méthode PrintOut de l'objet DoCmd pour imprimer le formulaire. (L'objet DoCmd contient toutes les actions que vous pouvez invoquer en utilisant des macros.) La ligne suivant est un label ou *étiquette*, c'est-à-dire une ligne de texte qui n'exécute aucune action mais peut faire office de signet. Les étiquettes se terminent par la signe deux-points (:). La ligne suivante met un terme à la procédure. Quant aux trois dernières lignes, elles comprennent une étiquette et du code de gestion d'erreur (de nouveau, voyez le chapitre suivant).

En fait, lorsque vous écrivez des procédures pour les objets courants d'Access, le programme met à votre disposition un Assistant par type d'objet. Vous ne devez donc pas être un as en programmation pour agir efficacement en Visual Basic.

Convertir des macros en Visual Basic

Access vous offre la possibilité de convertir vos macros existantes en code Visual Basic. Pour convertir celles qui sont associées à un formulaire ou à un état, ouvrez l'objet en mode création et choisissez Outils/Macro/Convertir les macros en Visual Basic.

Pour convertir des macros globales, activez l'onglet Macros de la fenêtre Base de données. Cliquez ensuite sur la macro que vous voulez convertir. Choisissez ensuite Fichier/Enregistrer sous/Exporter et validez Enregistrer comme un module Visual Basic, puis cliquez sur OK.

En apprendre davantage sur VBA

Visual Basic pour Applications est un domaine vaste dont nous ne pouvons qu'aborder les grandes lignes dans un ouvrage consacré à Access en général. Pour en apprendre davantage sur VBA, consultez les sources suivantes :

- *Visual Basic* depuis la fonction de recherche du Compagnon Office.
- Le livre *Référence à Microsoft Access et à Visual Basic Édition Applications* dans le sommaire de l'aide.
- La documentation Visual Basic fournie sur le CD-ROM Microsoft Developper Network. Les derniers développements relatifs à Visual Basic sont consignés sur ce disque tous les trimestres.
- Le code que génère l'Assistant Création d'applications lorsqu'il crée une base de données d'un type particulier. Vous pouvez en apprendre beaucoup sur la manière dont les programmeurs de chez Microsoft utilisent Visual Basic en étudiant ces exemples.

Et maintenant, que faisons-nous ?

Dans ce chapitre, vous avez fait connaissance avec VBA. Les deux chapitres suivants vous en apprennent davantage. Le Chapitre 26 vous apprend à créer vos propres messages d'erreur ; le Chapitre 27 vous indique comment utiliser l'automation OLE pour contrôler d'autres programmes.

Présentation de Visual Basic

Quoi de neuf ?

Nous venons de découvrir Visual Basic pour Applications. Ses caractéristiques les plus marquantes sont :

- La possibilité d'écrire des programmes base de données en utilisant un langage de programme complet.
- La possibilité d'agir sur des objets fournis par Access et par d'autres programmes lorsque vous écrivez votre propre code.
- La possibilité d'attacher directement du code aux objets de votre base de données.
- La possibilité de faire en sorte que différents programmes fonctionnent en tandem avec votre application afin de réaliser des tâches complexes.

Chapitre 26

Créer des messages d'erreur personnels

Même l'application la mieux planifiée n'est pas à l'abri d'un problème. Lorsque cela se produit dans Access, le programme génère une erreur. Deux solutions s'offrent alors à vous : laisser Access et Visual Basic prendre les mesures qui s'imposent, ou intervenir personnellement. La première option est particulièrement pratique puisque vous n'avez rien à faire. Toutefois, la détection de l'erreur paralyse l'exécution de votre application. L'utilisateur se voit adresser un message d'alerte et la tâche qui était en cours est subitement suspendue. La technique du laisser-faire est peut-être pratique pour vous ; elle l'est nettement moins pour l'utilisateur qui y est confronté.

La seconde possibilité, celle qui vous fait intervenir directement, est moins confortable mais accroît la convivialité de votre application. Lorsque vous réagissez aux erreurs, vous pouvez adresser un message clair à l'utilisateur plutôt que de le laisser aux prises avec les descriptions d'erreurs sibyllines que lui envoie Access. Vous lui expliquez en quoi consiste le problème et lui proposez des solutions. Dans la plupart des cas, vous n'avez même pas à lui dire qu'une erreur s'est produite. Vous corrigez l'erreur au niveau du code et en relancez l'exécution.

Ce chapitre vous enseigne à gérer vous-même les erreurs ; dans la foulée, il vous montre comment aller au-delà du code écrit par l'Assistant. Pour être en mesure de gérer les erreurs, vous devez apprendre comment contrôler le déroulement des programmes Visual Basic. Mais avant tout, vous devez vous concentrer sur les deux manières de créer des messages d'erreur personnels dans Access, l'une en utilisant les macros, l'autre Visual Basic.

Il existe une situation dans laquelle vous devez absolument contrôler l'erreur : lorsque vous utilisez le Kit de développement d'Access (ADT - Access Developper's Toolkit) pour créer une version "runtime" de votre application. Dans ce cas, toute erreur non traitée provoque le déchargement pur et simple de l'application.

Créer des messages d'erreur personnels avec une macro

Lorsque vous utilisez des macros, vous pouvez créer un message personnel d'erreur grâce à l'action BoîteMsg. Pour ce faire, créez une macro en cliquant sur le bouton Nouveau de l'onglet Macros de la fenêtre Base de données. Dans la feuille macro, sélectionnez l'action BoîteMsg et spécifiez ses arguments. La Figure 26.1 vous montre la macro terminée.

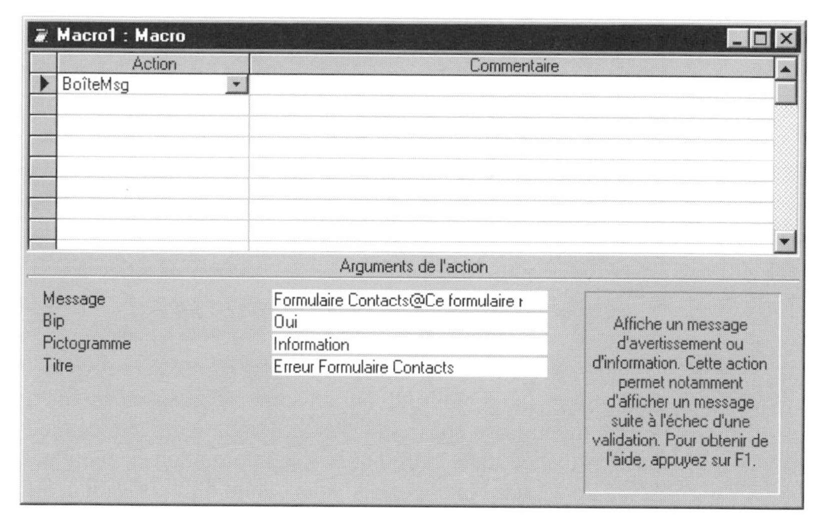

Figure 26.1 : Cette macro signale à l'utilisateur que le double clic n'a pas d'effet dans ce contexte.

Lorsque vous définissez les arguments, vous pouvez créer un message formaté dans la case Message en utilisant le caractère @. Formatez votre message de la manière suivante :

```
Formulaire Contacts@Ce formulaire ne supporte pas le
double clic. @Utilisez les boutons placés dans la
partie inférieure du formulaire pour faire défiler
votre écran jusqu'à l'enregistrement souhaité.
```

Le premier tiers du message, à gauche du symbole @, apparaît en gras dans la partie supérieure de la fenêtre du message. Le deuxième tiers, celui placé entre les deux symboles @, apparaît juste en dessous. Le troisième et dernier tiers du message s'affiche sous cette mention (Figure 26.2).

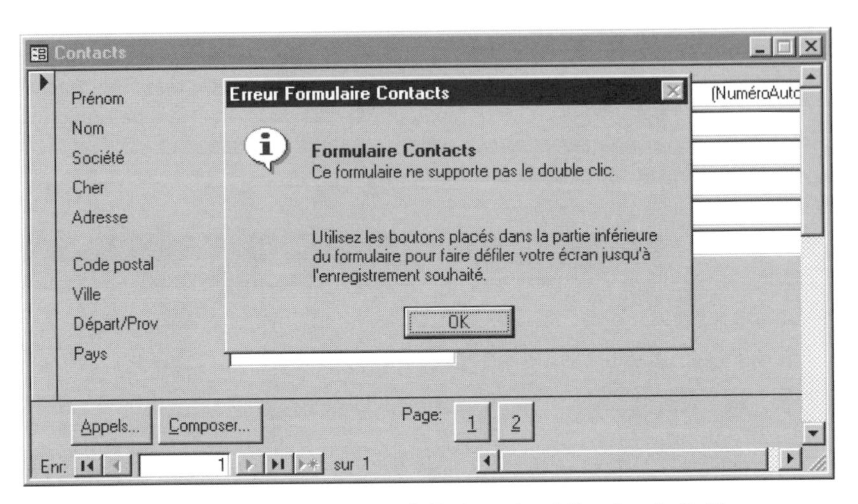

Figure 26.2 : Un message personnel s'affiche grâce à l'action BoîteMsg.

Les autres arguments de l'action BoîteMsg gèrent les autres fonctions de la fenêtre du message. L'argument Bip fait en sorte qu'un signal sonore soit émis lorsque la fenêtre du message apparaît à l'écran. L'argument Pictogramme détermine l'icône qui est affichée dans cette boîte, soit Information (comme dans l'exemple de la Figure 26.2), soit Point d'exclamation, Point d'interrogation, Stop ou aucun. Enfin, l'argument Titre contient la chaîne de caractères qui s'affiche dans la barre de titre de la fenêtre du message d'alerte.

Pour afficher un message d'erreur personnalisé comme celui que vous venez de définir, vous devez assigner la macro à l'argument événement approprié de l'objet de référence. Dans le cas d'un formulaire d'encodage, il convient d'assigner la macro à la propriété événement Sur double clic de chaque objet du formulaire. Si votre message d'erreur personnel est censé répondre à une erreur générée par Access, vous devez alors l'assigner à la propriété événement intitulée Sur erreur.

Créer des messages d'erreur personnels avec Visual Basic

Pour créer un message d'erreur personnel avec VBA, vous devez d'abord en savoir un peu plus sur ce langage de programmation ; en fait, vous devez apprendre à connaître et à contrôler le déroulement d'un programme Visual Basic.

Contrôle du déroulement en Visual Basic

En général, Visual Basic exécute une procédure en copiant les arguments dans les variables mises à la disposition de la procédure ou (pour les arguments **ByVal**) en permettant à la fonction d'accéder à la variable nommée dans l'argument. Lorsque les arguments sont disponibles, Visual Basic démarre à la première instruction de la procédure et exécute les instructions les unes après les autres jusqu'à atteindre l'instruction **End Sub** ou **End Function.** Si une erreur se produit, il interrompt l'exécution du code et affiche un message d'erreur. Il ne reprend pas l'exécution du code après que l'utilisateur se soit débarrassé du message.

Vous disposez de trois techniques pour modifier l'ordre dans lequel les instructions sont exécutées. Dans cette section où nous envisageons de vous apprendre à gérer les erreurs, nous ferons appel aux instructions de contrôle de déroulement ainsi qu'au contrôle de déroulement On Error.

Les instructions de contrôle de déroulement

Pour gérer efficacement les erreurs dans les procédures Visual Basic, vous devez savoir comment contrôler le déroulement de l'exécution, car vous souhaiterez sans doute répondre aux différents types d'erreur possibles.

Vous pouvez appliquer le contrôle de déroulement partout dans votre programme. Nous traitons ici spécifiquement des erreurs parce que, étant donné la manière dont Access se charge à votre place de construire le code, vous serez plutôt amené à contrôler le déroulement lorsque vous créerez vos propres gestionnaires d'erreurs.

Les instructions conditionnelles : Le moyen le plus courant de contrôler le déroulement est de recourir à une instruction conditionnelle. Vous définissez une condition par l'entremise de l'instruction **If**. Si la condition est vraie (et toutes les conditions doivent logiquement être vraies ou fausses), vous exécutez l'instruction qui suit l'instruction **Then**. Si la condition est fausse, vous exécutez l'instruction qui suit l'instruction **Else**. Vous pouvez exprimer une autre condition en faisant appel à **ElseIf**. L'instruction conditionnelle complète se termine par une instruction **EndIf**. Prenons un exemple :

```
If ErrorNumber = 10 Then
' Ces lignes de code s'exécutent si ErrorNumber est
' égal à 10.
ElseIf ErrorNumber = 100 Then
' Ces lignes de code s'exécutent si ErrorNumber est
' égal à 100.
Else
' Ces lignes de code s'exécutent si ErrorNumber est
' égal à une autre valeur.
End If
```

Les boucles : Les boucles vous permettent de répéter un groupe d'instructions autant de fois que nécessaire. Dans la gestion des erreurs, les boucles sont particulièrement utiles lorsque vous corrigez une erreur qui intervient lors de l'exécution d'une condition. Ainsi, en réponse à une erreur comme *Fichier non trouvé*, vous pourriez boucler dans la liste des contrôles d'un formulaire afin d'être certain que ceux qui sont utilisés pour représenter le nom du fichier présentent une valeur admise. Lorsque vous identifiez le contrôle qui requiert une correction, vous pouvez demander à l'utilisateur d'entrer une valeur correcte.

Quatre type de boucles sont disponibles. La boucle **Do** exécute les instructions qui apparaissent entre l'instruction **Do** et l'instruction **Loop** tant qu'une condition, celle émise soit par **Do**, soit par **Loop**, est fausse, ou jusqu'à ce qu'une condition devienne vraie. (Vous spécifiez le "tant que" et le "jusqu'à ce que" grâce aux mots clés **While** et **Until**.) Vous pouvez abandonner la boucle à tout moment en faisant appel à une instruction **Exit Do**. Voici un exemple de boucle :

```
Counter = 0
Do While Counter < Me.Controls.Count
    If Me.Controls(Counter).Text = "" Or
IsNull(Me.Controls(Counter).Text) Then
```

```
        Me.Controls(Counter).Text = InputBox("Entrez_
        un nom de fichier correct")
        End If
        Counter = Counter + 1
    Loop
```

Cet exemple part du principe que le formulaire comporte plusieurs contrôles texte, chacun indiquant un nom de fichier. L'utilisateur a demandé à Access d'ouvrir ces fichiers et l'un des contrôles est vide.

Une erreur se produit ; pour y remédier, vous décidez de vérifier le texte de chaque case afin de vous assurer qu'aucune n'est vide. (Vous pourriez aussi rechercher les caractères non valables.) Chaque formulaire possède une série de contrôles qui lui sont associés. **Me** est un mot clé Access qui fait référence au formulaire auquel le code est attaché directement. Vous pouvez accéder à chaque contrôle grâce à la notation représentée dans l'exemple. La série est appelée Contrôles et chaque contrôle est identifié par un numéro d'index. En faisant appel à la variable Counter, vous pouvez commencer au premier contrôle de la série (Contrôle(0)), et reproduire l'action pour chaque contrôle jusqu'à atteindre le dernier de la série (Contrôle(9)).

Si nous rencontrons un contrôle vide, nous utilisons l'instruction **InputBox** qui affiche le texte de l'argument et une case texte dans une boîte de dialogue récupère la saisie de l'utilisateur et retourne le texte devant être stocké dans la variable Me.Controls(Counter).Text, qui est aussi la propriété texte du contrôle. Pour abandonner la boucle dès identification du contrôle vide, vous devez placer une instruction **ExitDo** immédiatement avant l'instruction **End If**.

Vous pourriez parvenir au même résultat en utilisant l'instruction Do Until Counter = 10. L'expression peut aussi figurer sur la dernière ligne, comme dans la boucle Unit Counter = 10.

Vous pourriez, aux mêmes fins, recourir à une boucle compteur. Ces boucles commencent par le mot clé **For** et exécutent un groupe d'instructions un nombre de fois donné, celui, en fait, qui est spécifié dans la première ligne. Ces boucles se présentent comme suit :

```
For Counter = 0 To 9
    If Me.Controls(Counter).Text = "" Then
    Me.Controls(Counter).Text = InputBox("Entrez_
```

```
        un nom de fichier correct")
        End If
    Next Counter
```

Dans les boucles **For**, le compteur est incrémenté automatiquement. Dans l'exemple ci-dessus, il démarre à 0 et est incrémenté jusqu'à 9 de manière automatique. L'instruction **Next** marque la fin du code de la boucle. Même si le nom de la variable compteur est facultatif dans la dernière ligne, nous vous conseillons de l'indiquer malgré tout. Si vous imbriquez des boucles dans des boucles, vous savez alors immédiatement quel **Next** va avec quel **For**.

Visual Basic met à votre disposition une boucle à utiliser avec les collections d'objets qui simplifie considérablement la manoeuvre. Cette boucle ressemble à :

```
    For Each Control in Me
        If Control.Text = "" Or IsNull(Control.Text)
        Then
        Controls.Text = InputBox(("Entrez_
        un nom de fichier correct")
        End If
    Next
```

Cette forme de boucle **For** vous permet d'éviter de devoir gérer un compteur, car comment faire si vous ignorez le nombre exact de contrôles du formulaire recensés par **Me** ? Access sait, et cette boucle fait tout simplement appel au comptage interne du programme pour incrémenter un compteur que vous ne voyez pas.

Vous pouvez quitter une boucle For à n'importe quel moment en faisant appel à l'instruction Exit For.

Le dernier type de boucle exécute un groupe d'instructions tant qu'une condition reste vraie. Sa forme est la suivante :

```
    Counter = 0
    While Counter < 10
        If Me.Controls(Counter).Text = "" Or
    IsNull(Me.Controls(Counter).Text) Then
```

```
        Me.Controls(Counter).Text = InputBox(("Entrez_
        un nom de fichier correct")
        End If
        Counter = Counter + 1
    Wend
```

Cette boucle ressemble fort à la boucle **Do** avec une simplification du formulaire. Elle est délimitée par les instructions **While** et **Wend**, et, une fois encore, vous devez incrémenter votre propre compteur.

Pour en savoir plus sur n'importe quelle instruction utilisée en Visual Basic, chargez le fichier d'aide Visual Basic depuis vos disquettes ou votre CD Access. Vous devrez peut-être faire appel à Ajout/Suppression de programmes, car ce fichier ne fait pas partie de l'installation classique. Une fois installé, il apparaît dans la liste des thèmes d'Access.

Branchements : Les branchements jouent un grand rôle dans la gestion des erreurs. Il importe donc de comprendre exactement en quoi ils consistent.

La notion de branchement remonte aux temps glorieux où chaque ligne de votre programme portait un numéro. Si vous saviez que le déroulement d'une exécution devait passer d'une ligne donnée à une autre ligne située à distance, il vous suffisait d'utiliser l'instruction **GoTo** pour atteindre cette ligne.

Certes, vous pouvez encore utiliser des lignes numérotées en Visual Basic, mais cette pratique est déconseillée. (Vous pourriez être amené à renuméroter toutes les lignes si vous ajoutiez du code ou si vous en modifiiez ; il vous faudrait aussi réajuster manuellement tous les sauts basés sur ces numéros.) Ce sont désormais les “labels” (étiquettes) qui remplissent cette mission. Une étiquette est une chaîne de caractères quelconque terminée par le signe deux-points (:) et qui fait office de signet. Visual Basic connaît l'emplacement de ces étiquettes et peut se déplacer jusqu'à elles lorsque vous invoquez l'instruction **GoTo** pour réaliser un saut.

L'instruction **GoTo** se présente comme suit :

```
GoTo Label
```

L'étiquette proprement dite apparaît dans votre code comme une ligne ressemblant à :

```
Label:
```

Lorsque Visual Basic rencontre l'instruction **GoTo**, il se déplace vers la chaîne textuelle Label et reprend l'exécution du code à la ligne suivante.

Une variante de l'instruction **GoTo** vous permet de reprendre l'exécution à la ligne placée sous l'instruction qui provoque le saut. Voici un exemple de cette variante :

```
GoSub Label
' Emplacement des lignes de l'autre programme
Label:
     If Me.Controls(Counter).Text = "" Then
     Me.Controls(Counter).Text = InputBox(("Entrez_
     un nom de fichier correct")
     End If
Return
```

L'instruction **GoSub** fonctionne exactement comme **GoTo**, en ce sens que le saut intervient vers la chaîne de texte **Label:** et que l'instruction **If** est exécutée. Toutefois, lorsque Visual Basic rencontre l'instruction **Return**, l'exécution retourne à la ligne suivant l'instruction **GoSub**. Vous pouvez temporairement laisser l'instruction à laquelle vous vous trouvez, exécuter du code et revenir ensuite à l'endroit où vous étiez.

Une autre variation de ces deux instructions commence par le mot clé **On**, comme dans les lignes suivantes :

```
On ErrorCode GoTo Label1, Label2, Label3
On ErrorCode GoSub Label1, Label2, Label3
```

Dans chacune de ces instructions, **ErrorCode** peut être une variable ou une expression qui calcule une valeur comprise entre 0 et 255. Si la valeur est 0, l'exécution reprend à l'instruction suivante. Si la valeur est 1, elle reprend à **Label1**. Si la valeur est 2, le contrôle passe à **Label2.**

Si la valeur dépasse le nombre d'éléments de la liste d'étiquettes, l'exécution reprend à l'instruction suivante.

Si la valeur est négative ou supérieure à 255, une erreur se produit.

Ces variations ne sont que des moyens de faire en sorte qu'une itération provoque le branchement vers différentes étiquettes.

Rappelez-vous que Visual Basic ignore une étiquette lorsqu'il la rencontre dans le déroulement normal de l'exécution. Par conséquent, si plusieurs étiquettes se trouvent à la fin d'une procédure de traitement des erreurs, vous devez nécessairement pouvoir arrêter votre programme avant qu'il ne parvienne à ces étiquettes au cas où une erreur se produirait. La section suivante vous explique comment faire.

Toutefois, l'instruction de branchement la plus efficace est l'instruction **Select Case**. Cette instruction autorise des branchements multiples et vous permet de répondre à des valeurs discontinues dans une expression ou dans une variable. En conséquence, Visual Basic peut vous retourner un numéro d'erreur (patience, nous y arrivons) et rediriger le code vers les instructions qui traitent l'erreur de manière appropriée. Vous pouvez même spécifier comment agir si les valeurs que vous définissez ne correspondent pas. L'instruction **Select Case** se présente comme suit :

```
Select Case ErrorNumber 'Détermination
du code d'erreur
Case 1,2,3 'Codes d'erreur 1 à 3
     Debug.Print "Code d''erreur redirigé vers
     le même message"
Case 5 To 8 'Codes erreur 5, 6, 7 et 8
     Debug.Print "Les codes d'erreur 5, 6, 7 et 8
     recevront ce message via Debug.Print"
Case Is > 8 And ErrorNumber < 20 'Codes erreur
     entre 8 et 11
     Debug.Print "J'ai montré comment frapper
     les codes d'erreur compris dans une fourchette
     donnée, entre 8 et 20"
Case Else 'Que faire en cas de non-concordance ?
     Debug.Print "Tous les autres codes d'erreur
     retourneront ce message"
End Select
```

Cet exemple montre que vous pouvez utiliser différentes expressions pour créer des instructions correspondantes. Chaque instruction **Case** représente une correspondance possible. L'instruction **Case Else** marque le code qui s'exécutera si aucune correspondance n'est trouvée. Lorsque l'instruction **Case** ou **Case Else** s'exécute, les lignes de code qui la suivent s'exécutent, et le déroulement de l'exécution saute à l'instruction qui suit l'instruction **End Select**.

Le contrôle du déroulement On Error

Nous parlons beaucoup du contrôle de déroulement, mais la gestion des erreurs en Visual Basic en dépend. Vous faites appel à une instruction **On Error** pour déterminer le contrôle du déroulement lorsqu'une erreur intervient. Si votre procédure est dépourvue de l'instruction **On Error**, l'exécution s'interrompt lorsqu'une erreur se produit. Si vous souhaitez donner à l'utilisateur la possibilité de corriger l'erreur, ou si vous désirez que l'exécution se poursuive malgré tout, vous devez utiliser l'une des trois variantes suivantes de l'instruction :

- **On Error GoTo Label** : Cette version fait sauter le contrôle à l'étiquette spécifiée lorsque l'erreur survient. À la fin du traitement de cette erreur, une instruction **Resume** fait redémarrer l'exécution à la ligne située en dessous de celle qui a provoqué l'erreur.
- **On Error Resume Next** : Cette version ignore l'erreur ; l'exécution se poursuit normalement.
- **On Error GoTo O** : Cette version annule le traitement de l'erreur. Vous pouvez alors faire appel à une autre forme de **On Error** pour rediriger le contrôle du déroulement d'une manière différente.

Il est temps d'examiner la procédure événementielle Click que vous avez créée pour le bouton devant déclencher l'impression dans le chapitre précédent. Voici la procédure :

```
Sub PrintButton_Click()
On Error GoTo Err_PrintButton_Click
    DoCmd.PrintOut
Exit_PrintButton_Click:
    Exit Sub
Err_PrintButton_Click:
    MsgBox Err.Description
    Resume Exit_PrintButton_Click
End Sub
```

Remarquez que l'instruction **On Error** figure au début de la procédure. Lorsque l'erreur survient à n'importe quel niveau de cette procédure, elle redirige l'exécution vers l'étiquette Err_PrintButton_Click. Cette étiquette renvoie à du code chargé de gérer l'erreur. L'instruction **Resume** inclut l'étiquette Exit_PrintButton_Click en tant qu'argument, ce qui provoque la reprise de l'exécution au niveau de cette étiquette. La première instruction qui suit cette dernière met un terme à la procédure événementielle.

Notez la logique de cette procédure. Si aucune erreur ne se produit, l'instruction s'exécute séquentiellement jusqu'à ce que l'instruction **Exit Sub** y mette fin. Dans le cas contraire, le programme ne tient aucun compte de l'instruction **Exit Sub** et passe directement à la ligne de code traitant de la gestion de l'erreur. Lorsque les erreurs sont traitées, le programme revient à l'instruction **Exit Sub**. Cette procédure est un excellent modèle sur lequel développer des routines de gestion des erreurs.

Sans doute avez-vous remarqué la présence de la fonction BoîteMsg dans le code et supposez-vous qu'elle s'acquitte de la même tâche que la macro du même nom. Vous avez raison. Mais qu'est-ce que cet argument Err.Description ? Visual Basic produit un objet Err. Lorsqu'une erreur se produit, il génère un objet Err, avec ses propriétés et ses méthodes, et le met à votre disposition. La propriété Description est la chaîne de texte qui décrit l'erreur. La fonction BoîteMsg génère un message qui annonce qu'une erreur de ce type est intervenue.

L'objet Err possède également une propriété Number. Celle-ci peut être utilisée dans des instructions de branchement afin de vous permettre de traiter toute erreur pouvant survenir dans la procédure. (L'instruction **Select Case** est spécialement utile à cet égard.)

Pour en savoir plus sur l'objet Err, cherchez *Err* dans l'aide en ligne.

Créer le message d'erreur

Vous connaissez désormais les fondements de la gestion des erreurs dans Visual Basic. Vous devez, en toute logique, vous douter de la manière dont il convient de créer un message personnel à l'intention de vos utilisateurs : utiliser la fonction BoîteMsg et un texte que vous concevez plutôt que de faire appel à celui de l'argument Err.Description. Félicitations ! Vous venez de découvrir l'un des mystères du codage Visual Basic.

Peut-être vous demandez-vous pourquoi nous parlons de *fonction BoîteMsg* plutôt que d'*instruction BoîteMsg* ? Parce que BoîteMsg retourne une valeur. Il y a donc des subtilités qu'il vaut mieux connaître.

Premièrement, BoîteMsg comporte trois arguments qui doivent se présenter dans l'ordre spécifié. (Bien que les arguments Buttons et Titre soient optionnels, vous les définirez généralement, car ils fournissent des informations utiles à l'utilisateur.)

- **Prompt** : Chaîne de caractères qui s'affiche en tant que message.
- **Buttons** : Nombre qui détermine quels boutons sont affichés dans la boîte de dialogue. Ces nombres sont représentés par des constantes gérées par Visual Basic. Vous devriez donc utiliser ces constantes, comme dans notre exemple.
- **Titre** : Chaîne de caractères qui s'affiche dans la barre de titre de la fenêtre.

Vous pouvez utiliser le symbole @ pour formater le message exactement comme vous voulez qu'il s'affiche, comme vous feriez dans une action Macro BoîteMsg appelée à afficher un message personnel.

Pour en savoir plus sur les arguments de la fonction MsgBox (BoîteMsg), consultez l'aide en ligne.

L'argument Buttons peut prendre les valeurs suivantes :

- **vbOKOnly** : N'affiche qu'un bouton OK.
- **vbOKCancel** : Affiche deux boutons, OK et Annuler.
- **vbAbortRetryIgnore** : Affiche les boutons Abandonner, Répéter et Ignorer.
- **vbYesNoCancel** : Affiche les boutons Oui, Non et Annuler.
- **vbYesNo** : Affiche les boutons Oui et Non.
- **vbRetryCancel** : Affiche les boutons Répéter et Annuler.
- **vbCritical** : Affiche l'icône Message critique.
- **vbQuestion** : Affiche l'icône de confirmation.
- **vbExclamation** : Affiche l'icône Message d'avertissement.
- **vbInformation** : Affiche l'icône Message d'information.
- **vbDefaultButton1** : Le premier bouton est le bouton par défaut.
- **vbDefaultButton2** : Le deuxième bouton est le bouton par défaut.

- **vbDefaultButton3** : Le troisième bouton est le bouton par défaut.
- **vbApplicationModal** : L'utilisateur ne peut continuer à travailler dans l'application en cours que lorsqu'il a répondu au message.
- **vbSystemModal** : Toutes les applications sont interrompues tant que l'utilisateur n'a pas répondu au message.

Pour combiner ces éléments afin de déterminer les boutons qui sont affichés et la manière dont ils le sont, cumulez simplement ces constantes en utilisant le signe plus.

Le fragment de code suivant vous montre comment construire le même message personnel que celui que vous avez créé avec l'aide d'une macro plus haut dans ce chapitre :

```
strMsg = "Ce formulaire ne supporte pas "_
& "le double clic. @Utilisez les boutons placés dans "
& "la partie inférieure du formulaire pour faire
défiler votre écran jusqu'à l'enregistrement "
souhaité."
intResult = MsgBox (strMsg, voOkOnly +
+ vbInformation, "Formulaires Contacts"
```

La variable intResult récupère la valeur retournée par la fonction, qui vous permet de déterminer sur quel bouton l'utilisateur a cliqué. Les valeurs retournées possibles sont :

- **vbOK** : L'utilisateur a cliqué sur OK.
- **vbCancel** : L'utilisateur a cliqué sur Annuler.
- **vbAbort** : L'utilisateur a cliqué sur Abandonner.
- **vbRetry** : L'utilisateur a cliqué sur Répéter.
- **vbIgnore** : L'utilisateur a cliqué sur Ignorer.
- **vbYes** : L'utilisateur a cliqué sur Oui.
- **vbNo** : L'utilisateur a cliqué sur Non.

De toute évidence, vous pouvez utiliser des instructions de contrôle de déroulement pour tester la valeur retournée et réagir comme il se doit au clic de l'utilisateur.

Et maintenant, que faisons-nous ?

À présent que vous avez découvert les techniques de contrôle de déroulement et de gestion des erreurs, vous pouvez passer au chapitre suivant qui vous montre comment contrôler d'autres applications au départ d'Access. Laissez-vous séduire !

Quoi de neuf ?

Microsoft Access 97 pour Windows 95 est doté de fonctionnalités vous permettant de créer vos propres messages d'erreur. Comme dans la version précédente, vous pouvez gérer les erreurs de deux manières distinctes :

- En utilisant les instructions On Error de Visual Basic.
- En utilisant ses instructions de contrôle de déroulement.

Chapitre 27

Interagir avec d'autres programmes

L'un des traits les plus intéressants d'Access 97 est le fait qu'il supporte l'automation OLE, une technologie qui vous permet de contrôler d'autres programmes depuis vos applications bases de données. Vous ne pourrez cependant tirer profit de cette caractéristique que si vous êtes capable de programmer en Visual Basic. Il vous faudra aussi connaître quelques particularités relatives aux objets OLE et à leur automation. Dans ce chapitre, nous nous proposons d'exposer ces particularités et de vous fournir un modèle de base qui vous servira à utiliser l'automation dans vos propres applications.

Qu'est-ce que l'automation OLE ?

L'automation OLE est un moyen de traiter n'importe quelle application de votre système comme s'il s'agissait d'un objet appartenant à Access.

Imaginez que vous puissiez traiter Word ou Excel comme s'ils n'étaient que de simples boutons de commande que vous tracez sur un formulaire.

Vous pourriez invoquer n'importe quelle commande dans l'un ou l'autre de ces deux programmes en utilisant la notation *objet.méthode* et vous auriez ainsi accès à toutes leurs commandes.

Vous pourriez lancer ces programmes depuis une application Access et faire en sorte que cette application fasse exactement ce que vous voulez qu'elle fasse.

L'automation OLE vous offre cette souplesse, mais au prix de quelques inconvénients :

- L'application que vous souhaitez contrôler doit être un serveur automation OLE. En d'autres mots, elle doit être conçue pour autoriser son automation.
- Lorsque vous automatisez un objet, vous n'avez accès qu'aux commandes que les programmeurs ont prévu de mettre à votre disposition. L'ensemble des commandes disponibles peut varier selon que l'objet que vous désirez utiliser est ou non incorporé dans votre base de données.
- Vous devez connaître quelque peu le langage du programme que vous automatisez. Ainsi, s'il s'agit de Word ou d'Excel, vous devez utiliser VBA. Toutefois, si vous automatisez ces programmes qui partagent VBA avec Access, vous devez malgré tout connaître les extensions Visual Basic propres au programme que vous traitez.

Vous pourrez contourner la plupart des difficultés que vous rencontrerez. Mais ne tâchez pas d'automatiser un programme qui ne peut pas l'être. Il existe cependant une “solution de rechange” dans un nombre limité de cas. De plus, Access vous fournit un Explorateur d'objets qui vous permet de passer en revue les objets automation disponibles et les méthodes que vous êtes autorisé à employer. Nous y reviendrons.

Créer l'objet de base

Pour utiliser l'automation, vous devez avant tout créer un objet en dehors de l'application que vous désirez automatiser. Dans notre exemple, nous nous proposons d'automatiser la création d'une feuille de calcul Excel. Cette feuille sera créée sur la base d'un modèle Excel que nous aurons préparé au préalable. Le nom et le numéro de sécurité sociale qui apparaissent dans les enregistrements Access que nous avons sous les yeux seront reportés dans la feuille de calcul ; celle-ci sera enregistré et Excel sera fermé.

Deux actions doivent impérativement préparer l'automation. Vous devez d'abord créer un modèle Excel pour la feuille de calcul. Ainsi, supposons que les membres de notre association sans but lucratif désirent construire une feuille Excel pour y consigner les salaires versés à leurs consultants en éducation. Ouvrez Excel, créez une feuille de calcul dans laquelle vous entrerez des données échantillon et enregistrez-la comme modèle en utilisant la commande Fichier/Enregistrer sous. (Assurez-vous que la case Type de fichier affiche bien Modèle.) Une feuille de calcul de ce type est représentée à la Figure 27.1.

SalairesConsultants

	A	B	C
1	Revenu consultant par client		
2			
3	Nom du consultant	N° sécurité sociale du consultant	
4			
5			
6			
7	Responsable contrat	Date prestations	Description prestations
8			
9			
10			
11			
12			
13			
14			
15			

Feuil1 / Feuil2 / Feuil3 / Feuil4 / Feuil5 / Feuil6 / F

Figure 27.1 : Un modèle Excel pour consigner les paiements faits aux consultants.

La seconde étape consiste à ouvrir le formulaire destiné à l'encodage dans la base de données en mode création et à ajouter un bouton à ce formulaire. Lorsque vous tracez le bouton, sélectionnez Applications dans la liste Catégories, et Exécuter MS Excel dans la liste Actions dans la fenêtre de l'Assistant, comme le montre la Figure 27.2. Baptisez le bouton Exécuter Excel et cliquez sur Terminer. Vous n'utiliserez pas le code généré, mais l'Assistant produira un modèle de procédure événementielle qui vous sera fort utile.

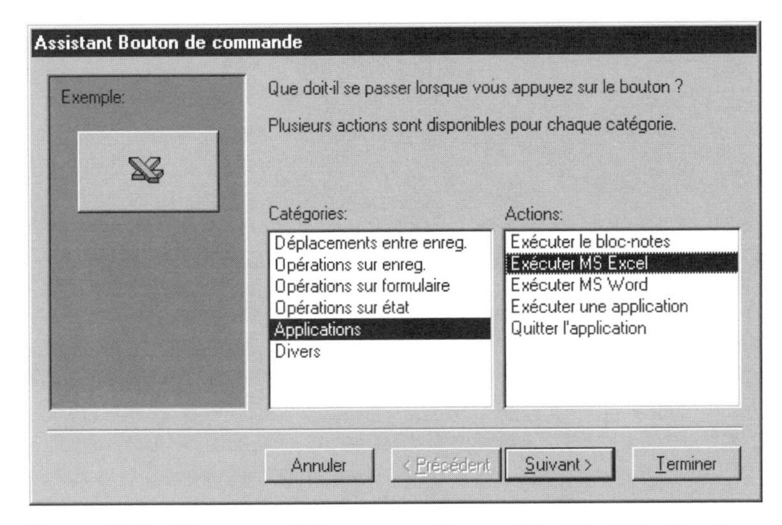

Figure 27.2 : Nous nous faisons seconder par l'Assistant Bouton de commande pour être prêts à automatiser Excel.

Il est temps, à présent, de créer un objet pour Excel. Cliquez sur le bouton avec le bouton droit de votre souris et suivez cette procédure :

1. Sélectionnez Créer code événement dans le menu contextuel.
2. Dans la fenêtre du code, déroulez la liste Objet située dans l'angle supérieur gauche et sélectionnez (Général).
3. Déroulez la liste Procédure et sélectionnez (Déclarations).
4. Entrez les lignes suivantes dans la fenêtre du code :

```
Dim xlObject As Object ' Déclare la variable pour
' conserver
' la référence de
' l'objet Excel.
```

5. Déroulez la liste Objet et sélectionnez ExécuterExcel. Access vous propose la procédure événementielle Click qu'il génère automatiquement pour vous.

6. Révisez les deux lignes de code qui suivent l'instruction On Error par les lignes suivantes :

```
' Créer un objet pour Excel
Set xlObject = CreateObject("excel.application")

' Rendre l'application Excel visible
xlObject.Visible = True

' Seul XL 97 supporte la propriété UserControl
On Error Resume Next
xlObject.UserControl = True
```

Votre procédure événementielle Click devrait ressembler à celle représentée par la Figure 27.3. Fermez la fenêtre du code, affichez le formulaire en mode formulaire et essayez le bouton. Excel devrait démarrer et devenir visible.

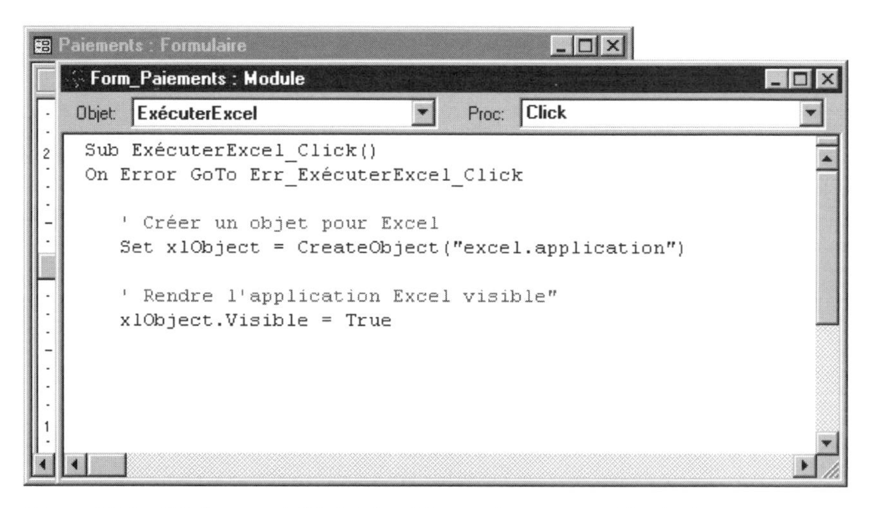

Figure 27.3 : L'événement Click tel qu'il se présente pour l'instant.

Qu'avez-vous fait jusqu'à présent ? Une manoeuvre bien pensée. L'instruction Dim que vous avez ajoutée a déclaré une variable qui peut contenir une référence à un objet. Chaque fois que vous souhaitez utiliser l'objet dont la référence est stockée à cet endroit, vous pouvez employer le nom de la variable en tant que nom d'objet. Vous avez créé la variable objet au niveau du formulaire afin qu'elle reste disponible lorsque le formulaire est en cours d'utilisation. Si vous l'aviez créée dans la procédure événementielle proprement dite, dès que cette procédure aurait été terminée, Access aurait purgé la variable de la mémoire ; il ne l'aurait rechargée en mémoire que lors de la prochaine exécution de cette procédure événementielle.

L'instruction Set de la procédure Click définit la variable comme égale à la valeur retournée par la fonction CreateObject. Cette fonction - vous l'avez deviné - transforme en objet tout élément que vous lui assignez comme argument. Dans le cas qui nous occupe, nous lui avons demandé de créer un objet application Excel. Les applications qui supportent l'automation OLE fournissent des chaînes que vous pouvez utiliser comme arguments de fonctions CreateObject afin d'en faire des objets. CreateObject crée l'objet et retourne une référence à l'objet. La référence est actuellement stockée dans xlObject en attendant qu'il soit fait appel à elle.

Dès que l'objet a été créé, vous l'avez utilisé. Excel a démarré automatiquement par le simple fait que vous avez créé un objet. Mais il n'apparaît pas tant que vous ne décidez pas qu'il doit apparaître. La ligne suivante de la procédure Click fixe sur Vrai la propriété Visible de xlObject, faisant ainsi en sorte qu'Excel s'affiche à l'écran.

Travailler avec l'objet de base

Vous disposez désormais d'un objet Excel. Sans doute avez-vous envie de vous en servir. Après avoir démarré Excel, vous devez créer un classeur. Retournez au formulaire en mode création et ouvrez la fenêtre du code. Placez le curseur au début de la ligne blanche après xlObject.Visible=True et ajoutez la ligne ci-dessous. (N'oubliez pas de spécifier le chemin correct de SalairesConsultants si vous l'avez stocké dans un autre répertoire que C:\Program Files\Microsoft Office\Modèles.)

```
Set xlBook =
xlObject.Workbooks.Add_
("C:\MSOffice\Mod les\SalairesConsultants.xlt")
```

Après avoir créé le classeur grâce aux dernières lignes de code, nous désirons insérer l'information appropriée depuis la base de données dans la feuille de calcul Excel. Pour y parvenir, vous devez activer la feuille de calcul, sélectionner la cellule grâce à la fonction Range d'Excel, et activer cette cellule. Pour ce faire, ajoutez les lignes de code suivantes :

```
' Activer la feuille de calcul, sélectionner un range,
' activer une cellule de ce range.
xlObject.Worksheets("Sheet1").Activate
xlObject.ActiveSheet.Range("A4").Select
xlObject.ActiveSheet.Range("A4").Activate
```

Dans ces lignes, vous utilisez l'objet Feuilles de calcul pour activer une feuille, et l'objet ActiveSheet pour travailler avec les cellules de la feuille que vous avez activée.

Vous pouvez faire appel à l'Explorateur d'objets pour ajouter la plus grande partie de ces lignes. Enfoncez la touche F2 pour ouvrir cet Explorateur. Si Excel n'apparaît pas en tête de liste, choisissez Outils/Références, validez Microsoft Excel 8.0 Object Library et cliquez sur OK.

Pour véritablement introduire de l'information depuis Access dans une feuille de calcul Excel, vous devez fixer le focus sur le contrôle qui contient l'information sur le formulaire Access. Vous y parvenez en utilisant, pour ce contrôle, la méthode SetFocus. Vous pouvez alors définir la valeur de l'objet ActiveCell dans Excel. Insérez les lignes suivantes :

```
' Fixer le focus sur le contrôle Nom du formulaire
Access.
Nom.SetFocus
' Placer le nom dans la cellule active.
xlObject.ActiveCell.Value = Nom.Text
```

Ensuite, répétez la procédure pour le numéro de sécurité sociale :

```
' Répéter la procédure pour le n° de
' sécurité sociale.
xlObject.Worksheets("Sheet1").Activate
xlObject.ActiveSheet.Range("B4").Select
xlObject.ActiveSheet.Range("B4").Activate
N°_sécurité_sociale.SetFocus
xlObject.ActiveCell.Value =
N°_sécurité_sociale.Text
```

Pour clôturer l'opération de création de la feuille de calcul, placez de nouveau le focus dans le contrôle Nom, puisque le nom du consultant sera le nom de fichier destiné au stockage du classeur. Utilisez ensuite la méthode SaveAs du classeur pour enregistrer la feuille de calcul, comme vous le montrent les lignes de la page suivante.

```
' Placer le focus dans le contrôle Nom d'Access et
' enregistrer le classeur.
Nom.SetFocus
xlBook.SaveAs (Nom.Text + ".xls")
```

Affichez à présent le formulaire en mode formulaire et cliquez sur le bouton. Regardez Excel s'ouvrir et construire la feuille de calcul, sous la tutelle de votre contrôle en Access.

Clôturer votre séance automation

Vous savez désormais comment automatiser Excel et y réaliser des tâches ; vous souhaitez sans doute savoir comment arrêter Excel, faute de quoi vous risquez d'avoir un grand nombre d'exemplaires d'Excel qui se lancent et qui finiront indéniablement par saturer la mémoire de votre ordinateur et provoquer ainsi une panne du système. Pour automatiser la fermeture d'Excel, vous devez réaliser deux tâches. Utilisez la méthode Quit de l'objet Excel et attribuez la valeur prédéfinie Nothing à toutes les variables que vous utilisiez pour stocker les références d'objet. C'est ce que font les lignes suivantes :

```
' Quitter Excel et effacer les variables de l'objet.
xlObject.Quit
Set xlBook = Nothing
Set xlObject = Nothing
```

Désormais, lorsque vous cliquez sur le bouton, Excel crée la feuille de calcul, puis se ferme. (Nous partons du principe que vous ne créez pas régulièrement ces feuilles ; sinon, il serait plus indiqué de maintenir le classeur ouvert jusqu'à ce que vous ayez terminé et de définir le nom de chaque feuille selon le nom de famille du consultant.)

Et maintenant, que faisons-nous ?

L'automation OLE vous offre d'innombrables possibilités. Vous pouvez réaliser des analyses de feuilles de calcul complètes, construire des documents, tracer des graphiques, imprimer des présentations, etc., le tout depuis Access. Si vous le souhaitez, vous pouvez aussi agir depuis Word ou Excel.

Comment en apprendre davantage ?

- Utilisez l'Explorateur d'objets pour découvrir les différentes applications afin de savoir quels objets, propriétés et méthodes sont mis à votre disposition.
- Consultez la documentation de chaque application afin d'apprendre les rudiments de son langage macro. Dans Excel et dans Word, vous utilisez aussi VBA.

Quoi de neuf ?

Les versions précédentes d'Access vous permettaient déjà d'interagir avec d'autres programmes. Mais les techniques disponibles dans Access 97 vous simplifient la vie, grâce notamment :

- Au langage de programmation VBA.
- À la possibilité d'utiliser des objets fournis par d'autres applications.
- À la possibilité de permettre à d'autres applications d'utiliser des objets d'Access.

Chapitre 28

Assembler les pièces du puzzle

Tout au long des Chapitres 1 à 27, vous avez appris à créer des objets individuels dans Microsoft Access. Vous savez désormais que le programme regorge d'outils vous permettant de constituer tables, requêtes, formulaires, états, macros et code Visual Basic.

Mais ce n'est pas parce que vous savez créer les constituants que vous savez les harmoniser afin qu'ils constituent un produit fini performant. Ainsi, vous pouvez être parfaitement capable de manipuler un marteau, une scie, une foreuse, etc., sans, pour autant, pouvoir construire une maison. Ce n'est pas parce que vous jouez de la guitare que vous êtes compositeur ; ce n'est pas parce que vous manipulez avec aisance votre programme de traitement de texte que vous êtes écrivain. Mais comment faire alors pour écrire un roman ?

Il s'agit, selon nous, de passer du statut d'artisan au statut d'artiste. Cela revient à franchir la deuxième étape du processus d'apprentissage : la première consiste à découvrir les outils et à apprendre à les utiliser ; la seconde vous enseigne à les assembler de manière à bâtir une application digne d'intérêt.

Dans le cas particulier d'Access, nous savons qu'il s'agit d'un programme qui manipule des données. Mais ce programme est aussi un outil de création. Vous ne pourrez pas l'utiliser pour bâtir des maisons, composer des chansons ni écrire des romans, mais vous pourrez certes l'employer pour créer des applications Windows 95.

Pour passer du statut d'artisan à celui d'artiste, n'hésitez pas à examiner des applications créées par d'autres développeurs plus expérimentés que vous ; ce chapitre se propose d'ailleurs de vous montrer comment tirer profit de ce genre d'examen.

Ce qui est à votre disposition

Microsoft vous fournit trois applications complètes que vous pouvez explorer à l'envi. Ces applications sont Comptoir, Commande et Solution. Elles sont stockées dans le dossier c:\Program Files\Microsoft Office\Office\Exemples.

Si ce dossier ne comporte pas les trois bases exemple, vous pouvez les installer depuis votre CD Office 957 ou depuis vos disquettes Access 97. Depuis le bureau de Windows, cliquez sur Démarrer et choisissez Paramètres/Panneau de configuration/Ajout/Suppression de programmes. Cliquez sur Microsoft Office 97 ou Access 8.0, puis sur Ajouter/Supprimer. Suivez les instructions qui s'affichent à l'écran pour ajouter les bases exemple.

Ouvrir et utiliser une application

Gardez à l'esprit qu'une application base de données Access est une base de données Access (fichier .mdb) qui comporte des macros et du code lui permettant de se comporter comme un produit indépendant. Vous pouvez donc ouvrir n'importe quelle application Access en utilisant la commande standard Fichier/Ouvrir une base de données. Vous pouvez également cliquer deux fois sur le nom du fichier .mdb dans l'Explorateur Windows, la fonction Rechercher ou le Poste de travail pour lancer Access et charger l'application.

Pour utiliser l'application, il vous suffit de recourir aux boutons de commande, menus et barres d'outils qui s'affichent à l'écran. Si vous voulez voir battre le coeur de cette application, vous devez pouvoir accéder à ses objets. Nous désignons généralement sous le nom *code source* tout ce qui se produit en arrière-plan, en souvenir de l'époque homérique où tout ce qui était “en arrière-plan” était du code. À l'heure actuelle, et plus particulièrement dans une application Access, il existe une multitude d'objets - tables, requêtes, formulaires, états, macros - qui se trouvent en arrière-plan, en plus des lignes de code. Mais les développeurs d'Access continuent de parler de *code source.*

Atteindre le code source

Avant de vous expliquer comment parvenir jusqu'au code source, nous devons d'abord vous dire qu'il n'est pas toujours possible d'arriver jusque là ! Ainsi, si un développeur Access vend son produit, il s'est sans doute arrangé pour que vous ne puissiez atteindre ce code en utilisant les techniques que nous avons traitées au Chapitre 18. Il en a parfaitement le droit. Il se pourrait qu'il accepte de vous vendre ce code.

La plupart des applications, comme celles que nous avons mentionnées au début de ce chapitre, ne vous interdisent pas l'accès au code, mais vous devez passer au-delà des formulaires menus généraux et afficher la fenêtre Base de données. Dans le cas de l'application Commande, par exemple :

1. Cliquez sur OK pour vous débarrasser du formulaire d'accueil.
2. Fermez la fenêtre Montrez-moi, puis affichez la fenêtre Base de données.

La fenêtre Base de données s'affiche. Tous les menus et barres d'outils d'Access sont présents.

D'une manière générale, commencez par fermer tout formulaire personnel qui vous est proposé et gagnez ensuite la fenêtre Base de données en enfonçant la touche F11.

Si une application vous permet d'atteindre sa fenêtre Base de données, sans doute vous permet-elle également de modifier ses options de démarrage. Vous pourrez ainsi faire en sorte que cette fenêtre s'affiche directement, de même que les barres de menus et barres d'outils intégrées. Pour modifier les options de démarrage :

1. Alors que la fenêtre Base de données est sous vos yeux, choisissez Outils/Démarrage.
2. Dans la boîte de dialogue Démarrage qui s'affiche alors, activez (cochez) les différentes options Afficher... et Autoriser... afin de vous garantir l'accès à tous les outils classiques d'Access (Figure 28.1).
3. Cliquez sur OK.
4. Pour activer les nouveaux réglages, fermez la base, puis rouvrez-la. Choisissez donc Fichier/Fermer ; ensuite, choisissez le nom de votre base dans la partie inférieure du menu Fichier.

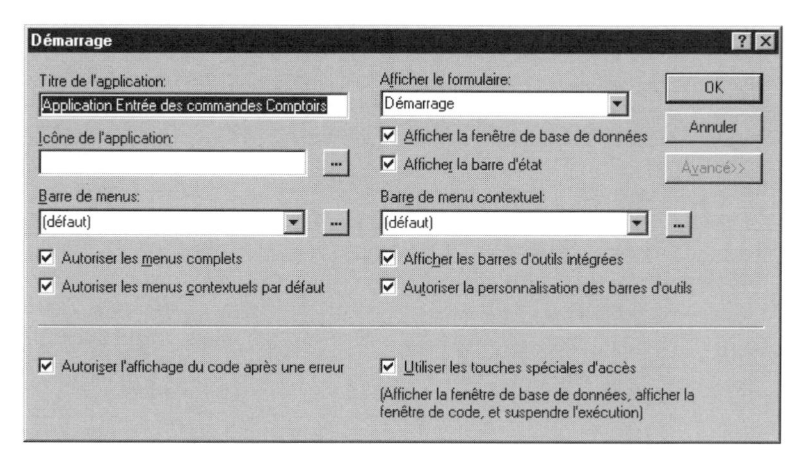

Figure 28.1 : Les options de démarrage déterminent l'accès qui vous est garanti aux outils intégrés d'Access lorsque vous ouvrez la base de données.

Prendre le pouls de l'application

Lorsque vous atteignez la fenêtre Base de données d'une application et que tous les menus et barres d'outils intégrés sont en place, vous pouvez enfin commencer votre exploration. Cliquez sur le type d'objet qui vous intéresse (comme les tables, les requêtes, les formulaires, etc.), cliquez sur le nom de l'objet qui vous intéresse, puis sur Modifier.

Généralement, ce sont les formulaires qui constituent la partie principale des applications. Et c'est en les examinant en profondeur que vous en apprendrez le plus. Ainsi, supposons que vous ouvriez, en mode création, le formulaire Commandes de la base Commande. Votre écran ressemble à celui représenté à la Figure 28.2.

Pour savoir d'où ce formulaire obtient ses données, affichez sa feuille des propriétés : choisissez donc Édition/Sélectionner le formulaire ; ouvrez la feuille des propriétés et activez l'onglet Toutes. Examinez la propriété Source : vous y découvrez que le formulaire est basé sur une requête.

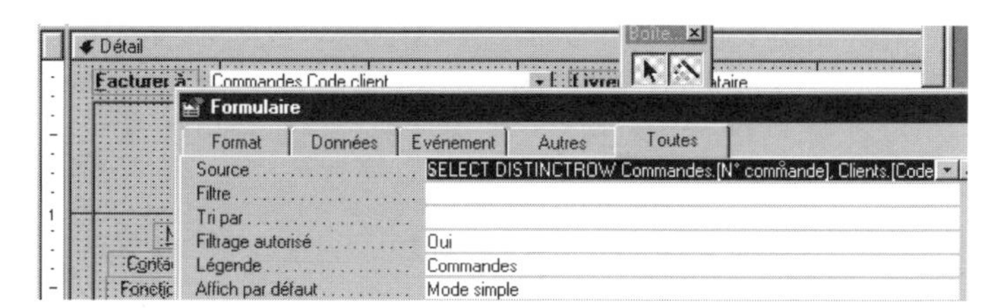

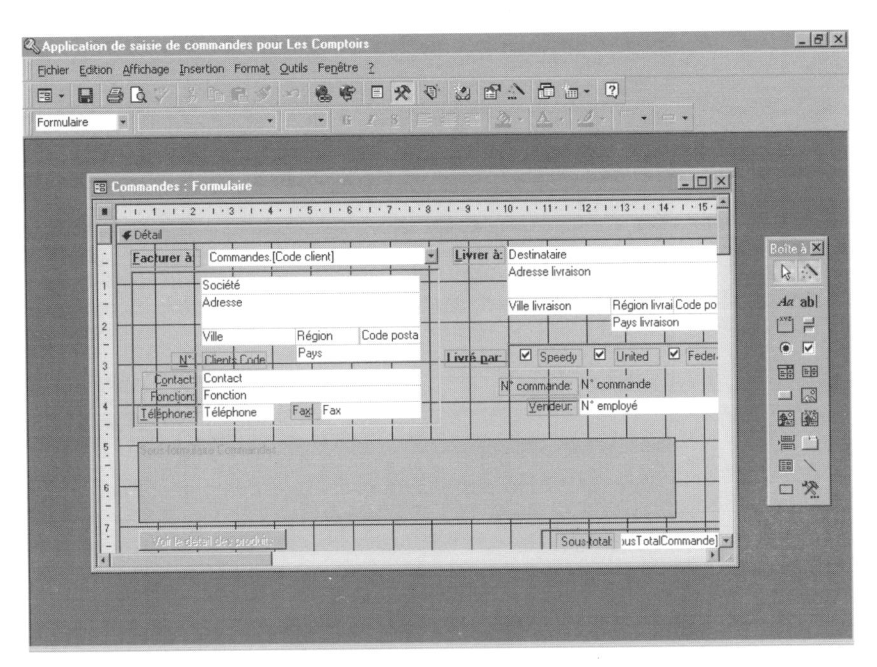

Figure 28.2 : Le formulaire Commandes de la base de données Commande, ouvert en mode création.

Pour voir ce qui fait fonctionner cette requête, il vous suffit de cliquer sur le bouton Générer (...) en regard du nom de la requête.

Dans la quasi totalité des applications, ce sont les *procédures événementielles* affectées aux formulaires et aux contrôles individuels qui font qu'une application se comporte comme elle le fait. Pour visualiser les événements assignés au formulaire en tant que tel, choisissez Édition/Sélectionner le formulaire, ouvrez la feuille des propriétés et activez l'onglet Événement. Dans cet exemple, plusieurs procédures événementielles ont été créées (Figure 28.3).

La plupart des contrôles individuels d'un formulaire se voient aussi affecter des procédures de ce type. Pour en afficher la liste, cliquez sur le contrôle qui vous intéresse, puis consultez l'onglet Événement de sa feuille des propriétés.

Parfois, il se peut que le nom d'une macro soit affiché dans une procédure événementielle. Vous pouvez cliquer sur le nom de la macro, puis sur le bouton Générer (...) pour explorer cette macro. Mais, généralement, c'est la mention [Procédure événementielle] qui est affichée dans la case de la propriété événement. Cette [Procédure événementielle] est un code Visual Basic qui est stocké en même temps que le formulaire et qui n'est accessible qu'en mode création de formulaire.

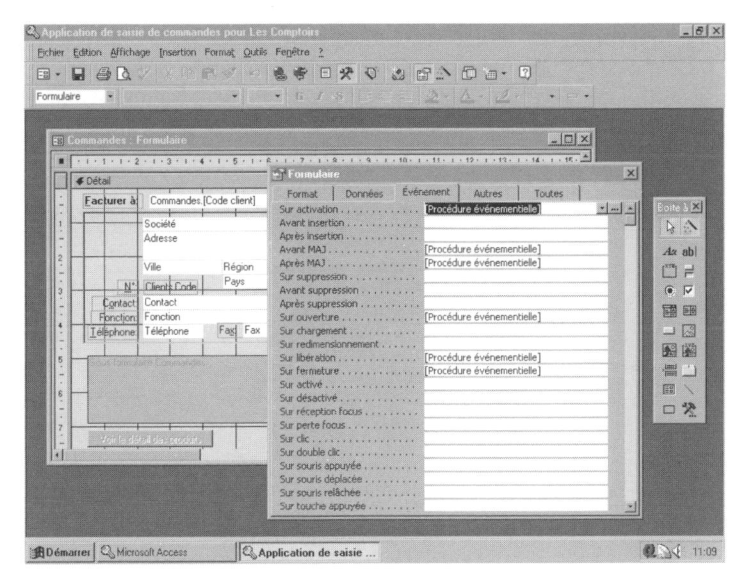

Figure 28.3 : Le comportement du formulaire Commandes est régi par différentes procédures événementielles.

Prenons un exemple. Supposons que nous cliquions sur le contrôle Facturer à. La feuille des propriétés nous apprend 1) qu'il s'agit d'un contrôle Zone de liste modifiable, 2) que son nom est FacturerA et 3) que plusieurs procédures événement lui sont assignées.

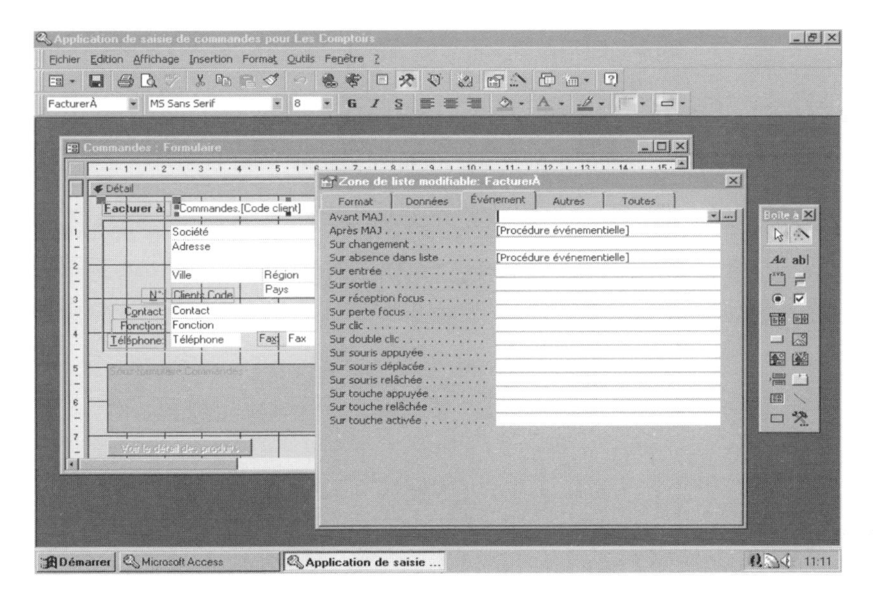

Pour passer derrière le décor et afficher le code Visual Basic, cliquez sur [Procédure événementielle] dans la feuille des propriétés, puis cliquez sur Générer (...). Le code sous-jacent s'affiche dans une fenêtre de module, comme le montre la Figure 28.4.

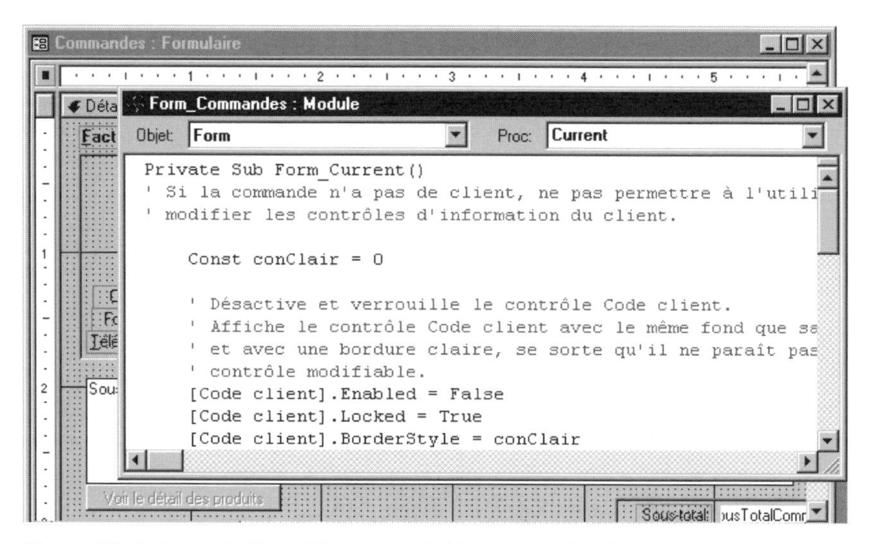

Figure 28.4 : Le code Visual Basic attaché à la propriété Sur activation du formulaire Commandes.

À moins que vous ne soyez versé en Visual Basic, vous voyez le code, mais vous êtes incapable de l'interpréter. L'avantage, dans Access, c'est que les "mots clés" du code sont associés à des rubriques du fichier d'aide. Vous pouvez donc entamer votre apprentissage de VBA simplement en ouvrant le fichier d'aide depuis l'écran du code.

Ainsi, si vous désirez savoir ce que *Enabled* signifie, faites glisser votre pointeur sur ce mot pour le sélectionner, comme dans l'illustration ci-dessous :

```
Form_Commandes : Module
Objet: Form                    Proc: Current
Private Sub Form_Current()
' Si la commande n'a pas de client, ne pas permettre à l'utili
' modifier les contrôles d'information du client.

    Const conClair = 0

    ' Désactive et verrouille le contrôle Code client.
    ' Affiche le contrôle Code client avec le même fond que se
    ' et avec une bordure claire, se sorte qu'il ne paraît pas
    ' contrôle modifiable.
    [Code client].Enabled = False
    [Code client].Locked = True
    [Code client].BorderStyle = conClair
```

Enfoncez ensuite la touche Aide (F1) ; un écran d'aide apparaît, vous expliquant le sens de ce mot (Figure 28.5).

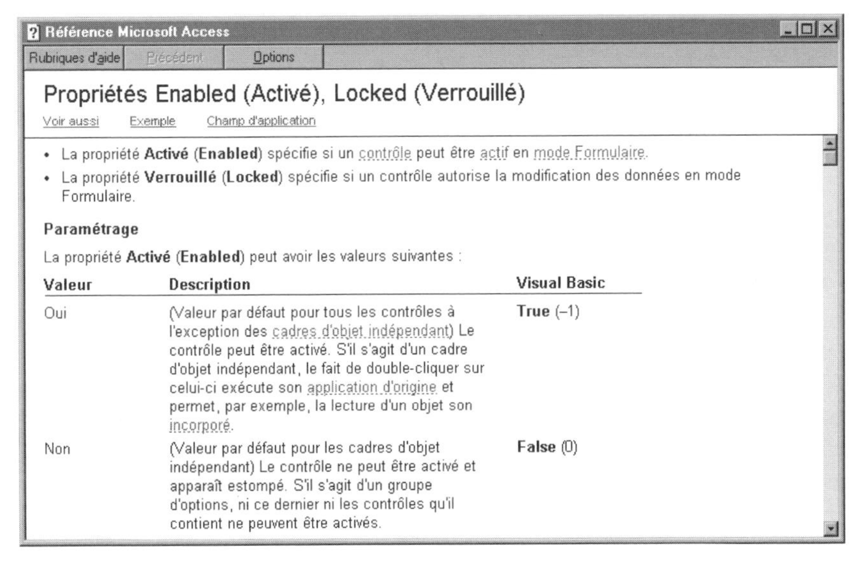

Valeur	Description	Visual Basic
Oui	(Valeur par défaut pour tous les contrôles à l'exception des cadres d'objet indépendant) Le contrôle peut être activé. S'il s'agit d'un cadre d'objet indépendant, le fait de double-cliquer sur celui-ci exécute son application d'origine et permet, par exemple, la lecture d'un objet son incorporé.	**True** (–1)
Non	(Valeur par défaut pour les cadres d'objet indépendant) Le contrôle ne peut être activé et apparaît estompé. S'il s'agit d'un groupe d'options, ni ce dernier ni les contrôles qu'il contient ne peuvent être activés.	**False** (0)

Figure 28.5 : Des informations relatives à Enabled affichées à l'écran.

À quoi sert cette information ?

Confronté à l'écran d'aide représenté à la Figure 28.5, vous pourriez vous dire que les informations qu'il vous propose sont trop techniques pour vous et ne vous sont dès lors d'aucune aide.

Si c'est le cas, vous n'avez pas encore atteint un niveau suffisant en matière de développement d'applications et cette étape est prématurée.

Ce n'est pas sans raison que nous abordons ce problème au Chapitre 28.

En effet, vous ne pourrez tirer profit des informations que vous livre cette fenêtre que si vous maîtrisez parfaitement la matière vue dans tous les chapitres précédents ! Vous ne devez rien ignorer des "techniques" de création de tables, de requêtes, de formulaires, de contrôles, d'états, de macros et de code Visual Basic avant de vous pencher sur les détails infimes d'exécution de commandes individuelles VBA.

Imprimer la documentation technique

Pour découvrir des applications Access existantes, vous pouvez cliquer sur des objets, au gré de votre fantaisie. Mais vous pouvez aussi imprimer une documentation technique.

1. Ouvrez l'application que vous souhaitez explorer et affichez sa fenêtre Base de données.

2. Choisissez Outils/Analyse/Documentation pour afficher la boîte de dialogue représentée à la Figure 28.6.

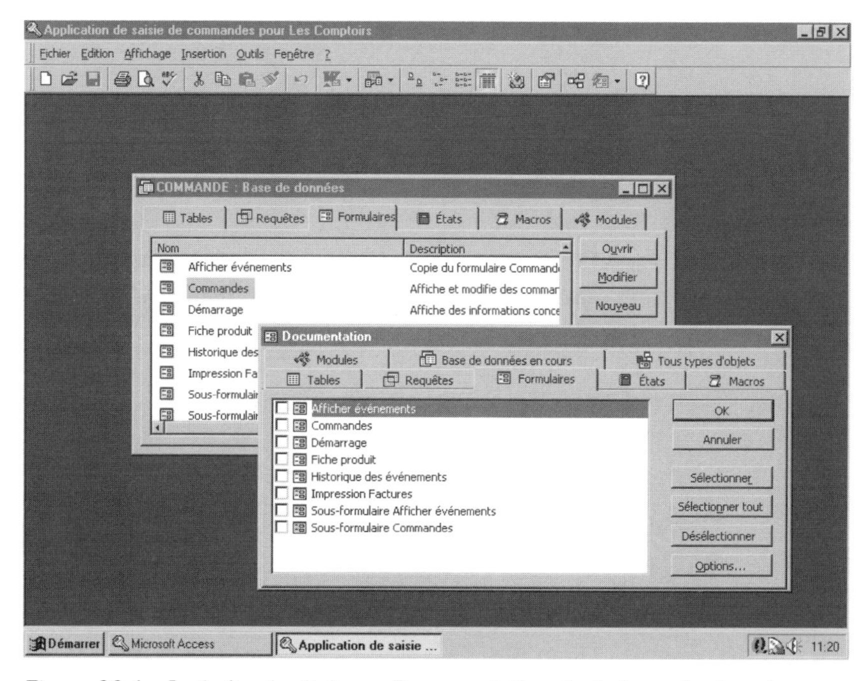

Figure 28.6 : La boîte de dialogue Documentation de la base de données vous permet d'afficher et d'imprimer des informations techniques relatives à un objet quelconque de la base de données.

3. Activez l'onglet souhaité, puis désignez le ou les objets concernés. Sachez que chaque objet peut produire une documentation abondante ; limitez-vous éventuellement à deux ou trois objets par consultation.

4. Le cas échéant, cliquez sur Options et spécifiez exactement les informations que vous souhaitez imprimer. Cliquez ensuite sur OK.

5. Cliquez sur OK et laissez à Access le temps de préparer votre documentation. Lorsqu'il s'est acquitté de sa mission, il vous propose l'état en mode aperçu avant impression dans une fenêtre dénommée Définition de l'objet (Figure 28.7).

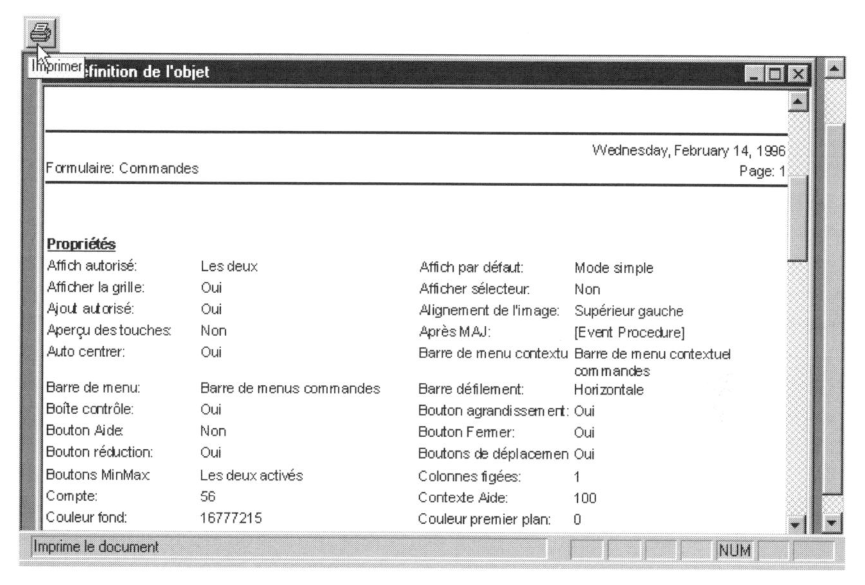

Figure 28.7 : La fenêtre Définition de l'objet affiche les informations techniques concernant un ou plusieurs objets de la base.

6. Pour lancer l'impression, activez tout simplement le bouton Imprimer d'une barre d'outils quelconque.

Lorsque vous en avez terminé, cliquez dans la case de fermeture de la fenêtre Définition de l'objet pour regagner la fenêtre Base de données.

Modifier des applications existantes

Lorsque vous atteignez le code source d'une application Access (comme la fenêtre Base de données), la tentation est grande d'agir afin de faire en sorte que l'application s'adapte encore plus parfaitement à vos besoins. En fait, si vous vous donnez la peine de parvenir jusqu'au code source, c'est vraisemblablement parce que vous souhaitez y apporter des modifications. Nous avons quelques conseils à vous dispenser à ce sujet.

Modifier une application existante est un exercice intéressant ; mais si vous vous y essayez avant d'en avoir vraiment les moyens, vous risquez de vous retrouver rapidement dans un pétrin indescriptible. Le simple fait de supprimer ou de renommer un objet - même un tout petit objet d'une table - peut semer la pagaille dans toute l'application. Voyons pourquoi.

Supposons que vous disposiez d'un champ intitulé Adresse dans une table d'une application. Vous décidez que ce champ ne vous est plus d'aucune utilité et vous le supprimez ; ou vous changez son nom et l'intitulez désormais Coordonnées. Ensuite, vous enregistrez vos modifications. Jusque là, apparemment, tout va bien.

Mais les choses ne tardent pas à se gâter : des messages comme *#Nom?#* ou *#Erreur#* vous parviennent, quand ce n'est pas une petite fenêtre comme la suivante qui vous est adressée avec insistance :

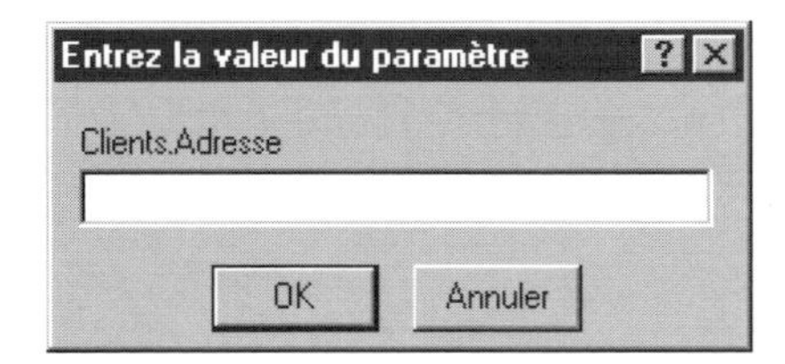

Le problème est dû au fait que les autres objets de la base - requêtes, formulaires, états, macros et modules - "s'attendent" à trouver un champ nommé Adresse dans cette table. Lorsque vous supprimez ou renommez un champ dans une table en mode création, *ce changement n'est pas transmis aux autres objets de la base de données.* Par conséquent, dès que vous faites appel à l'un d'eux, plus rien ne va.

Et maintenant, que faisons-nous ?

Pour devenir plus efficace et plus performant, vous savez déjà que vous pouvez partir à la découverte d'applications toute faites. N'hésitez pas non plus à consulter des ouvrages spécialisés que votre libraire se fera un plaisir de vous recommander.

Quant à nous, les auteurs de ce Livre d'Or Microsoft Access 97 pour Windows 95, nous tenons à vous remercier d'avoir lu notre ouvrage et vous souhaitons de devenir rapidement un développeur d'applications averti. Nous savons par expérience que cela ne se fait pas en un jour ; alors, faites appel à la fois à votre patience et à vos neurones. Le jeu - c'est sûr - en vaut la chandelle.

Annexe A

Installer Microsoft Access

Avant de pouvoir manipuler vos données, vous devez installer Microsoft Access 97 pour Windows 95. Cette annexe se propose de décrire les grandes lignes de cette installation sur un poste individuel.

Les procédures d'installation sur une station unique peuvent différer légèrement selon que vous installez Access comme élément de Microsoft Office Professional ou que vous l'installez à partir des disquettes ou du CD-ROM.

Pour connaître la procédure d'installation d'Access, consultez le manuel *Être efficace avec Microsoft Access 97 pour Windows 95*. Avant de commencer, vérifiez le contenu de votre coffret pour voir s'il ne contient pas un addendum aux instructions d'installation. Enfin, pour les nouvelles de dernière minute, ouvrez le fichier Lisezmoi de la disquette d'installation n° 1.

Si vous envisagez d'installer Access sur un réseau, prenez connaissance du contenu du fichier Reseau.txt de cette même disquette n° 1 afin de connaître la procédure générale.

Configuration requise

Avant d'installer Access, vous devez vérifier si votre matériel répond bien aux exigences suivantes :

- Un PC équipé, au minimum, d'un processeur 486 DX2 ou DX4.
- Pour Windows 95, nous vous recommandons de disposer d'un strict minimum de 16 Mo de mémoire vide (RAM). Pour Windows NT, 32 Mo sont conseillés.
- Environ 42 Mo d'espace disque libre pour une installation complète (environ 33 Mo pour une installation normale et 14,8 Mo pour une installation minimale). Bien entendu, vous aurez besoin d'espace supplémentaire pour stocker vos bases de données.
- Windows 95 ou Windows NT 3.51 (soit serveur, soit poste de travail).
- Un moniteur VGA ou supérieur.
- Une souris Microsoft ou un dispositif de pointage compatible.

Bien que les informations sur votre coffret stipulent que vous pouvez vous contenter d'un processeur 386DX et d'une mémoire RAM moins étendue, ces évaluations à la baisse risquent d'entraîner une réduction notable des performances du logiciel.

Pour installer Microsoft Access sous Windows NT, vous devez être l'*Administrateur* ou bénéficier des privilèges de ce dernier.

Préparer vos bases de données 1.x, 2.x et Access 95

Si vous disposez de bases de données créées avec les versions précédentes d'Access, c'est-à-dire 1.0, 1.1 (1.x), 2.0 ou 7 (Access 95), cette section vous concerne. Si vous installez Access pour la première fois et ne possédez pas d'anciennes bases, passez à la section suivante.

Deux techniques sont à votre disposition pour recycler vos anciennes bases dans Microsoft Access 97 pour Windows 95 :

- **Convertir vos anciennes bases dans le nouveau format.** Vous pourrez ainsi tirer parti des nouvelles fonctionnalités d'Access. Mais évitez de convertir vos bases si d'autres utilisateurs doivent continuer de les employer avec Access 1.x, 2.0 ou 7 (Access 95).
- **Utiliser vos anciennes bases *sans* les convertir dans le nouveau format.** Cette méthode (parfois appelée "valider") permet d'afficher et de mettre à jour les bases de données dans les anciennes versions du programme. Toutefois, elle ne vous autorise pas à modifier les objets de ces bases, ni à en créer de nouveaux dans Microsoft Access 97 pour Windows 95. De plus, dans des bases protégées (Chapitre 18), vous ne pourrez ni modifier ni ajouter des permissions, à moins de les convertir dans le nouveau format.

En général, vos bases fonctionneront plus efficacement si vous les convertissez au format Microsoft Access 97 pour Windows 95. Rappelez-vous cependant que, si vous opérez cette conversion, les bases ne pourront plus être utilisées avec Access 1.x, 2.0 ni 7 et que la conversion inverse ne sera plus possible. Bien entendu, vous pourrez toujours les récupérer dans le format précédent depuis les copies de sauvegarde que vous aurez pris la précaution de réaliser avant d'entamer la conversion.

Que vous optiez ou non pour la conversion, vous devez transiter par les étapes préliminaires suivantes *avant* de supprimer votre précédente version d'Access :

1. Réalisez une copie de sauvegarde de toutes les bases que vous envisagez de convertir. *Ne sautez pas cette étape !*
2. Si vous utilisez Access 2.0 ou 7 (Access 95), passez à l'étape n° 3.

   Si vous utilisez Access 1.x, vous devez être au courant des particularités suivantes et redresser la situation :

- **Caractère guillemet inversé (‘) dans les noms d'objet.** Les guillemets inversés ne sont pas autorisés dans les noms d'objet Microsoft Access 97 pour Windows 95, et la présence de ces caractères fera échouer la conversion d'une base ou l'ouverture de cet objet. Par conséquent, vous devez, dans Access 1.x, renommer ces objets avant de les convertir ou de les utiliser dans Microsoft Access 97 pour Windows 95.
- **Index et relations.** Les tables de Microsoft Access 97 pour Windows 95 sont limitées à trente-deux index par table. Vous ne pourrez convertir vos bases de

données si une table quelconque dépasse cette limite. Détruisez donc au besoin certaines relations ou certains index dans les tables complexes avant d'entamer la conversion.

- **Les modules baptisés DAO, VBA ou Access.** La présence de modules baptisés *DAO, VBA* ou *Access* paralyse la conversion de la base, car ce sont des noms qu'Access référence automatiquement. Vous devrez donc rebaptiser ces modèles avant de convertir les bases dont ils font partie.

3. Dans Access 1.x, 2.0 ou 7 (Access 95) selon le cas, ouvrez votre base de données, puis tous les formulaires et états en mode création. Activez l'onglet Module de la fenêtre Base de données.

4. Ouvrez n'importe quel module en mode création, puis choisissez Exécution/Compiler les modules chargés. Si votre base ne comporte aucun module, cliquez sur le bouton Nouveau pour créer un nouveau module, puis choisissez Exécution/Compiler les modules chargés. Vous serez ainsi certain que vos modules sont entièrement compilés.

5. Fermez et enregistrez tous vos formulaires, états et modules, puis fermez votre base de données.

6. Répétez les étapes 2 à 4 pour chaque base à convertir.

7. Refaites une copie de sauvegarde de vos bases afin de préserver les changements que vous leur avez apportés aux étapes 3 et 4.

Vous êtes prêt, à présent, à installer Microsoft Access 97 pour Windows 95. Après avoir réalisé cette installation, vous pourrez convertir vos bases ou les utiliser telles quelles (voyez la section de cette annexe intitulée "Utiliser ou convertir d'anciennes bases de données Access").

Pour en savoir plus sur les conversions, voyez l'annexe du manuel *Comment créer des applications avec Microsoft Access 97 pour Windows 95*, ou recherchez *conversion de bases de données* grâce au Compagnon Office. Éventuellement, voyez aussi la Base de connaissances Microsoft sur CompuServe (GO MSKB), le Microsoft Network (utilisez la fonction de recherche pour localiser "Base de connaissances Microsoft") et les serveurs Microsoft Internet aux adresses suivantes : www.microsoft.com et ftp.microsoft.com. Le Chapitre 4 vous fournit davantage de détails sur la Base de connaissances Microsoft et sur les autres sources d'informations relatives aux produits Microsoft en général, et à Access en particulier.

Installer Access sur un poste individuel

La procédure est relativement simple :

1. Lancez Windows 95 et assurez-vous qu'aucun programme ne tourne.

Lorsque vous installez Access, faites-le sur un système aussi standard que possible. Quittez toutes les applications ou gestionnaires de mémoire Windows non standard ainsi que tous les programmes résidents ; déconnectez tous les utilitaires de détection de virus. Vérifiez la barre des tâches de Windows et fermez tout programme actuellement en cours. Si des applications sont lancées depuis l'AutoExec ou le Config.sys, relancez votre ordinateur en choisissant Démarrer/Arrêter/Arrêter l'ordinateur/Oui. Ensuite, lorsque le message "Démarrage de Windows 95" s'affiche, enfoncez la touche F8 et sélectionnez Confirmation pas-à-pas. Windows vous demande alors de confirmer chaque commande config.sys et autoexec.bat. Tapez sur Entrée pour confirmer ; tapez sur Esc pour infirmer.

2. Insérez la disquette Disquette 1 - Installation de Microsoft Access dans le lecteur A ou B ; ou introduisez le disque CD-ROM Microsoft Office Professional dans le lecteur CD de votre ordinateur.
3. Cliquez sur Démarrer dans la barre des tâches de Windows et choisissez Exécuter.
4. Dans la case d'édition Ouvrir, tapez le nom du lecteur dans lequel vous avez inséré la disquette ou le disque (par exemple, **a:** ou **b:** ou **d:**), suivi du mot **install** (ou utilisez le bouton Parcourir pour localiser le programme d'installation). Par exemple, si vous avez introduit votre Disquette 1 dans le lecteur A, tapez :

```
a:install
```

5. Cliquez sur OK ou enfoncez la touche Entrée.

Plutôt que de passer par les étapes 2 à 5, vous pouvez choisir Démarrer/ Paramètres/Panneau de configuration. Cliquez deux fois sur l'icône Ajout/ Suppression de programmes, puis une fois sur le bouton Installer pour lancer le programme d'installation de la disquette ou du CD-ROM. Lorsque l'Assistant prend la main, suivez les instructions qu'il affiche à l'écran à votre intention.

6. Obéissez aux instructions qui vous sont adressées. Le programme d'installation vous demandera notamment d'indiquer votre nom et le numéro de série de votre copie d'Access ; il vous laissera aussi choisir le dossier dans lequel vous voulez installer Microsoft Office. Dans la plupart des cas, différentes zones de dialogue vous seront proposées ; répondez aux questions qui vous sont posées, puis cliquez sur OK ou enfoncez la touche Entrée pour atteindre la boîte de dialogue suivante.

Pour faire votre choix parmi les différentes options, cliquez sur le bouton ? (Aide) situé dans l'angle supérieure droit de n'importe quelle fenêtre d'installation de Microsoft Access 97 pour Windows 95 et cliquez sur l'option à propos de laquelle vous souhaitez obtenir un complément d'information.

7. Lorsque le programme d'installation vous demande de préciser quel type d'installation vous désirez, choisissez l'une des possibilités suivantes :

   Par défaut : Installe les options les plus courantes d'Access. Cette option exige environ 33 Mo d'espace disque.

   Personnalisée : Vous permet de sélectionner vous-même les options à installer. Choisissez cette possibilité si vous voulez installer la version complète du programme ou si vous ne disposez que d'un espace disque limité et désirez n'installer que certains éléments d'Access. Une installation personnalisée complète exige 52 Mo d'espace disque.

   Si vous choisissez cette troisième possibilité et souhaitez installer l'intégralité du programme, cliquez sur Microsoft Access, puis sur Continuer.

   Si vous désirez n'installer que certaines options, cliquez sur Microsoft Access, puis sur Modifier une option. Une deuxième fenêtre s'ouvre, qui répertorie les options disponibles (Figure A.1). Cliquez sur Sélectionner tout pour activer toutes les options, ou bien activez une à une celles qui vous intéressent. Lorsque vous avez fait votre choix, cliquez sur OK. La fenêtre précédente est réactivée. Cliquez sur Continuer pour reprendre la procédure. Le Tableau A.1 décrit brièvement la plupart des options de la fenêtre de personnalisation.

Il est préférable d'activer (cocher) toutes les options proposées dans le Tableau A.1 si vous disposez d'un espace disque suffisant. Les cases à cocher sont des bascules : un clic les active, un second clic les désactive.

Exécuter depuis le CD-ROM ou **Exécuter depuis le réseau** : N'installe que les fichiers indispensables pour exécuter Access depuis le CD-ROM ou depuis le réseau.

8. Si vous installez Access depuis des disquettes, introduisez dans le lecteur la disquette que la procédure d'installation vous réclame et enfoncez la touche Entrée ou cliquez sur OK pour poursuivre l'installation.

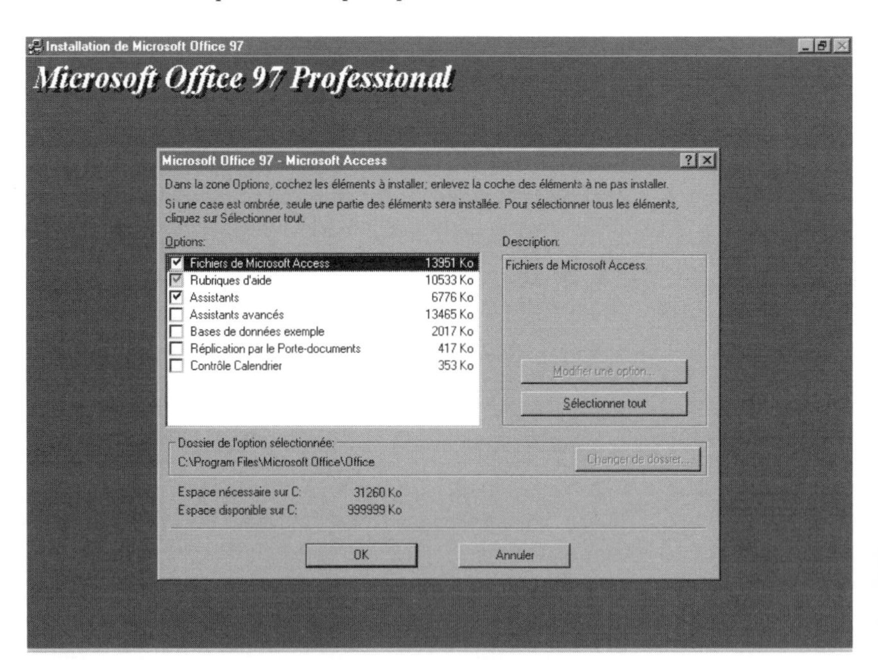

Figure A.1 : L'option d'installation Personnalisée vous permet de désigner les options d'Access que vous voulez installer. Si vous disposez d'un espace disque suffisant, cliquez sur Sélectionner tout pour activer l'ensemble des options disponibles.

Option	Description
Fichiers de Microsoft Access	Le programme Access et les utilitaires indispensables à son exécution. Cette option doit impérativement être cochée si vous installez Access pour la première fois.
Rubriques d'aide	Fichiers d'aide Microsoft Access et référence du langage. Activez cette option si vous souhaitez tirer tout le profit possible d'Access.
Assistants	Outils qui fonctionnent selon le principe du question/réponse et qui sont faciles à employer. Ils vous aident à créer tables, formulaires, états, requêtes, etc. Si vous n'activez pas cette option, les Assistants ne pourront pas vous seconder. Vous pourrez utiliser le Gestionnaire de compléments (Chapitre 15) pour installer ou désinstaller les éventuels Assistants que vous aurez achetés en marge d'Access.
Assistants avancées	Outils qui vous permettent de réaliser des tâches complexes, comme la conversion de macros en code Visual Basic ou la documentation de vos bases de données.
Bases de données exemple	Les bases de données et applications exemple fournies avec Access, notamment Comptoir et Solution.
Réplication par le Porte-documents	Option qui vous permet de conserver différentes copies de bases de données synchronisées (Chapitre 17).
Contrôle Calendrier	Contrôle OLE personnalisé et fichiers d'aide associés qui sont capables de créer des calendriers entièrement programmables dans vos formulaires et dans vos états (Chapitre 13).

Tableau A.1 : Les options de Microsoft Access que vous pouvez activer dans la fenêtre de personnalisation.

9. Réagissez aux éventuels autres messages qui vous sont adressés. Lorsque vous avez copié tous les fichiers indispensables sur votre ordinateur, la procédure d'installation met votre système à jour. Patientez pendant qu'elle s'acquitte de cette tâche et évitez de faire redémarrer votre ordinateur. (Votre machine n'est pas morte, elle pense, c'est tout !) Un message s'affiche lorsque l'installation est terminée.

10. Cliquez sur OK (ou sur Inscription en ligne).

Lorsque tous les fichiers dont vous avez besoin sont installés, le programme d'installation crée une option Microsoft Access dans le menu Démarrer/Programmes. Passez alors au Chapitre 1 de cet ouvrage pour lancer Access et partir à sa découverte.

Utiliser ou convertir d'anciennes bases de données Access

Comme nous vous l'avons indiqué précédemment, vous pouvez convertir vos anciennes bases de données Access 1.x, 2.0 et 7 (Access 95) au nouveau format Microsoft Access 97 pour Windows 95 ; vous pouvez aussi vous contenter d'utiliser ces bases dans Microsoft Access 97 pour Windows 95 sans les convertir au préalable.

Utiliser une base de données

Pour utiliser une base qui a été créée dans une version précédente d'Access, lancez Microsoft Access 97 pour Windows 95 et ouvrez la base en question (voyez le Chapitre 1 si vous avez besoin d'informations complémentaires). La boîte de dialogue Convertir/Valider une base de données s'affiche, vous montrant les options disponibles (Figure A.2).

1. Choisissez Convertir une base de données pour convertir la base dans le nouveau format, ou choisissez Valider une base de données pour utiliser cette base sans la convertir (et lui conserver ainsi son format précédent).

2. Cliquez sur OK et suivez les instructions qui s'affichent.

Votre base est soit convertie, soit ouverte, selon le choix que vous avez fait à l'étape n° 1.

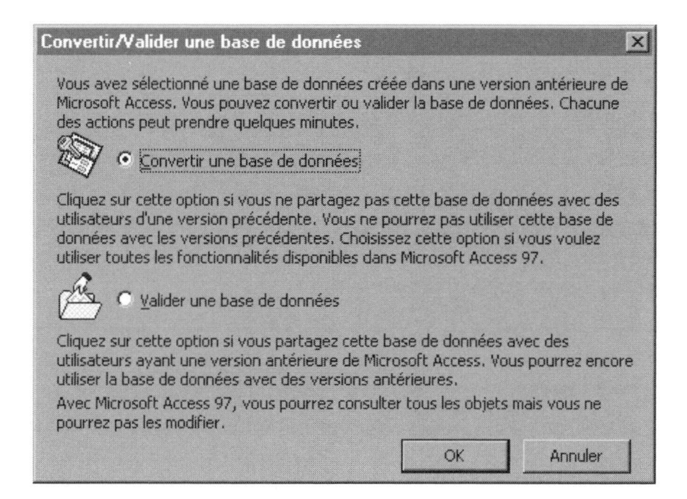

Figure A.2 : La boîte de dialogue Convertir/Valider une base de données vous permet de convertir une base de données dans le nouveau format d'Access, ou de l'ouvrir dans son ancien format.

Convertir une base de données

Pour convertir une base de données, vous pouvez l'ouvrir et activer l'option Convertir une base de données décrite ci-dessus. Vous pouvez aussi :

1. Fermer les éventuelles bases de données ouvertes. Si vous travaillez sur réseau, assurez-vous qu'aucun autre utilisateur n'a ouvert la base que vous voulez convertir.
2. Choisissez Outils/Utilitaires de base de données/Convertir une base de données.
3. Dans la boîte de dialogue Convertir une base de données, localisez la base à convertir, puis cliquez sur son nom. Pour convertir également tous les objets OLE (comme les objets Graph 3.0), activez (cochez) l'option Convertir OLE située sous le bouton Approfondir. Cliquez ensuite sur Convertir.
4. Dans la boîte de dialogue Convertir la base de données sous, entrez le nouveau nom de la base, ou sélectionnez un autre dossier si vous souhaitez la conserver sous le même nom. Cliquez sur Enregistrer.
5. Réagissez aux éventuels messages qui vous sont adressés. Lorsque la conversion est terminée, vous pouvez ouvrir la nouvelle base et l'utiliser comme s'il s'agissait d'une base Access classique.

Après avoir converti ou ouvert votre ancienne base, il se peut que vous constatiez que certains objets se comportent bizarrement ; apportez les aménagements requis.

Une fois que votre base de données Access 1.x, 2.0 ou 7 (Access 95) a été convertie en format Microsoft Access 97 pour Windows 95, vous ne pouvez plus l'ouvrir avec les versions 1.0, 1.1 et 2.0 du programme, ni réaliser la conversion en sens inverse.

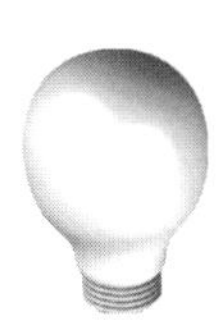

Si votre base de données est volumineuse, il se peut que la procédure de conversion décrite ci-dessus ne puisse être menée à son terme (c'est rare, mais pas impossible). Si c'est le cas, créez une base de données vide, puis, en recourant aux procédures d'importation décrites au Chapitre 7, importez-y les objets de votre base en traitant un maximum de 20 à 30 objets à la fois. L'importation procède, dans la foulée, à la conversion des objets.

La procédure que nous venons de décrire s'applique à la conversion de bases de données non protégées dépourvues de tables liées et stockées sur un poste individuel. Pour des conversions plus complexes, voyez le manuel *Créer des applications avec Microsoft Access 97 pour Windows 95* ou consultez le Compagnon Office.

Configurer le support ODBC

Les pilotes ODBC (Open Database Connectivity) livrés avec Access vous permettent de vous connecter à des serveurs de bases de données SQL et d'exploiter des bases de données SQL sous Access. (Si vous n'êtes pas appelé à travailler avec des bases de données SQL, le reste de cette annexe ne vous concerne pas.)

Pour que votre ordinateur soit disposé à utiliser des serveurs SQL et à exploiter des bases de données SQL, vous devez réaliser les deux procédures que nous décrivons ci-dessous. Nous partons du principe que vous désirez travailler sur des bases de données stockées sur un serveur SQL Microsoft ; si vos bases sont stockées sur un autre serveur, vous devrez vous procurer le pilote ODBC prévu pour ce serveur.

1. **Installez le pilote Serveur SQL Microsoft fourni avec Access.** Si vous avez choisi une installation personnalisée et activé tous les éléments de la liste d'options, les pilotes ODBC sont installés automatiquement. Si vous avez préféré l'installation standard ou compacte, ou si vous avez désactivé l'option *Pilote ODBC Serveur SQL Microsoft* de l'option ISAM de l'installation Personnalisée, vous devez relancer le programme d'installation pour installer ces pilotes.

2. **Configurer les sources de données SQL via le Gestionnaire ODBC (ou l'Administrateur ODBC dans le cas de Windows NT).** Après avoir lancé l'un des programmes de gestion ODBC, vous pouvez définir une nouvelle source de données pour le pilote actuellement installé, ou modifier la définition d'une source de données existante. (Une source de données est un ensemble d'instructions qui indique à ODBC où trouver les données qui vous intéressent.)

Pour en savoir plus sur l'installation des pilotes ODBC et la configuration des sources de données via le gestionnaire correspondant, cherchez *ODBC* dans la case de recherche du Compagnon Office, puis cliquez deux fois sur Ins*tallation des pilotes ODBC et des sources de données ODBC* dans la catégorie Procédures. Vous pouvez aussi cliquer sur le bouton d'aide de la fenêtre du Gestionnaire ou de l'Administrateur ODBC.

Annexe B

Internet Explorer 4

La version 4 de Microsoft Internet Explorer n'existait encore qu'en version précommerciale, dite bêta, lors de la rédaction de ce livre. Une fois finalisée, elle devrait être incluse dans Office 97, tout comme dans les diverses moutures de Windows.

L'une de ses principales particularités est qu'elle peut modifier le comportement des Windows actuels, rendant leurs écrans comparables à ceux d'un explorateur, avec une approche semblable.

Ce chapitre vous présente les fonctions essentielles d'Explorer, telles que l'accès au Web, la messagerie, les newsgroups, FTP ou la téléconférence. La version 4 n'étant pas finalisée, certaines modifications pourraient encore intervenir par rapport à ce que nous en présentons ici.

Pourquoi un explorateur ?

Pour naviguer sur Internet, mieux vaut utiliser un outil qui gère tous les protocoles et les formats à votre place, vous libérant de ce souci. Vous pouvez alors vous consacrer exclusivement à la navigation et suivre le fil de votre pensée, sans songer aux moyens à mettre en oeuvre pour cela.

Pour accéder à Internet, il vous faut être relié à ce réseau par une ligne téléphonique. Deux cas sont possibles :

1. Vous disposez d'une ligne téléphonique spéciale, louée à cet effet. C'est ce qui se passe dans les entreprises où l'abondance des connexions rend cette solution plus économique. Accessoirement, mais c'est aussi très important, la liaison est beaucoup plus rapide, souvent à 1,5 mégabit par seconde.
2. Vous êtes un utilisateur individuel qui n'a pas les moyens de s'offrir une ligne téléphonique spéciale. Il vous faut alors souscrire un abonnement chez un prestataire de services, appelé *fournisseur d'accès*, qui, lui, a loué une telle ligne à France Télécom et en répartit les charges sur l'ensemble de ses clients.

Notez qu'il existe un troisième cas : vous ne voulez pas vous connecter à Internet, car vous travaillez en mode Intranet, un réseau interne à l'entreprise exploitant les outils Internet. Dans ce cas, vous n'avez plus besoin de ligne téléphonique, une simple connexion réseau suffit. Le réseau local doit supporter TCP/IP.

Dans le contexte d'une entreprise, l'installation s'effectue sous le contrôle de l'administrateur réseau. Le plus souvent, dans ce cas, l'installation de l'explorateur mettra en service les programmes nécessaires à la connexion avec Internet, s'ils ne sont pas déjà actifs avec le réseau.

La formule Intranet, en voie de développement rapide, fait donc appel aux outils Internet et, en particulier, au protocole TCP/IP.

La Figure 1 résume les deux modes de connexion à Internet, soit via un réseau local, soit en passant par un fournisseur d'accès.

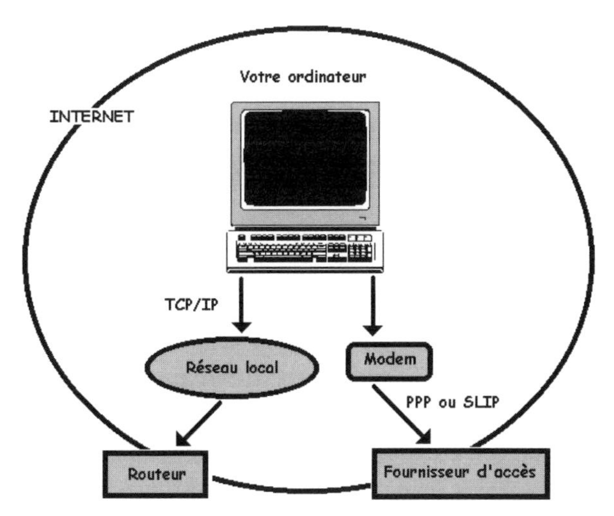

Figure 1 : Les deux modes de connexion à Internet.

Il reste essentiellement à examiner le problème de la connexion lorsque vous passez par un fournisseur d'accès.

Spécificités de la version 4

La version 4 de Microsoft Internet Explorer que nous vous présentons ici est plus qu'un simple navigateur expérimental, puisque, avec ses options complètes, cette version remet à jour le système d'exploitation Windows 95 lui-même. En effet, sa future mouture, probablement Windows 97 ou 98 (son nom de code était *Memphis*), s'inspire fortement de l'interface conviviale du navigateur et en reprend bien des options.

Certains de ses nouveaux écrans deviennent indiscernables ou indissociables de ceux du navigateur. En voulez-vous un exemple ? Lorsque vous pointez une icône sur le bureau de Windows, le pointeur de la souris n'est plus une flèche, mais une main pointant un lien. Le nom de l'icône se souligne. Un seul clic suffit pour lancer l'application (c'est, fort heureusement, la fin d'interrogations telles que celle-ci : "Ici, dois-je faire un seul clic ou deux ?").

Le navigateur lui-même, bien que se présentant sous un aspect traditionnel, apporte de profonds changements. Il constitue désormais une suite logicielle complète destinée au travail de groupe. Il est dédié aussi bien à l'Internet classique qu'à un Intranet ou un Extranet dans votre entreprise.

Telle est la réponse du berger à la bergère, Netscape ayant, peu auparavant, mis sur le marché la version préliminaire 3 de Netscape Navigator 4.

Les principales modifications

Selon Microsoft, qui parle d'un navigateur du quatrième type, cette nouvelle version se distingue en quatre points des précédentes :

- *Explorateur* : Internet Explorer 4.0 apporte des enrichissements permettant aux utilisateurs d'obtenir le plus facilement du monde les informations qui les intéressent, qui plus est, de la manière la plus pratique, la plus moderne et la plus personnalisée qui soit.
- *Communication et collaboration intégrales* : il propose un ensemble complet d'outils intégrés pour chaque type d'utilisateur, allant de la messagerie électronique nouvelle génération jusqu'aux fonctions de communication et de collaboration les plus sophistiquées (conférences électroniques, publication et diffusion d'information sur le Web...).
- *Webcasting* : les utilisateurs peuvent désormais obtenir directement sur leur bureau les informations dont ils ont besoin, quand ils le veulent et de la façon dont ils le souhaitent. Internet Explorer 4.0 les avertit automatiquement des changements qui interviennent dans leurs sites favoris et, dans un souci de souplesse et de maîtrise des coûts, leur permet de lire les sites hors ligne.
- *Véritable intégration Web* : cette notion fait référence à deux particularités d'Internet Explorer 4.0. D'une part, Internet devient accessible depuis n'importe quelle fenêtre du système d'exploitation. D'autre part, il offre une intégration totale avec l'ensemble de la gamme des produits à laquelle il appartient. Dans les faits, ces deux notions se traduisent par une plus grande cohérence entre toutes les applications (notamment grâce à la mise en place d'une barre d'outils commune) et par un passage plus aisé d'un outil à l'autre.

Ces quatre domaines en étaient à des étapes de développement différentes lors de la rédaction de ce livre. Ne soyez donc pas surpris si vous constatez des différences entre ce qui va vous être présenté ici et ce que vous constaterez avec le produit réel que vous allez expérimenter.

Les deux versions d'évaluation

La version préliminaire d'Explorer 4.0 est destinée aux développeurs et se présentait sous deux formes lors de la rédaction de ce livre :

- La Suite Internet Explorer 4.0, c'est-à-dire le navigateur Web et ses composants.

- La Suite Internet Explorer 4.0 avec Intégration Web activée, c'est-à-dire le navigateur et ses composants, plus l'intégration du Web et de votre PC.

Si vous choisissez d'installer seulement la Suite, vous obtiendrez la dernière version du navigateur Web et de ses composants, sans aucun changement pour votre système d'exploitation. L'option d'intégration du Web introduit les fonctions de navigation du Web au coeur de votre PC. C'est elle que nous avons choisi de vous présenter ici.

De plus, la Suite elle-même existait en trois configurations :

- *Standard* : elle comprend le navigateur Internet Explorer 4.0, le client de messagerie et de news Microsoft Outlook Express, et le lecteur multimédia évolué ActiveMovie.
- *Avancée* : il s'ajoute à la liste précédente l'éditeur de pages Web FrontPad.
- *Complète* : elle comprend le navigateur Internet Explorer 4.0, le client de messagerie et de news Microsoft Outlook Express, le client de travail collaboratif et de visioconférence NetMeeting, l'éditeur de pages Web FrontPad, NetShow (récepteur d'émissions Internet), le contrôle audio Microsoft Interactive Music, l'outil de sécurité Microsoft Wallet et le lecteur multimédia évolué ActiveMovie.

Connexion Internet avec une ligne directe

Dans l'entreprise, vous disposez très probablement d'une ligne directe d'accès à Internet ; vérifiez-le auprès de votre administrateur réseau ou du responsable système. Il vous indiquera également quelle est la meilleure méthode pour établir la connexion.

Tout dépend, en effet, de l'organisation de votre réseau, de la présence de proxies, etc.

Cela étant, pour vous connecter, vous mettrez simplement l'Explorer en service.

Un *proxy* (des proxies) est un ordinateur spécialisé sur lequel tournent des logiciels spécifiques. Le tout est interposé entre votre réseau local et le monde extérieur pour des raisons de sécurité. Le proxy constitue une passerelle sécurisée faisant partie de ce que l'on nomme un mur pare-feu. Il protège l'entreprise contre toute agression externe en restreignant, surveillant et filtrant les accès.

Conditions d'installation de la connexion via un fournisseur d'accès

Pour établir une connexion grâce à l'*Accès réseau à distance* avec un fournisseur d'accès à Internet, les étapes sont les suivantes :

1. Ouvrez un compte Internet auprès d'un fournisseur d'accès Internet.
2. Installez votre modem.
3. Installez TCP/IP.
4. Installez l'Accès réseau à distance.
5. Etablissez une liaison avec le fournisseur d'accès Internet à l'aide de l'Accès réseau à distance en composant son numéro d'appel.
6. Mettez en service l'Explorer. Si la liaison n'est pas encore établie avec le fournisseur d'accès, il s'en apercevra et vous invitera à le faire.

Vous devrez être équipé d'un modem correctement installé et en bon état de service, de préférence à 14,4 kilobauds ou, mieux, 28,8 kilobauds. Votre fournisseur d'accès vous indiquera comment vous connecter en appliquant le protocole PPP (*Point to Point Protocol*) ou SLIP (*Serial Line Interface Protocol*).

Protocoles SLIP et PPP

Lorsque vous vous connectez via une ligne téléphonique *louée* sur Internet, vous êtes en prise directe avec le réseau. C'est le cas le plus courant si vous travaillez en entreprise ; c'est évidemment le plus simple.

Si vous passez par un fournisseur d'accès, il faut prévoir une procédure spéciale de liaison entre votre ordinateur et l'ordinateur serveur de ce prestataire de services. Deux protocoles sont appliqués à cet effet (il s'agit bien de *logiciels*, et non de matériel) :

1. Le protocole SLIP, abréviation de *Serial Line Internet Protocol.*
2. Le protocole PPP, *Point to Point Protocol*, plus récent, dérive du précédent. Il offre davantage de fonctions, c'est le plus courant, et c'est aussi le protocole conseillé.

Vous devez sélectionner l'un ou l'autre de ces protocoles, ou plutôt, c'est votre fournisseur d'accès qui vous impose le sien. Ces protocoles ne sont actifs que durant votre temps de connexion.

Informations nécessaires

Une fois les problèmes d'abonnement résolus avec votre fournisseur d'accès, celui-ci doit vous communiquer un certain nombre d'informations dont voici la liste :

- Le *numéro d'appel téléphonique* de votre fournisseur d'accès.
- Le *nom de son ordinateur serveur*, par exemple : *planetepc.fr.* Vous écrirez donc, lorsqu'on vous le demandera : planetepc.fr.
- Votre *nom d'abonné* (le nom de *login*, pour les américanophiles). Par exemple : *durand*. C'est vous qui le choisissez généralement, en accord avec votre fournisseur d'accès : celui-ci ne doit pas enregistrer deux abonnés sous le même nom !
- Votre *mot de passe* : il vous est le plus souvent indiqué par votre fournisseur d'accès. Par exemple : 12345svp. Conservez-le secret mais, surtout, souvenez-vous-en. Si vous le notez, que ce ne soit pas sur un autocollant fixé sur votre ordinateur.
- L'adresse du *serveur de noms de domaines* (c'est l'adresse IP de l'ordinateur de votre fournisseur). Par exemple : 194.98.30.130.
- L'adresse du *serveur de courrier électronique* (de messagerie). Par exemple : *mail.planetepc.fr.* Cette adresse commence souvent par le mot *mail*, suivi du nom de l'ordinateur serveur.
- L'adresse du *serveur de groupes de nouvelles (newsgroups)*. Par exemple : *news.planetepc.fr.* Cette adresse commence souvent par le mot *news*, suivi du nom de l'ordinateur serveur.
- Votre *adresse privée pour le courrier électronique*. Par exemple : *durand@planetepc.fr.*

De plus, vous devrez obtenir le numéro d'appel téléphonique de votre fournisseur d'accès si vous avez besoin d'assistance, éventuellement un numéro de télécopie ou de Minitel, ou encore de messagerie électronique.

Enfin, votre fournisseur d'accès devrait vous communiquer l'adresse de son propre site Web sur Internet ; par exemple :

```
http://www.planetepc.fr
```

ou encore celle d'un site ftp ; par exemple :

```
ftp.isicom.fr.
```

Vérifier la connexion à Internet

Nous vous conseillons de vérifier la connexion à Internet. En pratique :

- Vous devez avoir installé l'accès à distance avec sa carte spécifique.
- Vous devez avoir installé le protocole TCP/IP qu'il vous aura fallu configurer.
- Si vous travaillez isolément, vous devez disposer d'un modem connecté.

Après avoir déclaré la connexion Internet avec l'accès réseau à distance, une bonne idée consiste à en déposer l'icône de raccourci sur le bureau. Il vous suffira, ensuite, de faire un double clic sur cette icône (ci-contre) pour établir la communication.

Mettre l'explorateur en service

Tout étant correctement installé, il reste à lancer l'Explorer :

- Cliquez successivement sur le bouton *Démarrer*, la ligne *Programmes*, puis sur *Internet Explorer*.
- Ou mieux, faites un double clic sur l'icône de raccourci de l'explorateur (voir ci-contre), placée sur votre bureau. Si elle n'existe pas, nous vous conseillons vivement de l'y installer en la tirant avec la souris, comme pour tout autre programme.

L'explorateur se charge et, si vous n'êtes pas connecté, ouvre la fenêtre de dialogue de connexion (Figure 2). Tapez votre mot de passe et confirmez en cliquant sur le bouton *OK*.

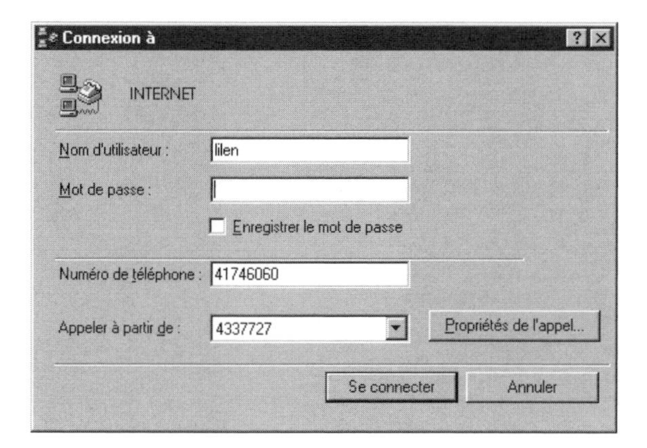

Figure 2 : Tapez votre mot de passe pour vous connecter à Internet.

Certains serveurs ne tiendront pas compte du mot de passe que vous indiquez dans cette boîte, et vous enverront une fenêtre spéciale dans laquelle vous devrez le taper ; dans ce cas, le plus simple consiste à vous dispenser de le faire ici.

La connexion s'établit et fait apparaître de petites boîtes d'information successives, la dernière indiquant que la connexion est réalisée (Figure 3).

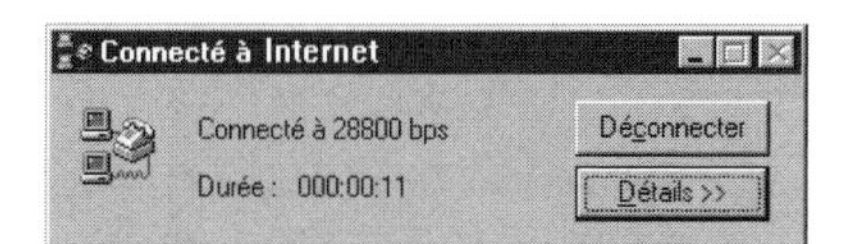

Figure 3 : La connexion est établie.

Ecran du navigateur

L'écran principal de l'explorateur s'affiche alors. Il charge le document par défaut, la page d'accueil du site MSN de Microsoft dans l'exemple de la Figure 4.

Vous noterez, à ce propos, que les sites Internet, et Web plus particulièrement, sont constamment remis à jour et modifiés. Cela signifie que vous n'obtiendrez pas forcément les mêmes écrans que ceux que nous allons vous montrer s'ils ont été modifiés entre-temps.

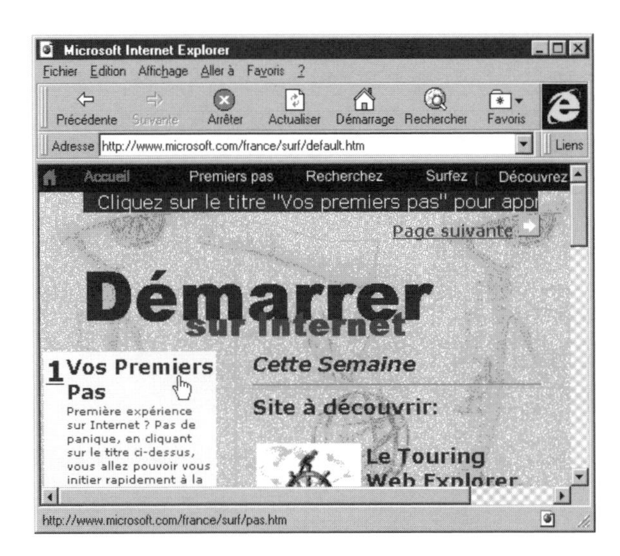

Figure 4 : La page d'accueil de Microsoft MSN, dans l'écran typique de l'explorateur.

Cette fenêtre comporte des zones importantes, repérées Figure 5 :

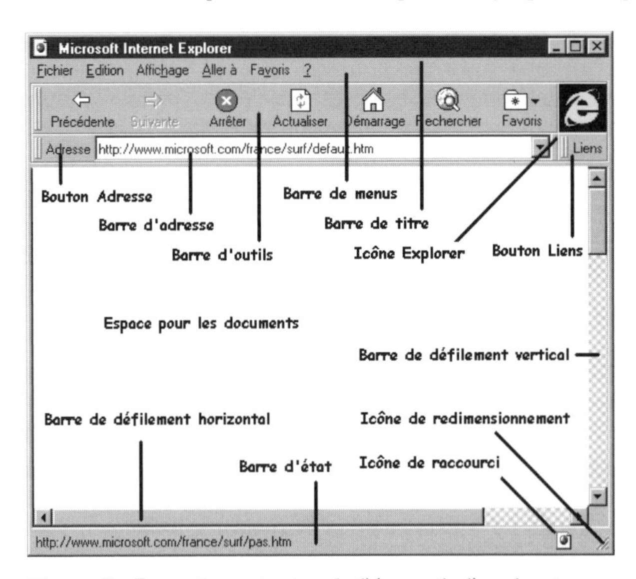

Figure 5 : Zones importantes de l'écran de l'explorateur.

- *Barre de titre* : elle rappelle le nom du site auquel vous êtes connecté. Elle comporte aussi les quatre icônes typiques de Windows NT.

- *Barre de menus* : traditionnelle, elle affiche les menus à votre disposition. Leurs commandes les plus usuelles sont représentées par les icônes de la barre d'outils.
- *Barre d'outils* : neuf icônes servent les fonctions les plus courantes.
- *Icône d'activité Internet Explorer* : située sur la droite de la barre d'outils, cette icône est un grand "e" tournant, se transformant en une mappemonde, puis revenant au "e", tout cela lorsque l'explorateur est occupé à charger un document. Le tout est encore agrémenté d'un satellite gravitant autour de la planète ! Tout revient au repos lorsque ce chargement est achevé.
- *Barre d'adresse* : vous tapez là l'URL (l'adresse) du site où vous voulez vous rendre, puis vous appuyez sur la touche *Entrée* pour vous "téléporter" en ce lieu.
- *Liens* : sur la droite de cette barre d'adresse se trouve un bouton, *Liens*. Si vous cliquez dessus, vous remplacez la barre d'adresse par une barre de liens rapides.
- *Zone centrale de travail* : elle est consacrée à l'affichage des sites, sous de multiples formes, d'ailleurs.
- *Barre d'état* : elle est divisée en plusieurs zones :

  Zone de texte : examinez-la, car elle spécifie l'opération en cours. Par exemple, elle indique que l'explorateur a trouvé l'ordinateur du site demandé, que vous devez patienter, ou bien que le transfert est terminé.

  Zone de barre mobile, sur sa droite : observez-la également, car elle marque la progression du chargement de l'écran, mais élément par élément et non en pourcentage de la totalité du document.

  Icône de raccourci : elle servira à transporter sur le bureau de Windows NT le raccourci d'un lien affiché.

L'écran lui-même, comme toute autre fenêtre Windows, peut être agrandi au maximum, réduit à sa taille précédente, converti en icône ou déplacé lorsqu'il n'occupe pas la surface maximale, et ce en application des règles courantes de Windows.

Icônes des barres d'outils

Deux barres d'outils sont à votre disposition : la barre d'outils *standard* et la barre d'outils *Liens*. Cette dernière apparaît lorsque vous cliquez sur le mot *Liens* ou sur le mot *Adresse*, qui constituent d'ailleurs des boutons. Elle disparaît sur un autre clic identique (Figure 6).

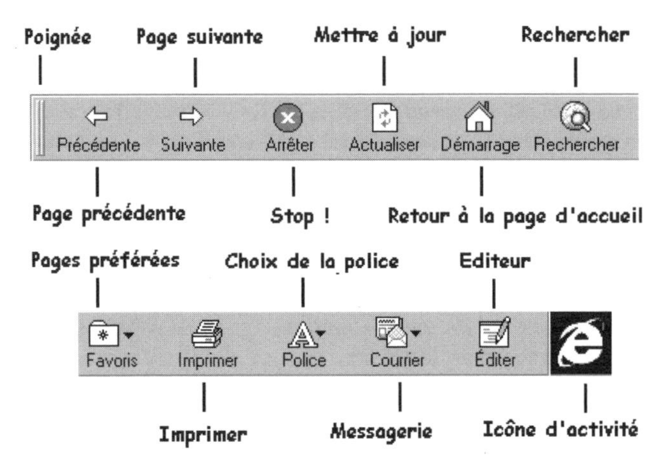

Figure 6 : Icônes de la barre d'outils.

La barre d'outils principale, standard, offre une série de douze icônes, d'ailleurs sous-titrées, dont les fonctions sont les suivantes :

- *Page précédente* et *Page suivante* : ces icônes vous permettent de réafficher la page précédente ou, si vous êtes déjà revenu en arrière, de repasser sur la page suivante.
- *Arrêter* : cette icône stoppe l'opération en cours, par exemple le chargement d'une page.
- *Actualiser* : remet à jour la page affichée.
- *Démarrage* : affiche la page par défaut qui prélude à toute navigation, donc la page d'accueil MSN.
- *Rechercher* : met en service les outils de recherche sur le Net.
- *Préférées* : les adresses de vos pages préférées, sur lesquelles vous envisagez de revenir, peuvent être enregistrées. Cette icône sert à la fois à cet enregistrement et au réaffichage de ces pages.

- *Imprimer* : lance l'impression de la page active.
- *Police* : des clics successifs sur cette icône modifient la taille de la police d'affichage selon cinq niveaux prédéfinis.
- *Messagerie* : pour appeler le service de courrier électronique.
- *Editer* : pour appeler l'éditeur, Word, par défaut. L'éditeur en titre devrait être FrontPad, fondé sur le logiciel FrontPage 97.

Liens, hyperliens et points chauds

Pour surfer sur le Web, vous tapez des adresses, ou bien vous cliquez sur des *liens*, encore appelés *hyperliens*, car ils sont à l'origine de ce qu'on nomme *hypertexte*. Deux sortes d'objets, à l'écran, peuvent servir de liens :

1. Les textes, qui ont contribué à définir cette notion.
2. Des images, transformées en liens.

Pour l'utilisateur, leur mode de fonctionnement reste le même. Lorsque vous positionnez le pointeur de la souris sur un lien, il se transforme en main, index pointé verticalement vers le haut (ci-contre). Vous pouvez alors cliquer sur ce lien pour vous téléporter à la page qu'il représente.

Certaines images comportent plusieurs liens, appelés *points chauds*. On appelle ces images *images cliquables*, et leurs points, *points cliquables*.

Qu'est-ce qu'une adresse Internet ?

Sur Internet, l'adresse est *électronique* et non *physique*. On peut donc imaginer un mode d'adressage différent de celui appliqué pour le courrier postal que vous apporte le préposé des Postes.

Ainsi, on peut s'affranchir du nom des rues et des départements, par exemple. Deux cas se présentent ici, sensiblement différents quoique s'inspirant des mêmes principes.

Mode d'adressage aux Etats-Unis

Dans tous les cas, le nom principal est celui de l'ordinateur du réseau Internet qui gère un site (ou dont dépend un utilisateur). Supposons que ce site traite de biologie et que l'ordinateur hérite de ce nom et s'appelle donc *biology*, en anglais. Supposons encore qu'il se trouve à l'université de l'Ohio. L'adresse pourrait alors être :

```
biology.ohio
```

Notez bien qu'un point sépare ces mots, sans espace surtout !

Mais c'est encore insuffisant, car les Américains ont introduit un complément désignant un domaine d'activité. C'est le *domaine*. Il existe six domaines prédéfinis, ainsi que le montre le tableau suivant :

Domaine	Type d'organisation
com	Commerciale
edu	Université, enseignement
gov	Gouvernementale
mil	Militaire
net	Ressource du réseau
org	Autres, souvent à buts non lucratifs

Si l'on ajoute le domaine *edu* à l'adresse précédente, on forme l'adresse complète :

```
biology.ohio.edu
```

Notez bien, de nouveau, qu'un point sans espace, ni avant ni après, sépare ces éléments. Une telle adresse est dite *adresse de nom de domaine*, car elle spécifie le domaine visé.

Les noms des adresses de domaines sont enregistrés par l'organisation Internet, de sorte qu'il ne peut y avoir deux adresses semblables pour des sites différents. Ce service d'enregistrement s'appelle *Domain Name Service*, ou DNS en abrégé.

C'est pourquoi vous rencontrerez, à l'occasion, des références DNS lorsque vous installerez votre explorateur ou votre boîte aux lettres sur votre machine.

Qu'est-ce qu'un URL ?

L'adresse est désormais précise, mais il vous faut encore indiquer deux choses pour l'employer :

1. Le protocole à mettre en oeuvre, par exemple *http* pour vous connecter à un site Web. Cette information est obligatoirement suivie par un deux-points (:), puis par deux barres obliques (//), le tout toujours sans espace.
2. Le service visé, par exemple le Web, ce qui est spécifié par les trois lettres *www*.

Une adresse Web complète se présente ainsi :

```
http://www.biology.ohio.edu
```

Ce type d'adresse complet porte le nom de URL, pour *Uniform Resource Locator*. Il procure toutes les informations dont vous ou votre explorateur avez besoin pour vous connecter sur un site. Respectez bien la façon de l'écrire et n'introduisez jamais d'espaces.

Cela signifie que le même URL peut être employé par n'importe quel utilisateur, où qu'il se trouve dans le monde, pour désigner de façon précise et unique un site sur le Net.

Hors des Etats-Unis - En France

Hors des Etats-Unis, le domaine est remplacé par une caractérisation du pays. Ainsi, au lieu de parler de *edu*, ou de tout autre domaine, on généralisera et tout ce qui est français sera marqué *fr*.

Par exemple, l'ordinateur serveur du site du journal *Le Monde* s'appelle *lemonde*. Son adresse complète est :

```
lemonde.fr
```

Si vous voulez vous connecter à ce site sur le Web, vous devrez alors indiquer cet URL :

```
http://www.lemonde.fr
```

Les autres pays sont également marqués par deux lettres, par exemple :

- ge pour Germany (Allemagne).
- uk pour l'Angleterre (United Kingdom : Royaume-Uni).
- ch pour la Suisse (Confédération helvétique).
- Vous pourriez même trouver us, pour USA, bien que ce ne soit généralement pas nécessaire.

Remarquez que toutes les adresses s'écrivent en minuscules. Attention, cependant : dans certains cas, des mots doivent être rédigés en majuscules. Respectez bien le style de caractères que nous vous indiquons.

Adresses de messagerie

Avec la messagerie électronique, les adresses prennent une autre tournure. En voici un exemple. L'auteur de ce livre s'appelle *lilen*. L'adresse de sa messagerie est *planetepc.fr*. Par conséquent, l'adresse complète de messagerie est :

```
lilen@planetepc.fr
```

Remarquez la présence du caractère *a commercial*, noté @ (il se dit "at", en américain, et se prononce *hatte*, comme dans *chatte*). Vous l'obtenez en appuyant à la fois sur les touches *Alt Gr* + *0*, sur le clavier alphanumérique.

Notez immédiatement que les règles de base énoncées ci-dessus sont parfois bousculées. Comme le dit la sagesse populaire : "*L'exception confirme la règle.*" Vous découvrirez d'autres façons de poser une adresse qui, même si elles vous déconcertent, fonctionnent parfaitement et doivent être respectées.

Adresse IP

Une adresse complète de *nom de domaine* est traduite en numérique pour pouvoir être exploitée sur le réseau. On obtient alors ce que l'on appelle une *adresse IP*.

L'adresse IP fait appel à un bloc de quatre nombres, avec la règle suivante : ils doivent tous être inférieurs à 256. Deux nombres consécutifs sont séparés par un point, toujours sans espace. Pourquoi moins de 256 ? Tout simplement parce qu'un tel nombre s'écrit sur un seul octet (huit bits peuvent coder de 0 à 255) ; par conséquent, l'adresse IP est codée sur quatre octets, soit trente-deux bits.

Chaque élément de l'adresse de départ (rédigée littéralement, à l'aide de caractères lisibles) est donc transformé en un nombre, avec une subtilité : l'ordre est inversé. Le dernier nombre spécifie l'ordinateur du site. Par exemple, l'adresse IP du fournisseur d'accès de l'auteur de ce livre est :

```
194.98.30.130
```

Le dernier nombre, 130, correspond à l'ordinateur du fournisseur d'accès. Ces adresses sont délivrées par une autorité internationale, *InterNetwork Information Center*, ou *InterNIC*, en abrégé.

Compléments à l'adresse

Outre cette adresse de base, vous trouverez encore, à l'occasion, des informations servant à la compléter.

Par exemple, nous allons vous indiquer, vers la fin de ce chapitre, que vous pouvez vous connecter sur le site du CERN, à Genève, pour prendre connaissance d'informations sur la naissance du Web. L'adresse complète à composer est :

```
http://www1.cern.ch/CERN/WorldWideWeb/WWWandCERN.html
```

Vous constatez, tout d'abord, que www est remplacé par www1. Ensuite, que l'URL se termine après ch (qui indique la Suisse), mais se poursuit par une barre oblique et d'autres informations.

Toutes ces nouvelles informations sont destinées au site lui-même, car les données qu'il met à votre disposition sont tellement nombreuses qu'elles doivent être organisées à leur tour en répertoires ou dossiers.

Si vous n'indiquez pas la localisation complète et exacte des données chez le destinataire, vous ne pourrez pas y accéder. Pour que ces informations soient bien reconnues, vous devez respecter la distribution des minuscules et des majuscules qui vous a été indiquée dans l'adresse. En effet, c'est ainsi que le destinataire s'orientera dans ses dossiers.

Qu'est-ce qu'Intranet ?

Pourquoi ne pas utiliser les outils, tellement simples, développés pour Internet, pour échanger des informations et les faire circuler dans une entreprise ? Telle est l'idée géniale - l'oeuf de Colomb - qui a présidé à la naissance d'Intranet.

Intranet, c'est Internet circonscrit au sein d'une entreprise. L'entreprise peut être centralisée (se trouver sur un lieu unique) ou décentralisée (avec des locaux dispersés dans le monde entier, par exemple).

Dans tous les cas, les technologies Internet et son infrastructure peuvent être mises à profit. Elles sont, certes, moins puissantes qu'un véritable réseau spécialisé et performant, mais elles ont pour elles le triple avantage de relever d'une technologie ouverte, bon marché et universelle.

Certains augures se fondent même sur cette analyse pour prédire qu'à terme l'essentiel du marché d'Internet devrait se trouver au sein même des entreprises. Intranet constitue donc la version locale, interne, d'Internet dont il reprend les outils. Par définition, Intranet est un réseau d'entreprise fondé sur les protocoles et les applications d'Internet. Le principal protocole est TCP/IP. Avec le service de messagerie, la norme est Internet SMTP/MIME. Ne vous affolez pas : ces termes seront décrits plus loin (c'est un vrai suspense !).

Le composant principal d'Intranet est un serveur http, donnant accès à des documents HTML et à d'autres "objets" informatiques. Les utilisateurs "clients" peuvent les consulter tout comme on consulte des documents sur Internet.

L'intérêt principal d'Intranet est d'offrir un moyen simple pour faire circuler les informations dans l'entreprise, surtout lorsque celle-ci est géographiquement dispersée. L'interface est fournie par le même explorateur ou navigateur que pour Internet.

Le langage HTML

Toutes les pages affichées par le World Wide Web sont rédigées dans un langage de programmation appelé HTML, pour *HyperText Markup Language*. C'est un sous-produit d'un autre langage, SGML (*Standard Generalized Markup Language*).

Ce dernier est une norme ISO d'échange de documents électroniques ; il définit un modèle de structuration de leur contenu et décrit la hiérarchie interne d'un document en fonction du rôle joué par ses différents éléments: titres, intertitres, texte courant, références croisées, notes, listes, images, légendes, etc.

Il sert ainsi de langage de description de pages en PAO, en particulier pour les imprimeurs. Si vous abordez ce langage, vous constaterez combien il est facile à apprendre. C'est un langage rédigé en texte ASCII, comportant des codes spécifiques pour désigner des caractéristiques particulières du texte. Par exemple, le code <I> marque le début d'une section en italique, cette section se terminant par </I> ; de même, <B> spécifie le début d'une section en gras (*Bold*) se terminant par </B>.

Comment visiter un site

Vous disposez de deux méthodes pour visiter un site, ou encore pour circuler à l'intérieur d'un site :

1. Vous tapez son URL (son adresse).
2. Vous cliquez sur un lien ou sur un point chaud de l'écran.

Taper une adresse URL

Commençons par le premier cas. Comment introduire une adresse ? La procédure est particulièrement simple :

1. Repérez la barre marquée *Adresse*. Si elle est cachée par les outils *Liens*, cliquez sur le mot *Adresse*.
2. Cliquez à l'intérieur de cette barre. L'adresse URL qui s'y trouve est sélectionnée et passe en vidéo inversée.
3. Tapez la nouvelle adresse en respectant scrupuleusement ses caractères, sans introduire d'espaces.
4. Appuyez sur la touche *Entrée*.
5. La barre d'état vous indiquera successivement *Recherche du site*, puis *Site trouvé*, et enfin *Attente de la réponse*.

La page demandée s'affiche ensuite, plus ou moins rapidement selon sa complexité, l'état des lignes, votre modem, etc. Pendant cette période d'attente, la barre mobile, sur la droite de la barre d'état, progresse à mesure du chargement, et l'icône d'activité Microsoft tourne sans désemparer.

Lorsque la page est totalement chargée, l'icône d'activité Microsoft retrouve son calme et la barre d'état affiche un message final, ou n'affiche plus rien du tout.

Taper l'URL dans la boîte de dialogue

Comme variante, vous pouvez taper l'adresse dans une boîte de dialogue spéciale, prévue à cet effet :

1. Appuyez sur *Ctrl + O*, ou bien cliquez sur le menu *Fichier*, puis sur sa commande *Ouvrir*. Une boîte de dialogue spécifique apparaît.
2. Tapez l'adresse complète, toujours sans vous tromper, puis cliquez sur le bouton *OK*.

La Figure 7 montre ainsi ce qui s'affiche lorsque vous tapez l'adresse du Web Museum (tout s'écrit à la suite, sur une seule ligne) :

```
http://sunsite.unc.edu/wm/paint/auth/vinci/joconde/
joconde.jpg
```

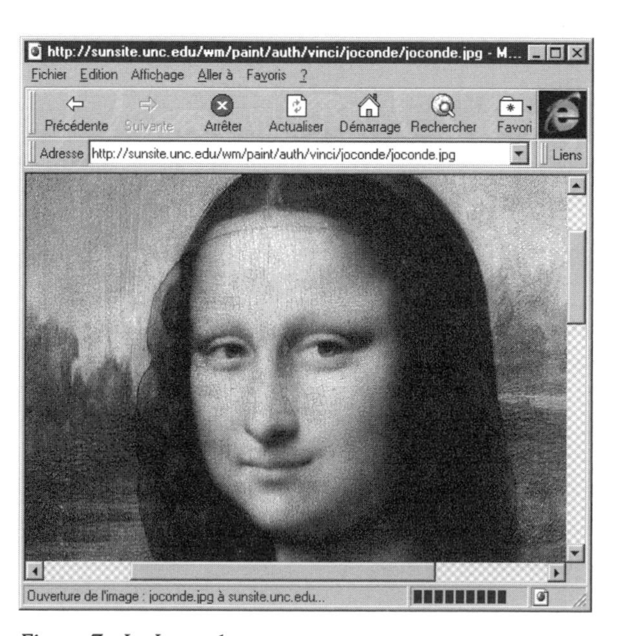

Figure 7 : La Joconde.

Chercher des sites sur le Net

Dès que vous commencerez à surfer, vous désirerez probablement vous documenter sur les thèmes qui vous intéressent. Le problème consiste alors à trouver les sites qui les abritent, parmi les milliers existants.

Vous serez ravi de disposer d'outils de recherche ; il s'agit de vastes index, élaborés par certains sites, dont l'accès est libre et gratuit.

Il existe beaucoup d'outils de recherche sur le Net. Chacun d'eux dispose d'une organisation et d'une mise à jour différentes ; ainsi, si vous ne trouvez pas ce que vous cherchez avec l'un, consultez l'autre.

Voici comment utiliser les outils de recherche :

1. Lancez l'explorateur en vérifiant que vous êtes bien connecté à Internet.
2. Dans la page d'accueil, cliquez sur l'icône *Rechercher*.
3. Le nouvel écran qui s'affiche vous permet, à gauche et avec cet exemple (car les écrans sont remodelés en permanence), de lancer une recherche :

   Tapez le mot clé de votre recherche dans la zone de texte cerclée (Figure 8).

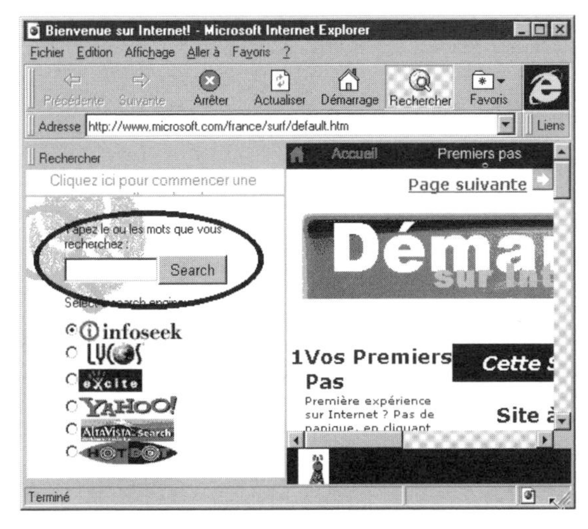

Figure 8 : Fenêtre typique de recherche d'un site.

Cliquez sur l'un des sites de recherche listés en dessous (Infoseek, Lycos, Excite, Yahoo!, AltaVista, etc.).

Cliquez sur le bouton de recherche, ici marqué Search.

La demande est transmise au site choisi ; il consulte son index et renvoie, après quelques instants, sa réponse. Les réponses sont généralement fournies par séries de dix. La Figure 9 montre un tel écran de résultats d'une recherche portant sur le mot *Dinosaures* : près de 500 documents ont été trouvés par le "moteur de recherche" InfoSeek.

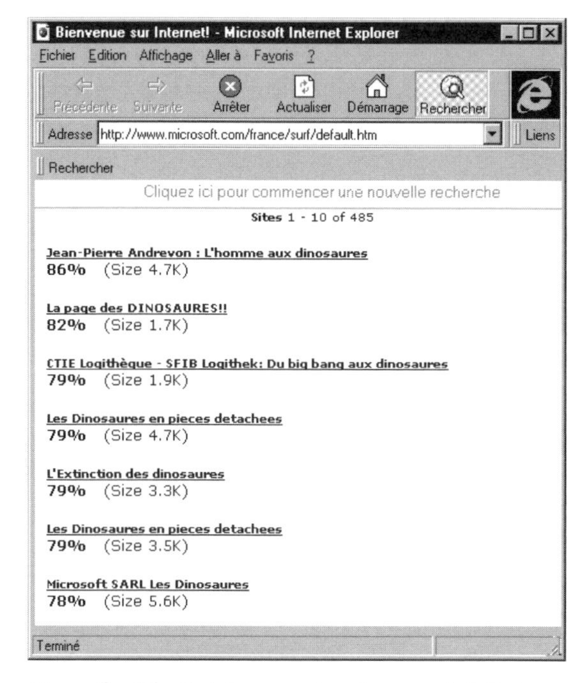

Figure 9 : Résultat d'une recherche avec InfoSeek.

Chaque bas de page vous permet de passer à une série suivante (Figure 10). Chaque réponse est un lien vers le site qu'elle indique. Vous pouvez cliquer dessus pour vous y rendre.

Tel est le principe de base des recherches. Notez que :

- Souvent, vous devrez affiner votre question pour limiter le nombre de réponses.
- Certains sites de recherche permettent des questions très complexes, avec plusieurs critères.

- Si vous n'obtenez pas ce que vous cherchez via un outil de recherche, n'hésitez pas à en consulter un autre.

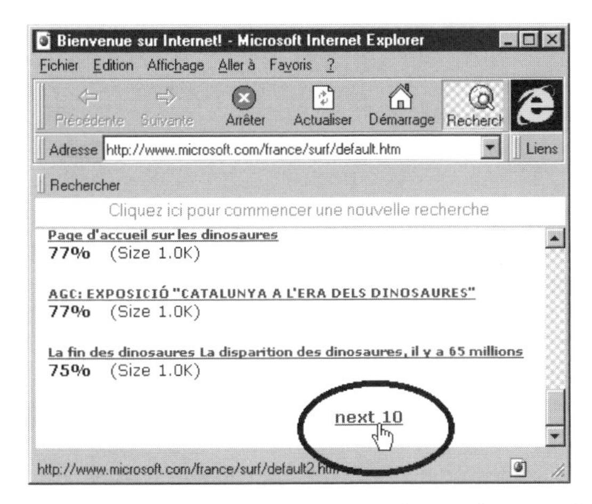

Figure 10 : Chaque bas de page d'une série de réponses permet de consulter la série suivante.

E-mail : le courrier électronique

Le courrier électronique est l'une des fonctions les plus utilisées sur le Net, pour une double raison :

- Il est ultra-simple.
- Il procure des avantages considérables.

Cette fonction de courrier électronique est appelée *e-mail* (ce qui se prononce : *i-mêle*). On parle aussi bien de *messagerie électronique*. En abrégé, on évoque le *mail*, le *courrier* ou la *messagerie*, en sous-entendant le mot *électronique*. En français, on conserve souvent ce terme de *mail*. Il a une valeur internationale et est compris partout.

Pour mettre en service la messagerie, cliquez sur la flèche de la liste déroulante de l'icône *Courrier*, dans la barre d'outils. Les options disponibles sont indiquées dans la Figure 11.

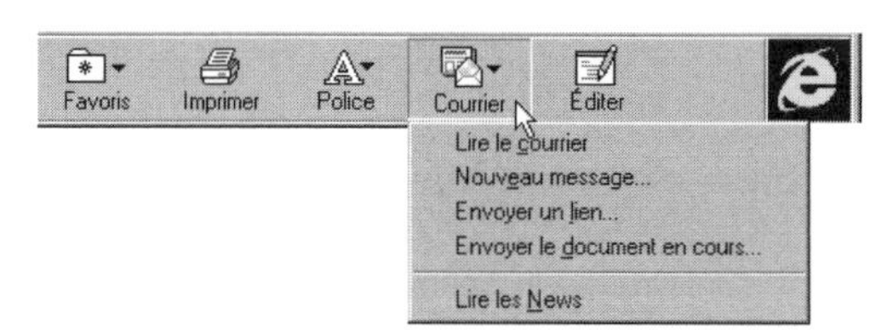

Figure 11 : Déroulez la liste de l'icône Courrier.

Si vous voulez prendre connaissance des messages que vous avez reçus, cliquez sur la ligne *Lire le courrier*. La fenêtre de lecture s'affiche. Elle dispose de trois volets (voir Figure 12) :

1. Le volet de gauche indique lequel des outils est en service, ici la Boîte de réception d'Outlook Express.
2. Le volet supérieur droit liste les titres des messages (les objets).
3. Sélectionnez un message dans cette liste en cliquant dessus ; son contenu s'affiche dans le volet inférieur droit.

Tout ces volets sont bien évidemment redimensionnables.

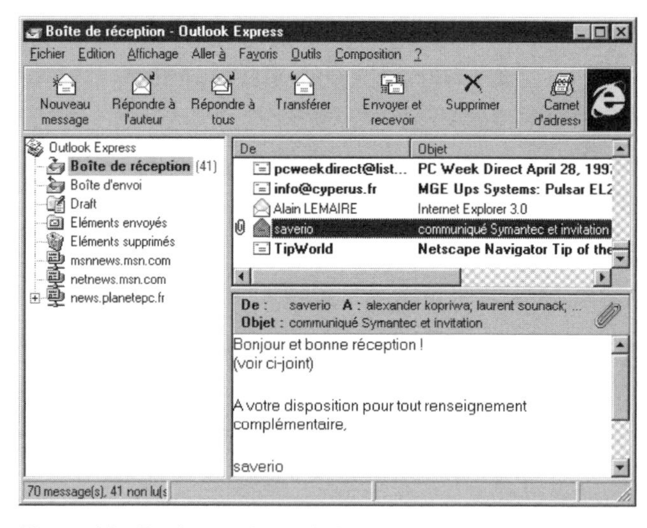

Figure 12 : Fenêtre typique de la messagerie, avec un message de bienvenue.

Pour information : Outlook Express est un "client" de messagerie doté de toutes les fonctions de courrier électronique et de groupes de nouvelles. Il prend en charge les protocoles les plus récents, tels que IMAP4, LDAP ou S/Mime.

Les principaux outils listés dans la colonne de gauche sont les suivants :

- *Boîte de réception* : les messages reçus y sont regroupés.
- *Boîte d'envoi* : les messages prêts à être émis y sont regroupés.
- *Draft* : éléments en cours.
- *Eléments envoyés* : les messages déjà expédiés quittent la boîte d'émission et passent automatiquement dans cette boîte regroupant les messages émis.
- *Eléments supprimés* : c'est la boîte des messages supprimés. Ils passent dans cette corbeille en attendant leur destruction définitive.

Expédier un message

Pour préparer et expédier un message :

1. La fenêtre de mail étant ouverte, cliquez sur l'icône *Nouveau message*. La fenêtre de nouveau message apparaît (Figure 13).

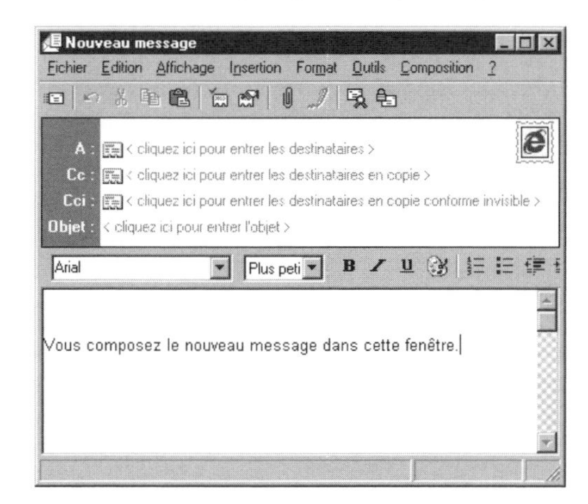

Figure 13 : Fenêtre de préparation d'un nouveau message.

2. Remplissez cette fenêtre en tapant les informations suivantes sur les lignes du haut (cliquez sur une ligne pour faire disparaître son texte guide et le remplacer pas ce que vous allez taper) :

   A : tapez l'adresse de messagerie de votre correspondant, ou des correspondants auxquels vous voulez envoyer ce message.

Cc : ajoutez des destinataires qui recevront une copie du message, pour information (cela n'appelle pas de réponse de leur part). Cette rubrique est facultative. Ces lettres, *Cc*, proviennent de l'expression *Carbon Copy*, copie carbone, qui fait référence à l'époque où l'on tapait des doubles sur une machine à écrire en insérant des feuilles de carbone. On les traduit souvent par *copie conforme*. Notez que les destinataires sauront à qui vous avez adressé des copies.

Cci : ajoutez encore des correspondants qui recevront une copie, mais qui resteront "invisibles". Cela signifie que les autres, listés sur les deux lignes précédentes, ne sauront pas qu'ils sont également destinataires du message.

Objet : tapez quelques mots succincts résumant la raison d'être de votre message.

En mesagerie, tout comme dans les groupes de nouvelles, l'objet est la chose du monde la plus importante. Il se comporte comme un titre : vous lirez la suite s'il sait vous allécher. La difficulté réside dans le fait qu'il doit être à la fois court et significatif.

3. Tapez le texte de votre message dans le volet inférieur. Fuyez les formules alambiquées, les formules de politesse qui n'en finissent pas, et tout ce qui peut alourdir votre envoi.
4. Cliquez sur l'icône *Envoi*. C'est la première sur la gauche. Vous êtes ramené dans la fenêtre de mail. Attention : votre message est maintenant en instance de départ, dans la Boîte d'envoi, mais il n'est pas parti (il attend que le préposé au courrier vienne le relever !).
5. Dans la fenêtre de messagerie, cliquez sur l'icône *Envoyer et recevoir*. Cette fois, le message est réellement expédié sur le Net.

Recevoir des messages et répondre

Pour recevoir des messages :

1. Mettez simplement la messagerie en service, puis sa boîte de réception en la sélectionnant dans la liste déroulante des *Dossiers*.
2. Cliquez sur l'icône *Envoyer et recevoir*.

Si vous n'étiez pas encore connecté, votre mot de passe vous sera probablement demandé. Après quoi le serveur vous transmet les messages que vous avez reçus. Vous noterez que :

- Les nouveaux messages reçus s'affichent en gras dans la liste supérieure des messages.
- Lorsque l'un d'eux est sélectionné, son contenu apparaît dans le cadre inférieur alors que sa référence revient en caractères maigres. On sait, ainsi, qu'il a été lu.

Répondre à un message

Pour répondre à un message :

- Affichez le message auquel vous voulez répondre.
- Cliquez sur l'icône *Répondre à l'auteur*. La boîte de rédaction de la réponse s'affiche. Elle reprend le nom de l'expéditeur du message d'origine, devenu le destinataire, ses coordonnées, l'objet (préfixé par les lettres Re), ainsi que le texte du message d'origine que vous pouvez conserver ou effacer.
- Rédigez votre réponse.
- Cliquez sur l'icône *Envoi*, puis sur *Envoyer et recevoir*.

Quelques autres opérations fondamentales

La richesse du module est considérable. En particulier, vous pouvez :

- Répondre à tous les destinataires de la lettre initiale.
- La faire suivre à une tierce personne.
- Joindre des fichiers à vos messages.
- Utiliser un carnet d'adresses.
- Introduire un texte constant appelé *fichier signature*.
- Utiliser la messagerie pour organiser des échanges avec des *listes de diffusion*, lesquelles fonctionnent pour l'utilisateur approximativement comme les *newsgroups*.

Newsgroups : les forums de discussion

Un *Newsgroups* est un groupe de nouvelles, ce qui pourrait se traduire par *forum*. Les *news* sont les nouvelles. *Usenet*, dont l'origine remonte à l'époque où les utilisateurs travaillaient sous le système d'exploitation Unix pour se connecter, désigne maintenant l'ensemble des groupes de nouvelles.

A la différence de la messagerie, l'utilisateur voulant intervenir dans un forum s'adresse fondamentalement et directement à l'ensemble des destinataires, et non plus à un destinataire individuel, par défaut.

Tant pour consulter et recevoir automatiquement les nouveaux messages que pour participer aux forums de discussion, vous devez souscrire un abonnement. Il s'agit d'une simple formalité, gratuite, puisqu'il suffit de vous enregistrer. Vous êtes alors inscrit sur la liste des destinataires. Si le groupe de nouvelles ne vous intéresse plus, vous devez résilier votre abonnement, vous désabonner de la même façon, sans plus de cérémonie.

Tout ce qu'il est possible de discuter est débattu dans ces forums, dont le nombre croît sans cesse. Il existe des forums spécialisés, très pointus, et des forums généralistes.

Démarrer News

Pour vous connecter aux groupes de nouvelles :

1. Ouvrez la fenêtre de l'explorateur et vérifiez que vous êtes bien connecté à Internet.
2. Cliquez sur la liste déroulante de l'icône Courrier.
3. Cliquez sur sa commande *Lire les News*.

La fenêtre des groupes de nouvelles apparaît. Elle est semblable à celle de la messagerie. Vous y trouvez trois volets (Figure 14) :

- Le volet de gauche liste les noms des serveurs de groupes de nouvelles que vous avez installés ; en sous-dossiers, les noms des groupes auxquels vous êtes abonnés.
- Les messages du groupe sélectionné dans le volet de gauche s'affichent dans celui du haut, à droite. Les messages non lus sont écrits en gras.
- Dans le cadre inférieur est affiché le contenu du message sélectionné dans la liste au-dessus.

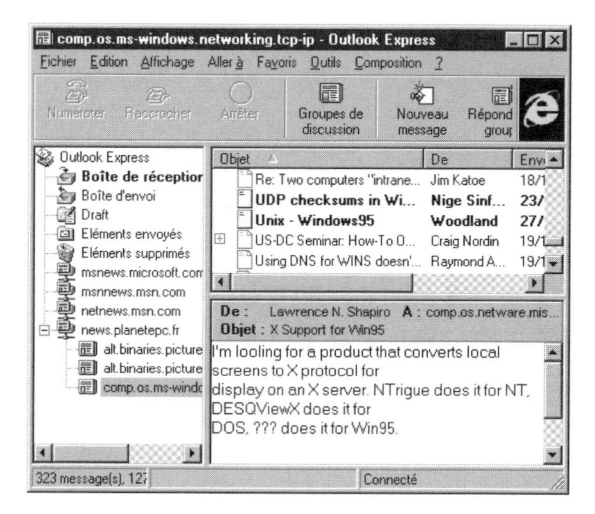

Figure 14 : La fenêtre des groupes de nouvelles.

Notez la présence de quelques icônes importantes :

- *Nouveau message* : pour préparer une communication pour le groupe.
- *Répondre au groupe* : vous avez pris connaissance d'une intervention et vous répondez immédiatement à l'ensemble du groupe de nouvelles, par retour de courrier et tout comme avec la messagerie.
- *Répondre à l'auteur* : vous venez de prendre connaissance d'une intervention et vous répondez immédiatement au seul auteur de la communication.
- *Transférer* : vous voulez faire suivre à une tierce personne, non abonnée au groupe de nouvelles, le message que vous êtes en train de lire.
- *Groupes de news* : vous lancez l'affichage de la liste des groupes de nouvelles de votre serveur.
- *Numéroter* : pour composer un numéro.
- *Raccrocher* : pour vous déconnecter du serveur.
- *Arrêter* : pour stopper une opération en cours.

Le fonctionnement de cette fenêtre et des groupes de nouvelles - lecture d'un message, réponse, etc. - est très semblable à celui de la messagerie. Vous pouvez :

- Ajouter des serveurs à votre liste.
- Sélectionner un serveur et un groupe de nouvelles, vous abonner à un groupe.

- Prendre connaissance des messages, initialiser une nouvelle discussion, répondre à un message à l'ensemble du groupe ou à son seul auteur, faire suivre le message.
- Joindre un fichier.
- Utiliser un carnet d'adresses et un fichier signature.

Télécharger des fichiers (FTP)

Sur Internet se trouve une manne considérable de fichiers à télécharger. Parmi eux figurent des programmes complets, parfois parmi les meilleurs qui se puissent trouver, mais aussi des utilitaires, des jeux, des images, des polices, etc.

Certains sont totalement gratuits et libres de droits, d'autres sont des *sharewares*, particulièrement économiques.

Vous les téléchargerez depuis des sites FTP (*File Transfer Protocol*). Un site FTP typique français est, par exemple, celui de l'université de Rennes, d'ailleurs connecté sur Washington !

Son adresse URL complète est :

```
ftp://sir.univ-rennes1.fr/
```

Très souvent, le site FTP est abordé via un écran d'accueil Web permettant de faire son choix. En témoigne un autre site spécialisé dans les sharewares :

```
http://www.shareware.com/top/MS-Windows95-noframe.html
```

Pour vous connecter à ce site, tapez son URL dans la zone adresse de l'écran de l'explorateur et appuyez sur *Entrée*. Vous obtenez un écran tel que celui de la Figure 15, typique du genre, indiquant ici les plus grands succès de téléchargements pour la période en cours et vous permettant de vous orienter très aisément.

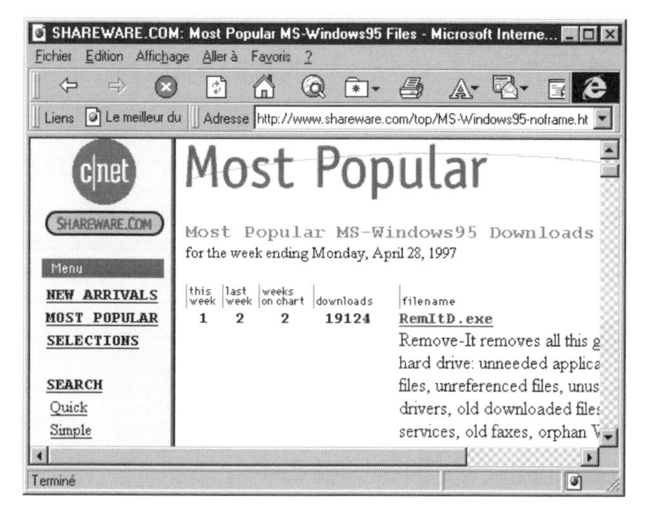

Figure 15 : Ecran d'accueil Web type d'un site menant au téléchargement FTP.

Les sites FTP sont rigoureusement organisés en dossiers, sous-dossiers, sous-sous-dossiers, leur principal défaut étant leur laconisme. Ils vous offrent des liens vous permettant de vous déplacer, jusqu'au lancement du téléchargement.

Une fois connecté à un tel site, lisez attentivement les fichiers de texte et d'informations mis à votre disposition, puis descendez dans les couches de dossiers, sélectionnez un fichier et cliquez dessus pour lancer son téléchargement.

Sites Gopher

Surfer sur le Net vous permet de débrider votre fantaisie et de vous laisser guider par elle. Un esprit rigoureux préférera peut-être voyager méthodiquement en appliquant la stratégie des menus hiérarchiques, ce qui se passe avec les sites Gopher.

Le service Gopher a été développé à l'université du Minnesota dont le *gopher* est la mascotte : il s'agit d'un rat d'Amérique, de la famille des géomys. Si vous êtes initié aux subtilités de l'anglais, vous découvrirez souvent des formules faisant allusion à l'activité de ce rongeur, par exemple : creuser son terrier, s'enfoncer, etc.

Un des sites Gopher intéressants est maintenu par Well, et son URL est :

```
gopher://gopher.well.com/
```

Vous remarquerez que le premier mot de cet URL stipule le protocole qu'il faut mettre en service pour accéder à ce site. Pour expérimenter ce nouveau service :

1. Mettez l'explorateur en marche et vérifiez que vous êtes bien connecté à Internet.
2. Tapez l'URL ci-dessus dans la barre d'adresse et appuyez sur *Entrée*.
3. La page d'accueil de Well s'affiche (Figure 16). Elle est organisée en répertoires (dossiers) de façon rigoureuse. Vous constaterez que la liste des sujets couvre un vaste éventail et que l'essentiel de la page représente des liens.

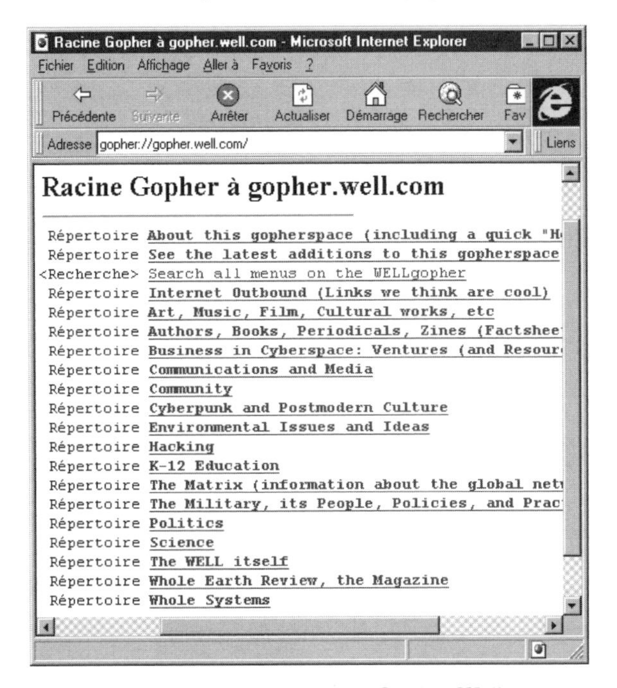

Figure 16 : Page d'accueil du site Gopher Well.

4. Si vous cliquez sur la première ligne, *About this gopherspace* (A propos de cet espace gopher), vous affichez un sous-menu vous proposant de tout vous révéler sur ce que sont à la fois ce site et Gopher (Figure 17).

   Nous vous engageons vivement, si l'anglais ne vous rebute pas, à découvrir ces explications, fort intéressantes au demeurant. Vous y apprendrez que les auteurs de ce site voulaient en faire une sorte de magazine expérimental, avec des rédacteurs, des éditoriaux et des commentaires.

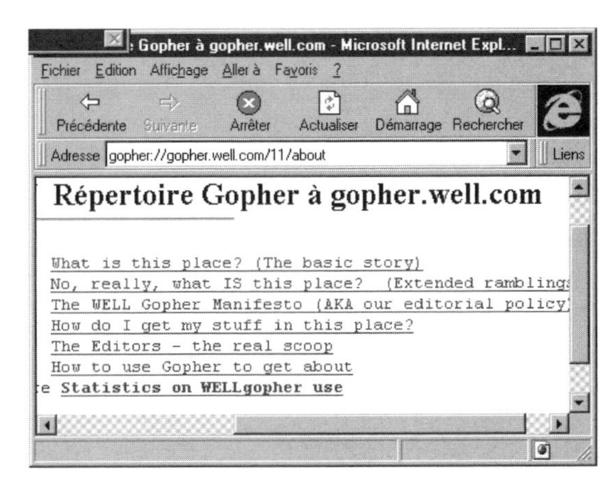

Figure 17 : Sous-menu donnant accès à des explications sur le contenu du site.

Vous pouvez dès lors commencer à naviguer parmi ces menus et ces répertoires en suivant une arborescence rigoureuse qui s'affiche dans la barre d'adresse et est rappelée en tête des écrans.

Il est surprenant de voir ce que l'on peut y faire comme découvertes, même si la mise à jour des sites Gopher n'est pas particulièrement bien suivie. Ils recèlent des masses de documents de toutes sortes et pour tous les besoins ; vous vous en convaincrez vite et vous vous heurterez toujours au même problème : comment trouver les sites qui répondent le mieux à votre attente ?

Comment trouver les sites Gopher ?

Il existe de nombreux sites Gopher sur le Net. Chacun d'eux a ses particularités et offre ses propres informations. Pour les découvrir, vous pouvez passer, par exemple, par la liste de Scott Yanoff. Plusieurs voies permettent d'y accéder, y compris Well, avec l'URL :

```
gopher://gopher.well.sf.ca.us/11/outbound/Yanoff
```

Ou encore, vous pouvez utiliser l'URL (une autre adresse parmi bien d'autres) :

```
http://www.austin.unimelb.edu.au/yanoff.html
```

Pour obtenir des informations complémentaires sur ces sites, consultez (même si l'écran obtenu n'est pas si facile que cela à décoder) :

```
gopher://gopher.ocf.berkeley.edu/00/gopher/gopher-www
```

Vous pouvez vous propulser d'un site Gopher à l'autre, car ils communiquent entre eux, et creuser ainsi des *galeries*, comme disent les Américains, pour voyager dans ce monde étrange mais rigoureusement organisé.

Rappelez-vous, toutefois, que ces sites se révèlent particulièrement austères et que leur mise à jour n'est pas forcément systématique.

FAQ (questions courantes)

Une méthode d'information très appréciée sur Internet (et hors Internet) consiste à passer par les listes de questions-réponses, ou FAQ.

Important : Ces listes de questions et de réponses ont les faveurs des Américains. Elles sont appelées FAQ, pour *Frequently Asked Questions*, questions les plus souvent posées. Vous y trouverez effectivement les questions les plus courantes sur le thème traité par la FAQ consultée.

Notez que, parfois, les FAQ masquent simplement une certaine incompétence à apporter les bonnes explications sous une autre forme !

Par exemple, pour obtenir des informations complémentaires sur Gopher, vous pouvez consulter la FAQ à l'URL :

```
http://www.th.phys.titech.ac.jp/0/Gopher/FAQ
```

Telnet, pour travailler sur un ordinateur distant

Telnet vous offre le moyen de vous connecter à un autre ordinateur et de travailler ensuite comme si c'était le vôtre. Il agit ainsi en tant qu'*émulateur de terminaux* : cela signifie que votre propre ordinateur personnel se comporte comme le terminal de l'ordinateur contacté, appelé *hôte*.

Cet autre ordinateur peut, à son tour, vous donner accès à des services Internet que vous ne pouvez pas atteindre depuis votre propre ordinateur : par exemple, vous pouvez accéder à de nouveaux serveurs de newsgroups, ou à des catalogues de bibliothèques. En général, les sites Telnet traitent des bases de données telles que des bases météorologiques, géographiques, littéraires, etc.

Les logiciels Telnet sont très différents les uns des autres. L'ordinateur hôte peut mettre à votre disposition des menus ou une ligne de commande, à l'ancienne mode. Vous tapez une commande - avec l'aide de l'écran, le plus souvent - ou vous la sélectionnez dans un menu.

L'explorateur ne possède pas de protocole Telnet spécifique : il n'en a pas besoin, car Windows NT dispose déjà d'un émulateur Telnet. C'est donc lui que l'explorateur va mettre en service lorsque ce sera nécessaire. Tout cela reste transparent pour l'utilisateur.

Si, par exemple, vous voulez consulter la liste des ouvrages de la Bibliothèque nationale de France, la BNF, vous devrez passer par Telnet, ainsi qu'en témoigne l'écran de ce site (Figure 18).

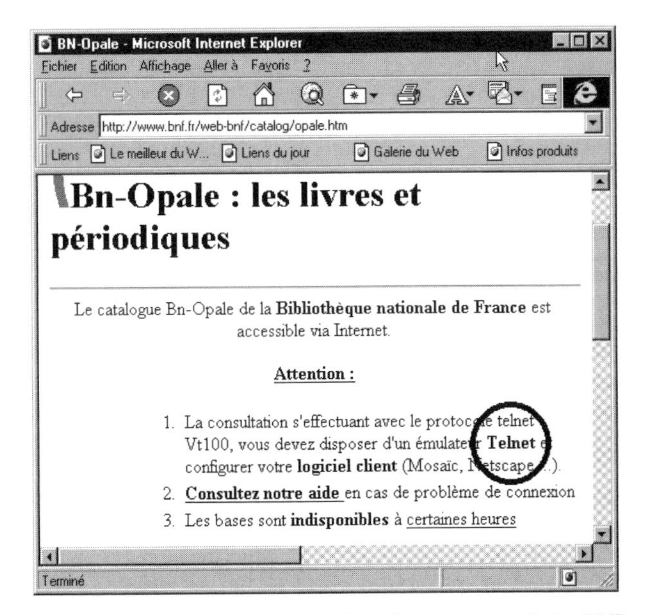

Figure 18 : Pour consulter la liste des ouvrages de la BNP, vous devez passer par Telnet.

Conférences avec NetMeeting

NetMeeting version 2.0 permet de tenir des téléconférences. Vous pouvez :

- Téléphoner à l'autre bout du monde pour le prix de la seule connexion à Internet et converser de vive voix avec un seul interlocuteur.
- Partager l'application ouverte sur l'un des ordinateurs entre tous les autres ordinateurs des participants.
- Expédier des fichiers transférés sur la même voie.
- Organiser des échanges d'idées via le service appelé *chat*, en anglais, pour *causer*, *bavarder*, ce qui a été traduit par *conversation*. Il s'agit d'échanges tapés au clavier, un peu à la mode Minitel. Autant de correspondants qu'on le veut - mettons, un nombre raisonnable - peuvent se mêler à la discussion.
- Dessiner sur un tableau blanc pour aider à la réflexion et à la discussion ou saisir des fenêtres de programmes sur ce tableau blanc, par exemple un tableau Excel.
- Exécuter une vidéoconférence, le programme prenant en charge une carte d'enregistrement vidéo et une caméra, et appliquant la norme H.323.

Avant de mettre NetMeeting en service, un assistant va vous demander de décliner votre identité. La fiche que vous remplissez servira à vos corespondants à faire votre connaissance (Figure 19).

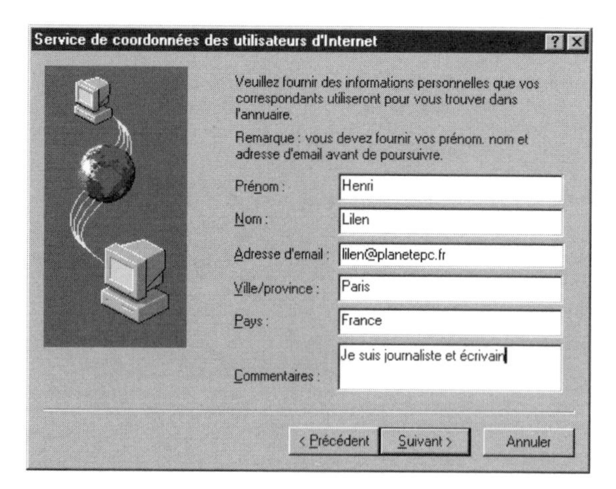

Figure 19 : Votre fiche d'identité pour vos correspondants.

Il vous faudra aussi fournir quelques autres informations au programme afin qu'il gère correctement vos échanges, et par exemple la vitesse de votre liaison (Figure 20) ; cela lui permettra de compresser vos données.

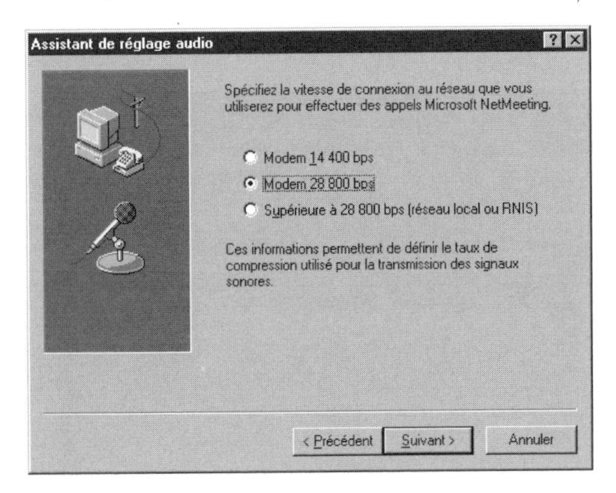

Figure 20 : Spécifiez la vitesse de votre liaison.

L'assistant vous fait également exécuter un test de bon fonctionnement de votre microphone (pour des liaisons vocales) et de votre carte son, via la fenêtre de la Figure 21, ce qui est une excellente idée.

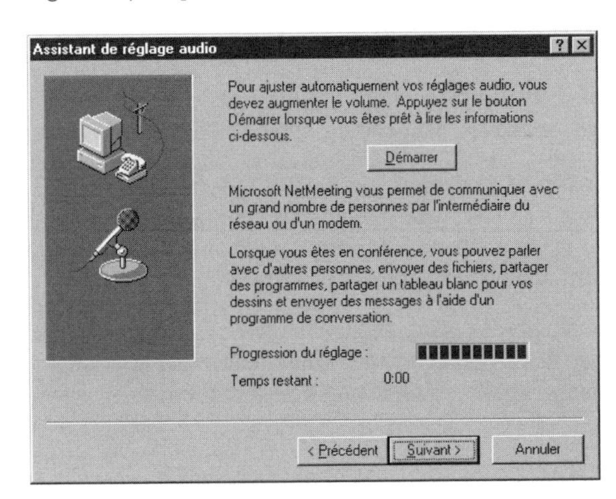

Figure 21 : Test du microphone.

Prononcez naturellement quelques mots après avoir cliqué sur le bouton *Démarrer* ; le programme ajustera automatiquement les réglages. Vous pourrez relancer à tout moment cet assistant en cliquant sur le menu *Outils*, puis sur sa commande *Assistant réglage audio.*

L'écran de base est particulièrement dépouillé et simple ; il vous est présenté dans la Figure 22 avec un repérage de ses principales zones.

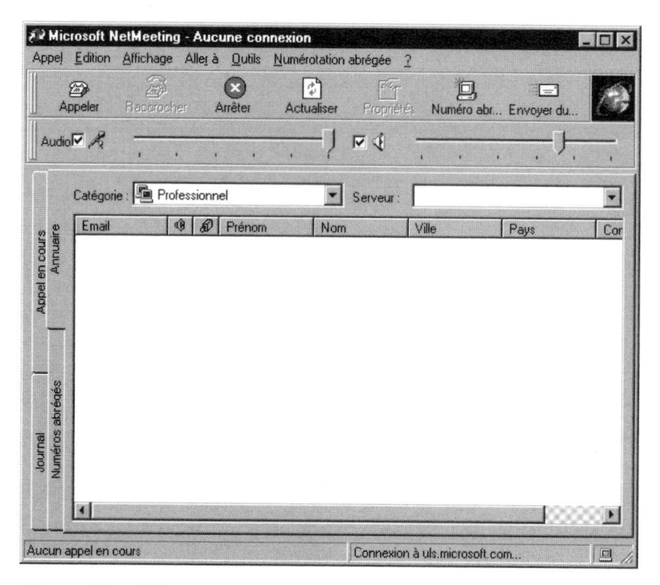

Figure 22 : L'écarn NetMeeting, en version 2.0.

Vous pouvez dialoguer avec un correspondant en phonie, si vous êtes équipé en conséquence (carte son, haut-parleur, microphone). Vous pouvez :

- Ouvrir la fenêtre de dialogue par écrit en cliquant sur l'icône *Conversation.* Un cadre s'affiche, dans lequel vous tapez vos interventions et qui permet à vos correspondants de répondre. Ce qui apparaît dans ce cadre est automatiquement affiché chez tous les participants.
- Ouvrir le *Tableau blanc* en cliquant sur son icône. Vous faites apparaître un cadre de dessin ressemblant à celui de logiciels spécialisés de dessin (Figure 23), mais disposant de très nombreuses fonctions.

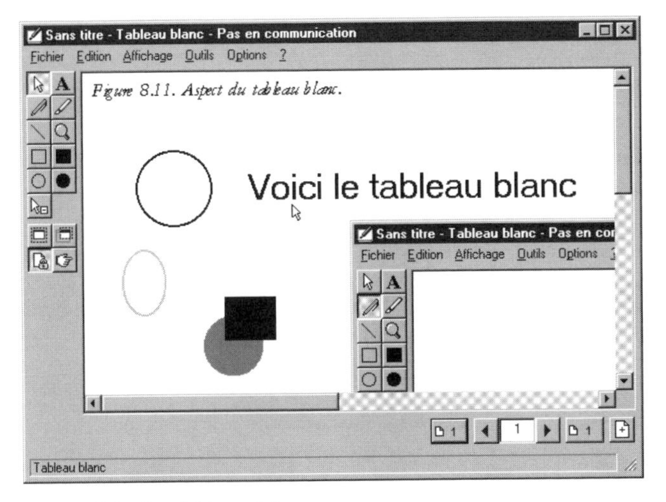

Figure 23 : Le Tableau blanc.

Il est certain que vous devrez expérimenter cela avec des interlocuteurs. Il en existe sur le réseau qui, comme vous, ne demandent qu'à vérifier le fonctionnement de NetMeeting.

Vous les trouverez en consultant plus particulièrement les serveurs créés, par Microsoft et se comportant comme autant de points de rencontre. Vous constaterez vite que le fonctionnement de NetMeeting est très simple et très logique.

Modifications apportées à Windows

Si vous avez installé l'option d'intégration Web avec l'explorateur, vous avez constaté combien le système d'exploitation s'en ressentait. Pour l'essentiel, il devient encore plus facile et plus agréable mais, à l'occasion, certaines opérations se révèlent déconcertantes ou plus compliquées.

Le bureau de Windows ne change pas fondamentalement d'aspect (Figure 24), car vous y retrouvez les icônes de raccourcis que vous y avez déposées. Il ne s'agit toutefois plus de raccourcis mais de liens, au sens Web du terme.

Figure 24 : Une vue typique du bureau de Windows.

La barre des tâches est occupée, par défaut, par les quatre icônes supplémentaires que nous vous avons déjà présentées (Figure 25) :

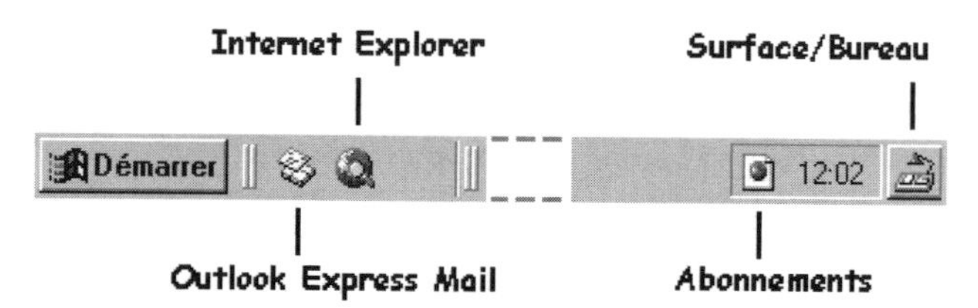

Figure 25 : Icônes supplémentaires de la barre des tâches.

- *Outlook Express Mail* : cliquez dessus pour activer la messagerie.
- *Internet Explorer* : cliquez dessus pour activer l'explorateur.
- *Abonnements* : cette icône vous permet de suivre l'évolution de vos sites Web favoris.
- *Surface/Bureau* : cliquez sur cette icône, très pratique, pour afficher la surface de votre bureau sans avoir à réduire les applications ouvertes au préalable.

Lorsque vous vous trouvez dans une application, notez qu'un clic sur cette dernière icône affiche la surface du bureau en faisant disparaître toutes les applications ouvertes. Un second clic vous ramène dans l'application que vous aviez quittée, si vous n'avez pas effectué d'autres sélections entre-temps.

Par ailleurs, une icône plus importante s'est inscrite sur le fond du bureau ; elle est représentée en gros plan dans la Figure 26 avec ses deux poignées qui n'apparaissent que si vous la pointez ; vous retrouverez ce type de poignées en d'autres circonstances :

1. Une poignée de redimensionnement. A l'occasion, vous constaterez que le redimensionnement ne peut plus s'effectuer depuis les quatre bords d'une fenêtre ; force est de passer par une telle poignée.
2. Une poignée de déplacement. Elle seule permet de déplacer l'icône.

Avec la version active du programme, un clic sur cette icône mettait l'explorateur en service. Ses fonctions pourraient être aménagées à l'avenir.

Un autre fond d'écran risque de se manifester ; il s'agit d'une fenêtre de dialogue se dotant des mêmes poignées lorsque vous la pointez. Elle développe un texte assez long vous permettant de vous enregistrer dans le service MSN de Microsoft ; fondamentalement, c'est ici un service d'abonnement à des informations de tous types (politique, météo, sports, économie, cinéma, etc.), mais il devrait vous procurer de multiples autres avantages.

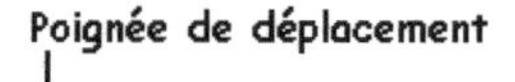

Poignée de redimensionnement

Figure 26 : Icône supplémentaire sur le bureau.

Déplacer les icônes

Puisque, lorsque vous cliquez sur une icône, vous lancez son application, il faut user d'adresse pour en déplacer une : tirez-la avant qu'elle ne se selectionne. Si vous maîtrisez mal l'opération, voici une méthode alternative :

1. Pointez l'icône à déplacer et, bouton droit de la souris enfoncé, déplacez-la.
2. Arrivé à destination, relâchez le bouton et, dans le menu contextuel qui s'affiche, cliquez sur la commande *Déplacer ici*.

Vous pouvez toujours réorganiser les icônes via le menu contextuel : faites un clic droit sur une zone libre de l'écran et cliquez sur la commande *Réorganiser les icônes*, puis choisissez votre mode de réorganisation. Si vous cliquez sur *Réorganisation automatique*, cette commande apparaîtra cochée et les icônes se remettront en bonne place d'elles-mêmes après toute modification.

Renommer des icônes

Dans l'écran de l'explorateur Windows, vous renommez des icônes de dossiers comme à l'accoutumée, mais pas celles de fichiers. Pour renommer un fichier :

1. Faites un clic droit sur lui pour afficher le menu contextuel.
2. Cliquez sur sa commande *Renommer*.
3. Entrez dans le cadre de texte et modifiez le nom.

Sélectionner des fichiers

Pour sélectionner un fichier, pointez-le et patientez un instant qu'il se montre sélectionné. Surtout, ne faites pas de clic.

Pour sélectionner des fichiers qui se suivent, pointez le premier et attendez qu'il soit sélectionné, puis appuyez sur *Maj* et pointez le dernier. La série se sélectionne. Surtout, pas de clic !

Pour sélectionner des fichiers disjoints, pointez le premier et attendez qu'il se sélectionne. Maintenez *Ctrl* enfoncée et pointez successivement les autres. Attention : ne cliquez pas dessus !

Une fois sélectionnés, vous pouvez tirer leur icône, par exemple pour les déplacer.

Vous découvrirez encore bien des variantes d'emploi, mais celles qui précèdent paraissent parmi les plus importantes.

Ecrans spécifiques

De nombreuses fenêtres sont également modifiées, le *Poste de travail* de la Figure 27 en portant témoignage. Vous remarquerez, en particulier :

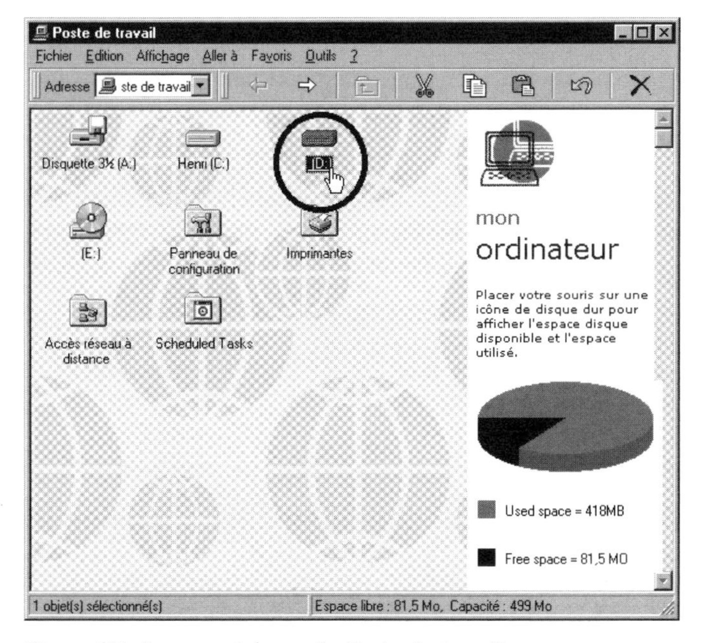

Figure 27 : Le nouvel écran du Poste de travail.

- La présence d'un volet informatif supplémentaire.
- De la couleur.
- Les icônes deviennent des liens ; c'est ce que montre le disque dur D: pointé ; dans cette reproduction, nous l'avons cerclé.
- Une barre d'outils style Internet apparaît. Elle se révèle très pratique pour circuler dans les vues successives, entre autres.

Quelques astuces

Sans développer plus à fond les caractéristiques modifiées de Windows, sachez que vous pouvez désormais :

- Lancer des applications et des pages Web depuis la barre des tâches.
- Cliquer sur une icône dans la barre des tâches pour faire passer alternativement son application en pleine fenêtre ou en icône.
- Ajouter divers outils à la barre des tâches, par exemple des liens.
- Trouver des sites via le bouton *Démarrer*, qui ajoute à son menu la ligne *Favoris*.
- Lancer une recherche sur le Net via le bouton *Démarrer* et sa commande *Rechercher*, puis *Sur Internet*.
- Tirer une application ou un fichier vers le menu de démarrage, ou en extraire des éléments de la même façon.
- Afficher des objets en arrière-plan sur le bureau.

D'autres aménagements pourraient encore être apportés dans les versions ultérieures.

Glossaire

Les mots clés d'Access

Ce glossaire réunit les termes les plus courants que vous êtes susceptible de rencontrer lorsque vous travaillez avec Access. Vous y trouverez une définition succincte ainsi que des références aux chapitres qui traitent plus en profondeur du sujet commenté.

Ne perdez cependant pas de vue que l'aide en ligne d'Access n'est jamais qu'à quelques clics de souris :

1. Dans la barre des menus d'Access, choisissez ? (Aide)/Sommaire et index. Si l'aide en ligne est déjà ouverte, cliquez sur Rubriques d'aide.
2. Activez l'onglet Index.
3. Tapez **glossaire** dans la case d'édition, puis enfoncez la touche Entrée.
4. Cliquez sur l'un des boutons proposés dans la partie supérieure de la fenêtre pour appeler la liste alphabétique correspondante. Cliquez ensuite sur le mot dont vous voulez afficher la définition.
5. Lorsque vous avez pris connaissance de cette définition, cliquez de nouveau sur elle (ou dans n'importe quelle zone de la fenêtre d'aide).

Rappelez-vous également que tout mot souligné en pointillé dans un écran d'aide est assorti d'une définition que vous pouvez consulter en cliquant sur ce mot (il s'agit parfois d'un écran dans lequel vous pouvez faire une sélection plus précise). Le Chapitre 1 détaille l'utilisation de l'aide en ligne d'Access.

Les mots clés d'Access

Action : Composant principal d'une macro. Une action est une tâche que la macro exécute, comme ouvrir une table ou émettre un signal sonore. Vous pouvez assigner des actions à une macro en glissant-déposant l'objet de la fenêtre Base de données vers la colonne Action de la fenêtre de définition de la macro. Vous pouvez aussi cliquer dans la colonne Action et sélectionner l'une des actions dans la liste déroulante qui vous est proposée (Chapitre 20).

Adresse hypertexte : Chemin d'un objet de base de données, d'un document, d'une page Web ou d'un fichier quelconque. Une adresse hypertexte peut être le nom d'un objet de la base de données courante, la désignation d'un emplacement donné dans un fichier (ne feuille de calcul, par exemple), une adresse URL qui assurera le lien avec un endroit spécifique d'un réseau intranet ou du réseau Internet, ou encore un chemin UNC qui dirigera le lien vers un fichier stocké sur un réseau local.

Affichage : Façon de visualiser un objet. Dans Access, vous choisissez régulièrement ce que vous voulez afficher dans la fenêtre Base de données, dans le menu Affichage ou au moyen d'un bouton de barre d'outils. Lorsque le focus se trouve dans une expression, vous pouvez réaliser un zoom grâce à la combinaison de touches Majuscule + F2.

Analyse croisée : Requête calculant des totaux récapitulatifs basés sur les valeurs de chaque ligne ou colonne. Les requêtes Analyse croisée répondent à des questions comme : "À combien s'élèvent mes ventes mensuelles par région ?" ou "Qui a commandé chacun de mes produits, et en quelles quantités ?" (Chapitre 10.)

Application : Programme conçu pour réaliser une tâche précise. Microsoft Access, Microsoft Word et Microsoft Excel sont des exemples d'applications Windows. Une application Access est une base de données destinée à s'acquitter d'une tâche particulière, comme gérer les commandes, jongler avec des noms et des adresses, tenir des comptes, etc. Vous pouvez concevoir des menus généraux, des boîtes de dialogue et des formulaires d'encodage pour faciliter la tâche des utilisateurs qui ne connaissent pas bien Access et qui doivent utiliser votre application (Chapitre 3 et Chapitres 19 à 28).

Argument : Partie d'une action ou d'une expression qui définit sur quel élément agir. Ainsi, dans Sqr(81), Sqr() est une fonction (racine carrée) et 81 son argument, c'est-à-dire la valeur sur laquelle la fonction Sqr() doit opérer.

Assistant : Outil qui vous pose des questions et qui crée un objet en fonction de vos réponses. Access est équipé de toute une série d'Assistants capables de créer des bases de données, des tables, des requêtes, des formulaires et des états en quelques clics de souris. Les Assistants se tiennent à votre disposition dans Microsoft Access, Microsoft Office et Windows 95 (Chapitres 3, 6, 10, 11, 12, 13 et 14).

Les mots clés d'Access

Attacher : Voyez Lier (les versions précédentes d'Access parlaient d'"attacher", alors que la nouvelle version parle de "lier").

Barre d'état : Barre située le long du bord inférieur de l'écran et qui fournit des renseignements divers. Pour afficher ou masquer cette barre dans une base de données particulière, choisissez Outils/Démarrage, puis activez (ou désactivez) Afficher la barre d'état. Pour contrôler l'affichage de la barre d'état dans toutes les bases, choisissez Outils/Options, activez l'onglet Affichage et activez ou désactivez Barre d'état dans la rubrique Afficher (Chapitres 1 et 15).

Barre de commandes : Autre nom pour les barres d'outils, qui peuvent désormais inclure des boutons de barres d'outils, des menus classiques et des menus contextuels.

Barre de titre : Barre située dans la partie supérieure d'une fenêtre et qui en décrit le contenu.

Barre d'outils : Barre ou palette qui propose des boutons qui sont en fait des raccourcis pour les commandes les plus courantes. Pour contrôler l'affichage des barres intégrées d'Access, choisissez Outils/Démarrage, puis activez ou désactivez l'option Afficher les barres d'outils intégrées. Vous pouvez également afficher ou masquer une barre particulière en cliquant avec le bouton droit de votre souris dans une barre quelconque ou en choisissant Affichage/Barres d'outils ; il ne vous reste plus alors qu'à activer ou désactiver la ou les barres que vous voulez afficher ou masquer (Chapitres 1, 15 et 23).

Bascule : Commande de menu ou réglage qui ne peut prendre que deux valeurs : actif/inactif (ou Oui/Non).

Base de données : Ensemble constitué par tous les objets - tables, requêtes, formulaires, états, macros et modules - qui ont trait à un thème ou un sujet particulier (Chapitre 2).

Bitmap : Image stockée en format bitmap ou mode point (.bmp) (Chapitres 8 et 13).

Boîte à outils : Barre d'outils qui apparaît dans la fenêtre de création de formulaire et d'état et qui vous permet de placer des contrôles dans votre structure. Vous pouvez afficher ou masquer cette boîte en choisissant Affichage/Boîte à outils (Chapitre 13).

Boîte de dialogue : Fenêtre qui vous permet de sélectionner des options et de fournir à Access les renseignements complémentaires dont il a besoin pour exécuter une commande. La plupart des boîtes de dialogue proposent un bouton OK (qui confirme vos choix) et un bouton Annuler (qui interrompt l'exécution de la commande).

Bouton de commande : Contrôle qui ouvre un formulaire lié, exécute une macro ou appelle une fonction Visual Basic. Vous cliquez simplement sur le bouton d'un formulaire pour ouvrir le formulaire lié, ou bien pour lancer la macro ou la fonction. Les boutons de commande fonctionnent comme les boutons poussoir des boîtes de dialogue et des programmes Windows (Chapitres 11 et 13).

Cadre d'objet dépendant : Contrôle d'un formulaire ou d'un état Access qui affiche un objet OLE stocké dans la table sous-jacente (Chapitre 13).

Cadre d'objet indépendant : Conteneur d'un objet affiché sur un formulaire ou sur un état, mais qui n'est pas lié à la table sous-jacente (Chapitres 13 et 14).

Case à cocher : Contrôle indiquant si vous avez ou non sélectionné une option. Une marque (√) s'affiche dans la case correspondante lorsque vous activez l'option. Sur les formulaires, les cases à cocher permettent d'assigner facilement la valeur Oui ou Non aux champs Oui/Non d'une table (Chapitre 13). Certaines boîtes de dialogue Windows font également appel aux cases à cocher pour vous permettre d'activer ou, au contraire, de désactiver l'une ou l'autre option.

Cellule : Intersection d'une ligne et d'une colonne dans une feuille de données ou dans une grille, également appelée "case". Chaque cellule d'une feuille de données stocke une information (Chapitres 6, 8, 9, 10 et 20).

Champ : Colonne dans une table qui représente une catégorie d'information. Désigne aussi un "blanc" sur un formulaire (Chapitres 6, 8 et 13).

Champ calculé : Champ d'une requête qui calcule une valeur basée sur les données de la table. Access actualise la valeur d'un champ calculé chaque fois que vous modifiez les valeurs des champs qui interviennent dans le calcul. Vous pourriez ainsi définir un champ requête avec l'expression [Quantité]*[PrixUnitaire] afin de calculer le montant global des ventes d'un article (Chapitre 10).

Champ clé : Champ qui, dans une table, identifie de manière unique chaque enregistrement de cette table, comme le code d'un produit dans une liste de produits (Chapitre 6).

Champ consultation (liste de choix) : Champ qui affiche et stocke des valeurs qu'il a puisées dans un autre champ d'une autre table ou d'un autre formulaire. Vous pouvez présenter les champs consultation sous la forme d'une *liste simple* ou d'une *liste modifiable* (Chapitres 6 et 13).

Champ Mémo : Champ capable de stocker une grande quantité de texte (Chapitre 6).

Champ NuméroAuto : Champ qui, dans une table, numérote automatiquement chaque nouvel enregistrement de cette table. Les champs NuméroAuto peuvent être incrémentés ou aléatoires (Chapitre 6).

Clause Où : Instruction SQL qui isole des enregistrements dans une table. Les clauses Où sont créées automatiquement lorsque vous concevez une requête (Chapitre 10).

Clé de recherche dupliquée : Valeur qui existe déjà dans le champ clé primaire de la table ou dans un champ d'index n'autorisant pas les doublons. Access ne vous permet pas d'entrer des valeurs dupliquées dans une table (Chapitres 9 et 10).

Clé étrangère : Lorsqu'il existe entre des tables une relation un-à-plusieurs, le champ qui identifie de manière unique chaque enregistrement du côté "un" de la relation est appelé *clé primaire*. Le champ correspondant de la table située du côté "plusieurs" est appelé *clé étrangère* (Chapitre 6).

Clé primaire : Champ d'une table qui contient une information unique sur chaque enregistrement. Votre numéro de Sécurité sociale peut ainsi constituer la clé primaire d'une base de données de l'Administration, deux individus ne possédant jamais un numéro de Sécurité sociale identique (Chapitre 6).

Client OLE : Programme capable d'inclure un objet qui a été créé dans un autre programme (le *serveur OLE*) (Chapitre 8).

Code : Instructions que votre ordinateur doit suivre, exprimées dans un langage comme Visual Basic. Les gens qui créent des programmes disent qu'ils "écrivent du code" (Chapitre 25).

Colonne : Présentation visuelle d'un champ dans une feuille de données, requête ou filtre. Une base de données relationnelle stocke des données dans des tables que vous pouvez afficher en lignes horizontales (enregistrements) et en colonnes verticales (champs) (Chapitres 2, 8, 9 et 10).

Compagnon Office : Outil d'aide en ligne que vous activez en cliquant sur le bouton Compagnon Office de la barre d'outils Base de données. Indiquez, dans la case d'édition du Compagnon Office, le sujet à propos duquel vous souhaitez des informations, puis cliquez sur Rechercher. Sélectionnez ensuite le point souhaité dans la liste que vous soumet le Compagnon.

Contrôle : Élément d'un formulaire, d'un état ou d'une boîte de dialogue. Les contrôles ont pour mission d'afficher des données, d'améliorer la présentation ou de laisser l'utilisateur faire des choix. Ainsi, un bouton de commande dans une boîte de dialogue est un contrôle (Chapitre 13).

Les mots clés d'Access

Contrôle calculé : Contrôle d'un formulaire ou d'un état qui acquiert sa valeur en effectuant des calculs sur des données de la table sous-jacente (Chapitre 13).

Contrôle dépendant : Contrôle d'un formulaire ou d'un état Access qui affiche les données de la table sous-jacente (Chapitre 13).

Contrôle indépendant : Contrôle d'un formulaire ou d'un état Access qui n'est pas lié à la table sous-jacente (Chapitre 13).

Défaut : Réglage qui reste en vigueur tant que vous ne le modifiez pas. Ainsi, la valeur par défaut des marges est fixée à 24,99 mm.

Développeur (développeur d'applications) : Personne qui utilise Access pour créer des applications spécialisées et conviviales, destinées à être employées par des utilisateurs peu avertis (Chapitres 19 à 28).

Différenciation majuscules/minuscules : Dans une recherche qui établit une différence entre majuscules et minuscules, le texte recherché ne sera identifié que s'il correspond exactement à la combinaison majuscules/minuscules spécifiée dans la case de recherche. Si cette différenciation n'est pas activée, toutes les combinaisons majuscules/minuscules seront localisées. Lorsque vous demandez à Access de rechercher et de remplacer des valeurs textuelles dans une table, vous pouvez activer ou désactiver la différenciation majuscules/minuscules (Chapitre 9).

Enregistrement : Ensemble de données apparentées (champs) qui décrivent un élément (ligne) d'une table Access (Chapitre 2).

Enregistrement courant : Enregistrement qui contient le focus (voyez le Chapitre 8 ; voyez aussi *focus*).

Équijointure : Voir *jointure interne.*

État : Affichage formaté des données d'Access que vous pouvez consulter à l'écran ou imprimer (Chapitres 12 et 13).

Étiquette : Contrôle sur un formulaire ou un état qui affiche un texte descriptif comme un titre, une légende ou une instruction quelconque (Chapitres 11, 12 et 13).

Événement : Action entreprise par l'utilisateur et qu'Access est capable de reconnaître. Un clic, par exemple, est un événement (Chapitre 19).

Expression : Calcul qui produit une valeur unique. Une expression peut contenir n'importe quelle combinaison d'opérateurs Access, de noms d'objets (identificateurs), de valeurs littérales et de constantes. Vous pouvez faire appel à des expressions pour définir des propriétés et des arguments d'action, des critères ou des champs calculés dans les requêtes, formulaires et états, ainsi que des conditions dans les macros. Vous pouvez encore utiliser des expressions en Visual Basic (Chapitres 6, 10, 13, 20 et 25).

Fenêtre Base de données : Fenêtre qui affiche tous les objets de la base. Elle apparaît souvent lorsque vous ouvrez votre base de données. Si elle n'est pas visible, il suffit généralement d'activer la touche F11 pour l'afficher (Chapitre 1).

Feuille de réponses dynamique : Résultat de l'exécution d'une requête ou d'un filtre, qui n'affiche que les enregistrements sélectionnés (Chapitres 9 et 10).

Fichier Texte délimité : Fichier texte contenant des valeurs séparées par des virgules, tabulations, points-virgules ou autres caractères. Vous pouvez importer des fichiers de ce type dans des tables Access nouvelles ou existantes (Chapitre 7).

Filtre : Sorte de "mini-requête" qui isole des enregistrements spécifiques en filtrant ceux qui ne sont pas souhaités (Chapitre 9).

Focus : Terme général désignant le point d'insertion, le curseur ou, d'une manière générale, tout élément indiquant l'endroit où s'exécutera la prochaine action. Ainsi, si vous cliquez sur le nom d'une personne et que le curseur se déplace vers ce nom, on dira que le nom de cette personne "contient le focus".

Fonction : Procédure qui retourne une valeur. Ainsi, dans Sqr(81), Sqr() est une fonction qui calcule la racine carrée. (L'expression *retourne* 9, la racine carrée est 81.) Pour obtenir une liste des fonctions intégrées d'Access, consultez l'index de l'aide en ligne, à l'entrée *références - fonctions.*

Graphique : Représentation graphique des données d'un formulaire ou d'un état. Les graphiques fournissent une image visuelle de grandes quantités de données afin que celles-ci soient plus faciles à interpréter (Chapitre 14).

Grille de création (grille QBE) : Partie de la fenêtre de requête dans laquelle vous entrez les noms des champs ainsi que les autres éléments intervenant dans la construction de la requête (Chapitres 9 et 10).

Groupe :

> *Dans un réseau protégé*, vous pouvez utiliser des groupes pour identifier des ensembles de comptes utilisateur, chacun possédant son propre nom de groupe et son numéro personnel d'identification. Les permissions accordées à un groupe sont, en fait, accordées à tous ses membres (Chapitre 18).
>
> *Dans un état*, vous pouvez trier les enregistrements et les organiser en groupes selon des valeurs de champs ou des plages de valeurs. Vous pouvez aussi afficher des récapitulatifs avant et après chaque groupe.

Dans une requête, vous pouvez utiliser des groupes pour sérier des données et réaliser des calculs de synthèse (Chapitre 10).

Groupe d'options : Contrôle d'un formulaire qui définit un groupe de cases à cocher, de boutons d'options ou de boutons bascule. Vous pouvez utiliser les groupes d'options pour proposer un choix limité de valeurs (comme Liquide, Chèque ou Carte de crédit). L'option sélectionnée stockera un nombre dans le champ de la table sous-jacente. Dès lors, si vous sélectionnez le premier bouton d'un groupe d'options, Access stockera la valeur 1 dans le champ ; si vous sélectionnez le deuxième bouton, il stockera 2, et ainsi de suite. Vous pouvez utiliser le nombre stocké pour prendre une décision dans une macro ou dans un programme Visual Basic (Chapitre 13).

HTML : Le langage Hypertext Markup Language (HTML) est utilisé pour les fichiers destinés à être publiés sur le World Wide Web. Les codes HTML indiquent comment présenter les éléments graphiques et comment formater le texte (Chapitre 7).

I d'insertion : Autre nom du *pointeur de la souris*. Le I d'insertion apparaît lorsque le pointeur se trouve sur du texte. Pour le positionner avec votre souris à un endroit précis, placez-le à l'endroit souhaité, puis cliquez sur le bouton gauche de la souris.

Incorporer : Ce que vous faites lorsque vous insérez un objet dans un formulaire ou dans un état. Vous pouvez incorporer des objets en agissant comme suit :

- En utilisant la technique du glisser-déposer (Chapitres 4 et 8).
- En invoquant la commande Insertion/Objet (Chapitre 8).
- En recourant aux commandes Copier et Coller du menu Édition (Chapitre 8).
- En employant la commande Insertion/Graphique ou en activant le bouton Graphique de la boîte à outils pour incorporer un graphique sur un formulaire ou sur un état (Chapitre 14).
- En faisant appel à l'Assistant Tableau croisé dynamique pour incorporer un tableau croisé dynamique Microsoft Excel dans un formulaire Microsoft Access (Chapitre 14).

Index : Fonction qui accélère le tri et la recherche de données dans une table. Access met constamment à jour le classement des index en mémoire vide afin d'y accélérer l'accès. Les champs clé primaire sont parmi ceux qui sont automatiquement indexés. Vous pouvez définir des champs indexés supplémentaires en mode création de table (Chapitre 6).

Info-bulle : Commentaire succinct qui s'affiche sous le pointeur lorsque celui-ci est positionné sur un bouton de barre d'outils. Pour afficher ou masquer ces info-bulles, choisissez Affichage/Barres d'outils/Personnaliser, activez l'onglet Options, puis activez ou désactivez l'option Afficher les Info-bulles (Chapitre 15).

Intégrité référentielle : Ensemble de règles qui vous empêchent de supprimer, d'ajouter ou de modifier par inadvertance les données d'une table si cette opération risque de porter préjudice à une autre table (Chapitre 6).

Jointure : Requête qui combine certains ou tous les enregistrements de plusieurs tables. Access propose trois types de jointures : *jointure interne*, *jointure externe* et *jointure réflexive.*

Jointure interne : Jointure qui combine les enregistrements de deux tables présentant des valeurs correspondantes dans un champ commun. Prenons l'exemple de deux tables - Clients et Commandes - qui disposent chacune d'un champ N° Client. Une jointure interne entre ces tables mettrait en relation les clients et les commandes qu'ils passent. Les clients qui n'auraient passé aucune commande seraient ignorés (Chapitre 10).

Jointure réflexive : Table qui, dans une requête, est jointe à elle-même. Ainsi, si une partie est composée d'autres parties, vous pouvez identifier "les parties de la partie" en utilisant une jointure réflexive dans la table Parties (Chapitre 10).

Lecture seule : Propriété d'un champ, d'un enregistrement ou d'une base de données qui vous permet de visualiser les données, mais non de les modifier.

Liaison (objet) : Connexion entre un document source et un document cible. Un lien insère un exemplaire de l'objet du document source dans le document cible, et les deux documents restent connectés. Dans ces conditions, tout changement apporté à l'objet lié dans le document source est reporté dans le document cible. Les liaisons fournissent un moyen pratique et puissant de partager des objets entre applications Windows (Chapitre 8). Vous pouvez également lier des formulaires et des états principaux à des sous-formulaires ou à des sous-états afin que les données du sous-formulaire ou du sous-état soient synchronisées avec celles du formulaire ou de l'état principal (Chapitres 11, 12 et 13).

Liaison (table) : Vous pouvez lier des tables issues d'autres programmes de bases de données (Paradox, dBASE, FoxPro et ODBC), de fichiers texte et de feuilles de calcul, ou encore de bases de données Access qui sont fermées. Les tables liées s'affichent dans votre fenêtre Base de données. Après avoir réalisé la liaison, vous pouvez ajouter, supprimer ou modifier leurs enregistrements, exactement comme vous le feriez dans une table Access classique (Chapitre 7).

Les mots clés d'Access

Lien hypertexte : Texte ou illustration associé à une adresse hypertexte qui fait en sorte qu'un simple clic sur le lien vous transporte immédiatement vers une information donnée de la même base ou d'une autre base, vers un emplacement donné de votre poste de travail ou du réseau, voire vers un site Internet spécifique (Chapitres 6, 8 et 13).

Ligne (rangée) : Représentation visuelle d'un enregistrement dans une feuille de données, dans une requête ou dans un filtre. Une base de données relationnelle stocke les données dans des tables, où vous pouvez les afficher en lignes horizontales (enregistrements) et colonnes verticales (champs) (Chapitres 2, 8, 9 et 10).

Liste de champs : Petite fenêtre ou liste déroulante qui affiche tous les champs de la table ou de la requête sous-jacente. Vous pouvez afficher la liste des champs dans les tables, filtres, formulaires, états et requêtes (Chapitres 8, 9, 10 et 13).

Liste modifiable : Contrôle qui combine une case d'édition et une liste déroulante. Les listes modifiables des formulaires ou des feuilles de données facilitent la saisie de valeurs dans les champs puisque vous pouvez soit taper la valeur, soit la sélectionner dans la liste. Certaines boîtes de dialogue Windows proposent ce genre d'éléments (Chapitres 6, 9 et 13).

Liste simple : Contrôle qui affiche une liste de valeurs parmi lesquelles vous faites votre choix. Les listes simples des formulaires et des feuilles de données facilitent l'encodage. Certaines boîtes de dialogue Windows proposent des contrôles de ce type (Chapitres 6, 9 et 13).

Macro : Série d'actions qui peuvent être reproduites par une action unique (Chapitre 20).

Menu système : Activé par un clic sur la petite case située dans l'angle supérieur gauche d'une fenêtre, cet élément standard Windows vous permet de fermer, restaurer et, d'une manière générale, manipuler la fenêtre. (Pour remplir ces missions, beaucoup d'utilisateurs préfèrent s'en remettre aux contrôles Réduire, Agrandir/Restaurer et Fermer situés dans l'angle supérieur droit de la fenêtre.)

Modal : Décrit un formulaire qui conserve le focus jusqu'à ce que vous le fermiez. La plupart des boîtes de dialogue ne sont, en fait, que des formulaires modaux (Chapitre 22).

Mode création : Mode qui vous permet de créer un objet ou de modifier son aspect. Un clic sur le nom d'un objet dans la fenêtre Base de données suivi d'un clic sur le bouton Modifier active le mode création de cet objet (Chapitres 6, 10, 13, 20 et 25).

Mode feuille de données (ou feuille de données) : Ce mode vous permet de visualiser simultanément plusieurs enregistrements d'une table ou du résultat d'une requête, par opposition au mode formulaire qui n'affiche généralement qu'un seul enregistrement (Chapitre 8).

Mode formulaire : Mode d'affichage des données d'une table qui ne propose qu'un seul enregistrement à la fois, à la manière des formulaires préimprimés (Chapitres 8, 11 et 13).

Module : Objet Access qui comporte une ou plusieurs procédures personnelles, toutes écrites en Visual Basic. Un module global est un module créé par vous ; un module formulaire ou état est un module qu'Access crée automatiquement (Chapitre 25).

Nom de champ : Nom que vous attribuez à un champ. Un nom de champ peut comprendre jusqu'à 64 caractères (et inclure des lettres, des nombres, des espaces et des caractères de ponctuation). Dans une table, chaque nom de champ doit être unique (Chapitre 6).

Null : Objet qui n'a pas de valeur. Champ vide (Chapitre 8).

Objet : Tout élément d'un système de base de données. Access reconnaît trois types d'objets :

- Les contrôles et autres éléments de base de données (notamment les tables, requêtes, formulaires, états, macros et modules).
- Les objets système spéciaux utilisés en programmation Visual Basic.
- Les objets liés ou incorporés, comme un graphique, un dessin, une cellule de feuille de calcul, un tableau croisé dynamique, une table, etc.

Objet OLE dépendant : Objet OLE stocké dans une table Access (Chapitres 8 et 13).

ODBC : Abréviation de Open Database Connectivity, un standard développé par Microsoft pour permettre à un utilisateur isolé d'accéder à toute une série de bases de données différentes (Chapitre 7).

OLE : Technique qui permet à différents programmes Windows (comme Access, Excel ou Word) de partager des objets (comme des images, des sons ou des graphiques) (Chapitres 8, 13 et 14).

Onglet : Contrôle de formulaire qui permet de créer différents pages ou "onglets", comme ceux que vous retrouvez dans la plupart des boîtes de dialogue d'Access.

Opérateur : Un ou plusieurs caractères qui réalisent une opération ou une comparaison. Ainsi, + est un opérateur qui permet d'additionner des valeurs (Chapitres 9 et 10).

Opérateur de comparaison : Opérateur qui compare deux valeurs, comme > (plus grand que), < (plus petit que), etc. (Chapitres 9 et 10).

Page

1. Partie d'une base de données (fichier .mdb) dans laquelle Access stocke les données des enregistrements. Chaque page peut contenir plusieurs enregistrements ; tout dépend en fait de la taille de ceux-ci.
2. Un écran de données d'un formulaire ou une page d'un état (Chapitres 11, 12 et 13).

Poignée de déplacement : Carré qui s'affiche dans l'angle supérieur gauche d'un contrôle lorsque vous tracez ou sélectionnez ce contrôle en mode création de formulaire ou d'état. Pour déplacer le contrôle, faites glisser cette poignée. (Voyez le Chapitre 13 ; voyez aussi *Poignées de redimensionnement.*)

Poignées de redimensionnement : Petits carrés qui s'affichent autour d'un contrôle lorsque vous tracez ou sélectionnez ce contrôle en mode création de formulaire ou d'état. Pour redimensionner le contrôle, faites glisser l'une de ces poignées verticalement, horizontalement ou diagonalement (selon la poignée choisie). (Voyez le Chapitre 13 ; voyez aussi *Poignée de déplacement.*)

Point d'insertion : Trait vertical clignotant qui indique l'endroit où s'inséreront les prochains caractères que vous taperez. Également appelé *curseur* ou *focus.*

Presse-papiers : Zone de stockage générale utilisée par tous les programmes Windows et servant principalement à copier ou à déplacer des éléments d'un emplacement vers un autre. Ainsi, sélectionner un élément et enfoncer les touches Ctrl + C copient cet élément dans le Presse-papiers.

Propagation d'un Null : Tendance d'une valeur numérique non définie (par opposition à 0) à faire en sorte qu'un calcul qui l'utilise produise également un résultat nul (non défini).

Propriété : Caractéristique d'un élément. Les propriétés les plus courantes sont la taille, la couleur, la position sur l'écran, la mise à jour ou l'affichage d'un contrôle (Chapitres 6, 10 et 13).

Propriétés de champ : Caractéristiques d'un champ d'une table, définies en mode création de table (Chapitre 6).

Propriétés d'état : Propriétés assignées à l'état tout entier, par opposition à celles attribuées à une section ou à un contrôle particulier de cet état. Pour modifier les propriétés d'un état, vous devez l'ouvrir en mode création, ouvrir la feuille des propriétés, choisir Édition/Sélectionner le rapport, puis fixer ses propriétés (Chapitre 13).

Propriétés de formulaire : Propriétés assignées au formulaire tout entier, par opposition à celles attribuées à une section ou à un contrôle particulier de ce formulaire. Pour modifier les propriétés d'un formulaire, vous devez l'ouvrir en mode création, ouvrir la feuille des propriétés, choisir Édition/Sélectionner le formulaire, puis fixer ses propriétés (Chapitre 13).

QBE (Query By Example) : Technique de requête utilisée par Access et par la plupart des autres systèmes de gestion de bases de données modernes. Vous créez un *exemple* des champs à afficher, des calculs à réaliser et des tris à exécuter (Chapitres 9 et 10).

Règle de validation : Règle qui définit si une donnée sera ou non acceptée dans une table ou dans un formulaire. Vous pouvez définir des règles de validation dans les propriétés de champ de la fenêtre de création de table (Chapitre 6) ou dans la feuille des propriétés du mode formulaire (Chapitre 13). Les formulaires héritent automatiquement des règles définies en mode création de table. Les règles de validation définies au niveau d'un formulaire ne sont actives que lorsque vous utilisez ce formulaire pour saisir ou éditer des données. Ces règles s'ajoutent à celles définies dans la structure de la table.

Relation plusieurs-à-plusieurs : Relation dans laquelle plusieurs enregistrements d'une table peuvent faire référence à plusieurs enregistrements d'une autre table, et vice versa. Un exemple classique est celui de la relation Commandes - Produits, où une commande peut porter sur plusieurs produits et où chaque produit peut figurer dans plusieurs commandes. Il est courant de concevoir une troisième table qui fait office d'intermédiaire, créant ainsi des relations un-à-plusieurs. Dans notre exemple, si nous utilisions comme troisième table une table Détails Commandes, la table Commandes entretiendrait une relation un-à-plusieurs avec la table Détails Commandes, et la table Détails Commandes aurait, quant à elle, une relation un-à-plusieurs avec la table Produits.

Relation un-à-plusieurs : Décrit une relation naturelle entre deux types d'informations où à chaque élément d'un côté de la relation peuvent correspondre plusieurs éléments de l'autre côté. Ainsi, un *seul* client peut passer *plusieurs* commandes (Chapitre 6).

Relation un-à-un : Décrit une relation entre deux tables dans laquelle chaque enregistrement de la première table ne peut être associé qu'à un seul enregistrement de la seconde. La présence d'une relation un-à-un est souvent le symptôme d'une base de données mal conçue (Chapitre 6).

Les mots clés d'Access

Requête : Outil d'Access qui vous permet de poser des questions sur vos données, comme "Combien notre société a-t-elle de clients en Touraine ?" Vous employez des filtres (Chapitre 9) et/ou des requêtes (Chapitre 10) pour formuler ces questions.

Requête Action : Type de requête qui exécute une action sur vos données. Cette catégorie regroupe les requêtes Ajout, Suppression, Création de table et Mise à jour. Les requêtes Suppression et Mise à jour modifient les données existantes ; les requêtes Ajout ou Création de table copient ces données. (Voyez le Chapitre 10 ; voyez également *Requête Sélection*).

Requête Ajout : Ajoute des enregistrements d'une table à la fin d'une autre table (Chapitres 8 et 10).

Requête Création de table : Requête qui crée une nouvelle table à partir des résultats (feuille de réponses dynamique) d'une requête précédente. Les requêtes Création de table sont un moyen pratique de créer des copies de tables que vous pouvez éditer, imprimer, représenter graphiquement ou croiser dynamiquement. Elles sont aussi très utiles lorsqu'il s'agit d'exporter des données vers un programme non relationnel, comme une feuille de calcul (Chapitre 10).

Requête Mise à jour : Requête qui vous permet de modifier les données de tous les enregistrements d'une table, ou uniquement de ceux qui sont sélectionnés (Chapitre 10).

Requête Sélection : Requête qui interroge les données et retourne une *feuille de réponses dynamique* (résultat) sans les modifier. (Voyez le Chapitre 10 ; voyez aussi *Feuille de réponses dynamique* et *Requête Action*.)

Requête Suppression : Requête Action qui supprime toute rangée répondant aux critères que vous avez spécifiés. Ces requêtes vous permettent de vous débarrasser rapidement et de manière automatique d'une série d'enregistrements d'une table sans déranger ceux qui ne répondent pas aux critères définis.

Requête Paramètre : Requête qui sollicite certaines informations afin d'exécuter la tâche qui lui incombe (Chapitre 10).

SGBD : Abréviation de Système de Gestion de Bases de données. Les SGDB les plus classiques sont dBASE, Paradox et, bien entendu, Microsoft Access (Chapitre 2).

Section : Partie d'un formulaire ou d'un état, comme l'en-tête, le pied ou le détail (Chapitre 13).

Section Détail : Partie d'un formulaire ou d'un état qui affiche les enregistrements de votre table ou de votre requête (Chapitre 13).

Sélecteur d'enregistrement : Petite case ou petit trait que vous pouvez activer pour sélectionner la ligne complète lorsque vous concevez une table ou une macro (également appelé *sélecteur de champ*) (Chapitres 6 et 8).

Serveur OLE : Programme qui peut "servir" un objet OLE à un *client OLE.* Par exemple, Paint peut servir des images et Sound Recorder des sons, qui seront introduits dans votre base de données Access (Chapitre 8).

Sous-état : État placé à l'intérieur d'un autre formulaire ou état. Vous pouvez utiliser des sous-états pour combiner (ou *lier*) sur un état donné des informations issues de différentes tables apparentées.

Sous-formulaire : Formulaire placé à l'intérieur d'un autre formulaire ou état. Vous pouvez utiliser des sous-formulaires pour combiner (ou *lier*) sur un formulaire donné des informations issues de différentes tables apparentées.

SQL : Abréviation de Structured Query Language, un langage standardisé d'interrogation de base de données. Dans Access, vous rédigez vos questions en créant des requêtes. Access convertit alors votre requête en instruction SQL et répond ensuite à la question (Chapitre 10).

String : Terme utilisé en informatique pour désigner une chaîne de caractères. Ainsi, "Salut les copains" est un string (par opposition à 123,45 qui est un nombre).

Table : L'objet Access qui contient les données que vous voulez gérer (Chapitres 2 et 6).

Trier : Opération qui consiste à présenter les enregistrements selon un ordre significatif, soit alphabétique (A-Z), soit numérique (du plus petit au plus grand) (Chapitre 9).

Tableau croisé dynamique : Feuille de calcul Microsoft Excel particulière incorporée dans un formulaire Access. Comme les requêtes Analyse croisée, les tableaux croisés dynamiques vous permettent de manipuler rapidement de grandes quantités de données dans un format tabulaire. Les tableaux sont plus souples que les requêtes parce qu'ils vous permettent de réorganiser les lignes et les colonnes de manière interactive et de filtrer facilement les données indésirables (Chapitre 14).

Type de données : Nature de l'information qui sera stockée dans un champ, comme Texte, Numérique ou Date/Heure. Vous sélectionnez le type de données en mode création de table (Chapitre 6).

UNC : Format standard (Universal Naming Locator) qui sert à indiquer les chemins d'accès sur un serveur de réseau local.

Les mots clés d'Access

URL : Adresse appelée "Uniform Resource Locator" qui fait référence à un objet, à un document, à une page, voire à un groupe d'utilisateurs sur Internet ou sur intranet. Elle peut aussi désigner une adresse e-mail.

Utilisateur : Personne qui utilise une application.

Valeur : Contenu d'un champ ou d'un contrôle. Ainsi, si vous tapez Dupont dans le champ Nom d'une table, "*Dupont*"" est la valeur du champ Nom dans cet enregistrement. Si vous dites "X=10", alors X a la valeur 10.

VBA (Visual Basic pour Applications) : Langage de programmation facultatif fourni avec Microsoft Access ; il permet aux programmeurs de contrôler plus finement le fonctionnement des applications qu'ils développent (Chapitre 25).

Zone de texte : Contrôle placé sur un formulaire ou sur un état et qui vous permet d'afficher et d'entrer du texte (Chapitre 13).

Zoom : Fenêtre de texte agrandie qui vous permet d'entrer des expressions ou du texte de manière plus confortable. Vous pouvez enfoncer les touches Majuscule + F2 pour ouvrir la case zoom depuis la feuille des propriétés ou depuis la grille dans différentes fenêtres Access (Chapitre 10).

Vous pouvez aussi réaliser un zoom en mode aperçu avant impression pour modifier le facteur d'agrandissement/réduction appliqué à l'état prévisualisé (Chapitres 9 et 12).

Enfin, les objets image et OLE disposent d'une propriété mode Taille (ou mode Taille image) appelée Zoom qui agrandit ou réduit l'objet afin qu'il s'adapte à son cadre, mais que ses proportions originales soient malgré tout maintenues (Chapitres 8 et 13).

Index

A

B

C

D

E

F

G

H - I - J - K

L

M

N - O

P

Q - R

S

T

U - V - W - X - Y - Z

Achevé d'imprimer le 17 décembre 1997
sur les presses de l'imprimerie «La Source d'Or»
63200 Marsat
Dépôt légal : 4ème trimestre 1997
Imprimeur n° 7189